Comptabilité de management

Réjean Brault
Pierre Giguère

Comptabilité de management

CINQUIÈME
ÉDITION

Les Presses de l'Université Laval

Les Presses de l'Université Laval reçoivent chaque année de la Société de développement des entreprises culturelles du Québec une aide financière pour l'ensemble de leur programme de publication.

Nous reconnaissons l'aide financière du gouvernement du Canada par l'entremise du Programme d'aide au développement de l'industrie de l'édition pour nos activités d'édition.

Mise en pages : Diane Trottier

Materials from the Certified Management Accountant Examinations (© 1972-1994 by the Institute of Management Accountants) are reprinted and/or adapted with permission.

LES PRESSES DE L'UNIVERSITÉ LAVAL
Pavillon Pollack, bureau 3103
2305, rue de l'Université
Université Laval, Québec
Canada, G1V 0A6
www.pulaval.com

TABLE DES MATIÈRES

Remerciements   XIII

Avant-propos   XV

Chapitre 1 INTRODUCTION :
LA COMPTABILITÉ DE MANAGEMENT AU SEIN DE L'ENTREPRISE   1

1. Le travail des gestionnaires   1
2. Les besoins des gestionnaires   5
3. L'émergence de la comptabilité de management   5
4. L'approche traditionnelle et les approches nouvelles   6

PREMIÈRE PARTIE

L'APPROCHE TRADITIONNELLE EN COÛT DE REVIENT

Chapitre 2
LES ÉLÉMENTS ET LES MÉTHODES DE CALCUL
DU COÛT DE FABRICATION ET LE COÛT RATIONNEL   13

1. Les éléments du coût de fabrication   13
2. La comptabilisation en coût rationnel et les documents et registres
   afférents, et autres questions connexes au coût rationnel   16
3. Les méthodes de détermination du coût de revient   26
   Exercices d'application   51

Chapitre 3

LE COÛT DE REVIENT PAR COMMANDE   71

1. La fabrication sur commande   71
2. Le coût de revient par commande   72
   Exercices d'application   86

Chapitre 4

L'ÉTUDE COMPLÉMENTAIRE DES COMPOSANTES DU COÛT DE FABRICATION   101

1. Le complément relatif aux matières   101
2. Le complément relatif à la main-d'œuvre   112
3. Le complément relatif aux frais indirects de fabrication   117
   Annexe : Valeur de t ayant la probabilité α d'être dépassée   151
   Exercices d'application   152

Chapitre 5

LE COÛT DE REVIENT EN FABRICATION CONTINUE   193

1. La détermination périodique des coûts unitaires moyens   193
2. Les coûts unitaires moyens pour chaque atelier   194
3. Les coûts unitaires moyens par élément de coût pour chaque atelier   194
4. Types de fabrication et nature du coût de revient   194
5. Le processus industriel   195
6. La comptabilisation des coûts   196
7. Les registres comptables   197
8. Le rapport des coûts de production   198
9. Les méthodes de détermination du coût de fabrication   198
10. Les pertes   213
11. Les augmentations du nombre d'unités du produit   221
12. Changement de l'unité de mesure   225
13. La production par lots   226
    Annexe : La méthode de l'épuisement successif intégral en l'absence de pertes   227
    Exercices d'application   229

Chapitre 6

LES CO-PRODUITS ET LES SOUS-PRODUITS   247

1. Les coûts communs   248
2. Les approches possibles face au partage des coûts communs   248
   Exercices d'application   259

Chapitre 7

LE COÛT DE REVIENT STANDARD   273

1. La détermination des standards de coût de fabrication   275
2. Le rapport des coûts de production, les écritures de journal
   et le calcul des écarts   278
3. La présentation de l'état des résultats   296

4. Le traitement des écarts en fin d'exercice   298

5. L'analyse des écarts   302

6. La révision des coûts standards   307

7. Les pertes de produits   307

8. Les écarts sur composition et sur rendement rattachés
    aux matières premières et à la main-d'œuvre directe   311

9. Un exemple illustrant le calcul des écarts sur composition et sur rendement   313

    Annexe A : La prise en compte de l'effet de l'apprentissage dans l'établissement
    des standards du temps de main-d'œuvre directe   316

    Annexe B : Table des logarithmes   320

    Annexe C : Les écarts significatifs et le contrôle statistique
    des écarts sur standards   322

        Exercices d'application   325

Deuxième partie

UNE NOUVELLE APPROCHE EN COÛT DE REVIENT ET LE NOUVEAU CONTEXTE INDUSTRIEL

Chapitre 8

LES COÛTS PAR ACTIVITÉS

LES COÛTS PAR ACTIVITÉS   359

1. L'essence de la méthode des coûts par activités   361

2. Les similitudes et les distinctions par rapport
    aux méthodes de coût de revient traditionnelles   372

3. Les contraintes de la méthode   373

4. La comptabilisation des coûts de revient   374

5. Le solde résiduel du compte Ressources indirectes
    (compte collectif) et des comptes Activité   379

6. La méthode des coûts de revient par activités et les modes de fabrication   383

7. Les coûts de revient liés aux activités hors fabrication   385

8. La remise en question accentuée du couple comptabilité
    de management – comptabilité financière   386

9. La comptabilité par activités et la réduction
    du coût des produits ou des services   387

10. L'analyse comparative   389

        Exercices d'application   393

Chapitre 9

NOUVELLES RÉALITÉS TOUCHANT LA COMPTABILITÉ DE MANAGEMENT

NOUVELLES RÉALITÉS TOUCHANT LA COMPTABILITÉ DE MANAGEMENT   401

1. L'augmentation des exigences en matière de qualité   401

2. L'approche de production juste-à-temps   423

3. L'avènement des technologies manufacturières automatisées   430

4. Commun dénominateur entre l'automatisation, le JAT
    et la maîtrise statistique des processus   431

        Exercices d'application   433

TROISIÈME PARTIE

DES OUTILS EN MATIÈRE DE GESTION ET D'AIDE À LA DÉCISION

Chapitre 10

LA MÉTHODE DU COÛT VARIABLE ET LES ANALYSES
COÛT-VOLUME-PROFIT ET VOLUME-PROFIT   443

  1. Les limites du coût de revient complet   443
  2. La méthode du coût variable   447
  3. L'état des résultats selon la méthode du coût variable   447
  4. Les résultats obtenus par les deux méthodes   449
  5. Les arguments fondamentaux et autres mentionnés
     à l'appui de la méthode du coût variable   452
  6. Les arguments mentionnés à l'encontre de l'utilisation du coût variable   452
  7. L'emploi de la méthode   453
  8. L'analyse classique coût-volume-profit   454
  9. Les hypothèses de base de l'analyse classique coût-volume-profit   455
  10. Les éléments de l'analyse classique coût-volume-profit   455
  11. Le seuil de rentabilité   459
  12. La marge de sécurité   462
  13. Le calcul du niveau d'activité commerciale assurant un rendement minimum   462
  14. L'analyse classique volume-profit   463
  15. Les ventes diversifiées   465
  16. Limites des analyses classiques coût-volume-profit et volume-profit   467
     Exercices d'application   469

Chapitre 11

LES DÉCISIONS ET LES ÉLÉMENTS FINANCIERS PERTINENTS
SANS INCIDENCE SUR LES INVESTISSEMENTS   491

  1. Les décisions administratives   491
  2. Les produits et coûts pertinents   494
  3. Les notions de coûts fondamentales dans la prise de décision   496
  4. Exemples de décisions sans avoir à recourir à l'actualisation 502
  5. Prise en compte de l'incertitude   517
     Exercices d'application   521

Chapitre 12

L'ANALYSE DES FRAIS DE VENTE   539

  1. Analyse des frais de vente   539
  2. Exemple d'analyse des frais de vente   540
  3. Comptabilisation des frais de vente   548
  4. Budgétisation et contrôle des frais de vente   548
  5. Frais de vente et comportement humain   549
  6. Conclusion   550
     Exercices d'application   551

Chapitre 13

LE BUDGET ANNUEL ET L'ANALYSE DES ÉCARTS SUR RÉSULTATS BUDGÉTÉS 565

1. La définition et les fins du budget annuel 565
2. La période budgétaire 567
3. La mise en place et l'exploitation de la formule budgétaire 568
4. Les budgets opérationnels de base 570
5. Les budgets connexes 577
6. Les états-synthèses prévisionnels 579
7. Exemple de budget annuel 580
8. L'analyse des écarts sur résultats budgétés 588

   Annexe : Les budgets à base zéro et la rationalisation des choix budgétaires 613

   Exercices d'application 618

Chapitre 14

**LA COMPTABILITÉ PAR CENTRES DE RESPONSABILITÉ
ET L'ÉVALUATION DU RENDEMENT DE CES DERNIERS ET DE LEURS TITULAIRES** 669

1. Les particularités de la comptabilité par centres de responsabilité 669
2. Le plan comptable de l'entreprise 671
3. Les centres de responsabilité 673
4. Les centres de coûts 674
5. Les centres de profit 680
6. Les centres d'investissement 698
7. Dangers relatifs à l'évaluation des rendements divisionnaires 710

   Annexe : Méthodes de prix de cession entre apparentés, dans le cadre
   d'opérations multinationales, jugées acceptables par Revenu Canada 711

   Exercices d'application 716

Chapitre 15

**L'OPTIMISATION DE L'ENSEMBLE COÛT-DÉLAI
DANS LE PLANNING À CHEMIN CRITIQUE** 765

1. Nature des coûts dans le planning à chemin critique 765
2. Exemples d'optimisation de l'ensemble coût-délai 767
3. Contrôle budgétaire des coûts des tâches 775
4. Optimisation de l'ensemble coût-délai et fabrication en série 777

   Exercices d'application 781

Chapitre 16

**L'ÉVALUATION DE LA RENTABILITÉ DES PROJETS D'INVESTISSEMENT
ET DES RISQUES ENCOURUS** 787

1. Le critère de rentabilité : le taux de rendement minimum acceptable 787
2. La détermination du coût du capital 788
3. Le concept de rentabilité 790
4. Les principaux facteurs influençant la rentabilité 791
5. Le problème de l'impôt sur le revenu 792

6. Les valeurs de récupération, les récupérations
   d'amortissements fiscaux et les pertes finales   797
7. L'usage des facteurs de coût en capital   801
8. Les méthodes de calcul de la rentabilité   801
9. Une comparaison des deux principales méthodes :
   valeur actualisée nette et taux de rendement interne   817
10. Désinvestissement   822
11. Les décisions d'investir et le risque   824
    Annexe A : Les tables de valeur actualisée   832
    Annexe B : L'impôt sur le revenu des sociétés   833
       Exercices d'application   836

Chapitre 17
   LA GESTION DES PRIX DE VENTE   847
1. Le prix de vente réduit et le prix de vente normalement pratiqué   848
2. Les prix de vente dans les modèle économiques classiques   848
3. Les prix de vente fondés sur le rendement   852
4. Les prix de vente fondés sur les coûts   855
5. L'impact du prix de vente sur le volume   857
6. L'importance des coûts dans la détermination des prix de vente   860
    Exercices d'application   866

Index   879

REMERCIEMENTS

Nous nous devons de remercier ici tous ceux et celles qui, de près ou de loin, ont contribué à la réalisation de cet ouvrage.

Notre reconnaissance va aux professeurs Fara Elikai, René Garneau, Helen McDonough et Shane Moriarity pour leur apport, ainsi qu'aux associations et organismes suivants qui nous ont autorisés à puiser dans leurs publications : la Société des comptables en management du Canada, l'Institut canadien des comptables agréés, l'Association des comptables généraux licenciés du Canada, l'Ordre des experts comptables et des comptables agréés de France, l'American Accounting Association, l'American Institute of Certified Public Accountants, l'Institute of Certified Management Accounting, *Management Accounting*, *The Accounting Review*, l'Institut français des experts-comptables et l'Union nationale des commissaires aux comptes.

La présente édition a été rendue possible grâce au soutien de Raynald Trottier des Presses de l'Université Laval. Nous le remercions de nous avoir facilité la tâche. Nous remercions également Jocelyne Naud de l'équipe éditoriale des Presses de l'Université Laval, pour le suivi qu'elle a dû assurer en vue de cette cinquième édition.

Nous exprimons toute notre gratitude à Geneviève Saladin qui a effectué la révision linguistique. Il ne s'agit pas de sa première participation aux éditions de notre ouvrage et nous l'apprécions.

Nous tenons également à remercier Anne-Marie Brault et Kathleen Schumph qui ont dactylographié les textes remaniés ou les ajouts aux textes existants.

Nous sommes enfin redevables à tous les professeurs et aux nombreux étudiants qui font usage de notre ouvrage.

Réjean Brault et Pierre Giguère

AVANT-PROPOS

En publiant le présent ouvrage (et le recueil de solutions qui lui est associé), nous souhaitons répondre aux besoins des établissements d'enseignement universitaire préparant aux carrières de comptable et d'administrateur. L'aperçu qui suit portant sur les modifications apportées à la quatrième édition a été rédigé d'abord et avant tout pour les enseignants qui utilisent déjà notre ouvrage.

Aperçu des modifications apportées

Cette cinquième édition de *Comptabilité de management* comporte, tout comme l'édition précédente, trois parties. La première est consacrée à l'approche traditionnelle en coût de revient de fabrication ; la deuxième traite d'une nouvelle approche et du nouveau contexte industriel, et la troisième, d'outils usuels en matière de gestion et d'aide à la prise de décision.

De plus, la présente édition comporte le même nombre de chapitres que celle de 1998, soit 17. Le texte du premier chapitre a été abrégé et mis en introduction aux trois parties de l'ouvrage. La section 11 du chapitre 5 a été remaniée, ainsi que le chapitre 7.

Les chapitres 5, 8 et 14 ont fait l'objet d'ajouts. Au chapitre 5, une section a été ajoutée pour traiter de la production par lots. La dernière section du chapitre 8 a été remplacée et traite maintenant de l'évaluation comparative. De plus, une annexe a été ajoutée au chapitre 14 pour y faire état de méthodes de prix de cession reconnues par Revenu Canada dans le cadre d'opérations multinationales conclues entre apparentés.

Le chapitre 9 a été actualisé pour ce qui est de la section traitant des normes ISO de la série 9000. À noter que les parties de ce chapitre qui constituent une reprise de ce qui se trouve dans l'éditon précédente ont été écrites par Chantal Viger.

Enfin, également par souci d'actualisation, les années qui étaient exprimées sous la forme 19X0 à 19X9 ou 19Y0 à 19Y9 dans l'édition précédente du manuel ont été indiquées sous la forme 20X0 à 20X9 ou 20Y0 à 20Y9.

Les auteurs

1 INTRODUCTION : LA COMPTABILITÉ DE MANAGEMENT AU SEIN DE L'ENTREPRISE

Encore de nos jours, bien des personnes dans le milieu des affaires considèrent la comptabilité de management ou de gestion comme étant limitée à la simple détermination du coût de revient d'un produit. Sous cet aspect, la comptabilité de management a été souvent considérée comme partie intégrante de la comptabilité financière ou générale plutôt qu'une autre forme de comptabilité, complémentaire à la comptabilité financière et au moins aussi importante que celle-ci. Pour bien comprendre le rôle de la comptabilité en général et de la comptabilité de management en particulier, il faudrait observer de plus près le travail et les besoins des gestionnaires qui sont les premiers utilisateurs de la comptabilité.

1. LE TRAVAIL DES GESTIONNAIRES

Loin de nous l'idée de reprendre ici en détail les concepts sur la théorie des organisations. Mais il est important d'en mentionner brièvement les éléments fondamentaux si on veut préciser le rôle de la comptabilité dans une organisation. Ce qui peut le mieux décrire le travail d'un gestionnaire, quel que soit son niveau de responsabilité, et quels que soient la taille et les buts de son organisation, c'est le processus administratif :

- planifier ;
- organiser ;
- diriger et coordonner ;
- contrôler et évaluer.

Tout bon gestionnaire exécute, peut-être sans s'en rendre compte dans certains cas, séquentiellement toutes les étapes du processus administratif et à tout moment au cours d'un exercice financier. Définissons succinctement chacune des étapes du processus administratif.

A.   Planifier

Cet exercice consiste à établir les objectifs communs d'une organisation pour une période donnée. Il permet de repérer les contraintes et de trouver les moyens de les lever. Les gestionnaires auront à faire des choix tant au niveau des objectifs qu'à celui des moyens pour les atteindre. Il leur faudra alors quantifier leurs options pour en connaître les effets sur la situation financière et les résultats futurs. Ils sentiront le besoin de transposer en termes financiers les objectifs visés, donc d'utiliser des états financiers prévisionnels que l'on appelle budgets. Quant aux moyens pour atteindre des objectifs, ils verront à ce qu'on procède à des analyses techniques et financières dans le but de déterminer les options les plus avantageuses. À titre d'exemple, mentionnons qu'il existe plusieurs moyens de lever une contrainte de capacité de production : agrandissement d'usine, acquisition de machines additionnelles, remplacement de la machinerie actuelle par une machinerie plus efficace, mise en place d'un nouveau quart de travail, appel à la sous-traitance. Du point de vue financier, quelle option est la plus avantageuse? On devra faire des calculs financiers prévisionnels de chacune des options pour pouvoir choisir, et cela sans minimiser l'importance des facteurs qualitatifs.

B.   Organiser

Une fois les objectifs fixés et les moyens pour les atteindre choisis, il restera à mettre en place les ressources nécessaires, c'est-à-dire les ressources financières, humaines et celles relatives aux installations (immobilisations tangibles et intangibles). Si l'acquisition de nouvelles machines s'impose, il faudra déterminer :

- de quel type de machines on aura besoin ;
- quelle sera la séquence de livraison de ces machines ;
- quels en sont les fournisseurs actuels et potentiels.

En somme, il s'agira de recueillir de l'information pour aider le gestionnaire à prendre une décision. Ce même raisonnement n'est-il pas valable pour les ressources financières et humaines? Observons une situation où l'on doit choisir un fournisseur de matières ou de marchandises. Il n'est plus vrai aujourd'hui que le seul critère qui guide le choix est le prix du produit désiré. Bien d'autres facteurs entreront en ligne de compte :

- la qualité du produit ;
- la constance dans la qualité du produit ;
- le respect des délais de livraison ;
- le faible taux d'erreur dans les livraisons ;
- la situation financière du fournisseur ;
- le délai de réponse à une commande ;
- les politiques d'escomptes de quantité et de caisse.

Toutes ces données ne peuvent être obtenues instantanément. Il faudra rassembler toutes les informations sur les fournisseurs potentiels pour que le directeur des achats puisse prendre une décision éclairée.

C. Diriger et coordonner

On entend par là la réalisation effective des objectifs, l'action fondamentale de l'organisation qui permet la symbiose des ressources pour atteindre les objectifs fixés. Cette action, si simple dans le cas d'une très petite entreprise puisqu'elle s'incarne dans le propriétaire ou l'actionnaire unique, peut devenir complexe dans le cas de la moyenne et de la grande entreprise. Dans une organisation aux activités diversifiées, il faut davantage surveiller qui fait quoi, quand et comment. Pour concrétiser les objectifs, il vaut alors mieux déterminer les pouvoirs, devoirs et responsabilités de chacun des gestionnaires et installer un système de communication approprié. Les grandes organisations vont dresser des organigrammes détaillés des fonctions de direction auxquelles seront rattachées des descriptions de tâche. En général, le directeur de production d'une grande entreprise n'a pas pour tâche de décrocher des contrats et de trouver de nouveaux clients. On s'attend cependant à ce qu'il puisse fabriquer des produits de qualité, dans les délais impartis et au meilleur coût possible. C'est en connaissant bien son rôle et les caractéristiques de sa tâche que le gestionnaire pourra diriger et coordonner les ressources sous sa responsabilité. Il ne pourra le faire que s'il a accès à de l'information active qui lui permet de répondre aux demandes de son supérieur grâce à un système de communication.

D. Contrôler et évaluer

Très sommairement, le contrôle consiste à s'assurer du bon usage et de l'usage efficace des ressources. Il s'agit de prendre tous les moyens possibles pour que les ressources, en particulier celles volatiles comme l'argent, les stocks de matières et de produits, soient utilisées aux fins de l'organisation. Les moyennes et grandes entreprises se doteront de manuels de procédures qui fixent toutes les étapes administratives à suivre pour une opération donnée ainsi que tous les points de contrôle s'y rapportant. Un tel manuel est une bonne source d'informations et le gestionnaire le consultera souvent pour s'assurer du bon contrôle des ressources dont il est responsable. Ce manuel implique également l'utilisation de documents internes et externes comme support à la mise en place de points de contrôle. Par exemple, le responsable de l'entrepôt des produits de l'entreprise ne consentira à laisser sortir des produits que s'il en a reçu l'ordre du service des ventes. Cet ordre se matérialisera dans la mesure où le service des ventes transmettra à l'entrepôt de produits le bon de livraison qui n'est ni plus ni moins qu'une copie modifiée de la facture de vente. Pas de bon de livraison, pas d'expédition de marchandises. On dira d'un usage des ressources qu'il est efficace, s'il n'entraîne pas de pertes évitables. Il peut s'agir de perte de matières, de produits et de temps, d'une mauvaise utilisation des ressources financières et des immobilisations, etc. Le repérage des pertes évitables ne peut se faire que si on peut se référer à des points de comparaison, à des normes établies.

Comme toute évaluation procède par comparaison pour déterminer dans quelle mesure des objectifs ont été atteints ou dépassés, le gestionnaire va comparer périodiquement les réalisations avec les objectifs. En général, cette comparaison fait ressortir des variations, des différences. L'importance absolue et l'importance relative des variations dicteront habituellement l'action du gestionnaire. Si la variation peut être tolérée en raison de son peu d'importance, aucune action ne sera entreprise. Le cas contraire incitera le gestionnaire à déterminer les causes de la variation et entraînera une réaction.

Il y a essentiellement deux types de causes qui peuvent expliquer une variation : les causes endogènes et les causes exogènes. Les causes endogènes ou internes font ressortir que les objectifs étaient atteignables, réalistes, mais que c'est le mauvais usage des ressources et la mauvaise gestion qui sont en cause. Cette constatation devrait inciter le gestionnaire à revoir le fonctionnement de ses activités pour corriger le plus rapidement possible la situation. Cela pourrait exiger le réajustement du tir en replanifiant, en réorganisant les activités à la lumière des informations dégagées par l'examen des causes des variations. Les causes exogènes ou externes concernent des facteurs extérieurs à l'organisation et sur lesquels les gestionnaires n'ont pas toujours facilement de prise. Par exemple, le lancement d'un nouveau produit qui n'a pas donné les résultats escomptés que nous laissaient entrevoir les études de marché et de comportement des consommateurs ou qui les a largement dépassés. Cet état de chose exige une réaction immédiate, surtout si le produit ne trouve pas preneur. Le gestionnaire verra à replanifier ses activités, à se réorganiser en conséquence et à réévaluer la situation un peu plus tard.

On constate que l'évaluation peut amener le gestionnaire à reprendre le processus administratif en cours d'exercice en fonction de nouvelles données. En corollaire, on peut dire que, sans l'information dégagée de l'évaluation, le gestionnaire ne peut réagir efficacement et peut même ne pas réagir du tout. Pour être en mesure de réagir en cours de route, le gestionnaire doit procéder périodiquement à l'évaluation. Pour les opérations courantes, l'évaluation se fait en général tous les mois. Il faut donc que la planification des opérations courantes s'établisse mensuellement. Dans des cas exceptionnels, un lancement de produit par exemple, la période d'évaluation pourrait être beaucoup plus courte.

2.   LES BESOINS DES GESTIONNAIRES

L'examen sommaire des étapes du processus administratif montre que le gestionnaire est souvent appelé à faire des choix, à prendre des décisions. On constate également que le processus de prise de décision s'appuie sur de l'information. S'il en était autrement, la gestion se ferait uniquement au pifomètre avec tous les aléas que cela peut comporter. Qui plus est, l'information est omniprésente à toutes les étapes du processus de décision. Le rôle essentiel de l'information est de réduire l'incertitude de celui qui aura à décider. Par exemple, décider de construire une nouvelle usine va très souvent entraîner la formation d'un groupe de travail qui aura pour tâche de recommander à l'exécutif de l'entreprise le choix de l'emplacement le plus approprié. Ce groupe de travail préparera un rapport faisant état des avantages et des inconvénients d'emplacements retenus, à partir d'un certain nombre de critères de sélection, pour en arriver en bout de ligne à recommander un endroit particulier.

Cependant, si l'on peut affirmer que l'information peut réduire l'incertitude du décideur, cela ne signifie pas pour autant que toute information est *a priori* utile. L'information n'a de la valeur que si elle est pertinente, utile pour la prise de décision. De nos jours, le défi des responsables des services d'information n'est pas tant d'acquérir et d'accumuler de l'information que d'en faire un tri cohérent pour ne remetttre au décideur que l'information dont il a besoin. Un autre aspect non négligeable lié à l'acquisition et au traitement de l'information doit être pris en compte par le responsable d'un service d'information, c'est le coût de l'information par rapport à sa valeur. Il n'est pas de notre propos d'élaborer davantage cet aspect si ce n'est qu'il doit faire partie des préoccupations constantes du responsable d'un service d'information.

On constate que le gestionnaire a constamment besoin d'informations pertinentes pour l'aider à prendre des décisions, et ce à toutes les étapes du processus administratif. La comptabilité se doit de lui être utile pour ce faire.

3.   L'ÉMERGENCE DE LA COMPTABILITÉ DE MANAGEMENT

Bien que la comptabilité soit le système d'information majeur d'une organisation, elle ne permet pas en soi de justifier l'existence à la fois d'une comptabilité dite financière et d'une comptabilité dite de management. Dans les faits, c'est par défaut que la comptabilité de management existe. Ce sont les carences et les limites de la comptabilité financière qui expliquent l'émergence et l'hégémonie de la comptabilité de management.

La principale carence de la comptabilité financière est de traiter de l'information se rapportant à des opérations passées alors que la prise de décision nécessite souvent, comme nous l'avons indiqué à l'occasion de la description des étapes du processus administratif, l'utilisation d'une information prévisionnelle. De plus, la comptabilité financière reflète essentiellement les opérations de l'entreprise avec son environnement extérieur (fournisseurs de biens et services, clients, organismes publics). Or, dans bien des cas, la nature des activités (entreprise industrielle) ou la structure organisationnelle (entreprise décentralisée) entraînent des opérations internes qui exigent la mise en place de pièces justificatives et de registres comptables nouveaux. La comptabilité de management comble en la matière des lacunes de la comptabilité financière pour répondre plus adéquatement aux besoins d'information des gestionnaires.

En ce qui a trait à l'information passée, la présentation de l'information financière (états financiers) est différente selon qu'elle est dirigée vers l'extérieur ou vers l'intérieur de l'organisation. La présentation des états financiers destinés à l'extérieur de l'organisation (actionnaires, gouvernements, créanciers financiers et autres utilisateurs) est soumise à des normes assez rigides établies par des organismes professionnels ou publics. De plus, l'information y est présentée de façon globale. Par ailleurs, la même information financière destinée cette fois à la direction de l'entreprise peut être présentée de façon plus détaillée et selon un format ou des méthodes non reconnus aux fins externes mais néanmoins tout à fait valables aux fins de gestion.

Pour ce qui est de l'information prévisionnelle, dans bien des cas, l'information passée en est le fondement. Il ne serait pas très logique de préparer le budget relié aux activités récurrentes de l'entreprise sans se référer à leurs résultats passés. Cependant, il y a de l'information prévisionnelle qui exige que l'on s'alimente à des sources d'information externes (choix d'un emplacement pour une nouvelle usine) ou que l'on crée cette information à partir d'observations, de calculs et d'hypothèses.

4.   L'APPROCHE TRADITIONNELLE ET LES APPROCHES NOUVELLES

La mondialisation et la globalisation des marchés ont été ressenties comme un ouragan par les entreprises nord-américaines non seulement dans le domaine industriel mais dans tous les secteurs d'activité économique pendant la décennie 80.

C'est l'évolution des besoins et des comportements des consommateurs qui a tout déclenché. On est passé d'un marché de fournisseurs de biens et services à un marché de consommateurs de ces mêmes biens et services. Le consommateur veut des produits qui lui conviennent, des produits de qualité, au plus bas coût possible et livrés le plus vite possible.

La production de masse fondée sur les courses de production les plus longues possibles ne sont plus valables lorsque les marchés de masse se fragmentent pour répondre davantage aux besoins des consommateurs et lorsque les délais d'attente acceptés par ceux-ci sont beaucoup plus courts qu'autrefois. Les courses de production allongées avaient pour objectif, entre autres, d'amortir sur le plus grand nombre de produits possibles les coûts élevés de mise en route. En corollaire, elles ont engendré l'incapacité pour l'entreprise de s'adapter rapidement aux besoins du marché. D'où les délais indus de réponse aux clients sans parler des coûts de gestion importants pour planifier ces courses de production. Pour accroître la flexibilité de la production, il faut mettre en place les moyens qui permettent de réduire sensiblement les coûts de mise en route.

Les clients exigent de nos jours des produits de qualité parce que des entreprises se sont mises, à un moment donné, à leur fournir des produits fiables. On ne se contente plus de la maxime «satisfaction garantie ou argent remis», car elle implique d'accepter de supporter les coûts de gestion des retours de marchandises défectueuses, les coûts de transport additionnels, les coûts financiers et d'exploitation additionnels reliés au maintien de stocks plus élevés, les coûts reliés à l'inspection de la qualité des marchandises acquises des fournisseurs, les coûts reliés aux arrêts des opérations à la suite de ruptures de stocks, sans parler des coûts de fabrication de produits gâchés dus à la mauvaise qualité des matières.

Au début des années 80, les entreprises constatèrent qu'elles ne pouvaient plus concurrencer efficacement sur leur marché domestique les fabricants étrangers, tant pour ce qui est de la qualité du produit que pour le prix, et cela malgré l'existence de coûts de transport et de manutention additionnels non négligeables. A cette époque, c'est surtout les grandes entreprises industrielles qui furent touchées de plein fouet, car la bataille se jouait sur le marché des produits finis, des produits de consommation; cela était le fait des grands fabricants étrangers. Aujourd'hui, les petites et moyennes entreprises (PME) sont aussi interpellées, car la concurrence ne se fait plus seulement sur le marché des produits de masse mais aussi sur les marchés de produits semi-ouvrés, des fournitures de matières premières et des services auxiliaires. Il est bien connu que les grandes entreprises industrielles nord-américaines assurent la survie d'un très grand nombre de PME en leur octroyant des contrats d'approvisionnement de matières ou de sous-traitance. Ces PME doivent maintenant faire face à une concurrence de plus en plus vive sur leurs marchés traditionnels, en provenance de leurs semblables établies à l'étranger.

Les grandes entreprises ne rationalisent pas seulement leurs opérations internes; elles exigent de leurs fournisseurs des produits et des services de qualité, au meilleur coût possible et comportant des délais d'attente de plus en plus courts.

La première réaction de plusieurs grandes entreprises industrielles nord-américaines au début des années 80 fut la mise en place d'importants programmes d'automatisation, voire, dans certains cas, de robotisation de leurs opérations industrielles afin de réduire les coûts de production et d'améliorer la qualité de leurs produits. Cela a eu pour effet de diminuer le coût global de la main-d'œuvre industrielle (historiquement plus élevé qu'en Asie) et l'importance relative de cette main-d'œuvre dans le coût du produit fabriqué. Malheureusement, cette substitution de la main-d'œuvre par la machinerie n'a pas donné les résultats escomptés. Les coûts de production n'ont pas diminué de façon sensible, car les économies réalisées au niveau de la main-d'œuvre furent grugées par les coûts additionnels reliés à l'acquisition des nouveaux équipements sophistiqués, à leur fonctionnement et à leur entretien. Il s'est avéré également que l'automatisation de la production n'est pas le seul élément qui permet d'assurer la qualité des produits finis livrés aux clients. Cela a permis de mettre en lumière de façon plus nette que des intervenants, en amont et en aval des activités de production proprement dites, peuvent poser des actions qui font en sorte que le produit peut être détérioré avant d'être utilisé par le client.

D'autres dirigeants d'entreprises sont arrivés à la conclusion qu'il valait mieux évacuer les secteurs où ils ne pouvaient concurrencer leurs compétiteurs en matière de prix de vente, car il en aurait résulté des pertes d'exploitation attribuables à leurs coûts de production et de distribution trop élevés selon les données fournies par leur système d'information.

Il ne faut cependant pas conclure que ce fut une erreur de procéder à l'automatisation des opérations industrielles. C'était sans doute une action nécessaire pour ne pas dire essentielle pour bon nombre d'entreprises. L'erreur a plutôt été de croire qu'il ne s'agissait que d'automatiser les opérations industrielles pour régler tous les problèmes. On s'est rendu compte que la qualité des produits et des services offerts à la clientèle est un concept global. On a également observé que la réduction sensible des coûts de production et de distribution passait par un examen attentif des manières de faire les choses, par une révision des processus de gestion des opérations. Cela exige aussi une approche globale qui peut mener, dans certains cas, la direction d'entreprise à revoir ses structures de fonctionnement et de direction.

Pour assurer d'abord leur survie et ensuite leur croissance, des entreprises nord-américaines ont dû repenser non seulement leurs moyens de faire les choses (automatisation, robotisation, fabrication assistée par ordinateur, etc.) mais aussi leurs méthodes de mesure des coûts et de contrôle. On ne peut imaginer que ces entreprises continuent à utiliser les méthodes traditionnelles de détermination des coûts de revient. Elles ne peuvent recourir à ces mêmes méthodes pour mesurer et chercher à améliorer la rentabilité d'un produit. Maintenant, il est question, entre autres, de coûts par activités.

Faut-il pour autant cesser d'enseigner les méthodes traditionnelles de détermination des coûts de revient (coût réel, coût rationnel et coût standard)? En réalité, bon nombre d'entreprises industrielles, et en particulier les PME, font encore appel à ces méthodes traditionnelles, qui dans certaines circonstances peuvent s'avérer tout aussi efficaces que certaines méthodes modernes et aussi moins coûteuses du point de vue opérationnel. Ignorer ou banaliser l'approche traditionnelle en coût de revient sous prétexte qu'elle n'est apparemment plus appropriée, c'est risquer de se couper des racines de la comptabilité de management moderne. Elle constitue un point de référence par rapport aux nouvelles approches. Son étude permet de comprendre l'émergence de la méthode des coûts par activités et de mieux assimiler l'évolution de la comptabilité de management. De plus, les entreprises industrielles ne sont pas toutes rendues au même stade de développement technologique. Bon nombre de celles-ci continueront d'utiliser des techniques artisanales de production pendant encore de nombreuses années. Il est donc important que les futurs diplômés en comptabilité de management soient au fait des méthodes traditionnelles pour être en mesure de fournir des services professionnels convenables à leur employeur ou à leurs clients, et surtout pour ne pas être décrochés de la réalité.

L'approche traditionnelle en coût de revient

. . . .

2 LES ÉLÉMENTS ET LES MÉTHODES
   DE CALCUL DU COÛT DE FABRICATION
   ET LE COÛT RATIONNEL

3 LE COÛT DE REVIENT PAR COMMANDE

4 L'ÉTUDE COMPLÉMENTAIRE DES COMPOSANTES
   DU COÛT DE FABRICATION

5 LE COÛT DE REVIENT EN FABRICATION CONTINUE

6 LES CO-PRODUITS ET LES SOUS-PRODUITS

7 LE COÛT DE REVIENT STANDARD

. . . .

2

LES ÉLÉMENTS
ET LES MÉTHODES DE CALCUL
DU COÛT DE FABRICATION
ET LE COÛT RATIONNEL

Il existe deux modes de fabrication, à savoir la fabrication sur commande et la fabrication continue (en série).

Le mode de fabrication continue caractérise les entreprises qui fabriquent de façon régulière un produit. Le fabricant détermine à l'avance les caractéristiques du produit offert aux clients qui l'achèteront tel quel, et s'assure de maintenir en tout temps un stock de produits finis convenable.

Le mode de fabrication sur commande se caractérise surtout par le fait que le produit est fabriqué à la demande expresse du client et selon ses spécifications. Les activités industrielles du fabricant sont donc soumises aux besoins des clients. Les commandes peuvent être fort différentes les unes des autres. De plus, il est possible d'imaginer que le fabricant puisse œuvrer à plusieurs commandes en même temps. Il peut même arriver que certains articles soient fabriqués à partir de matières premières fournies par les clients.

Nous allons traiter dans ce chapitre des éléments du coût de fabrication, en tenant pour acquis que la fabrication n'est pas réalisée à partir de matières premières fournies par les clients, des méthodes de détermination du coût de revient de fabrication, de la comptabilisation au coût rationnel et des documents et registres afférents ainsi que d'autres questions connexes au coût rationnel.

1.   LES ÉLÉMENTS DU COÛT DE FABRICATION

Dans le coût de fabrication d'un produit, lequel produit est ici l'objet de coût, on inclut le coût des matières premières (matières directes), celui de la main-d'œuvre directe, les autres frais directs de fabrication dudit produit, le cas échéant, ainsi qu'une juste part des frais engagés pour la fabrication et qui ne peuvent pas être classés dans les catégories de frais directs mentionnées. On désigne ces derniers par l'expression «frais indirects de fabrication», de préférence à celle de «frais généraux de fabrication». Contrairement aux coûts directs, lesquels sont directement affectables, les coûts indirects représentent des coûts qu'il n'est pas possible ou peu pratique d'affecter directement.

A.   Les matières premières utilisées (M.P.)

Le coût des matières premières utilisées est constitué par le coût de toute matière qui entre dans la fabrication du produit et qui fait partie intégrante du produit fini. Cependant, la détermination du coût des matières premières pour les produits concernés doit être économiquement réalisable; autrement dit, les frais comptables et autres, engagés pour ce calcul, doivent être raisonnables sur le plan économique.

Un fabricant de chaises sur commande pourrait décider de ne pas se préoccuper de connaître le coût des quelques vis requises par chaque modèle de chaise commandé, bien que ces vis fassent partie intégrante du produit fini. Sur le plan économique, cette préoccupation pourrait être inutile. Dans ce cas-ci, les vis, pourtant matière par définition, seraient considérées comme des fournitures de fabrication (matières indirectes), et entreraient dès lors dans la catégorie des frais indirects de fabrication. Si le même fabricant se dotait du code à barres, il se pourrait qu'il modifie cette façon de faire.

Plusieurs entreprises réservent aux matières un seul compte collectif désigné sous le nom de Stock de matières (S.M.). Ces entreprises déterminent le coût des matières premières utilisées comme dans le tableau suivant:

Stock de matières au début de l'exercice	10 000 $
Achats de matières premières et de fournitures	100 000
Matières premières et fournitures disponibles	110 000
moins: Stock de matières à la fin de l'exercice	20 000
Coût des matières premières et des fournitures utilisées	90 000
moins: Fournitures utilisées	5 000
Coût des matières premières utilisées	85 000 $

Le coût des fournitures utilisées pour la fonction Fabrication figure dans les frais indirects de fabrication; il inclut les matières premières non repérables sur le plan économique et les véritables fournitures de fabrication.

Le compte Stock de matières englobe parfois les fournitures de l'administration ou celles du service des ventes. La partie utilisée par l'administration et le service commercial sera présentée à l'état des résultats comme frais de période.

Certaines entreprises réservent des comptes distincts aux fournitures et aux matières premières. Dans ce cas, on doit faire la distinction, à l'achat, entre les matières premières et les fournitures. Toutefois, si à l'utilisation une partie des matières premières est considérée comme fournitures pour des raisons d'ordre économique, on déterminera le coût des matières premières utilisées en s'inspirant de la méthode utilisée dans le tableau précédent.

B.   La main-d'œuvre directe (M.O.D.)

Le coût de la main-d'œuvre directe équivaut au coût de la main-d'œuvre qui travaille (manuellement ou à l'aide de machines) directement sur la matière première pour la transformer en produit fini. Ici encore, l'affectation du coût de la main-d'œuvre directe au produit concerné doit être réalisable sur le plan économique; autrement dit, les frais engagés par l'affectation ne doivent pas être trop élevés par rapport à la valeur de la main-d'œuvre directe en cause.

La main-d'œuvre directe, les matières premières utilisées et les autres coûts directs de fabrication, le cas échéant, représentent le **coût de revient de base**.

C.   Les frais indirects de fabrication (F.I.F.)

L'entreprise considère comme frais indirects de fabrication tous les frais engagés en rapport avec la fabrication des produits et qui ne peuvent être classés comme matière première, main-d'œuvre directe ou autres frais directs de fabrication.

À moins d'une indication contraire, nous supposerons dès à présent, comme le font la plupart des auteurs, que tous les frais concernant la fonction Fabrication, autres que ceux des matières premières utilisées et de la main-d'œuvre directe, sont des frais indirects de fabrication.

Voici une liste partielle des frais indirects de fabrication susceptibles d'être engagés par une entreprise industrielle:

1) Le coût des matières premières non repérables sur le plan économique. Ce coût sera ajouté à celui des fournitures de fabrication.

2) Le coût de la main-d'œuvre directe non repérable sur le plan économique. Ce coût sera ajouté à celui de la main-d'œuvre indirecte.

3) Le coût des fournitures de fabrication.

4) Le coût de la main-d'œuvre indirecte. Ce sont les salaires versés aux contremaîtres, aux préposés à l'entretien des machines et de l'usine, aux employés du génie industriel ou du dessin industriel, bref à tous ceux qui exercent des activités connexes à la fabrication elle-même. Par extension, on pourra inclure dans cette rubrique un certain nombre d'éléments tels que le coût des temps morts, les primes en heures supplémentaires et les bonis (voir chapitre 4).

5) Le coût des services reliés à la fabrication, tels que la force motrice, l'éclairage et le chauffage.

6) Les cotisations patronales relatives aux salaires des employés d'usine versées, entre autres, à l'assurance-emploi, à l'assurance-maladie, et au Régime de rentes du Québec.

7) Les impôts fonciers de l'usine.

8) Les charges au titre de l'amortissement de l'usine, de l'outillage, des brevets d'invention, des matrices et modèles.

9) Les primes d'assurance sur l'outillage, l'usine, les stocks de matières premières et de produits en cours.

10) Les redevances basées sur la quantité de produits fabriqués.

L'environnement technologique peut être tel que le coût de la main-d'œuvre directe est un élément secondaire par rapport à l'importance des frais indirects de fabrication. Dans un tel contexte, certains préconisent le regroupement des éléments du coût de fabrication en deux grandes catégories au lieu de trois : coût des matières premières utilisées et coûts de transformation.

2. LA COMPTABILISATION EN COÛT RATIONNEL ET LES DOCUMENTS ET REGISTRES AFFÉRENTS, ET AUTRES QUESTIONS CONNEXES AU COÛT RATIONNEL

Aux fins du présent ouvrage, nous tenons pour acquis que l'entreprise manufacturière utilise la méthode de l'imputation rationnelle (des frais indirects de fabrication). Il s'agit d'une méthode d'inventaire permanent.

Les coûts de fabrication engagés tant pour les matières premières utilisées que pour la main-d'œuvre directe et les frais indirects de fabrication sont, dans un premier temps, considérés comme actifs. Ce n'est qu'au moment de la vente des produits finis que ces coûts seront considérés comme des frais en vertu du principe du rapprochement des charges et des produits.

La figure I montre qu'en coût rationnel les coûts de fabrication incorporés au coût des produits sont d'abord accumulés dans le compte Stock de produits en cours. Une fois terminées les opérations industrielles sur des produits, le coût rationnel de ces produits terminés est versé dans le compte Stock de produits finis. Ce dernier compte sert à accumuler les coûts rationnels des produits finis destinés à la vente. Lorsque le produit fini est vendu, son coût de fabrication rationnel est transféré dans le compte Coût des produits vendus.

Le coût rationnel des produits terminés qui est versé au compte Stock de produits finis est déterminé en utilisant des techniques propres au mode de fabrication en usage dans l'entreprise. Pour le mode de fabrication sur commande, l'accumulation des coûts par commande va permettre de mesurer le coût de la commande terminée. Pour le mode de fabrication continue, on fait appel au calcul du coût unitaire pour chiffrer le coût des produits terminés.

En ce qui a trait au coût des produits vendus, il correspond, pour le mode de fabrication sur commande, à la somme des coûts de fabrication (déjà mesurés) de chacune des commandes terminées et expédiées. Pour les produits fabriqués en série, la détermination du coût rationnel des produits vendus fait appel à la méthode de détermination du coût des stocks de produits finis utilisée par l'entreprise. À la fin de la période, tout comme à la fin de l'exercice, le solde débiteur du compte Stock de produits en cours représente le coût rationnel des produits non terminés, et le solde débiteur du compte Stock de produits finis représente le coût rationnel des produits terminés en main.

FIGURE I
Mécanisme de comptabilisation en coût de revient rationnel

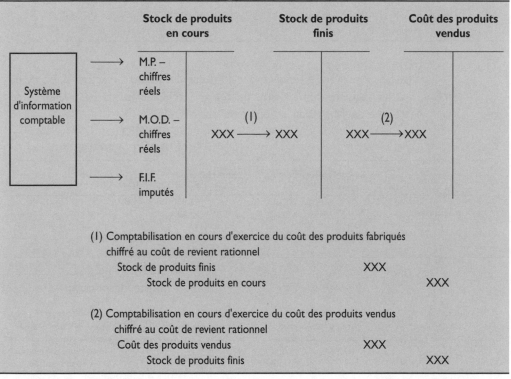

(1) Comptabilisation en cours d'exercice du coût des produits fabriqués chiffré au coût de revient rationnel

Stock de produits finis	XXX	
Stock de produits en cours		XXX

(2) Comptabilisation en cours d'exercice du coût des produits vendus chiffré au coût de revient rationnel

Coût des produits vendus	XXX	
Stock de produits finis		XXX

Comment, dans la réalité des opérations industrielles, peut-on arriver à comptabiliser les éléments du coût de revient rationnel des articles fabriqués? À l'instar des entreprises commerciales, c'est le système d'information comptable qui permettra de refléter en termes financiers les opérations industrielles.

Comme dans le cas des opérations de l'entreprise commerciale, une opération industrielle s'appuie sur un document, une pièce justificative, dont les données essentielles sont inscrites dans le journal général ou dans un journal auxiliaire (figure 2). Le journal auxiliaire fera l'objet du report mensuel du total de chacune de ses colonnes au grand livre général et, s'il y a lieu, du report d'informations pertinentes aux grands livres auxiliaires. Quant au journal général, il y a report de chacune des inscriptions au grand livre général et, s'il y a lieu, aux grands livres auxiliaires.

FIGURE 2

Schéma de saisie et de traitement comptable des données relatives aux opérations

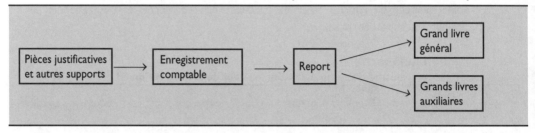

Le tableau suivant mentionne la nature des documents et autres supports de même que les registres pouvant être utilisés à la comptabilisation des éléments du coût de revient de fabrication rationnel de produits.

	Documents et autres supports	Enregistrement comptable	Report
Matières utilisées	Bons de sortie Bons nomenclature Bons de reversement	Journal d'utilisation des matières	Grand livre général Grand livre auxiliaire des stocks Grand livre auxiliaire du stock de produits en cours* Grand livre auxiliaire des frais indirects de fabrication
Main-d'œuvre	Bons de travail Feuilles d'attachement Fiches pour horodateur Relevés de production	Journal de répartition des salaires	Grand livre général Grand livre auxiliaire du stock de produits en cours* Grand livre auxiliaire des frais indirects de fabrication
Frais de fabrication réels (autres que M.O.I. et fournitures de fabrication)	Factures Politiques (en matière d'amortissement, de ventilation de coûts, etc.)	Journal des pièces justificatives Journal général	Grand livre général Grand livre auxiliaire des frais indirects de fabrication
Frais indirects de fabrication imputés	Tableau Calculs	Journal général	Grand livre général Grand livre auxiliaire du stock de produits en cours*

* Dans le cas de la fabrication sur commande.

Ce tableau tout autant que le développement qui suit ne sont fournis qu'à titre indicatif de ce qui pourrait exister. En effet, qui pourrait, par exemple, affirmer que le bon de sortie soit toujours nécessaire ou qu'il faille le préparer en trois exemplaires quand on sait que le recours à l'informatique est de plus en plus fréquent de nos jours ?

A.   Les matières utilisées

a.   *Le bon de sortie*

– *Auteur*: responsable d'atelier;
– *Distribution*: 3 exemplaires:

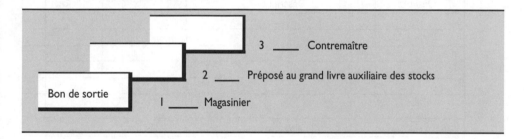

3 _____ Contremaître

2 _____ Préposé au grand livre auxiliaire des stocks

Bon de sortie   1 _____ Magasinier

– *Contenu*:

    1) numéro de l'atelier;
    2) numéro de la section et, s'il y a lieu, numéro de la fiche de fabrication ou de frais indirects de fabrication;
    3) quantités;
    4) description ou numéro de l'article;
    5) matière première ou fourniture.

– *Fonctionnement*: toute sortie de matières par le magasinier doit être faite sur demande écrite seulement, formulée par une personne habilitée à le faire.

Le premier exemplaire est remis au magasinier pour effectuer une écriture sur les cartes de casier.

Le deuxième exemplaire est déposé par le responsable d'atelier ou son représentant dans une boîte verrouillée. Le préposé au grand livre auxiliaire des stocks est la seule personne qui a accès à cette boîte. Ce dernier détermine le coût des articles inscrits sur le bon de sortie et rectifie en conséquence (quantité et coût) les fiches de stock correspondantes. (La détermination du coût des matières utilisées est étudiée en détail au chapitre 4.) Par la suite, le bon de sortie est transmis au service des coûts de revient qui se chargera de son inscription comptable.

Le troisième exemplaire est conservé par la personne qui a émis le document.

On utilise souvent le bon nomenclature (ou bon collectif), au lieu du bon unitaire, lorsque la production présente un caractère répétitif. Le bon nomenclature est un document imprimé qui indique les articles nécessaires à une fabrication donnée. Il permet une économie de temps en évitant la préparation de bons unitaires.

– *Format*

Livré à .... N° .... BS 821				
Bon de sortie				
N° de section... Date				
N° de fiche de fabrication[1] ou de frais indirects de fabrication				
Quantité	Description	Prix		Total
		Total :		
Reçu par	Approuvé par	Livré par		
Reporté à la fiche de stock	Reporté au journal d'utilisation des matières	Évalué		
par...................................	par	par		

1. Un modèle de fiche de fabrication est présenté au chapitre 3.

b.   *Le bon de reversement*

Les retours de matières de l'usine à l'entrepôt devraient donner lieu à la préparation de bons de reversement et sont l'objet d'écritures, figurant par exemple entre parenthèses, dans la section Sorties sur les fiches de stock et sur les cartes de casier, ainsi qu'au journal d'utilisation des matières. Le bon de reversement n'est pas illustré ici, mais son contenu est facile à imaginer.

c. La comptabilisation du coût des matières utilisées

– *Registre*: journal d'utilisation des matières ;
– *Format*

Date	N° bon de sortie	Section	N° fiche de fabrication, s'il y a lieu	S.P.C. DT	F.I.F. DT	S.M. CT

B. La main-d'œuvre

a. Les fiches hebdomadaires pour horodateur

On utilise ces fiches pour enregistrer les heures de présence de chaque employé à l'usine. Son nom ainsi que son numéro matricule y sont préalablement inscrits.

Nom .... Réjean Bonin .... N° .... 188 ....

Occupation .... Section ....

Semaine prenant fin le .... 6 avril 20X1

Jour et quantième	Demi-période		Demi-période		Heures supplémentaires		Heures de travail
	Entrée	Sortie	Entrée	Sortie	Entrée	Sortie	
L-1	8:00	12:00	13:00	17:00	18:00	22:00	8/4
M-2	7:58	12:01	13:00	17:03			8
M-3	8:00	12:00	13:00	17:00			8
J-4	8:00	12:02	13:00	17:02			8
V-5	7:56	12:01	12:59	17:00			8
S-6							

Total des heures 44   ....
Heures supplémentaires 4   ....
Taux horaire de base ....8 $ ....

b.   Les bons de travail

Les employés dont l'activité est totalement connexe à la fabrication doivent uniquement pointer une fiche pour horodateur; il n'est pas nécessaire de connaître leur emploi du temps au cours de la journée. Cependant, les employés dont le travail peut être considéré en totalité ou en partie comme de la main-d'œuvre directe doivent préparer, ou contribuer à préparer, soit des bons individuels de travail, soit des feuilles individuelles d'attachement.

Feuille d'attachement

N° .... 188 ....

Nom .... Réjean Bonin ....
Opération ....

Date	N° de fiche de fabrication ou de compte de frais	Départ	Arrêt	Total	Taux horaire	Montant
03-08-X1	F-100	8:00	12:00	4	8 $	32 $
	F-130	13:00	13:30	0,5	8 $	4
	F-125	13:30	15:00	1,5	8 $	12
	F-112	15:00	17:00	2	8 $	16
Vérifié par		R. Dussault, contremaître				

SI l'entreprise utilise des bons de travail, il faut que l'employé, le contremaître ou le commis préposé au contrôle des présences en prépare un pour chaque commande de client sur laquelle l'employé a travaillé ou pour chaque période de temps non travaillée (attente de matière première, réparation de machine, affectation temporaire à un autre travail).

Chaque bon de travail indique, entre autres, le nom et le matricule de l'employé, le numéro de fiche de fabrication ou le numéro du compte de frais indirects de fabrication, l'heure de départ, l'heure d'arrêt, les totaux des heures, le taux horaire et le coût total de la main-d'œuvre.

Le nombre de bons de travail peut être dans certains cas considérable. Aussi, y a-t-il avantage à utiliser une feuille d'attachement par employé.

Les bons de travail ou les feuilles d'attachement, une fois que le service de la paie a ajouté les taux horaires et a déterminé les montants, sont transmis au service des coûts de revient qui effectue alors les reports aux différentes fiches de fabrication et aux comptes du grand livre auxiliaire des frais indirects de fabrication.

c. *Les relevés individuels de production*

Nous avons fait l'hypothèse, dans l'étude précédente de la main-d'œuvre, que celle-ci était rémunérée en fonction des heures, y compris les temps d'arrêt dans la production, arrêts dus aux périodes de repos, à l'agencement de la production ou au bris de machines. Les frais de main-d'œuvre relatifs à ces arrêts doivent être comptabilisés comme des frais indirects de fabrication. Un certain nombre d'entreprises payent leur main-d'œuvre directe en fonction du rendement. On dit alors que les employés sont payés à la pièce. L'entreprise demande que des relevés individuels de production soient préparés.

On peut ajouter à la rémunération à la pièce une compensation pour différents arrêts dans la production, arrêts dus à l'agencement de la production ou au bris de machines.

Il peut y avoir un minimum garanti qui assure aux débutants un revenu raisonnable jusqu'à ce que leur rendement ait atteint les normes fixées par les services autorisés.

L'entreprise peut aussi accorder un supplément pour les articles qui sont fabriqués en dehors des heures régulières de production.

Tous ces suppléments de rémunération doivent être comptabilisés comme frais indirects de fabrication.

Relevé de production			
Nom		Nº	
Section		Date	
Départ	Commande nº	Opération nº	Description
Arrêt	Quantité	Taux à la pièce	Montant
Temps passé		$	$

d.   La comptabilisation de la répartition du coût de la main-d'œuvre

Les salaires bruts relatifs à la fonction Fabrication et gagnés au cours d'une période doivent être répartis selon qu'ils sont directs ou indirects par rapport aux fabrications. Pour ce qui est de la main-d'œuvre directe, il faut débiter le compte Stock de produits en cours, alors que les salaires indirects (M.O.I.) sont inscrits au compte Frais indirects de fabrication. L'écriture comptabilisant cette répartition peut être passée dans un journal dit de répartition des salaires. En voici un exemple :

Date	Nº bon de travail ou de feuille d'attachement	Section	Nº fiche de fabrication, s'il y a lieu	S.P.C.	F.I.F.	Salaires bruts - usine
				DT	DT	CT

C. Les frais indirects de fabrication

Par définition, en coût rationnel, les frais indirects de fabrication ne sont pas directement affectables aux produits. Il faut dès lors imputer aux produits un montant rationnel de frais indirects de fabrication. Qu'il suffise de dire, pour le moment, que les frais indirects de fabrication portés au coût des produits sont comptabilisés au journal général. L'écriture type est la suivante :

Stock de produits en cours	XX	
Frais indirects de fabrication imputés		XX

Dans le cadre du mode fabrication sur commande, les frais indirects de fabrication imputés sont reportés non seulement au compte collectif Stock de produits en cours, mais également sur les fiches de fabrication.

L'imputation de frais indirects de fabrication ne signifie pas pour autant qu'il faille négliger de voir à ce que tous les frais indirects de fabrication réels soient comptabilisés. Ceci nous amène à traiter de la comptabilisation des frais indirects de fabrication réels, autres que ceux relatifs aux fournitures de fabrication utilisées et à la main-d'œuvre indirecte comptabilisés respectivement lors de la comptabilisation des matières utilisées et de la comptabilisation de la répartition du coût de la main-d'œuvre dont il a été question précédemment.

Pour ce qui est des frais indirects de fabrication réels qui résultent d'opérations avec des fournisseurs de l'entreprise (force motrice, assurances, loyers, taxes foncières, redevances, etc.), ils sont comptabilisés, au fur et à mesure qu'ils se produisent, au journal des pièces justificatives.

Frais indirects de fabrication	XX	
Comptes fournisseurs		XX

Quant aux frais indirects de fabrication réels qui sont le résultat de régularisations comptables, ils sont comptabilisés au journal général (charges au titre de l'amortissement des immobilisations industrielles, charges sociales de la main-d'œuvre industrielle, ventilation de charges communes entre activités industrielles et administratives, etc.).

Les frais indirects de fabrication réels donnent lieu à un report au compte collectif Frais indirects de fabrication ainsi qu'à des reports au grand livre auxiliaire des frais indirects de fabrication.

3.   LES MÉTHODES DE DÉTERMINATION DU COÛT DE REVIENT

Pour la présentation des états financiers qui seront diffusés à l'extérieur de l'entreprise, le coût des stocks de produits finis et de produits en cours doit être fondé sur le coût complet réel, que l'on désigne aussi sous les termes de *coût global réel* (chapitre 3030 du *Manuel* de l'Institut canadien des comptables agréés). On peut déroger à cette règle si l'écart entre le coût complet réel et le coût établi, selon la méthode de détermination du coût de revient utilisée, n'est pas considérable. Si l'écart est jugé important, il faut procéder à des ajustements pour se rapprocher du coût complet réel. L'entreprise peut donc utiliser la méthode de détermination de coût de revient qui lui convient en cours d'exercice, pour un usage interne, pour autant qu'elle procède, s'il y a lieu, aux ajustements nécessaires qui permettront d'exprimer le coût des stocks de produits finis et de produits en cours au coût complet réel en fin d'exercice. Les gestionnaires peuvent être motivés, au premier chef, à utiliser une autre méthode de détermination du coût de revient que celle du coût réel, car ce dernier ne permet habituellement pas de mesurer *pendant l'exercice financier*, de façon efficace et pertinente, le coût des produits finis et des produits en cours. Les états financiers intérimaires fondés sur le coût réel sont rarement significatifs aux fins de contrôle, de prise de décision et d'anticipation du résultat annuel. La figure 3 indique les principales méthodes de détermination du coût de revient utilisées dans les entreprises industrielles. Toutes ces méthodes ont pour objet fondamental de mesurer le coût des produits finis et des produits en cours. Elles ne sont cependant pas d'une qualité identique. Le choix de l'une ou l'autre de ces méthodes sera fonction, entre autres choses, de :
- la nature des activités industrielles ;
- la qualité de l'information demandée par les gestionnaires ;
- l'importance d'exercer un contrôle très serré des coûts de fabrication pour affronter la concurrence ;
- la situation financière de l'entreprise en ce qui a trait au coût de mise en place et d'utilisation de la méthode.

FIGURE 3

Détermination du coût de revient

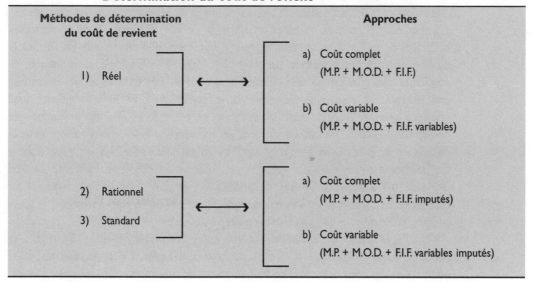

Ces méthodes de détermination du coût de revient peuvent être utilisées selon deux approches reliées à la notion de coût. Celle du coût complet, qui se compose des éléments du coût de fabrication tels que définis plus tôt, prime lorsqu'il s'agit de présenter des états financiers annuels à usage externe ; c'est également une méthode couramment utilisée pour la préparation d'états financiers à usage interne. Selon l'approche du coût variable, on ne prend en compte que les éléments de coût de fabrication qui sont sensibles au volume d'activité industrielle de l'entreprise. Ceux-ci regroupent le coût des matières premières utilisées, celui de la main-d'œuvre directe et les frais indirects de fabrication variables. L'approche du coût variable demeure particulièrement valable à des fins internes.

La nature, le fonctionnement et les caractéristiques de la méthode du coût de revient rationnel, établi selon l'approche du coût complet, font l'objet du présent chapitre et des chapitres 3 et 5, alors que le coût de revient standard, selon la même approche, est étudié au chapitre 7. Quant aux méthodes de coût de revient selon l'approche du coût variable, elles sont vues au chapitre 10.

A.   Les difficultés inhérentes au coût de revient réel

Selon l'approche du coût complet, le coût de revient comprend le coût des matières premières utilisées, les frais de main-d'œuvre directe et les frais indirects de fabrication. Il est possible de considérer les composantes du coût de revient sous l'angle de leur relation avec le produit fabriqué ; on constate alors que le coût de revient d'un produit se compose de coûts mesurables et de coûts non mesurables. Les coûts mesurables sont des coûts découlant de l'acte même de production que l'on peut affecter aux produits. Les coûts de matières premières et de main-d'œuvre directe entrent dans la catégorie des coûts mesurables, de même que certains éléments des frais indirects de fabrication (la force motrice, par exemple). Il peut paraître logique, en théorie, de considérer que plus on fabrique d'unités d'un produit, plus on consomme de matière première, plus on engage des coûts de main-d'œuvre directe et de force motrice. Sans établir *a priori* de relation parfaitement linéaire entre le volume de production et l'évolution des coûts mesurables du produit, on constate que ceux-ci varient avec le volume de production. En ce qui a trait aux coûts non mesurables, on peut citer le cas de l'amortissement linéaire relatif à l'usine qui reste au même montant, que l'on fabrique 10 000 ou 12 000 unités de produit. En général, il en sera de même pour tous les coûts qui sont reliés à l'infrastructure industrielle de l'entreprise (impôts fonciers – usine, assurances – usine, administration – usine...).

En pratique, on considère que les coûts mesurables relatifs au produit se composent de la matière première et de la main-d'œuvre directe, et que les coûts non mesurables sont associés aux frais indirects de fabrication. On constate que ces derniers constituent, tant du point de vue de leur nature que de celui de leur relation avec le volume de production, un ensemble de coûts hétéroclites. Le comportement particulier des frais indirects de fabrication en cours d'exercice tend à faire ressortir que le coût réel d'un produit quant à l'élément Frais indirects de fabrication n'est objectivement déterminé qu'à la fin de l'exercice annuel et qu'en cours d'exercice il est difficile, voire impossible, de mesurer avec quelque précision sa quote-part des frais indirects de fabrication. Pour le gestionnaire d'entreprise, cette information annuelle arrive trop tard ; il a besoin d'informations pertinentes en cours d'exercice pour être capable, entre autres, de contrôler et d'évaluer efficacement les activités de l'entreprise. À cela s'ajoutent d'autres difficultés liées à l'engagement des coûts et aux variations du niveau de production en cours d'exercice.

a. *Engagement non uniforme des frais indirects de fabrication en cours d'exercice*

Pendant l'hiver, le chauffage peut représenter un coût important, alors que pendant l'été ce coût est pratiquement inexistant. Le coût du chauffage doit-il être supporté uniquement par les articles produits pendant la période de chauffage ?

Une entreprise industrielle a choisi de procéder de la façon suivante à l'entretien de ses machines. Pendant les trois premiers mois de l'exercice, l'entreprise n'engage pas de frais d'entretien. Cependant, au cours du quatrième mois, des frais d'entretien totalisant 10 000 $ sont engagés. Ces coûts doivent-ils être partagés seulement entre les articles fabriqués pendant le quatrième mois ? pendant les quatre premiers mois ? pendant les quatre mois suivants ?

On constate aisément que le coût de revient unitaire établi en cours d'exercice peut varier sensiblement d'une période à l'autre et qu'il n'est pas facile de déterminer un coût de revient réel significatif à un autre moment qu'à la fin de l'exercice.

b. *Production non étalée uniformément sur l'exercice*

Les entreprises industrielles peuvent connaître des périodes de pointe et des périodes de ralentissement en ce qui a trait à la fabrication pendant l'exercice. Ces variations périodiques de production peuvent entraîner des coûts de revient unitaires réels qui diffèrent d'une période à l'autre comme l'indique l'exemple suivant:

EXEMPLE

DONNÉES

A ltée fabrique un seul produit. Les gestionnaires désirent connaître le coût unitaire de fabrication réel pour l'exercice terminé le 31 décembre 20X1, et aussi pour les deux semestres de ce même exercice. Les données réelles relatives aux activités industrielles sont les suivantes:

1) Coûts

Matières premières	3 $ par unité
Main-d'œuvre directe	2 $ par unité
Frais indirects de fabrication variables	1 $ par unité
Frais indirects de fabrication fixes	60 000 $ par an

2) Production

1er semestre	10 000 unités
2e semestre	20 000 unités
Total	30 000 unités

SOLUTION

Les coûts de revient unitaires réels prévus sont calculés comme suit :

	1er semestre	2e semestre	Total
Quantité fabriquée	10 000	20 000	30 000
Matières premières	30 000 $	60 000 $	90 000 $
Main-d'œuvre directe	20 000	40 000	60 000
Frais indirects fixes	30 000	30 000	60 000
Frais indirects variables	10 000	20 000	30 000
	90 000 $	150 000 $	240 000 $
Coût de revient unitaire	9,00 $	7,50 $	8,00 $

L'effet combiné des différentes difficultés mentionnées jusqu'ici peut entraîner tellement de distorsions que le coût de revient unitaire réel complet établi en cours d'exercice pourrait ne pas être vraiment significatif. Ces distorsions sont essentiellement causées par les frais indirects de fabrication, car les coûts des matières premières utilisées et de la main-d'œuvre directe, étant immédiats, sont relativement faciles à mesurer.

B.   Moyen de contourner les difficultés inhérentes au coût de revient réel : le coût de revient rationnel

Pour que le coût de revient unitaire complet soit relativement significatif *en cours d'exercice*, il faut remplacer les frais indirects de fabrication réels par un élément de frais prévus qui reflète une relation directe avec le volume d'activité exprimé en unités d'œuvre au même titre que la matière première et la main-d'œuvre directe le sont à l'égard du volume de production. Pour ce faire, des frais indirects sont « attribués » à la production de façon à traduire une *relation réaliste* constante au cours de l'exercice annuel entre les frais indirects de fabrication incorporés au coût des produits et le volume d'unités d'œuvre. Cela signifie que chaque unité de production d'un article se voit en quelque sorte attribuer une quote-part de chacun des éléments de frais indirects de fabrication de l'exercice annuel, peu importe le moment où l'unité est fabriquée pendant l'exercice annuel et peu importe le moment de l'engagement des frais. Cette attribution de frais indirects de fabrication s'appelle l'*imputation rationnelle*.

Le principe de l'imputation rationnelle repose sur le postulat que l'ensemble des frais indirects de fabrication d'un exercice annuel doit être supporté par l'ensemble des unités de production de cet exercice. Il faut donc déterminer d'avance un volume annuel d'unités d'œuvre représentatif aux fins d'imputation des frais indirects de fabrication fixes, l'unité d'œuvre étant la clef de l'imputation, et prévoir le montant global des frais indirects de fabrication correspondant à ce volume. L'imputation rationnelle nécessite le calcul d'un coefficient prédéterminé d'imputation (Ci) qui sera par la suite appliqué au volume d'unités d'œuvre atteint. Ce coefficient, qui est la variable corrélée aux frais indirects de fabrication, correspond au rapport suivant :

$$\frac{\text{Budget des F.I.F. au volume annuel d'unités d'œuvre prédéterminé}}{\text{Volume d'unités d'œuvre prédéterminé}}$$

On se rend compte que le coefficient d'imputation est fondé sur des données prévisionnelles ou prédéterminées (budget des frais indirects de fabrication et volume prédéterminé) et que l'efficacité de l'imputation (sa pertinence) dépend, pour beaucoup, du choix de la nature de l'unité d'œuvre utilisée. Ce choix doit être arrêté à la suite d'une analyse du comportement des frais indirects de fabrication. À vrai dire, l'analyse ne porte que sur les frais indirects de fabrication variables, car ce sont les seuls qui fluctuent par rapport au volume d'unités d'œuvre. Donc, on impute les frais indirects de fabrication aux produits, on ne leur attribue pas de frais indirects de fabrication réels.

Si l'on reprend l'exemple illustré précédemment, mais en retenant cette fois-ci le principe de l'imputation des frais indirects de fabrication, on est en mesure de constater que le coût de revient rationnel à l'unité, qui comprend d'une part le coût réel pour ce qui est des matières premières et de la main-d'œuvre directe utilisées et, d'autre part, des frais indirects de fabrication imputés, demeure le même tout au cours de l'exercice annuel, les coûts unitaires réels en matières premières et en main-d'œuvre directe étant demeurés les mêmes au cours des deux semestres. Au cours de l'exercice annuel, les fluctuations du volume de production n'influencent pas le coût de revient unitaire pour ce qui est des frais indirects de fabrication. L'imputation effective des frais indirects de fabrication se fait au cours de l'exercice, de façon périodique, par une inscription comptable au journal général ou dans un autre journal approprié. Le montant inscrit audit registre comptable est déterminé par le produit suivant :

$$Ci \times \text{Unités d'œuvre réelles}$$

EXEMPLE

DONNÉES

– Celles de l'exemple prédédent;
– Nature de la base d'imputation (ou unités d'œuvre) retenue: unités de production;
– Volume d'unités d'œuvre prédéterminé: 30 000 unités de production;
– Budget des frais indirects de fabrication en fonction du volume prédéterminé:

Frais fixes	60 000 $
Frais variables (30 000 x 1$)	30 000
	90 000 $

$\rightarrow$ FF = 2 $, soit 60 000 $/30 000

Ci = 90 000 $/30 000 unités = 3 $

$\rightarrow$ FV = 1 $, soit 30 000 $/30 000

SOLUTION

Les coûts de revient rationnels par semestre sont calculés comme suit:

	1er semestre	2e semestre	Total
Quantité fabriquée	10 000	20 000	30 000
Matières premières	30 000 $	60 000 $	90 000 $
Main-d'œuvre directe	20 000	40 000	60 000
Frais indirects imputés	30 000	60 000	90 000
	80 000 $	160 000 $	240 000 $
Coût de revient rationnel	8,00 $	8,00 $	8,00 $

C.   Exemple de comptabilisation

DONNÉES

Au cours de l'exercice terminé le 31 décembre 20X1, A ltée a fabriqué 29 000 unités de son produit. Il n'y avait pas de stock de produits en cours au début ni à la fin. Il n'y avait pas non plus de stock de produits finis au début, alors qu'à la fin il existait un stock de 4 000 articles à l'état fini. Toutefois, le stock de matières au début de l'exercice était de 10 000 $. L'entreprise a eu à effectuer pour 100 000 $ d'achats de matières au cours de l'exercice. Le prix de vente moyen des unités vendues au cours de l'exercice est de 15 $. L'unité d'œuvre prédéterminée aux fins de l'imputation est l'unité de production, et le coefficient d'imputation est de 3 $ par unité d'œuvre. Les coûts réels de l'exercice sont les suivants :

Matières premières	101 500 $
Main-d'œuvre directe	52 200
Frais indirects de fabrication	88 000

SOLUTION

Voici les écritures comptables relatives aux opérations de l'exercice terminé le 31 décembre 20X1, en tenant pour acquis qu'il n'y a pas de retenues à la source sur les salaires.

1) Stock de matières ... 100 000
   Comptes fournisseurs ... 100 000

2) Stock de produits en cours ... 101 500
   Stock de matières ... 101 500

3) Salaires ... 52 200
   Salaires à payer ... 52 200

4) Stock de produits en cours ... 52 200
   Salaires ... 52 200

5) Frais indirects de fabrication ... 88 000
   Crédits divers ... 88 000

6) Stock de produits en cours ... 87 000
   Frais indirects de fabrication imputés ... 87 000
   $29\,000 \times 3\,\$ = \underline{87\,000\,\$}$

7) Stock de produits finis ... 240 700
   Stock de produits en cours ... 240 700

8) Comptes clients ... 375 000
   Ventes ... 375 000
   $25\,000 \times 15\,\$ = \underline{375\,000\,\$}$

9) Coût des produits vendus ... 207 500
   Stock de produits finis ... 207 500
   $(240\,700\,\$/29\,000)\ 25\,000 = \underline{207\,500\,\$}$

Voici présentés de façon schématique les comptes du grand livre général présentant davantage d'intérêt pour nous, une fois les écritures précédentes reportées.

Stock de produits en cours		Stock de produits finis		Coût produits vendus	
2) 101 500	240 700 7)	7) 240 700	207 500 9)	9) 207 500	
4) 52 200					
6) 87 000					

F.I.F.		F.I.F. imputés	
5) 88 000			87 000 6)

D. Traitement comptable de la surimputation ou de la sous-imputation

a. À la fin de l'exercice

Comme le montre le tableau I, la sur- ou sous-imputation est dégagée et ventilée si l'on juge qu'elle est importante. Cette opération de ventilation a pour but d'ajuster le coût du stock de produits en cours et celui du stock de produits finis ainsi que le coût des produits vendus. Les stocks seront alors considérés comme étant exprimés au coût réel complet pour la présentation des états financiers annuels établis selon les règles de la comptabilité générale.

Les unités d'œuvre réelles servent de base de répartition de la sur- ou sous-imputation. La ventilation de la sur- ou sous-imputation nécessite donc des calculs. En l'absence de ventilation, il faut l'incorporer au coût des produits vendus. En optant pour la non-ventilation, on considère que, dans le cours normal des affaires, l'essentiel de la production d'un exercice est vendu au cours de ce même exercice. La portion de la sur- ou sous-imputation attribuable aux stocks a de ce fait une valeur relative faible qui, en l'absence de ventilation, ne devrait pas vraiment fausser l'évaluation des stocks en fin d'exercice. Cette approche pratique a l'avantage évident de simplifier le processus du traitement de la sur- ou sous-imputation.

Enfin, précisons qu'un certain nombre d'entreprises ventilent les sur- ou sous-imputations sur la base du coût avant ventilation des produits en cours et des produits finis existant à la fin de l'exercice et du coût avant ventilation des produits vendus au cours de l'exercice. Cette méthode de ventilation est rarement appropriée. Voilà pourquoi ce type de ventilation n'est pas illustré dans le présent ouvrage.

TABLEAU I
Traitement comptable de la sur- ou sous-imputation en fin d'exercice

1) Dégager la sur- ou sous-imputation

Frais indirects de fabrication imputés	87 000	
Sur- ou sous-imputation	1 000	
Frais indirects de fabrication		88 000

2) Traiter la sur- ou sous-imputation

a) *Première approche (ventilation)*
– Analyse des unités d'œuvre

	Volume	%
Stock de produits en cours	–0–	–0–
Stock de produits finis	4 000	13,8
Coût des produits vendus	25 000	86,2
	29 000	100,0

– Écriture de journal

Stock de produits finis	138	
Coût des produits vendus	862	
Sur- ou sous-imputation		1 000

b) *Seconde approche (résultat de l'exercice)*
– Écriture de journal

Coût des produits vendus	1 000	
Sur- ou sous-imputation		1 000

b.   *En cours d'exercice*

La sur- ou sous-imputation est dégagée mais non ventilée, car les frais indirects de fabrication réels comptabilisés sont rarement significatifs en cours d'exercice. Pour ce faire, le travail nécessaire a le plus souvent un caractère extra-comptable. Aux fins de la préparation d'états financiers intérimaires, les stocks de produits en cours et de produits finis sont exprimés au coût de revient rationnel et, par voie de consé-quence, le coût des produits vendus est établi au coût de revient rationnel. À cette occasion, la sur- ou sous-imputation est présentée au bilan.

La sous-imputation (solde débiteur du compte Sur- ou Sous-imputation) est présentée à l'*actif à court terme*. Si les dirigeants de l'entreprise ont pris soin de choisir une unité d'œuvre d'imputation réaliste et de préparer un budget représentatif de la nature et du comportement des frais indirects de fabrication, alors on devrait con-sidérer que les frais indirects de fabrication imputés sont les plus significatifs, les plus vrais. Dans le cas d'une sous-imputation (F.I.F. > F.I.F. imputés), on considère que la comptabilisation de l'engagement des frais indirects de fabrication réels est en avance sur l'imputation de frais au coût des produits. Une surimputation (solde créditeur) est présentée au *passif à court terme*. Dans ce cas, on considère que la comptabilisation de l'engagement des frais indirects de fabrication réels est en retard sur l'imputation de frais au coût des produits.

E.   Analyse de la surimputation ou de la sous-imputation

Si le traitement en fin d'exercice de la sur- ou sous-imputation constitue une activité comptable, l'analyse de cette même sur- ou sous-imputation est une activité extra-comptable qui n'implique pas nécessairement d'écriture comptable. L'analyse de la sur- ou sous-imputation a pour but de déterminer les facteurs qui l'ont causée, d'exercer un contrôle du coût de chacun des éléments faisant partie des frais indirects de fabrication en comparant les chiffres réels et les chiffres budgétés aux unités d'œuvre réelles, et d'aider à déterminer le coefficient d'imputation de l'exercice futur. Cette analyse s'effectue surtout en fin d'exercice, car si en général la sur- ou sous-imputation n'est pas significative en cours d'exercice, son analyse ne peut l'être davantage.

Les facteurs qui peuvent expliquer l'existence d'une sur- ou sous-imputation sont de nature budgétaire (écart sur dépense) ou liés au volume d'unités d'œuvre prédéterminé (écart sur volume).

Écart sur dépense + Écart sur volume = Sur- ou Sous-imputation

a. ***Écart sur dépense***

Calcul

Frais indirects de fabrication réels	XXX $
moins : Frais indirects de fabrication budgétés (au volume atteint)	XXX
Écart sur dépense	XXX $

b. ***Budget flexible relatif aux frais indirects de fabrication***

On peut préparer des budgets qui varient selon le volume d'unités d'œuvre tout en conservant un lien entre chacun, c'est-à-dire que les hypothèses de comportement des frais (coût unitaire pour les frais variables et coût global pour les frais fixes) pour chacun de ces budgets sont les mêmes; leur seule différence réside dans les volumes d'unités d'œuvre. On parle dans ce cas de budget flexible par opposition au budget fixe. Ce dernier est préparé pour un volume d'unités d'œuvre et n'est valable que pour ce seul volume. Son utilité étant marginale par rapport à celle du budget flexible, il ne fera pas l'objet d'étude et de démonstration supplémentaires dans ce chapitre. Une condition est cependant essentielle à la mise en place d'un budget flexible : il faut connaître le comportement des coûts en relation avec le volume d'unités d'œuvre.

Dans un budget flexible, on ne doit trouver que deux sortes de frais, soit des **frais variables** et des **frais fixes**. S'il existe des frais semi-variables, ils sont décomposés en leurs parties fixe et variable. Les frais variables sont des frais dont le coût global a tendance à suivre le comportement du volume d'unités d'œuvre. Par exemple dans le cas où l'unité d'œuvre est l'heure de fonctionnement des machines, le coût de la force motrice augmente si l'utilisation des machines de production augmente. Les frais fixes sont des frais qui demeurent plutôt constants en totalité pour l'exercice annuel par rapport au volume d'unités d'œuvre pour autant, bien sûr, que tout volume considéré soit compatible avec les capacités productives installées. Par exemple, l'amortissement linéaire relatif à l'usine, pour un exercice donné, restera le même que les heures de fonctionnement des machines, soit de 100 000 ou de 102 000, si ces activités sont liées aux structures industrielles appelées à demeurer inchangées au cours dudit exercice. L'étude du chapitre 4 permettra d'approfondir et de nuancer les notions budgétaires relatives aux frais indirects de fabrication. Dans le présent chapitre, nous faisons l'hypothèse simplificatrice que les frais variables sont toujours directement proportionnels au volume d'unités d'œuvre et que les frais fixes demeurent inchangés pour l'ensemble des volumes d'unités d'œuvre possibles d'une entreprise donnée.

Le budget flexible permet de préparer un budget qui s'adapte à plusieurs volumes d'unités d'œuvre différents; cependant, deux volumes d'unités d'œuvre seulement importent pour l'analyse de la sur- ou sous-imputation, soit le volume prédéterminé et le volume atteint.

Le budget au volume prédéterminé

Ce budget est préparé, **avant le début de l'exercice annuel**, au volume d'unités d'œuvre prédéterminé pour le calcul du coefficient d'imputation qui sera utilisé au cours de l'exercice.

Le budget au volume atteint

Ce budget est préparé, **au terme de l'exercice annuel**, au volume d'unités d'œuvre atteint et à partir des mêmes hypothèses de comportement de coût utilisées lors de l'élaboration du budget au volume prédéterminé.

Pourquoi préparer un second budget au volume d'unités d'œuvre atteint? C'est essentiellement pour établir une comparaison significative entre les frais réels et les frais budgétés. Si un budget a été initialement préparé à un volume d'unités d'œuvre de 100 000 heures-machine et que le volume atteint au cours de l'exercice est de 105 000 heures-machine, il nous semblera normal que les frais réels soient supérieurs aux frais budgétés. En préparant un budget au volume d'unités d'œuvre atteint, on est en mesure de comparer des choses comparables et de faire ressortir un écart sur dépense qui soit vraiment significatif tant du point de vue global que du point de vue de chacun des éléments entrant dans les frais indirects de fabrication.

Après avoir déterminé le montant de l'écart (frais indirects de fabrication réels – frais indirects de fabrication budgétés, tous deux au volume d'unités d'œuvre atteint), il faut le qualifier. Un écart sur dépense favorable correspond à la situation où les frais indirects de fabrication réels (**R**) sont inférieurs aux frais indirects de fabrication budgétés (**B**). La situation inverse se solde par un écart défavorable.

R < B → Écart favorable	(F)
R > B → Écart défavorable	(D)

c.   *Écart sur volume*

Calcul

Frais indirects de fabrication imputés	XXX $
moins: Frais indirects de fabrication budgétés au volume atteint	XXX
Écart sur volume	XXX $

On constate tout d'abord que les deux éléments servant au calcul de l'écart sont chiffrés au volume d'unités d'œuvre atteint. Ces deux éléments ont également un lien étroit avec le budget au volume prédéterminé. Le coefficient d'imputation utilisé pour comptabiliser les frais indirects de fabrication imputés a été calculé à partir du budget établi au volume d'unités d'œuvre prédéterminé. Les frais indirects de fabrication budgétés au volume atteint, comme nous venons de l'illustrer, ont les mêmes attributs que ceux établis au volume d'unités d'œuvre prédéterminé.

La principale caractéristique de l'écart sur volume est qu'il est **essentiellement technique**, car il est dû uniquement à une variation du volume d'unités d'œuvre (l'aspect variation de coût a été isolé et étudié par le biais de l'écart sur dépense). L'écart sur volume est associé aux frais fixes qui sont sur- ou sous-incorporés selon que le volume d'unités d'œuvre atteint a dépassé ou non le volume d'unités d'œuvre prédéterminé. L'écart sur volume peut donc être calculé de la manière suivante :

Écart sur volume = [Volume atteint − Volume prédéterminé] Ci_f

On pourrait aussi le calculer comme suit :

Frais indirects de fabrication fixes imputés	XXX $
moins : Frais indirects de fabrication fixes budgétés au volume atteint	XXX
Écart sur volume	XXX $

Pourquoi les frais indirects de fabrication variables ne sont-ils pas associés à l'écart sur volume ? Le coefficient d'imputation des frais variables représente l'ensemble des frais indirects de fabrication variables unitaires pris en compte dans la détermination du budget au volume prédéterminé. Or, ces frais variables unitaires sont également ceux utilisés dans l'établissement du budget au volume atteint. Comme le coefficient d'imputation des frais variables demeure inchangé en cours d'exercice, la comparaison des frais indirects de fabrication variables budgétés au volume atteint et des frais indirects de fabrication variables imputés donnera un résultat nul. En ce qui a trait aux frais fixes, leur montant global budgétés est le même, que ce soit au volume prédéterminé ou au volume atteint. Par ailleurs, les frais indirects de fabrication variables et fixes imputés sont une fonction directement linéaire par rapport au volume d'unités d'œuvre atteint. Il s'ensuit que, dans toutes les situations où le volume d'unités d'œuvre atteint diffère du volume prédéterminé, il existe un écart sur volume. Celui-ci est nul dans la situation où le volume d'unités d'œuvre atteint égale le volume prédéterminé.

Volume d'unités d'œuvre
atteint ≠ prédéterminé → écart sur volume
atteint = prédéterminé → aucun écart sur volume

Tout comme pour l'écart sur dépense, il faut qualifier l'écart sur volume. Le volume d'unités d'œuvre prédéterminé est l'élément clé. Il constitue le volume cible aux fins d'incorporation des frais indirects de fabrication fixes. Si l'objectif est dépassé, l'écart est favorable. Dans la situation inverse, l'écart est défavorable.

Volume d'unités d'œuvre
atteint > prédéterminé → écart favorable   F
atteint < prédéterminé → écart défavorable   D

La sur- ou sous-imputation étant égale à la somme de l'écart sur dépense et de l'écart sur volume, on doit donc tenir compte du sens de ces écarts; ceux qui ont le même sens s'additionnent, alors que ceux de sens différent se soustraient. Pour cette raison, il est important de procéder à l'analyse de la sur- ou sous-imputation, même si le montant en cause est faible ou, encore, nul. Ajoutons une considération d'ordre technique: lorsque la somme algébrique des écarts donne un résultat défavorable, cela correspond à une analyse de sous-imputation; dans la situation inverse (résultat favorable), il s'agit d'une surimputation.

d.   *Exemple d'analyse*

DONNÉES

A ltée a terminé son exercice financier le 31 décembre 20X1. Le volume d'unités d'œuvre prédéterminé aux fins du calcul du coefficient d'imputation est de 30 000 unités de production, et le volume d'unités d'œuvre atteint est de 29 000 unités de production. Les frais indirects de fabrication réels sont de 88 000 $, alors que les frais indirects de fabrication imputés sont de 87 000 $, soit 29 000 articles × 3 $. Le budget au volume prédéterminé se présente comme suit:

Volume d'unités d'œuvre prédéterminé	<u>30 000</u> unités de production
Frais variables (30 000 × 1 $)	30 000 $
Frais fixes	<u>60 000</u>
	<u><u>90 000</u></u> $

SOLUTION

Étapes de l'analyse de la sur- ou sous-imputation

1) déterminer la sur- ou sous-imputation à la fin de l'exercice:

F.I.F. réels	88 000 $
F.I.F. imputés	<u>87 000</u>
Sous-imputation	<u><u>1 000</u></u> $ D

2) déterminer les frais indirects de fabrication budgétés au volume d'unités d'œuvre atteint (F.I.F. budgétés):

	Budget au volume prédéterminé		Budget au volume atteint
Volume d'unités d'œuvre	30 000		29 000
Frais variables (30 000 × 1 $)	30 000 $	(29 000 × 1 $)	29 000 $
Frais fixes	60 000		60 000
	90 000 $		89 000 $

3) calculer l'écart sur dépense (/dépense):

Frais indirects de fabrication réels	88 000 $
Frais indirects de fabrication budgétés au volume atteint	89 000
Écart sur dépense	1 000 $ F

4) calculer l'écart sur volume (/v olume):

Frais indirects de fabrication budgétés au volume atteint	89 000 $
Frais indirects de fabrication imputés	87 000
Écart sur volume	2 000 $ D

L'écart sur volume peut aussi être calculé de la façon suivante:

$$\text{Écart sur volume} = \left[\begin{array}{c} \text{Volume d'unités} \\ \text{d'œuvre atteint} \end{array} - \begin{array}{c} \text{Volume d'unités} \\ \text{d'œuvre prédéterminé} \end{array}\right] Ci_f$$

$$= (30\ 000 - 29\ 000)\ 2\ \$$$
$$= 2\ 000\ \$\ D$$

5) dresser le sommaire des écarts

Écart sur dépense	1 000 $ F
Écart sur volume	2 000 D
Sous-imputation	1 000 $

Tableau récapitulatif

	Budget au volume prédé-terminé	Chiffres réels au volume atteint	Budget au volume atteint	Frais imputés au volume atteint
Volume d'unités d'œuvre	30 000	29 000	29 000	29 000
Frais fixes	60 000 $		60 000 $	58 000 $
Frais variables	30 000		29 000	29 000
	90 000 $	88 000 $	89 000 $	87 000 $

Δ/dépense   Δ/volume

1 000 $ F   2 000 $ D

Sous-imputation

Représentation graphique

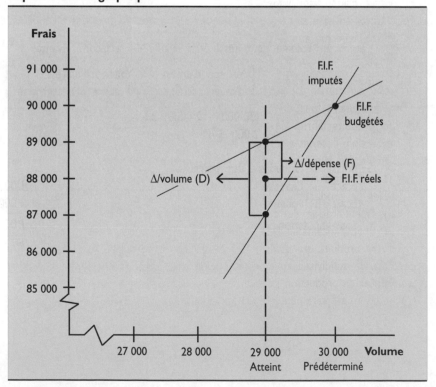

e.   *Le sens favorable ou défavorable des écarts*

On peut avoir intuitivement tendance à bonifier les écarts favorables et à condamner les écarts défavorables. Si cela devait être le cas, le gestionnaire pourrait faire en sorte que les écarts soient favorables ou moins défavorables en préparant un budget gonflé et/ou en prédéterminant à la baisse le volume d'unités d'œuvre servant au calcul du coefficient d'imputation. Le gestionnaire doit mettre en place des normes qui lui permettront de juger si l'écart est important et de procéder, s'il y a lieu, à une étude plus approfondie pour en déterminer les causes et y apporter les correctifs nécessaires.

F.   Un coefficient d'imputation unique ou un coefficient par atelier de production (section principale)

L'objectif de l'imputation étant d'attribuer à chacune des unités de production une quote-part de l'ensemble des frais indirects de fabrication annuels, on peut être enclin à en déduire qu'un coefficient d'imputation unique, tout en ayant l'avantage d'être facile à utiliser, peut atteindre cet objectif. En réalité, cela peut être valable dans la situation d'une opération industrielle simple (par exemple, un seul produit exigeant l'existence d'un seul atelier de production). Autrement, il est préférable d'utiliser un coefficient d'imputation par atelier de production pour les raisons suivantes :

1) Le travail effectué au sein d'un atelier de production peut être sensiblement différent de celui effectué au sein d'un autre atelier de production et cela, dans une même entreprise. Dans le cas d'un atelier très mécanisé, les unités d'œuvre seront bien souvent exprimées en heures de fonctionnement des machines. Dans le cas d'un atelier caractérisé par l'importance du travail manuel, le coefficient d'imputation sera habituellement fonction des heures de main-d'œuvre directe ;

2) Les produits fabriqués ne passent pas nécessairement par tous les ateliers de production. Il serait alors tout à fait injuste que l'entreprise leur impute des frais indirects de fabrication en fonction d'un coefficient unique ;

3) Les coefficients distincts permettent la localisation des sur- ou sous-imputations par atelier de production et rendent possibles la détermination de leurs causes ainsi que l'identification des personnes ou services responsables.

Il pourrait même être davantage approprié, lorsque les tâches effectuées sur les divers produits qui passent par un atelier ne le sont pas dans les mêmes proportions, de subdiviser, aux seules fins du calcul de coûts de revient plus adéquats, ledit atelier de production en sections de calcul ou fictives. Cette contrainte en matière d'imputation est rarement respectée en pratique.

G.   Les différentes bases de calcul des coefficients d'imputation

Dans les paragraphes qui suivent, nous étudierons quelques bases ou unités d'œuvre servant au calcul des coefficients d'imputation.

a.   Les unités de production

C'est une méthode qui s'applique surtout lorsque l'entreprise fabrique un produit unique. Vous aurez observé que nous avons utilisé cette méthode dans notre exemple. Elle s'applique aussi dans le cas d'entreprises qui fabriquent plusieurs produits étroitement reliés, leur différence ne résidant que dans le poids ou le volume, bien qu'il faille dans ce cas les pondérer. Ajoutons que son usage est très limité étant donné la politique bien établie, pour la plupart des entreprises, d'avoir une production diversifiée.

b.   Le coût des matières premières utilisées

Le recours à cette méthode est aussi limité vu qu'il est très difficile d'établir une relation étroite entre le coût des matières premières utilisées et les frais indirects de fabrication. En effet, le coût en matières premières de deux produits peut être différent, alors que les frais indirects afférents à la fabrication de ces produits peuvent être sensiblement égaux.

c.   Le coût de la main-d'œuvre directe

Cette méthode est plus réaliste que les deux précédentes en ce sens qu'elle révèle une certaine relation avec l'élément « temps » auquel bien des frais indirects de fabrication, comme le loyer, l'amortissement, sont eux-mêmes reliés. C'est une méthode très simple qui n'exige aucun calcul supplémentaire, puisque les registres comptables fournissent directement le coût de la main-d'œuvre sur lequel on applique le coefficient d'imputation. Il faut cependant ajouter que cette méthode n'est appropriée que dans le cas où la main-d'œuvre directe travaillant au sein d'un atelier de production est rémunérée sensiblement au même taux horaire.

d.   Les heures de fonctionnement des machines

Dans la mesure où l'outillage est homogène, il importe peu que l'on choisisse comme unité d'œuvre l'heure de la main-d'œuvre directe ou l'heure-machine, si le ratio des heures de la main-d'œuvre directe aux heures de fonctionnement des machines demeure constant d'une machine à l'autre. Si ce ratio n'est pas constant (par exemple une machine récente nécessitant deux ouvriers par rapport à une machine plus ancienne nécessitant trois ouvriers), l'heure-machine paraît être une meilleure unité d'œuvre. La méthode de l'heure-machine exige l'accumulation des heures de fonctionnement des machines.

H. Les concepts de volume d'unités d'œuvre

Comme nous l'avons vu, pour calculer le coefficient d'imputation qui sera utilisé au cours d'un exercice, il faut au préalable établir un volume d'unités d'œuvre qui soit réaliste pour l'incorporation ou l'imputation des frais fixes. Ce travail est important, car le volume d'unités d'œuvre qui sera prédéterminé aura une incidence sur le chiffre du coefficient d'imputation. Au terme de l'exercice, cela aura un effet sur le montant de l'écart sur volume. Les quatre principaux concepts de volume d'unités d'œuvre utilisés en pratique sont les suivants :
– la capacité maximum, théorique ou idéale ;
– la capacité pratique ;
– l'activité normale ;
– l'activité annuelle anticipée.

a. La capacité maximum, théorique ou idéale, d'une section principale

Il est illusoire de croire que, pour une section principale et dans l'hypothèse où il y a une, deux ou trois équipes par jour, les arrêts dus à l'entretien ou aux réparations seront inexistants et que le marché sera sans limite pour l'écoulement des produits.

Si, malgré tout, on appliquait ce concept à la détermination des coûts, on obtiendrait un coefficient d'imputation aux stocks anormalement bas ; les stocks seront donc sous-évalués. Il en résulterait un écart sur volume ou un coût de sous-activité constamment défavorable à la firme, car l'objectif fixé pour l'équipe de production serait complètement irréaliste. L'écart sur volume qui se produit pour un exercice ne peut être significatif que s'il diffère de celui anticipé pour ledit exercice.

b. La capacité pratique d'une section principale

Cette capacité est l'activité maximum qui peut être obtenue compte tenu des causes inévitables de ralentissement, des arrêts de travail du personnel et des machines : délai pour la réparation et la mise en route (course) des machines, fatigue des employés, congés, etc. Dans cette évaluation, on ne tient pas compte des temps morts dus à l'absence de travail. La capacité pratique d'une section principale peut être dépendante de celles d'autres sections principales.

Ce concept permet de mesurer le coût de la capacité annuelle inutilisée (coût de la sous-activité). En effet, le volume d'unités d'œuvre étant basé sur la capacité pratique de la section, on obtiendra un écart sur volume défavorable chaque fois que le volume d'unités d'œuvre ne pourra correspondre à cette capacité, chaque fois qu'il se produira, entre autres, des temps morts anormaux, des bris de machines prolongés, un ralentissement inhabituel du rythme de la main-d'œuvre ; ce sont là des faits qui doivent normalement affecter le résultat de la période et non le coût des produits.

Il s'ensuit que ce coût ne subit pas d'augmentation si l'entreprise n'utilise pas pleinement ses moyens de production.

Tout comme dans le cas de la capacité maximum, l'écart sur volume qui se produit pour un exercice ne peut être significatif que s'il diffère de celui anticipé pour ledit exercice.

c.   L'activité normale d'une section principale

Ce concept désigne un volume d'unités d'œuvre présumé normal dans l'établissement du coefficient d'imputation des frais indirects de fabrication fixes, c'est-à-dire un volume qui tient compte non seulement des causes ordinaires de fluctuations de la production (réparations, mise en route, fatigue), mais aussi de celles correspondant aux fluctuations du volume des ventes sur un certain nombre d'exercices. Par conséquent, l'activité normale est le nombre d'unités d'œuvre moyen sur une période qui est souvent de trois à cinq ans. Il est possible qu'en période d'activité économique soutenue l'activité normale et la capacité pratique coïncident, mais c'est là une exception. Le concept de l'activité normale est utilisé par la majorité des entreprises pour les raisons exposées ci-après.

L'utilisation du concept de l'activité normale aura pour résultats, par suite des fluctuations, un écart sur volume favorable en période d'intense activité et un écart sur volume défavorable en période creuse ; cependant, par rapport au nombre d'années prises en considération lors de l'établissement de l'activité moyenne, les écarts positifs et négatifs auront souvent tendance à s'annuler. Le but recherché, en prenant en compte plusieurs années, est d'attribuer les frais indirects de fabrication fixes relatifs à ces exercices aux fabrications réalisées au cours de ces mêmes exercices.

Certains prétendent que lorsque le prix de vente est basé sur un tel coût des stocks, il varie moins fréquemment. Il est admis que ce concept d'activité a pour effet de réduire la fréquence des fluctuations des coûts unitaires de production, puisqu'il est basé sur le volume d'unités d'œuvre moyen de l'activité prévue au cours d'un certain nombre d'années.

Ce concept permet également d'estimer les frais indirects de fabrication fixes rationnels relatifs à l'écart périodique entre le volume d'unités d'œuvre atteint et le volume d'unités d'œuvre moyen. Il peut s'agir d'un écart sur volume défavorable (volume atteint < volume normal ou moyen) ou encore d'un écart sur volume favorable (volume atteint > volume normal ou moyen).

Théoriquement, les écarts sur volume devraient paraître au bilan jusqu'à la fin de la période couvrant les années dont on tient compte lors de l'établissement du volume moyen. En pratique, il appert que les écarts sur volume sont traités annuellement comme des éléments entrant dans le calcul du résultat relatif à l'exercice. Dans le cas des écarts sur volume favorables, ce traitement comptable ferait toutefois obstacle au principe qui veut qu'on ne doit reconnaître aucune plus-value d'actif qui ne soit déjà réalisée.

Bien qu'on procède de la sorte, il n'en reste pas moins que les frais indirects de fabrication fixes sont, au cours des ans, considérés comme des coûts de production. En effet, si les prévisions ayant servi à établir les coefficients d'imputation rationnelle s'avèrent réalistes, les écarts sur volume favorables auront tendance à annuler les écarts défavorables au cours de la période retenue.

Encore une fois, l'écart sur volume, qu'il soit favorable ou défavorable, ne peut être significatif que s'il diffère de celui anticipé. Il faut retenir que les écarts sur volume, selon ce concept et les deux précédents, peuvent être tout à fait normaux dans la mesure où ils correspondent à ceux anticipés, en ce sens qu'ils sont inhérents auxdits concepts.

d. *L'activité annuelle anticipée d'une section principale*

Les trois méthodes précédentes ont en commun des coefficients d'imputation sans doute différents, mais aussi relativement permanents ; ces taux sont utilisés pendant plusieurs exercices, à moins que les circonstances n'exigent leur modification.

Selon le concept de l'activité anticipée, ce caractère de relative permanence du coefficient d'imputation disparaît, puisqu'il s'agit ici d'un coefficient basé sur le volume d'unités d'œuvre prévu pour l'exercice à venir. Ce coefficient augmentera ou diminuera annuellement en sens inverse des fluctuations du volume d'unités prévu.

Il est aussi évident que, pour un exercice précis, l'activité anticipée peut être supérieure ou inférieure à l'activité normale. De plus, en utilisant le coefficient d'imputation qui découle du concept de l'activité anticipée, on porte aux stocks tous les frais de fabrication fixes (si les prévisions étaient exactes), y compris le coût de la sous-activité.

On peut noter que les quatre concepts de volume d'unités d'œuvre étudiés peuvent être regroupés : les deux premiers sont liés à la **capacité technique de production** de l'entreprise, alors que les deux derniers sont fondés sur la **capacité économique** de l'entreprise.

I. **Les utilisateurs potentiels**

Le coût de revient rationnel est la méthode la plus élémentaire qu'une entreprise puisse utiliser si on tient pour acquis que le coût de revient réel est rarement significatif en cours d'exercice. Le concept simple sur lequel il repose et les faibles coûts associés à son utilisation le rendent accessible à toutes les petites entreprises industrielles.

J.   État du coût de fabrication et état des résultats fondés sur le coût rationnel

Le flux des éléments du coût de fabrication, compte tenu du fait que l'on impute les frais indirects de fabrication et du traitement comptable des sur- ou sous-imputations, a une incidence sur les états financiers d'une entreprise industrielle. Comme l'entreprise industrielle remplit une fonction autre que celle d'une entreprise strictement commerciale, soit celle de la fabrication, il faut préparer un autre état, celui du coût des produits fabriqués (appelé couramment **État du coût de fabrication**), et modifier la section Coût des marchandises vendues de l'état des résultats.

L'état du coût de fabrication montre le coût de revient des produits terminés au cours d'une période. L'état du coût de fabrication est lié à l'état des résultats, puisqu'il fournit le détail du coût des produits fabriqués qui figure dans la section Coût des produits vendus. À l'état des résultats, le coût des produits vendus représente le coût des produits vendus que l'entreprise a fabriqués. En ce qui a trait à la présentation des frais de vente, des frais d'administration et des autres postes pouvant figurer à l'état des résultats, elle sera similaire à celle utilisée par une entreprise commerciale.

Les exemples de présentation, qui suivent, de l'état du coût de fabrication et de l'état partiel des résultats se rapportant à un exercice, sont fondés sur les données de l'exemple de comptabilisation des coûts de fabrication en coût rationnel. Dans la première présentation, la sous-imputation au montant de 1 000 $ est ventilée, alors que, dans la seconde, la sous-imputation est passée en charge à l'exercice.

Première présentation (la sous-imputation est ventilée)

A LTÉE
État du coût réel de fabrication
pour l'exercice terminé le 31 décembre 20X1

Stock de produits en cours au début			– 0 – $
Coût des matières premières utilisées :			
Stock de matières premières au début	10 000 $		
plus : Achats de matières premières	100 000		
	110 000		
moins : Stock de matières à la fin	8 500		
	101 500		
Main-d'œuvre directe	52 200		
Frais indirects de fabrication:			
Force motrice			
Main-d'œuvre indirecte			
Réparations – outillage	88 000		
Amortissement – outillage			
Etc.		241 700	
		241 700	
Stock de produits en cours à la fin		– 0 –	
Coût réel des produits fabriqués			241 700 $

A LTÉE
État partiel des résultats au coût réel
pour l'exercice terminé le 31 décembre 20X1

Chiffre d'affaires		375 000 $
Coût des produits vendus :		
Stock de produits finis au début	– 0 – $	
Coût réel des produits fabriqués	241 700	
	241 700	
Stock de produits finis à la fin	33 338	208 362
Bénéfice brut réel		166 638 $

Il faut retenir que cette présentation est identique à celle qui existerait si l'entreprise s'en était tenue au coût réel aux fins de la comptabilisation des coûts de fabrication.

Deuxième présentation *(la sous-imputation est passée en charge)*

A LTÉE
État du coût rationnel de fabrication
pour l'exercice terminé le 31 décembre 20X1

Stock de produits en cours au début		– 0 – $
Coût des matières premières utilisées :		
Stock de matières premières au début	10 000 $	
plus : Achats de matières premières	100 000	
	110 000	
moins : Stock de matières à la fin	8 500	
	101 500	
Main-d'œuvre directe	52 200	
Frais indirects de fabrication imputés	87 000	240 700
		240 700
Stock de produits en cours à la fin		– 0 –
Coût rationnel des produits fabriqués		240 700 $

A LTÉE
État partiel des résultats
pour l'exercice terminé le 31 décembre 20X1

Chiffre d'affaires		375 000 $
Coût des produits vendus :		
Stock de produits finis au début	– 0 – $	
Coût rationnel des produits fabriqués	240 700	
	240 700	
Stock de produits finis à la fin	33 200	207 500
Bénéfice brut rationnel		167 500
Sous-imputation des frais indirects de fabrication		1 000
Bénéfice brut redressé		166 500 $

Il faut retenir que le **bénéfice brut redressé** de la sous-imputation ne saurait être pris pour le bénéfice brut réel.

EXERCICES D'APPLICATION

■■■■ **EXERCICE 2-1**

Monsieur A, manufacturier, a vendu 50 000 articles à 9,048 $ l'unité au cours de l'exercice 20X5, réalisant ainsi un bénéfice brut de 25 %. D'autre part, il a fabriqué, au cours du même exercice, 50 000 articles dont le coût unitaire de fabrication se chiffrait à 6,80 $.

Les stocks au 31 décembre 20X5 étaient les suivants :

Matières premières	(à déterminer)
Produits en cours	12 000 $
Produits finis	1 000 articles
	(à évaluer selon
	la méthode PEPS)

Les autres renseignements pertinents concernant l'exercice terminé le 31 décembre 20X5 sont :

Publicité	3 500 $
Douanes et fret à l'achat	2 000
Frais de télécommunications	500
Main-d'œuvre directe	188 000
Frais de voyage	3 200
Salaires des vendeurs	20 000
Main-d'œuvre indirecte	15 000
Frais de livraison	1 500
Permis de vente	200
Stock de produits en cours au 1er janvier 20X5	4 000
Entretien de l'usine	3 800
Frais bancaires	100
Réparations de l'outillage	2 800
Assurance – usine	1 800
Amortissements – usine et outillage	12 000
Impôts fonciers – usine	1 200
Achats de matières premières	119 400
Stock de matières premières au 1er janvier 20X5	10 000

ON DEMANDE

1. de présenter l'état du coût de fabrication pour l'exercice 20X5 ;
2. de déterminer le coût unitaire de fabrication pour 20X4.

■■■ EXERCICE 2-2

Une entreprise industrielle fabrique et vend la sécheuse Ausec. Les registres comptables et les états financiers révèlent les points suivants relatifs aux opérations de l'exercice 20X5:

a) Stocks au début

Matières premières	60 000 $
Produits finis	57 000

b) Stocks à la fin

Matières premières	40 000
Produits en cours de fabrication	20 000
Produits finis	(à déterminer)

c) Achats de matières premières en 20X5	575 000
d) Main-d'œuvre directe en 20X5	480 000
e) Frais indirects de fabrication en 20X5	245 000

Le coût unitaire de fabrication de l'exercice 20X4 était de 190 $ et le stock de produits finis au 1er janvier 20X5 a été calculé sur cette base. Toutes les sécheuses en stock au 1er janvier 20X5 ont été vendues au cours de l'exercice. Les ventes de l'exercice 20X5 ont été de 6 300 sécheuses à 250 $. Le stock de sécheuses terminées était de 500 au 31 décembre 20X5.

ON DEMANDE

de déterminer la valeur au prix coûtant du stock de sécheuses au 31 décembre 20X5.

■■■ EXERCICE 2-3

On fournit les renseignements suivants:

Stock des produits en cours au début de l'exercice

Matières premières	1 000 $
Main-d'œuvre directe	2 000
Frais indirects de fabrication	3 000
	6 000 $

Matières premières utilisées	10 000 $
Stock de matières premières au début de l'exercice	– 0 –
Stock de matières premières en fin d'exercice	800 $

Stock de produits en cours en fin d'exercice

Matières premières	4 000 $
Main-d'œuvre directe	5 000
Frais indirects de fabrication	6 000
	15 000 $

Coût des produits fabriqués au cours de l'exercice

Matières premières	(à déterminer) $
Main-d'œuvre directe	15 000
Frais indirects de fabrication	20 000

ON DEMANDE

de présenter l'état du coût de fabrication.

■■■ EXERCICE 2-4

Litron ltée vend et fabrique le produit A. Le comptable vous présente les renseignements suivants concernant l'exercice terminé le 31 décembre 20X4:

Chiffre d'affaires	200 000 $
Main-d'œuvre directe	20 000
Main-d'œuvre indirecte	10 800
Achats de matières premières	(à déterminer)
Redevances	(à déterminer)
Salaires de bureau	9 000
Amortissement – bâtiment	2 000
Amortissement – machinerie	4 500
Publicité	3 500
Chauffage et électricité – bâtiment	2 000
Stock de matières premières au 1er janvier 20X4	4 000
Stock de matières premières au 31 décembre 20X4	5 000
Stock de produits en cours au 1er janvier 20X4	5 000
Stock de produits en cours au 31 décembre 20X4	8 000
Stock de produits finis au 1er janvier 20X4	11 000
Fournitures de fabrication	1 000
Salaires des vendeurs	35 000
Entretien – bâtiment	3 000
Force motrice	5 000
Rendus et rabais sur achats de matières premières	2 500
Assurance – bâtiment	1 000
Impôts fonciers	2 000
Fret à l'achat de matières premières	1 200

Au cours de l'année 20X4, la société a fabriqué 10 000 unités. Au 31 décembre 20X4, il y avait un stock de 1 500 unités terminées. Le prix de vente moyen a été de 20 $ en 20X4. Le comptable indique que le bénéfice brut réalisé en 20X4 représente 35 % du chiffre d'affaires. Les redevances égalent 1 $ par produit terminé au cours de l'exercice. Le bâtiment abrite l'usine (75 % de l'espace) et les services de vente et d'administration (25 % de l'espace). Le coût du stock de produits finis au 31 décembre 20X4 doit être déterminé selon la méthode PEPS.

ON DEMANDE

de présenter l'état du coût de fabrication pour l'exercice terminé le 31 décembre 20X4.

▰▰▰ EXERCICE 2-5

Glado ltée est une entreprise dont le troisième exercice financier annuel s'est terminé le 31 décembre 20X1. Le 1er janvier 20X1, le propriétaire de l'entreprise avait estimé que le coût unitaire de fabrication de son produit s'établirait à 72 $; il avait en conséquence établi son prix de vente à 90 $, car il entendait réaliser un bénéfice brut de 20 %. Pour établir le coût unitaire réel, vous disposez des renseignements suivants :

a) Le stock de produits finis au 1er janvier 20X1, au montant de 72 000 $, a été évalué au coût de revient de 72 $ l'unité;

b) Le stock de produits finis au 31 décembre 20X1 est composé de 3 000 unités qui proviennent toutes de la fabrication de l'exercice 20X1;

c) Le stock de matières premières au 1er janvier 20X1 était de 38 000 $;

d) Le stock de matières premières au 31 décembre 20X1 est de 45 000 $;

e) Le stock de produits en cours au 1er janvier 20X1 était de 20 000 $;

f) Le stock de produits en cours au 31 décembre 20X1 est de 25 000 $;

g) Les autres données relatives à l'exercice 20X1 suivent :

Chiffres d'affaires	900 000 $
Achats de matières premières	403 000
Main-d'œuvre indirecte	102 000
Main-d'œuvre directe	253 000
Fret à l'achat	6 000
Salaires des vendeurs	15 000
Éclairage, chauffage, force motrice	39 000
Commission des vendeurs	27 000
Réparations et entretien de l'usine	21 000

Publicité	10 000
Frais de livraison	8 000
Salaires des employés de bureau	20 000
Fournitures de fabrication	15 000
Amortissement pour le matériel et l'outillage	55 000
Impôts fonciers de l'usine	18 000
Assurance de l'usine	14 000
Autres frais indirects de fabrication	46 000

ON DEMANDE

1. de présenter l'état du coût de fabrication pour l'exercice financier annuel clos le 31 décembre 20X1;
2. d'établir, calculs à l'appui, le coût de revient unitaire de l'exercice 20X1.

(Adaptation – C.A.)

■■■ EXERCICE 2-6

Produits Canadiens ltée a commencé ses activités le 2 janvier 20X1. Les opérations de janvier 20X1 ont conduit aux résultats suivants:

Chiffre d'affaires		122 500 $
Amortissement relatif à l'outillage		600
Main-d'œuvre directe payée		33 000
Main-d'œuvre indirecte et surveillance payées		7 100
Matières premières utilisées		28 000
Fournitures de fabrication		9 000
Frais divers de fabrication		12 300
Frais de vente		10 000
Frais d'administration		7 500
Frais à payer au 31 janvier:		
Main-d'œuvre directe	300 $	
Main-d'œuvre indirecte	100	400
Frais indirects de fabrication imputés à la fabrication		28 915
Coût rationnel des produits vendus		76 120
Coût des produits terminés au cours du mois:		
Matières premières	26 400 $	
Main-d'œuvre directe	30 000	
Frais indirects de fabrication imputés	25 600	82 000

ON DEMANDE

1. de présenter l'état du coût rationnel des produits fabriqués pour le mois terminé le 31 janvier 20XI;
2. de présenter l'état des résultats pour le mois terminé le 31 janvier 20XI.

■■■■ EXERCICE 2-7

On fournit le détail du calcul du coefficient d'imputation d'une section:

$$\text{Coefficient d'imputation} = 2\$ + \frac{4\,000\,\$ \text{ de frais indirects de fabrication fixes}}{2\,500 \text{ heures de main-d'œuvre directe}}$$

ON DEMANDE

1. de déterminer les écarts sur dépense et sur volume, sachant que les frais indirects de fabrication réels pour 2 600 heures de main-d'œuvre directe ont été les suivants:
   − fixes : 4 500 $;
   − variables : 5 500 $;
2. de présenter l'écriture relative à l'inscription de l'écart sur dépense et de l'écart sur volume, en supposant que la sur- ou la sous-imputation est déjà inscrite aux livres.

■■■■ EXERCICE 2-8

Les renseignements concernant une entreprise industrielle qui en est à son premier exercice annuel sont les suivants:

Coefficient d'imputation des frais indirects de fabrication variables	15 $/h
Coefficient d'imputation des frais indirects de fabrication fixes	3 $/h
Budget de frais indirects de fabrication fixes	15 000 $
Frais indirects de fabrication réels	
Fixes	15 500 $
Variables	63 000
Heures réelles de main-d'œuvre directe	
consacrées aux produits en cours à la fin de l'exercice	270
consacrées aux produits vendus	4 005
consacrées aux produits finis en stock à la fin de l'exercice	225

ON DEMANDE

1. de calculer la sur- ou sous-imputation;
2. d'analyser cette sur- ou sous-imputation;
3. de comptabiliser la sur- ou sous-imputation;
4. de comptabiliser les composantes de cette sur- ou sous-imputation;
5. de comptabiliser la ventilation des écarts entre les stocks et le coût des produits vendus.

■■■■ EXERCICE 2-9

Voici les renseignements concernant le budget annuel de l'atelier de production d'une entreprise qui fabrique sur commande:

Matières premières	50 000 $
Main-d'œuvre directe	80 000
Main-d'œuvre indirecte	20 000
Charges sociales (10%)	10 000
Amortissement – outillage	30 000
Heures de main-d'œuvre directe	8 000
Heures de fonctionnement de l'outillage	1 000

Certaines commandes ne nécessitent pas l'utilisation de l'outillage. Votre objectif est d'imputer rationnellement les frais indirects de fabrication.

ON DEMANDE

1. de préciser la nature des effets que pourrait avoir l'unité d'œuvre utilisée dans le calcul du coefficient d'imputation;
2. de suggérer une façon de procéder qui éviterait les inconvénients de l'approche dont il est question en 1.

▬ EXERCICE 2-10

Gervais ltée détermine comme suit son résultat, compte non tenu de l'impôt pour l'exercice terminé le 31 décembre 20X5:

Chiffre d'affaires		100 000 $
Coût des produits vendus		
Matières premières utilisées	30 000 $	
Main-d'œuvre directe	13 000	
Frais indirects de fabrication imputés	26 000	
Stock de produits en cours du Ier janvier 20X5	– 0 –	
Stock de produits en cours au 31 décembre 20X5	(15 000)	
Stock de produits finis du Ier janvier 20X5	5 000	
Stock de produits finis au 31 décembre 20X5	– 0 –	
Sous-imputation	1 000	60 000
Bénéfice brut		40 000
Frais de vente et d'administration		10 000
Bénéfice avant impôt		30 000 $

ON DEMANDE

1. de déterminer le montant de main-d'œuvre directe et celui des frais indirects de fabrication imputés inclus dans le stock de produits en cours du 31 décembre 20X5, sachant que le coût des matières premières utilisées concernant les produits en cours de la fin s'élève à 6 000 $ et que l'unité d'œuvre est le coût de la main-d'œuvre directe;
2. de déterminer le montant des frais indirects de fabrication réels relatifs à l'exercice 20X5;
3. de présenter toutes les écritures de journal possibles (écritures sommaires) concernant l'exercice 20X5, sachant que les stocks de matières premières au début et à la fin de l'exercice furent respectivement de 1 500 $ et 1 200 $.

■■■ **EXERCICE 2-11**

Voici les stocks de X ltée au 1er janvier ainsi qu'au 31 janvier :

	1er janvier	31 janvier
Stock de matières	12 000 $	14 500 $
Produits en cours	16 500	16 075
Produits finis	19 000	8 345

Voici quelques renseignements additionnels relatifs à l'exploitation de janvier 20X1 :

a) Matières utilisées : 19 100 $. De ce montant, 2 000 $ représentent des fournitures de fabrication ;

b) Matières retournées à l'entrepôt par l'usine : matières premières : 400 $; fournitures : 100 $;

c) Matières retournées aux fournisseurs : 750 $;

d) Salaires après retenues (18 %) : 8 200 $. Tout le montant a été versé aux employés ;

e) Répartition des salaires : 55 %, main-d'œuvre directe ; 20 %, main-d'œuvre indirecte ; 10 %, salaires des vendeurs ; 15 %, salaires des administrateurs ;

f) Frais indirects de fabrication autres que ceux déjà mentionnés : 2 650 $. Ce montant inclut 200 $ d'amortissement relatif à l'immeuble de l'usine et 150 $ d'assurance de l'usine (partie expirée). Le solde de 2 300 $ représente des frais non encore payés ;

g) Frais indirects de fabrication imputés du mois : 6 562 $;

h) Ventes effectuées à crédit au prix coûtant, plus une majoration de 50 %.

ON DEMANDE

1. les écritures de journal pour enregistrer les opérations de janvier, y compris celles relatives à l'enregistrement des achats, des ventes et du coût des produits vendus ;

2. l'état du coût rationnel des produits fabriqués pour le mois de janvier.

■■■ **EXERCICE 2-12**

Le total des frais indirects de fabrication budgétés pour un exercice annuel s'élève à 50 000 $. Parmi les autres prévisions de cette année, on note :

a) Coût des matières premières utilisées : 12 500 $;
b) Coût de la main-d'œuvre directe : 40 000 $;
c) Heures de la main-d'œuvre directe : 4 000 ;
d) Heures de fonctionnement des machines : 2 500.

ON DEMANDE

de calculer quatre coefficients d'imputation différents.

■■■ EXERCICE 2-13

	Capacité pratique	Activité normale	Activité prévue	Activité réelle
Heures de main-d'œuvre directe	10 000	8 000	8 200	7 900
Frais indirects de fabrication fixes	10 000 $	10 000 $	(a)?	10 400 $
Frais indirects de fabrication budgétés	90 000 $	74 000 $	(b)?	
Écart prévu sur volume			250 $ F	
Frais indirects de fabrication réels				75 000 $
Écart sur volume				(c)?
Écart sur dépense concernant les frais indirects de fabrication variables				(d)?

ON DEMANDE

de déterminer la valeur correspondant à chacune des lettres suivies d'un point d'interrogation.

■■■ EXERCICE 2-14

Formule du budget flexible relatif aux frais indirects de fabrication :

8 500 $ + 100 % du coût de la main-d'œuvre directe.

Écart sur volume qui aurait existé s'il n'y avait pas eu
augmentation du taux horaire de rémunération de la
main-d'œuvre directe   850 $ D

Taux horaire prévu de rémunération de la main-d'œuvre
directe   8,50

Frais indirects de fabrication réels   97 200

Coût réel de la main-d'œuvre directe
(9 000 heures x 10 $)   90 000

Écart sur volume   (a)?

Écart sur dépense   (b)?

ON DEMANDE

de déterminer la valeur correspondant à chacune des lettres suivies d'un point d'interrogation.

■ EXERCICE 2-15

Un budget flexible a été préparé pour l'exploitation de l'usine de Franklin ltée. L'activité normale a été de 60 000 heures de main-d'œuvre directe par année, alors que le niveau d'activité prévu était de 50 000 heures de main-d'œuvre directe. Finalement, le coefficient prédéterminé a été établi à 5,00 $ l'heure pour 50 000 heures de main-d'œuvre directe. La direction savait que ce coefficient comprenait une charge de 0,30 $ l'heure pour la capacité normale inutilisée. À la fin de l'année, le total des frais indirects de fabrication imputés s'élevait à 272 500 $. Puisque la société avait comme pratique de fermer les frais indirects de fabrication surimputés ou sous-imputés au coût des produits vendus, ce dernier fut crédité de 3 300 $ à la fin de l'année.

ON DEMANDE

1. de calculer l'écart sur dépense et l'écart sur volume;
2. de calculer l'imputation totale faite à la production durant l'année à cause de la capacité normale inutilisée.

(Adaptation — S.C.M.C.)

■ EXERCICE 2-16

Dans l'élaboration du budget annuel de fabrication de Talon ltée, le directeur de la production et le directeur des ventes ont discuté longuement du niveau d'activité. En conséquence, le directeur de l'usine a préparé deux estimations des frais indirects de fabrication.

Volume	Total des frais indirects de fabrication
150 000 unités	540 000 $
170 000 unités	564 000

Au dernier moment cependant, le service des ventes a reçu une autre commande qui a incité la direction de la société à fixer, sur-le-champ, le coefficient d'imputation prédéterminé à l'unité pour 180 000 unités; ce coefficient a été utilisé l'année durant.

Les ventes chutèrent brusquement au cours des six premiers mois de l'exercice. On réduisit alors instantanément la production; malgré tout, 60 000 unités de la production annuelle demeurèrent invendues. Les frais indirects de fabrication réels ont atteint 560 000 $. Lors de l'analyse des écarts des frais indirects, on a décelé un écart sur volume défavorable de 40 000 $.

ON DEMANDE

1. de calculer le coefficient d'imputation prédéterminé des frais indirects utilisé pendant l'année, et de déterminer le montant de la surimputation ou de la sous-imputation des frais indirects à la fin de l'année;
2. de déterminer les conséquences, sur l'état des résultats et sur le bilan de fin d'année, si la société avait réparti, à la fin de l'exercice, le montant de la surimputation ou de la sous-imputation, au lieu d'avoir passé, comme elle l'a fait, l'écart au coût des produits vendus.

(Adaptation – S.C.M.C.)

■■■ EXERCICE 2-17

Voici le comportement des frais indirects de fabrication par rapport à l'activité annuelle:

Frais indirects variables – à l'unité   10 $
Frais indirects fixes – total   10 000 $

Les stocks n'ont pas fluctué au cours des cinq dernières années. Les ventes au cours de ces cinq années furent les suivantes:

1re année   6 000 unités
2e année   9 000 unités
3e année   7 000 unités
4e année   8 000 unités
5e année   10 000 unités

On prévoit que les ventes des cinq prochaines années s'élèveront à 40 000 unités.

Le propriétaire désire répondre par un seul chiffre à la question: quel est le coût unitaire rationnel de fabrication relativement aux frais indirects seulement?

__ON DEMANDE__

de choisir la bonne réponse parmi les données suivantes, sachant que l'entreprise utilise un système de coût de revient complet:

a) 10,00 $
b) 10,25 $
c) 11,25 $
d) 11,29 $
e) 11,00 $

■■■ EXERCICE 2-18

C ltée fabrique divers articles métalliques qu'elle écoule sous sa propre raison sociale. Bien que la fabrication ait lieu durant toute l'année, le volume de la production varie considérablement au cours de l'année. Le processus de fabrication est réparti entre deux ateliers: dans l'atelier A, des tours façonnent une première ébauche (les tours sont tous semblables et leurs coûts de fonctionnement sont à peu près les mêmes); dans l'atelier B, les articles sont finis au moyen d'outils manuels. La convention collective fixe le même taux de salaire pour tous les employés de l'atelier B.

On fournit les renseignements suivants:

	Atelier A Données avec utilisation de la capacité de production totale	Atelier B Données avec utilisation de la capacité de production totale
Heures de main-d'œuvre directe	5 000	40 000
Heures de fonctionnement des machines	25 000	
Nombre d'employés préposés aux machines	30	
Nombre de machines utilisées	60	
Frais variables		
Main-d'œuvre indirecte	4 500 $	10 000 $
Fournitures et autres frais	3 000	8 000
	7 500 $	18 000 $

Frais semi-variables en fonction
   de la production dans une
   proportion de 50 %
	5 000 $	8 000 $

Frais fixes		
Amortissement	50 000 $	1 000 $
Autres frais	6 500	5 000
	56 500 $	6 000 $

Les frais se rapportant à la capacité inutilisée ne doivent pas être chargés aux produits.

ON DEMANDE

d'exposer, en donnant vos raisons, la méthode d'imputation des frais indirects de fabrication à la production qui convient le mieux à C ltée. Le choix de la méthode devra surtout être fondé sur son exactitude théorique, son coût d'emploi étant considéré comme un facteur secondaire. Veuillez fournir votre calcul du ou des coefficients d'imputation des frais indirects de fabrication.

(Adaptation – C.A.)

■■■■ **EXERCICE 2-19**

Savard ltée a fabriqué les produits A et B au cours de sa première année d'exploitation. Afin de déterminer le coût des produits, un coefficient d'imputation de frais indirects de 1,70 $ par heure de main-d'œuvre directe a été utilisé. Ce coefficient est basé sur des frais indirects de fabrication prévus de 340 000 $ et sur une prévision de 200 000 heures de main-d'œuvre directe.

	Frais indirects prévus	Heures prévues
Atelier I	240 000 $	100 000
Atelier II	100 000	100 000

Les heures requises pour fabriquer chacun de ces produits étaient les suivantes:

	Produit A	Produit B
Atelier I	4 heures	1 heure
Atelier II	1	4
	5 heures	5 heures

À la fin de l'année, il n'y avait pas de produits en cours mais on avait en main un stock de produits finis comprenant 2 000 unités de A et 6 000 unités de B. Supposez que l'activité prévue a été atteinte.

ON DEMANDE

1. quel a été l'effet, sur le bénéfice de la société, de l'utilisation d'un coefficient d'imputation global des frais indirects pour l'ensemble de l'usine au lieu d'un coefficient d'imputation par atelier;
2. de supposer que le coût des matières premières et de la main-d'œuvre directe est de 10 $ par unité de A et que le prix de vente de A est établi en majorant de 40 % le coût de sa fabrication. Quelle différence résulterait alors dans le prix de vente unitaire si on utilisait un coefficient d'imputation par atelier?

(Adaptation – C.G.A.)

■■■■ **EXERCICE 2-20**

Les prévisions de la production pour l'atelier de la machine à vis automatique de Latour ltée incluent ce qui suit:

L'entreprise prévoit pour l'année 12 000 heures de main-d'œuvre directe au taux horaire moyen de 10,00 $. Le loyer, l'amortissement, l'assurance, la surveillance et les autres charges mensuelles monteront à 6 000 $. Les fournitures de fabrication, l'entretien de l'outillage, les outils ainsi que divers frais de même nature s'élèveront à 8,00 $ l'heure.

ON DEMANDE

1. quel serait le coefficient de frais indirects de fabrication, établi en pourcentage par rapport à la main-d'œuvre directe, qui permettrait d'absorber les frais indirects de fabrication prévus;
2. de déterminer la sur- ou sous-imputation dans les frais indirects de fabrication, sachant que le coût réel de main-d'œuvre directe de janvier s'élevait à 9 400 $ et les frais indirects de fabrication de l'atelier, à 12 800 $.

(Adaptation – S.C.M.C.)

■■■ EXERCICE 2-21

Bien que la société A ltée ne modifie pas ses moyens de production, son activité industrielle connaît des variations assez marquées au cours des ans. Toutefois, les prévisions annuelles sont généralement fidèles à la réalité.

Supposez que les frais indirects de fabrication variables engagés à l'unité correspondent à ceux prévus et que les uns et les autres ne subissent aucune modification au cours des ans.

De même, le total des frais indirects de fabrication fixes engagés annuellement ne varie pas d'une année à l'autre et correspond au total des frais indirects de fabrication fixes prévus annuellement.

ON DEMANDE

d'indiquer, à l'aide de chiffres appropriés, le ou les niveaux d'activité suivants:
1. Activité réelle de l'année
2. Activité prévue de l'année
3. Activité normale
4. Capacité pratique
5. Capacité théorique
auxquels on renvoie dans chacun des cas suivants:
   a) aucun écart sur volume;
   b) écart sur volume annuel de peu d'importance;
   c) uniquement des écarts sur volume défavorables;
   d) écarts sur volume défavorables et écarts sur volume favorables;
   e) écarts sur volume favorables et écarts sur volume défavorables tendant à s'annuler sur un certain nombre d'années;
   f) écarts sur volume défavorables permanents;
   g) variations annuelles du coefficient d'imputation des frais indirects de fabrication fixes;
   h) écarts sur volume concernant un exercice annuel à considérer dans le calcul du résultat dudit exercice.

■■■■ **EXERCICE 2-22**

Omer ltée fabrique un produit. Le comptable en chef a préparé l'état sommaire suivant :

Exercice terminé le 31 décembre 20X1

Chiffre d'affaires		361 000 $
Coût des produits vendus	214 960 $	
plus : Frais indirects de fabrication		
sous-imputés	22 400	237 360
Bénéfice brut		123 640
Frais de vente et d'administration		104 600
Bénéfice avant impôt		19 040 $

Déçu, le président exige des explications au sujet du coût des produits vendus et de la sous-imputation des frais indirects de fabrication pour l'année.

Le comptable prépare le tableau suivant :

Frais indirects de fabrication réels		
Main-d'œuvre indirecte		39 900 $
Fournitures		11 400
Chauffage, éclairage		8 900
Amortissement – immeuble de l'usine		10 800
Amortissement – outillage		7 400
Total		78 400
Frais indirects de fabrication imputés		
100 % du coût de la main-d'œuvre directe		56 000
Sous-imputation		22 400 $
Produits finis au 1er janvier 20X1		11 600 $
Matières premières utilisées		
Achats de matières premières	125 700 $	
Diminution du stock de matières premières	7 400	133 100
Main-d'œuvre directe	56 000	
Frais indirects de fabrication imputés	56 000	112 000
Diminution du stock de produits en cours		
1er janvier 20X1	36 500	
31 décembre 20X1	27 400	9 100
		265 800
Produits finis au 31 décembre 20X1		50 840
Coût des produits vendus		214 960 $

Toujours déçu, le président réclame la ventilation de tous les stocks existant à la fin de l'année.

Le comptable soumet alors le tableau suivant:

Stocks au 31 décembre 20X1

Matières premières		35 200 $
Produits en cours		
Matières premières	16 200 $	
Main-d'œuvre directe	5 600	
Frais indirects imputés	5 600	27 400 $
Produits finis		
Matières premières	34 040 $	
Main-d'œuvre directe et		
frais indirects imputés	16 800	50 840 $

Après une étude approfondie, le président et le comptable en concluent que le coût des stocks de produits en cours et de produits finis au 31 décembre 20X1 devrait traduire les coûts réellement engagés.

Les produits en voie de fabrication au début de l'année 20X1 ont été livrés aux clients au cours de l'année. Il en est de même des produits finis prêts à être livrés au début de 20X1.

ON DEMANDE

1. de présenter un état du coût de fabrication selon ce qu'il a été convenu entre le président et le comptable;
2. de présenter les écritures sommaires concernant l'exercice (sauf celles relatives aux frais de vente et aux frais d'administration), compte tenu des renseignements disponibles.

(Adaptation — S.C.M.C.)

EXERCICE 2-23

Voici des données relatives au mois de mars concernant une entreprise industrielle dont l'exercice se termine le 31 décembre:

Chiffre d'affaires	400 000 $
Stock de produits en cours au début	3 000
Matières premières utilisées	75 000
Main-d'œuvre directe et frais indirects	
de fabrication	81 000
Pourcentage de marge bénéficiaire brute	40 %
Stock de produits finis au début	1 000 $
Stock de produits finis à la fin	1 500
Stock de produits en cours à la fin	4 000

ON DEMANDE

d'indiquer, calculs à l'appui, la nature du système de coût de revient utilisé par l'entreprise.

■■■ EXERCICE 2-24

Rose Blanche est contrôleure depuis peu chez Ferro ltée, un fabricant de métal en feuille. Cette entreprise qui existe depuis plusieurs années cherche maintenant à moderniser le procédé de fabrication. À la première rencontre des cadres à laquelle Rose a assisté, Robert Letendre, l'ingénieur en chef, a présenté un projet d'automatisation de l'atelier de perçage. Il propose que Ferro achète deux robots qui pourront remplacer les huit ouvriers de l'atelier. Outre l'économie des coûts de main-d'œuvre directe relatifs à ces ouvriers, l'entreprise ferait celle des frais indirects de fabrication touchant ledit atelier puisqu'elle utilise un coefficient unique d'imputation des frais indirects de fabrication pour l'ensemble des trois ateliers qui est fondé sur le coût de la main-d'œuvre directe. Le président-directeur général ne se rend pas aux explications de l'ingénieur en matière d'économies de coûts. Et Rose abonde dans le même sens en soutenant que lorsque les entreprises s'automatisent, elles doivent repenser les systèmes existants relatifs aux frais indirects de fabrication. Aussi, le président a-t-il demandé à Rose d'examiner cette question et de préparer un rapport pour la prochaine réunion des cadres.

À cet effet, Rose a résumé ainsi l'historique des coefficients d'imputation utilisés par l'entreprise au cours des ans:

Décennie	Coût moyen annuel de la M.O.D.	Montant annuel moyen des F.I.F.	Coefficient d'imputation moyen des F.I.F.
1950	1 000 000 $	1 000 000 $	100 %
1960	1 200 000	3 000 000	250
1970	2 000 000	7 000 000	350
1980	3 000 000	12 000 000	400
1990	4 000 000	20 000 000	500

Rose a également établi, à partir des renseignements qu'elle a pu obtenir, les statistiques suivantes relatives aux trois ateliers eu égard à la décennie 1990:

	Moyennes annuelles		
	Atelier de coupe	Atelier de laminage	Atelier de perçage
Main-d'œuvre directe	2 000 000 $	1 750 000 $	250 000 $
Frais indirects de fabrication	11 000 000	7 000 000	2 000 000

ON DEMANDE

1. de faire abstraction du projet d'automatisation et de mentionner les lacunes du système d'imputation des frais indirects de fabrication utilisé par Ferro Itée;
2. d'expliquer l'erreur de conception sous-jacente, aux dires de l'ingénieur, selon laquelle les frais indirects de fabrication relatifs à l'atelier de perçage seraient réduits à zéro si l'entreprise procédait à l'automatisation de ce dernier;
3. de suggérer les modifications qui s'imposent au système actuel d'imputation des frais indirects de fabrication utilisé par l'entreprise.

(Adaptation – C.M.A.)

■■■ EXERCICE 2-25

Vous obtenez les renseignements suivants concernant le dernier exercice annuel d'une entreprise manufacturière:

Capacité normale	8 000 h de M.O.D.
Heures réelles de M.O.D.	10 000
Frais indirects de fabrication réels	
Fixes	255 000 $
Variables	975 000
Écart sur volume	
Selon la capacité normale	66 000 $ F
Selon la capacité pratique	24 000 D
Selon la capacité théorique	44 000 D
Frais indirects de fabrication variables budgétés	96 $ par h de M.O.D.

ON DEMANDE

1. de calculer le coefficient d'imputation des frais indirects de fabrication fixes:
   a) selon la capacité normale;
   b) selon la capacité pratique;
2. de calculer l'écart sur dépense:
   a) relatif aux frais fixes;
   b) relatif aux frais variables.

3
LE COÛT DE REVIENT
PAR COMMANDE

L'entreprise industrielle a la possibilité de choisir la méthode de coût de revient qui lui convient mais, pour ce faire, elle devra tenir compte de la nature de ses activités. Ces activités, rappelons-le, peuvent être effectuées dans le cadre d'une fabrication sur commande ou dans celui d'une fabrication continue.

Ce chapitre porte sur la méthode du coût de revient par commande.

1. LA FABRICATION SUR COMMANDE

Bien des entreprises fabriquent sur commande. L'entrepreneur en construction de maisons unifamiliales, le fabricant de machinerie industrielle, pour ne mentionner que ceux-là, sont souvent associés à ce mode de fabrication.

A. Déroulement type des activités

Le déroulement type des activités pour l'entreprise qui fabrique sur commande est le suivant:

1) Le client remet au fabricant, par appel d'offres public ou par invitation, les plans du produit désiré.

2) Le fabricant doit procéder à une évaluation de la commande potentielle pour en établir, entre autres choses, le prix de vente. À partir des plans fournis, on détermine les éléments quantitatifs des composantes. Par la suite, on calcule le coût prévu de l'ensemble des composantes pour évaluer le coût global de la commande

potentielle. À cela s'ajoute la marge bénéficiaire désirée; on obtient alors le prix de vente qui sera proposé au client.

3) Le fabricant est choisi pour réaliser la commande.

4) Le fabricant exécute la commande. Pendant sa réalisation, on procède à l'accumulation des coûts de cette commande.

5) La commande est généralement expédiée au client sitôt terminée.

B.   Accumulation des coûts par commande

Outre la nécessité d'accumuler les coûts par commande lorsqu'il s'agit de commandes à prix coûtant majoré, l'utilité d'une telle accumulation se situe à deux niveaux: elle permet d'exercer un certain contrôle de ces coûts et de planifier les opérations futures.

a.   *Contrôle des coûts*

Les coûts effectifs sont comparés aux coûts prévus pour chacune des composantes afin d'en dégager des écarts, des variations. Les écarts jugés importants seront par la suite analysés pour en déterminer les causes: prévisions trop ou pas assez serrées, surutilisation des composantes, etc. Il est alors possible d'identifier, s'il y a lieu, les personnes responsables des écarts et d'apporter les correctifs nécessaires pour les opérations futures.

b.   *Planification des opérations futures*

L'accumulation des coûts effectifs et le résultat de l'analyse des écarts constituent une information de première main pour l'évaluation future de commandes identiques ou similaires.

On peut observer que le système d'information comptable, tout en servant à l'accumulation des coûts, peut utilement intervenir dans le processus de détermination du prix de soumission (planification).

2.   LE COÛT DE REVIENT PAR COMMANDE

A.   Les enregistrements comptables

Les coûts de fabrication sont comptabilisés dans le compte Stock de produits en cours (voir figure I) au coût de revient rationnel. Une entreprise qui remplit plusieurs commandes en même temps doit prévoir un mécanisme permettant de repérer les coûts reliés à chacune des commandes en cours de fabrication afin d'être en mesure de déterminer le coût spécifique d'une commande terminée. Pour atteindre cet objectif, il faut que le compte Stock de produits en cours devienne un compte collectif relié à un grand livre auxiliaire. Ce dernier a pour objet de fournir le détail des coûts de matières premières, de main-d'œuvre directe et de frais indirects de fabrication imputés attribués à chacune des commandes en cours de réalisation, et cela dans chacun des ateliers de production. Bien que les commandes soient ici les objets de coûts particuliers au coût de revient par commande, il n'en reste pas moins qu'en coût rationnel, les ateliers de production sont des objets de coûts pour ce qui est des frais indirects de fabrication. Voilà pourquoi nous utilisons autant de comptes collectifs Frais indirects de fabrication réels qu'il y a d'ateliers de production. Il en est de même des frais indirects imputés.

Figure 1
Cheminement des coûts de fabrication

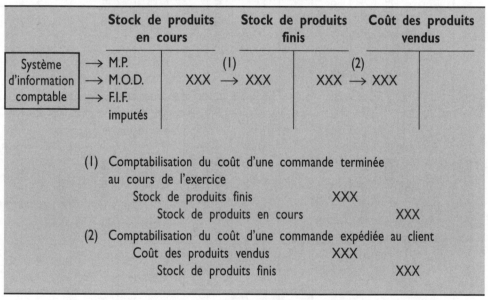

Le grand livre auxiliaire du compte Stock de produits en cours sera constitué de fiches de fabrication. À la fin d'une période (un mois en général), comme à la fin de l'exercice, la somme des coûts accumulés sur les fiches de fabrication en cours de réalisation doit être égale au montant du solde débiteur du compte Stock de produits en cours.

A ltée

FICHE DE FABRICATION

Client : _____
Adresse : _____

Date du début : _____
Date de la fin : _____
Date de livraison : _____

N° de commande : _____
Montant de la soumission : _____

ATELIER I

Matières premières

Date	N° Bon de sortie	$

Main-d'œuvre directe

Date	Folio	Heures	$

F.I.F. – imputés

Date	Coeff.	Heures	$

ATELIER 2

Matières premières

Date	N° Bon de sortie	$

Main-d'œuvre directe

Date	Folio	Heures	$

F.I.F. – imputés

Date	Coeff.	Heures	$

ATELIER 3

Matières premières

Date	N° Bon de sortie	$

Main-d'œuvre directe

Date	Folio	Heures	$

F.I.F. – imputés

Date	Coeff.	Heures	$

SOMMAIRE

Matières premières

Atelier 1 _____
Atelier 2 _____
Atelier 3 _____
Sous-total _____

Main-d'œuvre directe

Atelier 1 _____
Atelier 2 _____
Atelier 3 _____
Sous-total _____

F.I.F. – imputés

Atelier 1 _____
Atelier 2 _____
Atelier 3 _____
Sous-total _____

Total _____

Les étapes menant à l'inscription comptable du coût d'une commande terminée sont les suivantes:

1) Enlever la fiche de fabrication du fichier des commandes en cours.
2) Procéder à la sommation des coûts accumulés sur la fiche de fabrication correspondante (dans notre exemple, remplir la section Sommaire de la fiche).
3) Inscrire le coût de la commande terminée au journal général ou dans un journal approprié.
4) Classer la fiche de fabrication dans le fichier des commandes terminées.

EXEMPLE

Voici un exemple de comptabilisation relatif à une entreprise utilisant le mode de fabrication sur commande.

DONNÉES

Des renseignements ayant trait au mois de mars de la société Meilleurs Produits ltée suivent:

1) Les soldes suivants se trouvent dans les livres de l'entreprise au 1er mars:

Stock de produits en cours – collectif	292 600 $
Stock de matières	65 000
Sur- ou sous-imputation des frais indirects	12 300 (CT)

2) Le compte de stock de produits en cours a comme support les fiches de fabrication suivantes:

Nº de fiche	Matières premières	Main-d'œuvre directe	Frais indirects de fabrication imputés	Total
F-204	15 200 $	21 400 $	13 800 $	50 400 $
F-205	40 400	55 200	22 400	118 000
F-206	60 900	43 900	19 400	124 200
	116 500 $	120 500 $	55 600 $	292 600 $

3) Les opérations du mois de mars sont les suivantes:
   a) Achat à crédit de matières: 48 100 $
   b) Matières premières utilisées:

Commande	Montant
F-204	9 500 $
F-205	11 300
F-206	10 500
F-207	17 000
	48 300 $

c) Données sur les salaires de mars:

N° de commande	Heures	Montant
F-204	3 350	26 800 $
F-205	3 250	23 000
F-206	3 600	28 900
F-207	2 550	20 400
		99 100 $

Le coût de la main-d'œuvre indirecte s'est élevé à 12 900 $, y compris le salaire du surintendant de l'usine.

d) Les charges sociales se sont élevées à 10 % des salaires bruts.

e) Autres frais indirects de fabrication engagés:

Assurance – usine	200 $	Chauffage	800 $
Impôt foncier – usine	300	Force motrice	1 400
Amortissement – outillage	400	Fournitures	900
Amortissement – bâtiment	300		

f) Les frais indirects de fabrication sont imputés au taux de 2 $ par heure de main-d'œuvre directe.

g) Les commandes F-204 et F-205 sont exécutées. La commande F-204 est expédiée au client et lui est facturée 112 000 $.

ON DEMANDE

1) de passer les écritures au journal général pour enregistrer les opérations du mois de mars;
2) de déterminer le solde du compte Sur- ou Sous-imputation des frais indirects;
3) de présenter l'état du coût rationnel de fabrication.

SOLUTION

1) **Écritures de journal**

a) Stock de matières	48 100	
Comptes fournisseurs		48 100
b) Stock de produits en cours	48 300	
Stock de matières		48 300
c) Salaires	112 000	
Retenues à la source } Salaires à payer		112 000

d) Stock de produits en cours   99 100
      Frais indirects de fabrication   12 900
      Salaires   112 000
e) Frais indirects de fabrication   11 200
      Cotisations à payer   11 200
f) Frais indirects de fabrication   4 300
      Amortissement cumulé – outillage   400
      Amortissement cumulé – bâtiment   300
      Stock de matières   900
      Comptes fournisseurs   2 700
g) Stock de produits en cours   25 500
      Frais indirects de fabrication imputés   25 500
      12 750 × 2 $ = <u>25 500 $</u>
h) Stock de produits finis   252 200
      Stock de produits en cours   252 200
i) Comptes clients   112 000
      Ventes   112 000
j) Coût des produits vendus   93 400
      Stock de produits finis   93 400

Comptes du grand livre général

Stock de produits en cours – collectif		Stock de produits finis		Coût des produits vendus
* 292 600		h) 252 200	j) 93 400	j) 93 400
b) 48 300	h) 252 200			
d) 99 100				
g) 25 500				

Frais indirects de fabrication – collectif		Frais indirects de fabrication imputés		Sur- ou sous-imputation
d) 12 900				12 300*
e) 11 200		g) 25 500		
f) 4 300				

* Solde d'ouverture.

Grand livre auxiliaire du stock de produits en cours

Fiche n° F-204	Fiche n° F-205	Fiche n° F-206	Fiche n° F-207
* 50 400	* 118 000	* 124 200	b) 17 000
b) 9 500	b) 11 300	b) 10 500	d) 20 400
d) 26 800	d) 23 000	d) 28 900	g) 5 100
g) 6 700	g) 6 500	g) 7 200	
93 400	158 800		

* Solde d'ouverture.

À la fin du mois de mars, le compte collectif Stock de produits en cours et le grand livre auxiliaire correspondant se présentent comme suit:

Stock de produits en cours – collectif		Grand livre auxiliaire du stock de produits en cours	
Solde 213 300		Fiche n° F-206	Fiche n° F-207
		170 800	42 500

Les commandes n^os F-204 et F-205 ayant été terminées, il faut procéder à la sommation des coûts accumulés sur leurs fiches de fabrication et les classer avec les fiches de fabrication des autres commandes terminées depuis le début de l'exercice.

2) **Surimputation au 31 mars**

Écriture

Frais indirects de fabrication imputés	25 500	
Sur- ou sous-imputation	2 900	
Frais indirects de fabrication		28 400

Compte au grand livre général

Sur- ou sous-imputation

	12 300*
2 900	
	9 400 Solde

* Solde d'ouverture.

3) État du coût rationnel de fabrication

MEILLEURS PRODUITS LTÉE
État du coût rationnel de fabrication (sommaire)
pour le mois de mars

Stock de produits en cours au début	292 600 $
Matières premières utilisées	48 300
Main-d'œuvre directe	99 100
Frais indirects de fabrication imputés	25 500
	465 500
moins: Stock de produits en cours à la fin	213 300
Coût rationnel des produits fabriqués	252 200 $

B. Les pertes

Jusqu'à maintenant, nous avons implicitement présumé que la production n'entraînait aucune perte. Dans les faits, nous pouvons observer l'existence de pertes découlant notamment de rejets, de freintes et de résidus.

Le gestionnaire doit pouvoir mesurer l'impact financier des pertes sur les résultats et être en mesure de les contrôler efficacement.

Il convient de préciser tout de suite la nature des sources des pertes mentionnées au paragraphe précédent. Ces précisions sont valables quel que soit le mode de fabrication utilisé par l'entreprise.

a. *Nature des sources des pertes*

Les produits gâchés

Ils représentent des articles non conformes aux normes de qualité et de dimension de l'entreprise qui ont à l'occasion une valeur marchande résiduelle, relativement faible à vrai dire. Ces produits font partie des rejets.

Les produits défectueux

Ils représentent des articles non conformes eux aussi aux normes de qualité et de dimension de l'entreprise, pouvant être vendus tels quels ou pouvant faire l'objet d'une réfection moyennant l'engagement de coûts de transformation et, s'il y a lieu, de coûts de matières premières. Ces produits ainsi retravaillés peuvent être vendus comme des produits de première ou de deuxième qualité. Ces articles font également partie des rejets.

Les freintes

Elles représentent des pertes de volume ou de poids qui diminuent les quantités de matières effectivement utilisées (quantité de matières adhérant à leur contenant lors de l'utilisation, par exemple) ou les quantités de produits obtenus (quantité de produits perdus à la suite d'une opération de distillation, par exemple).

Les résidus[1]

Ils sont constitués d'éléments de même nature que la matière première d'origine. Ce sont le bran de scie, les copeaux, les retailles de bois et de métal, etc. Ces éléments ont généralement une valeur de récupération très faible ou nulle. Ils peuvent même entraîner des coûts d'élimination. Il ne faut pas les confondre avec les déchets qui eux sont issus du procédé de fabrication (fumée, eaux usées, matières toxiques, etc.) et n'ont aucune valeur; ils peuvent entraîner des coûts d'élimination ou de décontamination.

b.   *Produits gâchés, produits défectueux et freintes de produits*

Une fois admise l'existence de pertes de produits dans les opérations industrielles, on peut se demander si de telles pertes sont totalement admissibles. Existe-t-il des moyens de les réduire? Si oui, à quel coût? Le gestionnaire doit déterminer des normes qui lui permettront de qualifier les pertes de produits. Les pertes normales représenteraient un niveau de pertes jugé acceptable, alors que les pertes anormales font référence à une quantité de pertes en excédent des pertes normales.

Les pertes inévitables

Les pertes inévitables sont reliées au procédé de fabrication, à la méthode utilisée pour fabriquer le produit. Un procédé de fabrication donné peut exiger que des matières premières liquides soient portées à ébullition, ce qui entraîne une évaporation, donc une réduction des unités traitées. Ce type de pertes est normal.

Les pertes évitables

Les pertes évitables sont reliées, entre autres, au processus de fabrication, aux installations et à leur fonctionnement, à la qualité de main-d'œuvre. L'amélioration du processus de fabrication peut réduire la quantité de pertes. Le remplacement de vieilles machines par de nouvelles technologiquement supérieures, l'entretien préventif à la place de l'entretien effectué de façon sporadique, l'engagement d'une main-d'œuvre plus qualifiée (exigeant un taux de salaire supérieur) sont aussi des moyens d'en réduire l'importance. Mais toutes ces améliorations comportent des coûts additionnels de

---

1. La comptabilisation des résidus est étudiée au chapitre 4.

fabrication qui pourraient excéder l'économie réalisée par la réduction des pertes. Si le coût de la réduction des pertes est supérieur au coût des pertes elles-mêmes, le gestionnaire préférera ne rien changer, bien que cela soit technologiquement possible. On tolère, dans ce cas, un niveau acceptable de pertes au-delà duquel les pertes ne devraient pas se produire.

Les pertes évitables acceptables constituent également des pertes normales. Les pertes évitables non acceptables qui se produisent en excédent des pertes normales représentent des pertes anormales.

Traitement comptable général des pertes

Le coût des pertes normales, y compris celui des freintes normales relatives aux matières, est considéré comme faisant partie du coût de fabrication des articles. Par contre, le coût des pertes anormales doit en être exclu, et présenté à l'état des résultats. D'un point de vue administratif, la présence des pertes anormales devrait inciter le gestionnaire à repérer les causes et les responsables pour éviter que la situation ne se reproduise.

Les pertes normales auront comme impact financier un coût unitaire des articles fabriqués (de bonne qualité) plus élevé que le coût unitaire théorique (sans perte). En ce qui a trait aux pertes anormales, leur coût n'a pas d'impact sur le coût unitaire des articles de bonne qualité car il est imputé directement aux résultats de la période.

c.   Les produits gâchés

Pour les entreprises fonctionnant selon le mode de fabrication sur commande, les articles gâchés peuvent devoir être remplacés, de façon à expédier au client la quantité demandée de produits. Si tel est le cas, le montant des frais inutiles qu'occasionnent ces articles correspond au coût de remplacement des articles gâchés. Si les articles gâchés n'ont pas à être remplacés, le montant de tels frais correspond au coût de fabrication des produits gâchés moins leur valeur de récupération.

Traitement comptable des produits gâchés

Rappelons que les produits gâchés sont des produits qui ne correspondent pas aux normes et qui doivent être mis au rebut si on ne peut les vendre à rabais. Supposons, par exemple, que le coefficient d'imputation suivant ait été établi au début de l'année:

$$\frac{\text{Frais indirects de fabrication prévus}}{\text{Coût budgété de la main-d'œuvre directe}} = 2\,000\,000\,\$/8\,000\,000\,\$,$$

$$= 25\,\% \text{ du coût de la M.O.D.}$$

Supposons également que l'entreprise reçoive une commande comportant un maximum de 1 000 chemises et un minimum de 800 chemises. Les coûts relatifs aux 1 000 chemises confectionnées pour cette commande ont été les suivants:

Matières premières	3 000 $
Main-d'œuvre directe	8 000
Frais indirects de fabrication imputés (8 000 $ × 25 %)	2 000
	13 000 $

Dès que la commande est terminée, l'inspection a révélé que 200 unités étaient gâchées, mais qu'elles pouvaient cependant être vendues 5,04 $ chacune.

Le coût net des produits gâchés est supporté par la commande

Si les produits gâchés résultent de facteurs particuliers à une commande, le coût net résultant de ces mêmes produits sera considéré comme normal et laissé à la commande.

Stock de produits en cours	13 000	
Stock de matières		3 000
Salaires		8 000
Frais indirects de fabrication imputés		2 000

Pour attribuer les coûts à la commande.

Stock de produits gâchés (5,04 $ × 200)	1 008	
Stock de produits en cours		1 008

Pour déduire du coût de la commande la valeur de réalisation des produits gâchés.
(Le coût net de 1 592 $, soit [(13 $ – 5,04 $) × 200],
est donc laissé à la commande.)

Stock de produits finis	11 992	
Stock de produits en cours		11 992

Pour enregistrer le coût de la commande terminée.
(Le coût unitaire est devenu 14,99 $, soit 11 992 $/800 unités.)

Le coût net des produits gâchés est supporté par l'ensemble des commandes

Si les pertes provenant de produits gâchés sont jugées normales, non à cause de facteurs particuliers à ladite commande, mais bien parce qu'il s'agit de confection de chemises, leur coût net devrait être supporté par l'ensemble des commandes.

Dans le présent exemple, en ne remettant pas en question le coefficient d'imputation établi, les écritures seraient les suivantes :

Stock de produits en cours	13 000	
Stock de matières		3 000
Salaires		8 000
Frais indirects de fabrication imputés		2 000

Pour attribuer les coûts à la commande.

Stock de produits gâchés (200 × 5,04 $)   1 008
Frais indirects de fabrication réels – perte due aux
produits gâchés   1 592
    Stock de produits en cours
    [(200/1 000) × 13 000 $]   2 600

Pour comptabiliser les produits gâchés et porter les coûts non récupérés
au compte Frais indirects de fabrication réels.

Stock de produits finis   10 400
    Stock de produits en cours   10 400

Pour enregistrer le coût de la commande terminée.
(Coût unitaire de cette commande: 10 400 $/800 = 13 $.)

Le coût net des produits gâchés est porté aux résultats de l'exercice

Pour que le coût net sur produits gâchés soit passé à l'exercice, les pertes doivent être anormales.

d. Les produits défectueux

Traitement comptable des produits défectueux

Les produits défectueux, nous le savons maintenant, sont des produits qui peuvent être ou non retouchés. S'il y a réfection, celle-ci peut occasionner des coûts directs, par exemple en matières premières et en main-d'œuvre directe.

Supposons le coefficient d'imputation suivant établi au début de l'année:

$$\frac{\text{F.I.F. budgétés}}{\text{Coût budgété de la M.O.D.}} = 195\,000\,\$/260\,000\,\$,$$

$$= 75\,\% \text{ de la M.O.D.}$$

Prenons l'exemple d'une commande de 100 unités d'un produit à laquelle on a déjà attribué les coûts suivants:

Matières premières	1 250 $
Main-d'œuvre directe	1 000
Frais indirects de fabrication imputés	
(1 000 $ × 75 %)	750
	3 000 $

Une fois la commande terminée, 10 unités se sont révélées défectueuses et ont été retournées à l'usine pour réfection. Les coûts de réfection directs ont été les suivants :

Matières premières	20 $
Main-d'œuvre directe	40

S'il y avait augmentation des frais indirects de fabrication réels, le compte à débiter pour les comptabiliser serait, comme pour tous les autres éléments de frais indirects de fabrication réels, le compte Frais indirects de fabrication réels.

Comme dans le cas des produits gâchés, et pour les mêmes raisons, deux solutions sont possibles si la situation est jugée normale : les coûts de réfection directs sont attribués soit à la commande en question, soit à l'ensemble des commandes.

Les coûts de réfection directs sont portés à la commande

Stock de produits en cours	3 000	
Stock de matières		1 250
Salaires		1 000
Frais indirects de fabrication imputés		750

Pour porter les coûts à la commande.

Stock de produits en cours	90	
Stock de matières		20
Salaires		40
Frais indirects de fabrication imputés		30

Pour porter les coûts de réfection à la commande.

Stock de produits finis	3 090	
Stock de produits en cours		3 090

Pour enregistrer le coût de la commande terminée.

Les coûts de réfection directs sont portés à l'ensemble des commandes

Les coûts de réfection directs en matières premières et en main-d'œuvre directe sont tous portés aux frais indirects de fabrication réels lorsque la défectuosité de certains produits est considérée comme un phénomène normal mais dû au hasard (la défectuosité aurait pu tout aussi bien se produire sur d'autres produits). Dès lors, les coûts directs de la réfection se rapportent à la production entière.

Reprenons les données de l'exemple précédent; les écritures, toujours en ne remettant pas en question le coefficient d'imputation établi, seraient alors les suivantes:

Stock de produits en cours	3 000	
Stock de matières		1 250
Salaires		1 000
Frais de fabrication imputés		750

Pour porter les coûts à la commande.

Frais indirects de fabrication réels		
(coûts de réfection directs)	60	
Stock de matières		20
Salaires		40

Pour porter les coûts de réfection au compte Frais indirects de fabrication réels.

Stock de produits finis	3 000	
Stock de produits en cours		3 000

Pour enregistrer le coût de la commande terminée.

Les coûts de réfection sont portés aux résultats de l'exercice

Mentionnons que dans le traitement comptable des coûts de réfection concernant les produits défectueux, tous les coûts de correction des défectuosités qui auraient pu être évitées devraient affecter le résultat de l'exercice.

EXERCICES D'APPLICATION

■■■ EXERCICE 3-1

T ltée possède et exploite une entreprise de moyenne importance qui fabrique des boîtes de carton. La fabrication se poursuit à travers quatre ateliers: imprimerie, découpage et pliage, paraffinage, collage et emballage.

Presque toutes les boîtes sont fabriquées d'après les données des clients, ce qui nécessite la préparation de plaques particulières pour la gravure ou l'électrotypie et, dans bien des cas, de matrices particulières pour le découpage et le pliage. Quelques formats standards de boîtes non imprimées sont aussi produits et gardés en stock pour répondre à la demande courante.

T ltée fait appel à vos services pour établir un système de coût de revient approprié à son entreprise. Le système de comptabilité actuel est principalement orienté vers la préparation des états financiers annuels de l'entreprise.

ON DEMANDE

de décrire le système de coût de revient à recommander pour ce genre d'entreprise, et d'expliquer comment il peut être incorporé au système de comptabilité actuel.

■■■ EXERCICE 3-2

ON DEMANDE

1. de compléter les états présentés en b) et c) à partir des renseignements fournis en a).

a) Fiches de fabrication sommaires

Commande n° I

Commencée le 1er janvier 20X1
Terminée et livrée le 23 décembre 20X2

Sommaire des coûts

M.P.	10 000 $
M.O.D.	4 000
F.I.F.	2 100
	16 100 $

Commande n° 2

Commencée le 10 janvier 20X2
Terminée le 31 décembre 20X2

Sommaire des coûts

M.P.	4 000 $
M.O.D.	3 000
F.I.F.	1 500
	8 500 $

Commande n° 3

Commencée le 5 avril 20X2
Non terminée le 31 décembre 20X2

Sommaire des coûts

M.P.	5 000 $
M.O.D.	3 000
F.I.F.	?

b) État du coût de fabrication

Pour l'exercice annuel terminé le 31 décembre 20X2		
Stock de produits en cours au 1er janvier 20X2 – commande n° 1		X $
Matières premières utilisées	15 000 $	
Main-d'œuvre directe	8 000	
Frais indirects de fabrication (fonction du coût de la M.O.D.)	4 000	27 000
Total		X
Stock de produits en cours au 31 décembre 20X2		X
Coût de fabrication pour l'exercice 20X2		X $

c) État partiel des résultats

Pour l'exercice annuel terminé le 31 décembre 20X2			
Chiffre d'affaires			40 000 $
Coût des produits vendus			
Stock de produits finis au 1er janvier 20X2	–0– $		
Coût de fabrication	X	X $	
Stock de produits finis au 31 décembre 20X2		X	X
			X
Sous-imputation			1 000
Bénéfice brut			X $

2. de présenter les écritures sommaires de l'année traduisant le cheminement des coûts relatifs à la fonction Fabrication. Vous supposez qu'il n'y a pas de retenues sur les salaires et que l'entreprise impute les frais indirects de fabrication en fonction du coût de la main-d'œuvre directe;

3. de déterminer quel serait le bénéfice brut de l'exercice si l'entreprise a comme politique de répartir les surimputations et les sous-imputations entre les stocks touchés et le coût des produits vendus. Il n'y a qu'un seul atelier de production.

■■■ EXERCICE 3-3

RAMPART LTÉE
État des résultats
pour la période du 1er janvier au 30 novembre 20X1

Chiffre d'affaires			2 837 000 $
Coût des produits vendus			
Coût de production			
Matières premières			
Stock au 1er janvier 20X1	19 300 $		
Achats	461 050		
	480 350		
Stock au 30 novembre 20X1	17 835	462 515 $	
Main-d'œuvre directe		653 000	
Frais indirects de fabrication imputés		1 306 000	
		2 421 515	
Variation des stocks de produits en cours			
Stock au 1er janvier 20X1	–0–		
Stock au 30 novembre 20X1	91 750	91 750	
Coût des produits fabriqués		2 329 765	
Variation des stocks de produits finis			
Stock au 1er janvier 20X1	13 500		
Stock au 30 novembre 20X1	–0–	13 500	
		2 343 265	
Sous-imputation des frais indirects			
de fabrication		53 635	2 396 900
			440 100
Frais de vente et d'administration			123 650
Bénéfice			316 450 $

Autres renseignements:

a) Stock de produits en cours au 30 novembre 20XI

	Commande n° 25	Commande n° 26
Matières premières	33 250 $	300 $
Main-d'œuvre directe	19 200	200
Frais indirects de fabrication (imputés)	38 400	400
	90 850 $	900 $

b) Unité d'œuvre pour 20XI: heure de main-d'œuvre directe

c) Journal des utilisations (matières premières) de décembre
   Commande n° 25   4 350 $
   Commande n° 26   4 275
   Commande n° 27   31 250

d) Journal des salaires (main-d'œuvre directe) de décembre
   Commande n° 25 (2 100 h × 10 $)   21 000 $
   Commande n° 26 (550 h × 10 $)   5 500
   Commande n° 27 (3 326 h × 10 $)   33 260
   Ce taux horaire de 10 $ est uniforme pour l'année 20XI.

e) Divers journaux
   Frais indirects de fabrication réels de décembre   125 000 $
   Frais de vente et d'administration de décembre   18 250

f) Journal des ventes de décembre
   Commande n° 25   200 000 $

g) Journal des achats de décembre
   Achats de matières premières   37 390 $

h) Au 31 décembre 20XI, la commande n° 26 est terminée mais non livrée; la commande n° 27 n'est pas encore terminée.

ON DEMANDE

1. les écritures de journal de décembre 20XI;
2. les écritures de fermeture de 20XI. Il est essentiel de répartir la surimputation ou la sous-imputation, à la production de 20XI, entre le coût des produits vendus, le stock de produits finis et le stock de produits en cours;
3. l'état des résultats pour 20XI.

■■■■ EXERCICE 3-4

Voici des renseignements concernant un atelier de production.

a) *Atelier 203: stock de produits en cours au début de 20XI*

N° de commande	Matières premières	Main-d'œuvre directe	Frais indirects	Total
1376	17 500 $	22 000 $	33 000 $	72 500 $

b) *Atelier 203: coûts engagés en 20XI*

	Matières	Main-d'œuvre	Autres	Total
Coût propres aux commandes				
1376	1 000 $	7 000 $	–0– $	8 000 $
1377	26 000	53 000	–0–	79 000
1378	12 000	9 000	–0–	21 000
1379	4 000	1 000	–0–	5 000
Coûts communs aux commandes				
Fournitures	15 000	–0–	–0–	15 000
Main-d'œuvre indirecte	–0–	53 000	–0–	53 000
Charges sociales	–0–	–0–	23 000	23 000
Amortissement	–0–	–0–	12 000	12 000
Supervision	–0–	20 000	–0–	20 000
Total	58 000 $	143 000 $	35 000 $	236 000 $

c) *Atelier 203: coefficient d'imputation des frais indirects de fabrication pour 20XI*

Frais indirects de fabrication budgétés
    Variables

Fournitures	16 000 $
Main-d'œuvre indirecte	56 000
Charges sociales	24 000
Fixes	
Supervision	20 000
Amortissement	12 000
Total	128 000 $
Coût budgété de la main-d'œuvre directe	80 000 $
Coefficient d'imputation des frais indirects par dollar de main-d'œuvre directe (128 000 $/80 000 $)	160 %

ON DEMANDE

d'indiquer, en regard de chacun des 7 énoncés suivants, la lettre qui traduit la bonne réponse.

1. Les frais indirects de fabrication de l'atelier 203 (en 20X1) furent de :
   a) 156 000 $
   b) 123 000 $
   c) 70 000 $
   d) 112 000 $
   e) Aucune de ces réponses

2. L'écart concernant les frais indirects de fabrication de l'atelier 203 (en 20X1) fut de :
   a) Sous-imputation de 11 000 $
   b) Surimputation de 11 000 $
   c) Sous-imputation de 44 000 $
   d) Surimputation de 44 000 $
   e) Aucune de ces réponses

3. L'écart sur volume de l'atelier 203 (en 20X1) fut de :
   a) 16 000 $ défavorable
   b) 12 000 $ défavorable
   c) −0− $
   d) 15 000 $ défavorable
   e) Aucune de ces réponses

4. L'écart sur dépense des frais indirects de fabrication de l'atelier 203 (en 20X1) fut de :
   a) 5 000 $ défavorable
   b) 7 000 $ défavorable
   c) 16 000 $ défavorable
   d) 12 000 $ défavorable
   e) Aucune de ces réponses

5. La commande n° 1376 fut la seule commande terminée, livrée et facturée en 20X1. Le montant qui fut inclus dans le coût des produits vendus concernant cette commande fut de :
   a) 72 500 $
   b) 91 700 $
   c) 80 500 $
   d) 19 200 $
   e) Aucune de ces réponses

6. Le coût relatif au stock de produits en cours à la fin de 20X1 fut de :
   a) 105 000 $
   b) 180 600 $
   c) 228 000 $
   d) 205 800 $
   e) Aucune de ces réponses

7. Supposez que l'on ait sous-imputé les frais indirects de fabrication de 14 000 $ pour l'atelier 203. Si on répartit cet écart entre le coût des produits vendus et les stocks, le montant de frais indirects de fabrication sous-imputés attribué au stock final de produits en cours serait de :
   a) 9 685 $
   b) 4 315 $
   c) 12 600 $
   d) 1 400 $
   e) Aucune de ces réponses

(Adaptation – C.M.A.)

■■■■ EXERCICE 3-5

Les registres d'une entreprise industrielle ont été détruits, à l'exception toutefois des fiches de fabrication qui constituent les seuls renseignements dont vous disposez. Les 30 et 31 janvier ne sont pas des jours ouvrables.

Commande n° 1
Terminée le 10/1
Livrée le 12/1

Date	M.P.	M.O.D.	F.I.F.I.
20X5			
31/12	1 000 $	500 $	250 $
20X6			
8/1		400	204
10/1		100	51

Commande n° 2
Terminée le 8/1
Livrée le 14/1

Date	M.P.	M.O.D.	F.I.F.I.
20X6			
4/1	625 $		
8/1		300 $	153 $

Commande n° 3
Terminée le
Livrée le

Date	M.P.	M.O.D.	F.I.F.I.
20X6			
13/1	200$		
15/1	100	80 $	40,80 $
22/1	20		10,20

Commande n° 4
Terminée le 29/1
Livrée le

Date	M.P.	M.O.D.	F.I.F.I.
20X6			
18/1	150 $		
22/1		40 $	20,40 $
29/1		60	30,60

Commande n° 5 Terminée le Livrée le			
Date	M.P.	M.O.D.	F.I.F.I.
20X6 28/1 29/1	380 $	50 $	25,50 $

ON DEMANDE

1. d'indiquer le coefficient d'imputation des frais indirects de fabrication utilisé en 20X5;
2. d'indiquer le coefficient d'imputation des frais indirects de fabrication utilisé en 20X6;
3. de présenter l'état du coût de fabrication;
4. de présenter les écritures suivantes:
   a) enregistrement du coût des matières premières utilisées;
   b) enregistrement du coût de la main-d'œuvre directe;
   c) enregistrement de l'imputation des frais indirects de fabrication;
   d) enregistrement du coût de revient des produits terminés;
   e) enregistrement du coût de revient de produits livrés aux clients.

■■■ EXERCICE 3-6

Cramer ltée produit sur commande l'article C dont les coûts unitaires sont les suivants: 1 $ en matières premières, 2 $ en main-d'œuvre directe et 3 $ en frais indirects de fabrication. En mai, 1 000 unités de C ont été gâchées. Ces articles pourraient être vendus 0,60 $ l'unité.

De l'avis du comptable, l'écriture de journal pour inscrire cette perte pourrait être l'une des suivantes:

a) Produits gâchés   600
    Stock de produits en cours   600

b) Produits gâchés   600
   Frais indirects de fabrication   5 400
    Stock de produits en cours   6 000

c) Produits gâchés   600
   Sommaire des résultats   5 400
    Stock de produits en cours   6 000

d) Produits gâchés   600
   Montant à recevoir   5 400
    Stock de produits en cours   6 000

ON DEMANDE

d'indiquer les circonstances qui pourraient justifier une écriture de journal plutôt qu'une autre.
(Adaptation – C.P.A.)

◼◼◼ EXERCICE 3-7

X ltée fabrique sur commande un certain produit. Cette entreprise impute ses frais indirects de fabrication sur la base du coût de la main-d'œuvre directe. Une commande fut reçue pour 1 000 unités. Suivant l'expérience antérieure, l'entreprise lança une fabrication de 1 025 unités. Le coût de fabrication de ces 1 025 unités se répartissait comme suit:

Matières premières	12 300 $
Main-d'œuvre directe	8 200
Frais indirects de fabrication imputés	4 100

Le coût n'inclut pas les coûts de rétablissement des unités défectueuses.

Une vérification des produits est effectuée en fin de fabrication. Elle a permis de se rendre compte des faits suivants: 25 unités ont été gâchées; on ne pourrait les vendre qu'à moitié prix, soit 15 $ chacune; 75 unités sont défectueuses. Les coûts de main-d'œuvre pour les rétablir s'élevèrent à 150 $. Aucuns autres frais de réfection ne sont engagés.

ON DEMANDE

1. de présenter les écritures de journal pour l'enregistrement des opérations précédentes, en supposant que les pertes et les coûts de rétablissement sont supportés par la commande;
2. de présenter à nouveau les écritures de journal en supposant que les pertes et les coûts de rétablissement sont supportés par l'ensemble des commandes et en supposant que le coefficient d'imputation demeure inchangé.

◼◼◼ EXERCICE 3-8

Industrielle ltée a adopté un système de coût de revient par commande. Elle fabrique suivant les spécifications données par les clients. Les frais indirects de fabrication sont imputés au taux de 150 % du coût de la main-d'œuvre directe.

Voici une liste de comptes tirés du grand livre général au 30 novembre 20X1, après 11 mois d'opérations :

	DT	CT
Stock de matières premières	4 900	
Stock de produits en cours – commande n° 41	1 600	
Frais indirects de fabrication réels	8 000	
Frais indirects de fabrication imputés		8 800

Voici maintenant les renseignements touchant les opérations de décembre :

a) Les coûts de base et les frais indirects de fabrication ont été les suivants :

Matières premières	7 440 $
Main-d'œuvre directe	4 800
Main-d'œuvre indirecte	1 200
Réparations et entretien	3 600
Amortissement de l'immeuble – usine	2 400
Assurance – usine (montant expiré)	300
Amortissement – outillage	1 200
	20 940 $

b) Les achats de matières premières se sont élevés à 8 730 $.

c) Le coût des matières utilisées en décembre se chiffrait comme suit :

Commande n° 41	2 000 $
Commande n° 42	1 330
Commande n° 43	1 710
Commande n° 44	2 400
	7 440 $

d) Les bons de travail de décembre ont été les suivants :

Commande n° 41	400 $
Commande n° 42	2 000
Commande n° 43	1 200
Commande n° 44	1 200
	4 800 $

e) Les commandes n°s 41 et 42 ont été terminées et livrées aux clients intéressés. La commande n° 43, terminée en décembre, n'a pas été livrée. La commande n° 44 demeure en cours au 31 décembre.

ON DEMANDE

1. de présenter les écritures de journal se rapportant aux opérations de décembre. La politique de l'entreprise est de fermer la surimputation ou la sous-imputation annuelle au compte Coût des produits vendus;
2. de dresser l'état du coût de fabrication pour décembre.

EXERCICE 3-9

Vous êtes propriétaire d'une PME industrielle. Elle réalise des travaux de découpage à partir de panneaux de bois qu'elle achète chez des fournisseurs.

Les clients précisent dans leurs commandes la nature exacte des opérations de découpage à effectuer.

La rémunération du préposé au tracé des plans sur les panneaux est de 12$ l'heure, et celle de l'ouvrier affecté au découpage, 14$ l'heure. Les frais indirects de fabrication sont imputés au taux de 10,20$ par heure consacrée au tracé ou au découpage.

Commande en cours au début du mois: n° 12

Travail à faire
indiqué sur le panneau

Travail de découpage effectué
au cours du mois précédent

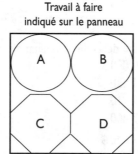 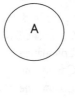

Coût du panneau de bois	25 $
Temps de M.O.D.	
Tracé du plan de découpage sur le panneau	⅓ h
Découpage effectué au cours du mois précédent	⅕ h

Renseignements concernant l'activité du mois

a) Commandes reçues et entreprises	150
b) Coût des panneaux de bois utilisés durant le mois	5 000 $
c) Heures de M.O.D. travaillées	
Tracé de plans de découpage	40
Découpage	360
d) Frais indirects de fabrication réels	4 000 $

Commandes en cours à la fin du mois: nᵒˢ 160 et 162

a) N° 160

Travail à faire indiqué sur le panneau   Travail de découpage effectué

A
B
C

D	E

A

D

E

Coût du panneau de bois   64 $
Temps de M.O.D.
  Tracé   ⅛ h
  Découpage effectué   ⅒ h

b) N° 162

Travail à faire indiqué sur le panneau

A	C	B
	D	

Coût du panneau de bois   32 $
Temps de M.O.D. qu'a nécessité le tracé   ¼ h

ON DEMANDE

1. de présenter un état du coût de fabrication;
2. de présenter le plus grand nombre d'écritures de journal possible.

■■■ EXERCICE 3-10

Denis ltée s'est lancée en affaires le 1ᵉʳ janvier 20X5. Elle recourt à un système de coût de revient par commande pour établir ses coûts de production. La production consiste en des commandes spéciales reçues d'autres manufacturiers pour la fabrication de machines-outils.

Il y a deux ateliers de production: l'atelier X, où les travaux sont faits principalement par des techniciens hautement spécialisés à salaires élevés; l'atelier Y, où se font surtout des travaux à la machine.

Voici les données budgétées pour l'exercice annuel; certaines d'entre elles ont servi au calcul des coefficients d'imputation des frais indirects de fabrication:

	Atelier X	Atelier Y
Frais indirects de fabrication	60 000 $	90 000 $
Nombre prévu d'heures de main-d'œuvre directe	48 000	6 000
Nombre prévu d'heures-machine	4 800	18 000

Voici les renseignements pertinents pour le mois de janvier concernant la fonction de fabrication :

a) Achats de matières premières et de fournitures à crédit : 30 000 $;

b) Total des salaires gagnés à l'usine : main-d'œuvre directe : 24 000 $; salaires et traitements des commis, des aides et des cadres : 10 000 $. Les retenues à la source furent de 3 100 $. Les employés ont tous reçu leur chèque de paie ;

c) Frais indirects de fabrication engagés et payés : réparations : 200 $; électricité : 400 $; impôts fonciers : 25 $; frais de transport : 75 $; divers : 50 $;

d) Frais indirects de fabrication comptabilisés au moyen d'écritures de régularisation : amortissement de l'outillage : 1 000 $; amortissement de l'usine : 300 $; charge à payer relative à l'assurance : 50 $; avantages sociaux à payer par l'entreprise : 8 % des salaires gagnés ;

e) Matières premières utilisées pour les commandes : 25 000 $; matières premières indirectes employées durant le mois : 600 $;

f) Les heures de main-d'œuvre directe et les heures-machine que les commandes 1 à 20 ont nécessitées sont les suivantes :

	Atelier X	Atelier Y	Total
Nombre d'heures de M.O.D.	3 800	520	4 320
Nombre d'heures-machine réelles	380	1 700	2 080

g) La commande n° 21, encore en cours à l'atelier X, a nécessité jusqu'à présent des matières premières (coût : 1 200 $) et 200 heures de main-d'œuvre directe (coût : 2 000 $) ;

h) Les frais indirects de fabrication réels, s'élevant à 15 420 $, ont été répartis dans les ateliers de production soit directement, soit selon certaines clés. Un montant de 6 420 $ a été attribué à l'atelier X et le solde, soit 9 000 $, à l'atelier Y ;

i) Toutes les commandes terminées durant la période, sauf la commande n° 20 dont les coûts s'élèvent à 5 500 $, ont été facturées 65 000 $ au total. Les clients ont payé le montant de 65 000 $ lors de la livraison des articles commandés.

ON DEMANDE

1. de présenter les écritures de journal (sans explications) nécessaires pour enregistrer les opérations du mois;
2. de présenter l'état du coût des produits fabriqués et vendus pour le mois de janvier.

(Adaptation – S.C.M.C.)

■■■■ EXERCICE 3-11

On fournit les renseignements suivants concernant une entreprise qui fabrique sur commande:

a) Frais indirects de fabrication prévus pour l'exercice   100 000 $
b) Heures-machine prévues pour l'exercice   100 000
c) Heures-machine réelles consacrées à une commande
dont 8% des unités ont été gâchées   5 000
d) Coûts de base engagés pour la commande mentionnée en c)

Matières premières	4 800 $
Main-d'œuvre directe	5 200
	10 000 $

e) Unité d'œuvre: l'heure-machine

ON DEMANDE

1. d'établir le coût de la commande:
   a) si les coûts des rejets sont supportés par la commande;
   b) si la perte est anormale;
2. de présenter l'écriture (ou les écritures) de journal en rapport avec chacune des situations a et b mentionnées en 1, et dont le crédit serait porté au compte Stock de produits en cours.

■ EXERCICE 3-12

On fournit les renseignements suivants concernant une entreprise qui fabrique sur commande :

a) Frais indirects de fabrication prévus pour l'exercice   100 000 $

b) Heures-machine prévues pour l'exercice   100 000

c) Heures-machine réelles consacrées à une commande au sujet de laquelle 8 % des unités ont été trouvées défectueuses   5 000

d) Coûts de base, autres que les coûts de rétablissement des unités défectueuses, engagés pour la commande mentionnée en c)

     Matières premières   4 800 $

     Main-d'œuvre directe   5 200

     10 000 $

e) Coûts réels de rétablissement des unités défectueuses relatives à la commande mentionnée pour les rendre de première qualité   700 $

f) Unité d'œuvre : l'heure-machine

ON DEMANDE

d'établir le coût de la commande :

a) si les coûts réels de rétablissement sont supportés par la commande ;

b) si les coûts réels de rétablissement ont trait à des défectuosités qui auraient pu être évitées.

4

L'ÉTUDE COMPLÉMENTAIRE DES COMPOSANTES DU COÛT DE FABRICATION

Il a été précédemment question des composantes du coût de fabrication, de leur comptabilisation et des frais indirects de fabrication réels et budgétés par atelier de production. Le coût des matières premières utilisées fut tenu pour acquis. Il fut également tenu pour acquis qu'il n'y avait pas de retour de matières soit au fournisseur, soit à l'entrepôt, de résidus de matières premières, de redressement à effectuer à la suite d'un inventaire physique, de fret à l'achat, d'escomptes sur achats et d'heures supplémentaires, que tous les frais indirects de fabrication réels ou budgétés se retrouvaient naturellement partagés entre les ateliers de production et qu'ils ne se composaient que de frais strictement variables ou fixes.

Il s'agit maintenant de lever ces hypothèses, et d'autres encore, afin que l'étude des composantes du coût de fabrication soit davantage complète.

1. LE COMPLÉMENT RELATIF AUX MATIÈRES

A. La détermination du coût des matières utilisées

Il existe plusieurs méthodes de détermination du coût des matières utilisées ; il importe donc de choisir celle qui répond le mieux aux besoins de l'entreprise.

Les principales méthodes de détermination du coût sont les suivantes :

1) la méthode de l'épuisement successif (PEPS) – premiers coûts entrés, premiers coûts sortis ;

2) la méthode de l'épuisement à rebours (DEPS) – derniers coûts entrés, premiers coûts sortis ;

3) la méthode de la moyenne mobile. Un nouveau coût unitaire moyen est déterminé à la suite de chaque achat. Pour le calcul du coût unitaire moyen, nous nous limiterons à trois décimales près. Les utilisations de matières sont exprimées à ce coût unitaire. Le stock de la fin est obtenu par différence (solde au début + achats – utilisations);
4) la méthode du coût moyen de fin de mois. Un coût moyen est établi toutes les fins de mois. Ce coût moyen sert à évaluer les utilisations du mois suivant.

Illustrons maintenant les méthodes PEPS, DEPS, la moyenne mobile et le coût moyen de fin de mois à l'aide des renseignements suivants concernant la matière X.

Date	Solde (quantités)	Quantités entrées	Coût unitaire	Quantités sorties
Janvier 2	450		0,80 $	
3				220
4		600	0,90	
5		300	0,70	
6				340
7				180
8		200	0,75	
10				200
11		300	0,90	

– Fiche de stock selon la méthode PEPS

Date	ENTRÉES			SORTIES			SOLDE		
	Qtés	Coût à l'unité	$	Qtés	Coût à l'unité	$	Qtés	Coût à l'unité	$
Janv. 2							450	0,80	360
3				220	0,80	176	230	0,80	184
4	600	0,90	540				⌈ 230	0,80	184
							⌊ 600	0,90	540
5	300	0,70	210				⌈ 230	0,80	184
							600	0,90	540
							⌊ 300	0,70	210
6				230	0,80	184			
				110	0,90	99	⌈ 490	0,90	441
							⌊ 300	0,70	210
7				180	0,90	162	⌈ 310	0,90	279
							⌊ 300	0,70	210
8	200	0,75	150				⌈ 310	0,90	279
							300	0,70	210
							⌊ 200	0,75	150
10				200	0,90	180	⌈ 110	0,90	99
							300	0,70	210
							⌊ 200	0,75	150
11	300	0,90	270				⌈ 110	0,90	99
							300	0,70	210
							200	0,75	150
							⌊ 300	0,90	270

– Fiche de stock selon la méthode DEPS

Date	ENTRÉES			SORTIES			SOLDE		
	Qtés	Coût à l'unité	$	Qtés	Coût à l'unité	$	Qtés	Coût à l'unité	$
Janv. 2							450	0,80	360
3				220	0,80	176	230	0,80	184
4	600	0,90	540				⌈ 230	0,80	184
							⌊ 600	0,90	540
5	300	0,70	210				⌈ 230	0,80	184
							600	0,90	540
							⌊ 300	0,70	210
6				300	0,70	210			
				40	0,90	36	⌈ 230	0,80	184
							⌊ 560	0,90	504
7				180	0,90	162	⌈ 230	0,80	184
							⌊ 380	0,90	342
8	200	0,75	150				⌈ 230	0,80	184
							380	0,90	342
							⌊ 200	0,75	150
10				200	0,75	150	⌈ 230	0,80	184
							⌊ 380	0,90	342
11	300	0,90	270				⌈ 230	0,80	184
							⌊ 680	0,90	612

La méthode DEPS vise le meilleur rapprochement des frais et des produits. Il existe plus d'une façon de le faire. Dans notre exemple, nous avons déterminé le solde après chaque réception et sortie de matière.

Si nous calculions en premier le coût du stock de la fin sans tenir compte des dates de réception et d'utilisation, puis le coût des matières utilisées par voie de différence, les résultats seraient les suivants:

1) Stock de la fin (DEPS) – inventaire périodique		2) Coût des matières premières utilisées	
450 – Solde du 2 janvier à 0,80 $	360 $	Total du stock d'ouverture et des réceptions (360 $ + 1 170 $)	1 530 $
460 – Partie de l'achat du 4 janvier à 0,90 $	414	*moins*: Stock de la fin	774
	774 $		756 $

– Fiche de stock selon la méthode de la moyenne mobile

Date	ENTRÉES			SORTIES			SOLDE		
	Qtés	Coût à l'unité	$	Qtés	Coût à l'unité	$	Qtés	Coût à l'unité	$
Janv. 2							450	0,800	360,00
3				220	0,800	176,00	230	0,800	184,00
4	600	0,90	540				830	0,872	724,00
5	300	0,70	210				1 130	0,827	934,00
6				340	0,827	281,18	790	0,827	652,82
7				180	0,827	148,86	610	0,827	503,96
8	200	0,75	150				810	0,807	653,96
10				200	0,807	161,40	610	0,807	492,56
11	300	0,90	270				910	0,838	762,56

– Fiche de stock selon la méthode du coût moyen de fin de mois

Date	ENTRÉES			SORTIES			SOLDE		
	Qtés	Coût à l'unité	$	Qtés	Coût à l'unité	$	Qtés	Coût à l'unité	$
Janv. 2							450	0,800	360
3				220	0,80	176			
4	600	0,90	540						
5	300	0,70	210						
6				340	0,80	272			
7				180	0,80	144			
8	200	0,75	150						
10				200	0,80	160			
11	300	0,90	270						
	1 400		1 170	940		752	910	0,855	778

Durant la période étudiée, le mois de janvier dans notre exemple, on n'inscrit des écritures que dans les sections Entrées et Sorties.

Le solde au 1er février s'établit comme suit:

	Quantités		Solde
Solde au 2 janvier	450		360 $
Entrées	1 400		1 170
	1 850		1 530
Sorties: Coût moyen de fin décembre (ou de début janvier) utilisé	940	× 0,80 $	752
Solde au 1er février	910		778 $
Coût unitaire de fin de mois*: 778 $/910 = 0,855 $			

* Ce coût unitaire sera utilisé pour toutes les sorties de février.

B.   Le retour de matières

Il arrive fréquemment qu'après avoir donné lieu à des écritures comptables certaines matières soient retournées aux fournisseurs, et cela pour diverses raisons, entre autres un renvoi de matières encore sous garantie.

Il est également fréquent que des matières sorties de l'entrepôt soient retournées par l'usine parce qu'elles ont été demandées en trop grande quantité, qu'elles ne correspondent pas au besoin, ou encore qu'elles sont endommagées.

Il importe donc de redresser les registres à la suite de ces divers retours. Les cas suivants peuvent alors se présenter.

a.   Le retour au fournisseur

S'il n'existe pas sur la fiche de quantité exprimée au coût original d'acquisition de la quantité retournée, on peut déterminer le coût des articles retournés comme s'il s'agissait d'une utilisation pure et simple.

Les méthodes PEPS et DEPS

S'il existe sur la fiche une quantité exprimée au coût original d'acquisition de la quantité retournée, on peut déterminer le coût des articles retournés (l'ensemble ou une partie, selon le cas) en utilisant ce coût original.

Le 9 janvier, l'entreprise retourne au fournisseur 250 unités achetées en décembre à 0,80 $ l'unité.

La fiche dudit stock, tenue selon la méthode PEPS, présente les soldes suivants avant et après le retour:

Date	ENTRÉES			SORTIES			SOLDE		
	Qtés	Coût à l'unité	$	Qtés	Coût à l'unité	$	Qtés	Coût à l'unité	$
Janv. 8	200	0,75	150				310 ⌐	0,90	279
							300	0,70	210
							200	0,75	150
9	(250)	0,90	(225)				60 ⌐	0,90	54
							300	0,70	210
							200	0,75	150

L'écriture de journal pour l'enregistrement du retour est la suivante:

Comptes fournisseurs (250×0,80 $)   200
Frais indirects de fabrication   25
      Stock de matières (250×0,90 $)   225

Notons que le retour au fournisseur a été inscrit dans la section des Entrées, mais en déduction.

La fiche dudit stock présenterait plutôt les soldes suivants si la méthode DEPS avait été utilisée:

Date	ENTRÉES			SORTIES			SOLDE		
	Qtés	Coût à l'unité	$	Qtés	Coût à l'unité	$	Qtés	Coût à l'unité	$
Janv. 8	200	0,75	150				230 ⌐	0,80	184
							380	0,90	342
							200 ⌐	0,75	150
9	(230)	0,80	(184)						
	(20)	0,75	(15)				380 ⌐	0,90	342
							180 ⌐	0,75	135

L'écriture de journal pour l'enregistrement du retour est celle-ci:

Comptes fournisseurs (250×0,80 $)   200
      Stock de matières (230×0,80 $+20×0,75 $)   199
      Frais indirects de fabrication   1

Comme la fiche signale encore 230 articles à 0,80 $ l'unité, on peut tout d'abord effacer cette partie, puis déduire, de la dernière acquisition, 20 articles à 0,75 $ l'unité.

La méthode de la moyenne mobile

On détermine le coût des articles retournés au coût moyen existant sur la fiche au moment du retour. La fiche présente alors les soldes suivants:

Date	ENTRÉES			SORTIES			SOLDE		
	Qtés	Coût à l'unité	$	Qtés	Coût à l'unité	$	Qtés	Coût à l'unité	$
Janv. 8	200	0,750	150,00				180	0,807	653,96
9	(250)	0,807	(201,75)				560	0,807	452,21

L'écriture de journal pour l'enregistrement du retour est celle-ci:

Comptes fournisseurs (250 × 0,80 $)	200,00	
Frais indirects de fabrication	1,75	
Stock de matières		201,75

b. *Le retour à l'entrepôt effectué par l'usine*

Les méthodes PEPS et DEPS

On peut procéder comme s'il s'agissait de nouveaux achats dans le cas où d'autres lots à d'autres coûts ont été utilisés depuis la sortie des matières retournées. On suppose ici que l'entreprise connaît les coûts unitaires des unités retournées à l'entrepôt; dans le cas contraire, on détermine le coût des unités retournées au dernier coût utilisé pour exprimer les sorties (compte tenu de la méthode utilisée pour la détermination du coût).

Le 12 janvier, l'usine retourne à l'entrepôt 10 unités qui avaient été sorties le 3 janvier à 0,80 $ l'unité.

L'écriture de journal pour l'enregistrement du retour selon PEPS (voir la fiche de stock) sera:

Stock de matières	8	
Stock de produits en cours		8

Date	ENTRÉES			SORTIES			SOLDE		
	Qtés	Coût à l'unité	$	Qtés	Coût à l'unité	$	Qtés	Coût à l'unité	$
Janv. 11	300	0,90	270				110	0,90	99
							300	0,70	210
							200	0,75	150
							300	0,90	270
12				(10)	0,80	(8)	110	0,90	99
							300	0,70	210
							200	0,75	150
							300	0,90	270
							10	0,80	8

Dans cet exemple et les deux suivants, le retour à l'entrepôt a été inscrit dans la section Sorties, mais en déduction.

L'écriture de journal pour l'enregistrement du retour selon DEPS (voir la fiche de stock) sera:

| Stock de matières | 8 | |
| Stock de produits en cours | | 8 |

Date	ENTRÉES			SORTIES			SOLDE		
	Qtés	Coût à l'unité	$	Qtés	Coût à l'unité	$	Qtés	Coût à l'unité	$
Janv. 11	300	0,90	270				230	0,80	184
							680	0,90	612
12				(10)	0,80	(8)	230	0,80	184
							680	0,90	612
							10	0,80	8

La méthode de la moyenne mobile

Si l'on peut déterminer le coût moyen utilisé lors de la sortie initiale, les retours pourront être exprimés par ce coût moyen; si c'est impossible, on peut alors exprimer ces retours par le dernier coût moyen ayant servi à déterminer le coût des sorties. De tels retours ne donnent pas lieu au calcul d'un nouveau coût unitaire moyen, car il ne s'agit pas de véritables acquisitions.

L'écriture de journal pour l'enregistrement du retour (voir la fiche de stock) sera la suivante:

| Stock de matières | 8 | |
| Stock de produits en cours | | 8 |

Date	ENTRÉES			SORTIES			SOLDE		
	Qtés	Coût à l'unité	$	Qtés	Coût à l'unité	$	Qtés	Coût à l'unité	$
Janv. 11	300	0,90	270				910	0,838	762,56
12				(10)	0,80	(8)	920	0,838	770,56

C.   Les résidus de matières

Les matières sorties pour la fabrication peuvent ne pas être toujours utilisées à profit; il arrive souvent, en particulier, qu'une partie d'entre elles soit assimilée à des résidus à cause de défauts de fabrication, d'avarie, de vieillissement ou de désuétude.

Il peut arriver que ces matières n'aient aucune valeur pour l'entreprise sauf, peut-être, une valeur de récupération. Aussi leur comptabilisation diffère selon que la valeur de récupération est importante ou non.

Si la quantité de résidus est relativement faible et de peu de valeur, l'entreprise ne tient pas de registre d'inventaire, ou encore ne tient compte que des unités, du volume ou du poids aux fins de contrôle. Dans ce cas, à la vente des résidus, l'entreprise crédite habituellement l'un des postes suivants:
- vente de résidus, que l'on classe dans la section «autres produits», à l'état des résultats;
- frais indirects de fabrication.

Lorsque les résidus ont une valeur importante, l'entreprise leur donne très souvent une valeur, qui est généralement la valeur probable de réalisation nette. Le crédit peut être porté aux comptes:
- ventes de résidus;
- frais indirects de fabrication;
- stock de produits en cours.

Exemple

Stock de résidus	1 000	
Ventes de résidus (ou frais indirects de fabrication, ou S.P.C.)		1 000

Toute différence entre le prix de vente et la valeur estimative des résidus préalablement portée aux stocks doit être considérée comme affectant les comptes Ventes de résidus, Frais indirects de fabrication ou Stock de produits en cours, suivant le cas.

Exemple

Caisse	900	
Vente de résidus (ou frais indirects de fabrication, ou S.P.C.)	100	
Stock de résidus		1 000

L'affectation au compte Stock de produits en cours est souvent impossible puisque la vente des résidus arrive fréquemment après avoir fabriqué et livré les articles commandés.

D.   Le redressement du compte Stock de matières

Nous avons vu précédemment que l'ensemble des fiches de stock représentait le grand livre auxiliaire du compte de contrôle Stock de matières. Nous supposions que l'équilibre comptable existe entre le compte de contrôle et le grand livre auxiliaire. Même dans un système d'inventaire permanent, il arrive souvent qu'apparaissent des différences entre les quantités en entrepôt et les quantités indiquées sur les fiches de stock; généralement, les premières sont inférieures à celles qui devraient exister d'après les registres d'inventaire.

Pour redresser les stocks de matières à la suite de cet inventaire physique, on pourra avoir recours aux écritures suivantes:

– enregistrement, dans la section Sorties, du déficit constaté à l'inventaire (la quantité déficitaire doit être exprimée suivant la méthode de détermination du coût choisie, comme s'il s'agissait d'une nouvelle sortie de matières);

– écriture de journal pour enregistrer dans les livres la réduction du total des stocks imputable au déficit.

Frais indirects de fabrication		
(déficit de stock)	XX	
Stock de matières		XX

E.   La réduction de la valeur des stocks de matières au moindre du coût ou de la valeur marchande

La valeur marchande équivaut théoriquement à la valeur de réalisation nette. Cette valeur nette est la valeur marchande estimative des produits finis pouvant être fabriqués à partir des stocks de matières premières, de laquelle on soustrait les frais de transformation et de vente des produits qui seraient obtenus. Toutefois, nous ferons nôtre l'exception suivante relative aux stocks de matières, tirée d'une étude publiée par l'Institut canadien des comptables agréés:

Puisque la valeur de réalisation se rapporte au prix de vente des produits finis, cette interprétation exige que l'on évalue les matières premières que l'on a en main, en unités de produits finis, ce qui, dans nombre de cas, est presque impossible, étant donné la grande variété des matières en main. Il est au contraire assez facile de déterminer les coûts de remplacement des matières premières et leur détermination peut fournir des indications sur l'évolution à longue échéance des prix de vente. Pour des raisons d'ordre pratique et de convenance, il semblerait logique de modifier la recommandation favorable à l'interprétation qui veut que la valeur du marché soit la valeur nette de réalisation de façon à permettre l'emploi du coût de remplacement dans le cas des matières premières. Il ne faudrait toutefois pas croire qu'une telle modification justifie l'application de la méthode dite «du plus bas du prix coûtant et du coût de remplacement» à toutes évaluations de matières premières[1].

Frais indirects de fabrication
    (pertes sur fluctuations des cours)   XX
        Provision pour moins-value   XX

F. Les contenants

a. *Pour les matières achetées*

Dans le cas de matières achetées dans des contenants qui peuvent être retournés au fournisseur contre remboursement, les écritures seront les suivantes:

– Acquisition des matières

Stock de matières   100
Dépôts de garantie pour contenants   5
    Comptes fournisseurs ou Caisse   105

– Retour des contenants

Caisse ou Comptes fournisseurs   5
    Dépôts de garantie pour contenants   5

b. *Pour les produits fabriqués*

Considérons maintenant le cas des produits vendus dans des contenants. Le coût de ces contenants doit-il être considéré comme un élément des frais de vente ou comme un coût de fabrication? Le principe est le suivant:

1) si le contenant est inséparable du produit, son coût est un coût de fabrication du produit en matière première. C'est le cas, par exemple, de la bouteille pour un produit liquide. Toutefois, si le contenant peut être retourné et réutilisé, on ne peut attribuer le coût complet du contenant à une seule fabrication. Pour résoudre ce problème, il y a lieu de procéder à une estimation annuelle des coûts se rapportant aux contenants et d'en tenir compte dans les budgets des frais indirects de fabrication servant à la détermination des coefficients d'imputation. Dans ce cas, ces coûts n'entreraient donc pas dans le calcul du coût des matières premières utilisées;

---

1. J.K. Walker et G. Mulcahy, *L'usage et le sens de la valeur du marché dans l'évaluation des stocks*, Institut canadien des comptables agréés, Toronto, 1963, p. 22.

2) si le contenant sert principalement à des fins publicitaires, il convient alors d'inclure son coût dans les frais de vente.

G.   Le fret à l'achat de matières

Théoriquement, le fret à l'achat devrait être débité au compte Stock de matières puisqu'il représente un véritable coût à l'acquisition des matières. Le problème serait résolu rapidement si le fret concernant un achat ne se rapportait qu'à l'achat d'un seul article. Mais, la plupart du temps, le montant du fret se rattache à l'acquisition de plusieurs matières.

La solution consisterait à choisir les clés appropriées pour répartir ce fret sur les diverses matières achetées. Ce travail, assez long et onéreux, complique la tenue des fiches de stock et, d'une façon générale, les écritures comptables. Aussi, plusieurs entreprises considèrent-elles le fret comme un élément des frais indirects de fabrication au même titre que les coûts de manutention des matières achetées.

H.   L'escompte sur achats de matières

On peut enregistrer les achats à leur coût net. Les escomptes perdus par la suite sont considérés comme des frais d'administration. On peut aussi choisir d'autres méthodes : enregistrer les achats au coût brut et déduire des frais indirects de fabrication les escomptes obtenus ou les considérer comme un autre produit. Ces dernières méthodes sont plus simples si l'entreprise tient des registres d'inventaire permanent, car elles évitent de recalculer le coût de chaque article inscrit sur la facture.

2.   LE COMPLÉMENT RELATIF À LA MAIN-D'ŒUVRE

A.   Le chevauchement d'une période de paie

Il arrive souvent qu'un exercice prenne fin au cours d'une période de paie. L'entreprise qui présente des états financiers doit tenir compte des salaires gagnés à la fin de l'exercice en question afin que le passif, les frais et les stocks soient bien chiffrés. Même si les salaires ne sont habituellement comptabilisés dans les livres qu'à la fin de périodes complètes, l'entreprise est en mesure de déterminer les salaires gagnés en tout temps à partir des documents préparés. L'entreprise peut donc passer aux livres l'écriture de répartition des salaires pour cette partie de semaine.

– Écriture de régularisation

Stock de produits en cours	500	
Frais indirects de fabrication	100	
Salaires		600

À la fin de l'exercice, le solde du compte Salaires représente un passif. Il est bien souvent impossible de déterminer avec exactitude ce qui est dû à l'employé et aux divers destinataires de précomptes, puisque les retenues ne sont calculées que pour des périodes de paie complètes et ne sont pas toujours proportionnelles aux salaires gagnés.

Au début de l'exercice suivant, cette écriture peut être contrepassée pour permettre d'enregistrer et de répartir dans cet exercice les salaires de la période de paie complète.

– Écriture de contrepassation

Salaires	600	
Stock de produits en cours		500
Frais indirects de fabrication		100

– Écriture d'enregistrement des salaires

Salaires	1 550	
Salaires à payer		1 150
Retenues à la source		400

– Écriture de répartition des salaires

Stock de produits en cours	1 250	
Frais indirects de fabrication	300	
Salaires		1 550

L'entreprise pourrait procéder autrement. Elle pourrait, par exemple, ne pas passer d'écriture de contrepassation et inscrire, dans l'exercice subséquent, l'écriture d'enregistrement des salaires de la période de paie complète et l'écriture de répartition de la paie pour le solde de la période de paie.

Salaires	1 550	
Salaires à payer		1 150
Retenues à la source		400
Stock de produits en cours	750	
Frais indirects de fabrication	200	
Salaires		950

B.   Les primes en heures supplémentaires

Les primes en heures supplémentaires sont comptabilisées comme frais indirects de fabrication lorsque ces heures découlent d'un surplus de commandes à honorer. Dans de telles conditions, il ne peut être question d'attribuer ces primes à des commandes spécifiques, même si l'entreprise peut repérer les commandes qui ont été exécutées en heures supplémentaires. Le coût estimatif des primes en heures supplémentaires entre donc dans le calcul des coefficients d'imputation prédéterminés.

Par contre, il peut arriver qu'un client accepte de payer la prime sur les heures supplémentaires, par exemple lorsque la livraison de la commande doit être faite dans un délai anormalement court. Dans un tel cas, le coût de la prime sera attribué à la commande du client. Si les frais indirects de fabrication sont imputés sur la base du coût de la main-d'œuvre directe, le montant des frais indirects de fabrication imputés doit être indépendant des primes traitées comme un élément de main-d'œuvre directe.

C.   Les mises en route

Voyons maintenant comment traiter le coût des mises en route dont une bonne partie est constituée de main-d'œuvre.

Le coût des mises en route comprend non seulement les coûts engagés pour nettoyer les machines, pour changer quelques pièces accessoires et préparer tout le plan de production, mais aussi les pertes découlant du manque d'expérience lors des essais. Ces mises en route peuvent être fort simples, mais aussi demander plusieurs journées de travail. Le coût total des mises en route doit faire partie du coût de revient des articles fabriqués. On pourrait en faire une charge distincte sur la fiche de fabrication. Il n'est pas toujours approprié d'en attribuer le coût à des commandes spécifiques, car ceci pourrait fausser le parallèle du coût de commandes identiques (deux commandes successives par rapport à deux commandes entrecoupées nécessitant deux mises en route). Les coûts des mises en route sont donc habituellement pris en considération dans les frais indirects de fabrication.

D.   Les charges sociales

Les entreprises accordent à leur personnel, volontairement ou obligatoirement, des avantages complémentaires à la rémunération de base : participation de l'entreprise à l'assurance-emploi, à une caisse de retraite, à un régime de rentes provincial, attribution de congés payés, de bonis de la période des fêtes, etc. Les coûts de ces avantages peuvent représenter un pourcentage relativement important de la rémunération de base du personnel.

Certains soutiennent que les charges sociales, surtout celles qui sont en relation avec le coût brut de la main-d'œuvre directe, doivent donner lieu à des rajustements des taux de rémunération. Théoriquement, ce traitement est fondé, car les charges sociales font partie des frais de rémunération du personnel. Pour des raisons d'ordre pratique, les frais relatifs aux avantages sociaux dont bénéficient les employés d'usines sont très souvent comptabilisés comme frais indirects de fabrication.

Il arrive que des rémunérations tiennent lieu de charges sociales plutôt que de compensations pour services rendus. Ainsi, il peut arriver, lorsque la production est saisonnière, qu'une main-d'œuvre industrielle clé soit affectée à d'autres tâches que celle de la production, alors que les taux de rémunération, s'ils sont supérieurs à ceux payés au personnel régulier affecté à ces autres tâches, restent inchangés. De la main-d'œuvre industrielle pourrait, par exemple, être employée au service de l'expédition. Le problème est de décider du traitement comptable du supplément de rémunération de ces employés pendant la période de temps qu'ils passent au service de l'expédition. Doit-on comptabiliser le supplément comme frais de vente, comme élément de frais indirects de fabrication en invoquant le fait que l'entreprise désire s'assurer la disponibilité d'un personnel clé en vue de la saison de production, ou comme frais d'administration en invoquant la responsabilité sociale de l'entreprise ? Le premier traitement est difficilement acceptable ; restent les deux autres.

Le chevauchement d'une période de paie, que nous avons traité précédemment, a également des implications sur la comptabilisation des charges sociales. Les avantages sociaux obtenus par les employés avant la fin de l'exercice, mais qui n'ont pas encore été comptabilisés à cause du chevauchement d'une période de paie, doivent être estimés et comptabilisés dans l'exercice visé au moyen d'une écriture de régularisation. Il en est ainsi, par exemple, des frais concernant l'assurance-emploi et le régime des rentes provincial. Par la suite, la façon la plus simple de procéder consisterait à passer une écriture de contrepassation au début de l'exercice suivant.

Terminons cette partie de notre exposé en discutant brièvement de la comptabilisation relative aux congés annuels payés, aux bonis de la période des fêtes et au régime de retraite.

a. *Les congés annuels payés*

Le principe de base est le suivant : il faut répartir le coût des congés payés sur la production effective des employés qui en bénéficient ou sur l'ensemble des fabrications.

Prenons un exemple : un employé d'un atelier de production (M.O.D.), dont le salaire hebdomadaire s'élève à 408 $ (soit 40 heures à 10,20 $), bénéficie annuellement d'une semaine de congé payé.

Une première solution consiste à faire supporter le coût du congé payé par les commandes sur lesquelles l'employé travaille au cours de ses 51 semaines. L'écriture hebdomadaire (pendant 51 semaines) pourrait être exprimée comme suit :

Stock de produits en cours	416	
Salaires		408
Provision pour congés payés		8

Cette écriture a pour effet de porter le taux horaire à 10,40 $.

Une seconde solution, plus pratique, consiste à faire supporter le coût des congés payés par toutes les commandes. Dans ce dernier cas, les frais indirects budgétés sont augmentés du coût annuel estimatif des congés de vacances; par conséquent, les coefficients d'imputation prédéterminés seront augmentés. Les écritures hebdomadaires (pendant 51 semaines) seraient alors les suivantes:

Stock de produits en cours	408	
Frais indirects de fabrication	8	
Salaires		408
Provision pour congés payés		8

b. *Les bonis de la période des fêtes*

Certaines entreprises accordent aux employés certains bonis, soit en nature, soit en argent, en reconnaissance des services rendus. Ces bonis peuvent être ou non proportionnels aux salaires.

Présentons le cas d'un employé de l'usine (M.O.D.), ayant un salaire hebdomadaire de 400 $ et recevant à l'occasion de Noël un boni de 520 $. Supposons que l'employé travaille 52 semaines dans l'année.

Une première solution consiste à faire supporter le coût de ces bonis aux commandes sur lesquelles les ouvriers qui en bénéficient travaillent. Cette solution nécessite le rajustement des taux horaires de rémunération.

Stock de produits en cours	410	
Salaires		400
Bonis à payer		10

Une seconde solution, plus pratique, consiste à répartir le coût des bonis à toutes les commandes. Ce coût est alors porté au compte Frais indirects de fabrication; on en fait l'estimation lors du calcul des coefficients d'imputation prédéterminés. L'écriture hebdomadaire serait la suivante:

Stock de produits en cours	400	
Frais indirects de fabrication	10	
Salaires		400
Provision pour bonis à payer		10

c.   Les régimes de retraite

Le principal problème touchant les régimes de retraite est la détermination des coûts qui touchent les différents exercices comptables.

Une fois déterminés, les coûts relatifs au régime de retraite et se rapportant à un exercice en particulier peuvent être répartis dans les sections suivant l'importance relative des salaires qui y sont gagnés. Ce traitement se compare à d'autres avantages sociaux accordés aux employés : soins médicaux, cafétéria, etc. L'entreprise pourrait également chercher à déterminer les coûts relatifs au régime de retraite sur une base de section.

3.   LE COMPLÉMENT RELATIF AUX FRAIS INDIRECTS DE FABRICATION

A.   Les frais indirects de fabrication réels

Les frais indirects de fabrication réels sont comptabilisés en cours d'exercice dans un compte collectif auquel est greffé un grand livre auxiliaire qui fournit le détail du montant des différents éléments qui constituent les frais indirects de fabrication. Ce grand livre auxiliaire nous fournit une classification par nature des frais indirects de fabrication réels. Or, nous l'avons déjà mentionné, pour dégager, lorsque le coût de revient rationnel est utilisé, l'écart sur dépense découlant d'une sur- ou sous-imputation, les frais indirects de fabrication réels doivent être partagés entre les différents ateliers de production. Il y a donc un travail comptable (ou extra-comptable) périodique à effectuer. Ce travail est d'autant plus compliqué que des frais indirects de fabrication réels peuvent être engagés dans des sections autres que des sections principales (ateliers de production) et que les frais ne se rapportent pas toujours à une section en particulier.

a.   Les sections

Nous posons ici l'hypothèse qu'à une section correspond une division réelle de l'entreprise. Mais il n'en va pas toujours ainsi ; il pourrait arriver qu'une section soit strictement une section de calcul, comme nous l'avons déjà vu.

Il existe normalement deux catégories de sections reliées à la production : les sections principales et les sections auxiliaires (sections de soutien).

La section auxiliaire, telle la chaufferie pour n'en citer qu'une, est essentielle au bon fonctionnement de la production, mais le produit n'y passe pas et n'y subit donc aucun traitement. Sa fonction principale est d'offrir son concours aux autres sections, surtout aux sections principales. Il est bien évident que, même si le produit ne passe pas par les sections auxiliaires, le coût de ces dernières, tout comme celui des sections principales, doit être absorbé par les produits.

b.   Les coûts se rapportant aux sections

Les frais indirects de fabrication réels, quelle que soit leur nature, sont liés aux sections principales et auxiliaires. Il s'agit d'abord de déterminer s'ils peuvent être attribués directement à une section en particulier. On considère qu'un coût est spécifique à une section quand il est attribuable uniquement à cette section. Par exemple, pour un contremaître qui œuvre exclusivement dans une section donnée, le salaire et les charges sociales y afférentes constituent des coûts spécifiques. L'amortissement de la machinerie d'une section est aussi un coût spécifique de la section. Tous les frais indirects de fabrication qui ne peuvent être rapportés à une section seront considérés comme des coûts communs à plusieurs ou à l'ensemble des sections principales ou auxiliaires; à titre d'exemple, l'amortissement du bâtiment (usine) est un coût commun à l'ensemble des sections principales et auxiliaires.

Puisque les frais indirects de fabrication réels doivent être partagés entre les sections, il faut donc distribuer les coûts communs entre ces sections en utilisant des clés de répartition de coûts.

c.   Les clés de répartition

Pour procéder au partage des coûts communs entre les sections, il faut d'abord établir des clés de répartition. La clé de répartition est l'instrument permettant d'allouer à chacune des sections une part réaliste d'un coût commun. Par exemple, l'amortissement de l'usine pourrait être partagé entre les sections en fonction des surfaces occupées. Cette clé n'est cependant valable que dans certains cas: elle serait inappropriée si la section principale n° 1 a exigé l'utilisation de matériaux très sophistiqués lors de sa construction et que la section principale n° 2 n'a exigé qu'un revêtement de tôle. La valeur relative de location pourrait être, dans les circonstances, une base de répartition plus juste. Il existe, en plus de celles déjà mentionnées, une grande variété de clés de répartition des coûts communs: nombre d'employés, montant de l'investissement en actifs immobilisés, coût de la main-d'œuvre, etc.

d.   Le traitement comptable des frais indirects de fabrication réels

Ce traitement est le suivant :
1) Les frais indirects de fabrication sont enregistrés dans un journal d'écritures originaires.
2) Les reports sont effectués au compte collectif Frais indirects de fabrication du grand livre général, puis au grand livre auxiliaire des frais indirects de fabrication (regroupement par nature).
3) Enfin, on effectue les reports aux feuilles d'analyse des frais indirects de fabrication par section. Ceci implique évidemment que les documents servant de base aux reports donnent le partage des frais entre les diverses sections.

Voici, à titre d'exemple, une feuille d'analyse des frais indirects de fabrication d'une entreprise industrielle. Les chiffres 30, 31, 32, etc., représentent les codes des comptes de frais indirects de fabrication figurant au grand livre auxiliaire des frais indirects de fabrication.

Frais indirects de fabrication	Clé de répartition (s'il y a lieu)	Date	Total	Sections principales				Sections auxiliaires	
				1	2	3	4	Entretien	Entrepôt
30			12 000	1 000	2 000	1 000	3 000	4 000	1 000
31			86 300	22 000	12 000	6 800	13 500	23 000	9 000
32			7 100	1 500	1 800	400	1 200	200	2 000
33			8 100	2 500	2 200	600	800	800	1 200
34			10 260	3 900	1 400	1 200	1 300	2 000	460
35			1 400	100	600	- 0 -	700	- 0 -	- 0 -
Total			125 160	31 000	20 000	10 000	20 500	30 000	13 660

La feuille d'analyse fournit l'information nécessaire à la comptabilisation des frais indirects de fabrication par section.

Frais indirects de fabrication – section entretien	30 000
Frais indirects de fabrication – section entrepôt	13 660
Frais indirects de fabrication – atelier 1	31 000
Frais indirects de fabrication – atelier 2	20 000
Frais indirects de fabrication – atelier 3	10 000
Frais indirects de fabrication – atelier 4	20 500
Frais indirects de fabrication	125 160

Nous pouvons reconstituer le total des frais indirects de fabrication à trois endroits différents (figure 1):
1) au compte collectif Frais indirects de fabrication au grand livre général;
2) au grand livre auxiliaire des frais indirects de fabrication;
3) à l'ensemble des feuilles d'analyse des frais indirects de fabrication par section.

FIGURE 1
Articulation des comptes de frais indirects de fabrication

Compte contrôle

Frais indirects de fabrication

Fournitures	12 000
Main-d'œuvre indirecte	86 300
Assurances	7 100
Électricité, chauffage	8 100
Amortissement	10 260
Loyer	1 400

Grand livre auxiliaire

Fournitures - 30	Main-d'œuvre indirecte - 31
12 000	86 300
Assurances - 32	Électricité, chauffage - 33
7 100	8 100
Amortissement - 34	Loyer - 35
10 260	1 400

Analyse des frais indirects de fabrication par section

Frais indirects de fabrication	Clé de répartition (s'il y a lieu)	Date	Total	Sections principales				Sections auxiliaires	
				1	2	3	4	Entretien	Entrepôt
30			12 000	1 000	2 000	1 000	3 000	4 000	1 000
31			86 300	22 000	12 000	6 800	13 500	23 000	9 000
32			7 100	1 500	1 800	400	1 200	200	2 000
33			8 100	2 500	2 200	600	800	800	1 200
34			10 260	3 900	1 400	1 200	1 300	2 000	460
35			1 400	100	600	– 0 –	700	– 0 –	– 0 –
Total			125 160	31 000	20 000	10 000	20 500	30 000	13 660

F.I.F. - atelier 1	F.I.F. - entrepôt
31 000	13 660

F.I.F. - atelier 2	F.I.F. - entretien
20 000	30 000

F.I.F. - atelier 3	F.I.F. - atelier 4
10 000	20 500

e. La répartition des coûts des sections auxiliaires

Quand vient le moment de partager les coûts accumulés des sections auxiliaires entre les sections principales, il faut retenir le principe suivant: les coûts d'une section auxiliaire devraient être partagés seulement entre les sections qui ont bénéficié de ses services. Il convient de distinguer deux situations en ce qui a trait aux services rendus par les sections auxiliaires aux autres sections auxiliaires:

– sections auxiliaires ne rendant aucun service aux autres sections auxiliaires ou en rendant à certaines d'entre elles sans recevoir de services d'aucune section auxiliaire;

– sections auxiliaires rendant des services à d'autres sections auxiliaires et en recevant de certaines d'entre elles.

Sections auxiliaires ne rendant aucun service aux autres sections auxiliaires ou en rendant à certaines d'entre elles sans en recevoir d'aucune section auxiliaire

Idéalement, les coûts d'une section auxiliaire devraient être répartis à l'aide d'une unité d'œuvre de consommation. Ceci implique que l'entreprise peut quantifier les services rendus aux sections bénéficiaires. Dans ce cas, la base de répartition sera fonction du volume d'unités d'œuvre. Par exemple, les coûts de la section Entrepôt peuvent être répartis d'après le nombre de bons de sortie. Par contre, dans le cas où le montant des coûts de la section auxiliaire n'a pas de relation directe avec le volume d'activité observé dans les sections principales, la clé de répartition sera d'une nature similaire à celle caractérisant les clés de répartition des coûts communs. Les coûts de la section d'entretien du bâtiment pourraient, par exemple, être partagés selon les surfaces occupées.

Sections auxiliaires rendant des services à d'autres sections auxiliaires et en recevant de certaines d'entre elles

Des sections auxiliaires se rendent bien souvent des services réciproques. À titre d'exemple, la section Entretien du bâtiment rend en réalité des services aux sections principales mais aussi à l'entrepôt et à toute autre section auxiliaire qui occupe un espace physique dans l'usine. L'entrepôt peut aussi rendre des services à la section Entretien du bâtiment. D'autres sections auxiliaires peuvent rendre des services à un certain nombre de sections auxiliaires mais n'en recevoir que d'une partie d'entre elles. Ces situations ajoutent une dimension au problème de partage des coûts des sections auxiliaires entre les sections principales. On fait appel à des **méthodes de partage**.

Les méthodes de partage

On répartit d'abord les coûts des sections auxiliaires qui rendent des services à d'autres sections (principales ou auxiliaires) sans en recevoir d'aucune des sections auxiliaires clientes. Puis on procède au partage des coûts des autres sections auxiliaires.

Les méthodes de partage des coûts de ces dernières sont, de la plus simple à la plus précise :
- la méthode de répartition directe (sur les sections principales);
- la méthode de répartition séquentielle;
- la méthode de répartition directe à deux temps;
- la méthode de répartition algébrique (répartition des prestations réciproques).

Nous allons étudier les caractéristiques, les avantages et les inconvénients de chacune de ces méthodes de partage, puis, à partir d'un exemple, nous en verrons le fonctionnement pratique.

La méthode directe

Fonctionnement

On procède au partage des coûts des sections auxiliaires directement entre les sections principales sans tenir compte des services rendus réciproquement (prestations réciproques) par les sections auxiliaires. Le partage se fait au prorata des services rendus aux sections principales seulement.

Avantage

C'est une méthode simple, facile d'application.

Inconvénient

Elle ne reflète pas la réalité des opérations quand il existe des prestations réciproques.

La méthode séquentielle

Fonctionnement

On détermine, en premier lieu, la séquence de partage des coûts des sections auxiliaires. Ces sections sont ordonnées de manière à partager en premier lieu les frais de la section la plus utile aux autres sections, en deuxième lieu, les frais de la deuxième section la plus utile, etc. La principale difficulté de la méthode est justement d'établir une séquence objective. La section Entretien de la machinerie est-elle plus utile que l'entrepôt? Bien souvent, il faut faire appel à des techniques arbitraires; en voici quelques-unes:

1) le montant brut des coûts accumulés:
   - section A: 75 000 $;
   - section B: 50 000 $.

   La séquence retenue serait A en premier, B en second.

2) le pourcentage des services rendus aux autres sections auxiliaires:
   - la section A a rendu 10 % de ses services à B;
   - la section B a rendu 20 % de ses services à A.

   La séquence retenue serait B en premier et A en second.

3) la combinaison de 1 et de 2:
   - section A: 75 000 $ × 10 % = 7 500 $ de services rendus à B;
   - section B: 50 000 $ × 20 % = 10 000 $ de services rendus à A.

   La séquence retenue serait B en premier et A en second.

La troisième technique est supérieure aux deux autres, car elle tient compte à la fois des coûts accumulés et du pourcentage des services rendus réciproquement.

Une fois la séquence déterminée, on procède au partage des coûts des sections auxiliaires. Les coûts de la première section sont partagés entre les sections principales et les autres sections auxiliaires en fonction de l'importance relative des services attribués à chacune. Les coûts de la deuxième section sont partagés entre les sections principales et les autres sections auxiliaires (sauf les sections auxiliaires dont les coûts ont déjà été partagés, en l'occurrence la première section). Le partage se fera donc au prorata des services rendus à toutes les sections résiduelles, et ainsi de suite jusqu'à la dernière section auxiliaire (qui est présumée la moins utile) dont les coûts seront virés aux sections principales seulement.

Avantage

Il y a reconnaissance partielle des prestations réciproques ; il s'agit là d'une amélioration par rapport à la méthode directe.

Inconvénients

Elle ne reflète que partiellement la réalité des opérations quand il existe des prestations réciproques. De plus, il faut souvent faire appel à des techniques arbitraires pour déterminer la séquence de partage.

La méthode directe à deux temps

Fonctionnement

On procède d'abord à un partage réciproque entre les sections auxiliaires sur la base du pourcentage de services rendus par une section auxiliaire aux autres sections auxiliaires. La séquence, dans ce cas, n'a pas d'importance, car c'est le montant, compte non tenu des coûts des prestations reçues, qui est multiplié par le pourcentage. Ensuite, on procède sans difficulté au partage du solde des coûts de chacune des sections auxiliaires sans en attribuer quelque partie que ce soit à des sections auxiliaires de qui elle reçoit des services.

Avantages

C'est une méthode simple, facile à mettre en application ; de plus, elle reconnaît en quelque sorte que les sections auxiliaires sont au service aussi bien d'autres sections auxiliaires que de sections principales.

Inconvénient

Elle ne reflète pas parfaitement la réalité des opérations, car le partage est basé sur le montant initial et non sur l'ensemble des frais de la section auxiliaire concernée.

La méthode algébrique

Fonctionnement

Il faut d'abord établir un système d'équations visant à déterminer pour chacune des sections auxiliaires l'ensemble de ses frais. Après en avoir déterminé le montant, il faut procéder au partage des frais des sections auxiliaires entre toutes les autres sections en fonction de l'importance relative des services attribués à chacune.

Avantage

Cette méthode reflète très bien la réalité des opérations quand il existe des prestations réciproques.

Inconvénient

Cette méthode peut exiger l'utilisation du calcul matriciel pour résoudre le système d'équations, ce qui est loin d'en faciliter l'emploi par les petites entreprises industrielles.

EXEMPLE

DONNÉES

Une entreprise industrielle possède une usine qui regroupe deux sections principales (1 et 2) et deux sections auxiliaires (A et B). Le service des coûts de revient a pu établir 1) le montant des coûts accumulés concernant chacune des sections une fois la répartition primaire des coûts effectuée, 2) la distribution des services rendus par les sections auxiliaires.

	1	2	A	B
Montant accumulé	190 000 $	160 000 $	50 000 $	20 000 $
Distribution en pourcentage des services rendus				
par A	50 %	30 %	–0–	20 %
par B	60 %	30 %	10 %	–0–

SOLUTION

a) **Méthode directe**

	Total	1	2	A	B
Solde avant répartition	420 000 $	190 000 $	160 000 $	50 000 $	20 000 $
Partage des coûts		(⅝)	(⅜)		
de A	–0–	31 250	18 750	(50 000)	–0–
		(⅔)	(⅓)		
de B	–0–	13 333	6 667	–0–	(20 000)
Solde après répartition	420 000 $	234 583 $	185 417 $	–0– $	–0– $

b) Méthode séquentielle

La séquence choisie est la suivante : A en premier, B en second.

	Total	1	2	A	B
Solde avant répartition	420 000 $	190 000 $	160 000 $	50 000 $	20 000 $
Partage des coûts					
de A	–0–	25 000	15 000	(50 000)	10 000
de B	–0–	20 000	10 000	–0–	(30 000)
Solde après répartition	420 000 $	235 000 $	185 000 $	–0– $	–0– $

c) Méthode directe à deux temps

	Total	1	2	A	B
Solde avant partage	420 000 $	190 000 $	160 000 $	50 000 $	20 000 $
Partage des coûts					
de A	–0–	–0–	–0–	(10 000)	10 000
de B	–0–	–0–	–0–	2 000	(2 000)
	420 000	190 000	160 000	42 000	28 000
Partage des coûts résiduels					
		(5⁄8)	(3⁄8)		
de A	–0–	26 250	15 750	(42 000)	–0–
		(2⁄3)	(1⁄3)		
de B	–0–	18 667	9 333	–0–	(28 000)
Solde après partage	420 000 $	234 917 $	185 083 $	–0– $	–0– $

d) Méthode algébrique

1) Résoudre le système d'équations suivant :

(1) $A = 50\,000 + 10\%\ B$

(2) $B = 20\,000 + 20\%\ A$

En substituant dans l'équation (1) la valeur de B de l'équation (2), on obtient :

$A = 50\,000 + 10\%\ (20\,000 + 20\%\ A)$

$A = 50\,000 + 2\,000 + 0,02\ A$

$0,98\ A = 52\,000$

$A = 53\,061$

$B = 30\,612$

2) Répartir les coûts des sections auxiliaires

	Total	I	2	A	B
Solde avant répartition	420 000 $	190 000 $	160 000 $	50 000 $	20 000 $
Partage des coûts					
de A	–0–	26 531	15 918	(53 061)	10 612
de B	–0–	18 367	9 184	3 061	(30 612)
Solde après répartition	420 000 $	234 898 $	185 102 $	–0– $	–0– $

En résumé, les étapes de la comptabilisation des frais indirects de fabrication qui permettent de répartir l'ensemble de ces frais entre les sections principales seraient les suivantes:

Étape 1: Inscription des frais indirects de fabrication dans un journal d'écritures originaires avec report au compte collectif et au grand livre auxiliaire.

Étape 2: Attribution des coûts spécifiques aux sections (principales et auxiliaires) et répartition des coûts communs, à l'aide de clés de répartition entre les sections principales et auxiliaires. Il en résulte que tous les frais indirects de fabrication sont ventilés entre les différentes sections principales et auxiliaires. Bref, il s'agit de procéder à la répartition primaire des coûts.

Étape 3: Partage des coûts des sections auxiliaires en recourant aux méthodes de répartition des coûts, de sorte que l'ensemble des frais indirects de fabrication soit ventilé en dernière analyse aux seules sections principales. Il s'agit ici de la répartition secondaire.

La répartition des coûts des sections auxiliaires entre les sections principales entraîne une écriture comptable qui a pour effet de ramener à zéro le solde des comptes relatifs aux sections auxiliaires. Voici quelle serait cette écriture dans notre exemple, en supposant que la méthode de répartition dite directe est utilisée.

Frais indirects de fabrication – section I	44 583	
Frais indirects de fabrication – section 2	25 417	
Frais indirects de fabrication – section A		50 000
Frais indirects de fabrication – section B		20 000

B. Les frais indirects de fabrication budgétés

En général, le budget des frais indirects de fabrication servant au contrôle doit être flexible. Comme nous l'avons déjà mentionné, le budget flexible comporte une exigence fondamentale, celle de repérer le comportement de chaque élément de frais selon le volume d'unités d'œuvre. Dans un budget flexible, il existe des frais qui sont strictement variables ou fixes, mais également des frais qui n'entrent pas aussi facilement dans ces deux catégories; il s'agit des frais semi-variables.

a. *Les catégories de coûts reliés au volume d'unités d'œuvre*

Les frais variables

Ce sont des frais qui varient proportionnellement avec le volume d'unités d'œuvre. Par exemple, le coût de la force motrice est, en général, directement proportionnel aux heures de fonctionnement des machines. Le coût unitaire est le même quel que soit le volume d'unités d'œuvre, par exemple 0,40 $ par heure-machine

– *Représentation graphique du coût total*

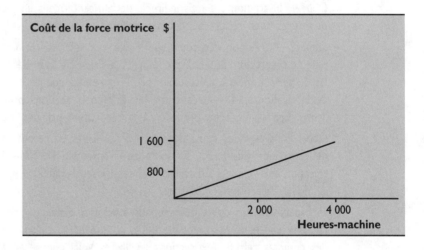

– *Équation algébrique*

$$Y = bX$$

Y	=	bX	
coût total		coût variable à l'unité d'œuvre	volume d'unités d'œuvre

– *Représentation graphique du coût unitaire*

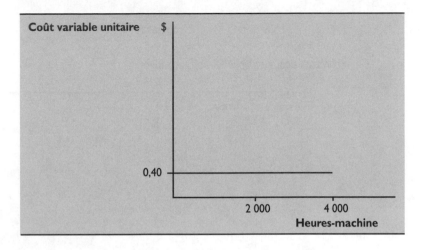

Les frais fixes

Ces frais demeurent invariables en totalité lorsque le volume d'unités d'œuvre varie. Par exemple, l'amortissement de l'outillage est le même, soit 2 000 $, que le volume des heures-machine soit de 2 000 ou 4 000. Le coût unitaire diminue avec l'augmentation du volume d'unités d'œuvre.

– *Représentation graphique du coût total*

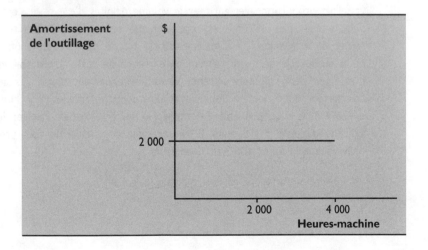

– *Équation algébrique*

$$Y = a$$

coût total   constante

– *Représentation graphique du coût unitaire*

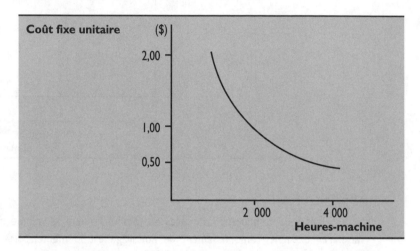

Les frais semi-variables

Ce sont des coûts essentiellement variables, mais dont le montant global ne varie pas proportionnellement avec le volume d'unités d'œuvre. Il s'ensuit que le coût unitaire n'est pas uniforme, et cela, quel que soit le volume d'unités d'œuvre. L'entretien de la machinerie est souvent associé à cette catégorie de coûts, dans la mesure où la machinerie nécessite souvent un entretien de base, qu'elle soit en opération ou non ; à cela vient s'ajouter l'entretien lié au fonctionnement effectif. Les fais semi-variables comportent donc une portion fixe et une portion variable. Pour budgéter ce genre de coût, il faut au préalable déterminer sa portion fixe et calculer le coût variable à l'unité d'œuvre. Par la suite, il sera possible de calculer le coût prévu en fonction d'un volume d'unités d'œuvre déterminé.

– Représentation graphique

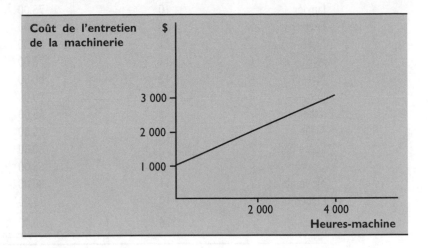

– Équation algébrique

$$Y = a + bX$$

Y	=	a	+	bX
coût total		constante		coût unitaire variable ↙ ↘ volume d'unités d'œuvre

b.   Les méthodes de détermination des composantes fixes et variables des frais semi-variables

Ces méthodes permettent de déterminer, dans le cas des frais semi-variables, la partie variable qui, réduite à une base unitaire, prend le nom de coût variable à l'unité d'œuvre, ainsi que le total de la partie qui demeure fixe pour divers volumes d'unités d'œuvre.

La méthode des points extrêmes

Cette méthode consiste à déduire le comportement des composantes fixes et variables de certains frais à partir des coûts engagés pour deux volumes d'unités d'œuvre, soit le plus élevé et le plus bas. Étudions l'application de cette méthode à l'aide des frais d'entretien suivants, engagés au cours des douze mois antérieurs:

Mois	Unités d'œuvre	Frais d'entretien
Janvier	10	75,00 $
Février	10	70,00
Mars	11	80,00
Avril	11	75,00
Mai	12	80,00
Juin	11	80,00
Juillet	9	65,00
Août	11	75,00
Septembre	11	80,00
Octobre	9	65,00
Novembre	11	80,00
Décembre	10	75,00
	126	900,00 $

— *Détermination du coût variable à l'unité d'œuvre*

Frais d'entretien et volume d'unités d'œuvre	80,00 $	12 heures
Frais d'entretien et volume d'unités d'œuvre	65,00	9 heures
Variations	15,00 $	3 heures

— *Coût variable à l'unité d'œuvre*

$$\frac{\text{Différence dans le total des frais}}{\text{Différence dans le volume d'unités d'œuvre}} = \frac{15\ \$}{3\ h} = 5,00\ \$ \text{ l'heure}$$

— *Détermination de la partie fixe*

	12 heures	9 heures
Total des heures		
Total des frais	80 $	65 $
Total des frais variables (à 5 $ l'heure)	60	45
Frais fixes	20 $	20 $

De ces calculs, on peut déduire le modèle de comportement des frais mensuels d'entretien de cette entreprise :

Frais variables d'entretien	5 $ l'heure
Frais fixes d'entretien par mois	20 $

Cette méthode doit être utilisée avec discernement puisqu'on ne prend en compte que deux volumes d'unités d'œuvre et que, en conséquence, on laisse de côté les différences de comportement dans les coûts qui, pour les volumes intermédiaires, pourraient exister.

La méthode graphique

Cette deuxième méthode de division des frais semi-variables en leurs parties fixes et variables est normalement plus précise que la méthode des points extrêmes, car elle utilise habituellement toutes les données.

Le graphique est préparé à l'aide des données antérieures relatives au poste de frais. On porte sur l'axe horizontal du graphique le volume d'unités d'œuvre et sur l'axe vertical les frais engagés (voir figure 2).

On représente chaque donnée par un point dont les coordonnées sont le volume d'unités d'œuvre et les frais engagés correspondants. On trace au jugé la courbe qui semble représenter au mieux ces points, en l'occurrence une droite. Cette droite, simple à tracer, mais qui dépend du jugement de l'exécutant, indique approximativement le comportement des frais semi-variables. Le point de rencontre de cette droite avec l'axe vertical détermine la partie fixe des frais semi-variables. Dans notre exemple, tiré des données utilisées pour la méthode des points extrêmes, on trouve environ 27 $ par mois.

FIGURE 2
La méthode graphique

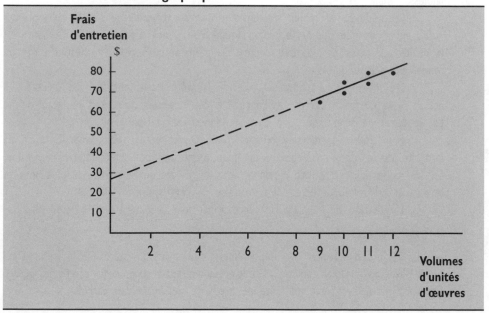

Le coût variable à l'unité d'œuvre concernant les frais d'entretien est déterminé comme suit :

Montant total pour l'année	900 $
Partie fixe (12 mois × 27 $)	324
Partie variable	576 $
Coût variable à l'unité d'œuvre (576 $/126 heures)	4,57 $

De ces calculs, tirons le modèle de comportement des frais mensuels d'entretien de cette entreprise :

Frais variables d'entretien	4,57 $ l'heure
Frais fixes d'entretien par mois	27,00 $

La méthode graphique, comme la méthode des points extrêmes, ne permet qu'une approximation du comportement des frais. De plus, le tracé de la droite peut varier selon les individus, ce qui entraînera des résultats différents.

La méthode analytique ou des moindres carrés

Nous avons illustré le fonctionnement technique de deux méthodes (points extrêmes et graphique) qui visent à déterminer le coût variable à l'unité d'œuvre et la portion fixe. Ces deux méthodes relativement simples comportent cependant des faiblesses majeures.

La méthode des points extrêmes repose sur l'hypothèse que la variation des coûts entre les deux points est uniquement due à des frais variables. La pente de la droite qui passe par les deux points est constante. Cette hypothèse n'a pas de fondement scientifique.

De même, la résolution à l'aide de la méthode graphique, bien qu'établie à partir de la tendance perçue de l'ensemble des données observées ne nous donne pas la certitude scientifique que cette tendance est la bonne.

Pour pallier certaines faiblesses (données extrêmes, subjectivité du tracé de la droite) de ces deux méthodes, on fait appel à une méthode scientifique, la régression. Encore ici, le palier d'activité pertinent se situe théoriquement entre le plus petit et le plus grand volume étudiés dans l'analyse de régression.

L'utilisation de l'analyse de régression vise à atteindre les objectifs suivants :

– *Objectif général*

Il s'agit d'expliquer le comportement d'une variable statistique à l'aide d'une ou de plusieurs variables explicatives tout en minimisant la somme des carrés des écarts. On qualifie souvent cette méthode de méthode des moindres carrés.

– Objectif comptable

Par cette méthode, on cherche à décomposer le coût total en une portion fixe (qui ne peut être expliquée par les variations d'un ou de plusieurs volumes d'unités d'œuvre) et une portion variable (qui peut être expliquée par les variations d'un ou de plusieurs volumes d'unités d'œuvre).

On parle de régression simple quand le modèle comporte une seule variable indépendante, et de régression multiple quand il comporte plus d'une variable indépendante.

La régression permet d'établir qu'il existe une corrélation entre deux ou plusieurs variables, mais elle ne permet pas, le cas échéant, d'établir à coup sûr qu'il s'agit d'une relation de cause à effet. Il faut faire appel au jugement pour établir la vraisemblance de la corrélation. Par exemple, une corrélation entre le coût de l'entretien de la machinerie et le volume des heures de fonctionnement de machine est vraisemblable, réaliste, mais une corrélation entre le coût de l'entretien de la machinerie et le nombre de produits livrés aux clients le serait certes beaucoup moins.

La régression linéaire simple

Dans le modèle de régression linéaire simple, $Y = a + bX$, la relation entre la variable indépendante X, soit le volume d'unités d'œuvre, et la variable dépendante Y, soit le coût étudié, est linéaire (une droite).

La vraie droite de régression du type $Y = a + bX$ est évidemment inconnue. Il s'agit d'estimer les paramètres a et b de cette droite à partie d'un échantillon de données. Le paramètre a représente la portion fixe du coût, et le paramètre b le coût variable à l'unité d'œuvre du coût semi-variable.

Plus la taille de l'échantillon est importante, plus il y a de chance que les valeurs estimées des paramètres de la vraie droite soient validées. Aussi, si l'on désire recueillir des informations mensuelles sur un coût semi-variable donné, on peut très bien utiliser les informations étalées sur deux années d'exploitation. En pareil cas, il arrive à l'occasion qu'il faille au préalable rajuster les données de la première année en tenant compte, par exemple, des variations de prix, afin de les rendre compatibles avec celles de la seconde année.

À partir d'un échantillon de données, on peut inférer une droite pour laquelle la somme des distances verticales de chacune des données de l'échantillon par rapport à cette droite est nulle. Pour un échantillon donné, il n'y a qu'une seule droite et c'est la droite de régression. Si la taille de l'échantillon était plus grande, on obtiendrait une droite de régression probablement différente de la droite inférée par le premier échantillon. Il ne faut pas oublier qu'une droite de régression est une estimation de la vraie droite de régression qui demeure, rappelons-le, inconnue. Par conséquent, les paramètres a et b sont aussi des estimations. La figure 3 montre la représentation graphique de la droite de régression établie à partir de la méthode des moindres carrés.

FIGURE 3
Méthode des moindres carrés

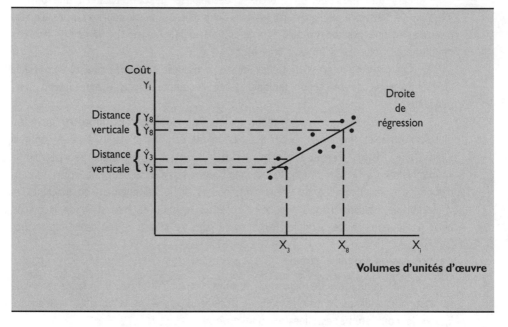

Dans cette figure Y_i représente le coût réel observé pour le volume d'unités d'œuvre X_i, et $\hat{Y}_i$ est le coût estimé pour le même volume d'unités d'œuvre X_i. La position de la droite est telle que la somme des distances verticales entre les $\hat{Y}_i$ (montant des frais réels concernant un mois donné) et les Y_i est nulle (méthode des moindres carrés). On peut donc écrire successivement:

1) $\Sigma(Y_i - \hat{Y}_i) = 0$

2) $\Sigma(Y_i - a - bX_i) = 0$

3) $\dfrac{\Sigma Y_i}{n} - \dfrac{\Sigma a}{n} - \dfrac{bX_i}{n} = 0$

où n est le nombre d'observations;

4) $\bar{Y} - a - b\bar{X} = 0$

5) $a = \bar{Y} - b\bar{X} = 0$, où $\bar{Y}$ décrit la moyenne des valeurs observées et $\bar{X}$, la moyenne des unités d'œuvre mensuelles.

La formule servant à trouver la valeur du coefficient a dans l'équation de la droite de régression est donc:

$$a = \bar{Y} - b\bar{X}$$

Mais pour trouver la valeur du coefficient a, il faut d'abord trouver celle du coefficient b qui représente la pente de la droite de régression. Comme on utilise la méthode des moindres carrés, il s'agit de dériver par rapport au coefficient b l'expression $\Sigma(Y_i - a - bX_i)^2$ et de rendre cette dérivée égale à zéro. On obtient:

$$2 \: \Sigma[(Y_i - a - bX_i)(-X_i)] = 0$$

En divisant l'équation précédente par 2 et en substituant au coefficient a l'expression $\bar{Y} - b\bar{X}$, on arrive finalement à la formule suivante qui sert à trouver la valeur du coefficient b:

$$b = \frac{\Sigma X_i Y_i - \bar{Y}\Sigma X_i}{\Sigma X_i^2 - \bar{X}\Sigma X_i}$$

EXEMPLE

DONNÉES

Prenons un exemple portant sur les frais d'entretien engagés mensuellement au cours d'une période de douze mois. X_i représente le volume d'unités d'œuvre et Y_i le coût réel correspondant. Le tableau suivant, préparé à partir des données de base, permet de déterminer la valeur des coefficients a et b:

Mois	X_i	Y_i	X_i^2	$X_i Y_i$
Janvier	10	75 $	100	750 $
Février	10	70	100	700
Mars	11	80	121	880
Avril	11	75	121	825
Mai	12	80	144	960
Juin	11	80	121	880
Juillet	9	65	81	585
Août	11	75	121	825
Septembre	11	80	121	880
Octobre	9	65	81	585
Novembre	11	80	121	880
Décembre	10	75	100	750
Totaux	126	900 $	1 332	9 500 $
Moyennes	10,5	75 $		
	$\downarrow$	$\downarrow$		
	$\bar{X}$	$\bar{Y}$		

SOLUTION

La valeur du coefficient b peut alors être déterminée :

$$b = \frac{(9\,500) - (75)(126)}{1332 - (10,5)(126)}$$

$$= 5,55555\ \$$$

Quant à la valeur du coefficient a, elle correspond à :

$$a = 75 - (5,55555)(10,50)$$

$$= 16,67\ \$$$

Le modèle de régression peut être exprimé par l'équation suivante :

$$\hat{Y} = 16,67\ \$ + (5,55555\ \$ \text{ fois le nombre d'heures d'entretien}).$$

On aurait pu calculer la valeur des coefficients a et b en apportant la solution aux deux équations suivantes qualifiées de normales :

$$\Sigma Y_i = na + b\Sigma X_i$$
$$\Sigma X_i Y_i = a\Sigma X_i + b\Sigma X_i^2$$

L'équation que nous avons trouvée, qui aurait pu l'être très rapidement à l'aide d'une calculatrice, nous permet de prévoir les montants que pourrait prendre la variable dépendante Y pour une valeur donnée de la variable indépendante X. Mais avant de se servir du modèle obtenu, nous devons vérifier certains points. Il faut valider la droite de régression, ce qui représente une tâche essentielle pour cette analyse.

Validation

La validité de la droite de régression sera établie par le calcul du coefficient de détermination (r^2) ou du coefficient de corrélation $r = \sqrt{r^2}$, et celui du t.

Coefficient de détermination (r^2) et coefficient de corrélation (r)

Le coefficient de détermination mesure la proportion de la somme des carrés des erreurs qui est expliquée par la régression. Il correspond donc au rapport suivant :

$$\Sigma(\hat{Y}_i - \bar{Y})^2 / \Sigma(Y_i - \bar{Y})^2$$

soit le rapport entre la quote-part de la dispersion expliquée et la dispersion totale. Dans notre exemple, le rapport est de 278/350, soit 0,794. La figure 4 explicite les notions de dispersion totale et de dispersion expliquée pour un Y_i dont les coordonnées sont 9 et 65.

La plus grande valeur que peut prendre r^2 est 1. Si cela se produit, c'est que toutes les observations se trouvent sur la droite de régression et que l'erreur-type d'estimation S_e est nulle (voir plus loin). Plus la valeur de r^2 est élevée, plus il y a lieu d'avoir confiance au modèle, dans la mesure où l'hypothèse nulle, $b = 0$, est rejetée.

FIGURE 4
Analyse de la dispersion totale

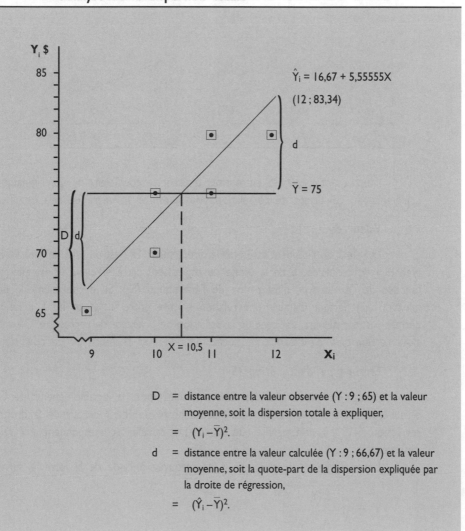

D = distance entre la valeur observée (Y : 9 ; 65) et la valeur moyenne, soit la dispersion totale à expliquer,

= $(Y_i - \bar{Y})^2$.

d = distance entre la valeur calculée (Y : 9 ; 66,67) et la valeur moyenne, soit la quote-part de la dispersion expliquée par la droite de régression,

= $(\hat{Y}_i - \bar{Y})^2$.

Le coefficient de corrélation correspond à la racine carrée du coefficient de détermination et prend le même signe que le coefficient b. Un r = 0 indique qu'il n'y a aucune relation entre les variables, et un r = ±1 (la somme totale des carrés des résidus est alors nulle) indique que la relation est parfaite. Si la valeur de r est positive, la pente de la droite des moindres carrés monte vers la droite, alors que si la valeur de r est négative, la pente descend vers la droite.

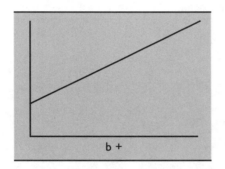
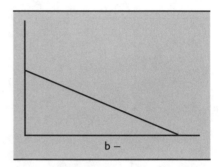

Il est à noter que les entreprises utilisent le coefficient de détermination de préférence au coefficient de corrélation pour mesurer le degré de relation linéaire.

Valeur du t

La valeur du t ne peut être établie directement. Elle est en relation avec l'erreur-type (S_b) du coefficient b de la droite de régression ; cette erreur-type est elle-même fonction de l'erreur-type d'estimation de l'échantillon (S_e). Si le coefficient de détermination (r^2) permet d'établir une relation linéaire entre les X et les Y, il ne nous permet pas, par ailleurs, de juger de la précision de la droite de régression. On calcule alors l'erreur-type d'estimation de l'échantillon (S_e) et l'erreur-type du coefficient b.

Erreur-type d'estimation (S_e)

Il s'agit de l'erreur-type des valeurs calculées pour la variable dépendante. Cette erreur-type mesure la dispersion des valeurs observées de Y autour de la droite de régression. Si $S_e = 0$, cela signifie que les valeurs calculées correspondent aux valeurs observées.

L'erreur-type d'estimation peut être trouvée à l'aide de la formule suivante :

$$S_e = \sqrt{\frac{\Sigma (Y_i - \hat{Y}_i)^2}{n - p - 1}}$$

(dans l'expression n – p – 1, p représente le nombre de variables indépendantes, et 1 correspond à la variable dépendante).

Si nous appliquons cette formule à notre exemple portant sur les frais d'entretien, nous obtenons:

$$S_e = \sqrt{\frac{72}{12-2}}$$

$$= 2{,}68$$

Erreur-type de la valeur du coefficient b de la droite de régression (S_b)

Les données dont nous nous servons ne représentent en fait qu'un simple échantillon. Il faut recourir aux tests statistiques classiques pour obtenir des informations permettant d'en arriver à une généralisation.

La valeur S_b sert à trouver la valeur statistique t qui permet de dire si le coefficient b de la véritable droite de régression est égal ou différent de 0.

La valeur t est déterminée en divisant la valeur du coefficient b par son erreur-type S_b. Le résultat représente le nombre de fois où l'erreur-type se retrouve dans la valeur du coefficient. Dès que ce nombre excède trois, il est très peu probable que b = 0 (soit l'hypothèse nulle). Si on accepte un risque d'erreur de 5 %, et en supposant que l'on ait douze observations, dès que le nombre d'erreurs-types excède 2,228, on peut rejeter l'hypothèse nulle.

La formule qui permet de déterminer le S_b est la suivante:

$$S_b = \frac{S_e}{\sqrt{\Sigma X_i^2 - \bar{X}\Sigma X_i}}$$

ou

$$S_b = \frac{S_e}{\sqrt{\Sigma(X_i - \bar{X})^2}}$$

$$= \frac{2{,}68}{\sqrt{1\,332 - (10{,}50)(126)}}$$

$$= 2{,}68/3$$

$$= 0{,}893$$

Dans notre exemple, la valeur t est:

$$t = \frac{b}{S_b}$$

$$= 5{,}55555/0{,}893$$

$$= 6{,}22$$

Comme cette valeur absolue de 6,22 calculée est bien supérieure à celle que l'on trouve dans la table de distribution de t (le t de la table vaut 2,228 au seuil 5%, 10 degrés de liberté), l'hypothèse b = 0 n'est pas fondée. Le nombre de degrés de liberté correspond à n, soit le nombre d'observations, *moins* le nombre de variables (soit ici une variable dépendante et une variable indépendante).

On peut établir un intervalle de confiance bilatéral ayant telle probabilité d'inclure la vraie valeur de b (voir l'annexe):

$$\hat{b}_i \pm t_{\alpha/2; n-p-1} S_b$$

À partir de notre exemple, l'intervalle de confiance à 95% serait de:

$$5{,}55555 \pm (2{,}228)(0{,}893), \text{ donc de } 3{,}57 \text{ à } 7{,}55.$$

Cela signifie qu'il y a 95% de chances que la vraie valeur de b se situe entre 3,57 et 7,55.

Erreur-type concernant la constante a

On pourrait également calculer l'erreur-type concernant la constante a, mais on estime habituellement qu'elle ne présente pas un grand intérêt; en effet, pour qu'elle soit utile, il faudrait que l'activité nulle ait fait partie des observations étudiées. Nous nous contentons d'en indiquer une formule de calcul:

$$S_a = S_b \sqrt{\frac{\sum X_i^2}{n}}$$

Intervalles de confiance

D'autres erreurs-types servent à déterminer des intervalles de confiance: l'erreur-type d'une valeur calculée de Y située sur la droite de régression, et l'erreur-type d'une estimation de Y. Leurs formules de calcul sont les suivantes:

1) erreur-type d'un $\hat{Y}_i$:

$$S_e = \sqrt{\frac{1}{n} + \frac{(X_i - \bar{X})^2}{\sum(X_i - \bar{X})^2}}$$

2) erreur-type d'une valeur estimée de Y_i:

$$S_e = \sqrt{1 + \frac{1}{n} + \frac{(X_i - \bar{X})^2}{\sum(X_i - \bar{X})^2}}$$

Les formules permettant de déterminer les intervalles de confiance seraient alors dans l'ordre :

$$1) \ \hat{Y}_i \pm t_{\alpha/2;n-p-1} S_e \sqrt{\frac{1}{n} + \frac{(X_i - \bar{X})^2}{\Sigma(X_i - \bar{X})^2}}$$

Cet intervalle donne les limites de confiance pour la valeur moyenne de Y au niveau fixé (X_i) de la variable indépendante.

$$2) \ \hat{Y}_i \pm t_{\alpha/2;n-p-1} S_e \sqrt{1 + \frac{1}{n} + \frac{(X_i - \bar{X})^2}{\Sigma(X_i - \bar{X})^2}}$$

Cet intervalle donne les limites de confiance pour la valeur prévue de Y au niveau fixé (X_i) de la variable indépendante.

Ces intervalles de confiance indiquent qu'il y a $1 - \alpha\%$ de chances que la vraie moyenne ou la vraie valeur prévue se situe à l'intérieur de ces limites, selon que l'on a utilisé la première ou la deuxième formule.

Présentation type des résultats d'une régression linéaire

On présente souvent le modèle de régression de la façon suivante (le S_a que l'on pourrait inscrire sous le coefficient a n'est pas toujours donné) :

$$\hat{Y}_i = a + bX_i \qquad r^2$$
$$(S_b) \qquad S_e$$

Dans notre exemple, on aurait :

$$\hat{Y}_i = 16,67 + 5,55555X_i \qquad r^2 = 0,794$$
$$(0,893) \qquad S_e = 2,68$$

On notera qu'avec de telles données, il est possible de vérifier l'hypothèse nulle.

La régression multiple rectilinéaire

Après avoir étudié le modèle de régression linéaire simple fondé sur une seule variable indépendante ou explicative, passons au modèle de régression multiple où entre, comme nous l'avons déjà indiqué, plus d'une variable explicative. Nous allons étudier en particulier le modèle de régression multiple rectilinéaire, dans lequel chaque variable indépendante est en relation linéaire avec la variable dépendante. Nous ne cherchons donc pas à établir, par exemple, les coefficients d'une équation relative à une régression curvilinéaire du type $\hat{Y} = a + b_1X_i + b_2X_i^2$. L'équation de régression multiple rectilinéaire répond à l'équation suivante dans le cas où il y a trois variables indépendantes:

$$\hat{Y}_i = a + b_1X_{1i} + b_2X_{2i} + b_3X_{3i}$$

Pour illustrer la régression multiple rectilinéaire, nous recourons à une deuxième variable indépendante (X_2), dont les données étaient les suivantes au cours des douze derniers mois:

Janvier	90	Mai	130	Septembre	120
Février	80	Juin	120	Octobre	75
Mars	125	Juillet	80	Novembre	115
Avril	80	Août	85	Décembre	100

En ne considérant que X_2 comme variable indépendante, le modèle de régression linéaire simple obtenu pourrait être résumé comme suit:

$$\hat{Y}_i = 51,60 + 0,234X_{2i} \qquad r^2 = 0,735$$
$$(0,00065) \qquad S_e = 3,043$$

La valeur statistique t est de 360. Comme cette valeur de t calculée est largement supérieure à celle qu'indique la table (voir annexe) au seuil de confiance de 5%, l'hypothèse nulle doit être rejetée.

Si l'on doit se limiter à un modèle de régression à une seule variable indépendante, il faut retenir le premier, bien que les coefficients b_i et r^2 soient significatifs dans les deux cas; le choix doit donc reposer sur la comparaison des coefficients de détermination. Les heures consacrées à l'entretien seront retenues comme variable explicative, car elles permettent d'expliquer un pourcentage plus élevé des fluctuations qui ont caractérisé les frais d'entretien.

En considérant maintenant que les deux variables indépendantes sont les variables explicatives dans le modèle de régression (X_1 représentant les heures consacrées à l'entretien et X_2, l'autre variable indépendante), nous devons trouver les valeurs des coefficients a, b_1 et b_2, le coefficient de détermination multiple, que l'on désigne par le symbole R^2, ainsi que l'erreur-type relative à chacun des coefficients b.

Pour trouver ces valeurs, on pourrait évidemment recourir à un ordinateur ou à une calculatrice programmés à cet effet. Nous pourrions également nous inspirer de la méthodologie suivie lors de l'étude de la régression linéaire simple.

La valeur du coefficient a correspond à l'expression:

$$\bar{Y} - b_1\bar{X}_1 - b_2\bar{X}_2$$

Les valeurs des coefficients b_1 et b_2 pourraient être déterminées en résolvant le système d'équations suivant:

$$\Sigma Y_i = an + b_1\Sigma X_{1i} + b_2\Sigma X_{2i}$$
$$\Sigma X_{1i}Y_i = a\Sigma X_{1i} + b_1\Sigma(X_{1i}^2) + b_2\Sigma X_{1i}X_{2i}$$
$$\Sigma X_{2i}Y_i = a\Sigma X_{2i} + b_1\Sigma(X_{1i}X_{2i} + b_2\Sigma(X_{2i}^2)$$

Les auteurs[2] d'un article publié en 1978 utilisent une technique de calcul dont on peut facilement faire usage lorsque deux ou trois variables indépendantes entrent en jeu dans un modèle de régression multiple. Celui auquel on devrait parvenir peut être résumé de la façon suivante:

$$\hat{Y} = 25,76 + 3,53535 \text{ fois les} \qquad + \qquad 0,12121 \text{ fois les unités de l'autre}$$

$$\text{heures d'entretien} \qquad\qquad \text{variable}$$

$$(1,0258) \qquad\qquad\qquad (0,04489)$$

$$R^2 = 0,886$$
$$S_e = 2,1055$$

On observera que l'hypothèse nulle est rejetée dans le cas de chacun des coefficients b, au niveau de confiance de 5%, que le coefficient de détermination (R^2) est plus élevé que les coefficients r^2 pour les deux régressions linéaires simples, et qu'il y a eu amélioration dans le cas de l'erreur-type d'estimation (S_e). En conséquence, le modèle de régression multiple obtenu doit être retenu ici de préférence aux modèles de régression simple déterminés.

Dans la régression multiple, il faut envisager un modèle comportant moins de variables indépendantes lorsque R^2 est significatif et que certains b_i ne le sont pas. Par contre, le fait qu'aucun b_i n'est significatif, alors que R^2 l'est, signifie peut-être qu'on est en présence d'une relation linéaire entre l'ensemble des variables explicatives (phénomène de colinéarité).

Les hypothèses fondamentales

Il est plus du ressort du statisticien que du comptable d'évaluer si les hypothèses fondamentales qui sous-tendent l'analyse de régression conviennent à la situation. À titre indicatif, nous présentons ces hypothèses fondamentales:

a) la moyenne des résidus est nulle quelles que soient les valeurs prises par la ou les variables indépendantes. C'est l'hypothèse de la linéarité;

b) les résidus suivent la loi de la distribution normale. Cette hypothèse, non nécessaire à l'estimation des paramètres, intervient lors du test de l'hypothèse nulle;

c) les résidus sont indépendants de toutes les variables indépendantes, ce qui signifie que la variance des résidus est constante. On entend souvent dire que les résidus doivent être homoscédastiques. Un cas d'hétéroscédasticité serait celui où une entreprise industrielle fait appel à du personnel moins qualifié durant les mois d'intense activité; les fluctuations du total des coûts caractérisant ces mois pourraient être vraisemblablement plus importantes qu'au cours des mois de moindre activité;

d) les résidus pris deux à deux ne sont pas en corrélation, ce qui signifie que les covariances des résidus sont nulles. Sinon, on est en présence d'un phénomène

2. L. Pearl et D. E. Seedhouse, « Everything You Wanted to Know about Multiple Regression but Were Afraid to Ask », *Management Accounting*, mars 1978, p. 116-121.

d'autocorrélation ou de corrélation en série. Ce phénomène se retrouve en particulier dans les cas d'activité saisonnière où il y aura fort probablement une relation étroite entre les résidus caractérisant les unités de temps que comporte ladite saison.

Il faut ajouter une autre hypothèse, celle de l'absence de colinéarité, c'est-à-dire de relations linéaires, dans l'ensemble des variables indépendantes. Il se pourrait toutefois que l'équation de régression soit appropriée aux fins de prévision, car l'erreur-type d'estimation peut très bien ne pas être affectée. C'est donc plutôt au niveau des variables indépendantes que se situe le problème. Une entreprise qui utiliserait le coût de la main-d'œuvre directe et les heures de main-d'œuvre directe ferait vraisemblablement face à un problème de multicolinéarité. On peut déceler certaines colinéarités en déterminant les coefficients de corrélation entre les variables indépendantes prises deux à deux.

c.   La notion de segment significatif

L'analyse du comportement des coûts et leur représentation ont été présentées jusqu'ici comme si elles étaient valables pour tous les volumes d'unités d'œuvre possibles. Tel n'est pas souvent le cas. Aussi, importe-t-il de limiter l'emploi des valeurs budgétées des paramètres a et b, des équations algébriques traduisant le comportement des coûts, au segment d'activité auquel elles se rapportent.

Un segment d'activité correspond en fait à un intervalle de volumes d'unités d'œuvre alors que le segment significatif est celui qui comprend le volume d'unités d'œuvre projeté.

Tenons-nous-en aux frais fixes pour de plus amples explications. Ceux-ci peuvent varier globalement quand un certain volume d'unités d'œuvre est atteint. Par la suite, le coût global demeure invariable pour un intervalle de volumes d'unités d'œuvre. Ainsi, la représentation graphique du comportement de l'amortissement de l'outillage faite précédemment montre que l'amortissement est de 2 000 $, que le volume d'unités d'œuvre soit de 4 000 heures ou de 2 000 heures. Supposons maintenant que la situation existante soit tout autre. L'entreprise utilise une machine pour fabriquer un produit dans un atelier de production. Cette machine peut fonctionner pendant 2 000 heures annuellement. Si le volume d'unités d'œuvre nécessaire pour la production des unités exige 3 500 heures-machine, il faut prévoir la mise en opération d'une deuxième machine qui portera le volume possible d'unités d'œuvre à 4 000 heures-machine bien que seulement 3 500 heures-machine soient effectivement nécessaires. Comme l'amortissement annuel d'une machine est établi à 2 000 $, le coût global serait de 4 000 $ pour 3 500 ou 4 000 heures-machine.

On peut visualiser le concept de segment d'activité et celui de segment d'activité significatif, ce dernier étant fondamental dans le processus de budgétisation. En tenant pour acquis que le segment significatif va de 2 000 à 4 000 heures-machine, le montant d'amortissement retenu aux fins de budgétisation sera de 4 000 $ (voir figure 5).

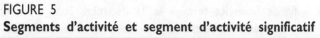

FIGURE 5
Segments d'activité et segment d'activité significatif

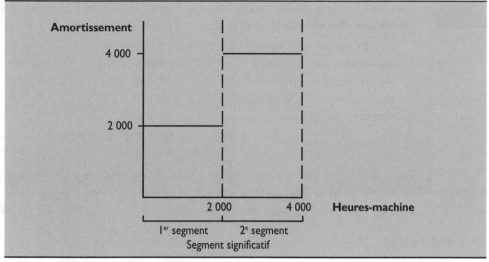

d. *Exemple de budgétisation des frais indirects de fabrication et de calcul des écarts sur dépense*

Pour clore ce chapitre, voici maintenant un exemple illustrant la préparation d'un budget de frais indirects de fabrication et le calcul des écarts sur dépense.

DONNÉES

Vous êtes le comptable en coûts de revient d'une entreprise industrielle qui avez à préparer le budget de frais indirects de fabrication de l'atelier de production n° 1 pour l'exercice se terminant le 31 décembre 20X1. Ce budget doit être établi au niveau de 65 000 heures-machine. Le segment d'activité pertinent de l'entreprise va de 60 000 à 80 000 heures-machine.

Les frais indirects de fabrication relatifs à l'atelier n° 1 sont:
a) les fournitures de fabrication: le coût prévu est de 0,50 $ par heure-machine;
b) la surveillance: un contremaître peut superviser le travail de la main-d'œuvre directe équivalant à 20 000 heures-machine. Les salaires et les charges sociales y afférentes prévus pour un contremaître sont de 25 000 $ par année;
c) l'amortissement: l'amortissement du bâtiment prévu est de 40 000 $ par année (portion allouée à l'atelier n° 1); quant à celui de la machinerie, il est estimé à 20 500 $ par année;
d) l'entretien de la machinerie: on a observé au cours des exercices antérieurs qu'il en avait coûté 15 000 $ au volume d'unités d'œuvre de 60 000 heures-machine et 18 000 $ au volume d'unités d'œuvre de 75 000 heures-machine.

À la fin de l'exercice terminé le 31 décembre 20X1, vous constatez que le volume d'unités d'œuvre atteint dans l'atelier n° 1 est de 70 000 heures-machine. Les frais indirects de fabrication réels de l'atelier n° 1 (une fois le partage secondaire effectué) se présentent comme suit:

Fournitures de fabrication	38 000 $
Surveillance	104 000
Amortissement – bâtiment	40 000
Amortissement – machinerie	20 500
Entretien de la machinerie	16 500
	219 000 $

Vous devez préparer le budget des frais indirects de fabrication pour 65 000 heures-machine, et calculer l'écart sur dépense relatif à chacun des éléments entrant dans les frais indirects de fabrication.

SOLUTION

Examinons tout d'abord le comportement des coûts. Les fournitures de fabrication représentent un coût variable. La surveillance est un coût fixe qui varie globalement selon le segment d'activité. Les amortissements sont des frais fixes. L'entretien de la machinerie entraîne des frais semi-variables. Pour que ce coût d'entretien soit considéré comme variable, il doit rester le même à l'unité d'œuvre, que ce soit à 60 000 heures-machine ou à 75 000 heures-machine. Or, le coût unitaire pour 60 000 heures-machine est de 0,25 $ (15 000 $/60 000 h), et de 0,24 $ (18 000 $/75 000 h) pour 75 000 heures-machine. Le budget demandé ne pouvant être élaboré qu'à partir de la connaissance de coûts variables constants à l'unité d'œuvre et de frais fixes constants en totalité, quel que soit le volume d'unités d'œuvre, il faut procéder à des calculs additionnels pour les frais semi-variables et les frais de surveillance.

Pour les frais d'entretien de la machinerie, on fait appel, dans les circonstances, à la méthode des points extrêmes:

Frais d'entretien et volume d'unités d'œuvre	18 000 $	75 000 h
Frais d'entretien et volume d'unités d'œuvre	15 000	60 000
Variations	3 000 $	15 000 h

Le coût variable à l'heure est le suivant:

3 000 $/15 000 h = 0,20 $.

Déterminons la portion fixe:

Total des heures	75 000	60 000
Total des frais	18 000 $	15 000 $
Total des frais variables (0,20 $/h)	15 000	12 000
Frais fixes	3 000 $	3 000 $

Dès lors, le coût total est de 16 000 $ au volume d'unités d'œuvre prédéterminé de 65 000 heures-machine. En voici le calcul:

Frais variables (65 000 h × 0,20 $)	13 000 $
Frais fixes	3 000
Total	16 000 $

Pour les frais de surveillance, il faut trouver le segment d'activité pertinent, soit celui qui comprend le niveau d'activité projeté. Le niveau d'activité projeté exige l'engagement de quatre contremaîtres (20 000 h × 4 = 80 000 heures-machine). Le quatrième segment, correspondant à l'intervalle allant de 60 000 à 80 000 heures-machine, constitue donc le segment d'activité pertinent. Le coût total de la surveillance au volume d'unités d'œuvre de 65 000 h sera de 100 000 $, soit 25 000 $ × 4.

Nous sommes maintenant en mesure de préparer le budget pour 65 000 heures-machine:

Fournitures de fabrication (65 000 h × 0,50 $)	32 500 $
Surveillance	100 000
Amortissement – bâtiment	40 000
Amortissement – machinerie	20 500
Entretien de la machinerie	16 000
	209 000 $

Quant aux écarts spécifiques sur dépense, leur calcul peut être établi à l'aide du tableau suivant:

	Budget au volume prédéterminé (65 000 h)	Budget au volume atteint (70 000 h)	F.I.F.	Écart sur dépense (F ou D)
Fournitures de fabrication	32 500 $	35 000 [1]$	38 000 $	3 000 $ D
Surveillance	100 000	100 000 [2]	104 000	4 000 D
Amortissement – bâtiment	40 000	40 000	40 000	–0–
Amortissement – machinerie	20 500	20 500	20 500	–0–
Entretien de la machinerie	16 000	17 000 [3]	16 500	500 F
	209 000 $	212 500 $	219 000 $	6 500 $ D

Δ/dépense = 6 500 $ D

1. 70 000 h $\times$ 0,50 $ = 35 000 $.
2. Le volume d'unités d'œuvre atteint est ici compris dans le quatrième segment d'activité (de 60 000 h à 80 000 h).
3. Frais variables (70 000 h $\times$ 0,20 $) = 14 000 $
   Frais fixes = 3 000
   Total 17 000 $

Comme on peut l'observer, l'écart sur dépense global se décompose par élément de coût, ce qui nous permet de déterminer ceux qui nécessitent une analyse plus approfondie.

ANNEXE

Valeur de t ayant la probabilité α d'être dépassée

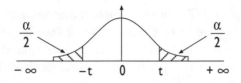

α d.l.	0,20	0,10	0,05	0,02	0,01
1	3,078	6,314	12,708	31,821	63,657
2	1,886	2,920	4,303	6,965	9,925
3	1,638	2,353	3,182	4,541	5,841
4	1,533	2,132	2,776	3,747	4,604
5	1,476	2,015	2,571	3,365	4,032
6	1,440	1,943	2,447	3,143	3,707
7	1,415	1,895	2,365	2,998	3,499
8	1,397	1,860	2,306	2,896	3,355
9	1,383	1,833	2,262	2,821	3,250
10	1,372	1,812	2,228	2,764	3,169
11	1,363	1,796	2,201	2,718	3,106
12	1,356	1,782	2,179	2,681	3,055
13	1,350	1,771	2,160	2,650	3,012
14	1,345	1,761	2,145	2,624	2,977
15	1,341	1,753	2,131	2,602	2,947
16	1,337	1,746	2,120	2,583	2,921
17	1,333	1,740	2,110	2,567	2,898
18	1,330	1,734	2,101	2,552	2,878
19	1,328	1,729	2,093	2,539	2,861
20	1,325	1,725	2,086	2,528	2,845
21	1,323	1,721	2,080	2,518	2,831
22	1,321	1,717	2,074	2,508	2,819
23	1,319	1,714	2,069	2,500	2,807
24	1,318	1,711	2,064	2,492	2,797
25	1,316	1,708	2,060	2,485	2,787
26	1,315	1,706	2,056	2,479	2,779
27	1,314	1,703	2,052	2,473	2,771
28	1,313	1,701	2,048	2,467	2,763
29	1,311	1,699	2,045	2,462	2,756
30	1,310	1,697	2,042	2,457	2,750
∞	1,282	1,645	1,960	2,326	2,576

EXERCICES D'APPLICATION

■ EXERCICE 4-1

L'entreprise XYZ tient ses registres d'inventaire permanent suivant la méthode du coût moyen. La fiche d'une matière indique un solde de 900 unités au coût unitaire moyen de 0,075 $. L'entreprise évalue ses stocks en fin d'exercice au plus bas du coût ou de la valeur marchande. Étudiez séparément chacun des cas suivants.

a) *Cas 1* : retour à un fournisseur de 50 unités achetées à 0,07 $.

ON DEMANDE

1. l'écriture de journal relative à ce retour ;
2. la section Solde (quantité, coût unitaire, coût total) de la fiche de stock à la suite de ce retour ;
3. d'indiquer l'autre section de la fiche qui sera affectée par ce retour.

b) *Cas 2* : retour de 10 unités de l'usine à l'entrepôt. Ces unités avaient été sorties au coût unitaire de 0,065 $.

ON DEMANDE

1. l'écriture de journal relative à ce retour ;
2. la section Solde de la fiche de stock à la suite de ce retour ;
3. d'indiquer l'autre section de la fiche qui sera affectée par ce retour.

c) *Cas 3* : le prix du marché à la fin de l'exercice s'élève à 0,725 $ l'unité.

ON DEMANDE

1. d'indiquer l'écriture de journal nécessaire pour réduire le stock au prix du marché ;
2. d'indiquer, s'il y a lieu, les sections de la fiche qui seront affectées par cette réduction.

■ EXERCICE 4-2

ABC ltée possède un magasin central pour fournir la matière première désirée par chacun de ses ateliers de fabrication. L'entreprise en est à sa première année d'exploitation. L'entrepôt remplit une fiche spéciale pour chaque matière première employée. Voici les renseignements concernant la matière XY20, pour le mois de janvier.

Date	Quantité reçue	Coût unitaire	Quantité utilisée
Janvier 2	450	0,80 $	
4			220
5	600	0,90	
7	300	0,70	
7			340
8			180
9	200	0,75	
10			200
11	300	0,90	
12	100	0,80	

ON DEMANDE

de préparer la fiche de stock pour cette matière première selon la méthode DEPS, selon la méthode PEPS et selon la méthode de la moyenne mobile. *(Adaptation – S.C.M.C.)*

EXERCICE 4-3

Ciseaux ltée exerce un contrôle sur ses matières premières et ses fournitures de fabrication.

La société achète une matière première connue sous la marque de commerce PRAM. Les opérations qui ont eu lieu au cours du mois de décembre en rapport avec cette matière sont les suivantes:

1er : Solde en entrepôt	275 unités	0,40 $ chacune
2 : Sorties	100 unités	
3 : Sorties	150 unités	
5 : Entrées	800 unités	0,50 $ chacune
6 : Sorties	50 unités	
10 : Sorties	500 unités	
12 : Entrées	150 unités	0,30 $ chacune
15 : Retour au fournisseur sur la quantité reçue le 5 décembre	100 unités	
18 : Sorties	100 unités	

ON DEMANDE

1. de préparer la fiche de stock de cette matière première avec les en-têtes Entrées, Sorties, Solde, suivant la méthode DEPS;
2. de déterminer le coût du stock au 31 décembre selon PEPS, sans toutefois préparer une fiche de stock;
3. de présenter les écritures de journal (sans explication) pour enregistrer les opérations du mois (supposez la méthode DEPS).

(Adaptation — S.C.M.C.)

■■■■ EXERCICE 4-4

Artois ltée fabrique une douzaine de types d'instruments électroniques afin de répondre au plus grand nombre possible de commandes. La société contrôle ses coûts de fabrication au moyen d'un système de coût de revient par commande.

Les données suivantes relatives aux matières se rapportent aux opérations de la société pour le mois écoulé:

a) Le vérificateur interne constate que la quantité des matières en stock est moindre que la quantité figurant dans les livres;

b) Une caisse de matière commandée et reçue par l'entrepôt a été gaspillée. La matière, qui n'a donc pu être retournée au fournisseur, a été vendue à perte;

c) Certaines matières reçues d'un fournisseur lui ont été retournées en raison de leur mauvais état;

d) Les frais de transport payés sur les matières ainsi retournées au fournisseur ont été débités au compte Fret à l'achat. Ces frais sont remboursables par le fournisseur;

e) Les coûts des matières sorties de l'entrepôt pendant le mois n'ont pas été attribués aux commandes;

f) Des fournitures ont été sorties pour l'usage de la direction générale de l'entreprise;

g) Certaines matières reçues tardivement ont été directement affectées à la commande concernée sans passer par l'entrepôt;

h) Certaines matières sorties en trop grande quantité pour des commandes entreprises le mois précédent ont été retournées à l'entrepôt.

ON DEMANDE

1. de soumettre dans chaque cas les écritures de journal (sans explication) afin d'enregistrer les opérations;
2. de décrire en détail toute écriture ou inscription qui serait nécessaire pour maintenir à jour les fiches de stock de matière et les fiches de fabrication.

(Adaptation − S.C.M.C.)

▬ EXERCICE 4-5

Progrès Itée utilise un système de coût de revient par commande. La maison a un compte Stock de matières et a recours à la méthode PEPS pour évaluer les sorties. Le procédé de fabrication laisse certains résidus de matière première qui sont vendus comme tels et crédités aux frais indirects de fabrication à leur prix de vente estimatif. Les produits gâchés, eux, donnent lieu à l'inscription d'un débit au compte Stock des produits gâchés (au prix de vente estimatif), la perte étant débitée aux frais indirects de fabrication.

Les renseignements suivants vous sont fournis relativement à l'exercice écoulé:

a) Le sommaire des bons de sortie pour l'exercice indique ce qui suit:

Matières	8 900 $
Fournitures de fabrication	1 100
Fournitures d'emballage et d'expédition	250

b) Les achats de matières premières et de fournitures s'élèvent à 10 500 $, dont 1 800 $ représentent le coût des fournitures. Le fret payé sur ces achats se chiffre à 310 $. Le fret est considéré comme un élément de frais indirects de fabrication.

c) Les matières premières retournées à l'entrepôt comme excédentaires: 480 $.

d) Le prix de vente estimatif des résidus de matière pour l'exercice: 235 $.

e) Par suite d'une panne de machinerie, des produits gâchés, d'un montant de 295 $ (soit 160 $ pour la matière première, 100 $ pour la main-d'œuvre directe et 35 $ pour les frais indirects de fabrication), ont dû être retirés. Ces produits ont un prix de vente estimatif de 55 $.

f) Des matières premières endommagées, au montant de 525 $, sont retournées aux fournisseurs. Le fret de retour, de 42 $, a dû être payé par le truchement de la petite caisse. Ce montant ne peut être réclamé aux fournisseurs.

g) Les résidus de l'article d) ci-dessus ont été vendus 250 $. Les produits gâchés de l'article e) ci-dessus ont été vendus 40 $.

h) La valeur comptable du stock de clôture des produits finis était de 15 000 $; la valeur marchande s'élevait à 14 000 $.

i) À cause de l'article h) précédent, une réserve de 4 000 $ a été constituée en prévision d'une baisse éventuelle des prix du stock de produits finis.

ON DEMANDE

de présenter les écritures de journal.
(Adaptation – S.C.M.C.)

▬▬ EXERCICE 4-6

Trinité ltée, qui s'est lancée en affaires le 1er décembre 20X1, fabrique de l'équipement électronique. Elle utilise un système de coût de revient par commande. Voici les fiches de fabrication relatives aux commandes sur lesquelles l'entreprise a eu à travailler au cours du mois de décembre.

Coûts	Commande n° 10	Commande n° 11	Commande n° 12	Commandes nos 13-20	Total
Matières premières	300 $	300 $	900 $	9 600 $	11 100 $
M.O.D.: heures normales à 8 $ l'heure	480	– 0 –	1 200	19 320	21 000
M.O.D.: heures supplémentaires à 16 $ l'heure	– 0 –	960	640	– 0 –	1 600
Frais indirects de fabrication imputés à 300 % du coût de la M.O.D.	1 440	2 880	5 520	57 960	67 800
	2 220 $	4 140 $	8 260 $	86 880 $	101 500 $
Prix de vente	4 035 $	4 035 $	Coûts plus 20 %		

Les frais indirects de fabrication réels comptabilisés s'élèvent à 65 340 $.

Les commandes nos 10 et 11 étaient en tous points identiques. Toutefois, la commande n° 11 fut remplie au cours d'un samedi en raison du nombre insuffisant d'employés pour exécuter pendant les heures normales les commandes à faire au cours du mois; la commande n° 12 fut terminée un dimanche à la requête du client.

Les dirigeants de la société manifestèrent leur désaccord concernant la comptabilisation des primes en heures supplémentaires. Le directeur des ventes soutint qu'elles ne devaient pas entrer dans le coût de fabrication parce qu'elles relevaient de la décision administrative de produire en heures supplémentaires. Selon lui, les commandes 10 et 11 étaient tout aussi profitables l'une que l'autre. Le comptable soutint de son côté que les primes en heures supplémentaires s'intégraient à la main-d'œuvre directe et qu'elles devaient en conséquence être attribuées aux commandes en question.

Certains coûts de production ont été comptabilisés dans un compte intitulé Coûts en suspens. Une analyse du solde du compte Coûts en suspens révèle qu'il est formé des postes suivants :

Bonis de Noël payés aux employés	1 200 $
Heures payées mais non travaillées	960
	2 160 $

Au cours du mois de décembre, la société et le syndicat représentant les employés conclurent un accord donnant aux employés les avantages suivants, rétroactifs au 1er décembre :

a) Congés payés : une journée pour chaque mois travaillé. On estime le coût de cet avantage à 0,40 $ l'heure de main-d'œuvre directe. Tous les employés prennent leurs vacances en juillet :

b) Régime de rentes : afin de faire face à sa dette future pour le régime de rentes, la société effectuera des versements mensuels dans un fonds de pension qui sera administré par un fidéicommissaire. Le premier versement, soit 525 $ pour le mois de décembre, sera fait le 2 janvier.

Aucune décision n'a été prise concernant le traitement du solde du compte Coûts en suspens, et la méthode de comptabilisation des coûts relatifs aux congés payés et au régime de rentes.

ON DEMANDE

1. de recommander à la société une politique de comptabilisation des primes en heures supplémentaires, des bonis de Noël, des heures payées mais non travaillées et des congés payés ;
2. de donner les raisons de vos recommandations ;
3. de présenter les écritures de comptabilisation ou de régularisation nécessaires ;
4. de déterminer le coût de fabrication révisé des commandes.

(Adaptation — S.C.M.C.)

▰▰▰ EXERCICE 4-7

Chabot ltée fabrique des chaudières et des petits réservoirs en acier. Le service de la production utilise un système de coût de revient par commande. Selon ce système, les coûts réels en matières premières et en main-d'œuvre directe sont identifiés aux commandes alors que les frais indirects de fabrication leur sont imputés selon un coefficient prédéterminé établi sur la base des heures de travail de la main-d'œuvre directe. La société utilise deux comptes pour les frais indirects de fabrication :

- Frais indirects de fabrication : ce compte englobe tous les frais indirects de fabrication réellement engagés (un grand livre auxiliaire comportant les comptes spécifiques est aussi utilisé) ;
- Frais indirects de fabrication imputés : ce compte regroupe tous les frais indirects de fabrication imputés aux commandes ; l'imputation est calculée au taux de 6 $ l'heure de M.O.D.

Les achats de matières premières et de fournitures sont débités au compte Stock de matières.

Le 1er avril, les erreurs et omissions suivantes furent détectées dans les comptes :

a) Un fer d'angle acheté le 15 janvier, au prix de 850 $, est retourné au fournisseur le 4 février. Le contremaître s'était trompé dans les dimensions du produit. Le fournisseur déduisit un montant correspondant à 10 % destiné à compenser les frais de manutention, et le solde fit l'objet d'une remise par chèque. Ce retour de matières n'a pas été comptabilisé ;

b) Des fournitures, d'un montant de 65 $, sont sorties de l'entrepôt pour la commande n° 205 puis retournées à l'entrepôt. Le lendemain, soit le 2 mars, les mêmes fournitures sont utilisées par le personnel préposé à l'entretien de l'usine pour effectuer une réparation dans la chaufferie des fournaises. La seule écriture de journal a été celle relative à la sortie initiale ;

c) Le 25 mars, un sous-traitant se procure auprès du magasinier deux supports au prix total de 24 $ comptant. Cette vente inhabituelle est due à une situation d'urgence. Ce n'est que le 1er avril que le préposé à l'entrepôt en informe le teneur de livres en spécifiant que le coût des supports est de 17 $. Il fait parvenir le chèque de 24 $ au caissier. Aucune écriture n'a été passée à ce sujet ;

d) Une fois que furent effectuées les écritures de journal relatives à la répartition des salaires, certaines erreurs sont relevées :

- un bon de travail préparé par le soudeur Charles Turcot est laissé de côté dans la répartition des salaires. Son taux horaire est de 8 $. Des 40 heures travaillées, 34 représentent des heures de main-d'œuvre directe ;

- un bon de travail indiquant 40 heures (38 heures de main-d'œuvre directe) donna lieu à une répartition calculée au taux horaire de 9$ au lieu de 8$;
- huit (8) heures de main-d'œuvre directe consacrées à la commande n° 85 sont réparties par erreur à la main-d'œuvre indirecte (le taux horaire est de 7$);

e) L'exécution de la commande n° 123 débute le 15 mars. Le 31 mars, le client annule cette commande. Conformément au contrat, la pénalité d'annulation s'élève à 10% du prix de vente stipulé.

Le 26 mars, les coûts engagés étaient les suivants: matières premières, 450$; main-d'œuvre directe, 120$; frais indirects de fabrication, 160$. Des matières premières sorties de l'entrepôt, une certaine quantité d'une valeur de 200$ a été retournée à l'entrepôt parce qu'elle était inutilisée, alors que les matières premières partiellement traitées pouvaient être vendues au prix de 150$.

Le prix de vente stipulé au contrat était de 3 500$. L'annulation de la commande et ses conséquences n'ont donné lieu à aucune écriture de journal;

f) Un bon de sortie de matières pour le mois de février indique un montant de 250$ au titre des matières premières, et un montant de 350$ au titre des fournitures. La classification est erronée. Il s'agit plutôt de 350$ au titre des matières premières et de 250$ au titre des fournitures;

g) En janvier, des matières premières dont le coût total s'élève à 220$ sont sorties de l'entrepôt pour la commande n° 187. La commande fut terminée et expédiée au client le 26 février. La sortie des matières premières ne fut pas enregistrée;

h) Les congés à payer, représentant 5% d'une rémunération totale de 12 000$ gagnée en mars par les employés rémunérés à l'heure, n'ont pas été enregistrés.

ON DEMANDE

de présenter les écritures de journal de régularisation (sans explication). Identifier chaque écriture par la lettre appropriée (a), b), etc.
(Adaptation – S.C.M.C.)

■ EXERCICE 4-8

On définit la ventilation des coûts de production comme la mise en œuvre des opérations d'affectation, de répartition primaire, de répartition secondaire et d'imputation.

On vous présente le schéma suivant dans lequel chacune des flèches traduit une de ces opérations.

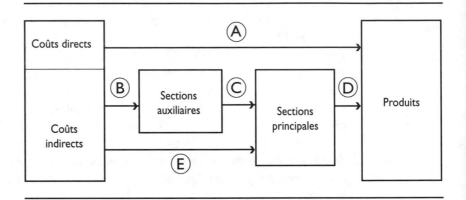

ON DEMANDE

d'associer à chacune des flèches la nature de l'opération effectuée.
(Adaptation – Bulletins de terminologie de l'Ordre des comptables agréés du Québec)

■■■ EXERCICE 4-9

On fournit les renseignements suivants concernant trois sections:

	Section I	Section II	Section III
Frais indirects de fabrication réels	10 000 $	7 680 $	9 100 $
Frais indirects de fabrication imputés	10 500	7 200	9 360
Coefficient d'imputation par heure de M.O.D.	2,10	1,50	1,80

ON DEMANDE

de choisir la réponse appropriée:

1. Les sections mentionnées ci-dessus sont:
   a) des sections principales;
   b) des sections auxiliaires;
   c) de nature inconnue.

2. Les heures réelles de travail dans chacune des sections furent:

	Section I	Section II	Section III
a)	5 820	3 990	5 190
b)	5 000	4 800	5 200
c)	5 835	4 000	5 250

3. Les surimputations se sont élevées au total à:

a) 1 240 $
b) 980 $
c) 760 $
d) 740 $

4. Sachant que les heures réelles ont égalé les heures budgétées ayant servi au calcul du coefficient d'imputation de la section II, et sachant également que tous les frais indirects de fabrication sont variables, l'écart sur dépense pour cette section s'est élevé à:

a) 480 $
b) 500 $
c) 200 $
d) un autre montant

5. Les coefficients permettant d'absorber totalement les frais indirects de fabrication auraient dû être:

	Section I	Section II	Section III
a)	2,000 $	1,600 $	1,750 $
b)	1,785	1,785	1,785
c)	1,783	1,783	1,783

▬ EXERCICE 4-10

Une entreprise industrielle a pour activité unique la fabrication de deux produits en grès émaillé A et B pour le compte d'un fabricant de poteries auprès duquel elle agit comme sous-traitant; ce dernier se charge de l'enlèvement des produits terminés. La fabrication de ces deux produits est faite suivant un même processus dans deux ateliers: Préparation et Cuisson.

On affecte directement à chacun des produits le coût des matières premières utilisées et les frais de main-d'œuvre directe.

La matière première est représentée par le grès émaillé commun aux deux produits. Les fournitures et les autres charges sont réparties dans les différentes sections. Une analyse des frais fixes et des frais variables est effectuée à la saisie des données.

On prévoit fabriquer au cours de l'année 10 000 produits A et 8 000 produits B, et on vous communique les renseignements suivants :

a) Heures de main-d'œuvre directe

Ateliers	Taux horaire ($)	Produit A (heures)	Produit B (heures)	Total (heures)
Préparation	8	200	175	375
Cuisson	7	1 275	1 500	2 775

b) Consommation de matière première

	Matière première		
Produit	Q (kg)	P.U. ($)	Coût ($)
A	1	8	80 000
B	1,25	8	80 000

c) Tableau de répartition primaire des charges indirectes dans les sections

		Sections auxiliaires				Sections principales			
		Électricité		Entretien		Préparation		Cuisson	
Éléments	Montant	F	V	F	V	F	V	F	V
Fournitures	21 200				12 000		1 500		7 700
Frais de personnel indirects	218 450	20 000	2 890	38 810	10 000	13 000	8 000	80 500	45 250
Autres charges indirectes	122 375	6 000	1 110	10 040	7 000	18 400	10 700	49 825	19 300
	362 025	26 000	4 000	48 850	29 000	31 400	20 200	130 325	72 250

d) Répartition secondaire des sections Électricité et Entretien

	Sections auxiliaires		Sections principales	
	Électricité (%)	Entretien (%)	Préparation (%)	Cuisson (%)
Électricité	–0–	10	–0–	90
Entretien	20	–0–	50	30

e) Imputation des frais des sections principales :
  - Préparation : proportionnellement au nombre de kg de matière première utilisée ;
  - Cuisson : proportionnellement au nombre d'heures de main-d'œuvre directe.

ON DEMANDE

de calculer les coefficients d'imputation des frais indirects de fabrication, sachant que les répartitions secondaires doivent être effectuées selon la méthode algébrique.

(Extrait des épreuves conduisant au diplôme français d'expertise comptable)

■■■■ EXERCICE 4-11

Vallée ltée a décidé de déterminer de nouveaux coefficients d'imputation des frais indirects de fabrication pour l'exercice 20X2.

Voici un extrait de la balance de vérification concernant l'exercice annuel terminé le 31 décembre 20X1 :

	Débit	Crédit
Stock de matières premières et de fournitures de fabrication	85 320 $	
Stock de produits en cours	330 457	
Main-d'œuvre indirecte	41 740	
Surintendance	6 000	
Salaires des employés de bureau travaillant à l'usine	4 950	
Entretien et réparations de la machinerie	31 000	
Amortissement de la machinerie et de l'outillage	62 500	
Chauffage – usine	3 180	
Électricité – usine	2 000	
Fournitures de fabrication utilisées	3 640	
Frais de fabrication divers	1 200	
Frais indirects de fabrication imputés		158 796 $
Loyer – usine	4 800	

Le procédé de fabrication fait appel à deux ateliers de production, les ateliers A et B. Il existe également une section auxiliaire.

L'amortissement annuel est enregistré au début de toute nouvelle année d'exploitation.

Une étude des ateliers de production et de la section auxiliaire fournit les renseignements suivants :

| | Total | Sections | | |
		A	B	Auxiliaire
Superficie de plancher de l'usine (mètres carrés)	30 000	15 000	9 000	6 000
Nombre d'employés	120	60	36	24
Nombre d'heures de main-d'œuvre	140 000	72 000	48 000	20 000
Nombre d'heures de fonctionnement (machines)	53 360	20 384	30 576	2 400
Salaires et gages	1 600 000 $	1 120 000 $	320 000 $	160 000 $
Capital investi dans la machinerie et l'outillage	1 000 000 $	625 000 $	275 000 $	100 000 $
Taux annuels d'amortissement linéaire		4%	10%	10%

Les clés de répartition choisies sont les suivantes :
a) En fonction de la surface occupée :
 – loyer de l'usine ;
 – chauffage ;
 – ⅕ de l'électricité.

b) En fonction des salaires et des gages :
 – surintendance ;
 – fournitures de fabrication utilisées ;
 – frais de fabrication divers.

c) En fonction du capital investi dans la machinerie et l'outillage :
 – entretien et réparations de la machinerie ;
 – ⅘ de l'électricité.

Le salaire des employés de bureau travaillant à l'usine ainsi qu'un montant de 4 510 $ en main-d'œuvre indirecte sont attribués à la section auxiliaire. Le solde du coût de la main-d'œuvre indirecte est réparti entre les ateliers A et B selon les heures de main-d'œuvre.

La clé de répartition des charges relatives à la section auxiliaire aux ateliers de production est celle des heures de fonctionnement des machines.

Le coefficient de frais indirects de fabrication de l'atelier A devra être basé sur les heures de main-d'œuvre, tandis que celui de l'atelier B devra être fonction des heures de fonctionnement des machines.

ON DEMANDE

de déterminer les coefficients d'imputation appropriés pour 20X2 en prenant en considération les renseignements fournis précédemment et en tenant pour acquis que les frais indirects de fabrication engagés en 20X1 sont représentatifs de ceux prévus pour l'exercice 20X2.
(Adaptation – S.C.M.C.)

■■■ EXERCICE 4-12

Unipac ltée fabrique les produits A et B. Elle a prévu les coûts unitaires suivants pour le prochain exercice:

	A	B
Matières premières (1 $ la pièce)	4,00 $	2,00 $
Main-d'œuvre directe (12 $/heure)	12,00	24,00
Frais indirects de fabrication imputés		
(5 $/heure de main-d'œuvre directe)	5,00	10,00
Total	21,00 $	36,00 $

Le coefficient d'imputation des frais indirects de fabrication (utilisé pour la détermination du coût des produits) a été calculé comme suit: 375 000 $/75 000 = 5 $/heure de main-d'œuvre directe.

Les frais indirects de fabrication sont regroupés par atelier et par section auxiliaire pour un meilleur contrôle budgétaire. Voici le budget des frais indirects de fabrication préparé pour l'exercice se terminant le 31 décembre 20X1.

Administration de l'usine	120 000 $
Entrepôt	39 000
Service d'ingénierie	80 000
Ateliers de production	
A – fabrication du produit A	53 000
B – fabrication du produit B	83 000
Total	375 000 $

Le budget précédent reposait sur les prévisions suivantes concernant les heures de main-d'œuvre directe:

Atelier de production A	35 000 heures
Atelier de production B	40 000
Total	75 000 heures

Toutefois, à la suite d'une étude du service d'ingénierie, la fabrication du produit A sera complètement automatisée à compter du 1er janvier 20X1. Le volume de production, qui requiert actuellement 35 000 heures de main-d'œuvre directe, sera atteint en 7 000 heures-machine et n'exigera aucune main-d'œuvre directe. Les frais indirects de fabrication supplémentaires (amortissement, entretien, etc.), tous applicables au nouveau procédé de fabrication automatisé de l'atelier A, s'élèveront à 75 000 $ pour la période du 1er janvier au 31 décembre 20X1.

Le directeur de l'usine a demandé au contrôleur de réviser le budget des frais indirects de fabrication et d'établir un nouveau coefficient global d'imputation des frais indirects pour l'ensemble de l'usine et suggère d'utiliser désormais la matière première comme base commune d'imputation. Le contrôleur, pour sa part, suggère d'établir des coefficients d'imputation différents pour les ateliers A et B, soit un taux basé sur les heures-machine dans l'atelier A et un taux basé sur les heures de main-d'œuvre directe dans l'atelier B.

Une analyse plus récente des ateliers et des sections auxiliaires de l'usine avait donné les renseignements suivants:
a) Atelier de production A:
   - 35 employés: main-d'œuvre directe;
   - 5 employés: mise au point, inspection, entretien, etc.
b) Atelier de production B:
   - 40 employés: main-d'œuvre directe;
   - 5 employés: mise en route, inspection, entretien, etc.
c) Service d'ingénierie: 10 employés: 75 % de tout le travail est effectué pour l'atelier de production A, le reste est pour l'atelier de production B.
d) Administration de l'usine: 8 employés. Ce service fut initialement établi en fonction du nombre d'employés de l'usine. La quote-part des frais concernant l'administration générale de l'usine, attribuée à une section de l'usine, ne doit pas dépendre de l'automatisation de cette section.
e) Entrepôt: 5 employés. Les coûts d'entreposage et de manutention des pièces sont fonction du nombre de pièces utilisées. Le coût des pièces est de 1 $ l'unité.

ON DEMANDE

de déterminer les coefficients d'imputation.
(Adaptation – S.C.M.C.)

■ EXERCICE 4-13

Une usine exploite deux sections auxiliaires (S_1 et S_2) et trois ateliers de production (P_1, P_2 et P_3); elle désire répartir tous les coûts des sections auxiliaires aux ateliers de production en tenant compte des prestations réciproques entre sections. Les données pertinentes sont les suivantes :

a) Répartition des coûts des sections auxiliaires

Sections auxiliaires	Quotes-parts à attribuer aux sections				
	S_1	S_2	P_1	P_2	P_3
S_1	–0–	10%	20%	40%	30%
S_2	20%	–0–	50	10	20

b) Coûts propres aux sections auxiliaires, et frais indirects de fabrication propres aux ateliers de production

S_1	S_2	P_1	P_2	P_3
98 000 $	117 600 $	1 400 000 $	2 100 000 $	640 000 $

ON DEMANDE

1. de déterminer le montant total des coûts attribués à la section S_1, compte tenu de sa quote-part des coûts de S_2;
2. de déterminer le montant total des coûts attribués à la section S_2, compte tenu de sa quote-part des coûts de S_1;
3. de déterminer, sans tenir compte des réponses précédentes et en supposant que la réponse à 1. est 100 000 $ et que celle à 2. est 150 000 $, le total des frais indirects de fabrication attribués en dernière analyse à l'atelier de production P_1.
(Adaptation – C.P.A.)

■ EXERCICE 4-14

Les coûts spécifiques relatifs aux sections auxiliaires d'une usine sont les suivants :

Section	Coûts spécifiques
A	10 000 $
B	13 330
C	20 000

Les prestations de services des sections auxiliaires sont traduites dans le tableau ci-dessous. Les sections X, Y et Z sont des sections principales.

Section	A	B	C	X	Y	Z
A	–0–	40	10	18	20	12
B	20	–0–	–0–	42	16	22
C	–0–	5	–0–	45	35	15

Voici trois répartitions des coûts des sections auxiliaires :

a) Répartition I

	X	Y	Z	Total
Répartition des coûts de A	3 600,00 $	4 000,00 $	2 400,00 $	10 000 $
Répartition des coûts de B	6 998,25	2 666,00	3 665,75	13 330
Répartition des coûts de C	9 473,70	7 368,40	3 157,90	20 000
	20 071,95 $	14 034,40 $	9 223,65 $	43 330 $

b) Répartition II

	A	B	X	Y	Z	Total
Répartition des coûts de C	–0– $	1 000 $	9 000,00 $	7 000,00 $	3 000,00 $	
Répartition des coûts de B	2 866	–0–	6 018,60	2 292,80	3 152,60	
Répartition des coûts de A	–0–	–0–	4 631,76	5 146,40	3 087,84	
			19 650,36 $	14 439,20 $	9 240,44 $	43 330 $

c) Répartition III

	X	Y	Z	Total
Répartition des coûts de A	2 520 $	2 800 $	1 680 $	7 000 $
Répartition des coûts de B	8 400	3 200	4 400	16 000
Répartition des coûts de C	9 630	7 490	3 210	20 330
	20 550 $	13 490 $	9 290 $	43 330 $

Cette dernière répartition découle de la résolution des trois équations suivantes :
$a = 10\ 000 + 0,20b$;
$b = 13\ 330 + 0,40a + 0,05c$;
$c = 20\ 000 + 0,10a$.

ON DEMANDE

1. d'indiquer la répartition qui ne tient aucun compte des prestations réciproques entre sections auxiliaires;
2. d'indiquer la répartition la plus exacte;
3. de donner la signification des lettres a, b et c utilisées dans les trois équations concernant la répartition III.

■■ EXERCICE 4-15

Bibi inc. est une entreprise industrielle qui fabrique des pompes hydrauliques. La méthode du coût de revient rationnel est utilisée pour déterminer le coût des commandes terminées. L'usine se divise en trois ateliers de production (A, B et C) et deux sections auxiliaires (1 et 2).

a) Liste de comptes tirée de la balance de vérification au 31 décembre 20X1, à la fin de l'exercice financier:

	$
Stock de matières premières et de fournitures au 1er janvier 20X1	50 000
Stock de produits en cours	150 000
Main-d'œuvre	990 000
Achats de matières premières et de fournitures	300 000
Fret à l'achat de matières premières et de fournitures	25 000
Assurance – usine	5 000
Impôts fonciers – usine	7 000
Rendus et rabais sur achats de matières premières et de fournitures	10 000
Redevances	(à déterminer)
Force motrice	40 000
Petits outils (achats)	28 000
Amortissement – usine	13 000
Amortissement – machinerie	20 000
Éclairage et chauffage – usine	5 000
Frais indirects de fabrication imputés – atelier A	78 000
Frais indirects de fabrication imputés – atelier B	175 000
Frais indirects de fabrication imputés – atelier C	75 000
Surveillance	60 000

b) Ateliers de production

Les ateliers A et C sont de type artisanal, c'est-à-dire que le travail de transformation de la matière première est effectué manuellement par la main-d'œuvre directe. L'atelier B est surtout mécanisé et regroupe toute la machinerie.

c) Autres renseignements

1) La société utilise le système de l'inventaire périodique pour déterminer le coût des matières premières et des fournitures utilisées. Au 31 décembre 20X1, le coût du stock de matières premières et de fournitures s'élève à 45 000 $. Le coût des fournitures utilisées représente 20 % du coût total des matières premières et des fournitures utilisées. Les fournitures sont utilisées par les ateliers et les sections dans les proportions suivantes :

   - A: 30 %;
   - B: 20 %;
   - C: 25 %;
   - 1: 15 %;
   - 2: 10 %.

2) Le poste Main-d'œuvre représente le coût de la main-d'œuvre directe et de la main-d'œuvre indirecte. Au 31 décembre 20X1, on a découvert des frais de main-d'œuvre de 2 000 $ non encore comptabilisés. Le coût de la main-d'œuvre indirecte représente 5 % du coût total de la main-d'œuvre. Le partage du coût de la main-d'œuvre entre les ateliers et les sections est le suivant :

	Main-d'œuvre	
	directe	indirecte
A	40 %	–0–
B	20 %	–0–
C	40 %	–0–
1	–0–	40 %
2	–0–	60 %

3) L'importance relative des superficies occupées par les ateliers et les sections est de :

   - A: 20 %;
   - B: 40 %;
   - C: 25 %;
   - 1: 10 %;
   - 2: 5 %.

4) Les redevances représentent le droit d'utilisation d'un procédé industriel par l'atelier B. À cet égard, la société doit verser une redevance de 1 $ par unité fabriquée.

5) Au 31 décembre 20X1, le coût du stock de petits outils était évalué à 2 400 $. Il n'y avait aucun stock de petits outils au 1er janvier 20X1. Le coût des petits outils utilisés est partagé, entre les ateliers A et C et les sections 1 et 2, sur la base des heures de main-d'œuvre.

6) Les frais de surveillance doivent être répartis également entre tous les ateliers de production.

7) Les frais indirects de fabrication sont imputés selon les coefficients suivants :
   - A : 2,60 $/h de main-d'œuvre directe ;
   - B : 3,50 $/unité fabriquée ;
   - C : 5,00 $/h de main-d'œuvre directe.

8) Le taux horaire de rémunération des employés des sections auxiliaires est de 8 $.

ON DEMANDE

1. de préparer le tableau traduisant la répartition primaire des frais indirects de fabrication réels pour l'exercice terminé le 31 décembre 20X1 ;
2. de procéder au partage des coûts des sections auxiliaires (répartition secondaire) selon chacune des méthodes suivantes :
   a) séquentielle, en partageant d'abord les coûts de la section 1 et ensuite ceux de la section 2 ;
   b) algébrique, en tenant pour acquis que la distribution par pourcentage des services rendus par les sections auxiliaires est la suivante :

	A	B	C	1	2
Section 1	20	30	40	–0–	10
Section 2	30	35	30	5	–0–

■■■ EXERCICE 4-16

On fournit les renseignements suivants:

a) formule de budget flexible concernant les frais indirects de fabrication d'un atelier de production: 40 000 $ + 100% du coût de la M.O.D.;

b) coefficient d'imputation: 140%;

c) M.O.D. ayant servi à trouver le coefficient relatif aux frais indirects de fabrication fixes: 100 000 $, soit 12 500 heures à 8 $ l'heure;

d) coût réel de la M.O.D. de l'exercice: 12 000 heures à 8,50 $ l'heure;

e) frais indirects de fabrication réels:

Fixes	41 000 $
Variables	109 000
	150 000 $

ON DEMANDE

de déterminer et de procéder à une analyse détaillée de la surimputation ou de la sous-imputation relative aux frais indirects de fabrication.

■■■ EXERCICE 4-17

Voici les données concernant la section Énergie d'une entreprise:

	Nombre de kilowatts-heure			
	Sections principales		Sections auxiliaires	
	A	B	X	Y
Besoins pour les capacités d'exploitation installées	10 000	20 000	12 000	8 000
Consommation réelle en avril	8 000	13 000	7 000	6 000

Les frais réels d'exploitation de la section Énergie ont été les suivants au cours d'avril:

Fixes	2 500 $
Variables	6 800

Le budget flexible concernant les frais d'exploitation était de 2 200 $ + 0,18 $ le kilowatt-heure.

ON DEMANDE

d'établir les montants de frais d'énergie qui devraient être normalement attribués en avril à chacune des sections utilisatrices.
(Adaptation – C.P.A.)

■■■ EXERCICE 4-18

Les frais indirects de fabrication fixes budgétés, les frais indirects de fabrication variables budgétés et les frais indirects de fabrication imputés ont été portés sur le graphique suivant pour les différents volumes d'unités d'œuvre possibles:

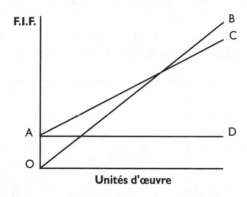

ON DEMANDE

d'apparier les droites suivantes:
a) la droite AC,
b) la droite AD,
c) la droite OB,
avec les explications suivantes:
1. frais indirects de fabrication imputés;
2. frais indirects de fabrication budgétés;
3. frais indirects de fabrication fixes budgétés.

■■■ EXERCICE 4-19

Le schéma donné ci-après représente le graphique d'analyse des écarts relatifs aux frais indirects de fabrication concernant un atelier de production. Les distances sur les axes ne sont pas représentées à l'échelle.

ON DEMANDE

1. de désigner, en utilisant les lettres figurant sur ce graphique, les vecteurs représentant :
   a) l'écart global ;
   b) les composantes de l'écart global ;
2. de calculer l'écart global ainsi que les composantes de cet écart ;
3. de présenter l'équation de la droite du budget flexible et celle de la droite des frais imputés ;
4. sachant que l'écart sur dépense des charges fixes est favorable et égal à 500 $, de déterminer l'écart sur dépense des charges variables.

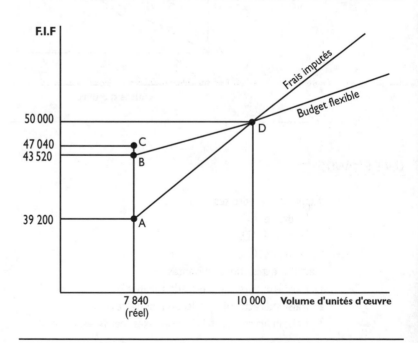

(Extrait des épreuves conduisant au diplôme français d'expertise comptable)

▬▬▬ EXERCICE 4-20

Nous vous soumettons deux graphiques représentant deux situations (1 et 2) totalement distinctes. Sur ces graphiques figurent:

a) une droite représentant les frais indirects de fabrication imputés;

b) une droite représentant le total des frais indirects de fabrication budgétés;

c) un point représentant les frais indirects de fabrication réels au volume d'unités d'œuvre atteint.

a) *Situation 1*

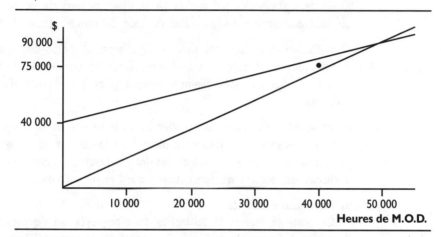

b) *Situation 2*

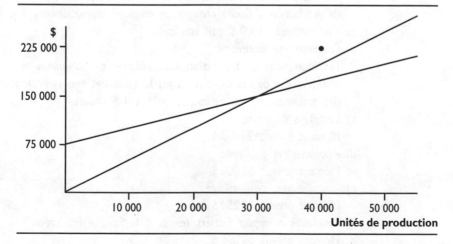

ON DEMANDE

de déterminer, pour chacune des situations, le montant de l'écart sur dépense et celui de l'écart sur volume, et d'indiquer le sens (F ou D) de chacun de ces deux écarts.

■■■ EXERCICE 4-21

Terricota inc. est une entreprise industrielle qui fabrique sur commande. On utilise deux ateliers de production (A et B), et la méthode de détermination du coût des commandes est celle du coût de revient rationnel.

Dans l'atelier A, les activités sont de type artisanal, c'est-à-dire que la main-d'œuvre directe effectue un travail manuel sur les commandes. Dans l'atelier B, la fabrication est essentiellement réalisée grâce à l'utilisation d'un outillage spécialisé.

Avant le début de l'exercice financier 20XI, le service de la comptabilité des coûts de revient a fourni au contrôleur les informations suivantes devant lui permettre de préparer le budget des frais indirects de fabrication spécifique à chacun des ateliers de production pour l'exercice courant.

a) *Main-d'œuvre indirecte*
Ce poste représente le salaire de deux employés qui s'occupent de l'entretien de l'ensemble de l'usine. Leurs activités se partagent également entre les deux ateliers de production. On considère par ailleurs que si le volume d'unités d'œuvre réel atteint plus de 70 % de la capacité théorique des ateliers de production, il faudra engager un employé supplémentaire à plein temps. Coût prévu : 18 000 $ par employé.

b) *Fournitures de fabrication*
Les fournitures de fabrication sont utilisées exclusivement par l'atelier B. L'usage prévu de ces fournitures est fonction des heures de fonctionnement des machines ; on en estime le coût à 1 $ l'heure.

c) *Chauffage de l'usine*
Montant prévu : 24 000 $.

d) *Amortissement de l'usine*
Montant prévu : 60 000 $.

e) *Amortissement de l'outillage*
Montant prévu : 44 250 $.

f) *Assurances et impôts fonciers relatifs à la fonction Fabrication*
Montant prévu : 10 000 $.

g) *Force motrice*

Pour l'ensemble de l'outillage, le coût prévu est de 1 $ par heure de fonctionnement des machines.

h) *Entretien et réparations de l'outillage*

Les frais d'entretien et de réparations de l'outillage ne sont pas engagés uniformément au cours de l'exercice. On a observé par ailleurs que, si le volume des heures de fonctionnement des machines était de 70 000, le coût total prévu serait de 85 000 $. Si le volume était de 100 000 heures, le coût prévu serait de 115 000 $.

i) *Surveillance*

Dans l'atelier A, les frais prévus de surveillance, compte tenu du volume d'unités d'œuvre, seraient les suivants :

Volume d'unités d'œuvre exprimé en heures de M.O.D.	Coût
0 – 26 000	15 000 $
26 001 – 51 000	30 000
51 001 – 60 000	42 000

Dans l'atelier B, les frais de surveillance sont budgétés à 25 000 $.

j) *Charges sociales*

On estime celles-ci à 15 % du coût de la main-d'œuvre directe.

k) *Autres renseignements*

1) La capacité théorique des ateliers est de 60 000 heures de main-d'œuvre directe pour l'atelier A et de 100 000 heures de fonctionnement des machines pour l'atelier B ;

2) La capacité pratique de l'atelier B est de 85 000 heures de fonctionnement des machines ;

3) Le coût prévu de la main-d'œuvre directe à la capacité pratique est de 400 000 $ pour l'atelier A et de 850 000 $ pour l'atelier B ;

4) Le taux horaire prévu de rémunération de la main-d'œuvre est de 8 $ dans l'atelier A et de 10 $ dans l'atelier B ;

5) La superficie de l'usine est ainsi répartie entre les ateliers : 60 % pour l'atelier A et 40 % pour l'atelier B ;

6) Le volume d'unités d'œuvre réel de l'exercice terminé le 31 décembre 20X1 est de 55 000 heures de main-d'œuvre directe dans l'atelier A et de 90 000 heures de fonctionnement des machines dans l'atelier B.

ON DEMANDE

de préparer, pour l'exercice terminé le 31 décembre 20X1, le budget des frais indirects de fabrication pour chacun des ateliers A et B, au volume d'unités d'œuvre prévu (niveau pratique) et au volume d'unités d'œuvre atteint.

■■■ EXERCICE 4-22

Électronique ltée est une entreprise prospère, de moyenne importance, qui fabrique trois gammes de produits, tous rentables : des radios portatives, des radios de salon et des radios pour automobiles. La société possède trois usines, fort éloignées les unes des autres, qui fabriquent chacune une seule gamme de produits.

La société dispose des renseignements suivants concernant l'usine qui fabrique les radios portatives :

a) En ce qui concerne la main-d'œuvre directe, l'usine peut porter ses effectifs à un maximum de 120 ouvriers. Les ouvriers sont payés 10 $ l'heure et travaillent 7 heures par jour, 22 jours par mois ;

b) Le prix de vente est de 75 $ l'unité ;

c) L'équipement dont dispose l'usine est suffisant pour produire jusqu'à 3 660 radios par mois ;

d) Selon le segment d'activité, on estime comme suit les heures de main-d'œuvre directe requises pour fabriquer une unité :

	Nombre d'heures de travail par unité
Jusqu'à 3 000 unités	3,3
3 001 à 3 500 unités	3,0
3 501 à 3 660 unités	2,9

e) Pour un volume d'activité supérieur à 3 500 radios, les frais indirects de fabrication fixes mensuels passent de 20 000 $ à 47 460 $. Les frais indirects de fabrication variables se maintiennent à leur niveau actuel de 3 $ l'unité. Tous les autres frais, à l'exception de la commission des vendeurs, sont fixes (les vendeurs reçoivent une commission de 2 $ par unité pour toutes les unités vendues dans leur secteur) ;

f) L'usine n'a pas de stock ;

g) Le budget mensuel de l'usine pour 20X5 s'établit comme suit :

Chiffre d'affaires (3 500 unités)		262 500 $
Coût des articles vendus		
Matières premières	43 750 $	
Main-d'œuvre directe	105 000	
Frais indirects de fabrication	30 500	179 250
Bénéfice brut		83 250
Frais de vente et d'administration		46 500
Bénéfice de l'usine		36 750 $

Dans le cas présent, on sait qu'il y a un nouveau segment d'activité dans l'une ou l'autre des situations suivantes :
a) variation du total des frais fixes ;
b) fluctuation des frais variables à l'unité.

Les frais fixes varient dans ce cas-ci dès que l'on vend 3 501 unités. Les frais de main-d'œuvre directe à l'unité fluctuent dès que l'usine atteint l'un des segments d'activité suivants : 3 001, 3 501, 3 660.

Les segments d'activité sont donc les suivants :

| | Limites du segment | |
	inférieure	supérieure
1er segment	–0–	3 000
2e segment	3 001	3 500
3e segment	3 501	3 660

Le tableau suivant illustre les résultats prévus à la limite supérieure de chaque segment d'activité.

	3 000 unités	3 500 unités	3 660 unités
Chiffre d'affaires	225 000 $	262 500 $	274 500 $
Coût des articles vendus			
Matières premières	37 500	43 750	45 750
Main-d'œuvre directe	99 000	105 000	106 140
Frais indirects de fabrication	29 000	30 500	49 440
	165 500 $	179 250 $	201 330 $
Bénéfice brut	59 500 $	83 250 $	73 170 $
Frais de vente et d'administration	45 500	46 500	46 820
Bénéfice de l'usine	14 000 $	36 750 $	26 350 $

ON DEMANDE

de déterminer, pour chacun des segments d'activité, la valeur des paramètres a et b dans la formule budgétaire (y = a + bx) représentant l'ensemble des frais variables et des frais fixes et où x représente le volume total de radios.
(Adaptation – C.A.)

■■■ **EXERCICE 4-23**

A ltée impute ses frais indirects de fabrication à la production à l'aide d'un coefficient d'imputation basé sur l'activité normale. Les frais indirects de fabrication prévus pour une activité normale de 300 000 heures de main-d'œuvre directe s'élèvent à 550 000 $. Les frais indirects de fabrication prévus pour 120 % de l'activité normale s'élèvent à 640 000 $. Les frais indirects de fabrication de l'année se sont élevés à 500 000 $, soit à 90 % de l'activité normale.

ON DEMANDE

1. de déterminer la sur- ou sous-imputation dans les frais indirects de fabrication de l'année;
2. de déterminer l'écart sur dépense;
3. de déterminer l'écart sur volume;
4. d'expliquer l'écart sur dépense et l'écart sur volume;
5. de représenter sur un seul graphique les écarts demandés en 2 et 3.

■■■ **EXERCICE 4-24**

Le directeur du Service d'entretien de la machinerie d'Alpha ltée a préparé le budget mensuel du service mais à deux volumes d'activité différents.

	8 000 h	6 000 h
Salaires des préposés à l'entretien[1]	120 000 $	90 000 $
Charges sociales relatives aux préposés à l'entretien	18 000	13 500
Salaires des contremaîtres[2]	7 200	5 400
Salaire du directeur du service	2 800	2 800
Amortissement	600	600
Fournitures d'entretien et outils	3 000	2 400
Pièces de rechange	96 000	72 000
Chauffage et électricité	1 200	1 200
	248 800 $	187 900 $

1. Le taux de rémunération horaire moyen des préposés à l'entretien est de 15 $.
2. Un contremaître peut superviser 2 000 heures de travail. Le salaire mensuel d'un contremaître est de 1 800 $ incluant les charges sociales.

ON DEMANDE

de préparer le budget du Service d'entretien de la machinerie au volume d'activité de 7 000 heures par mois.

◼◼◼ EXERCICE 4-25

Brisson ltée, qui vient à peine d'introduire dans l'entreprise la notion de budget flexible, a décidé d'en vérifier le bien-fondé en l'appliquant à la section de l'enroulement. Cette section a un coefficient d'imputation de frais indirects de fabrication s'élevant à 3,00 $ l'heure, lequel est basé sur une activité prévue de 26 250 heures de main-d'œuvre directe et déterminé de la façon suivante:

Frais indirects de fabrication prévus	Fixes	Variables (à l'heure)
Surintendance	16 000 $	–0–
Manutention des matières	5 000	0,15 $
Contrôle de la qualité	10 000	0,10
Primes d'heures supplémentaires	–0–	0,08
Tenue de documents	6 000	–0–
Ass.-emploi et autres avantages sociaux	3 000	0,12
Fournitures	7 000	0,40
Réparations et entretien	3 000	0,10
Réfection	–0–	0,05
Amortissement – machines	2 500	–0–
	52 500 $	1,00
Coefficient horaire pour les frais indirects fixes		2,00
		3,00 $

Au cours du mois d'avril, les heures réelles de la section de l'enroulement se sont élevées à 28 000 et les frais indirects de fabrication réels ont été les suivants:

Surintendance	15 000 $
Manutention des matières	10 700
Contrôle de la qualité	13 400
Primes d'heures supplémentaires	1 600
Tenue de documents	6 200
Ass.-emploi et autres avantages sociaux	6 100
Temps mort	800
Fournitures	16 400
Réparations et entretien	7 400
Amortissement – machines	2 600
	80 200 $

ON DEMANDE

1. de présenter la formule de budget flexible relative à la section de l'enroulement ;
2. de déterminer le montant des frais indirects de fabrication budgétés en fonction de l'activité atteinte en avril.

(Adaptation — S.C.M.C.)

■■■ EXERCICE 4-26

Dubré ltée ne fabrique et ne vend qu'un seul produit. Voici les budgets établis à deux niveaux d'activité :

	Niveau maximum	Niveau minimum
Fabrication	8 000 unités	6 000 unités
Ventes		
8 000 unités	320 000 $	
6 000 unités		240 000 $
Coûts de fabrication		
Matières premières	80 000	60 000
Main-d'œuvre directe	64 000	48 000
Frais indirects de fabrication		
Main-d'œuvre indirecte	20 000	16 000
Fournitures	10 000	7 600
Amortissements	6 800	6 800
Autres	7 200	5 600
	188 000 $	144 000 $
Frais de vente		
Salaires des vendeurs	33 600	28 000
Commissions aux vendeurs	16 000	12 000
Publicité	13 600	11 200
Frais de représentation	6 000	6 000
Autres	4 800	4 000
	74 000 $	61 200 $
Frais d'administration		
Salaires des administrateurs	16 000	14 000
Honoraires des directeurs	6 000	6 000
Autres	6 000	4 800
	28 000 $	24 800 $
Bénéfice	30 000 $	10 000 $

ON DEMANDE

    1. de déterminer, selon la méthode des points extrêmes, la partie fixe ainsi que la partie variable de chacun des frais semi-variables ;

    2. de déterminer, selon la méthode graphique, les parties fixe et variable de la main-d'œuvre indirecte ;

    3. d'établir le coût des produits vendus, les frais de vente et les frais d'administration budgétés pour 6 400 articles.

(Adaptation – S.C.M.C.)

■■■ EXERCICE 4-27

Parmi les méthodes utilisées pour déterminer le comportement de coûts, mentionnons la méthode des points extrêmes, la méthode graphique, la régression linéaire simple, la régression multiple et le lissage exponentiel. Ramon ltée décide de ne recourir, au besoin, qu'aux trois premières méthodes, Voici les données relatives aux heures de main-d'œuvre directe et aux frais indirects de fabrication des deux derniers exercices concernant Ramon ltée :

20X3	Heures de main-d'œuvre directe	Frais indirects de fabrication
Janvier	20 000	84 000 $
Février	25 000	99 000
Mars	22 000	89 500
Avril	23 000	90 000
Mai	20 000	81 500
Juin	19 000	75 500
Juillet	14 000	70 500
Août	10 000	64 500
Septembre	12 000	69 000
Octobre	17 000	75 000
Novembre	16 000	71 500
Décembre	19 000	78 000

20X4	Heures de main-d'œuvre directe	Frais indirects de fabrication
Janvier	21 000	86 000 $
Février	24 000	93 000
Mars	23 000	93 000
Avril	22 000	87 000
Mai	20 000	80 000
Juin	18 000	76 500
Juillet	12 000	67 500
Août	13 000	71 000
Septembre	15 000	73 500
Octobre	17 000	72 500
Novembre	15 000	71 000
Décembre	18 000	75 000

Le rapport entre les heures de main-d'œuvre directe et les frais indirects de fabrication ressort nettement de la représentation suivante :

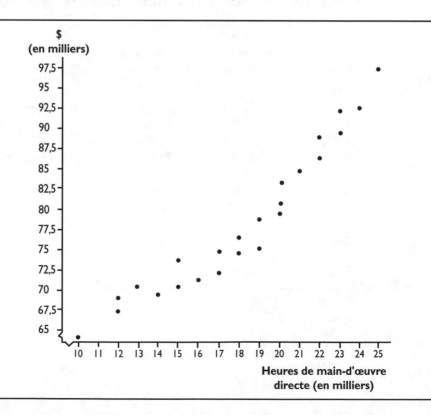

Par ailleurs, l'usage de la méthode des moindres carrés a conduit aux résultats suivants :

Coefficient de détermination	0,9109
Coefficient de corrélation	0,9544
Coefficients de l'équation de la régression linéaire	
Intersection	39 859
Variable indépendante	2,1549
Erreur-type d'estimation	2 840
Erreur-type de la variable indépendante	0,1437
Valeur statistique (pour un intervalle de confiance de 95 %, 22 degrés de liberté)	2,074

ON DEMANDE

1. de déterminer, selon la méthode des points extrêmes, l'équation traduisant le comportement des frais indirects de fabrication de Ramon Itée;
2. d'indiquer, justification à l'appui, celle des trois méthodes qui devrait être utilisée par Ramon Itée pour déterminer le comportement des frais indirects de fabrication engagés antérieurement.

(Adaptation − C.M.A.)

■■■■ EXERCICE 4-28

Voici les statistiques concernant les frais indirects de fabrication engagés (Y) à trois volumes d'unités d'œuvre différents (X) :

Y	20	40	100
X	1	2	6

En utilisant la méthode des moindres carrés, on obtient l'équation suivante :

$$\hat{Y}_i = 6,20 + 15,71X_i$$

La somme des carrés des résidus est de 9,52.

Pour en arriver à un meilleur modèle de prédiction des frais, on a établi l'équation suivante :

$$\hat{Y}_i = -2 + 23X_i - X_i^2$$

ON DEMANDE

1. de calculer la somme des carrés des résidus concernant le second modèle de prédiction et d'interpréter le résultat;
2. d'identifier le type de régression que traduit la deuxième équation.

(Adaptation – S.C.M.C.)

▬▬ EXERCICE 4-29

En matière de prévision des frais d'entretien, les services comptables d'une entreprise ont suggéré d'utiliser une formule du budget flexible déterminée selon la méthode des moindres carrés.

Le modèle de régression linéaire devra être fonction des statistiques suivantes:

	Dernier exercice	
	Heures consacrées à l'entretien	Frais d'entretien
Janvier	480	4 200 $
Février	320	3 000
Mars	400	3 600
Avril	300	2 820
Mai	500	4 350
Juin	310	2 960
Juillet	320	3 030
Août	520	4 470
Septembre	490	4 260
Octobre	470	4 050
Novembre	350	3 300
Décembre	340	3 160
Totaux	4 800	43 200 $
Moyennes	400	3 600 $
Frais moyens par heure		9 $

Le modèle de régression linéaire est le suivant:

$$\hat{Y}_i = 684,65 + 7,2884\ X_i \qquad R^2 = 0,99724$$

$$(49,515)(0,12126) \qquad S_e = 34,469$$

ON DEMANDE

de choisir, pour chacun des 6 énoncés suivants, la bonne réponse, ou de la formuler vous-même:

1. Dans l'équation de régression $\hat{Y}_i = a + bX_i$, le coefficient b est:
   a) la variable indépendante
   b) la variable dépendante
   c) le coefficient de variation
   d) le coefficient de détermination
   e)

2. Le coefficient de corrélation concernant l'équation de régression est:
   a) 23,469/49,515
   b) 0,99724
   c) $\sqrt{0,99724}$
   d) $(0,99724)^2$
   e)

3. La quote-part expliquée de la somme totale des carrés des différences entre chacune des valeurs observées et la valeur moyenne est:
   a) 99,724%
   b) 69,613%
   c) 80,982%
   d) 99,862%
   e)

4. L'hypothèse b = 0 au seuil 5% est:
   a) fondée
   b) non fondée

5. L'intervalle de confiance, au seuil 0,05, du coût marginal d'entretien est de:
   a) 7,02 à 7,56
   b) 7,17 à 7,41
   c) 7,07 à 7,51
   d) 6,29 à 8,29
   e)

6. Pour 400 heures consacrées à l'entretien, on a une probabilité d'environ 70% que les frais d'entretien se situent entre:
   a) 3 550,50 $ et 3 649,53 $
   b) 3 551,37 $ et 3 648,51 $
   c) 3 586,18 $ et 3 613,93 $
   d) 3 565,54 $ et 3 634,48 $
   e)

(Adaptation – C.M.A.)

■■■■ EXERCICE 4-30

Un manufacturier de bilboquets a déterminé que la fonction du coût hebdo-madaire moyen de la main-d'œuvre indirecte de son entreprise est la suivante :

$$\hat{Y}_i = - 500 + 5,08X_i$$

où X est le nombre d'heures-machine. Il a aussi déterminé que :

a) la somme des carrés due aux résidus = 472 500 ;
b) $\Sigma(Y_i - \bar{Y})^2 = 617\ 661$;
c) $\Sigma(X_i - \bar{X})^2 = 5\ 625$;
d) n = 22 ;
e) $\bar{X} = 2\ 025$.

ON DEMANDE

1. de déterminer la valeur du coefficient de corrélation ;
2. de calculer la valeur de l'erreur-type du coefficient b ;
3. de déterminer le niveau de confiance permettant de rejeter l'hypothèse nulle ;
4. de déterminer les limites de l'intervalle de confiance à 95 % pour le coût hebdomadaire moyen de la main-d'œuvre indirecte, si on prévoit un nombre d'heures-machine de 2 000 par semaine.

(Adaptation – S.C.M.C.)

■■■■ EXERCICE 4-31

Centrex ltée est le fabricant de trois produits appelés A, B et C. Les instal-lations qui servent à la fabrication d'un produit constituent une division. La direction de Centrex désire recourir à la régression multiple afin de : a) prévoir les frais indirects de fabrication (au total et par division) pour le prochain mois, et b) déterminer les frais indirects de fabrication variables pour chaque produit fabriqué par une division. L'équation de régression suivante a été établie à partir des données mensuelles antérieures :

$$M(t) = 2\ 450 + 10\ Q_A(t) + 6\ Q_B(t) + 12\ Q_C(t) \qquad R^2 = 0,84$$
$$ (4,0) \qquad (2,6) \qquad (5)$$

où :
$M(t)$ = total des frais indirects de fabrication ($) du mois t,
$Q_A(t)$ = nombre d'unités de A produites durant le mois t,
$Q_B(t)$ = nombre d'unités de B produites durant le mois t,
$Q_C(t)$ = nombre d'unités de C produites durant le mois t.

Le budget de fabrication du mois suivant prévoit une production de 2 000 unités de A, 3 000 unités de B et 1 000 unités de C.

ON DEMANDE

1. en vous référant à l'équation de régression précédente :
   a) de calculer les valeurs t des coefficients de régression et de mentionner brièvement toutes les déductions que l'on pourrait en tirer ;
   b) de déterminer le pourcentage de la variation dans les frais indirects de fabrication expliqué par la régression ;
2. d'établir le montant total des frais indirects de fabrication prévus pour le mois suivant ;
3. d'établir le montant des frais indirects de fabrication variables prévus pour le mois suivant, pour la division fabriquant le produit A ;
4. de déterminer la valeur du coefficient de corrélation.
   (Adaptation – S.C.M.C.)

■■■■ EXERCICE 4-32

Le directeur général de Morel ltée planifie la production du prochain exercice annuel. Il dispose d'estimations valables pour le coût des matières premières et de la main-d'œuvre directe, mais demeure indécis quant aux frais indirects de fabrication qui semblent fluctuer tant en fonction des heures de main-d'œuvre directe que des heures-machine. Il demande au contrôleur de déterminer comment les frais indirects de fabrication pourraient être reliés avec les heures de main-d'œuvre directe, avec les heures-machine et avec les deux facteurs combinés.

Dans une première étape, le contrôleur calcule trois régressions linéaires à partir de 12 observations. Voici les résultats de ces régressions :

	Régression 1	Régression 2	Régression 3
Variable indépendante (X)	Heures de main-d'œuvre	Heures-machine	Heures-machine
Variable dépendante (Y)	Frais indirects de fabrication	Frais indirects de fabrication	Heures de main-d'œuvre
a	40 200	47 300	1 200
b	4,90	8,30	1,70
r^2	0,84	0,72	0,89
S_e	3 060	4 350	1 710
S_b	2,10	6,11	2,41

Pour obtenir ces résultats, le contrôleur a utilisé des données mensuelles de 12 mois différents.

La formule permettant d'obtenir la valeur t est la suivante:

$$\frac{\text{Coefficient}}{\text{Erreur type du coefficient}}$$

ON DEMANDE

1. de présenter l'équation, au niveau de confiance de 5%, qu'il faudrait utiliser pour déterminer les frais indirects budgétés;
2. d'indiquer, justification à l'appui, si le directeur devrait effectuer une régression multiple qui tienne compte à la fois des heures de main-d'œuvre directe et des heures-machine.
(Adaptation − S.C.M.C.)

■■■ EXERCICE 4-33

On vous fournit les renseignements suivants relatifs à une entreprise manufacturière:

a) L'entreprise fabrique, sur commandes, des produits qui nécessitent plus ou moins d'opérations dans ses ateliers de production A et B; les temps opératoires sont également variables selon les commandes;
b) L'atelier A occupe un espace de 100 mètres sur 20;
c) On effectue deux opérations dans l'atelier A et chacune d'elles se fait selon un outillage spécifique;

- opération à l'aide de l'outillage X: 1 200 mètres carrés,
- opération à l'aide de l'outillage Y: 800 mètres carrés;

d) L'outillage X, qui a coûté 100 000 $ et dont l'opérateur gagne 17 000 $ par année, a une durée de vie utile de 10 ans. Le coût d'acquisition de l'outillage Y a été de 20 000 $, sa durée de vie utile est de 10 ans et le salaire de son opérateur est également de 17 000 $;

e) Activité annuelle prévue:
- heures de fonctionnement de l'outillage X: 8 000,
- heures de fonctionnement de l'outillage Y: 20 000;

f) Quote-part du salaire du surintendant de l'usine attribuée à l'atelier A: 12 000 $;

g) Charges sociales: 20 % des salaires bruts;

h) Quote-part des taxes foncières attribuée à l'atelier A: 3 000 $;

i) Quote-part de la prime d'assurance de l'immeuble-usine attribuée à l'atelier A: 820 $;

j) Quote-part de l'amortissement de l'immeuble-usine attribuée à l'atelier A: 11 000 $;

k) Frais divers engagés pour l'atelier A: 2 700 $ (1 350 $ pour chacune des opérations);

l) Prime d'assurance de l'outillage concernant l'atelier A: 480 $.

ON DEMANDE

de déterminer le coefficient ou les coefficients d'imputation pour l'atelier A dont l'emploi serait davantage approprié.

5 LE COÛT DE REVIENT EN FABRICATION CONTINUE

Nous avons vu que la fabrication sur commande exigeait l'accumulation des coûts par commande. Cette accumulation des coûts en matières premières, en main-d'œuvre directe et en frais indirects de fabrication était rendue possible grâce à une fiche de fabrication préparée pour chaque commande.

Lorsqu'une entreprise se spécialise dans la fabrication d'un produit standard, non pour exécuter une commande particulière mais surtout pour être en mesure de répondre à la demande générale pour le produit, il paraît inutile de connaître le coût de tel produit par rapport à tel autre, puisque tous les produits sont semblables.

Il existe toute une série d'industries qui répondent aux caractéristiques d'une fabrication continue : citons les industries chimiques, les industries du textile, du pétrole, des alcools, du ciment et de l'automobile, ainsi que les industries des appareils ménagers et de la sidérurgie.

Ce qui importe vraiment, c'est d'utiliser un système de coût de revient qui permette de déterminer un coût unitaire moyen par produit et, mieux encore, par élément de coût et par atelier, engagé ou considéré comme engagé au cours d'un exercice quelconque.

1. LA DÉTERMINATION PÉRIODIQUE DES COÛTS UNITAIRES MOYENS

On procède généralement à une détermination mensuelle des coûts unitaires moyens, ce qui permet d'atteindre trois buts :
1) déterminer mensuellement le prix coûtant du stock de produits finis et le coût des produits vendus ;

2) déterminer mensuellement le coût des produits non terminés à la fin de la période (stock de produits en cours). On se souviendra que pour la fabrication sur commande, le calcul était simple puisque la valeur du stock de produits en cours était égale à la somme des coûts de matières premières et des coûts de transformation cumulés sur les fiches de fabrication des commandes non terminées. Ce qui n'est pas le cas pour la fabrication continue ;

3) exercer un certain contrôle sur les coûts en comparant les coûts moyens sur plusieurs mois successifs.

2.   LES COÛTS UNITAIRES MOYENS POUR CHAQUE ATELIER

Le procédé de fabrication d'une entreprise spécialisée comporte toute une série d'étapes qui précèdent le produit fini. Ces étapes de fabrication se déroulent au sein d'ateliers de production dont la direction est confiée à des responsables. Le contrôle des coûts sera d'autant plus efficace que l'entreprise sera en mesure d'en identifier les responsables. Bien que la division en ateliers puisse permettre d'atteindre un certain niveau de contrôle, le comptable des coûts de revient peut être amené, comme nous l'avons déjà indiqué, à subdiviser l'atelier de production en deux ou plusieurs sections comptables (sections de calcul) afin de parvenir à des coûts de revient davantage précis. Pour la suite du chapitre, nous formulons l'hypothèse qu'il n'y a pas lieu de subdiviser ainsi un atelier de production.

3.   LES COÛTS UNITAIRES MOYENS PAR ÉLÉMENT DE COÛT POUR CHAQUE ATELIER

La comparaison périodique des coûts unitaires moyens successifs à l'intérieur d'un même atelier est nécessaire, mais il est encore plus fructueux de comparer, d'un mois à l'autre, les coûts unitaires moyens par élément de coût (matière, main-d'œuvre et frais indirects de fabrication), si l'on veut être en mesure d'imputer les écarts aux bons éléments de coûts de fabrication.

4.   TYPES DE FABRICATION ET NATURE DU COÛT DE REVIENT

Dans les paragraphes qui suivent, nous précisons les particularités de fabrication qui appellent soit un mode de fabrication sur commande, soit un mode de fabrication continue.

1) La fabrication sur commande est réalisée à partir de commandes spécifiques. Dans ce cas, le coût de revient par commande met l'accent sur l'accumulation des coûts

par commande. On utilise à cet effet une fiche de fabrication par commande. En outre, dans le coût de revient par commande, la distinction, par rapport aux commandes, entre coûts directs et coûts indirects est de première importance. La fabrication continue signifie une fabrication réalisée aux fins de stockage (fabrication sur stock) : on produit parce que la demande existe. Dans ce mode de fabrication, l'accent est mis sur l'accumulation des coûts par atelier pour une période donnée. On dresse à cet effet un rapport périodique des coûts de production qui peut être plus ou moins élaboré. Ajoutons que tous les coûts sont directs par rapport au produit.

2) La fabrication sur commande est souvent intermittente. Aussi, le système de coût de revient fait rarement appel à l'utilisation de coûts standards. La fabrication en série se caractérisant par une continuité plus soutenue, on peut davantage envisager l'utilisation de coûts standards. L'étude du coût de revient standard fait l'objet du chapitre 7.

3) La spécificité et la diversité des commandes font que le système de coût de revient par commande nécessite un travail considérable. Le système de coût de revient en fabrication continue nécessite comparativement moins de travail. Ainsi, les sorties de matières sont souvent moins nombreuses. Par exemple, lorsque toute la matière est versée à la fabrication au début des opérations dans le premier atelier, l'entreprise peut utiliser un bon nomenclature qui remplace avantageusement de nombreux bons de sortie. Par contre, si l'on utilise de la matière, non seulement dans le premier atelier mais dans les ateliers subséquents, on peut alors utiliser des bons nomenclatures par atelier. Les bons de travail eux-mêmes se révèlent superflus. Si les employés sont payés à l'heure, la fiche d'horodateur suffit. Les relevés individuels de production restent toutefois nécessaires si l'employé est rémunéré à la pièce.

Par ailleurs, le responsable des coûts de revient doit procéder à un travail préliminaire pour obtenir un calcul de coûts unitaires moyens précis et significatifs. Il doit connaître le processus industriel du produit.

5.   LE PROCESSUS INDUSTRIEL

Le responsable des coûts de revient doit connaître toutes les étapes industrielles nécessaires pour fabriquer entièrement le produit. Ce travail doit lui permettre, entre autres, d'identifier avec précision tous les ateliers de production servant à la fabrication du produit ainsi que l'ordre de leur entrée en jeu, de répertorier toutes les composantes du coût de production du produit (les coûts des matières premières utilisées, les coûts de transformation) par atelier de production et d'analyser le profil d'engagement de ces composantes. Le profil d'engagement des coûts de matières premières peut être associé à l'une des situations suivantes concernant leur utilisation :

- la matière première est incorporée totalement au début du processus industriel ;
- de la matière première est incorporée au début du processus et d'autres le sont à un point précis du processus industriel : par exemple, quand le produit est terminé à 50 % pour ce qui est du travail à effectuer dans un atelier, on ajoute une autre matière première ;
- elle est incorporée uniformément au cours du travail à effectuer dans un atelier, c'est-à-dire de façon régulière et continue au cours des opérations.

Les coûts de transformation au sein d'un atelier (main-d'œuvre directe et frais indirects de fabrication) sont présumés engagés uniformément au cours des opérations de cet atelier. Nous faisons ici l'hypothèse que la main-d'œuvre travaille de façon régulière sur un produit et que si ce produit est terminé à 75 % pour les opérations à effectuer dans un atelier, c'est qu'on doit lui attribuer 75 % des frais en main-d'œuvre et en frais indirects de fabrication de cet atelier qu'on attribuerait à un produit terminé.

6.   LA COMPTABILISATION DES COÛTS

Pour calculer le coût unitaire d'un produit terminé, il faut cumuler les coûts de matières premières et de transformation au fur et à mesure que les étapes industrielles sont effectuées. Comme ces étapes industrielles se réalisent dans les ateliers de production, il serait logique de comptabiliser les coûts de fabrication par atelier de production par le biais du compte Stock de produits en cours. Cela signifie qu'il y a autant de comptes Stock de produits en cours qu'il y a d'ateliers de production nécessaires pour fabriquer entièrement le produit.

La figure I illustre le processus industriel d'un produit dont la fabrication débute à l'atelier I par l'utilisation de toute la matière première A nécessaire. Une fois les opérations terminées dans l'atelier I, le produit est transféré à l'atelier 2. Dans ce dernier atelier, le produit subit des opérations industrielles et reçoit toute la matière première B nécessaire à la toute fin du processus industriel. Le produit terminé est transféré à l'entrepôt des produits finis. On y montre, en parallèle, le fonctionnement du mécanisme de comptabilisation des coûts adapté au mode de fabrication continue. On peut observer que le coût des produits transférés de l'atelier I à l'atelier 2 est versé au compte Stock de produits en cours – atelier 2, et qu'il est de ce fait cumulatif jusqu'au dernier atelier où l'on obtient le coût entier des produits. Le rapprochement du processus industriel et du mécanisme de comptabilisation des coûts montre que le transfert d'une quantité de l'atelier I à l'atelier 2 correspond au transfert d'une masse de coûts du compte Stock de produits en cours – atelier I au compte Stock de produits en cours – atelier 2. Le rapport coût des produits transférés/quantité nous donne le coût unitaire de fabrication ; il est lui aussi cumulatif. La question maintenant est de savoir comment arriver à déterminer le coût des produits transférés d'un atelier à un autre, puis du dernier à l'entrepôt des produits finis. Mais au préalable, il faut faire état des supports informatifs qui permettront de comptabiliser les coûts dans les ateliers de production et de la méthode de détermination du coût de fabrication utilisée.

FIGURE I
Processus industriel et mécanisme de comptabilisation des coûts

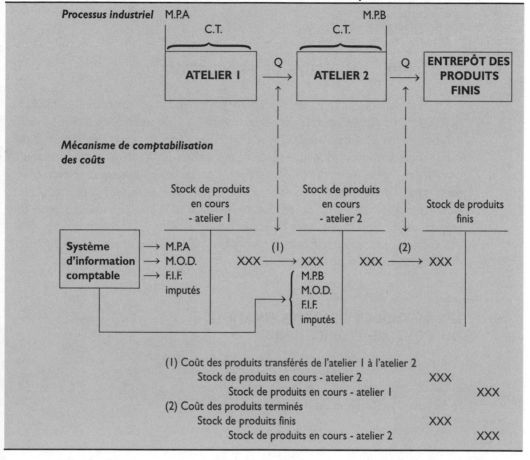

7. **LES REGISTRES COMPTABLES**

Le mécanisme de comptabilisation des coûts dans les comptes Stock de produits en cours sera, pour l'essentiel, similaire à celui étudié au chapitre 2 et appliqué au mode de fabrication sur commande (chapitre 3).

En ce qui a trait au coût de la matière première et aux coûts de transformation versés dans les comptes Stock de produits en cours pendant la période, on fait appel au même type de registres comptables :

– matières premières : journal d'utilisation des matières ;

– main-d'œuvre directe : journal de répartition de la main-d'œuvre ;
– frais indirects de fabrication imputés : journal général.

La distinction fondamentale provient du fait que la fiche qui permet de déterminer le coût d'une commande terminée dans le mode de fabrication sur commande est remplacée, dans le mode de fabrication en série, par le **rapport des coûts de production**.

8.   LE RAPPORT DES COÛTS DE PRODUCTION

Le rapport des coûts de production est un document comptable qui permet de calculer le coût des produits transférés d'un atelier à un autre et du dernier atelier à l'entrepôt de produits finis. L'écriture comptable traduisant ce transfert peut faire l'objet d'une inscription au journal général. Les rapports des coûts de production sont périodiques comme nous l'avons déjà indiqué (habituellement mensuels) et sont préparés selon l'ordre successif des ateliers de production. Les informations contenues dans le rapport des coûts de production de l'atelier 1 sont nécessaires pour la préparation du rapport des coûts de production de l'atelier 2. Le contenu du rapport des coûts de production est particularisé par la méthode de détermination du coût de fabrication utilisée par l'entreprise.

9.   LES MÉTHODES DE DÉTERMINATION DU COÛT DE FABRICATION

La méthode de détermination du coût de fabrication influence le résultat du calcul du coût unitaire de fabrication. Les méthodes les plus utilisées sont celles de la moyenne pondérée et de l'épuisement successif.

A.   La méthode de la moyenne pondérée

Nous considérons, selon cette méthode, que les produits en cours de fabrication au début de la période (le stock de produits en cours au début) dans un atelier donné appartiennent au même lot que les produits commencés au cours de la même période. Parallèlement, les coûts de matières premières et les coûts de transformation des produits en cours de fabrication au début s'additionnent aux coûts correspondants des produits effectivement commencés au cours de la même période. En termes simples, les deux groupes de produits ainsi que les coûts correspondants des composantes sont fusionnés.

a. Le rapport des coûts de production

Le rapport des coûts de production a pour buts :
- d'exercer un contrôle physique sur les produits traités en faisant le rapprochement avec les produits obtenus ;
- de déterminer le coût unitaire moyen des produits transférés ;
- de déterminer le coût total des produits transférés d'un atelier à un autre ou du dernier atelier à l'entrepôt des produits finis et le coût total des produits en cours de fabrication à la fin de la période (stock de produits en cours) ;
- de permettre l'inscription au journal général du coût des produits transférés.

b. La forme et le contenu du rapport des coûts de production

Le rapport des coûts de production peut être composé de cinq parties :

Partie 1 : Tableau des produits traités

La source des produits traités est de deux ordres :

Les produits en cours au début

+

Les produits commencés ou reçus au cours de la période

=

Les produits traités

Partie 2 : Tableau des extrants et des équivalents

Ce tableau a une double utilité : d'abord, de déterminer les extrants et de les concilier avec les produits traités ; ensuite d'exprimer les extrants en fonction des composantes Matières premières et Coûts de transformation. Les extrants sont :

Les produits terminés

+

Les produits en cours à la fin

=

Les produits traités

Il doit y avoir le même nombre de produits traités que celui de la partie 1.

L'expression des extrants en fonction des composantes va permettre de déterminer les unités équivalentes de production. Celle-ci consiste à exprimer les extrants physiques en équivalents de produits terminés pour chacune des composantes (matières premières et coûts de transformation). Cette transposition est nécessaire, car les produits terminés sont physiquement distincts des produits en cours à la fin. Cependant, si on se réfère à la composition des produits, on peut observer des similitudes entre les deux groupes de produits que sont les produits terminés et les produits en cours. Les produits terminés ont reçu 100 % des matières premières et des coûts de transformation. Les produits en cours, eux, sont des produits qui ont reçu des pourcentages variables de matières et de coûts de transformation. Ces derniers pourcentages sont déterminés en fonction du degré moyen de finition observé des produits et en tenant compte du processus industriel. L'exemple suivant illustre le calcul des unités équivalentes de production.

EXEMPLE

DONNÉES

Une entreprise industrielle fabrique un seul produit dans un seul atelier de fabrication. Elle utilise la méthode de la moyenne pondérée pour déterminer le coût de revient des produits terminés et celui des produits non terminés. Le processus industriel du produit précise que toute la matière première A nécessaire a été incorporée au début du processus et que les coûts de transformation sont engagés uniformément. Pour une période donnée, nous observons que les extrants sont formés de 10 000 produits terminés et de 2 000 produits en cours dont le degré de finition est de 75 %.

ON DEMANDE

de calculer les unités équivalentes de production (les équivalents).

SOLUTION

1) Comme les produits terminés sont rendus à 100 % pour chacune des composantes, les unités équivalentes relatives à ces produits sont les suivantes :

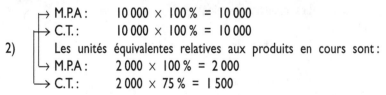

$\quad$ M.P.A : $\quad$ 10 000 × 100 % = 10 000
$\quad$ C.T. : $\quad$ 10 000 × 100 % = 10 000

2) $\quad$ Les unités équivalentes relatives aux produits en cours sont :
$\quad$ M.P.A : $\quad$ 2 000 × 100 % = 2 000
$\quad$ C.T. : $\quad$ 2 000 × 75 % = 1 500

3) Sommaire des extrants et des unités équivalentes de production

	Nombre de produits	Unités équivalentes	
		M.P.A	C.T.
Produit terminés	10 000	10 000	10 000
Produits en cours	2 000	2 000	1 500
	12 000	12 000	11 500

Ce sommaire indique que l'ensemble des 12 000 produits constitué des produits terminés au cours de la période et des produits en cours à la fin de la période équivaut à 12 000 produits en ce qui concerne la matière première A, et à 11 500 produits pour les coûts de transformation.

Le schéma du processus industriel que voici va nous permettre de mieux visualiser la notion d'unité équivalente.

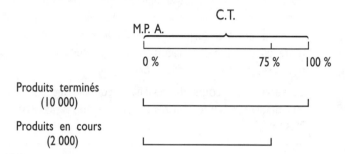

À l'aide de ce schéma, on peut observer que les produits terminés sont rendus à 100 % pour la matière première A et les coûts de transformation, et que les produits en cours le sont à 100 % pour la matière première A, mais à seulement 75 % pour les coûts de transformation.

Partie 3 : Coûts comptabilisés

Il s'agit d'analyser par composante (matières premières, coûts de transformation, et coûts en amont s'il s'agit d'un atelier autre que le premier atelier) le solde débiteur, à la fin de la période et avant sa mise à jour, du compte Stock de produits en cours de l'atelier en question.

Partie 4 : Calcul du coût unitaire

À partir de ce moment, toutes les informations nécessaires pour compléter le rapport des coûts de production sont contenues aux parties 2 et 3. On peut alors calculer le coût unitaire par composante en mettant en relation le coût cumulé par composante (partie 3) avec le nombre d'unités équivalentes correspondant (partie 2). Le rapport coût/unités équivalentes obtenu est l'expression du coût unitaire par composante.

Partie 5 : Distribution des coûts

Cette partie vise à partager le total des coûts cumulés au début du compte correspondant Stock de produits en cours entre le groupe des produits terminés et le groupe des produits en cours.

L'exemple suivant, avec solution commentée, illustre le fonctionnement de la méthode de la moyenne pondérée.

EXEMPLE

DONNÉES

Une entreprise fabrique en série un produit unique. L'examen du processus industriel du produit indique que, dans l'atelier I, la matière première A nécessaire est totalement incorporée au tout début et que les coûts de transformation sont engagés uniformément. Les produits terminés dans l'atelier I sont immédiatement transférés à l'atelier 2. Dans ce dernier, les produits subissent des transformations, et on leur ajoute la matière première B à la toute fin du processus industriel. Les produits terminés dans l'atelier 2 sont transférés à l'entrepôt des produits finis.

Le service des coûts de revient a compilé les informations financières et quantitatives suivantes relatives aux opérations industrielles du mois de juin 20XI :

	Atelier I	Atelier 2
Produits en cours au 31 mai 20XI		
Coûts		
Matière première A	6 000 $	
Matière première B		– 0 – $
Coûts engagés en amont		11 018
Coûts de transformation	I 500	11 200
	7 500 $	22 218 $
Nombre de produits	10 000	12 000
Degré de finition des produits	40 %	66 ⅔ %
Coûts engagés pendant le mois de juin 20XI		
Matière première A	22 000 $	
Matière première B		13 200 $
Coûts de transformation	18 000	63 000
	40 000 $	76 200 $
Nombre de produits commencés ou reçus	40 000	(à déterminer)
Nombre de produits terminés	48 000	44 000
Produits en cours au 30 juin 20XI		
Nombre de produits	2 000	16 000
Degré de finition	50 %	37,5 %

ON DEMANDE

de préparer les rapports de coûts de production des ateliers I et 2 et d'inscrire sous forme d'écritures de journal toutes les opérations industrielles du mois de juin 20XI.

SOLUTION

Rapport des coûts de production
Atelier I

1) *Tableau des produits traités*

En cours au début	10 000
Commencés	40 000
Traités	50 000

2) *Tableau des extrants et des équivalents*

	Nombre de produits	Unités équivalentes M.P.A	C.T.
Terminés	48 000	48 000	48 000
En cours à la fin	2 000	2 000	1 000
	50 000	50 000	49 000

Concordance des quantités physiques — — —

Schéma du processus industriel

M.P.A   C.T.

0 %   50 %   100 %

Produits
terminés
(48 000)

En cours
(2 000)

2 000 × 50 % = 1 000

La colonne Total fournit une information
d'appoint utilisée pour vérifier la concordance
avec la distribution des coûts (partie 5) bien
qu'elle ne soit pas utilisée pour le calcul du
coût unitaire (partie 4).

3) *Coûts comptabilisés*

	Total	M.P.A	C.T.
Au début	7 500 $	6 000 $	1 500 $
Engagés au cours de la période	40 000	22 000	18 000
	47 500 $	28 000 $	19 500 $

4) *Coût unitaire*

M.P.A (28 000 $/50 000 u.) =	0,560 $
C.T. (19 500 $/49 000 u.) ≈	0,398
Total	0,958 $

Les produits étant terminés à 100 % pour ← - ⌐
chacune des composantes, on peut utiliser le ⌐
coût unitaire global. Mais, comme ce coût ∟ - - ⌐
unitaire a été arrondi, il faut ajuster le montant
total ainsi attribué, une fois établi le coût des
produits en cours.

Le tableau des équivalents nous donne les ← ⌐
informations quantitatives pour effectuer ces ⌐
calculs. ∟ - - ⌐

Ce montant est égal au montant établi à la ← ⌐
colonne Total de la partie 3. C'est l'élément de ⌐
concordance financière. ∟

5) **Distribution des coûts**

Coût des produits terminés
(48 000 u. × 0,958 $)   45 982 $

Coût des produits en cours
M.P.A (2 000 u. × 0,560 $)   1 120 $
C.T. (1 000 u. × 0,398 $)   398   1 518
                                            47 500 $

Écritures comptables

a) Stock de produits en cours – atelier 1   22 000
        Stock de matières   22 000
      (journal d'utilisation des matières)

b) Stock de produits en cours – atelier 1   18 000
        Salaires
        Frais indirects de fabrication imputés – atelier 1   } 18 000
      (journal de la répartition de la main-d'œuvre et journal général)

c) Stock de produits en cours – atelier 2   45 982
        Stock de produits en cours – atelier 1   45 982
      (journal général ; à partir de l'information tirée du rapport des coûts
      de production, partie 5)

Stock de produits en cours – atelier 1		Stock de produits en cours – atelier 2	
*	7 500		* 22 218	
a)	22 000	45 982 c)	c) 45 982	
b)	18 000			
	1 518			

* Solde d'ouverture.

Rapport des coûts de production
Atelier 2

1) *Tableau des produits traités*

Les produits reçus sont les produits transférés par l'atelier I.

En cours au début	12 000
Reçus	48 000
Traités	60 000

2) *Tableau des extrants et des équivalents*

Concordance des quantités physiques

	Nombre de produits	Coûts en amont	M.P.B	C.T.
		Unités équivalentes		
Terminés	44 000	44 000	44 000	44 000
En cours à la fin	16 000	16 000	– 0 –	6 000
	60 000	60 000	44 000	50 000

L'atelier précédent transfère les produits et leur coût correspondant. Il faut établir un nouveau coût unitaire moyen pour cette composante.
Schéma du processus industriel

Coûts en amont   C.T.   M.P.B

0 %   37,5 %   100 %

Produits terminés (44 000)

En cours (16 000)

Aucun des produits n'a reçu la M.P.B
16 000 × 37,5 % = 6 000

3) *Coûts comptabilisés*

	Total	Coûts en amont	M.P.B	C.T.
Au début	22 218 $	11 018 $	– 0 – $	11 200 $
Engagés au cours de la période	122 182	45 982	13 200	63 000
	144 400 $	57 000 $	13 200 $	74 200 $

Voir le rapport des coûts de production de l'atelier I, partie 5.

4) **Coût unitaire**

Coûts en amont (57 000 \$/60 000 u.) =		0,950 \$
M.P.B (13 200 \$/44 000 u.) =		0,300
C.T. (74 200 \$/50 000 u.)		1,484
Total		2,734 \$

5) **Distribution des coûts**

Coût des produits terminés		
(44 000 u. × 2,734 \$)		120 296 \$
Coût des produits en cours		
Coûts en amont		
(16 000 u. × 0,950 \$)	15 200 \$	
M.P.B (0 u. × 0,300 \$)	– 0 –	
C.T. (6 000 u. × 1,484 \$)	8 904	24 104

Concordance financière avec la colonne
Total de la partie 3.   ← –   144 400 \$

Écritures comptables

d) Stock de produits en cours – atelier 2   13 200
     Stock de matières   13 200

e) Stock de produits en cours – atelier 2   63 000
     Salaires
     Frais indirects de fabrication imputés – atelier 2   } 63 000

f) Stock de produits finis   120 296
     Stock de produits en cours – atelier 2   120 296
(à partir de l'information tirée du rapport des coûts de production, partie 5)

**Stock de produits
en cours – atelier 2**

*	22 218	
c)	45 982	120 296 f)
d)	13 200	
e)	63 000	
	24 104	

* Solde d'ouverture.

Renseignements supplémentaires

État du coût de fabrication (sommaire)
pour le mois de juin 20X1

Stock de produits en cours au début	29 718 \$
Matières premières utilisées	35 200
Main-d'œuvre directe et frais indirects de fabrication imputés	81 000
	145 918
moins : Stock de produits en cours à la fin	25 622
Coût rationnel des produits fabriqués	120 296 \$

B. La méthode de l'épuisement successif

Cette méthode, contrairement à celle de la moyenne pondérée, distingue, dans le premier atelier, les produits en cours au début de la période des produits commencés pendant la même période. Il en va de même dans les ateliers subséquents, sauf que pour les produits commencés, on maintient la distinction établie par l'atelier précédent. On reconnaît donc, aux fins de la présentation du rapport des coûts de production, des lots distincts qui le demeurent jusqu'à leur transfert définitif à l'entrepôt des produits finis. Ces lots sont classés selon l'ordre chronologique de finition dans l'atelier en question.

Reprenons l'exemple illustré en limitant notre étude à la détermination des différents lots de produits et du nombre de produits compris dans chacun de ces lots. Dans l'atelier 1, il y a un maximum de deux lots de produits terminés : d'abord, le lot des produits en cours au début et terminés pendant le mois de juin (10 000 unités), puis le lot des produits commencés et terminés pendant le mois de juin (48 000 – 10 000 = 38 000 produits). Dans l'atelier 2, il y a au maximum trois lots de produits terminés : en premier lieu, les produits en cours au début et terminés pendant le mois de juin (12 000 produits), en deuxième lieu, les produits identifiés au stock de produits en cours au début de l'atelier 1 qui ont été reçus et terminés pendant le mois de juin (10 000 produits) et, en dernier lieu, les produits commencés et terminés dans l'atelier 1 et qui ont été terminés dans l'atelier 2 (44 000 – 12 000 – 10 000 = 22 000 produits).

Le schéma que voici va nous permettre de visualiser plus facilement ces différents lots.

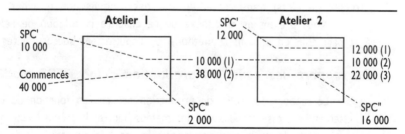

Note : Les chiffres entre parenthèses indiquent l'ordre chronologique des lots.

Le travail comptable consiste alors à attribuer à chacun de ces lots les coûts de fabrication engagés dans les ateliers jusqu'au moment du transfert des lots à l'entrepôt des produits finis. Ce travail peut devenir singulièrement compliqué si le nombre d'ateliers de fabrication est important. Aussi, plusieurs auteurs préconisent, pour un atelier donné, l'identification des lots jusqu'au moment du transfert des produits obtenus à l'atelier suivant ou à l'entrepôt des produits finis. À ce moment-là, pour l'atelier cessionnaire, tous les produits reçus au cours de la période sont censés provenir d'un même lot ; il faut donc établir un coût unitaire moyen pour tous ces produits, ce qui limite à deux le nombre de lots dans un atelier subséquent au premier. Cette méthode, que nous retiendrons, est appelée **méthode de l'épuisement successif modifié**.

Reprenons maintenant le schéma d'identification des lots, appliqué cette fois-ci à la méthode de l'épuisement successif modifié.

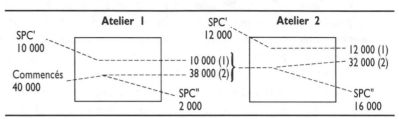

Note : Les chiffres entre parenthèses indiquent l'ordre chronologique des lots.

Par cette méthode, le travail consiste, pour chaque atelier autre que le premier, à attribuer au lot de produits identifiés au stock de produits en cours au début dans l'atelier à l'étude un **coût spécifique** (qui lui est propre) auquel on ajoute des **coûts courants engagés** dans l'atelier pour le terminer. En ce qui concerne le lot des produits commencés et terminés, ils n'ont aucun coût spécifique ; on ne leur attribue que des coûts courants de l'atelier (engagés en amont ou dans l'atelier même) puisque, pour terminer ce lot, il faut lui faire subir toutes les opérations prévues dans cet atelier. Quant aux produits commencés et non terminés en fin de période (stock de produits en cours), ils font partie du même lot que les produits commencés et terminés et sont évalués sur la base des mêmes coûts courants de l'atelier (engagés en amont ou dans l'atelier même) en faisant intervenir la notion d'unités équivalentes. Il faut donc utiliser le rapport des coûts de production par atelier pour déterminer le coût des produits (des lots) transférés et le coût des produits non terminés.

Nous présentons en annexe de ce chapitre la solution de l'exemple illustré à la page 206 en utilisant la méthode de l'épuisement successif intégral.

Le rapport des coûts de production selon PEPS modifié

Le rapport des coûts de production préparé en fonction de la méthode de l'épuisement successif modifié aura les mêmes buts et la même forme que celui établi selon la méthode de la moyenne pondérée ; seul le contenu diffère.

Partie 1 : Tableau des produits traités

Le tableau des produits traités est indépendant de la méthode de détermination du coût unitaire utilisée (voir méthode de la moyenne pondérée).

Partie 2 : Tableau des extrants et des équivalents

Ce tableau comprend les **unités équivalentes courantes** concernant l'achèvement du lot des produits en cours au début et le travail réalisé sur le lot des produits commencés ou reçus au cours de la période.

Partie 3 : Coûts comptabilisés

Les coûts comptabilisés retenus dans le rapport des coûts de production sont les coûts déjà cumulés relativement aux produits en cours au début et les coûts courants engagés par composante (matière première et coûts de transformation) et, s'il s'agit d'un atelier autre que le premier, les coûts engagés en amont relativement aux produits reçus durant la période.

Partie 4 : Calcul du coût unitaire

Le coût unitaire établi par composante est un coût unitaire courant puisqu'il met en relation, pour une composante donnée, des coûts courants et des unités équivalentes courantes.

Partie 5 : Distribution des coûts

On y fait ressortir deux lots distincts de produits finis ainsi que les coûts correspondants.

Reprenons encore une fois notre exemple (voir p. 202), mais en utilisant cette fois-ci la méthode de l'épuisement modifié.

SOLUTION

Rapport des coûts de production
Atelier I

1) *Tableau des produits traités*

En cours au début	10 000
Commencés	40 000
Traités	50 000

Portion exécutée pendant la période ← – – – –
courante

Schéma du processus industriel

M.P.A   C.T.

0 %   40 % 50 %   100 %

Produits
en cours
au début
et terminés

Commencés
et terminés

En cours
à la fin

2) *Tableau des extrants et des équivalents*

	Nombre de produits	Unités équivalentes M.P.A	C.T.
Terminés			
— En cours au début	10 000	– 0 –	6 000
Commencés	38 000	38 000	38 000
En cours à la fin	2 000	2 000	1 000
	50 000	40 000	45 000

3) *Coûts comptabilisés*

	Total	M.P.A	C.T.
Au début	7 500 $	– 0 – $	– 0 – $
Courants	40 000	22 000	18 000
	47 500 $	22 000 $	18 000 $

Le coût du stock de produits en cours au ← – – – – Au début
début n'est pas un coût courant de la
période. C'est un coût spécifique au lot
des produits en cours au début.

La colonne Total est encore ici un élément ← – –
de concordance avec la distribution des
coûts (partie 5).

4) *Coût unitaire*

M.P.A (22 000 $/40 000 u.) =	0,55 $
C.T. (18 000 $/45 000 u.) =	0,40
	0,95 $

Il s'agit d'un coût unitaire courant. ← –

5) *Distribution des coûts*

Coût des produits terminés
a) venant des produits en cours
   au début
   Coût spécifique   7 500 $
   C.T. (6 000 u. × 0,40 $)   2 400   9 900 $
b) venant des produits
   commencés
   (38 000 u. × 0,95 $)   36 100
                                                       46 000

Coût des produits en cours
M.P.A (2 000 u. × 0,55 $)   1 100
C.T. (1 000 u. × 0,40 $)   400   1 500
                                                       47 500 $

Écritures comptables

a) Stock de produits en cours – atelier 1   22 000
       Stock de matières   22 000
b) Stock de produits en cours – atelier 1   18 000
       Salaires   ⎫
       Frais indirects de fabrication imputés – atelier 1 ⎬ 18 000
                                                            ⎭
c) Stock de produits en cours – atelier 2   46 000
       Stock de produits en cours – atelier 1   46 000

Stock de produits en cours – atelier 1		
*	7 500	
a)	22 000	
b)	18 000	46 000 c)
	1 500	

Stock de produits en cours – atelier 2	
*	22 218
c)	46 000

* Solde d'ouverture.

Rapport des coûts de production
Atelier 2

1) *Tableau des produits traités*

En cours au début   12 000
Reçus de l'atelier 1   48 000 ← – – – – ⌐
Traités   60 000

2) *Tableau des extrants et des équivalents*

	Nombre de produits	Coût en amont	M.P.A	C.T.
			Unités équivalentes	
Terminés				
En cours				
au début	12 000	– 0 –	12 000	4 000
Commencés	32 000	32 000	32 000	32 000
En cours				
à la fin	16 000	16 000	– 0 –	6 000
	60 000	48 000	44 000	42 000

Portion exécutée pendant la période ← – – – – – – – (aligné sur "au début")

courante.

Schéma du processus industriel

Coûts en
amont   C.T.   M.P.B

0 %   37,5 %   66 ⅔ %   100 %

Produits
en cours
au début
et terminés
Commencés
et terminés
En cours
à la fin

3) *Coûts comptabilisés*

	Total	Coûts en amont	M.P.B	C.T.
Au début	22 218 $	– 0 – $	– 0 – $	– 0 – $
Engagés au cours de la période	122 200	46 000	13 200	63 000
	144 418 $	46 000 $	13 200 $	63 000 $

Voir le rapport des coûts de ← – – – ⌐
production de l'atelier 1.

4) *Coût unitaire*

Coûts en amont (46 000 \$/48 000 u.)	0,9583 \$
M.P.B (13 200 \$/44 000 u.) =	0,3000
C.T. (63 000 \$/42 000 u.) =	1,5000
Total	2,7583 \$

5) *Distribution des coûts*

Coût des produits terminés

a) venant de produits en cours au début

Coût spécifique	22 218 \$
M.P.B (12 000 u. × 0,30 \$)	3 600
C.T. (4 000 u. × 1,50 \$)	6 000
	31 818

b) venant des produits reçus

(32 000 u. × 2,7583 \$)	88 267
	120 085

Coûts des produits en cours
Coûts en amont

(16 000 u. × 0,9583 \$)	15 333 \$	
M.P.B (0 u. × 0,30 \$)	– 0 –	
C.T. (6 000 u. × 1,50 \$)	9 000	24 333
		144 418 \$

Écritures comptables

d) Stock de produits en cours – atelier 2	13 200	
Stock de matières		13 200
e) Stock de produits en cours – atelier 2	63 000	
Salaires		} 63 000
Frais indirects de fabrication imputés – atelier 2		
f) Stock de produits finis	120 085	
Stock de produits en cours – atelier 2		120 085

**Stock de produits
en cours – atelier 2**

* 22 218	
c) 46 000	120 085 f)
d) 13 200	
e) 63 000	
24 333	

* Solde d'ouverture.

10. LES PERTES

À l'instar de la fabrication sur commande, le mode de fabrication continue peut engendrer des pertes.

Les catégories, la classification et le traitement comptable général des pertes étudiés en détail au chapitre 3 demeurent valables pour le mode de fabrication en série. C'est donc dire qu'il peut y avoir des produits gâchés, des produits défectueux, des freintes et des résidus de matières premières ; que les pertes normales se composent des pertes inévitables et des pertes évitables acceptables ; que les pertes anormales correspondent à l'excédent des pertes normales ; que le coût des pertes normales fait partie du coût de fabrication des produits de bonne qualité, et que le coût des pertes anormales doit en être exclu.

Le coût des pertes de produits devrait être établi de la même manière, qu'il s'agisse de pertes normales ou de pertes anormales. Le niveau des pertes normales de produits devrait normalement être exprimé en fonction de la bonne production.

A. Les produits gâchés et les freintes de produits

Rappelons que les produits gâchés sont des articles non conformes aux normes de qualité et de dimension, et s'ils ont une valeur résiduelle, celle-ci est plutôt faible. Il en résulte, pour une période donnée, un nombre moins important que prévu de produits de bonne qualité. Pour déterminer l'impact financier de ce type de pertes, qu'il s'agisse de pertes normales ou de pertes anormales, il faut en général connaître les quantités de produits gâchés et calculer leur coût total. Ici encore, on recourt à la technique du rapport des coûts de production par atelier que l'on établit en fonction de la méthode de détermination des coûts utilisée par l'entreprise, celle de la moyenne pondérée ou celle de l'épuisement successif.

Quant aux freintes de produits, il faut aussi habituellement connaître les quantités en cause et calculer leur coût total si on veut être en mesure de déterminer leur impact financier.

a. La méthode de la moyenne pondérée

Le rapport des coûts de production que nous avons étudié sera modifié en conséquence. Tout d'abord, le tableau des extrants et des équivalents (partie 2) devra faire état du nombre de produits gâchés à des niveaux normal et anormal, assurant ainsi la concordance avec le nombre de produits traités et exprimer en termes d'unités équivalentes les produits gâchés. Cette donnée additionnelle a une incidence sur le calcul du coût unitaire (partie 4) et sur la distribution des coûts (partie 5). Cette dernière partie permet de calculer le coût des pertes anormales et d'attribuer le coût des pertes normales aux produits de bonne qualité.

Les points de rejets

La présence de produits gâchés, on le sait déjà, est liée, entre autres, au processus et aux procédés industriels. Il est important, pour le responsable des coûts de revient, de déterminer à quel moment des produits sont gâchés, de préciser les points de rejets ; on doit alors faire appel aux services techniques. Nous nous en tiendrons à deux cas types que nous allons passer en revue.

Premier cas : perte constatée au terme des opérations dans un atelier

Dans ce cas, on vérifie la qualité une fois que toutes les opérations sont terminées dans l'atelier et avant de transférer les produits dans un autre atelier ou à l'entrepôt des produits finis ; les produits en cours à la fin de la période seront donc examinés au cours de la période suivante, après qu'on ait procédé aux opérations complémentaires.

Les produits gâchés étant évalués sur la même base que les produits terminés, leur coût unitaire correspond alors à 100 % du coût unitaire d'un bon produit terminé. Le coût total des pertes normales est entièrement supporté par les produits de bonne qualité terminés.

Deuxième cas : perte constatée à un stade précis (autre qu'à la fin) des opérations dans un atelier

Il s'agit ici de pertes constatées bien souvent lors d'une inspection nécessitée par le fait que, dans le procédé industriel, il faut ajouter une matière première importante et qu'il serait aussi coûteux qu'inutile de l'ajouter à un produit déjà gâché. Le même raisonnement est valable pour l'engagement de coûts de transformation supplémentaires. Cela signifie que les produits inspectés et de bonne qualité continuent à passer par les étapes du processus industriel jusqu'au point d'inspection suivant ou jusqu'à la fin des opérations prévues dans l'atelier. Par contre, les produits gâchés sont interceptés et n'entraînent plus l'engagement de frais supplémentaires (frais de matières premières et/ou coûts de transformation).

Le coût unitaire des produits gâchés comprend le coût unitaire établi pour les coûts engagés en amont, s'il y a lieu, celui relatif aux matières premières ajoutées dans l'atelier avant que les pertes se produisent et le coût unitaire de transformation pondéré par le degré de finition. Le coût des pertes normales doit être supporté par les bons produits de la période, c'est-à-dire les produits terminés (rappelons ici que selon la méthode de la moyenne pondérée, on considère que les produits terminés ont été commencés ou reçus durant la période) et les produits en cours à la fin, à la condition expresse toutefois que ces derniers aient été inspectés pendant la période courante. Il faut répartir ce coût des pertes normales au prorata du nombre de produits pour la simple raison qu'à l'examen de la qualité des produits tous les produits inspectés en sont rendus au même point.

Le tableau que voici fait la synthèse des deux cas considérés dans ce volume de pertes de produits pouvant se rencontrer dans la fabrication continue et de leur traitement comptable selon la méthode de la moyenne pondérée.

Nature de la perte	Premier cas	Deuxième cas
	Perte constatée au terme des opérations dans un atelier	Perte constatée à un stade précis (autre qu'à la fin) des opérations dans un atelier
Normale	Coût partagé entre les bons produits terminés de la période	Coût partagé seulement entre les bons produits ayant passé le stade de l'inspection
Anormale	Coût porté à l'état des résultats	

L'exemple suivant illustre le calcul du coût des produits terminés, des produits en cours et des produits gâchés dans un atelier donné autre que le premier, en tenant compte de ces deux cas.

EXEMPLE

DONNÉES

Dans l'atelier 2, la matière première Z est totalement ajoutée aux produits reçus de l'atelier 1 quand ceux-ci ont atteint le degré de finition de 75 %. Les coûts de transformation sont engagés uniformément au cours du processus. On détermine le coût de fabrication par la méthode de la moyenne pondérée.

Voici les renseignements pertinents relatifs à l'atelier 2 pour le mois de décembre 20X1 :

- Les produits en cours au début de la période (1 000 produits rendus au degré de finition de 80 %) représentaient un coût total de 3 720 $, soit 1 000 $ pour les coûts engagés en amont dans l'atelier 1, un montant de 1 800 $ pour la matière première Z ajoutée et 920 $ pour les coûts de transformation ;
- Les coûts engagés pendant le mois sont les suivants :

Coûts en amont	9 000 $
Matière première	18 000
Coûts de transformation	7 000
	34 000 $

– Pendant le mois, 9 000 produits ont été reçus de l'atelier I et 8 000 produits furent terminés et transférés à l'entrepôt des produits finis ; I 000 produits sont en cours à la fin et ont atteint le degré de finition de 90 %.

Les deux situations considérées sont les suivantes :

– Situation A : les pertes de produits sont constatées à la fin des opérations ; le taux normal de rejet est de 5 % ;

– Situation B : les pertes de produits sont constatées à un point d'inspection situé au degré de finition de 75 %, soit juste avant d'ajouter la matière première Z ; le taux normal de rejet est de 5 %.

SOLUTION

On observe, tout d'abord, qu'il y a I 000 produits gâchés.

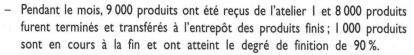

	Produits traités		Extrants
En cours au début	I 000	Terminés	8 000
Reçus de l'atelier I	9 000	En cours à la fin	I 000
		Pertes	I 000
Traités	10 000		10 000

Le nombre de produits devant faire partie des pertes normales est fonction de la norme déterminée par les services techniques.

Pour chacune des deux situations, il faut préparer le rapport des coûts de production de l'atelier 2.

Situation A : Les pertes de produits sont constatées à la fin et le taux normal de rejet est de 5 %

I) *Tableau des produits traités*

En cours au début	I 000
Reçus de l'atelier I	9 000
Traités	10 000

2) *Tableau des extrants et des équivalents*

	Nombre de produits	Unités équivalentes		
		Coûts en amont	M.P. Z	C.T.
Terminés	8 000	8 000	8 000	8 000
En cours à la fin	1 000	1 000	1 000	900
Pertes normales	400	400	400	400
Pertes anormales	600	600	600	600
	10 000	10 000	10 000	9 900

Notons que les produits de bonne qualité sont ici les produits terminés et transférés à l'entrepôt des produits finis. Les pertes normales représentent donc 8 000 u. × 5 % = 400 u. Les pertes anormales excèdent la norme (1 000 u. – 400 u. = 600 u.).

3) *Coûts comptabilisés*

	Total	Coûts en amont	M.P. Z	C.T.
Au début	3 720 $	1 000 $	1 800 $	920 $
Engagés au cours de la période	34 000	9 000	18 000	7 000
	37 720 $	10 000 $	19 800 $	7 920 $

4) *Coût unitaire*

Coûts en amont (10 000 $/10 000 u.) =	1,00 $
M.P. Z (19 800 $/10 000 u.) =	1,98
C.T. (7 920 $/9 900 u.) =	0,80
	3,78 $

5) *Distribution des coûts*

– Coût des pertes anormales (600 u. × 3,78 $)		2 268 $
– Coût des produits terminés (8 000 u. × 3,78 $)	30 240 $	
plus: Coût des pertes normales (400 u. × 3,78 $)	1 512	31 752

– Coût des produits en cours

Coûts en amont (1 000 u. × 1,00 $)	1 000	
M.P. Z (1 000 u. × 1,98 $)	1 980	
C.T. (900 u. × 0,80 $)	720	3 700
		37 720 $

Écritures comptables

a) Stock de produits en cours – atelier 2	9 000	
Stock de produits en cours – atelier 1		9 000
b) Stock de produits en cours – atelier 2	18 000	
Stock de matières		18 000
c) Stock de produits en cours – atelier 2	7 000	
Salaires		
Frais indirects de fabrication		} 7 000
imputés – atelier 2		
d) Pertes anormales	2 268	
Stock de produits en cours – atelier 2		2 268
e) Stock de produits finis	31 752	
Stock de produits en cours – atelier 2		31 752

Situation B : Les pertes de produits sont constatées au degré de finition de 75 %, juste avant d'ajouter la matière première Z. Le taux normal de rejet est de 5 %

1) *Tableau des produits traités*

Identique à celui de la situation A.

2) *Tableau des extrants et des équivalents*

	Nombre de produits	Unités équivalentes		
		Coûts en amont	M.P. Z	C.T.
Terminés	8 000	8 000	8 000	8 000
En cours à la fin	1 000	1 000	1 000	900
Pertes normales	400	400	– 0 –	300
Pertes anormales	600	600	– 0 –	450
	10 000	10 000	9 000	9 650

Notons que les produits de bonne qualité comprennent les produits terminés, sauf ceux qui étaient en cours au début, et les produits en cours à la fin (7 000 u. + 1 000 u. = 8 000 u.). Les pertes normales et anormales sont respectivement de 400 u. et de 600 u.

3) **Coûts comptabilisés**
Identiques à ceux de la situation A.

Total	Coûts en amont	M.P. Z	C.T.
37 720 $	10 000 $	19 800 $	7 920 $

4) **Coût unitaire**

Coûts en amont (10 000 $/10 000 u.) =	1,000 $
M.P. Z (19 800 $/9 000 u.) =	2,200
C.T. (7 920 $/9 650 u.)	0,821
	4,021 $

5) **Distribution des coûts**

- Coût des pertes anormales

Coûts en amont (600 u. × 1,000 $)	600 $	
C.T. (450 u. × 0,821 $)	369	969 $

- Coût des produits terminés

(8 000 u. × 4,021 $)		32 168
plus : Coût des pertes normales		
Coûts en amont (400 u. × 1,000 $)	400 $	
C.T. (300 u. × 0,821 $)	246	
	646 $	
Portion attribuée aux produits terminés		
(646 $ × 8/9)		574 32 742

– Coût des produits en cours à la fin

	Coût sans pertes normales	Portion du coût des pertes normales	Total	
Coûts en amont				
(1 000 u. × 1,000 $)	1 000 $			
(400 u. × 1,000 $ × 1/9)		45 $	1 045 $	
M.P. Z				
(1 000 u. × 2,200 $)	2 200		2 200	
		– 0 –		
C.T.				
(900 u. × 0,821 $)	739		766	
(300 u. × 0,821 $ × 1/9)		27		4 011
				37 722 $

Il est à noter que la différence de 2 $ par rapport aux coûts comptabilisés est due à l'arrondissement à trois décimales près du coût unitaire de transformation. Cette différence devrait être attribuée au coût des produits terminés.

Écritures comptables

a), b) et c) : écritures identiques à celles de la situation A

d) Pertes anormales   969

     Stock de produits en cours – atelier 2   969

e) Stock de produits finis   32 740

     Stock de produits en cours – atelier 2   32 740

b.   La méthode de l'épuisement successif

Pour les fabrications continues, il est généralement admis que la méthode de coût de revient de l'épuisement successif est davantage exacte que celle de la moyenne pondérée. Pour l'utiliser, il est nécessaire (il en serait de même dans le cas des augmentations du nombre de produits) de dénombrer les produits gâchés dans chacun des lots, dégager pour chacun les pertes normales et les pertes anormales et évaluer ces pertes. Le coût des pertes, quant à lui, devrait comporter, pour les produits gâchés relevant du stock de produits en cours au début, une portion liée au coût spécifique et une portion liée aux coûts courants engagés dans l'atelier même pour la partie exécutée pendant la période courante. Pour le lot des produits commencés et terminés, les pertes sont évaluées à partir des coûts courants de l'atelier (incluant ceux en amont).

Comme la méthode de la moyenne pondérée est la plus pratique, la moins coûteuse et donne habituellement des résultats fort acceptables, nous nous en tiendrons à celle-ci.

B. Les produits défectueux

Les produits défectueux sont des produits non conformes aux normes de qualité et de dimension de l'entreprise ; ils peuvent être vendus tels quels ou faire l'objet d'une réfection moyennant l'engagement de coûts de transformation et, s'il y a lieu, de coûts de matières premières. Ces produits peuvent être vendus comme des produits de première ou de deuxième qualité.

Si la réfection est effectuée dans le même atelier de production, il est parfois difficile, voire impossible, de dégager ce type de pertes normales et de pertes anormales, car les produits défectueux ne sont ni remplacés ni rejetés. C'est par le biais d'un accroissement du coût unitaire que l'on pourrait être en mesure de déceler les pertes reliées aux produits défectueux, mais sans qu'il y ait d'indications claires sur le nombre de produits défectueux et la nature précise de la réfection.

Si, à la suite d'une inspection des produits à un stade précis de fabrication ou à la fin des opérations dans un atelier donné, les produits défectueux sont repérés et aiguillés vers un atelier de réfection, il est plus facile, dans ce cas, de mesurer le coût des pertes normales et des pertes anormales relié aux produits défectueux. Le coût de ces pertes correspond alors aux coûts de fabrication engagés dans cet atelier de réfection. Comme les pertes anormales sont toujours en excédent du taux normal, leur coût sera exclu du coût de fabrication et présenté comme frais de période à l'état des résultats.

11. LES AUGMENTATIONS DU NOMBRE D'UNITÉS DU PRODUIT

Il arrive, au cours de certaines fabrications, qu'il y ait augmentation du nombre d'unités du produit à la suite d'une addition d'eau ou de matières premières. Une telle augmentation a un effet de dilution sur les coûts unitaires. Dans le cas des pertes normales, on doit considérer que les coûts des unités perdues pour un produit s'ajoutent aux coûts d'unités du produit qui sont de bonne qualité. En matière d'augmentation du nombre d'unités du produit, les coûts engagés jusque-là doivent être partagés entre un plus grand nombre d'unités.

En théorie, seuls les produits qui ont franchi, au cours de la période, le stade où s'est produite l'augmentation du nombre d'unités devraient en bénéficier. Évidemment, l'entreprise qui utilise la méthode de la moyenne pondérée ne respecte pas ce principe. Encore une fois, comme cette méthode est la plus pratique, la moins coûteuse et donne habituellement des résultats fort acceptables, nous nous en tiendrons à cette dernière.

Pour prendre en compte dans la partie I du rapport de production de l'augmentation du nombre d'unités (les effets d'ajout), il faut faire appel aux services techniques de l'entreprise qui devront déterminer à quel stade du processus industriel se produisent les effets d'ajout ainsi que le pourcentage d'augmentation théorique du nombre d'unités du produit. On détermine alors le nombre d'unités additionnelles résultant des effets d'ajout et on porte ce nombre dans le tableau des produits traités.

EXEMPLE

DONNÉES

Dans l'atelier 2, la matière première X est totalement ajoutée aux produits reçus de l'atelier I quand ceux-ci ont atteint le degré de finition de 50 %. Cet ajout de matières premières a pour effet d'augmenter à ce point précis le nombre d'unités traitées de 20 %. Les coûts de transformation sont engagés uniformément au cours du processus. Les pertes de produits sont constatées à la fin et le taux normal est de 5 %.

Voici les renseignements pertinents relatifs à l'atelier 2 pour le mois de décembre :

– Les produits en cours au début de la période (1000 produits rendus au degré de finition de 80 %) représentaient un coût total de 3 720 $, soit I 000 $ pour les coûts engagés en amont, un montant de I 800 $ pour la matière première X ajoutée et 920 $ pour les coûts de transformation ;

– Les coûts directement engagés dans l'atelier 2 pour le mois sont les suivants :

Matière première X :	19 440 $
Coûts de transformation :	12 535
	31 975 $

– Pendant le mois, 9 000 produits ayant un coût unitaire de 1,20 $ ont été reçus de l'atelier I ; 10 000 produits furent terminés et transférés à l'entrepôt des produits finis ; 1 000 produits sont en cours à la fin et ont atteint le degré de finition de 90 % et 800 produits sont gâchés.

SOLUTION

Rapport de production de l'atelier 2 pour le mois de décembre (moyenne pondérée)

1) Tableau des produits traités

En cours au début	1 000
Reçus de l'atelier 1	9 000
Augmentation du nombre d'unités	1 800
	11 800

L'augmentation du nombre d'unités provient du calcul suivant : le nombre d'unités ayant subi les effets d'ajout au cours de la période multiplié par le pourcentage d'augmentation prévu d'unités. Dans les circonstances, toutes les unités reçues de l'atelier 1 au cours du mois de décembre ont subi les effets d'ajouts puisque les unités en cours à la fin du mois de décembre sont rendues au degré de finition de 90 %. L'augmentation du nombre d'unités sera donc de 1 800 (9000 u. × 20 %). Les unités comprises dans le stock de produits en cours au début n'ont pas été considérées puisqu'elles ont subi les effets d'ajout au cours de la période précédente.

2) Tableau des extrants et des équivalents

	Nombre de produits	Unités équivalentes		
		Coûts en amont	M.P. X	C.T.
Terminés	10 000	10 000	10 000	10 000
En cours à la fin	1 000	1 000	1 000	900
Pertes normales	500	500	500	500
Pertes anormales	300	300	300	300
	11 800	11 800	11 800	11 700

3) Coûts comptabilisés

	Total	Coûts en amont	M.P. X	C.T.
Au début	3 720 $	1 000 $	1 800 $	920 $
Engagés au cours de la période	42 775	10 800	19 440	12 535
	46 495 $	11 800 $	21 240 $	13 455 $

4) Coût unitaire

Coûts en amont (11 800 $/11 800 u.) =   1,00 $
M.P. X (21 240 $/11 800 u.) =   1,80
C.T. (13 455 $/11 700 u.) =   1,15
                                                               3,95 $

Le coût unitaire de la composante Coûts en amont a subi un effet de dilution puisqu'à l'entrée le coût unitaire des unités reçues de l'atelier 1 était de 1,20 $ et qu'à la sortie il est de 1 $. Le coût unitaire de la composante M.P. X n'est pas touché par l'effet de dilution puisque la M.P. X est l'élément qui crée l'augmentation du nombre. La composante Coûts de transformation est l'élément pour lequel l'effet de dilution est le moins facilement mesurable étant engagé uniformément au cours du processus industriel. Il faut garder en mémoire que, dans les circonstances, l'effet de dilution est un constat et rien d'autre.

5) Distribution des coûts

– Coût des pertes anormales (300 u. × 3,95)   1 185 $

– Coût des produits terminés
  (10 000 u. × 3,95 $)   39 500 $
  plus : Coût des pertes normales
  (500 u. × 3,95 $)   1 975   41 475

– Coût des produits en cours

  Coûts en amont (1 000 u. × 1,00 $)   1 000 $
  M.P. X (1 000 u. × 1,80 $)   1 800
  C.T. (900 u. × 1,15 $)   1 035   3 835
                                                                  46 495 $

En terminant, il faut noter que lorsque le degré de finition du stock de produits en cours à la fin de la période est antérieur au stade où se produisent les effets d'ajout, l'approche proposée peut engendrer une distorsion. En effet, le stock de produits en cours qui n'a pas encore subi les effets d'ajout est évalué à un coût unitaire équivalent dilué. En ce qui a trait aux produits gâchés repérés à un point d'inspection antérieur au stade où se produisent les effets d'ajout, l'approche proposée crée également une distorsion.

12. CHANGEMENT DE L'UNITÉ DE MESURE

Il peut arriver que la fabrication d'un produit entraîne un changement dans la nature physique de ce produit. Par exemple, l'atelier 2 reçoit de l'atelier 1 des produits quantifiés selon une unité de masse (une poudre). Dans cet atelier, on ajoute à ces produits une grande quantité de matières premières liquides; il en résulte, à la fin des opérations, une solution quantifiée en unités de capacité. On peut dès lors imaginer la difficulté de faire correspondre des produits traités exprimés en kilogrammes à des extrants exprimés en litres. En pareil cas, il faut convertir les produits traités dans l'unité de mesure des extrants pour pouvoir dégager, s'il y a lieu, le nombre de produits perdus. Il s'agit bien sûr ici d'une unité de conversion théorique. Si un kilogramme de produits reçus doit permettre la production de cinq litres de produits terminés, l'unité de conversion sera 5.

Les tableaux des produits traités et des extrants de l'atelier 2 contiennent, par exemple, les données suivantes :

Produits traités		Extrants	
Produits en cours au début	1 000 litres	Produits terminés	46 000 litres
Produits reçus de l'atelier 1	10 000 kg	Produits en cours à la fin	2 000 litres

Pour faire concorder les produits traités et les extrants, on prend comme unité de conversion : 1 kg de produit traité = 5 litres d'extrants, ce qui donne :

Produits en cours au début	1000 litres	Produits terminés	46 000 litres
		Produits en cours à la fin	2 000 litres
Produits reçus de l'atelier 1			
(10 000 × 5)	50 000 litres	Produits perdus	**3 000 litres**
	51 000 litres		51 000 litres

13.   LA PRODUCTION PAR LOTS

Certaines entreprises industrielles, fabriquant des produits de façon uniforme et continue, utilisent une approche similaire au mode de fabrication sur commande. Les produits sont fabriqués en lots bien identifiés qui constituent pour ainsi dire des commandes «internes». Parfois, les unités fabriquées sont identifiées à un lot précis, non seulement au cours de leur fabrication, mais aussi pendant leur entreposage et même après qu'elles soient rendues chez les clients. C'est le cas notamment de l'industrie pharmaceutique qui doit être en mesure de repérer rapidement les points de chute de certains médicaments. La fabrication par lots (commandes internes) pourrait permettre à ceux qui fabriquent des produits selon le mode uniforme d'utiliser le mode de fabrication sur commande (chapitre 3) pour comptabiliser et contrôler les coûts de fabrication. C'est une approche particulièrement valable lorsque le processus industriel d'un produit est complexe, que la fabrication de celui-ci nécessite l'utilisation de plusieurs ateliers ou que les produits fabriqués sont des variantes (format et contenu) d'un produit maître. Les rapports de production par atelier n'étant plus requis, il n'est plus utile, en fin de période intérimaire comme en fin d'exercice, de procéder à l'évaluation du degré de finition du stock de produits en cours dans chacun des ateliers, ni d'avoir à déterminer la production équivalente. La production par lots pourrait s'avérer intéressante, non seulement pour l'entreprise qui utilise le coût de revient rationnel mais aussi pour celle qui utilise le coût de revient standard (chapitre 7). Il faut se rappeler cependant qu'en mode de fabrication sur commande, il faut être en mesure non seulement d'identifier par atelier les matières premières et les coûts de transformation, mais aussi le numéro de la commande (interne) à laquelle ces éléments de coûts se réfèrent. L'objectif visé ici, dans le choix d'un mode de fabrication uniforme ou sur commande, est de simplifier le travail du service de la comptabilité sans que la qualité de la mesure et du contrôle des coûts ne soit altérée.

ANNEXE

La méthode de l'épuisement successif intégral en l'absence de pertes

Rapport des coûts de production
Atelier I

Le rapport des coûts de production pour l'atelier I demeure identique à celui établi selon PEPS modifié.

Rapport des coûts de production
Atelier 2

1) *Tableau des produits traités*

En cours au début	12 000
Reçus de l'atelier I	48 000
Traités	60 000

2) *Tableau des extrants et des équivalents*

	Nombre de produits	Unités équivalentes	
		M.P.B	C.T.
Terminés			
En cours au début	12 000	12 000	4 000
Commencés	32 000	32 000	32 000
En cours à la fin	16 000	– 0 –	6 000
	60 000	44 000	42 000

3) *Coûts comptabilisés*

	Total	M.P.B	C.T.
Au début	22 218 $	– 0 – $	– 0 – $
Courants engagés en amont	46 000		
Courants dans l'atelier même	76 200	13 200	63 000
	144 418 $	13 200 $	63 000 $

4) *Coût unitaire*

M.P.B (13 200 $/44 000 u.) =	0,30 $
C.T. (63 000 $/42 000 u.) =	1,50
Total	1,80 $

5) **Distribution des coûts**

Coût des produits terminés

a) venant des produits en cours au début dans l'atelier 2

Coût spécifique	22 218 $	
M.P.B (12 000 u. × 0,30 $)	3 600	
C.T. (4 000 u. × 1,50 $)	6 000	31 818 $

b) venant des produits en cours au début dans l'atelier 1

Coût spécifique	9 900 $	
Coûts courants		
(10 000 u. × 1,80 $)	18 000	27 900

c) venant des autres produits reçus de l'atelier 1 durant la période

Coût spécifique		
(22 000 u. × 0,95 $)	20 900 $	
Coûts courants		
(22 000 u. × 1,80 $)	39 600	60 500
		120 218

Coûts des produits en cours
Coût spécifique

(16 000 u. × 0,95 $)	15 200 $	
M.P. B (0 u. × 0,30 $)	– 0 –	
C.T. (6 000 u. × 1,50 $)	9 000	24 200
		144 418 $

EXERCICES D'APPLICATION

■■■ EXERCICE 5-1

Voici les unités équivalentes relatives au deuxième atelier de production d'une entreprise, établies selon les deux méthodes les plus couramment utilisées en pratique.

a) 1re méthode

	Coûts en amont	M.P.	M.O.D. F.I.F.
Transferts	1 000	1 000	1 000
En cours – fin	50	50	20
	1 050	1 050	1 020

b) 2e méthode

	Coûts en amont	M.P.	M.O.D. F.I.F.
Transferts			
a)			200
b)	750	750	750
En cours – fin	50	50	20
	800	800	970

ON DEMANDE

1. d'identifier les deux méthodes utilisées ;
2. de préciser le nombre de produits transférés par le deuxième atelier ;
3. de préciser le nombre de produits reçus du premier atelier durant l'exercice ;
4. de déterminer les degrés de finition des produits en cours au début, dans le deuxième atelier ;
5. de déterminer les degrés de finition des produits en cours à la fin, dans la deuxième atelier.

■■■ EXERCICE 5-2

Voici certains renseignements concernant le premier mois d'exploitation de deux ateliers de production :

	Atelier 1	Atelier 2	Total
a) *Coûts unitaires*			
Matières	100 $	133 $	
Coûts de transformation	25	12	
	125 $	145 $	
b) *Coûts totaux engagés durant le mois*			
Matières	(à déterminer) $	(à déterminer) $	103 200 $
Coûts de transformation	20 000	2 400	22 400
c) *Unités équivalentes*			
(selon la méthode de l'épuisement successif)			
Matières	1 000	400	
Coûts de transformation	800	200	

ON DEMANDE

1. de déterminer, pour chacun des ateliers, les coûts engagés durant le mois concernant les éléments suivants :

	Atelier 1	Atelier 2
Matières utilisées	$	$
Coûts de transformation		

2. d'indiquer le coût de production unitaire.

■■■ EXERCICE 5-3

Une entreprise industrielle fabrique un produit unique et emploie un système de coût de revient en fabrication continue. Le président vous demande de déterminer les coûts unitaires en matières premières et les coûts unitaires de transformation engagés dans son unique atelier de production au cours du second mois d'existence de l'entreprise. Vous lui avez présenté les deux solutions suivantes :

Méthode de l'épuisement successif		Méthode de la moyenne pondérée	
Matières premières	1,00 $	Matières premières	0,996 $
Coûts de transformation	1,50	Coûts de transformation	1,504
	2,50 $		2,50 $

Voici quelques renseignements qui ont permis de déterminer ces coûts unitaires :

a) Produits en cours au début du second mois : 1 000 terminés à 100 % pour
les matières premières et à 50 % pour les coûts de transformation ;

b) Produits mis en fabrication au cours du second mois : 10 000 ;

c) Produits en cours à la fin du second mois : 3 000, terminés à 100 % pour
les matières premières et à 75 % pour les coûts de transformation.

ON DEMANDE

1. de déterminer les coûts relatifs aux produits en voie de fabrication au début
du second mois d'existence de l'entreprise ;

2. de présenter l'écriture ou les écritures de l'enregistrement des coûts engagés
au cours du second mois ;

3. de présenter l'écriture, selon la méthode de l'épuisement successif, de l'enregistrement des transferts effectués au cours du second mois à l'entrepôt
des produits finis ;

4. d'expliquer brièvement pourquoi il existe, entre les deux méthodes, une
différence dans le stock de produits en cours à la fin du second mois.

■■■ EXERCICE 5-4

Voici certains renseignements relatifs au premier exercice d'exploitation d'une
entreprise dont la fabrication est continue.

	Atelier 1	Atelier 2
Coûts engagés		
Matières premières	100 000 $	3 200 $
Main-d'œuvre directe	12 000	1 800
Frais indirects de fabrication	8 000	600
	120 000 $	5 600 $
Produits en cours		
Terminés aux ⅔ (coûts de transformation)	600	
Terminés à 20 % (coûts de transformation)		250
Matières premières ajoutées	au début des opérations	au début des opérations

Cent produits ont été vendus au cours de ce premier exercice et 50 produits finis demeurent invendus à la fin de cet exercice.

On fournit également les données suivantes concernant le deuxième exercice de cette entreprise.

	Atelier I	Atelier 2
Coûts engagés		
Matières premières	40 000 $	8 000 $
Main-d'œuvre directe	7 230	8 730
Frais indirects de fabrication	4 550	3 880
	51 780 $	20 610 $
Produits en cours		
Terminés à 50 % (coûts de transformation)	200	
Terminés à 40 % (coûts de transformation)		50
Produits transférés	800	I 000

ON DEMANDE

de présenter les rapports de coûts de production concernant chacun des ateliers de production pour les deux premiers exercices. Ces rapports doivent être présentés selon les deux méthodes suivantes :
a) la méthode de la moyenne pondérée ;
b) la méthode de l'épuisement successif modifié.

■■■ EXERCICE 5-5

Cale-Mer inc. fabrique un seul produit et utilise, pour ce faire, deux ateliers de fabrication. De plus, la société emploie la méthode du coût de revient rationnel pour déterminer le coût de revient des produits transférés au stock de produits finis et des produits en cours à la fin dans chacun des deux ateliers. L'exercice financier se termine le 31 décembre.

Le processus industriel est le suivant : la matière première Y est introduite totalement au début du processus dans l'atelier A. Le produit terminé est transféré immédiatement à l'atelier B. Dans l'atelier B, on ajoute au produit la matière première Z lorsque ce dernier est terminé à 75 %. Les coûts de transformation sont engagés uniformément tout au long du processus de fabrication dans les deux ateliers. On utilise dans les deux ateliers la méthode de l'épuisement successif modifié pour déterminer le coût unitaire des produits. Les frais indirects de fabrication sont imputés dans l'atelier A selon le coefficient de 10 $ l'heure de main-d'œuvre directe et dans l'atelier B selon le coefficient de 4 $ l'unité équivalente.

Au 30 novembre 20X1, les renseignements suivants ont été tirés du grand livre général :

Stock de produits en cours – atelier A	75 000 $
Stock de produits en cours – atelier B	265 500
Frais indirects de fabrication réels – atelier A	1 125 000
Frais indirects de fabrication réels – atelier B	760 000
Frais indirects de fabrication imputés – atelier A	1 120 000
Frais indirects de fabrication imputés – atelier B	768 000

Le service de la comptabilité industrielle a cumulé les renseignements suivants sur la production du mois de décembre 20X1 :

	Atelier 1	Atelier 2
Stock de produits en cours au 30 novembre 20X1		
Quantité physique	5 000	10 000
Degré de finition	50 %	60 %
Coût des matières premières	50 000 $	– 0 –
Coût de la main-d'œuvre directe	12 500 $	31 500 $
Frais indirects de fabrication	12 500 $	24 000 $
Coûts en amont		210 000 $
Données et coûts courants		
Produits transférés à l'atelier B	18 000	
Produits transférés à l'entrepôt des produits finis		20 000
Stock de produits en cours au 31 décembre 20X1		
Quantité physique	7 000	8 000
Degré de finition	50 %	50 %
Heures de main-d'œuvre directe	9 500	9 000
Coût de la matière première Y utilisée	200 000 $	
Coût de la matière première Z utilisée		60 000 $
Coût de la main-d'œuvre directe	95 000 $	90 000 $
Frais indirects de fabrication réels	100 000 $	70 000 $

ON DEMANDE

    I. de préparer les rapports des coûts de production des ateliers A et B pour le mois de décembre 20X1 ;

    2. de présenter toutes les écritures de journal relatives aux opérations du mois de décembre 20X1 ;

    3. de déterminer les sur- ou sous-imputations des frais indirects de fabrication pour l'année 20X1 et de passer toutes les écritures de journal nécessaires pour dégager et fermer les sur- ou sous-imputations en fin d'exercice.

    4. de présenter l'état du coût de fabrication pour le mois de décembre 20X1.

    5. de préparer les rapports des coûts de production demandés en 1 en utilisant la méthode de la moyenne pondérée.

■■■■ EXERCICE 5-6

Arbour ltée fabrique des marteaux. Les deux ateliers touchés par cette fabrication sont l'atelier de fonderie, qui façonne les têtes de marteau, et l'atelier de finition.

Dans l'atelier de fonderie, de la fonte en barre, du coke et des alliages spéciaux sont placés dans un fourneau où ils sont réduits à l'état de métal fondu, lequel est coulé dans des moules. Voici en quoi consistent les opérations au cours d'une journée de travail dans l'atelier de fonderie :

a) retirer et nettoyer les têtes d'acier coulées la journée précédente ;
b) préparer les moules pour les coulées du jour ;
c) introduire les matières premières dans les moules ;
d) couler le métal fondu obtenu dans les moules.

Le quart du coût de la main-d'œuvre se rapporte à l'opération a).

Dans l'atelier de finition, on procède au fini des têtes de marteau et on insère les manches dans les têtes. Il arrive souvent que des manches soient brisés au cours de l'opération. Une fois terminés, les marteaux sont immédiatement transférés à l'entrepôt.

Au 1er avril 20X5, aucun type de stock n'existait dans l'atelier de fonderie. Au cours du mois d'avril, 20 000 têtes de marteau ont été transférées à l'atelier de finition. À la fin de ce mois, 1 500 têtes (terminées et bonnes) étaient détenues par l'atelier de fonderie. Le coût de la fonte en barre, du coke, etc., utilisés dans la production, s'est élevé à 4 480 $. Les coûts en main-d'œuvre directe engagés durant le mois se sont élevés à 4 435 $. Les frais indirects de fabrication ont été imputés à raison de 30 % du coût de la main-d'œuvre directe. L'atelier de fonderie signale que 900 têtes ont été coulées le dernier jour du mois.

Le 1er avril, il y avait à l'atelier de finition 400 têtes de marteau, au coût total de 184 $, sur lesquelles aucun travail n'avait été effectué. L'atelier ne disposait, à ce moment-là, d'aucun manche. Durant le mois d'avril, cet atelier a reçu 20 000 manches, au coût de 9 900 $. Tous ces manches ont été utilisés dans la finition de 19 800 marteaux. Les coûts en main-d'œuvre se sont élevés à 5 940 $, et les frais indirects de fabrication imputés à 3 960 $.

ON DEMANDE

1. de présenter le rapport des coûts de production pour chacun des ateliers, en ce qui a trait au mois d'avril 20X5, y compris le tableau des produits traités et celui des unités équivalentes. L'entreprise utilise la méthode de la moyenne pondérée ;
2. de présenter les écritures de journal.
(Adaptation – S.C.M.C.)

▬▬ EXERCICE 5-7

Monsieur Louis Bédard vient d'être engagé au poste de responsable de la comptabilité de la société Magot inc. dont l'exercice se termine le 31 décembre. Magot inc. est une entreprise industrielle qui fabrique un produit unique en utilisant un seul atelier de fabrication.

Son prédécesseur a quitté l'emploi deux jours avant son arrivée en claquant la porte. Il était la seule personne de l'entreprise qui connaissait le coût de revient. Louis Bédard a heureusement trouvé un document contenant les informations suivantes portant sur les opérations du mois de mars 20XI.

a) Ventes	373 410 $
b) Pourcentage de marge bénéficiaire brute	40 %
c) Prix de vente moyen	27,66 $
d) Stock de produits finis au 1er mars (2 000 unités)	32 971 $
e) Stock de produits finis au 31 mars	
Coût	41 375 $
Quantité	2 500
f) Stock de produits en cours au 1er mars (3 000 unités)	
Coût	Inconnu
Degré de finition	30 %
g) Degré de finition des produits en cours au 31 mars	Plus de 20 %
h) Coûts réels engagés au cours du mois de mars	
Matière première X	75 600 $
Matière première Y (1,75 $ par litre)	42 000 $
Coûts de transformation	92 475 $
i) Perte de produits	Aucune
j) Perte de matières premières	Aucune

La fabrication du produit a nécessité l'utilisation de 1 kg de la matière première X au tout début du processus et l'utilisation de 2 litres de la matière première Y au degré de finition de 20 %. Les coûts de transformation sont engagés uniformément. La méthode de l'épuisement successif est utilisée aux fins de la détermination du coût des produits vendus.

ON DEMANDE

1. de calculer le nombre de produits commencés ;
2. de calculer le nombre de produits fabriqués ;
3. de préciser, raisons à l'appui, la méthode de détermination du coût de fabrication utilisée.

■■■■ EXERCICE 5-8

RST ltée utilise un système de coût de revient en fabrication continue (méthode de la moyenne pondérée). Un produit unique est fabriqué dans un atelier. La matière est introduite intégralement au tout début des opérations. Le produit est inspecté lorsqu'il est terminé à 80 %. La perte normale s'est élevée, comme prévu, à 5 % de la bonne production ; il n'y a pas eu de perte anormale.

Au début du mois de mars, les 2 500 produits en cours étaient achevés à 40 % approximativement. Les coûts déjà attribués à ces produits étaient de 12 000 $ pour les matières premières et de 6 700 $ pour les opérations de transformation.

Durant le mois de mars, 8 000 autres produits ont été mis en production. Les frais courants ont été de 40 500 $ pour les matières premières et de 64 000 $ pour les opérations de transformation. Les produits encore en production à la fin de mars étaient estimés achevés à 90 %, et 7 000 produits ont été transférés aux produits finis.

ON DEMANDE

de préparer le rapport des coûts de production pour le mois de mars.
(Adaptation – C.G.A.)

EXERCICE 5-9

Les données suivantes ont trait au deuxième atelier de production d'une usine :

a) S.P.C. au début du mois (100 produits à 80 % terminés) :

Coûts en amont		22 500 $
Matières premières	12 000 $	
M.O.D. et F.I.F.	10 000	22 000
		44 500 $

b) Coûts engagés durant le mois :

Coûts en amont		247 500 $
Matières premières	132 000 $	
M.O.D. et F.I.F.	126 686	258 686
		506 186 $

c) Tableau des extrants relatif au présent mois :

Produits transférés à l'entrepôt	1 000
Produits en cours à la fin (à 40 % terminés)	100
Produits perdus	100
	1 200

d) Une certaine quantité de matière première est ajoutée au tout début des opérations dans le deuxième atelier.

ON DEMANDE

de déterminer le coût détaillé des en-cours à la fin et des transferts dans chacune des situations suivantes (utiliser la méthode de la moyenne pondérée) :

1. perte anormale constatée à la fin des opérations ;
2. perte anormale constatée lorsque les produits sont terminés aux trois cinquièmes ;
3. perte normale de 70 produits et perte anormale de 30 produits constatées à la fin des opérations ;
4. perte normale de 70 produits et perte anormale de 30 produits constatées lorsque les produits sont achevés aux trois cinquièmes ;
5. perte normale de 70 produits et perte anormale de 30 produits constatées lorsque les produits sont terminés au cinquième ;
6. perte anormale de 100 produits constatée au début des opérations dans le deuxième atelier (avant l'ajout de matière première) ;
7. perte normale de 100 produits constatée au début des opérations dans le deuxième atelier (avant l'ajout de matière première).

■■■ **EXERCICE 5-10**

Horoscope ltée fabrique, répare et remet en état une grande variété de relais électriques. Les relais remis en état sont des relais défectueux échangés lors de la vente de relais neufs ou déjà remis en état. Ces relais appartiennent, par conséquent, à la société et ont été acquis à un coût égal à leurs valeurs d'échange.

Les remises en état consistent à désassembler les pièces des relais, à remplacer un certain nombre de pièces standards et à assembler toutes les pièces sur une nouvelle base ; il faut ensuite procéder à une vérification. Le travail étant continu, le comptable a décidé d'utiliser la méthode des coûts propre à la fabrication continue.

Au 1er janvier, les stocks de relais acceptés en échange étaient constitués des éléments suivants :

| | | | Coûts de production supplémentaires | |
	Nombre d'unités	Valeur d'échange	Pièces	Main-d'œuvre directe et frais indirects de fabrication
Relais désassemblés	400	1 560 $	– 0 – $	510 $
Relais assemblés (mais non vérifiés)	200	780	615	1 020

Les nouvelles pièces utilisées dans la remise en état des relais défectueux sont introduites au commencement de la phase d'assemblage. Quant au coût de la main-d'œuvre directe et aux frais indirects de fabrication, ils sont engagés uniformément au cours des opérations de remise en état.

Le temps que nécessite chaque opération de remise en état est le suivant :
– Désassemblage : 4 minutes ;
– Assemblage : 14 minutes ;
– Vérification : 2 minutes.

Les renseignements suivants ont trait aux opérations de janvier :
a) 2 200 relais défectueux ont été reçus ; leur valeur d'échange s'est élevée à 8 580 $;
b) 1 900 relais ont été remis en état et envoyés à l'entrepôt ;
c) 400 relais ont été entièrement assemblés puis mis au rebut par le service du génie parce qu'il s'agissait de modèles désuets. Cette perte doit être traitée comme une perte anormale ;
d) À la fin de janvier, 500 relais étaient en traitement : 300 d'entre eux avaient été désassemblés et 200 n'avaient pas encore été vérifiés ;

e) Les coûts supplémentaires (aux valeurs d'échange accordées) engagés en janvier ont été les suivants :

Pièces	7 135 $
Main-d'œuvre directe	6 150
Frais indirects de fabrication	7 320
	20 605 $

ON DEMANDE

de préparer le ou les rapports des coûts de production pour le mois de janvier. *(Adaptation – S.C.M.C.)*

◼◼◼ EXERCICE 5-11

Les renseignements suivants concernent un deuxième atelier de production :

a) Stock de produits en cours au début : 20 produits terminés à 30 % pour les coûts de transformation ;

b) Nombre de produits reçus de l'atelier I au cours de l'exercice : 980 ;

c) Stock de produits en cours à la fin : 40 produits terminés à 100 % pour les matières premières et à 60 % pour la main-d'œuvre directe et les frais indirects de fabrication ;

d) Pertes normales : 50 produits ;

e) Pertes anormales : 50 produits ;

f) Stock de produits en cours au début :

Coûts en amont		200 $
Main-d'œuvre directe	12 $	
Frais indirects de fabrication	48	60
		260 $

g) Coûts engagés au cours de l'exercice

Coûts en amont		10 780 $
Matières premières	2 700 $	
Main-d'œuvre directe	2 200	
Frais indirects de fabrication	8 472	13 372
		24 152 $

h) Les matières premières utilisées dans l'atelier 2 sont introduites lorsque les produits sont terminés à 55 % pour les coûts de transformation ;

i) La vérification de la qualité des produits a lieu lorsque ceux-ci sont terminés à 50 % pour les coûts de transformation.

ON DEMANDE

de présenter un rapport des coûts de production selon la méthode de la moyenne pondérée.

EXERCICE 5-12

Élastic ltée fabrique un produit en série qui ne passe que par un seul atelier de production.

En novembre, l'entreprise a mis en fabrication 5 300 produits. Le nombre de produits transférés aux produits finis s'est élevé à 3 600. À la fin du mois, les 1 000 produits en cours étaient terminés à 50 %. Les matières premières sont utilisées dès le début du processus, et la main-d'œuvre directe et les frais indirects de fabrication sont engagés uniformément.

Produits en cours au 1er novembre	700 unités
Matières premières	2 030 $
Main-d'œuvre directe	310
Frais indirects de fabrication imputés	215
Coûts de fabrication de novembre	
Matières premières	15 970 $
Main-d'œuvre directe	15 510
Frais indirects de fabrication imputés	10 765

Les produits gâchés n'apparaissent que lorsqu'ils sont déjà terminés à 90 %. Le taux normal de rejet au point d'inspection des produits est de 1 pour 9 produits de bonne qualité.

ON DEMANDE

1. de présenter le rapport des coûts de production pour le mois de novembre, en utilisant la méthode de la moyenne pondérée ;
2. de présenter les écritures de journal fondées sur le rapport des coûts de production.
(Adaptation – S.C.M.C.)

EXERCICE 5-13

Les deux situations suivantes concernent le deuxième atelier de production d'une usine.

Situation A

a) Stock de produits en cours au début (10 produits)

Coûts en amont	100 $
Matières premières	750
Coûts de transformation	74

b) Coûts engagés durant le mois

Coûts en amont (990 produits)	10 808 $
Matières premières	80 050
Coûts de transformation	9 126

c) Augmentation d'unités par suite de l'addition de matières premières au début des opérations dans l'atelier 2 : 10 produits ;

d) Produits en cours à la fin (40 produits)
   - terminés à 100 % pour les matières premières ;
   - terminés à 75 % pour les coûts de transformation.

Situation B

La même que la situation A, mais au lieu d'avoir une augmentation de 10 produits, on a une perte de 10 produits (perte normale à la fin des opérations).

ON DEMANDE

de déterminer, pour chacune des deux situations précédentes, les coûts des en-cours à la fin du mois, ainsi que les coûts des produits transférés par le deuxième atelier. Utiliser la méthode de la moyenne pondérée.

■■■ EXERCICE 5-14

Voici le compte rendu des quantités de produits traitées dans le premier atelier de production :

Produits en cours au début	300
Produits mis en fabrication	1 200
Augmentation de produits	60
	1 560
Produits transférés	1 035
Produits en cours à la fin	525
	1 560

Les produits en cours au début étaient terminés aux deux tiers et les coûts s'élevaient à 1 050 $; ceux de la fin étaient terminés à 40 %. Les coûts engagés durant le mois s'élèvent à 5 175 $ et le nombre de produits augmente lorsque les produits sont terminés au cinquième.

ON DEMANDE

de présenter le rapport des coûts de production relatif à la période en utilisant la méthode de la moyenne pondérée.

■■■■ EXERCICE 5-15

Omega ltée fabrique en série un seul produit qui nécessite l'utilisation de deux ateliers de fabrication. Dans chacun des ateliers, le coût de revient de fabrication est déterminé selon la méthode de la moyenne pondérée.

Dans l'atelier 1, la matière première W est engagée au tout début du processus, alors que les coûts de transformation le sont uniformément tout au long du processus. Avant de transférer les produits terminés de l'atelier 1 à l'atelier 2, on procède à une inspection. On considère que le taux normal de produits gâchés est de 5 %.

Dans l'atelier 2, on ajoute aux produits reçus de l'atelier 1 de la matière première W au tout début du processus. Cet ajout a pour effet d'augmenter de 10 % le nombre de produits. Quand le processus industriel a atteint le degré de finition de 50 %, on ajoute la matière première P. Les coûts de transformation sont engagés uniformément tout au long du processus. Avant d'ajouter la matière première P, on procède à l'inspection des produits. On considère que le taux normal de produits gâchés est de 5 %. Les produits gâchés n'ont aucune valeur.

Le service de la comptabilité industrielle a fourni les renseignements pertinents suivants concernant le mois de septembre 20X5 :

	Atelier 1	Atelier 2
Produits en cours au 31 août 20X5		
Quantité	20 000	52 000
Degré de finition	30 %	60 %
Matières premières W	55 000 $	27 000 $
Matières premières P		72 800
Coûts de transformation	6 300	93 600
Coûts en amont		254 800
Produits commencés pendant le mois	100 000	(à déterminer)
Produits transférés pendant le mois	80 000	90 000
Coûts courants		
Matière première W	305 000 $	43 000 $
Matière première P		122 200
Coûts de transformation	217 700	262 000
Produits en cours le 30 septembre 20X5		
Quantité	20 000	40 000
Degré de finition	60 %	80 %
Produits gâchés	20 000	10 000

ON DEMANDE

1. de préparer les rapports des coûts de production des ateliers 1 et 2 pour le mois de septembre 20X5 ;
2. de présenter l'état du coût de fabrication pour le mois de septembre 20X5.

■■■ EXERCICE 5-16

Bonaloi ltée se prépare à ajouter un nouveau produit à sa fabrication actuelle. Les coûts par produit sont calculés selon la méthode particulière aux fabrications en série. Les prévisions pertinentes suivent :

a) Matières premières nécessaires par produit :
   - 1 pièce E 14, coûtant 2,45 $, ajoutée pendant l'opération 1 ;
   - 1 pièce H0 8, coûtant 0,84 $, ajoutée pendant l'opération 1 ;
   - 2 pièces N 25, coûtant 0,70 $ chacune, ajoutées pendant l'opération 2 ;

b) Main-d'œuvre directe par produit :
   - opération 1 : 15 minutes ;
   - opération 2 : 10 minutes ;
   - taux horaire de rémunération : 6,72 $ l'heure ;

c) Coefficient d'imputation des frais indirects de fabrication : 150 % du coût de la main-d'œuvre directe ;

d) Points d'inspection et pertes normales prévues : les produits sont inspectés à la fin de chaque opération. Sur 100 produits mis en chantier, les pertes prévues à la première et à la seconde épreuve sont respectivement de l'ordre de 20 et 10 produits.

ON DEMANDE

1. de calculer le coût à l'unité avant le redressement pour tenir compte des pertes normales ;
2. de calculer le coût à l'unité en tenant compte du redressement pour les pertes normales.
(Adaptation – S.C.M.C.)

■■■■ EXERCICE 5-17

S ltée fabrique un produit unique qui passe par deux sections. Les matières premières sont nécessaires dès le début du processus de fabrication dans les sections 1 et 2. L'entreprise utilise la méthode de la moyenne pondérée.

Renseignements pertinents relatifs au mois de décembre 20X5 :

a) Produits en cours au 1er décembre

	Section 1	Section 2
Matières premières	30 000 $	34 000 $
Main-d'œuvre directe	8 000	5 000
Frais indirects de fabrication imputés	4 000	2 500

b) D'après les rapports de coûts de production du mois de novembre, les produits en cours à la fin dudit mois, qui étaient terminés à 40 %, s'élevaient à :
   – section 1 : 10 000 unités ;
   – section 2 : 5 000 unités ;

c) À la fin de décembre, le nombre de produits terminés par la section 2 et transférés aux produits finis était de 61 000. Le nombre de produits perdus au cours de la fabrication dans la section 2 s'élevait à 4 000. La vérification de la qualité des produits a lieu lorsque ceux-ci sont terminés à 50 % pour les coûts de transformation ;

d) À la fin du mois, il y avait 8 000 produits terminés à 60 % dans la section 1 et 11 000 au même degré de finition dans la section 2 ;

e) Les registres comptables de décembre révèlent que les coûts de fabrication portés au débit des comptes de stock de produits en cours étaient les suivants :

	Section 1	Section 2
Matières premières	204 780 $	58 660 $
Main-d'œuvre directe	141 600	62 600
Frais indirects de fabrication imputés	75 100	29 000

f) Dans la section 2, une quantité de 1 000 produits a été achetée pour la première fois chez un fournisseur externe et ajoutée aux produits reçus de la section 1. Le coût des produits achetés est inclus dans celui des matières premières, lequel s'élève à 58 660 $;

g) Les frais indirects de fabrication sont imputés à la production selon le coefficient de 50 % du coût de la main-d'œuvre directe.

ON DEMANDE

1. de présenter, pour chacune des sections, le rapport des coûts de production ;
2. de présenter les écritures de journal.
(Adaptation – S.C.M.C.)

◼◼◼ EXERCICE 5-18

L'ingénieur d'une entreprise a établi le taux normal de rejet à 5 %. L'examen se fait au terme des opérations. Il n'existe qu'un seul atelier de production et le processus de fabrication est si court qu'il n'y a pas de produits en cours.

Voici les données réelles relatives aux mois de novembre et décembre.

	Novembre	Décembre
Produits de bonne qualité	8 000	6 000
Produits gâchés	2 000	4 000
	10 000	10 000
Coûts engagés	100 000 $	100 000 $

ON DEMANDE

de calculer le coût d'un bon produit fabriqué
a) en novembre ;
b) en décembre.

6

LES CO-PRODUITS ET
LES SOUS-PRODUITS

La poursuite de l'objectif essentiel de toute fabrication ne conduit pas nécessairement à l'obtention d'un produit marchand unique. On en obtient bien souvent plusieurs, les uns d'une valeur marchande élevée, que l'on appelle co-produits (souvent appelés produits principaux), les autres, de valeur moindre, que l'on nomme sous-produits. Mentionnons à titre d'exemple l'entreprise de bois de sciage qui, à partir d'un même tronc d'arbre, va obtenir des planches de bois « sélect », de bois de finition, de bois de construction, et la croûte (écorce). Elle les obtiendra toujours, grosso modo, dans les mêmes proportions qu'elle le veuille ou non. Cependant, la valeur attribuée à chacun de ces produits peut varier d'une entreprise à l'autre. Dans ce chapitre, nous ne discutons pas des critères visant à mesurer l'importance relative des produits entre eux, à déterminer si un produit devrait faire partie des co-produits ou des sous-produits ; nous y étudions plutôt les méthodes de partage des coûts communs entre ces différents produits dans le but de déterminer le prix coûtant des stocks de produits finis et de produits en cours à la fin de la période, et de mesurer le coût des produits vendus pendant la période.

Les **co-produits** sont des produits distincts, issus d'un processus industriel commun, mais qui ne peuvent être différenciés avant le point de séparation, c'est-à-dire le moment où ils deviennent indépendants les uns des autres. Ces produits sont, répétons-le, considérés par l'entreprise comme ayant une valeur marchande relative élevée.

Les **sous-produits** sont issus, comme les co-produits, d'un processus industriel commun et ne peuvent être différenciés avant le point de séparation. Cependant, comme nous venons de le mentionner, ces produits ont souvent une valeur marchande relative faible, secondaire, et ne sont pas classés comme des éléments majeurs de l'objet commercial de l'entreprise. On peut constater que le seul critère qui nous permet de distinguer un produit principal d'un sous-produit est celui de sa valeur marchande ; elle se mesure par le produit suivant :

Quantité × Prix de vente

Le même critère est utilisé pour distinguer le sous-produit d'un déchet. Le déchet, rappelons-le, n'a pas de valeur et entraîne souvent des frais d'élimination (frais indirects de fabrication).

1.   LES COÛTS COMMUNS

Les coûts communs des produits sont les coûts de matières premières et les coûts de transformation engagés dans les ateliers de production avant le point de séparation. Voici une illustration schématique du processus industriel de deux co-produits A et B :

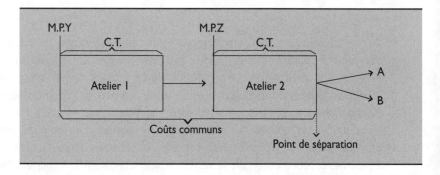

2.   LES APPROCHES POSSIBLES FACE AU PARTAGE DES COÛTS COMMUNS

Les coûts communs à des co-produits et des sous-produits peuvent être partagés exclusivement entre les co-produits, ou entre les co-produits et les sous-produits.

A.   L'approche selon laquelle les coûts communs sont partagés entre les co-produits

a.   *Les sous-produits*

On peut, à la vente des sous-produits, comptabiliser le **produit net** comme autre produit ou comme chiffre d'affaires, ou le déduire du coût des produits vendus. Ces différents traitements comptables ont le même effet sur le résultat de la période. L'entreprise pourrait également déduire le produit net des frais indirects de fabrication ;

à noter toutefois que l'effet sur le résultat serait celui mentionné, à la condition que l'entreprise impute les frais indirects de fabrication et ne répartisse pas les sur- ou sous-imputations.

Le produit net correspond ici à l'excédent du produit brut retiré de la vente sur les coûts de fabrication spécifiques et les autres frais (comme les frais de vente) associés aux sous-produits vendus.

On peut tout aussi bien comptabiliser au cours de la période le produit net de tous les sous-produits obtenus. Dans un tel cas, il s'agit du produit net réel pour la partie obtenue et vendue durant la même période, et du produit net estimatif pour la partie obtenue durant la période mais non vendue à la fin de cette période.

b. Les co-produits

En ce qui a trait aux co-produits, il importe de différencier deux situations qui influencent le choix d'une méthode de partage des coûts communs : dans un cas, les co-produits peuvent être vendus immédiatement après le point de séparation ; dans l'autre, un ou plusieurs co-produits ne peuvent être vendus tels quels après le point de séparation.

Les co-produits peuvent être vendus immédiatement après le point de séparation

Cette situation se rapporte autant aux co-produits qui subissent des traitements industriels après le point de séparation et qui sont vendus sous une autre forme par la suite, qu'aux co-produits qui sont vendus après le point de séparation. On peut faire appel à deux méthodes de partage des coûts communs entre les co-produits : la méthode des mesures matérielles et la méthode de la valeur marchande relative au point de séparation.

La méthode des mesures matérielles

Cette méthode, à laquelle on pense tout naturellement en premier, est fondée sur les volumes de production obtenus de co-produits. Les coûts communs sont alors partagés entre les co-produits au prorata du nombre total d'unités. Cette méthode n'est valable que si, et seulement si, la production des co-produits peut être exprimée par une même unité de mesure et que cette unité est en relation étroite avec le prix de vente au point de séparation de chacun des co-produits. On ne peut donc, entre autres, utiliser cette méthode lorsque les co-produits ne diffèrent que par leur qualité.

La méthode de la valeur marchande relative au point de séparation

La répartition des coûts communs selon la valeur marchande relative au point de séparation est rattachée au domaine économique dans la mesure où elle permet d'attribuer une plus grande part des coûts communs à un produit dont le prix de vente à ce point est plus élevé. Il s'agit ici de valeur marchande au point de séparation, parce que c'est le seul point de comparaison possible lorsque les traitements après la séparation varient considérablement d'un co-produit à l'autre.

Voici un exemple illustrant le partage de coûts communs entre deux co-produits selon les deux méthodes étudiées.

EXEMPLE

DONNÉES

Les produits principaux A et B sont issus d'un traitement industriel commun effectué dans un atelier de production. Les co-produits sont repérés à la sortie de l'atelier et sont vendus tels quels sur le marché. La matière première Alpha est entièrement incorporée au début du traitement industriel ; les coûts de transformation sont engagés uniformément. Il n'y a pas de stock de produits en cours au début ni à la fin. Il faut 400 kilogrammes de matière première Alpha pour obtenir à la sortie de l'atelier :

– 200 kg du produit A ;
– 100 kg du produit B ;
– 100 kg de déchets.

Les coûts engagés dans l'atelier sont les suivants :

Matière première Alpha	3 000 $
Coûts de transformation	3 000
	6 000 $

Le prix de vente du produit A est de 20 $ le kilogramme et celui du produit B, de 50 $ le kilogramme.

Il s'agit de partager les coûts communs entre les deux co-produits selon :

1) la méthode des mesures matérielles ;
2) la méthode de la valeur marchande relative au point de séparation.

SOLUTION

1) **Partage selon la méthode des mesures matérielles**

Le partage se fait en fonction du total des extrants obtenus à la fin du traitement industriel commun au produit A et au produit B :

	Quantité	Importance relative
A	200 kg	⅔
B	100	⅓
	300 kg	

Le partage des coûts communs s'établit comme suit :

$$A \ (6\ 000\ \$ \times \text{⅔}) \quad 4\ 000\ \$$$
$$B \ (6\ 000\ \$ \times \text{⅓}) \quad 2\ 000$$
$$6\ 000\ \$$$

En dressant l'état des résultats de bénéfice brut, on peut se rendre compte de l'illogisme de cette méthode si les conditions de validité déjà mentionnées ne sont pas respectées.

	A	B	Total
Ventes			
200 kg × 20 $	4 000 $	$	4 000 $
100 kg × 50 $		5 000	5 000
	4 000	5 000	9 000
Coût des produits vendus	4 000	2 000	6 000
Bénéfice brut	– 0 – $	3 000 $	3 000 $
Bénéfice brut en %	0 %	60 %	33 ⅓ %

Si l'on se fie aux résultats portant sur le bénéfice brut, on peut conclure, au premier abord, que le produit A n'est pas rentable pour l'entreprise, et décider, alors, de ne pas le commercialiser. Cette décision serait désastreuse, car le produit B supporterait seul le coût total engagé dans l'atelier, et il en résulterait une perte brute de 1 000 $. Les co-produits étant issus d'un traitement industriel commun, l'entreprise a rarement le choix des proportions d'extrants obtenus. En pareil cas, ce sont les résultats combinés des co-produits qu'il faut prendre en considération.

Les co-produits obtenus devraient, dans le cas présent, avoir une rentabilité individuelle, exprimée en pourcentage de bénéfice brut, équivalente à la rentabilité globale. La méthode de la valeur marchande relative au point de séparation permet d'obtenir un tel résultat.

2) Partage selon la méthode de la valeur marchande relative au point de séparation

– Calcul de la valeur marchande relative au point de séparation

	Valeur absolue	Importance relative
A (200 kg × 20 $)	4 000 $	44,4 %
B (100 kg × 50 $)	5 000	55,6 %
	9 000 $	100 %

– Partage des coûts communs

A (6 000 $ × 44,4 %)   2 666 $
B (6 000 $ × 55,6 %)   3 334

6 000 $

– État des résultats de bénéfice brut

	A	B	Total
Ventes			
200 kg × 20 $	4 000 $	$	4 000 $
100 kg × 50 $		5 000	5 000
	4 000	5 000	9 000
Coût des produits vendus	2 666	3 334	6 000
Bénéfice brut	1 334 $	1 666 $	3 000 $
Bénéfice brut en %	33 ⅓ %	33 ⅓ %	33 ⅓ %

Un, des ou tous les co-produits ne peuvent être vendus tels quels après le point de séparation

Ici encore, la seule méthode de partage qui semble appropriée doit reposer sur des valeurs marchandes au point de séparation. En l'absence d'une telle valeur pour un co-produit, il faut lui en déterminer une que l'on qualifie de valeur marchande théorique au point de séparation. Pour ce faire, on soustrait de sa valeur marchande finale, soit celle existant après traitement complémentaire, les coûts engagés ou uniquement à engager pour finir[1] les unités en question après le point de séparation.

---

1. L'hypothèse implicite est ici la suivante : les frais de vente d'un produit transformé ne sont pas plus élevés que ceux qui existeraient si ce produit pouvait être vendu dans l'état où il se trouve au point de séparation.

Ces coûts correspondent aux coûts additionnels de fabrication (coûts de matières premières et de transformation) engagés par la suite relativement à ce produit.

Valeur marchande finale relative au volume obtenu du co-produit	XXX $
moins : Coûts spécifiques de fabrication engagés après le point de séparation	XXX
Valeur marchande théorique au point de séparation	XXX $

Ce calcul à rebours permet de se rapprocher du concept de la véritable valeur marchande relative en attribuant au volume obtenu du co-produit une valeur marchande artificielle au point de séparation. Cependant, la valeur marchande théorique au point de séparation ne permet pas toujours d'obtenir pour des co-produits une rentabilité relative individuelle équivalente à la rentabilité globale. Les différences de rentabilité relative sont dues en particulier aux coûts de production spécifiques engagés après le point de séparation, coûts qui peuvent varier sensiblement d'un produit à un autre.

L'exemple qui suit illustre le recours au calcul de valeurs marchandes théoriques au point de séparation. Nous reprenons les données de l'exemple précédent avec cette différence que les produits ne peuvent être vendus dans l'état où ils se trouvent après leur séparation.

EXEMPLE

DONNÉES

Les coûts communs engagés pour 300 kilogrammes de matières premières dans l'atelier 1 (6 000 $) ont permis d'obtenir, à la fin des opérations industrielles, 200 kilogrammes qui ont été transférés à l'atelier 2, et 100 kilogrammes qui ont été transférés à l'atelier 3.

Le processus industriel des ateliers 2 et 3 est le suivant : on engage, dans l'atelier 2, uniquement des coûts de transformation ; à la fin des opérations, il en résulte, pour chaque lot de 100 kilogrammes reçus, 75 kilogrammes de produit A et 25 kilogrammes de déchets ; dans l'atelier 3, on ajoute toute la matière première Z nécessaire au début des opérations, ce qui a pour effet d'augmenter de 20 % le nombre de kilogrammes ayant bénéficié de cet ajout de matière, et d'autant le nombre de produits B obtenus. Enfin, dans les deux ateliers, les coûts de transformation sont engagés uniformément et aucune perte de produit n'est observée.

Voici les données financières relatives aux opérations engagées dans les ateliers 2 et 3 :

Matières première Z	800 $
Coûts de transformation – atelier 2	500 $
Coûts de transformation – atelier 3	400 $

Le prix de vente des produits A et B est de 30 $ et de 60 $ respectivement.

SOLUTION

- Valeur marchande finale des co-produits

A (75 kg × 2 ; 150 kg × 30 $)	4 500 $
B (100 kg × 120 % ; 120 kg × 60 $)	7 200 $

- Coûts spécifiques engagés après le point de séparation

Dans l'atelier 2 (produit A)

Coûts de transformation	500 $

Dans l'atelier 3 (produit B)

Matière première Z	800 $
Coûts de transformation	400
	1 200 $

- Valeur marchande théorique au point de séparation

	A	B
Valeur marchande finale	4 500 $	7 200 $
moins : Coûts spécifiques de fabrication	500	1 200
Valeur marchande théorique au point de séparation	4 000 $	6 000 $
Pourcentage de la valeur globale	40 %	60 %

- Partage des coûts communs engagés dans l'atelier 1

Coût des produits transférés à l'atelier 2 (6 000 $ × 40 %)	2 400 $
Coût des produits transférés à l'atelier 3 (6 000 $ × 60 %)	3 600
	6 000 $

– État des résultats de bénéfice brut pour les produits A et B

	A	B	Total
Ventes			
150 kg × 30 $	4 500 $	$	4 500 $
120 kg × 60 $		7 200	7 200
	4 500 $	7 200 $	11 700 $
Coût des produits vendus			
Coûts communs	2 400	3 600	6 000
Coûts spécifiques	500	1 200	1 700
	2 900 $	4 800 $	7 700 $
Bénéfice brut	1 600 $	2 400 $	4 000 $
Bénéfice brut en %	33,5 %	33,3 %	34,2 %

En terminant cette section, nous rappelons qu'il n'y a pas lieu, dans le cas d'un produit, de déterminer une valeur marchande théorique au point de séparation pour ledit produit si ce dernier peut être vendu dans l'état où il se trouve à sa séparation.

B. L'approche selon laquelle les coûts communs sont partagés entre les co-produits et les sous-produits

a. Les sous-produits

La méthode de la valeur de réalisation nette

Par valeur de réalisation nette, on entend la différence entre la valeur marchande et les coûts de traitements complémentaires des sous-produits ajoutés aux frais de vente, et parfois aux frais d'administration, que l'on peut rattacher aux sous-produits.

Cette méthode vaut surtout lorsque les coûts des traitements complémentaires des sous-produits sont peu élevés.

Les co-produits profitent des bénéfices prévus (partie non vendue) ou réalisés (partie vendue) par la vente des sous-produits. Il semble que ce soit judicieux, puisque le produit principal représente l'objectif premier de la fabrication. Cette méthode équivaut à attribuer aux sous-produits un montant de coûts communs tout juste suffisant pour qu'il ne résulte de leur vente ni profit ni perte. Encore ici, les écarts de prévisions, s'ils se produisent, peuvent être portés aux résultats de la période au cours de laquelle les sous-produits sont vendus, ou encore aux frais indirects de cette période, en plus ou en moins selon le cas.

EXEMPLE

Nous illustrons cette méthode à l'aide des données se rapportant à la société Lazer ltée.

DONNÉES

Les coûts communs engagés pour le produit principal A et le sous-produit X se sont élevés à 25 000 $. Des 10 000 unités du sous-produit X qui ont été obtenues à la production du produit principal A, 6 000 ont été traitées, puis vendues 1,00 $ chacune. On prévoit que les autres unités pourront être vendues 1,10 $ chacune après avoir subi des traitements complémentaires. Les coûts relatifs aux traitements complémentaires peuvent être exprimés comme suit :

Coûts déjà engagés pour 6 000 unités		
Matières premières	304 $	
Coûts de transformation	2 000	2 304 $
Coûts à engager pour 4 000 unités		1 536
		3 840 $

L'entreprise tient pour acquis qu'elle engage pour le sous-produit des frais d'administration et de vente représentant 5 % de sa valeur marchande.

SOLUTION

Valeur marchande des sous-produits obtenus		10 400 $
moins : Coût des traitements complémentaires	3 840 $	
Frais de vente	520	4 360
Partie des coûts communs à attribuer aux sous-produits		6 040 $

Écritures de journal

1) Coûts communs attribués aux 10 000 unités de
    sous-produits obtenus

Stock de sous-produits en cours	6 040	
Stock de produits en cours – atelier 1		6 040

2) Coût des traitements complémentaires pour les
    6 000 unités rendues à leur stade final

Stock de sous-produits en cours	2 304	
Stock de matières		304
Salaires, frais indirects de fabrication imputés		2 000

3) Entrée en entrepôt des 6 000 unités de sous-produits

Stock de sous-produits (6 000 $ – 300 $)	5 700	
Stock de sous-produits en cours		5 700

4) Vente des 6 000 unités de sous-produits

Comptes clients ou caisse	6 000	
Ventes de sous-produits		6 000
Coût des sous-produits vendus	5 700	
Stock de sous-produits		5 700

Deux autres méthodes peuvent aussi être utilisées, soit celle de la valeur de réalisation nette hors marge bénéficiaire et celle du coût de remplacement.

La méthode de la valeur de réalisation nette hors marge bénéficiaire

Cette méthode consiste à trouver, par déduction, le montant de coûts communs à attribuer aux sous-produits obtenus, à partir de données réelles pour la partie vendue et de données prévues pour la partie non vendue. L'entreprise tient pour acquis qu'elle réalise un pourcentage donné de bénéfice à la vente des sous-produits obtenus.

La méthode du coût de remplacement

Il s'agit d'attribuer aux sous-produits obtenus l'équivalent de leur coût de remplacement, c'est-à-dire le prix qu'il faudrait payer, compte non tenu des frais de transport à l'achat, pour obtenir des produits identiques ou encore la valeur de succédanés. Ceci implique que l'état des sous-produits vendus sur le marché est équivalent à celui des sous-produits au point de séparation. Si toutefois l'état desdits produits correspond à celui des sous-produits après leurs traitements complémentaires, on utilisera leur coût de remplacement *moins* les coûts des traitements complémentaires.

Cette méthode est particulière aux industries qui utilisent leurs propres sous-produits, et réduisent ainsi leurs achats de produits.

b. Les co-produits

Les coûts communs résiduels (c'est-à-dire la partie des coûts communs non attribuée aux sous-produits) sont partagés entre les co-produits selon les méthodes de partage illustrées précédemment, en tenant compte des différentes situations.

C. L'incidence de l'approche de partage choisie sur la prise de décision

L'approche choisie en matière de partage des coûts communs n'a aucune importance lors de la prise de décision, ce qui est le cas lorsqu'il s'agit de décider si l'on doit vendre un produit dans l'état où il se trouve au moment de la séparation, ou s'il n'est pas préférable de lui faire subir des traitements complémentaires. Seuls les coûts et les produits différentiels (supplémentaires) sont pertinents pour prendre une telle décision. Cette question sera étudiée plus longuement au chapitre 11.

Il faut enfin avoir à l'esprit que les méthodes de partage des coûts communs sont arbitraires, car les coûts communs ainsi attribués à des produits ne peuvent être prouvés et que les augmentations ou diminutions des coûts de tel ou tel produit ne reflètent pas *ipso facto* des écarts de productivité, puisque ces écarts peuvent être entièrement dus à la méthode de partage choisie.

EXERCICES D'APPLICATION

■■■ EXERCICE 6-1

Forand inc. fabrique les produits P, Q et R à partir du même procédé de fabrication. On possède les informations suivantes :

| | Produit | | | |
	P	Q	R	Total
Unités produites	4 000	2 000	1 000	7 000
Coûts communs	36 000 $	a $	b $	60 000 $
Valeur marchande au point de séparation	c	d	15 000	100 000
Coût des traitements complémentaires après séparation	7 000	5 000	3 000	15 000
Valeur marchande après traitements complémentaires	70 000	30 000	20 000	120 000

ON DEMANDE

de déterminer les montants correspondant aux lettres a, b, c et d, en supposant que les coûts communs sont répartis selon la méthode de la valeur marchande au point de séparation.
(*Adaptation* – *C.P.A.*)

■■■ EXERCICE 6-2

JKL ltée fabrique trois produits J, K et L, à partir d'une même matière première. Une masse de 100 kilogrammes de cette matière première fournit six J, trois K et deux L. Le mois dernier, 100 000 kilogrammes de la matière première, d'un coût de 80 000 $, furent utilisés dans la production. Les autres frais communs étaient de 130 000 $.

Cependant, avant que les produits soient prêts pour la vente, il a été nécessaire de leur faire subir des traitements complémentaires aux coûts suivants :

J	30 000 $
K	6 000
L	4 000

Les prix de vente des produits sont les suivants :

J	50 $
K	40
L	20

Les produits peuvent être vendus tels quels, au point de séparation, aux prix de vente suivants :

J   40 $
K   30
L   15

ON DEMANDE

de déterminer le bénéfice brut réalisé sur chacun des trois produits en utilisant la méthode de répartition des coûts communs la plus appropriée.
(Adaptation – C.G.A.)

◼◼◼ EXERCICE 6-3

Abson ltée fabrique deux co-produits A et B, tirés des mêmes matières premières. On obtient également un sous-produit X qui a une valeur marchande si on lui fait subir un traitement complémentaire.

Les renseignements suivants sont tirés du budget annuel pour le prochain exercice :

a) Ventes prévues

Produit A (120 tonnes à 5 000 $)	600 000 $
Produit B (360 tonnes à 3 000 $)	1 080 000
Sous-produit X (qui se vend 1 200 $ la tonne)	

b) Coûts prévus

Atelier de traitement

Matières premières	312 000 $
Transformation	528 000

Coûts après séparation

Produit A : empaquetage	1 600 $ la tonne
Produit B : finition	900 $ la tonne
Sous-produit X : mélange	880 $ la tonne

c) Frais de vente : 10 % du chiffre d'affaires relatif à chacun des produits ;

d) De 9 tonnes de matières premières utilisées par l'atelier de traitement, on obtient 8 tonnes de produits A et B. La tonne qui reste étant de qualité inférieure, on la met de côté pour le produit X.

ON DEMANDE

1. de déterminer le montant des coûts communs à attribuer aux sous-produits pour ne réaliser aucun bénéfice et ne subir aucune perte à leur vente ;
2. de déterminer le coût par tonne qu'il faudrait attribuer au produit A et au produit B parmi les coûts engagés dans l'atelier de traitement, de manière que chacun de ces produits contribue au bénéfice selon un pourcentage identique par dollar de chiffre d'affaires.

(Adaptation – S.C.M.C.)

■■■■ EXERCICE 6-4

Les coûts communs aux co-produits A et B se sont élevés à 35 600 $. Au point de séparation, 500 kg du mélange ont été envoyés à un autre atelier. Celui-ci a engagé les coûts complémentaires suivants : matières premières : 5 000 $; transformation : 3 000 $. L'addition de matières a eu pour effet de doubler le volume. Les 1 000 kg obtenus de B ont une valeur marchande finale de 41 150 $. Il n'existe pas de marché au point de séparation pour ce produit. Quant au produit A, il est vendu tel qu'obtenu au point de séparation. Les 500 kg de A pourront être vendus 26,70 $ chacun.

ON DEMANDE

de déterminer la meilleure répartition des coûts communs en tenant pour acquis que l'entreprise réalise le même pourcentage de bénéfice brut sur tous les coûts de fabrication.

■■■■ EXERCICE 6-5

On fournit les renseignements suivants :

a) Compte rendu des extrants

Atelier I	Atelier II (Séparation à la fin des opérations en II)	Atelier III
2 ½ tonnes	1 ¼ tonne de A	1 ¼ tonne de A vendue en l'état 40 000 $ la tonne
	¾ tonne de B vendue en l'état 31 600 $ la tonne ½ tonne de sous-produit C vendue en l'état 2 000 $ la tonne	

b) Tableau partiel des coûts (aucun stock au début ni à la fin)

	Atelier I	Atelier II	Atelier III
Matières	10 000 $	$	1 000 $
Transformation	15 000	9 000	1 600
	25 000 $	9 000	
Coûts en amont		25 000	
		34 000 $	

ON DEMANDE

de présenter pour chaque produit principal, calculs à l'appui, l'état détaillé de la marge bénéficiaire brute de la période.

▬ EXERCICE 6-6

Multi-Productions fabrique deux co-produits, Super et Standard, et deux sous-produits, Cade et Dem. Les matières premières (malt et huile) sont mélangées dans une proportion de 3 : 2, et donnent une purée. Le sous-produit Cade provient de l'écumage de cette purée. Il est par la suite embouteillé et vendu. Le reste de la purée subit un traitement supplémentaire et donne le produit principal Super ainsi qu'une émulsion.

Le produit principal Super est alors mis en sachets et vendu. De l'émulsion raffinée, on obtient le produit principal Standard et le sous-produit Dem. Standard et Dem sont alors embouteillés et vendus.

Au cours du premier mois d'activité, on a utilisé 3 600 litres de malt et 2 400 litres d'huile, à 1,25 $ et 2,50 $ le litre respectivement. Les coûts de transformation nécessaires à la production de la purée ont été de 4 000 $. L'embouteillage des 800 litres de Cade obtenus a coûté 1 000 $. Toute la production de Cade a été vendue 1 500 $. Les 4 800 litres de purée résiduelle ont subi un traitement supplémentaire et ont donné 2 250 kilogrammes de Super et 3 200 litres d'émulsion ; le coût de la transformation s'est élevé à 7 900 $. De plus, il en a coûté 0,20 $ le kilogramme pour mettre en sachets le produit Super.

À partir de l'émulsion, on a produit 2 400 litres de Standard et 600 litres de Dem. Les coûts de transformation ont coûté 3 000 $. De plus, l'embouteillage de Standard et de Dem a entraîné des coûts de 0,02 $ le litre. Le prix de vente de Dem était de 0,075 $ le litre.

Les seuls stocks en main à la fin du mois étaient constitués de 200 litres de produit Standard non encore embouteillé.

Le produit Super se vend 4,20 $ le kilogramme et chaque litre d'émulsion obtenu aurait pu être vendu 1,75 $.

La société a comme politique de ne réaliser aucun bénéfice et de ne subir aucune perte à la vente d'un sous-produit.

ON DEMANDE

de déterminer le coût par kilogramme ou par litre des produits Super et Standard vendus.
(Adaptation – S.C.M.C.)

■■■ EXERCICE 6-7

MCB ltée fabrique un produit principal : Pripo. Deux autres produits découlent de sa fabrication : Copo et Bypo. Toute la matière première nécessaire est utilisée dès le début des opérations. Les trois produits se séparent au terme du travail effectué dans le premier atelier. Le produit Pripo passe par le deuxième atelier, le produit Copo par le troisième ; le produit Bypo est vendu tel quel à sa sortie du premier atelier.

On donne les renseignements suivants :

a) Matière première versée à la fabrication dans le premier atelier : 12 000 $;
b) Coûts de transformation

    Atelier I   8 000 $
    Atelier II   4 000
    Atelier III   300

c) Aucun stock de produits en cours au début et à la fin ;
d) Données relatives à la fabrication et à la vente :

	Quantité produite	Quantité vendue	Prix de vente unitaire moyen	Prix du marché à la fin de février
Pripo	5 000	4 000	6,00 $	6,00 $
Copo	3 000	2 000	1,00	0,90
Bypo	1 000	900	0,50	0,55

e) Les frais de vente et d'administration se rapportent aux quantités vendues. On estime que ces frais à l'unité seront les mêmes que ceux de février :

Pripo   2 000 $
Copo   800
Bypo   36

f) Le bénéfice net standard réalisé à la vente du produit Copo correspond à 10 % du prix de vente ;

g) Aucun bénéfice n'est réalisé et aucune perte n'est subie à la vente des produits Bypo.

ON DEMANDE

1. de calculer les coûts attribués au stock de produits Bypo à la fin du mois de février et les coûts communs attribués aux produits Bypo obtenus au cours de la période ;

2. de calculer les coûts attribués au stock de produits Copo à la fin du mois de février et les coûts communs de l'atelier I attribués aux produits Copo obtenus au cours de la période ;

3. de compléter les écritures suivantes :

a) Stock de produits en cours – Atelier I
   Stock de produits en cours – Atelier II
   Stock de produits en cours – Atelier III
      Stock de matières et divers

b) Stock de produits en cours – Atelier II
   Stock de produits en cours – Atelier III
   Stock de produits Bypo
      Stock de produits en cours – Atelier I

c) Stock de produits finis – Pripo
      Stock de produits en cours – Atelier II

d) Stock de produits finis – Copo
      Stock de produits en cours – Atelier III

e) Caisse
      Ventes – Pripo
   Coût des produits vendus – Pripo
      Stock de produits finis – Pripo

f) Caisse
      Ventes – Copo
   Coût des produits vendus – Copo
      Stock de produits finis – Copo

g) Caisse
      Stock de produits Bypo
      Frais de vente et d'administration

4. de compléter l'état des résultats suivants :

	Pripo	Copo	Bypo	Total
Chiffre d'affaires				
Coût des produits vendus				
Bénéfice brut				
Frais de vente et d'administration				
Bénéfice				

(Adaptation – C.P.A.)

■■■■ EXERCICE 6-8

Romulus inc. fabrique des produits chimiques. Les produits finis sont des co-produits (A, B et C) et un sous-produit (M). Le schéma représentant le cheminement industriel de l'entreprise est le suivant :

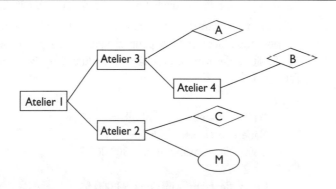

Les co-produits et le sous-produit sont obtenus selon le processus industriel suivant :

a) *Atelier 1*

On mélange dans des cuves 20 000 litres de la matière première Z à 30 000 kg de la matière première Y au tout début du processus. On obtient une pâte d'un poids total de 40 000 kg. Le quart de cette masse est acheminé à l'atelier 2 et les trois quarts vont à l'atelier 3.

b) *Atelier 2*

La masse reçue de l'atelier 1 est passée dans un tamis industriel ; on obtient alors 8 000 kg de produit C et 1 000 litres de sous-produit M. Le produit C est mis dans des contenants de plastique de 1 kg, et le sous-produit M, dans des bouteilles de 1 litre.

c) *Atelier 3*

On ajoute au début du processus la matière première X à la masse reçue de l'atelier 1. Le mélange de 10 000 litres de X à la pâte reçue de l'atelier 1 et le tamisage qui s'ensuit permettent d'obtenir 30 000 kg de produit A qui sont immédiatement mis dans des contenants de 10 kg, et 5 000 litres de liquide qui sont transférés en vrac à l'atelier 4.

d) *Atelier 4*

Le liquide reçu de l'atelier 3 passe par une série d'opérations de tamisage ; on obtient alors 3 000 litres de produits B qui sont immédiatement mis en bouteille dans des contenants de 10 litres.

Tous les liquides et les pâtes résiduels de chacun des ateliers sont considérés comme des déchets. Les coûts de transformation sont engagés uniformément tout au long du processus effectué par chaque atelier. Il n'existe aucune valeur marchande pour les co-produits avant qu'ils ne soient entièrement terminés.

Le sous-produit M est vendu au comptant à la fin de chaque mois. La pratique comptable utilisée par la société est de porter la valeur de réalisation nette du sous-produit M en diminution du coût du produit C.

Le comptable industriel vous donne toutes les informations relatives au coût de fabrication des produits pour chaque lot de production faisant intervenir 20 000 litres de matière première Z et 30 000 kg de matière première Y dans l'atelier 1.

a) *Atelier 1*
  - Matière première Z : 10 $/L ;
  - Matière première Y : 5 $/kg ;
  - Coûts de transformation : 300 000 $;

b) *Atelier 2*
  - Coûts de transformation : 93 000 $;
  - Contenant du produit C : 2 $ l'unité ;
  - Contenant du sous-produit M : 1 $ l'unité ;

c) *Atelier 3*
  - Matière première X : 5 $/L ;
  - Coûts de transformation : 50 000 $;
  - Contenant du produit A : 10 $ l'unité ;

d) *Atelier 4*
  - Coûts de transformation : 47 000 $;
  - Contenant du produit B : 10 $ l'unité ;

e) Les prix de vente unitaires des produits sont les suivants :
  - Produit A : 21 $/kg ;
  - Produit B : 50 $/L ;
  - Produit C : 100 $/kg ;
  - Sous-produit M : 10 $/L.

ON DEMANDE

de déterminer le coût de revient unitaire des produits A, B et C en tenant pour acquis que les coûts communs sont partagés entre les co-produits selon la méthode de la valeur de réalisation nette.

■■■■ EXERCICE 6-9

Alcool ltée produit par un traitement commun de la térébenthine et du méthylène (alcool de bois). Les coûts communs se sont élevés à 12 000 $ pour le mélange des matières utilisées qui a été constitué de 10 000 litres. Par un traitement complémentaire, 2 500 litres du mélange ont donné du méthylène, et le reste, soit 7 500 litres, de la térébenthine. Ces traitements n'ont aucun effet sur les quantités. Les coûts de ces traitements sont de 0,30 $ le litre de méthylène et de 0,40 $ le litre de térébenthine. Le prix de vente du méthylène est de 2,10 $ le litre, celui de la térébenthine, de 1,60 $ le litre.

ON DEMANDE

1. de répartir les coûts communs sur la base de la valeur marchande théorique au point de séparation ;
2. de déterminer le bénéfice brut réalisé sur chacun des deux produits, en tenant compte des quantités obtenues ;
3. l'entreprise a découvert un traitement par lequel le méthylène peut être transformé en boisson alcoolique. Cette boisson pourrait être vendue 6 $ le litre. Le traitement supplémentaire entraînerait des coûts de 2,10 $ le litre. Quel serait le montant des coûts communs à attribuer au méthylène ?
4. de répondre à 1, en supposant que le traitement complémentaire permettant d'obtenir de la térébenthine réduit de moitié la quantité de ce produit. La perte se produit à la fin du traitement complémentaire.

(Adaptation – S.C.M.C.)

■■■■ EXERCICE 6-10

Tom ltée fabrique les co-produits MO et JO. Un sous-produit BOPO est obtenu en cours de fabrication.

La société a trois ateliers de fabrication. La matière première est versée à la fabrication dans l'atelier I.

La séparation des trois produits s'effectue à la fin des opérations de l'atelier I : le sous-produit BOPO (10 %) est transféré directement au stock ; le co-produit MO (30 %) à l'atelier II ; et le co-produit JO (60 %) à l'atelier III.

La société porte le produit net de BOPO (après avoir évalué les frais de vente à 0,05 $ le kilogramme) en diminution du coût de fabrication des co-produits.

Dans l'atelier I, les coûts à la séparation sont répartis entre les co-produits en fonction de leur valeur marchande théorique au point de séparation.

On fournit les renseignements suivants pour le mois d'avril 20X5 :

a)

	31 mars Quantité (kg)	31 mars Coût	30 avril Quantité (kg)	30 avril Coût
Stocks				
Atelier I	– 0 –	– 0 – $	– 0 –	– 0 – $
Atelier II	100	590	300	?
Atelier III	300	2 010	700	?
Produits finis MO à 8,50 $	400	3 400	500	?
Produits finis JO à 9,25 $	800	7 400	1 200	?
Produits finis BOPO	– 0 –	– 0 –	– 0 –	– 0 –

b) On estime que les produits en cours au début et à la fin du mois, pour les ateliers II et III, sont à moitié terminés ;
c) Les coûts engagés durant le mois d'avril sont les suivants :

	Matière utilisée	Transformation
Atelier I	20 000 $	8 380 $
Atelier II		3 300
Atelier III		8 800

d) Le poids de la matière utilisée dans l'atelier I est de 4 000 kilogrammes ;
e) Les prix de vente, fixes durant tout le mois d'avril, sont les suivants :
  – MO : 13 $ le kg ;
  – JO : 24 $ le kg ;
  – BOPO : 1 $ le kg.

ON DEMANDE

1. de préparer un rapport des coûts de production pour le mois d'avril, avec tableaux à l'appui, la société utilisant la méthode de l'épuisement successif pour les stocks de produits en cours et les stocks de produits finis ;
2. de préparer un tableau des stocks de produits en cours et de produits finis au 30 avril.

(Adaptation – C.P.A.)

EXERCICE 6-11

Contour ltée fabrique trois co-produits (A, B et C) tirés des mêmes matières premières. On obtient également un sous-produit X pour lequel l'entreprise estime ne réaliser aucun bénéfice et ne subir aucune perte.

Les coûts de production propres aux ateliers de production furent les suivants :

Atelier 1   300 000 $
Atelier 2   7 000
Atelier 3   14 000
Atelier 4   1 000

Le tableau suivant fournit les renseignements pertinents concernant les opérations de production de l'exercice courant.

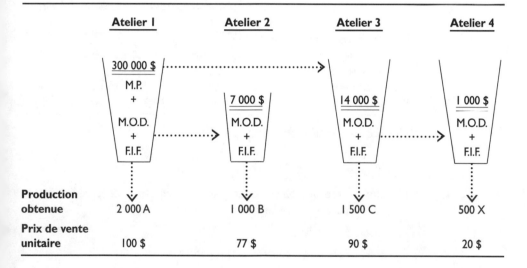

	Atelier 1	Atelier 2	Atelier 3	Atelier 4
Production obtenue	2 000 A	1 000 B	1 500 C	500 X
Prix de vente unitaire	100 $	77 $	90 $	20 $

ON DEMANDE

1. de procéder, calculs à l'appui, à la meilleure répartition possible des coûts communs entre les différents produits ;
2. de présenter l'état du bénéfice brut réalisé à la vente de chaque produit obtenu.

∎∎∎ EXERCICE 6-12

B ltée fabrique deux co-produits, R et S, et un sous-produit T. L'usine compte quatre ateliers de production : I, II, III, IV.

La séparation des co-produits R et S se fait à la sortie de l'atelier I. Le produit R est terminé à l'atelier II et le produit S, à l'atelier III. Le produit T provient de l'atelier III et est terminé à l'atelier IV.

B ltée se sert de la méthode de la moyenne pondérée pour calculer le coût de revient complet des produits terminés et en cours de production dans chaque atelier.

Voici le détail des opérations du mois d'août 20X5 :

a) Stock de produits en cours au 1er août et coûts engagés en août :

	Atelier I (R et S)	Atelier II (R)	Atelier III (S et T)	Atelier IV (T)
Stock de produits en cours au 1er août				
Matières premières	470 $	574,60 $	747 $	– 0 – $
Transformation	242	110,00	840	
Matières premières utilisées	7 692	4 553,00	15 372	156
Transformation	4 056	3 907,00	7 557	700

b) Nombre de produits transférés par l'atelier I :

– à l'atelier II : 1 000 R ;

– à l'atelier III : 2 000 S ;

c) Nombre de produits terminés et transférés au stock de produits finis :

– Produit R : 945 ;

– Produit S : 1 850 ;

d) Stock de produits en cours au 31 août :

	Matières premières	Transformation
Atelier I : 100 produits	80 % terminés	70 % terminés
Atelier II : 50 produits	100 % terminés	60 % terminés
Atelier III : 40 produits	100 % terminés	40 % terminés

e) Les ventes du sous-produit T au cours du mois d'août se chiffrent à 2 233 $ et les frais de vente de ce sous-produit atteignent 452 $. Toutes les unités du sous-produit T fabriquées au cours du mois ont été vendues au comptant. La politique de la société consiste à répartir les coûts communs de l'atelier I entre les produits R et S proportionnellement à leur valeur marchande au point de séparation. Les produits R et S auraient pu se vendre respectivement 9,72 $ et 3,24 $ l'unité dans l'état où ils se trouvaient au sortir de l'atelier I. La valeur de réalisation nette relative au sous-produit vient diminuer le coût des produits S terminés au cours du mois.

ON DEMANDE

de présenter le rapport des coûts de production relatif à chacun des ateliers de production.
(Adaptation — C.A.)

7 LE COÛT DE REVIENT STANDARD

Tout système traditionnel de comptabilité de coût de revient vise, entre autres objectifs, l'évaluation correcte des stocks et du coût des produits vendus, ainsi que le contrôle des coûts de fabrication.

Les systèmes basés sur les coûts passés ne permettent pas toujours d'exercer un contrôle valable sur les coûts de fabrication. Par exemple, dans les fabrications en série, les comparaisons entre les coûts de fabrication d'un mois et ceux du mois précédent (ou encore ceux du même mois, mais de l'année écoulée) permettent difficilement d'affirmer à coup sûr que la productivité des opérations a augmenté, diminué ou qu'elle s'est maintenue. Les résultats servant de base de comparaison peuvent très bien avoir été obtenus dans des conditions anormales, c'est-à-dire au cours d'une période de production très intensive, ou encore en période de grand ralentissement.

Pour parer à ces faiblesses, on recourt à des systèmes de coûts normalisés et préétablis. Ces coûts sont appelés **coûts standards**; ils représentent ce que devraient être les coûts à la suite d'un rendement raisonnablement élevé sans être nécessairement parfait.

Pour ce faire, les coûts standards doivent être préétablis à l'unité d'extrant. Ainsi définis, il sera par la suite possible d'établir le total des coûts standards pour n'importe quelle quantité d'extrants.

Le coût standard de production d'un article est formé des éléments suivants: coût standard en matière première, coût standard en main-d'œuvre directe et coût standard en frais indirects de fabrication. L'établissement du coût standard de chacun des éléments nécessite l'établissement de normes ou standards de quantité (nombre d'unités de matière première, nombre d'heures de main-d'œuvre directe, nombre d'unités d'œuvre dans le cas des frais indirects de fabrication) et de normes de prix (prix d'acquisition par unité de matière première, taux de rémunération par heure de main-d'œuvre directe, coefficient d'imputation par unité d'œuvre).

Si les normes de prix peuvent correspondre aux prix prévus, il en est rarement ainsi des normes de quantité. Ces dernières sont normalement déterminées par des analyses techniques menées par le service du génie, ou l'équivalent, qui a pour objet d'établir les quantités qui devraient être utilisées par produit et non de prévoir les quantités qui seront probablement utilisées par produit. Aussi, on comprendra que le coût standard n'est pas forcément synonyme de coût budgété.

Le niveau auquel on établit un standard de quantité est très important car il influe sur le comportement humain. Les standards de quantité trop élevés ont tendance à avoir un effet de découragement, car ils sont perçus comme étant hors d'atteinte. Des standards de quantité peu élevés diminuent la motivation ; face à des écarts favorables, la pression du groupe aura pour effet de rapprocher les réalisations des standards.

Le système de coût de revient standard est moins un nouveau système de coût qu'un système de base enrichi. En effet, les standards, ou normes, peuvent se rencontrer indifféremment dans les deux systèmes de base que sont le système de coût de revient par commande et le système de coût de revient en fabrication continue. Toutefois, pour qu'une entreprise industrielle fabriquant sur commande trouve avantageux de recourir aux standards, il faut que les commandes exécutées présentent un caractère répétitif, ceci afin de justifier les coûts engagés pour l'élaboration des standards. Le système de coût de revient standard s'accommode donc plutôt mal d'une stratégie de flexibilité visant la différenciation des produits.

Un véritable système de coût de revient standard enregistre les coûts effectivement engagés et ceux qui auraient dû l'être, conduit, le cas échéant, à la recherche des causes des écarts et, enfin, suscite les mesures correctives qui s'imposent.

Le système de coût de revient standard est donc un système de comptabilité conçu en vue de parfaire le contrôle des coûts de fabrication. Il repose sur le principe de la **gestion par exceptions**, c'est-à-dire qu'il met uniquement en évidence des divergences, les écarts qui surviennent par rapport aux normes préalablement établies. Les administrateurs sont ainsi pourvus d'instruments de mesure rationnels indispensables à l'accomplissement de leur tâche, à savoir juger des résultats obtenus. Certains prétendent que l'entreprise devrait plutôt s'en tenir à la méthode des coûts réels en s'engageant dans une stratégie d'amélioration continue. L'usage de standards déphasés sous-tend bien souvent pareille affirmation, surtout aujourd'hui où les produits sont davantage sujets aux bouleversements technologiques. Les nombreux cas où le système de coût de revient standard produit une information trop tardive et trop agrégée donnent encore plus prise à la critique.

Dans l'analyse coûts/bénéfices découlant de l'implantation d'un tel système, il faut considérer le fait que l'usage de coûts standards simplifie la tenue des registres comptables (usage de bons nomenclature, simplification de la tenue des fiches de stock ou de certaines d'entre elles, accélération de la comptabilisation des opérations), facilite la préparation de rapports d'exploitation intérimaires destinés à l'information interne (par exemple des rapports de coûts de production où les coûts réels n'interviennent pas) et aide à la prise de décision ; les normes de prix qu'il a fallu forcément établir peuvent même servir à l'élaboration de budgets annuels.

1.   LA DÉTERMINATION DES STANDARDS DE COÛT DE FABRICATION

La détermination de standards pour les coûts concernant les activités reliées à la fonction de fabrication ne restreint pas pour autant l'usage des standards de coûts à cette seule activité. Moyennant l'existence de certaines caractéristiques, on peut établir des standards de coûts pour d'autres activités[1]. Il en est ainsi, par exemple, de certains services rendus par les banques à leur clientèle.

A.   La fiche de coût de revient standard

La détermination du coût de revient standard d'un produit est issue du travail collectif de plusieurs services de l'entreprise qui se traduit par un document synthèse appelé Fiche de coût de revient standard. Il sert à la comptabilisation des coûts de fabrication et au contrôle de ceux-ci. Ce document indique, pour chacune des composantes, les éléments requis (quantité et prix) ainsi que le coût unitaire standard du produit (tableau I). Nous allons étudier maintenant le processus qui permet d'en établir le contenu.

TABLEAU I
Exemple de fiche de coût de revient standard

FICHE DE COÛT DE REVIENT STANDARD
PRODUIT : OMÉGA   Préparée (révisée) le : _____

Matières premières	2 kg à 3 $ / kg	6 $
Main-d'œuvre directe	4 heures à 20 $ / h	80
Frais indirects de fab. – variables	4 h de M.O.D. à 2 $ / h	8
Frais indirects de fab. – fixes	4 h de M.O.D. à 4 $ / h	16
Total		110 $

---

1. Willis R. Greer, « Standard Costing for Non-Manufacturing Activities », *Cost and Management*, novembre-décembre 1975, p. 12-15.

B.   Les matières premières

Lorsqu'une entreprise décide de se lancer dans la fabrication d'un certain produit, elle précise habituellement le type de matières premières à utiliser et la quantité par unité de production, en tenant compte d'une marge raisonnable pour les pertes rattachées aux formats sous lesquels sont livrées certaines matières premières. Certains formats ne permettent pas une utilisation complète du produit.

Prenons pour exemple une entreprise qui utilise, dans la fabrication de son produit, une feuille de tôle de trois mètres sur trois mètres qui se vend 15 $. L'utilisation de cette feuille exige une ouverture carrée de un dixième de mètre de côté au centre de cette feuille de tôle. La section découpée n'a aucune valeur. Le coût standard de ce produit en matières premières sera donc de 15 $, puisque la tôle ne peut être obtenue dans un autre format.

La responsabilité de l'établissement des standards qualitatifs et quantitatifs en matières premières peut être confiée au service du génie ou à son équivalent. Ces derniers ne sauraient, le cas échéant, procéder sans que le personnel affecté à la production ait son mot à dire. Il y va de l'intérêt de l'entreprise.

En ce qui a trait à la fixation des standards quantitatifs, deux cas peuvent se présenter. Quand le produit à fabriquer est d'un modèle connu et identique, c'est-à-dire qu'il fait appel aux mêmes moyens de production et aux mêmes matières premières, les standards quantitatifs peuvent être basés sur ce modèle en tenant compte cependant des économies prévues ou des mises au point dans l'usage des matières.

Une fois fixés les standards qualitatif et quantitatif d'une matière première, l'entreprise établit les prix auxquels elle pourra se procurer cette matière ; ensuite, elle représente ces prix par un prix unique et standard. Le prix standard d'une matière première est habituellement un prix de tendance pour la période à venir, c'est-à-dire un prix basé sur une étude de l'évolution des prix dans le temps.

La responsabilité de l'établissement des standards de prix relève en général du service des achats, puisque ce service est habituellement en mesure de déterminer ce prix ou ces prix de tendance à partir d'une liste complète des matières premières nécessaires à la production pour la période à venir.

C.   La main-d'œuvre directe

C'est le service du génie qui normalement a la tâche, en étroite collaboration avec le service de production, de fixer les standards quantitatifs et qualitatifs de main-d'œuvre directe. Pour ce faire, il faut, entre autres, prendre en considération la nature des matières premières qui seront utilisées, l'outillage disponible, la qualité de la main-d'œuvre de fabrication et la séquence des opérations de fabrication retenue.

La détermination du temps standard[2] de fabrication est sans doute l'élément le plus sensible du processus de détermination du coût de revient standard d'un produit, car il touche directement les individus impliqués dans la fabrication. Il est primordial que les employés d'usine ou, à tout le moins, les contremaîtres soient consultés sur la détermination du temps standard. Un temps standard trop serré peut être considéré comme abusif par les employés et engendrer des relations de travail difficiles, voire conflictuelles, qui pourraient avoir un impact sur les temps de production. Par contre, un temps standard trop relâché peut avoir un effet démotivant sur les employés. Un temps standard convenable se situe bien sûr entre ces deux bornes. Il doit être perçu par les employés comme un objectif à atteindre (et atteignable) pour être stimulant.

Le temps standard doit prendre en compte non seulement le temps relié aux opérations de fabrication comme telles mais aussi le temps pour la manutention des matières premières et des unités en voie de fabrication. Il est tenu pour acquis ici que la rémunération relative au temps de mise en route et au temps d'arrêt lié à l'entretien des machines et de l'atelier font partie des frais indirects de fabrication (chapitre 4).

La responsabilité de l'établissement des standards de taux de rémunération peut être confiée au service du personnel. Pareillement au prix standard des matières premières, le taux standard de rémunération est un taux de tendance pour la période à venir, c'est-à-dire un taux basé sur une étude de l'évolution des rémunérations dans le temps.

D. Les frais indirects de fabrication

L'établissement de standards pour les frais indirects de fabrication est essentiellement fondé sur le processus budgétaire étudié au chapitre 4. Rappelons brièvement les principales étapes du calcul du coefficient d'imputation (Ci) des frais indirects de fabrication :

1) choix de l'unité d'œuvre ;
2) détermination de volume prédéterminé de l'unité d'œuvre ;
3) préparation du budget afférent ;
4) calcul du Ci comme tel.

Les unités d'œuvre le plus souvent retenues comme base d'imputation sont les heures de fonctionnement des machines, les heures et le coût de la main-d'œuvre directe. Pour ce qui est du volume prédéterminé de l'unité d'œuvre, on renvoie aux notions déjà étudiées au chapitre 2 (capacité théorique, capacité pratique et activité normale).

---

2. La prise en compte de l'effet de l'apprentissage dans l'établissement des standards de temps de main-d'œuvre directe par unité de production est présentée à l'annexe A.

Le comportement des frais indirects de fabrication fixes pose un réel problème, car le coût standard en frais indirects de fabrication fixes par produit différera selon le concept d'activité choisi. Le problème précédent n'existe pas dans le cas des frais indirects de fabrication variables puisque ceux-ci sont considérés comme constants à l'unité d'œuvre, à l'intérieur du segment significatif.

2. LE RAPPORT DES COÛTS DE PRODUCTION, LES ÉCRITURES DE JOURNAL ET LE CALCUL DES ÉCARTS

Le coût de revient standard étant surtout utilisé dans le cadre d'une fabrication continue, toutes les notions étudiées par la suite dans ce chapitre se rapporteront à ce mode de fabrication. Le coût **standard** des ressources utilisées en fabrication est porté dans des comptes Stock de produits en cours identifiés aux composantes Matières premières, Main-d'œuvre directe et Frais indirects de fabrication.

A.   Le rapport des coûts de production

À l'instar de la fabrication uniforme en coût de revient rationnel étudiée au chapitre 5, un rapport des coûts de production en trois étapes est préparé périodiquement (habituellement, tous les mois).

a.   *Production équivalente*

Il s'agit du tableau des quantités équivalentes déjà étudié. Comme les écarts découlent uniquement des actes posés au cours d'une période donnée, les unités équivalentes relatives à la production de cette période sont déterminées selon la méthode du premier entré, premier sorti (PEPS).

b.   *Coûts comptabilisés*

Ce sont, selon PEPS, les coûts **standards** relatifs aux produits en cours au début et les coûts **standards** de la période pour réaliser la production équivalente. On peut aussi dire qu'il s'agit du solde de compte Stock de produits en cours de l'atelier en question, à la fin de la période et avant sa mise à jour.

c. *Distribution des coûts*

C'est la ventilation des coûts **standards** de la période entre les produits terminés et les produits en cours[3].

B. Les écritures comptables et le calcul des écarts

Ces éléments seront illustrés à partir des données de Manufacturière ltée pour l'exercice terminé le 31 décembre 20X0 :

1) Fiche de coût de revient standard du produit Oméga validée au début de l'exercice et identique à celle de l'exercice précédent :

FICHE DE COÛT DE REVIENT STANDARD

PRODUIT : OMÉGA   Préparée (révisée) le : _____

Matières premières	2 kg à 3 $ / kg	6 $
Main-d'œuvre directe	4 heures à 20 $ / h	80
Frais indirects de fab. – variables	4 h de M.O.D. à 2 $ / h	8
Frais indirects de fab. – fixes	4 h de M.O.D. à 4 $ / h	16
Total		110 $

---

2) Coefficients d'imputation des frais indirects de fabrication variables et fixes établis à partir d'un volume prédéterminé de l'unité d'œuvre (heures de main-d'œuvre directe) fondé sur la capacité normale de 6 250 unités ou 25 000 heures de main-d'œuvre directe (6 250 u. x 4 h) :

Ci_v = 2 $ par heure de M.O.D. ;

Ci_f = 4 $ par heure de M.O.D. ;

3) Frais indirects de fabrication budgétés :
   - Variables : 2 $ par heure de main-d'œuvre directe ;
   - Fixes : 100 000 $;

4) Production de l'exercice : 8 000 unités ;

---

3. Le cas des pertes de produits est examiné plus loin dans le chapitre.

5) Stock de produits en cours :
  - Au début : 200 unités (100 % M.P. et 70 % C.T.) ayant un coût standard de 15 760 $ (200 u. × 6 $ et 140 u. × 104 $[4]) ;
  - À la fin : 200 unités (100 % M.P. et 20 % C.T.) ;

6) Matières premières :
  - Stock au début : 100 kg = 300 $;
  - Achats de l'exercice : 16 500 kg au prix unitaire de 3,048 $;
  - Utilisation de l'exercice : 16 200 kg ;
  - Stock à la fin : 400 kg ;

7) Main-d'œuvre directe engagée :
  31 442 heures (635 128,40 $) ;

8) Frais indirects de fabrication réels :
  Variables : 64 000 $;

  Fixes : 99 530 $;

9) Stock de produits finis :
  - Au début : aucun ;
  - À la fin : 1 000 unités ;

10) Ventes de l'exercice :
  7 000 unités à 160 $ l'unité ;

11) Frais de vente et d'administration : 150 000 $.

a.   ***Le rapport des coûts de production***

La première étape du travail de comptabilisation est la préparation du rapport des coûts de production de la période.

Rapport des coûts de production
pour l'exercice terminé le 31 décembre 20X0

Production équivalente

	M.P.	C.T.
Terminés		
En cours au début	0	60
Commencés	7 800	7 800
En cours à la fin	200	40
	8 000	7 900

---

4. Selon la fiche de coût de revient standard, le coût à l'unité est 80 $ (M.O.D.) et 24 $ (F.I.F.).

Coûts comptabilisés

En cours au début	15 760 $
Au cours de la période courante	
(8 000 u. × 6 $) + (7 900 u. × 104 $)	869 600
	885 360 $

Distribution des coûts

Coût des produits terminés		
8 000 u. × 110 $		880 000 $
Coût des produits en cours à la fin		
M.P.: 200 u. × 6 $ =	1 200 $	
C.T.: 40 u. × 104 $ =	4 160	5 360
		885 360 $

Il est à noter que le rapport des coûts de production exprimé en coût de revient standard élude deux étapes présentes dans celui préparé en coût de revient rationnel (chapitre 5). Il n'est pas nécessaire de faire état de l'étape des produits traités utilisée pour la conciliation quantitative, car, en coût de revient standard, on exerce un contrôle plus serré sur les composantes Matières premières et Coûts de transformation qu'en coût de revient rationnel. Pour ce qui est de l'étape Coût unitaire, elle est inutile car les produits terminés et les produits en cours à la fin sont évalués au coût standard par composante comme c'est indiqué sur la fiche de coût de revient standard.

b. *Les écarts classiques sur matières premières*[5]

Les écarts classiques sur matières premières sont au nombre de deux : l'**écart sur prix**, se rapportant à toutes les quantités achetées, et l'**écart sur quantité**, relatif aux matières premières utilisées. Il existe deux approches quant à la constatation de l'écart sur prix de matières premières. L'écart sur prix est dégagé et comptabilisé au moment de l'acquisition des matières ou au moment de leur utilisation. Si la première approche est retenue, le stock de matières sera évalué en cours d'exercice au prix standard. Ainsi, la gestion de l'inventaire permanent va s'en trouver simplifiée, car il ne sera plus utile de faire appel à une des méthodes de contrôle des stocks étudiées au chapitre 4. Bien entendu, en fin d'exercice, il faudra recourir à l'une des méthodes de contrôle des stocks acceptables aux fins de la présentation des états financiers

---

5. On présume ici qu'un système d'inventaire permanent est utilisé pour le contrôle du stock.

destinés aux usagers externes. C'est la première approche qui sera retenue pour illustrer la comptabilisation des achats de matières premières.

L'achat de matières premières

Les matières ayant été acquises au prix de 3,048 $ le kilo, alors que le prix standard indiqué sur la fiche de coût de revient standard est de 3 $, un écart de 0,048 $ le kilo est observé et cet écart est défavorable car il en a coûté plus cher que prévu pour acquérir ces matières.

L'écart sur prix à l'achat peut être obtenu en multipliant la différence entre le prix réel unitaire et le prix standard unitaire par la quantité achetée.

L'écart sur prix peut également être obtenu en trouvant la différence entre le coût réel total des achats et le coût standard total des achats.

Écart sur prix = (PR − PS) QA

où

PR = prix réel,

PS = prix standard,

QA = quantité achetée.

Écart sur prix = (3,048 $ − 3,00 $) 16 500,
= 792 $ (écart défavorable).

Autre formulation :

Coût réel des achats − coût standard des achats = écart sur prix des achats ;

50 292 $ − (16 500)(3,00 $) = 792 $ (écart défavorable).

Écriture

Stock de matières (16 500 kg × 3 $)	49 500	
Écart sur prix (16 500 kg × 0,048 $)	792	
Fournisseurs (16 500 kg × 3,048 $)		50 292

Il est à noter que l'écart sur prix est dégagé pour chaque catégorie de matières premières consommées car, en général, le prix d'une matière première n'est pas relié à celui d'une autre matière première et que les écarts défavorables sont comptabilisés au débit, alors que les écarts favorables le sont au crédit.

L'utilisation des matières premières

L'écart sur prix étant dégagé à l'acquisition, il ne peut subsister, le cas échéant, qu'un écart sur quantité dégagé à l'utilisation des matières premières. Cet écart mesure l'efficacité liée à la consommation des matières premières dans les ateliers de production. Si la quantité utilisée excède celle qui **aurait dû être** utilisée compte tenu de la production équivalente, l'écart sur quantité sera défavorable. On considère alors qu'il y a eu gaspillage de matières premières. À l'opposé, un écart favorable indique une économie de matières premières.

Dans le cas de Manufacturière ltée, on a consommé 2,025 kg de matières premières par unité équivalente (16 200 kg / 8 000 u.) alors que la fiche de coût de revient standard indique une norme de 2 kg par unité. Il existe donc un écart défavorable de 0,025 kilo par unité et qui sera de 600 $ pour l'ensemble de la production équivalente de l'exercice (0,025 kg × 8 000 u. × 3 $).

L'écart sur quantité utilisée peut être obtenu en multipliant la différence entre la quantité totale utilisée et la quantité totale standard par le prix standard unitaire.

Écart sur quantité = (QU – QS) PS

où

QU = quantité utilisée,

QS = quantité standard,

PS = prix standard.

Écart sur quantité = (16 200 – 16 000) 3 $,
                   = 600 $ (écart défavorable).

Autre formulation :

(2,025 – 2) 8 000 u. (3 $) = 600 $ (écart défavorable).

Nous avons vu qu'il n'est pas toujours possible de savoir, au moment de l'achat, si une matière sera classée dans les matières premières utilisées ou dans les fournitures utilisées. Cette situation n'empêche pas pour autant les entreprises de déterminer un prix standard pour ladite matière. L'écart portera donc sur toute la matière achetée. Si, lors de son utilisation, une partie de cette matière est classée comme fournitures, la quantité ainsi utilisée n'entrera pas dans le calcul du QU pour la détermination de l'écart sur quantité.

Écriture

SPC – M.P. (8 000 u. × 2kg × 3 $)	48 000	
Écart sur quantité (16 200 kg – 16 000 kg × 3 $)	600	
Stock de matières (16 200 kg × 3 $)		48 600

À l'instar de l'écart sur prix, un écart sur quantité par catégorie de matières premières devrait être dégagé. De plus, le stock de matières à la fin de l'exercice est évalué au prix standard :

Stock au début	100 kg à 3 $	
plus : Achats	16 500 kg à 3 $	
Moins : Utilisations	(16 200 kg) à 3 $	
Stock à la fin	400 kg à 3 $	= 1 200 $

c. Les écarts classiques sur main-d'œuvre directe

Les écarts classiques sur main-d'œuvre directe sont également au nombre de deux : l'**écart sur taux** et l'**écart sur temps**. Nous posons ici l'hypothèse que la rémunération se fait en fonction du temps et non du rendement.

Si la fabrication nécessite le recours à plus d'une catégorie de main-d'œuvre directe, les écarts sur taux et sur temps doivent être déterminés pour chacune de ces catégories.

L'écart sur taux

En ce qui concerne la main-d'œuvre directe, l'entreprise veut savoir si les taux des salaires versés sont conformes à la norme établie au début de l'exercice, ou de combien ils s'en écartent.

Si le taux de rémunération moyen payé à une catégorie de main-d'œuvre directe est plus élevé que le taux standard, l'écart par rapport au standard établi est défavorable à l'entreprise. Par ailleurs, si le taux moyen de rémunération est moins élevé que le taux standard, l'écart par rapport à la norme établie est favorable à l'entreprise.

Dans le cas de Manufacturière ltée, le taux effectif est de 20,20 $ (soit 635 128,40 $/ 31 442 h) alors que le taux standard inscrit sur la fiche de coût de revient standard est de 20 $. Il y a donc un écart de 0,20 $ de l'heure et cet écart est bien entendu défavorable. L'écart sur taux pour l'ensemble des heures travaillées est de 6 288,40 $ (soit 0,20 $ × 31 442 h).

On détermine également l'écart sur taux en trouvant la différence entre le total des salaires réels et le coût standard total des heures travaillées.

Écart sur taux = (TR – TS) HR

où

TS = taux standard,

TR = taux réel,

HR = heures de travail.

Écart sur prix = (20,20 $ – 20,00 $) 31 442 heures,

= 6 288,40 $ (écart défavorable).

Autre formulation :

Coût réel de la main-d'œuvre – Coût standard de la main-d'œuvre = Écart sur taux ;

635 128,40 $ – (31 442 h × 20 $) = 6 288,40 $ (écart défavorable).

L'écart sur temps

L'entreprise désire savoir comment s'est comportée la main-d'œuvre directe à l'étude par rapport à la norme fixée. Si elle a pris plus d'heures que le standard fixé, l'écart est défavorable à l'entreprise. Par contre, si elle a pris moins d'heures que la norme établie, l'écart est favorable. Le service des coûts de revient devra donc fournir un rapport en ce sens.

Pour Manufacturière ltée, on constate que la main-d'œuvre directe a travaillé 31 442 heures, alors que la norme indiquée sur la fiche de coût de revient standard est de 4 heures par unité. Comme le rapport des coûts de production indique que la production équivalente pour la composante Coûts de transformation est de 7 900 unités, la main-d'œuvre directe aurait dû travailler 31 600 heures (soit 7 900 u. x 4 h). Il y a ici un écart de 158 heures qui est favorable, car on a pris moins de temps que celui alloué pour fabriquer 7 900 unités équivalentes. En termes de coût, l'écart sur temps est de 3 160 $ (soit 158 h × 20 $).

Écart sur temps = (HS – HR) TS

où

HR = heures réelles,

HS = heures standards,

TS = taux standard.

$$\text{Écart sur temps} = (31\ 600 - 31\ 442) \times 20\ \$,$$
$$= 3\ 160\ \$ \ (\text{écart favorable}).$$

Autre formulation :

$$(4\ h - 3{,}98\ h) \times 7\ 900\ u. \times 20\ \$ = 3\ 160\ \$ \ (\text{écart favorable}).$$

Écriture

Pour les entreprises qui préfèrent dégager l'écart sur taux au moment de la préparation de la paie, les écritures relatives à la comptabilisation des salaires et à la ventilation des salaires d'usine sont les suivantes :

1) Salaires (31 442 h × 20 $)	628 840,00	
Écart sur taux	6 288,40	
Salaires et retenues à payer		635 128,40
2) SPC – M.O.D.	632 000,00	
Écart sur temps		3 160,00
Salaires		628 840,00

D'autres entreprises comptabilisent plutôt les écarts sur taux et sur temps au moment de la ventilation des salaires d'usine. Dans ce cas, l'écriture est la suivante :

SPC – M.O.D. (7 900 u. × 80 $)	632 000,00	
Écart sur taux (31 442 h × 0,20 $)	6 288,40	
Écart sur temps (158 h × 20 $)		3 160,00
Salaires		635 128,40

d. Les frais indirects de fabrication

Tout comme en coût de revient rationnel, les frais indirects de fabrication en coût de revient standard sont imputés à la fabrication en fonction d'une unité d'œuvre pertinente. Par contre, si, en coût de revient rationnel, les F.I.F. sont imputés au volume atteint (réel) de l'unité d'œuvre, en coût de revient standard, ils sont imputés au volume **alloué** ou **standard** de l'unité d'œuvre. Le volume alloué correspond au nombre d'unités d'œuvre alloué par produit (fiche de coût de revient standard) multiplié par la production équivalente de la composante Coûts de transformation. Pour Manufacturière ltée, le volume alloué d'unité d'œuvre est de 31 600 heures de M.O.D. (soit 7 900 u. × 4 h).

Écriture

1) F.I.F. (64 000 $ + 99 530 $)   163 530,00

    Divers crédits   163 530,00

2) SPC − F.I.F. (31 600 h × 6 $[6])   189 600,00

    F.I.F. imputés   189 600,00

La comptabilisation des frais indirects de fabrication réels s'effectue donc de la même façon qu'en coût de revient rationnel; les coûts sont portés au compte collectif F.I.F. auquel est rattaché un grand livre auxiliaire. Quant aux F.I.F. imputés, ils sont comptabilisés à la fin de la période en fonction de la production équivalente indiquée au rapport des coûts de production de cette même période.

Les écarts reliés aux frais indirects de fabrication

Tout comme en coût de revient rationnel, la variation (sur- ou sous-imputation) entre les frais indirects de fabrication réels et les frais indirects de fabrication imputés fait l'objet d'une analyse d'écarts et d'un traitement comptable approprié. Dans les deux cas, l'analyse de la variation n'est vraiment significative qu'en fin d'exercice, car c'est à ce moment que les frais indirects de fabrication réels sont significatifs.

Il existe trois méthodes de calcul des écarts liés aux frais indirects de fabrication: la méthode des deux écarts, la méthode des trois écarts et la méthode des quatre écarts. Une démonstration de la méthode des trois écarts sera d'abord effectuée pour ensuite faire le lien avec les deux autres.

Dans le cas de Manufacturière ltée, les deux écritures précédentes font ressortir une surimputation de 26 070 $ (soit 189 600 $ − 163 530 $). Il peut être utile de préciser certaines données de l'exemple avant de procéder à l'analyse des écarts des F.I.F. Tout d'abord, le budget flexible dressé au début de l'exercice au volume prédéterminé de 25 000 heures de M.O.D. et qui a permis de calculer les coefficients d'imputation variable et fixe se présente comme suit:

Variables: 2 $ × 25 000 h   50 000 $

Fixes: 100 000

                                          _____

                                          150 000 $

C_i = 150 000 $ / 25 000 h = 6 $, soit 2 $ pour le C_{i_v} et 4 $ pour le C_{i_f}.

---

6. Selon la fiche de coût de revient standard: C_{i_v} de 2 $ + C_{i_f} de 4 $.

Ce budget établi au volume prédéterminé peut aussi être exprimé sous la forme d'une équation du type y = a + bx (équation du budget flexible)

où

   y = F.I.F. budgétés ;

   a = Frais fixes ;

   b = Frais variables unitaires ;

   x = Volume de l'unité d'œuvre.

L'équation du budget flexible permet de calculer rapidement les F.I.F. budgétés à n'importe quel volume d'activité de l'unité d'œuvre. Elle sera utile pour l'analyse des écarts quelle que soit la méthode utilisée. En l'occurrence, l'équation du budget flexible serait : y = 100 000 $ + 2 $ par heure de M.O.D.

La méthode des trois écarts

L'écart sur dépense

L'écart sur dépense se calcule de la manière suivante :

Frais indirects de fabrication réels	XXX $
Frais indirects de fabrication budgétés au volume atteint	XXX
Écart sur dépense	XXX $

Ce calcul est le même que celui de l'écart sur dépense en coût de revient rationnel. Dans le cas de Manufacturière ltée, l'écart sur dépense est le suivant :

Frais indirects de fabrication réels	163 530 $
Frais indirects de fabrication budgétés au volume atteint	
100 000 $ + (2 $ × 31 442 h)	162 884
Écart sur dépense (défavorable)	646 $

Cet écart sur dépense de 646 $ est défavorable car il en a coûté plus cher que prévu au volume atteint de l'unité d'œuvre. Il faut se rappeler que l'écart sur dépense devrait faire l'objet d'une analyse par poste de coût, car les éléments regroupés sous la rubrique Frais indirects de fabrication sont en général distincts les uns des autres (chapitre 4).

L'écart sur rendement

L'écart sur rendement se calcule de la manière suivante :

Frais indirects de fabrication budgétés au volume atteint	XXX $
Frais indirects de fabrication budgétés au volume alloué	XXX
Écart sur rendement	XXX $

Tout comme l'écart sur quantité et l'écart sur temps, l'écart sur rendement est un écart d'efficience. Ces trois écarts font état de l'efficience ou de la non-efficience de l'entreprise dans l'utilisation de ses ressources de fabrication. Par ailleurs, si le message est clair en ce qui a trait à la matière première et à la main-d'œuvre directe, il est beaucoup plus diffus pour ce qui est du rendement de la composante Frais indirects de fabrication. Comme il a été mentionné précédemment, les frais indirects de fabrication regroupent un ensemble d'éléments qui n'ont pas nécessairement de lien précis entre eux (la force motrice *vs* les charges sociales de la main-d'œuvre d'usine). Cependant, ce qu'il est encore plus important de souligner, c'est que l'écart sur rendement est lié au choix de l'unité d'œuvre. Par exemple, dans le cas de Manu-facturière ltée, la base d'imputation étant les heures de la main-d'œuvre directe, il ne sera pas étonnant de constater que l'écart sur rendement sera favorable, car l'écart sur temps est favorable. Dans ce cas, l'écart sur rendement épouse toujours le sens de l'écart sur temps, alors qu'il s'agit de types de coûts bien différents. On constate alors que l'écart sur rendement n'est pas un écart «indépendant» au même titre que l'écart sur dépense et que son interprétation a une portée limitée. Dans le cas présent, l'écart sur rendement est le suivant :

Frais indirects de fabrication budgétés au volume atteint	
100 000 $ + (2 $ × 31 442 h)	162 884 $
Frais indirects de fabrication budgétés au volume alloué	
100 000 $ + (2 $ × 7 900 u. × 4 h)	163 200
Écart sur rendement (favorable)	316 $

L'écart sur rendement est favorable car la fabrication a exigé un volume d'unités d'œuvre (31 442 h) moins élevé que celui alloué (31 600 h), compte tenu de la production équivalente de 7 900 unités.

Cet écart est de nature strictement budgétaire. Il est le résultat de la comparaison du même budget exprimé à deux volumes d'unités d'œuvre différents. Dans ce cas, l'écart sur rendement n'est dû qu'aux frais variables car les frais fixes demeurent inchangés. Voici une autre manière de calculer l'écart sur rendement :

Écart sur rendement = (Vat − Val) Civ

où

Vat = Volume d'unités d'œuvre atteint;

Val = Volume d'unités d'œuvre alloué;

Ci_v = Coefficient d'imputation variable.

Dans le cas de Manufacturière ltée, l'écart sur rendement est le suivant:

(31 442 h − 31 600 h) 2$ = 316$ (favorable)

L'écart sur volume

Tout comme en coût de revient rationnel, l'écart sur volume est un écart technique qui indique si les frais fixes budgétés ont été sur- ou sous-absorbés par la production, et l'objectif à atteindre est le volume prédéterminé. La distinction réside dans le fait que le volume de référence (prédéterminé) est comparé non pas au volume atteint mais au volume alloué. C'est ce dernier qui est retenu car toutes les composantes, y compris les frais indirects de fabrication, sont comptabilisées au coût standard.

L'écart sur volume se calcule de la manière suivante:

Frais indirects de fabrication budgétés au volume alloué	XXX$
Frais indirects de fabrication imputés	XXX
Écart sur volume	XXX$

L'écart sur volume est favorable si le volume alloué de l'unité d'œuvre dépasse le volume prédéterminé. Cet écart est nul lorsque les deux volumes coïncident.

Dans le cas de Manufacturière ltée, l'écart sur volume est favorable car le volume alloué (31 600 h) est supérieur au volume prédéterminé (25 000 h). Le montant de l'écart est le suivant:

Frais indirects de fabrication budgétés au volume alloué	
100 000$ + (2$ × 31 600 h)	163 200$
Frais indirects de fabrication imputés [7 900 u. (8$ + 16$)]	189 600
Écart sur volume (favorable)	26 400$

L'écart sur volume étant uniquement dû aux frais fixes, il peut aussi être calculé de la manière suivante:

Écart sur volume = (Vpr − Val)Cif

où

Vpr = Volume d'unités d'œuvre prédéterminé;

Val = Volume d'unités d'œuvre alloué;

Ci_f = Coefficient d'imputation fixe.

Dans le cas de Manufacturière ltée, l'écart sur volume est le suivant:

(25 000 h − 31 600 h) 4$ = 26 400$ (favorable)

Comptabilisation des écarts

En coût de revient standard, les écarts reliés aux frais indirects de fabrication sont comptabilisés, ce qui n'est généralement pas le cas en coût de revient rationnel. L'écriture qui permet de dégager ces écarts correspond à une écriture de fermeture, puisque les comptes Frais indirects de fabrication et Frais indirects de fabrication imputés sont fermés l'un contre l'autre.

Écriture

Frais indirects de fabrication imputés	189 600,00	
Écart sur dépense	646,00	
Écart sur rendement		316,00
Écart sur volume		26 400,00
Frais indirects de fabrication		163 530,00

La méthode des quatre écarts

La seule distinction entre la méthode des trois écarts et celle des quatre écarts se situe au niveau de l'écart sur dépense. Celui-ci est tout simplement fractionné en un écart sur dépense en frais indirects variables et en un écart sur dépense en frais indirects fixes. Les écarts sur rendement et sur volume sont identiques dans les deux méthodes. La méthode des quatre écarts se compose donc d'écarts:

− sur dépense en frais indirects variables;
− sur dépense en frais indirects fixes;
− sur rendement;
− sur volume.

La méthode des deux écarts

La seule distinction entre la méthode des trois écarts et celle des deux écarts vient du fait que l'écart sur dépense et l'écart sur rendement s'additionnent pour former l'**écart sur budget**. L'écart sur volume demeure inchangé.

L'écart sur budget se calcule comme suit:

Frais indirects de fabrication réels	XXX $
Frais indirects de fabrication budgétés au volume alloué	XXX
Écart sur budget	XXX $

Les tableaux 2 et 3 montrent de façon synthétique les liens entre les trois méthodes.

TABLEAU 2
Les relations entre les trois méthodes

2 écarts	3 écarts	4 écarts
		sur dépense en frais indirects variables
sur budget	sur dépense	sur dépense en frais indirects fixes
	sur rendement	sur rendement
sur volume	sur volume	sur volume

TABLEAU 3
Manufacturière ltée
Frais indirects de fabrication – analyse d'écarts

	Variation globale: 26 070 \$ F			
		F.I.F. budgétés		
	F.I.F. réels	**Vol. atteint**	**Vol. alloué**	**F.I.F. imputés**
			7 900 u. × 4 h	7 900 u. × 4 h
Volume	31 442 h	31 442 h	31 600 h	31 600 h
FV	64 000 \$	62 884 \$[1]	63 200 \$[2]	63 200 \$[3]
FF	99 530	100 000	100 000	126 400[4]
	163 530 \$	162 884 \$	163 200 \$	189 600 \$
4 écarts	Δ/dép. FV: 1 116 \$ D Δ/dép. FF: 470 \$ F	Δ/rendement: 316 \$ F	Δ/volume: 26 400 \$ F	
3 écarts	Δ/dépense: 646 \$ D	Δ/rendement: 316 \$ F	Δ/volume: 26 400 \$ F	
2 écarts	Δ/budget: 330 \$ D		Δ/volume: 26 400 \$ F	

1. FV unitaires de 2 \$ × 31 442 h.
2. FV unitaires de 2 \$ × 31 600 h.
3. Coût standard en FV (2 \$ × 4h) 7 900 u.
4. Coût standard en FF (4 \$ × 4h) 7 900 u.

e.   Le transfert à l'entrepôt des produits finis

Le transfert des produits entièrement terminés s'effectue au coût de revient standard. Il s'ensuit que le solde de chacun des comptes Stock de produits en cours représentera les unités non encore terminées en fin de période évaluées au coût standard. Dans le cas de Manufacturière ltée, 8 000 unités ont été terminées au cours de l'exercice et le coût de revient standard unitaire est de 110 $ comme c'est indiqué sur la fiche de coût de revient standard.

Écriture

Stock de produits finis	880 000,00	
SPC – M. P. (8 000 u. × 6 $)		48 000,00
SPC – M.O.D. (8 000 u. × 80 $)		640 000,00
SPC – F.I.F. (8 000 u. × 24 $)		192 000,00

À la suite du transfert des unités terminées à l'entrepôt des produits finis, le solde débiteur de chacun des comptes Stock de produits en cours se présente comme suit :

SPC – M. P. (200 u. × 6 $)	1 200,00 $
SPC – M.O.D. (40 u. × 80 $)	3 200,00
SPC – F.I.F. (40 u. × 24 $)	960,00
	5 360,00 $

f.   La vente de produits

L'expédition de produits finis aux clients donne aussi lieu à une comptabilisation au coût de revient standard. Le solde du compte Stock de produits finis en fin de période est évalué au coût de revient standard.

Écriture

1) Clients (7 000 u. × 160 $)	1 120 000,00	
Ventes		1 120 000,00
2) Coût des produits vendus (7 000 u. × 110 $)	770 000,00	
Stock de produits finis		770 000,00

À la suite de l'expédition des 7 000 produits au cours de l'exercice, le solde débiteur du compte Stock de produits finis est de 110 000 $ (soit 1 000 u. × 110 $). Le tableau 4 présente les comptes reliés à la fonction Fabrication.

TABLEAU 4
Comptes reliés à la fonction Fabrication

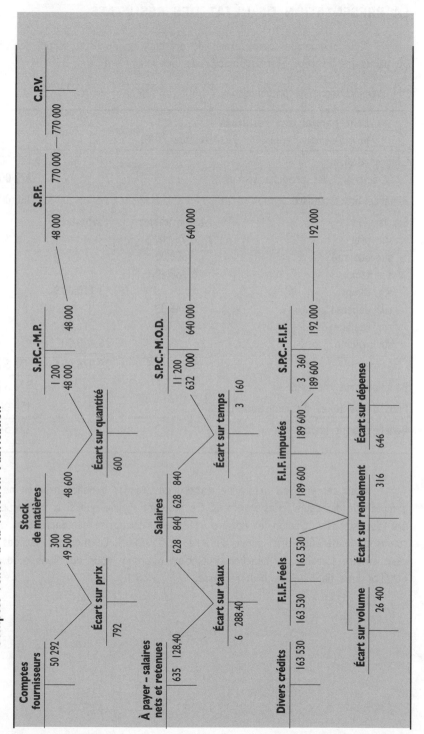

3.   LA PRÉSENTATION DE L'ÉTAT DES RÉSULTATS

Nous soumettons deux formes de présentation de l'état partiel des résultats où paraissent les sept écarts comptabilisés précédemment.

1) *Première forme de présentation*

État partiel des résultats
pour l'exercice terminé le 31 décembre 20X0

	Défavorables	Favorables	
Chiffres d'affaires			1 120 000,00 $
Coût standard des produits vendus			770 000,00
Bénéfice brut standard			350 000,00
Écarts	Défavorables	Favorables	
sur prix	792,00 $		
sur quantité	600,00		
sur taux	6 288,40		
sur temps		3 160,00 $	
sur dépense	646,00		
sur rendement		316,00	
sur volume		26 400,00	
	8 326,40 $	29 876,00 $	21 549,60
Bénéfice brut redressé			371 549,60
Frais de vente et d'administration			150 000,00
Bénéfice avant impôt			221 549,60 $

Dans cet état, on détermine d'abord un premier bénéfice brut en ne tenant compte que des seuls coûts standards. Ce montant signifie que si la production avait été faite exactement selon les normes fixées par l'entreprise et concrétisées dans les standards, le bénéfice brut aurait dû être de 350 000 $. Le montant net des écarts vient ensuite accroître ce bénéfice brut; c'est pourquoi nous qualifions ce deuxième bénéfice brut de bénéfice brut redressé.

La liste des écarts vient expliquer la nature des déviations aux normes. Comme, dans notre exemple, le total des écarts favorables excède le total des écarts défavorables, le montant de 21 549,60 $ vient augmenter le bénéfice brut établi en tenant compte des coûts standards.

2) *Deuxième forme de présentation*

État partiel des résultats
pour l'exercice terminé le 31 décembre 20X0

	Défavorables	Favorables	
Chiffres d'affaires			1 120 000,00 $
Coût standard des produits vendus		770 000,00 $	
Écarts	Défavorables	Favorables	
sur prix	792,00 $		
sur quantité	600,00		
sur taux	6 288,40		
sur temps		3 160,00 $	
sur dépense	646,00		
sur rendement		316,00	
sur volume		26 400,00	
	8 326,40 $	29 876,00 $	21 549,60
Coût redressé des produits vendus			748 450,40
Bénéfice brut redressé			371 549,60
Frais de vente et d'administration			150 000,00
Bénéfice avant impôt			221 549,60 $

Dans cette deuxième forme de présentation, on indique d'abord le coût standard des produits vendus que le montant net des écarts vient ensuite diminuer. On obtient alors un coût redressé des produits vendus, et le bénéfice brut s'en trouve automatiquement redressé. L'effet sur le résultat de l'exercice correspond évidemment à celui obtenu en recourant à la première forme de présentation.

En résumé, dans la première forme, le montant net des écarts augmente le bénéfice brut standard, tandis que, dans la deuxième il diminue le coût standard des produits vendus. Il est à noter que le résultat de l'exercice a bénéficié du montant net de tous les écarts. En procédant de l'une ou l'autre façon, on tient pour acquis que les écarts entre les coûts standards et les coûts réels représentent des insuffisances ou des excédents s'écartant de la normale. Les coûts standards étant ainsi considérés comme les coûts véritables, normaux, tout écart doit être pris en compte dans le calcul du résultat de l'exercice.

4.   LE TRAITEMENT DES ÉCARTS EN FIN D'EXERCICE

Une question se pose alors : l'évaluation des stocks selon les coûts standards est-elle acceptée par les associations de comptables pour la présentation des états financiers ? On peut lire ce qui suit au paragraphe 3030.04 du *Manuel de l'ICCA* :

> Certaines entreprises industrielles établissent le coût des stocks en fonction du prix de revient standard. Pour autant que l'écart entre le revient (...) réel des stocks et leur revient (...) standard n'est pas considérable, il est d'usage de négliger cet écart. Si l'écart est considérable, on ramène généralement le revient standard au revient réel estimatif au moyen d'un coefficient établi à la lumière de l'expérience.

Pour la présentation des états financiers à des tiers, les véritables coûts correspondent donc habituellement aux coûts réels. Une évaluation au coût standard n'est acceptable que lorsque la différence entre les deux évaluations est peu significative.

Toutefois, il est permis de ne pas imputer à la production les frais indirects fixes reliés à la capacité de production non utilisée (voir le paragraphe 3030.03 du *Manuel de l'ICCA*). Ainsi, un écart sur volume, dans le contexte d'un coefficient d'imputation des frais indirects de fabrication fixes reposant soit sur la capacité pratique soit sur la capacité théorique pourrait donc affecter le résultat de l'exercice.

Lorsque le coefficient d'imputation repose sur l'activité normale (voir chapitre 2), l'écart sur volume peut être soit défavorable, soit favorable. Dans un tel contexte, et en tenant pour acquis qu'il n'existe aucun autre écart, la pratique consiste habituellement à passer à l'exercice l'écart défavorable sur volume, et à affecter aux comptes Stock de produits en cours et Stock de produits finis et au compte Coût des produits vendus l'écart favorable sur volume dont le montant serait relativement important (la raison étant que les plus-values non définitivement acquises ne doivent pas être prises en considération dans le calcul des résultats).

A.   Les écarts sont passés aux produits et charges de l'exercice

Nonobstant ce qui est mentionné au paragraphe précédent, l'entreprise peut décider de verser la totalité des écarts au compte Coût des produits vendus si elle considère que l'impact de ceux-ci sur l'évaluation des stocks est relativement faible. En pareille circonstance, une note aux états financiers destinés aux usagers externes devrait indiquer que les stocks sont évalués au coût de revient standard.

Écriture

Écart sur temps	3 160,00	
Écart sur rendement	316,00	
Écart sur volume	26 400,00	
Écart sur prix		792,00
Écart sur quantité		600,00
Écart sur taux		6 288,40
Écart sur dépense		646,00
Coût des produits vendus		21 549,60

B.   Les écarts sont ventilés

Si les écarts ont un impact important sur l'évaluation des stocks (y compris le stock de matières lorsque l'écart sur prix est dégagé à l'achat), il faut ventiler les écarts entre les stocks et le coût des produits vendus. La démarche sera similaire à celle utilisée en coût de revient rationnel. On se demande **où sont rendus les éléments qui ont causé l'écart.**

Le travail de ventilation des écarts vise à redresser les stocks et le coût des produits vendus pour retrouver le coût réel. Pour Manufacturière ltée, la ventilation de l'écart sur prix (défavorable) de 792 $ entraîne une augmentation du coût du stock de matières, du stock de produits en cours, du stock de produis finis et du coût des produits vendus (la ventilation d'un écart favorable aurait l'effet contraire). Où sont rendues les unités de matières premières achetées au cours de l'exercice ? En tenant pour acquis que la méthode PEPS est utilisée pour évaluer les stocks à la fin de l'exercice, ces unités se répartissent de la manière suivante :

Stock de matières (voir l'utilisation des matières)	400 kg
Stock de produits en cours (200 u. × 2,025 kg)	405 kg
Stock de produits finis (1 000 u. × 2,025 kg)	2 025 kg
Coût des produits vendus (par différence)	13 670 kg
Achats (selon les données de l'exemple)	16 500 kg

Le partage du montant de l'écart sur prix est le suivant:

Stock de matières: 792 $ × 400 / 16 500 =   19,20 $

Stock de produits en cours: 792 $ × 405 / 16 500 =   19,44

Stock de produits finis: 792 $ × 2 025 / 16 500 =   97,20

Coût des produits vendus: 792 $ × 13 670 / 16 500 =   656,16

Écart sur prix   792,00 $

Tous les autres écarts sont partagés entre le stock de produits en cours, le stock de produits finis et le coût des produits vendus en fonction de la production équivalente.

L'écart sur quantité est ventilé selon la production équivalente de la composante Matières premières:

Écart sur quantité   600,00 $

Production équivalente   8 000 u.

La production équivalente de l'exercice se répartit de la manière suivante selon PEPS:

Stock de produits en cours   200 u.

Stock de produits finis   1 000 u.

Coût des produits vendus (par différence)   6 800 u.

                                                              8 000 u.

Le partage du montant relié à l'écart sur quantité est le suivant:

Stock de produits en cours: 600 $ x 200 / 8 000 =   15,00 $

Stock de produits finis: 600 $ x 1 000 / 8 000 =   75,00

Coût des produits vendus: 600 $ x 6 800 / 8 000 =   510,00

                                                              600,00 $

Les derniers écarts étant reliés à la composante Coûts de transformation, il sont ventilés en fonction de la production équivalente de celle-ci, soit 7 900 unités:

Écart sur taux	6 288,40 $ D
Écart sur temps	3 160,00 $ F
Écart sur dépense	646,00 $ D
Écart sur rendement	316,00 $ F
Écart sur volume	26 400,00 $ F
	22 941,60 $ F

Voici le partage du montant total de ces écarts:

Stock de produits en cours: 22 941,60 $ × 40 / 7 900 =	116,16 $
Stock de produits finis: 22 941,60 $ × 1 000 / 7 900 =	2 904,00
Coût des produits vendus: 22 941,60 $ × 6 860 / 7 900 =	19 921,44
	22 941,60 $

TABLEAU 5
Sommaire de la ventilation des écarts

	Solde avant ventilation	Écart sur prix	Écart sur quantité	Autres écarts	Solde après ventilation
Stock de matières	1 200 $	19,20 $			1 219,20 $
Stock de produits en cours	3 760 $	19,44 $	15,00 $	(116,16) $	3 678,28 $
Stock de produits finis	70 000 $	97,20 $	75,00 $	(2 904,00) $	67 268,20 $
Coût des produits vendus	770 000 $	656,16 $	510,00 $	(19 921,44) $	751 244,72 $

Écriture (alternative à la précédente)

Stock de matières	19,20	
Écart sur temps	3 160,00	
Écart sur rendement	316,00	
Écart sur volume	26 400,00	
Écart sur prix		792,00
Écart sur quantité		600,00
Écart sur taux		6 288,40
Écart sur dépense		646,00
Stock de produits en cours		81,72
Stock de produits finis		2 731,80
Coût des produits vendus		18 755,28

L'état partiel des résultats serait le suivant si l'on procédait à la ventilation des écarts:

Chiffre d'affaires	1 120 000,00 $
Coût des produits vendus	751 244,72 $
Bénéfice brut	368 755,28 $
Frais de vente et d'administration	150 000,00 $
Bénéfice avant impôt	218 755,28 $

5.   L'ANALYSE DES ÉCARTS

Le coût de revient standard est avant tout un instrument de contrôle car il permet d'apprécier la conformité aux normes établies et de prendre les mesures correctives qui s'imposent.

Au début du chapitre, nous avons dit que le système de coût de revient standard reposait sur le principe de la gestion par exceptions, autrement dit, qu'il attirait l'attention des responsables uniquement sur les divergences ou les écarts qui surviennent par rapport aux standards préalablement établis. Il faut donc déterminer rapidement les écarts qui se produisent et en informer les responsables aussitôt que possible.

La détermination des écarts devrait conduire à la recherche des causes et à la fixation des responsabilités dans la mesure où les écarts sont significatifs, c'est-à-dire dans la mesure où ils ne sauraient être tolérés. Il va sans dire qu'un écart aléatoire n'est pas significatif. Cette question est approfondie à l'annexe C de ce chapitre.

Si la recherche des causes des écarts doit se faire, il faut y procéder en temps opportun, c'est-à-dire le plus rapidement possible, si l'on veut que le personnel fournisse de meilleures explications et soit motivé à se pencher sur les expériences passées.

A. Les écarts favorables et les écarts défavorables

En coût de revient standard, les normes sont généralement établies à la suite d'une étude approfondie et après avoir fait l'objet d'une acceptation claire, sinon tacite, de la part des responsables. Dans un tel contexte, il ne devrait pas y avoir d'écarts puisque le coût standard devrait représenter le vrai coût de revient d'un produit. Un écart serait donc dû à des facteurs exceptionnels ou inhabituels. Un écart favorable serait mieux vu de la part de la direction de l'entreprise qu'un écart défavorable car il constitue une amélioration par rapport à la norme, alors que l'écart défavorable montre un certain relâchement.

Lorsque les facteurs qui créent l'écart sont d'origine externe, le montant de cet écart peut être important et être soit favorable, soit défavorable car, a priori, ils ne sont pas sous le contrôle de l'entreprise. C'est le cas notamment de l'écart sur prix qui peut provenir de fluctuations imprévues du marché. Par contre, pour la plupart des autres écarts, ce sont des facteurs d'origine interne qui expliquent leur existence. Si les normes ont été établies de façon sérieuse et réaliste, le montant de ces écarts devrait être peu élevé et davantage défavorable que favorable car, en général, il est plus difficile de battre la norme que de la dépasser.

B. L'imputabilité et la responsabilité

L'imputabilité renvoie ici à l'obligation de rendre compte de ses actions. La responsabilité se rapporte à l'obligation d'identifier les causes des écarts et, le cas échéant, de prendre les actions qui permettront de redresser la situation. Il peut arriver qu'un service soit imputable au regard d'un écart mais que la responsabilité de cet écart soit attribuable à un autre service. Par exemple, le service des achats, qui est normalement imputable et responsable d'un écart sur prix, pourrait être dégagé de toute responsabilité si cet écart était dû à une mauvaise planification du service de la production.

Sommairement, le service de la production est imputable des écarts sur quantité et sur temps, le service des achats l'est pour l'écart sur prix et le service des ressources humaines pour l'écart sur taux. Pour ce qui est des écarts relatifs aux frais indirects de fabrication, plusieurs services pourraient en être conjointement imputables. Pour simplifier le travail et éviter toute confusion, des entreprises attribuent l'imputabilité de ces écarts au contrôleur.

S'il est relativement facile d'identifier le service imputable au regard d'un écart donné, il n'en va pas nécessairement de même quand vient le temps d'identifier le service responsable de cet écart. Il arrive parfois que la responsabilité soit partagée entre plusieurs services. Par exemple, un contremaître qui est normalement imputable de l'écart sur temps de son atelier pourrait invoquer, dans certaines circonstances, la piètre qualité de l'entretien des machines pour justifier en partie une perte de temps.

C.   L'écart sur prix

Il a été mentionné plus haut que l'écart sur prix, imputable au service des achats, peut être dû aux actions d'un autre service. Mais il peut aussi arriver qu'un écart sur prix ait un effet en cascade sur d'autres écarts. Par exemple, le service des achats pourrait rechercher le meilleur prix possible pour une matière première dans le but évident de décrocher un écart favorable au détriment de la qualité attendue. On imagine assez facilement que cette action pourrait entraîner une perte d'efficience dans l'utilisation de cette matière, ce qui peut mener à un écart sur quantité défavorable et possiblement à un écart sur temps défavorable à cause du travail additionnel de transformation. Dans de telles circonstances, le service des achats pourrait être considéré comme responsable d'une partie des écarts sur quantité et sur temps. Quelle en sera sa part? Est-il toujours possible de départager objectivement la responsabilité de chacun des services dans une telle situation?

D.   L'écart sur taux

Parmi les écarts pouvant être mesurés en coût de revient standard, l'écart sur taux est celui qui, toute proportion gardée, devrait être le plus faible s'il est établi à partir d'une convention collective ou d'un contrat de travail valable pour une période de 3 à 4 ans. Il va sans dire que c'est moins évident pendant la période de négociations collectives. Par ailleurs, certaines entreprises accordent à leurs contremaîtres la possibilité de faire appel à une main-d'œuvre plus qualifiée que celle prévue à la norme. Dans ce cas, la responsabilité de l'écart sur taux défavorable serait davantage attribuée au contremaître qu'au service des ressources humaines. Par ailleurs, cet écart pourrait être avantageusement compensé par un écart sur temps favorable qui est normalement du ressort du contremaître.

E.   Les écarts sur quantité et sur temps

Ces écarts témoignent de l'usage efficient ou non efficient des ressources en matières premières et en main-d'œuvre dans le processus de fabrication. Ils concernent directement le personnel de transformation, les contremaîtres et les superviseurs de production. Le montant de ces écarts peut fluctuer d'une période à l'autre et les causes ne sont pas toujours facilement identifiables.

F.   Les écarts relatifs aux frais indirects de fabrication

Les causes de l'écart sur dépense ne peuvent être vraiment identifiées que s'il y a analyse par poste de coût. Ces causes peuvent être rattachées à des facteurs internes liés à l'usage efficient des ressources (quantité de force motrice et de fournitures, charges sociales, etc.), à des facteurs externes (impôts fonciers, prix de la force motrice et des fournitures, etc.) et à d'autres facteurs imprévisibles (augmentation du coût du chauffage due à un hiver plus rigoureux que la moyenne).

L'écart sur rendement est un écart global qui ne peut faire l'objet d'une analyse approfondie car il dépend du type d'unité d'œuvre retenu aux fins de l'imputation. Par ailleurs, l'écart sur volume qui, techniquement, mesure la sur- ou la sous-absorption des frais fixes budgétés par la production, révèle très souvent dans quelle mesure les capacités de production disponibles sont utilisées. Cet écart concerne surtout les hauts dirigeants de l'entreprise. Qui est responsable d'un écart sur volume favorable ou défavorable? Le directeur de l'usine ou le directeur des ventes?

TABLEAU 6
Sommaire des causes d'écarts les plus courantes

	Causes	Responsables
Matières premières	Utilisation de substituts	Service des achats, du génie, contremaître, etc.
	Outillage en mauvais état	Service de l'entretien, contremaître, etc.
	Main-d'œuvre non qualifiée	Service des ressources humaines, contremaître, etc.
	Non-révision du standard quantitatif	Service du génie, contremaître, service du budget à la suite de changements ou des coûts de revient dans les méthodes de production
Main-d'œuvre directe	Modifications apportées à la convention collective	Service des ressources humaines
	Choix du personnel	Contremaître, service des ressources humaines
	Outillage en mauvais état	Service de l'entretien, contremaître
	Utilisation de substituts	Service des achats, service du génie, contremaître
	Main-d'œuvre non qualifiée Qualité des relations de travail Rotation du personnel	Contremaître, service des ressources humaines
Frais indirects de fabrication	Coût des fournitures, des pièces de rechange, force motrice, etc.	Service des achats
	Utilisation de fournitures, de pièces de rechange, de force motrice, etc.	Service du génie, contremaître, service de l'entretien
	Charges sociales	Service des ressources humaines, contremaître
	Main-d'œuvre indirecte	Service du génie, contremaître, service de l'entretien.
	Coûts d'infrastructure y compris l'amortissement des immobilisations	Direction d'usine

6. LA RÉVISION DES COÛTS STANDARDS

Les coûts standards doivent être modifiés dans le temps pour demeurer réalistes, même si l'on peut soutenir avec raison que ceux établis dans un contexte inflationniste ne sont pas des plus réalistes l'année durant puisqu'ils sont plus élevés que les coûts réels pendant la première partie de l'année et moins élevés par la suite. Il est bien entendu que les modifications relatives aux normes de prix sont beaucoup plus fréquentes que celles relatives aux normes de quantité.

Pour savoir si l'on devrait modifier les coûts standards aussi bien au cours d'un exercice qu'au terme de l'exercice, il faut soupeser les avantages et les inconvénients associés à chacune des façons de faire.

Une modification en cours d'exercice facilite bien souvent la gestion, en ce sens que les écarts calculés sont davantage significatifs et que les prévisions et les décisions prises en tenant compte des coûts standards ont plus de chances d'être appropriées si les coûts standards utilisés sont réalistes.

Par contre, attendre la fin de l'exercice permet de réduire le nombre de redressements de comptes et évite les retombées d'ordre psychologique que pourrait avoir sur le personnel une modification des standards en cours d'exercice.

7. LES PERTES DE PRODUITS

Jusqu'ici, nous n'avons pas traité de la perte de produits dans le cadre de l'utilisation d'un système de coût de revient standard. Nous nous intéresserons maintenant à cette question.

Il peut se produire, rappelons-le, à la fois des pertes normales et anormales de produits, ou uniquement les unes ou les autres. Seules les pertes normales doivent être prises en considération lors de l'établissement du coût de revient standard relatif au produit.

De plus, en vue de faciliter l'analyse comparative entre les coûts engagés et les coûts standards, nous recommandons que, pour tenir compte des pertes normales de produits, la majoration du coût de revient standard du produit fasse l'objet d'un poste distinct sur la fiche des éléments du coût de revient standard se rapportant au produit. Pour expliciter davantage notre propos, nous présentons sur une base comparative la fiche des éléments du coût de revient standard, selon qu'il existe ou non des pertes normales de production.

	Sans pertes normales	Avec pertes normales
M.P.	a $	a $
M.O.D.	b	b
F.I.F.	c	c
Majoration due aux pertes normales		d
	X $	X + d $

On doit pouvoir déterminer la valeur « d » correspondant au montant de la majoration due aux pertes normales. Considérons les données suivantes :

1) Coût standard sans pertes normales :

M.P.	10 $
M.O.D.	8
F.I.F.	5
	23 $

2) Rendement normal lors de l'examen de la production : 8 bons produits pour 2 produits perdus ;

3) L'examen de la qualité des produits a lieu lorsque les produits sont terminés à 60 % pour le coût de transformation ;

4) La matière première est utilisée au tout début du processus de fabrication.

Déterminons le véritable coût de revient standard du produit. Ce coût standard comprendra les éléments suivants :

M.P.	10,00 $
M.O.D.	8,00
F.I.F.	5,00
Majoration due aux pertes normales	4,45
	27,45 $

Le montant de 4,45 $ peut être calculé de la façon suivante :

– *Étape 1* : détermination des coûts standards relatifs à 8 bons produits :

M.P. (10 unités × 10 $)	100,00 $
M.O.D. (8 unités × 8 $) + (2 unités × 60 % × 8 $)	73,60
F.I.F. (8 unités × 5 $) + (2 unités × 60 % × 5 $)	46,00
	219,60 $

– *Étape 2* : détermination du coût standard relatif à un bon produit :

219,60 $/8   27,45 $

– *Étape 3* : majoration du coût standard unitaire avec pertes normales :

Coût standard avec pertes normales	27,45 $
Coût standard en l'absence de pertes normales	23,00
Majoration	4,45 $

Le montant de 4,45 $ peut aussi être déterminé comme suit :

M.P. (25 % × 10 $)	2,50 $
M.O.D. (25 % × 60 % × 8 $)	1,20
F.I.F. (25 % × 60 % × 5 $)	0,75
	4,45 $

Le pourcentage de 25 % est la quantité des pertes normales, exprimée en unités et **rapportée à la bonne production**, soit 2 sur 8.

Voici maintenant le compte rendu des quantités concernant le premier exercice d'exploitation de la section de production :

Produits transférés à l'entrepôt des produits finis	70
Produits en cours à la fin (terminés à 80 % pour le coût de transformation)	10
Produits perdus	30
	110

De plus, il est nécessaire de bien maîtriser la présentation du rapport des coûts de production lorsqu'il existe des pertes de produits. Les unités équivalentes relatives aux unités perdues (pertes normales et anormales) doivent normalement entrer en ligne de compte dans le calcul des unités équivalentes prises globalement. Illustrons ce principe à l'aide de la situation exposée précédemment.

Rapport des coûts de production

1) *Unités équivalentes :*

	Matières premières	Coût de transformation
Produits terminés	70	70
En cours à la fin	10	8
Pertes normales	20	12
Pertes anormales	10	6
	110	96

2) *Coûts comptabilisés :*

Coûts engagés

M.P. (110 × 10 $)	1 100 $
M.O.D. (96 × 8 $)	768
F.I.F. (96 × 5 $)	480
	2 348 $

3) *Distribution des coûts :*

Stock de produits en cours

M.P. (10 × 10 $)	100,00 $	
M.O.D. + F.I.F. (8 × 13 $)	104,00	
Portion du coût des pertes		
normales (10 × 4,45 $)	44,50	248,50 $
Perte anormale (10 × 10 $) + (6 × 13 $)		178,00
Transferts à l'entrepôt des produits		
finis (70 × 27,45 $)		1 921,50
		2 348,00 $

Aux fins du calcul des écarts sur quantité, sur temps, sur rendement et sur volume, les unités équivalentes relatives à la production de l'exercice seront calculées conformément à la méthode de l'épuisement successif.

8. LES ÉCARTS SUR COMPOSITION ET SUR RENDEMENT RATTACHÉS AUX MATIÈRES PREMIÈRES ET À LA MAIN-D'ŒUVRE DIRECTE

Les caractéristiques de certaines fabrications permettent de déterminer des écarts sur composition et sur rendement qui résultent de l'analyse des écarts sur quantité ou sur temps; c'est pourquoi il importe de les définir brièvement.

A. L'écart global sur composition

Il s'agit d'un écart découlant d'une modification survenue dans les proportions relatives des différents éléments d'un ensemble de matières premières ou de mains-d'œuvre directes par rapport à celles de l'ensemble servant de point de comparaison.

a. Les matières premières

Le produit fini découle souvent de la transformation d'un mélange formé de plusieurs matières. Or, il arrive souvent que l'entreprise ait une certaine liberté (exemple : confection de salades de fruits en conserve) quant à l'importance relative des diverses matières composant le mélange, ou soit amenée par la force des choses (exemple : les structures moléculaires) à modifier cette importance relative. L'entreprise peut alors être intéressée à mesurer l'effet des modifications qui se sont produites dans ce domaine.

b. La main-d'œuvre directe

Il en est de même pour la main-d'œuvre directe : la transformation des matières fait appel à plusieurs types de mains-d'œuvre rémunérées à des taux différents. Encore ici, il arrive souvent que l'entreprise s'écarte des spécifications standards.

c. *Formules de calcul*

L'écart global sur composition d'un ensemble peut être calculé à l'aide des formules suivantes :

1) Écart global sur composition = Composition réelle des M.P. utilisées aux prix standards (ou des M.O.D. aux taux standards) − Composition standard des M.P. utilisées aux prix standards (ou des M.O.D. aux taux standards)

2) Écart global sur composition = Quantité totale des M.P. ou des M.O.D. utilisées (Prix ou taux standard moyen par unité de M.P. ou de M.O.D. de l'ensemble effectué de M.P. ou de M.O.D. − Prix ou taux standard moyen par unité de M.P. ou de M.O.D. d'un ensemble standard de M.P. ou de M.O.D.)

3) Écart global sur composition = Σ [Quantité utilisée de la M.P. ou de la M.O.D. (Prix ou taux standard à l'unité de ladite M.P. ou M.O.D. − Prix ou taux standard moyen par unité de M.P. ou de M.O.D. d'un ensemble standard de M.P. ou de M.O.D.)]

Dans la troisième formule, l'écart global sur composition est égal à la somme algébrique du calcul effectué pour chaque matière première ou chaque main-d'œuvre directe.

B.   L'écart global sur rendement d'un ensemble

L'écart global sur rendement d'un ensemble traduit l'effet, mesuré en coûts standards, d'une production réelle s'écartant de celle escomptée à l'engagement des éléments d'un ensemble. Cet écart pourrait également être appelé écart global réel sur quantité lorsqu'il s'agit de matières premières et écart global réel sur temps s'il est plutôt question de main-d'œuvre directe.

Formules de calcul

Tout comme dans le cas de l'écart global sur composition, on peut déterminer, ici encore, un écart global sur rendement pour les matières premières et un autre pour la main-d'œuvre directe. De même, l'écart global sur rendement peut être calculé à l'aide des formules suivantes :

1) Écart global sur rendement = $\left(\begin{array}{c}\text{Production} \\ \text{effective}\end{array} - \begin{array}{c}\text{Production} \\ \text{escomptée}\end{array}\right)$ Coût standard de production par unité produite en M.P. ou en M.O.D.

2) Écart global sur rendement = $\left(\begin{array}{c}\text{Quantité totale} \\ \text{utilisée des M.P.} \\ \text{ou des M.O.D.}\end{array} - \begin{array}{c}\text{Quantité totale} \\ \text{des M.P. ou des} \\ \text{M.O.D. qui aurait} \\ \text{dû être utilisée} \\ \text{compte tenu de} \\ \text{l'extrant}\end{array}\right)$ Prix ou taux standard moyen par unité de M.P. ou de M.O.D. d'un ensemble standard de M.P. ou de M.O.D.

9. UN EXEMPLE ILLUSTRANT LE CALCUL DES ÉCARTS SUR COMPOSITION ET SUR RENDEMENT

Cet exemple ne traitera que des écarts sur matières premières.

DONNÉES

1) *Les matières premières :*
   – Standards-matières pour fabriquer le produit Yxo :

40 kg de X à 1,05 $	42 $	
20 kg de Y à 1,50 $	30	
60 kg	72 $	

   – Rendement standard : 50 kg de produits Yxo, donc perte normale de 10 kg. Le coût standard en matières de Yxo revient donc à 72 $/50 kg, soit 1,44 $ le kilogramme de produit fini.

   Il est à remarquer que le coût standard de 1,44 $ tient pour acquis que :

   a) les prix d'achat des matières sont conformes aux prix standards : si les prix s'en écartent, nous aurons à calculer des écarts sur prix ;

   b) les matières premières X et Y sont mélangées dans les proportions fixées : $\frac{2}{3}$ de X pour $\frac{1}{3}$ de Y. S'il y a modification des proportions, il nous faudra calculer un écart global qui prendra le nom d'**écart sur composition** ;

   c) la production de Yxo, que l'on obtient d'un mélange de X et Y, correspond aux $\frac{5}{6}$ du poids total dudit mélange. Si la production s'écarte de cette norme, il y aura lieu de calculer un écart global appelé habituellement **écart sur rendement**.

2) *Quantité de matières achetées :*

11 200	kg	de X	à 1,00 $	11 200 $
4 800	kg	de Y	à 1,55 $	7 440
16 000	kg		à 1,165 $	18 640 $

3) *Quantité de matières utilisées :* aucun stock de matières n'est maintenu ; les matières sont utilisées dès qu'elles sont reçues.

4) *Rendement réel :* 12 000 kg de produits Yxo.

SOLUTION

Le tableau 5 permet de déterminer les écarts sur prix, sur composition et sur rendement relatifs aux matières X et Y.

D'après le tableau 5, les **écarts spécifiques** sur composition ont trait au mélange effectué ; on omet toutefois de tenir compte de l'aspect rendement. En procédant ainsi au calcul de ces écarts, on ne privilégie l'utilisation d'aucune des deux matières premières. Les écarts spécifiques sur rendement, quant à eux, se rapportent au mélange effectué versus celui où la composition standard aurait été respectée.

TABLEAU 5
Tableau de calcul des écarts

	Composition réelle au coût réel	Composition réelle au coût standard	Composition standard au coût standard	Coût standard de la production
X	11 200 $	(a) 11 760 $	(c) 11 200 $	(e) 10 080 $
Y	7 440	(b) 7 200	(d) 8 000	(f) 7 200
	18 640 $	18 960 $	19 200 $	17 280 $

Écart global sur prix 320 F — Écart global sur composition 240 F — Écart global sur rendement 1 920 D

(a) 11 200 × 1,05 $
(b) 4 800 × 1,50 $
(c) 16 000 (40/60) (1,05 $)
(d) 16 000 (20/60) (1,50 $)
(e) 12 000 (42 $/50)
(f) 12 000 (30 $/50)

Certaines entreprises déterminent des écarts spécifiques sur composition (un par type de matière première ou de main-d'œuvre directe) qui sont, en quelque sorte, des écarts mixtes quantité-prix (temps-taux) où le prix ou taux standard moyen pondéré sert d'étalon et où le fait d'utiliser une quantité plus ou moins élevée que celle accordée n'est pas nécessairement défavorable ou favorable.

L'écart sur composition spécifique à une matière première ou une main-d'œuvre directe est déterminé comme suit:

$$\left(\begin{array}{l} \text{Quantité} \\ \text{utilisée de} \\ \text{la M.P. ou} \\ \text{de la M.O.D.} \end{array} - \begin{array}{l} \text{Quantité de la} \\ \text{M.P. ou de la} \\ \text{M.O.D. qui aurait} \\ \text{dû être utilisée} \\ \text{compte tenu de} \\ \text{l'extrant obtenu} \end{array} \right) \left(\begin{array}{l} \text{Prix ou taux} \\ \text{standard à} \\ \text{l'unité de} \\ \text{ladite M.P. ou} \\ \text{M.O.D.} \end{array} - \begin{array}{l} \text{Prix ou taux} \\ \text{standard moyen par} \\ \text{unité de M.P. ou de} \\ \text{M.O.D. d'un} \\ \text{ensemble standard} \\ \text{de M.P. ou de} \\ \text{M.O.D.} \end{array} \right)$$

On comprendra mieux, après avoir pris connaissance de la formule de calcul des écarts spécifiques sur rendement, que l'aspect rendement est ici encore omis dans le calcul des écarts spécifiques sur composition.

On observera également que, toutes choses étant égales par ailleurs, il est bénéfique d'utiliser en quantité supérieure une matière ou une main-d'œuvre dont le prix ou le taux unitaire standard est inférieur au prix ou au taux standard moyen; il en va de même si l'on utilise en quantité moindre une matière ou une main-d'œuvre dont le prix ou le taux unitaire standard est supérieur au prix ou au taux standard moyen.

Dans notre exemple, ces écarts spécifiques sur composition seraient:

Matière X [11 200 − (40/50) 12 000] (1,05 $ − 1,20 $) = 240 $ F
Matière Y [4 800 − (20/50) 12 000] (1,50 $ − 1,20 $) = − 0 −

Ces mêmes entreprises déterminent des écarts spécifiques sur rendement en omettant de tenir compte de la modification de la composition des matières premières ou des mains-d'œuvre directes utilisées. Elles procèdent à leur calcul en utilisant la formule suivante:

$$\left(\begin{array}{l} \text{Quantité utilisée} \\ \text{de la M.P. ou de} \\ \text{la M.O.D.} \end{array} - \begin{array}{l} \text{Quantité de la M.P.} \\ \text{ou de la M.O.D. qui} \\ \text{aurait dût être utilisée} \\ \text{compte tenu de} \\ \text{l'extrant obtenu} \end{array} \right) \begin{array}{l} \text{Prix ou taux standard moyen par} \\ \text{unité de M.P. ou de M.O.D. d'un} \\ \text{ensemble standard de M.P. ou de} \\ \text{M.O.D.} \end{array}$$

Dans notre exemple, nous obtiendrions les écarts spécifiques suivants:

Matière X [11 200 − (40/50) 12 000] (1,20 $) = 1 920 $ D
Matière Y [4 800 − (20/50) 12 000] (1,20 $) = − 0 −

ANNEXE A

La prise en compte de l'effet d'apprentissage dans l'établissement des standards de temps de main-d'œuvre directe

La détermination des standards de temps est basée sur l'outillage disponible, sur la séquence des opérations de fabrication retenue et sur le rendement que l'on peut normalement attendre des ouvriers. Les renseignements concernant les réalisations antérieures peuvent également être utiles dans la détermination des temps standards. Ici encore, il est dans l'intérêt de l'entreprise que l'on cherche à faire collaborer le personnel préposé à la production.

Il faut également prendre en considération le facteur apprentissage dans la détermination du niveau du standard temps pour une période donnée puisque, si ce facteur est appelé à jouer, le temps de main-d'œuvre directe à l'unité décroît lorsque la production augmente.

L'exemple suivant nous montre pourquoi la norme temps peut devoir être révisée d'un exercice à l'autre ; les données se rapportent aux temps de fabrication antérieurs d'un produit.

Production cumulative	Temps moyen cumulatif de la M.O.D.
I	10 000 heures
2	7 071 heures
4	5 000 heures
6	4 083 heures
8	3 535 heures

Le graphique suivant traduit le profil des temps moyens (cumulatifs) relatifs à ce produit :

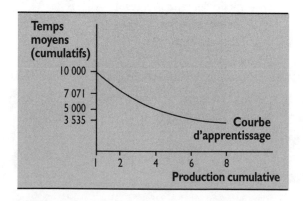

Dans cet exemple, l'analyse du comportement des temps passés indique que, lorsque la production est doublée, le temps moyen (cumulatif)[1] baisse de 29,3 %. Nous disons alors que le **taux d'apprentissage** est de 70,7 %.

La courbe appelée **courbe d'apprentissage** est une asymptote dont la formule algébrique est

$$Y = aX^{-b}$$

où

X = production cumulative,
Y = temps moyen (cumulatif) par produit,
a = temps relatif à la première unité,
b = **paramètre d'apprentissage**.

La relation précédente peut être exprimée sous forme linéaire :

$$\log Y = \log a - b \log X$$

Connaissant Y, a et X, nous pouvons déterminer la valeur de b :

$$\log 7071 = \log 10\,000 - b \log 2$$
$$3,84946 = 4 - b\,(0,3010)$$

d'où

$$b = 0,50$$

La valeur des logarithmes peut être trouvée en consultant la table présentée à l'annexe B.

De façon générale, b peut être trouvé à l'aide de la formule suivante :

$$b = -\frac{\log \text{(taux d'apprentissage)}}{\log \text{(multiple de la production)}}$$

Dans notre exemple, nous aurions :

$$b = -\frac{\log 0,7071}{\log 2} = -\frac{\overline{1},84946}{0,3010} = -\frac{0,15054}{0,3010} = 0,50$$

Voyons maintenant quel devrait être le temps standard par produit au cours du prochain exercice, si l'entreprise prévoit produire 8 unités supplémentaires.

---

1. Un autre comportement peut aussi exister, que nous ne traitons pas dans ce volume : chaque fois que la production cumulative est doublée, le temps de la dernière unité baisse d'un pourcentage fixe. Si tel était le cas dans notre exemple, le temps total pour les deux premières unités serait de 17 071 heures, soit 10 000 heures pour la première et 7 071 pour la seconde, alors que dans notre exemple le temps total est de 14 142 heures.

Établissons le temps moyen (cumulatif) pour 16 unités (8 unités produites dans le passé + 8 unités que l'entreprise désire produire) :

$$\begin{aligned} \log Y &= \log 10\ 000 - 0{,}50 \log 16 \\ &= 4 - 0{,}50\ (1{,}2041) \\ &= 3{,}39795 \end{aligned}$$

d'où

$$Y = 2\ 500$$

Certes, nous aurions pu trouver ce temps moyen en multipliant le temps (moyen cumulatif) précédent par le taux d'apprentissage, soit $3\ 535 \times 70{,}7\ \%$. Nous aurions pu également le trouver à l'aide de la formule simplifiée suivante qui ne requiert pas le recours aux logarithmes :

$$Y = a\ (\text{taux d'apprentissage})^c$$

où c = nombre de fois que la production est doublée.

Nous aurions ici

$$Y = 10\ 000\ (0{,}707)^4$$

Déterminons les heures que devraient nécessiter les 8 prochaines unités :

Production cumulative	Total des heures	
16	$(16 \times 2\ 500)$	40 000
8	$(8 \times 3\ 535)$	28 280
		11 720

Le temps standard par produit pour la production prévue est donc de 11 720/ 8 unités, soit 1 465 heures. Aussi, si on établissait le temps unitaire standard à 3 535 pour chacun des 8 prochains articles, on aurait des écarts sur temps très importants lors de cette fabrication. De tels écarts, favorables en ce qui concerne le temps de main-d'œuvre directe, pourraient également avoir un effet sur certains autres écarts concernant le coût de revient standard, effet que vous serez en mesure d'établir et d'apprécier lorsque le calcul des écarts aura été maîtrisé.

Dans l'établissement du temps unitaire standard précédent, il a été tenu pour acquis que le facteur apprentissage jouait au moins jusqu'à 16 unités. Supposons maintenant que ce facteur ne joue que jusqu'à une production cumulative de 8 unités. Quel aurait alors été le temps unitaire standard pour le prochain exercice ? Ce temps standard correspond au temps marginal lorsque la production cumulative est de 8 unités. On l'établit en calculant la dérivée première de la fonction du temps total relatif à ces 8 unités.

Ceci nous amène aux équations suivantes :

Temps total   = (temps moyen) (nombre d'unités)
Y(X)   = aX^{-b} (X)
                     = aX^{1-b}

Temps marginal   = $(1 - b)\, aX^{1-b-1}$
Temps marginal   = $(1 - b)\, aX^{-b}$

log du temps marginal = log $(1 - b)$ a $-$ b log X

Les valeurs de a, b et X étant respectivement de 10 000, 0,50 et 8, l'équation du temps marginal devient :

log du temps marginal = log 5 000 $-$ 0,5 log 8
                       = 3,6990 $-$ 0,5 (0,9031)
                       = 3,24745

d'où

Temps marginal   = 1 767,8

Il est normal que le temps unitaire standard de 1 767,8 heures soit supérieur à celui de 1 465 heures obtenu précédemment puisque le taux d'apprentissage cesse de jouer beaucoup plus tôt, c'est-à-dire à compter du moment où la production cumulative atteint 8 unités. Il faut noter que si la production cumulative était de 4 unités au lieu de 8, le temps marginal serait de 1 767,8 heures/0,7071 ; il serait de 1 767,8 heures/(0,7071 × 0,7071) si cette production était plutôt de 2 unités.

ANNEXE B

Table de logarithmes

N	0	1	2	3	4	5	6	7	8	9
10	0000	0043	0086	0128	0170	0212	0253	0294	0334	0374
11	0414	0453	0492	0531	0569	0607	0645	0682	0719	0755
12	0792	0828	0864	0899	0934	0969	1004	1038	1072	1106
13	1139	1173	1206	1239	1271	1303	1335	1367	1399	1430
14	1461	1492	1523	1553	1584	1614	1644	1673	1703	1732
15	1761	1790	1818	1847	1875	1903	1931	1959	1987	2014
16	2041	2068	2095	2122	2148	2175	2201	2227	2253	2279
17	2304	2330	2355	2380	2405	2430	2455	2480	2504	2529
18	2553	2577	2601	2625	2648	2672	2695	2718	2742	2765
19	2788	2801	2833	2856	2878	2900	2923	2945	2967	2989
20	3010	3032	3054	3075	3096	3118	3139	3160	3181	3201
21	3222	3243	3263	3284	3304	3324	3345	3365	3385	3404
22	3424	3444	3464	3483	3502	3522	3541	3560	3579	3598
23	3617	3636	3655	3674	3692	3711	3729	3747	3766	3784
24	3802	3820	3838	3856	3874	3892	3909	3927	3945	3962
25	3979	3997	4014	4031	4048	4065	4082	4099	4116	4133
26	4150	4166	4183	4200	4216	4232	4249	4265	4281	4298
27	4314	4330	4346	4362	4378	4393	4409	4425	4440	4456
28	4472	4487	4502	4518	4533	4548	4564	4579	4594	4609
29	4624	4639	4654	4669	4683	4698	4713	4728	4742	4757
30	4771	4786	4800	4814	4829	4843	4857	4871	4886	4900
31	4914	4928	4942	4955	4969	4983	4997	5011	5024	5038
32	5051	5065	5079	5092	5105	5119	5132	5145	5159	5172
33	5185	5198	5211	5224	5237	5250	5263	5276	5289	5302
34	5315	5328	5340	5353	5366	5378	5391	5403	5416	5428
35	5441	5453	5465	5478	5490	5502	5514	5527	5539	5551
36	5563	5575	5587	5599	5611	5623	5635	5647	5658	5670
37	5682	5694	5705	5717	5729	5740	5752	5763	5775	5786
38	5798	5809	5821	5832	5843	5855	5866	5877	5888	5899
39	5911	5922	5933	5944	5955	5966	5977	5988	5999	6010
40	6021	6031	6042	6053	6064	6075	6085	6096	6107	6117
41	6128	6138	6149	6160	6170	6180	6191	6201	6212	6222
42	6232	6243	6253	6263	6274	6284	6294	6304	6314	6325
43	6335	6345	6355	6365	6375	6385	6395	6405	6415	6425
44	6435	6444	6454	6464	6474	6484	6493	6503	6513	6522
45	6532	6542	6551	6561	6571	6580	6590	6599	6609	6618
46	6628	6637	6646	6656	6665	6675	6684	6693	6702	6712
47	6721	6730	6739	6749	6758	6767	6776	6785	6794	6803
48	6812	6821	6850	6839	6848	6857	6866	6875	6884	6893
49	6902	6911	6920	6928	6937	6946	6955	6964	6972	6981
50	6990	6998	7007	7016	7024	7033	7042	7050	7059	7067
51	7076	7084	7093	7101	7110	7118	7126	7135	7143	7152
52	7160	7168	7177	7185	7193	7202	7210	7218	7226	7235
53	7243	7251	7259	7267	7275	7284	7292	7300	7308	7316
54	7324	7332	7340	7348	7356	7364	7372	7380	7388	7396

N	0	1	2	3	4	5	6	7	8	9
55	7404	7412	7419	7427	7435	7443	7451	7459	7466	7474
56	7482	7490	7497	7505	7513	7520	7528	7536	7543	7551
57	7559	7566	7574	7582	7589	7597	7604	7612	7619	7627
58	7634	7642	7649	7657	7664	7672	7679	7686	7694	7701
59	7709	7716	7723	7731	7738	7745	7752	7760	7767	7774
60	7782	7789	7796	7803	7810	7818	7825	7832	7839	7846
61	7853	7860	7868	7875	7882	7889	7896	7903	7910	7917
62	7924	7931	7938	7945	7952	7959	7966	7973	7980	7987
63	7993	8000	8007	8014	8021	8028	8035	8041	8048	8055
64	8062	8069	8075	8082	8089	8096	8102	8109	8116	8122
65	8129	8136	8142	8149	8156	8162	8169	8176	8182	8189
66	8195	8202	8209	8215	8222	8228	8235	8241	8248	8254
67	8261	8267	8274	8280	8287	8293	8299	8306	8312	8319
68	8325	8331	8338	8344	8351	8357	8363	8370	8376	8382
69	8388	8395	8401	8407	8414	8420	8426	8432	8439	8445
70	8451	8457	8463	8470	8476	8482	8488	8494	8500	8506
71	8513	8519	8525	8531	8537	8543	8549	8555	8561	8567
72	8573	8579	8585	8591	8597	8603	8609	8615	8621	8627
73	8633	8639	8645	8651	8657	8663	8669	8675	8681	8686
74	8692	8698	8704	8710	8716	8722	8727	8733	8739	8745
75	8751	8756	8762	8768	8774	8779	8785	8791	8797	8802
76	8808	8814	8820	8825	8831	8837	8842	8848	8854	8859
77	8865	8871	8876	8882	8887	8893	8899	8904	8910	8915
78	8921	8927	8932	8938	8943	8949	8954	8960	8965	8971
79	8976	8982	8987	8993	8998	9004	9009	9015	9020	9025
80	9031	9036	9042	9047	9053	9058	9063	9069	9074	9079
81	9085	9090	9096	9101	9106	9112	9117	9122	9128	9133
82	9138	9143	9149	9154	9159	9165	9170	9175	9180	9186
83	9191	9196	9201	9206	9212	9217	9222	9227	9232	9238
84	9243	9248	9253	9258	9263	9269	9274	9279	9284	9289
85	9294	9299	9304	9309	9315	9320	9325	9330	9335	9340
86	9345	9350	9355	9360	9365	9370	9375	9380	9385	9390
87	9395	9400	9405	9410	9415	9420	9425	9430	9435	9440
88	9445	9450	9455	9460	9465	9469	9474	9479	9484	9489
89	9494	9499	9504	9509	9513	9518	9523	9528	9533	9538
90	9542	9547	9552	9557	9562	9566	9571	9576	9581	9586
91	9590	9595	9600	9605	9609	9614	9619	9624	9628	9633
92	9638	9643	9647	9652	9657	9661	9666	9671	9675	9680
93	9685	9689	9694	9699	9703	9708	9713	9717	9722	9727
94	9731	9736	9741	9745	9750	9754	9759	9763	9768	9773
95	9777	9782	9786	9791	9795	9800	9805	9809	9814	9818
96	9823	9827	9832	9836	9841	9845	9850	9854	9859	9863
97	9868	9872	9877	9881	9886	9890	9894	9899	9903	9908
98	9912	9917	9921	9926	9930	9934	9939	9943	9948	9952
99	9956	9961	9965	9969	9974	9978	9983	9987	9991	9996

ANNEXE C

Les écarts significatifs et le contrôle statistique des écarts sur standards

1.   Écarts significatifs et analyse économique formelle des écarts

Quels sont les écarts qui méritent d'être analysés pour en trouver les causes ou, plus simplement, quels sont les écarts qui n'ont pas à être analysés? Les écarts dus au hasard ne devraient pas être analysés car ils sont irrémédiables; par contre, les écarts dus par exemple au déroulement anormal d'un processus de fabrication devraient l'être. Mais encore faut-il que cette analyse soit économique.

L'analyse sera avantageuse sur le plan économique dans la mesure où la **valeur actualisée** des coûts (économies), que la recherche des causes des écarts permet d'éviter (de réaliser), excédera les frais de recherche de ces causes et les frais des correctifs. Pour effectuer ce calcul, on recourt au concept de l'espérance mathématique, en tenant compte des probabilités que le déroulement du processus de fabrication soit normal ou anormal.

EXEMPLE

DONNÉES

- Probabilité que le déroulement du processus de fabrication soit anormal: 0,22;
- Frais de recherche des causes de l'écart: 2 000 $;
- Frais des correctifs à apporter: 7 500 $;
- Valeur actualisées des coûts évités après les correctifs apportés: 20 000 $.

SOLUTION

Comparons le total des frais d'analyse et de correction au total des coûts évités:

Frais d'analyse	2 000 $
Frais des correctifs (7 500 $ × 0,22)	1 650
	3 650 $
Valeur actualisée des coûts évités (20 000 × 0,22)	4 400 $

Dans le cas présent, toutes choses étant égales par ailleurs, on aurait intérêt à procéder à l'investigation, car les avantages sont plus élevés que les frais.

Dans notre exemple, la probabilité critique correspond à la valeur de X dans l'équation suivante :

$$2\ 000 + 7\ 500\ X = 20\ 000\ X$$

Cette probabilité critique est ici de 16 %.

Ce type d'analyse économique est assez exigeant. En effet, il faut estimer les frais d'investigation et des mesures correctives ; il faut également estimer le montant des économies de coûts, ce qui n'est pas une tâche facile. La détermination de la probabilité de fonctionnement anormal s'impose également. Est-il besoin d'ajouter que l'approche économique étudiée ici repose sur l'hypothèse implicite que l'investigation permet de déceler les causes des écarts anormaux. Face à ces difficultés caractérisant l'évaluation économique formelle de l'investigation, les entreprises lui préfèrent certaines approches visant à déterminer si les écarts sont significatifs et où l'aspect économique risque fort de ne pas être pris en compte. Ces méthodes sont celles qui se fondent essentiellement sur le jugement. Elles reposent sur les critères de la valeur absolue de l'écart, de la valeur relative de l'écart par rapport à une norme, ou encore de la valeur relative de l'écart et d'au moins une certaine valeur absolue.

2. Contrôle statistique des écarts

Lorsque le hasard est seul à intervenir et que le standard technique correspond à la moyenne, les résultats fluctuant autour du standard technique (ex. : quantité de matières premières, nombre d'heures de main-d'œuvre directe) sont acceptables, les écarts au standard technique sont alors distribués selon la courbe normale.

On sait que, pour qu'il y ait distribution normale, 68,3 % des observations doivent se trouver dans un intervalle compris entre $\bar{X} \pm 1\sigma$, 95,5 % entre $\bar{X} \pm 2\sigma$ et 99,7 % entre $\bar{X} \pm 3\sigma$. L'écart type est donc la mesure appropriée de la dispersion. En pratique, l'entreprise peut très bien tolérer les résultats qui se situent à l'intérieur de l'une ou l'autre des zones précédentes. Les limites de la zone retenue, par exemple $\bar{X} + 2\sigma$ et $\bar{X} - 2\sigma$, deviennent alors les valeurs des limites de contrôle adoptées.

Graphique de contrôle

Pour assurer le suivi des résultats obtenus, l'entreprise peut utiliser des graphiques de contrôle. Ainsi, dans le cas présent, le graphique de contrôle pourrait différer selon le nombre d'observations utilisées lors de l'établissement du standard technique. Les exemples de graphiques de contrôle présentés ici reposent sur cette distinction.

1) Trente observations et plus (distribution normale)

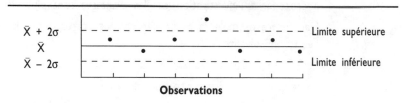

2) Moins de 30 observations (distribution de t)

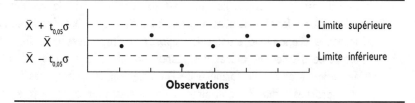

EXERCICES D'APPLICATION

■■■ EXERCICE 7-1

Le produit que fabrique l'entreprise requiert 6 heures de travail de la part d'un ouvrier. Le taux de rémunération des cinq ouvriers employés par l'entreprise varie selon l'ancienneté :
– 2 ouvriers gagnent chacun 10 $ l'heure ;
– 3 ouvriers gagnent chacun 8 $ l'heure.
Les ouvriers effectuent la même opération.

ON DEMANDE

de déterminer le coût standard en main-d'œuvre directe par produit.

■■■ EXERCICE 7-2

A ltée, qui en est à son premier exercice, utilise un système de coût de revient standard.

L'entreprise a passé une seule commande concernant la matière première entrant dans la fabrication de son produit. Le stock de matière est de 1 000 kilogrammes au terme de son premier exercice. On vous donne, de plus, les renseignements suivants :

Coût réel de la matière utilisée à l'usine	
(8 500 kilogrammes à 9,70 $)	82 450 $
Coût standard relatif à la production de l'exercice	
(8 700 kilogrammes à 9,50 $)	82 650
	200 $

ON DEMANDE

de calculer les écarts relatifs à la matière première.

■■■ EXERCICE 7-3

Une entreprise industrielle projette de fabriquer un nouvel article qui nécessiterait l'embauche d'une main-d'œuvre spécialisée.

Compte tenu des possibilités de vente du prochain exercice (20 unités par semaine), l'entreprise envisage d'engager un ouvrier qu'elle devra rémunérer, quoi qu'il arrive, 10 $ l'heure, 40 heures par semaine, 52 semaines par année. Selon les études menées par l'entreprise, cet employé devrait normalement pouvoir produire 50 unités par semaine.

ON DEMANDE

1. de déterminer le coût standard du produit en main-d'œuvre directe ;
2. d'observer le graphique suivant et d'indiquer la signification
   a) des paliers (pointillés),
   b) de la droite oblique (un trait continu).

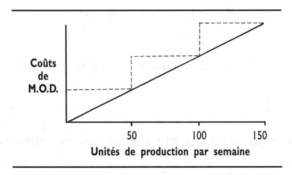

■■■ EXERCICE 7-4

Le coût de revient standard par produit s'analyse comme suit :

Matières (5 kg à 1,00 $)	5 $
Main-d'œuvre directe (4 h à 7,50 $)	30
Frais indirects de fabrication (4 h à 2,00 $)	8
	43 $

Le volume normal d'activité, utilisé lors de l'établissement du coefficient d'imputation de 2 $ l'heure de main-d'œuvre directe, est de 10 000 heures.

Les frais indirects de fabrication fixes réels s'élèvent à 5 000 $, de même que ceux budgétés.

Le coût de revient unitaire réellement engagé au cours de l'exercice se détaille comme suit :

Matières premières (5 ¼ kg à 0,92 $)	4,83 $
Main-d'œuvre directe (3 ½ h à 8 $)	28,00
Frais indirects de fabrication	
(16 000 $/2 000 unités du produit)	8,00
	40,83 $

ON DEMANDE

de déterminer tous les écarts et de mentionner s'ils sont favorables ou non.

▬ EXERCICE 7-5

Harden ltée est aux prises avec une augmentation de ses coûts de production. La direction est particulièrement préoccupée par ses coûts de main-d'œuvre directe. L'entreprise envisage donc l'utilisation d'un système de coût de revient standard en vue d'exercer un contrôle sur les coûts de main-d'œuvre et ses autres coûts. Elle ne dispose pas de données appropriées qui pourraient être utiles à l'établissement des standards.

La société a alors retenu les services d'une firme d'ingénieurs-conseils et lui a confié la tâche d'établir les standards relatifs à la main-d'œuvre directe. Après avoir étudié l'ensemble du procédé de fabrication, les ingénieurs ont recommandé le standard suivant : I produit toutes les 30 minutes, soit 16 unités par jour pour chacun des ouvriers. Le taux de rémunération devrait être de 9 $ l'heure.

Le vice-président de la production est d'avis que le standard établi par les ingénieurs est hors d'atteinte pour les ouvriers. Selon son expérience, il estime qu'un standard de 40 minutes par produit (ou I2 unités par jour par ouvrier) serait plus réaliste.

Le président souhaite que le standard soit établi à un niveau relativement élevé de manière à motiver les ouvriers, tout en demeurant approprié pour le contrôle des coûts. Après beaucoup de discussions, il fut décidé d'utiliser deux standards. Le standard des ingénieurs serait utilisé à l'usine comme instrument de motivation, alors que celui du vice-président de la production serait utilisé dans les comptes rendus portant sur les coûts. Il fut également convenu que les ouvriers ne seraient pas informés du type de standard utilisé dans les comptes rendus. Le vice-président de la production organisa plusieurs rencontres avec les ouvriers pour leur expliquer l'implantation du nouveau système de coût de revient standard et répondre à leurs questions.

Le nouveau système de coût de revient standard fut mis en vigueur le I er janvier 20X5. Six mois plus tard, le compte rendu suivant était soumis à la haute direction :

	Janvier	Février	Mars	Avril	Mai	Juin
Unités produites	5 100	5 000	4 700	4 500	4 300	4 400
Heures de M.O.D.	3 000	2 900	2 900	3 000	3 000	3 100
Écart sur temps (pour la motivation)	4 050 D	3 600 D	4 950 D	6 750 D	7 650 D	8 100 D
Écart sur temps (pour la comptabilité)	3 600 F	3 900 F	2 100 F	– 0 –	1 200 D	1 500 D

La qualité de la matière première utilisée, la composition de l'équipe d'ouvriers, l'outillage et les autres conditions sont demeurés sensiblement les mêmes au cours de cette période de six mois.

ON DEMANDE

1. de comparer l'effet sur la motivation des ouvriers des différents types de standards qu'une firme peut utiliser, et d'indiquer le type de standard que Harden ltée a utilisé pour motiver ses ouvriers ;
2. d'évaluer la décision, prise par Harden ltée, d'utiliser deux standards parallèles relativement au temps de main-d'œuvre directe.

(Adaptation – C.M.A.)

■■■ EXERCICE 7-6

Une entreprise industrielle est sur le point d'entreprendre sa deuxième année d'existence. Elle a décidé de recourir à un système de coût de revient standard en vue de contrôler les coûts de fabrication de son produit. Elle a établi le temps standard en main-d'œuvre directe à 8 heures, soit le temps moyen pris à l'unité au cours du premier exercice. Voici la courbe d'apprentissage relative à la main-d'œuvre directe qui a caractérisé ce premier exercice :

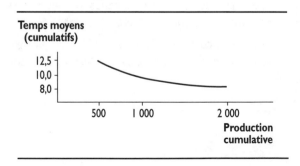

Une fois le deuxième exercice terminé, période durant laquelle 2 000 unités ont également été fabriquées, la direction de l'entreprise a été étonnée d'un écart considérable sur le temps de la main-d'œuvre. En effet, si la fabrication de l'année précédente avait nécessité 16 000 heures, celle de cette année n'en a demandé que 9 600.

ON DEMANDE

1. de fournir l'explication la plus plausible d'un tel écart sur le temps de la main-d'œuvre ;
2. de déterminer le taux d'apprentissage de la main-d'œuvre directe ;
3. de déterminer, si l'on prévoit fabriquer 4 000 unités au cours de la troisième année, le temps standard de main-d'œuvre directe par unité le plus réaliste.

■■■ EXERCICE 7-7

Baron ltée utilise un système de coût de revient standard. Son bénéfice brut pour le mois de novembre 20X5 était le suivant :

Ventes (14 000 unités à 62 $)			868 000 $
Coût standard des produits vendus		602 000 $	
Redressements			
Écarts défavorables			
sur prix	3 600 $		
sur quantité	1 600		
sur temps	14 400		
sur dépense	1 200		
sur rendement	2 400		
Total des écarts défavorables	23 200 $		
Écarts favorables			
sur taux	7 440		
de volume	7 500		
Total des écarts favorables	14 940 $		
Montant net défavorable		8 260	610 260
Bénéfice brut			257 740 $
Renseignements complémentaires :			
Coût standard des produits fabriqués en novembre			
Matières (160 000 pièces)			64 000 $
Main-d'œuvre (48 000 heures standards)			432 000
Frais indirects de fabrication imputés			192 000
Total			688 000 $

ON DEMANDE

1. de déterminer le nombre de produits fabriqués en novembre ;
2. de déterminer le nombre de pièces utilisées en novembre ;
3. de déterminer le nombre d'heures réelles travaillées en novembre ;
4. de déterminer le taux horaire moyen de la rémunération réelle de la main-d'œuvre pour le mois de novembre ;
5. de déterminer la capacité normale relative au mois de novembre (exprimée en heures de main-d'œuvre directe), sachant que cette capacité est identique pour chaque mois ;
6. d'établir le budget des frais indirects pour les heures standards relatives à la production obtenue ;
7. de calculer l'écart sur dépense relatif aux frais indirects fixes ainsi que celui relatif aux frais indirects variables, sachant que les frais indirects variables réels de novembre se sont élevés à 72 900 $;
8. d'établir la liste des écarts qui seraient modifiés et d'indiquer, sans effectuer de calculs, le sens de chaque modification si le nombre dont il est question en 1. est par erreur sous-évalué de 200 unités par rapport à la réalité.

(Adaptation – S.C.M.C.)

■■■■ EXERCICE 7-8

La formule de budget flexible relative aux frais indirects de fabrication concernant un atelier de production est la suivante : 350 000 $ + (1,50 $) (heures de M.O.D.) + (0,20 $) (kg de M.P. utilisées).

Le coût standard de fabrication à l'unité est constitué des éléments suivants :

Matières premières (5 kilogrammes × 0,60 $)	3 $
Main-d'œuvre directe (2 heures × 7,50 $)	15
Frais indirects de fabrication	8
	26 $

ON DEMANDE

de déterminer les écarts suivants :
1. l'écart sur prix,
2. l'écart sur quantité,
3. l'écart sur taux,
4. l'écart sur temps,
5. l'écart sur rendement,
6. l'écart sur volume,

sachant :

– que le coût réel des heures de main-d'œuvre directe travaillées a été de 175 000 heures × 7,80 $;
– que les achats de matières premières ont été de 500 000 kilogrammes × 0,50 $;
– que 472 500 kilogrammes de matières ont été utilisées ;
– que les unités équivalentes de production de l'exercice s'élèvent à 90 000 unités ;
– qu'il n'y avait pas de stock de matières premières au début de l'exercice.

▄▄▄ EXERCICE 7-9

Mobile ltée fabrique et vend un seul article ménager connu sous le nom de gaufrier. La société, dont l'existence remonte au 31 août 20X5, est une filiale en propriété exclusive d'une importante entreprise américaine.

Le coût standard à l'unité relatif à Mobile ltée (Canada) est le suivant :

– Matières premières : 6 pièces, à 0,50 $ la pièce ;
– Main-d'œuvre directe : 2 heures, à 8,00 $ l'heure ;
– Frais indirects de fabrication : 3,00 $ par heure standard de main-d'œuvre directe (ce taux fut établi pour un volume annuel de 80 000 articles).

Le budget flexible relatif à l'ensemble des frais indirects de fabrication indique que les frais augmentent de 3 000 $ à chaque fois que le volume augmente de 1 000 articles.

Le 30 novembre 20X5, soit à la fin du premier trimestre, les données relatives aux coûts réels engagés furent les suivantes :

Achats de matières premières (140 000 pièces)	67 200 $
Main-d'œuvre directe (37 000 heures)	294 600
Frais indirects de fabrication	
Variables	59 400
Fixes	72 000

Le grand livre général indiquait les soldes suivants au 30 novembre 20X5 (tous établis en fonction des coûts standards) :

Matières premières		14 000 $
Produits en cours		
Matières premières	3 000 $	
Main-d'œuvre directe	8 000	
Frais indirects de fabrication	3 000	14 000
Produits finis		50 000
Coût des produits vendus		375 000

ON DEMANDE

1. de présenter le tableau des unités équivalentes de production aux fins du calcul des écarts ;
2. de calculer les écarts concernant les matières premières et de les comptabiliser ;
3. d'indiquer, justifications à l'appui, si vous êtes d'accord ou non avec l'affirmation suivante : Si le directeur du service des achats est responsable du prix d'achat des matières premières alors que le contremaître de la fabrication est responsable des quantités utilisées, il n'y aura pas d'ambiguïté dans la désignation du responsable de l'écart sur prix et du responsable de l'écart sur quantité ;
4. de calculer trois écarts concernant les frais indirects de fabrication ;
5. d'indiquer, justifications à l'appui, si l'écart sur temps est favorable ou défavorable. (Ne pas le calculer.)

(Adaptation — S.C.M.C.)

▰▰ EXERCICE 7-10

Ballentine ltée se spécialise dans la production de spaghetti. L'unité du produit est le 50 kg de spaghetti.

Le budget flexible mensuel se détaille comme suit :

Volume en unités du produit	15 000	25 000
Coût des matières premières	30 000 $	50 000 $
Main-d'œuvre directe	180 000	300 000
	210 000	350 000
Frais indirects de fabrication		
Fournitures	15 000	25 000
Main-d'œuvre indirecte	30 000	50 000
Salaires — maîtrise	26 250	33 750
Chauffage, éclairage et électricité	15 250	22 750
Amortissement	63 000	63 000
Assurances et impôts fonciers	8 000	8 000
Total des frais indirects de fabrication	157 500 $	202 500 $
Total des coûts de production	367 500 $	552 500 $

Autres renseignements

a) Aucun stock au début de juin 20X5.

b) Le temps standard de fabrication pour une unité du produit est de 1,5 heure de main-d'œuvre directe.

c) La capacité normale est de 30 000 heures de main-d'œuvre directe par mois.

d) Données réelles concernant le mois de juin 20X5 :
   - Unités en cours à la fin de juin 20X5 (terminées à 100 % pour la matière et à 40 % pour les frais de transformation) : 5 000 ;
   - Unités produites : 20 000 ;
   - Heures de travail de la main-d'œuvre directe à 7,90 $/h : 32 000 ;
   - Frais indirects de fabrication engagés : 191 000 $.

e) L'unité d'œuvre servant à déterminer les coefficients d'imputation des frais indirects de fabrication est l'heure de la main-d'œuvre directe.

ON DEMANDE

1. de présenter dans un tableau les composantes fixes (le total) ou variables (par unité) de chacun des éléments de coût prévus ;
2. de déterminer le coût standard d'une unité de 50 kg ;
3. de déterminer le coût standard des unités équivalentes de la période, par élément de coût et au total ;
4. d'effectuer, pour le mois de juin, l'analyse des écarts des frais indirects de fabrication selon la méthode des trois écarts ;
5. de déterminer les écarts concernant les frais indirects de fabrication selon la méthode des deux écarts ;
6. de déterminer tout autre écart (ou écarts) que l'on pourrait calculer, compte tenu des renseignements fournis (cet autre écart ou ces autres écarts ne doivent pas concerner les frais indirects de fabrication) ;
7. de présenter l'écriture (ou les écritures) pour comptabiliser les écarts dont il est question en 4. et 6. ci-dessus.

(Adaptation − S.C.M.C.)

■■■■ EXERCICE 7-11

Norbert ltée a établi son coefficient d'imputation des frais indirects de fabrication en tenant compte du concept de l'activité prévue pour l'année. Le budget préparé pour l'année fait état d'une production de 720 000 unités et d'une activité de 3 600 000 heures de main-d'œuvre directe. Cette production et ces heures prévues correspondent respectivement à la capacité normale et aux heures allouées. L'entreprise peut ordonnancer son calendrier de production de façon uniforme tout au long de l'année.

La production totale de mai s'est élevée à 66 000 unités et a exigé 315 000 heures de main-d'œuvre directe. Les frais indirects de fabrication réels, le budget annuel et le budget mensuel des frais indirects de fabrication sont présentés au tableau suivant :

| | Budget annuel | | Budget mensuel | Frais réels pour mai |
	Total	Par heure de M.O.D.		
Variables				
Main-d'œuvre indirecte	900 000 $	0,25 $	75 000 $	75 000 $
Fournitures	1 224 000	0,34	102 000	111 000
Fixes				
Surveillance	648 000	0,18	54 000	51 000
Services publics	540 000	0,15	45 000	54 000
Amortissement	1 008 000	0,28	84 000	84 000
Total	4 320 000 $	1,20 $	360 000 $	375 000 $

ON DEMANDE

1. de calculer les montants suivants concernant le mois de mai :
   a) les frais indirects de fabrication imputés ;
   b) l'écart global sur dépense concernant les frais indirects de fabrication variables ;
   c) l'écart global sur dépense concernant les frais indirects de fabrication fixes ;
   d) l'écart sur rendement ;
   e) l'écart sur volume ;
   f) l'écart sur budget ;
2. d'indiquer toutes les composantes de chacun des écarts dont il est question aux points 1.b), c) et d) ci-dessus.
(Adaptation – C.M.A.)

▬▬ EXERCICE 7-12

Au cours d'un incendie survenu au début de février 20X5, Sica ltée a perdu presque tous ses registres de comptabilité.

Au 31 décembre 20X4, les stocks étaient les suivants :

Matières premières	54 000 $
Produits finis	65 892
Produits en cours	– 0 –
	119 892 $

On a découvert, pour le mois de janvier 20X5, une copie de compte rendu portant sur les écarts; il indique ce qui suit:

	Défavorable	Favorable
Matières premières		
Prix		2 000 $
Quantité	4 000 $	
Main-d'œuvre directe		
Taux	3 000	
Temps		3 700
Frais indirects de fabrication		
Dépense		I 000
Volume	3 000	
Rendement		2 200
	10 000 $	8 900 $

L'administrateur, à qui on avait envoyé ce rapport, avait noté en regard de l'écart sur dépense: « Budget flexible fondé sur les unités d'œuvre réelles de janvier: 25 000 $ », et, en haut du rapport: « Production en janvier: 10 000 unités ».

Sont aussi disponibles les renseignements supplémentaires que voici:

a) Les stocks du début n'ont pas eu à être redressés en fonction des coûts unitaires standards de 20X5 puisqu'ils étaient déjà évalués en fonction de ces derniers.

b) Les frais de main-d'œuvre directe inscrits à la liste de paye, pour janvier 20X5, s'élevaient à 40 000 $.

c) On obtint, du fournisseur de la seule matière première employée, des copies des factures pour le mois de janvier. Ces factures mentionnaient l'achat de 25 000 unités pour 38 000 $ (l'allocation standard est de deux unités de matière pour chaque unité produite).

d) La matière première est évaluée au prix standard au moment de l'achat.

e) L'unité d'œuvre est l'heure de main-d'œuvre directe.

f) En janvier 20X5, il s'est vendu 9 000 unités.

g) Il n'y a jamais de produits en cours à la fin d'un mois.

ON DEMANDE

1. de chiffrer le coût standard unitaire concernant le produit;
2. de présenter les écritures de journal pour le mois de janvier.
(Adaptation – S.C.M.C.)

■■■ EXERCICE 7-13

Felteau ltée produit une gamme complète de postes de radio. Étant donné le grand nombre de modèles avec boîtier en plastique, la société a créé son propre service de production de boîtiers. Le mois d'avril a été consacré à la production d'un boîtier pour le modèle portatif n° sx76.

Deux opérations complètement indépendantes sont effectuées au sein de la section de production de boîtiers : le modelage et la finition. Le coût standard de main-d'œuvre concernant la production de dix boîtiers en plastique pour le modèle portatif n° sx76 est le suivant :

Modelage (0,5 heure à 9,00 $)	4,50 $
Finition (0,25 heure à 6,00 $)	1,50
	6,00 $

Durant le mois d'avril, 70 000 boîtiers en plastique ont été produits ; cependant, 10 % de ceux-ci (7 000) se sont révélés gâchés lors de l'inspection finale. Le service des achats a changé de fournisseur et s'est procuré le plastique à un plus bas prix. Le nouveau plastique s'est avéré de qualité inférieure, ce qui a entraîné la mise au rebut des boîtiers gâchés.

Les heures et les coûts de main-d'œuvre directe attribués au service de production des boîtiers ont été les suivants :

Modelage (3 800 heures à 9,25 $)	35 150 $
Finition (1 600 heures à 6,15 $)	9 840
	44 990 $

De plus, à cause d'une erreur dans l'établissement du calendrier de production par le service de l'ordonnancement des travaux, le responsable de la section de production des boîtiers a dû demander aux employés préposés au modelage de consacrer 200 heures en avril à l'opération de finition des boîtiers sx76. La société a rémunéré au taux horaire de base toutes les heures de présence des préposés au modelage, même si certaines de ces heures ont été consacrées à la finition des boîtiers.

Le responsable de la section de production des boîtiers a aussi indiqué qu'au cours du mois d'avril, les heures perdues concernant les opérations de modelage et de finition ont été respectivement de 75 et 35. Ces pertes de temps ont été causées par la nécessité de procéder à des réparations d'équipement non prévues.

ON DEMANDE

1. de résoudre le problème suivant : le rapport d'avril, où les coûts réels de production des boîtiers sont comparés aux coûts standards, indique l'écart net suivant concernant la main-d'œuvre directe :

Coût réel de la main-d'œuvre directe	44 990 $
Coût standard de la main-d'œuvre directe se rapportant à la bonne production (63 000 × 6,00 $/10)	37 800
Écart sur main-d'œuvre directe (défavorable)	7 190 $

Cet écart est relativement plus élevé que la normale et la direction aimerait obtenir une explication. Il s'agit pour vous de préparer une analyse détaillée de l'écart défavorable sur main-d'œuvre directe qui montrerait les écarts : a) sur taux de main-d'œuvre ; b) découlant de la substitution de main-d'œuvre directe ; c) découlant de la substitution de matière première ; d) sur rendement de la main-d'œuvre directe et e) découlant du temps perdu ;

2. de donner votre avis sur la question suivante : le responsable de la section de production des boîtiers est préoccupé par l'écart considérable que l'on a imputé à sa section ; il est d'avis que les écarts dus à la substitution de main-d'œuvre directe et de matière première ne devraient pas être imputés à sa section. Qu'en pensez-vous ? Justifiez votre réponse.

(Adaptation – C.M.A.)

EXERCICE 7-14

Une entreprise fabrique un seul produit. Elle utilise un système de coût de revient avec coûts standards. Le coefficient d'imputation des frais indirects de fabrication fut déterminé en se fondant sur le concept de la capacité normale (10 000 heures de M.O.D.). Le coefficient d'imputation concernant les frais indirects de fabrication est de 5 $ l'heure et le budget des frais indirects de fabrication fixes s'élève à 30 000 $.

Voici des renseignements concernant le dernier exercice :
- Heures réelles de M.O.D. : 8 400 ;
- Heures standards de M.O.D. (soit 1 heure par produit) : 9 000 ;
- Taux de rémunération standard : 7,00 $/h de M.O.D. ;
- Aucun écart global ne s'est produit concernant la M.O.D. ;
- Frais indirects de fabrication variables réels : 2,10 $/h de M.O.D. ;
- Frais indirects de fabrication fixes réels : 30 000 $.

ON DEMANDE

1. de déterminer le plus d'écarts possibles ;
2. de présenter les écritures concernant la comptabilisation des écarts dont il est question en 1.

■■■ EXERCICE 7-15

Nova ltée produit une pièce entrant dans la fabrication de moteurs d'avion. Elle utilise un système de coût de revient standard qui a toujours donné satisfaction. Malheureusement, cette entreprise a eu récemment des difficultés d'approvisionnement à la suite de la cessation de toute activité de l'entreprise à qui elle achetait la matière première. Nova ltée qui ne maintient aucun stock de matière première a dû trouver rapidement un autre fournisseur. Ce dernier vend une matière première de meilleure qualité, mais à 7,77 $ l'unité au lieu de 7,00 $, prix payé antérieurement. L'utilisation de la nouvelle matière première a permis de réduire les pertes, puisque la consommation s'élève maintenant à 1 unité au lieu de 1,25 unité de matière par produit. De plus, la durée de production est passée de 24 à 22 minutes par pièce.

Au moment où elle eut des difficultés d'approvisionnement, soit le 1er avril, une nouvelle convention collective entra en vigueur. Selon cette dernière convention, le taux horaire moyen, majoré de plus de 14 %, est passé de 12,60 $ à 14,40 $.

Les standards relatifs aux coûts de base établis au début de l'année (1er janvier) sont les suivants :

Matière première (1,2 unité à 6,80 $ l'unité)	8,16 $
Main-d'œuvre directe (20 minutes à 12,30 $ l'heure)	4,10
	12,26 $

Arthur Leblanc, analyste des coûts de revient, a pris connaissance du rapport de rendement (présenté à la fin de cet exercice) qui avait été préparé pour le mois d'avril. Il alla trouver Jeanne Lenoir, assistante du contrôleur et lui dit : « Jeanne, regarde ce rapport. Le prix de la matière première a augmenté de 11 % et le taux de rémunération de 14 %. Le rapport ne semble pas expliquer ce qui s'est passé : il nous indique que le coût de base unitaire du mois d'avril a diminué de plus de 5 % par rapport à celui du premier trimestre de l'année, qui était de 13,79 $.»

Jeanne répondit : « Il s'agit d'une période tout à fait exceptionnelle puisqu'elle a été marquée par différents événements. Peut-être devrions-nous réviser nos standards en tenant compte des conditions existantes et présenter un nouveau rapport de rendement ? »

ON DEMANDE

de présenter l'analyse qui explique l'écart entre le coût de base unitaire réel d'avril, soit 13,05 $, et celui qui a caractérisé les trois premiers mois de l'année, soit 13,79 $. L'analyse doit être suffisamment détaillée pour indiquer les effets dus :

a) à la modification du prix d'acquisition de la matière première ;
b) à la modification du taux de rémunération ;
c) à l'économie de consommation due à l'emploi d'une matière première de qualité supérieure ;
d) à l'économie de main-d'œuvre due à l'emploi d'une matière première de qualité supérieure.

Analyse des écarts sur coûts de base unitaires pour le mois d'avril

	Coût standard	Écart sur prix ou sur taux	Écart sur quantité ou sur temps	Coût réel
M.P.	8,16 $	(0,97 $ × 1) = 0,97 $ D	(6,80 $ × 0,2) = 1,36 $ F	7,77 $
M.O.D.	4,10	2,10 $ (22/60) = 0,77 D	12,30 $ (2/60) = 0,41 D	5,28
	12,26 $			13,05 $

Comparaison des coûts de base réels unitaires

	Coûts (janvier, février, mars)	Coûts (avril)	Pourcentage d'augmentation (de diminution)
M.P.	8,75 $	7,77 $	(11,2) %
M.O.D.	5,04	5,28	4,8 %
	13,79 $	13,05 $	(5,4) %

(Adaptation – C.M.A.)

■■■ EXERCICE 7-16

Le niveau moyen d'activité à long terme d'un atelier est de 8 000 heures de main-d'œuvre directe par mois, ce qui représente 80 % de sa capacité pratique. L'activité prévue pour le mois de mars est de 9 000 heures de main-d'œuvre directe. Le budget des frais indirects de fabrication pour 9 000 heures de main-d'œuvre directe se chiffre à 63 450 $. À une activité moyenne, le budget de frais indirects de fabrication de l'atelier se chiffre à 59 200 $.

Les frais indirects de fabrication réels de l'atelier pour le mois de mars se sont élevés à 25 050 $ en frais fixes et à 34 368 $ en frais variables. Le nombre standard d'heures de main-d'œuvre directe pour la production du mois de mars est de 8 140 alors que le nombre réel d'heures de main-d'œuvre directe est de 8 072. On utilise l'activité moyenne pour déterminer le coefficient d'imputation des frais indirects de fabrication fixes.

ON DEMANDE

1. de déterminer les écarts sur dépense en fournissant autant de détails que les données le permettent ;
2. de déterminer l'écart sur rendement relatif aux frais indirects de fabrication variables ;
3. de déterminer l'écart sur volume ;
4. de déterminer le montant des frais indirects de fabrication fixes qui ont été imputés en mars.

(Adaptation – S.C.M.C.)

▄▄▄ EXERCICE 7-17

Grippon ltée utilise un système de coût de revient standard. Les écarts suivants ont trait au mois d'avril :

Matières premières		
Sur quantité	540 $	F
Sur prix	3 582	D
Écart total	3 042 $	D

Main-d'œuvre directe		
Sur temps	960 $	D
Sur taux	916	D
Écart total	1 876 $	D

Frais indirects de fabrication variables		
Sur rendement	480 $	D
Sur dépense	480	F
	– 0 – $	

Frais indirects de fabrication fixes

Sur dépense (sur budget)	I 000 $	D
Sur volume	2 000	D
Écart total	3 000 $	D

Voici les coûts standards du produit fabriqué par Grippon :

Matières premières (40 kg à 0,03 $ le kg)	1,20 $
Main-d'œuvre directe (0,1 heure à 6 $ l'heure)	0,60
Frais indirects de fabrication variables (0,1 heure à 3 $ l'heure)	0,30
Frais indirects de fabrication fixes	0,20
Coût standard à l'unité	2,30 $

Le coût standard de 0,20 $ a été établi au volume normal de 100 000 unités par mois. Il n'y avait pas de solde d'ouverture et de fermeture dans les comptes Stock de produits en cours et Stock de matières premières.

ON DEMANDE

1. d'établir les éléments suivants :
   a) le volume réel de production,
   b) la quantité réelle de kilogrammes de matière première utilisée,
   c) le prix réel payé par kilogramme de matière première,
   d) le budget du coût de la main-d'œuvre directe au regard des heures réelles,
   e) le taux réel payé par heure de main-d'œuvre directe,
   f) le budget flexible relatif à l'ensemble des frais indirects de fabrication au volume réel de la production,
   g) le total des frais indirects de fabrication imputés ;
2. de présenter les écritures de journal nécessaires à la comptabilisation :
   a) de l'imputation des frais indirects de fabrication,
   b) des écarts,
   c) du coût des produits fabriqués.

(Adaptation – S.C.M.C.)

▬▬ EXERCICE 7-18

Lucerne inc. fabrique un seul produit. On dispose des renseignements suivants au sujet des opérations du mois de février.

a) Nombre d'unités produites : 100 ;
b) Heures de M.O.D. réelles : 230 ;

c) Coefficient standard des F.I.F. variables : 4,75 $ par heure de M.O.D. ;
d) Prix standard de la M.P. : 0,40 $ le litre ;
e) Écart entre le coût variable standard et le coût variable réel par unité de production : 1,19 $ D ;
f) L'unité d'œuvre est l'heure de main-d'œuvre directe ;
g)

	Matière première	Main-d'œuvre directe	Frais indirects de fabrication variables
Coûts variables standards de la fabrication du mois	260 $	1 900 $	950 $
Coûts variables réels de la fabrication	276	?	985
Écart sur prix – M.P.	?		
Écart sur quantité – M.P.	20 F		
Écart sur taux – M.O.D.		?	
Écart sur temps – M.O.D.		?	
Écart sur dépense – F.I.F. variables			?
Écart sur rendement – F.I.F. variables			?

ON DEMANDE

1. de calculer le coût variable standard par unité de production ;
2. de calculer le coût variable réel par unité de production ;
3. de trouver la quantité standard de matière première par unité de production ;
4. de calculer les écarts qui manquent (écart sur prix, écarts sur taux et sur temps, et écarts sur dépense et rendement relatifs aux frais indirects de fabrication variables).

(Adaptation – S.C.M.C.)

■■■ EXERCICE 7-19

B ltée, fabricant de moyenne envergure de machines industrielles spécialisées, utilise un système de coût de revient standard. Pour l'exercice qui vient de se terminer, elle a établi son coût de revient standard unitaire à 3 000 $ d'après un volume de production prévu de 2 800 machines :

Matières premières et main-d'œuvre directe	2 000 $
Frais indirects de fabrication variables	140
Frais indirects de fabrication fixes	860
Coût de revient standard à l'unité	3 000 $

Voici les calculs effectués par la société relativement au coût des produits vendus :

	Nombre de machines	Montant par machine	Total
Stock de produits finis au début de l'exercice	600	2 900 $	1 740 000 $
Production	3 500	3 000	10 500 000
	4 100		12 240 000
Stock de produits finis à la fin de l'exercice (PEPS)	1 300	3 000	3 900 000
	2 800		8 340 000
Écart sur volume			602 000
Coût des produits vendus			7 738 000 $

ON DEMANDE

d'indiquer les commentaires que vous suggère la situation décrite ci-dessus.

(Adaptation – C.A.)

■ EXERCICE 7-20

Fleuron ltée fabrique un produit et utilise un système de coût de revient standard. L'entreprise utilise quelques machines automatiques. Les coûts standards de production sont les suivants :

Matières premières (5 kilogrammes × 0,80 $)	4,00 $
Main-d'œuvre directe (2 heures × 6,00 $)	12,00
Frais indirects de fabrication (3 heures de fonctionnement des machines × 1,00 $	3,00
	19,00 $

Le total des frais indirects de fabrication budgétés pour l'année 20X5 se chiffrait à 300 000 $ et correspondait à une production escomptée de 100 000 articles. La partie des frais indirects de fabrication variables fut estimée à 1,00 $ l'article.

Les stocks du début, soit au 1er janvier 20X5, se détaillaient ainsi :

Matières premières (40 000 kg évalués au coût standard)   32 000 $

Stock de produits en cours (10 000 unités, terminées
  à 100 % pour la matière première et à 50 % pour la
  main-d'œuvre directe et les frais indirects de fabrication)   115 000

Stock de produits finis (1 000 unités au coût standard)   19 000

Parmi les opérations de 20X5, on note :
a) achat de 500 000 kilogrammes de matières premières : 425 000 $;
b) utilisation de 404 000 kilogrammes de matières premières pour la production ;
c) paies relatives à 175 000 heures de main-d'œuvre directe : 1 067 500 $;
d) frais indirects de fabrication réels engagés pour 249 000 heures de fonctionnement des machines : 297 940 $, dont 200 000 $ pour les frais de fabrication fixes.

Au total, 85 000 unités furent terminées et transférées aux produits finis durant l'année et les 12 000 unités en cours au 31 décembre 20X5 sont terminées à 100 % pour la matière première et à 40 % pour la main-d'œuvre directe et les frais indirects de fabrication. Au total, 80 000 unités furent vendues 30 $ chacune.

Une analyse des causes expliquant les écarts a été effectuée à la fin de l'année et a révélé les faits suivants :
a) l'écart sur le prix des matières fut totalement dû à un changement incontrôlable dans le prix d'acquisition des matières ;
b) La moitié de l'écart sur taux fut attribuable à une modification des taux de rémunération résultant de négociations avec le syndicat représentant les employés. Une composition inappropriée de l'équipe de main-d'œuvre directe explique la différence.

ON DEMANDE

1. de calculer, pour chaque élément de coût, deux écarts par rapport aux coûts standards utilisés ;
2. de recalculer les écarts relatifs aux frais indirects de fabrication selon la méthode des trois écarts ;

3. de présenter le tableau indiquant la répartition de l'écart sur dépense et des écarts incontrôlables sur prix et sur taux (les stocks de matières, de produits en cours et de produits finis sont évalués selon la méthode PEPS) ; les écarts à répartir entre les produits (autres que ceux directement affectables au coût des produits vendus) devront l'être en fonction des unités équivalentes de production ;
4. de présenter les écritures de journal, y compris les écritures de fermeture des écarts ;
5. de présenter l'état du bénéfice brut pour l'année 20X5 en y faisant figurer tous les écarts.

(Adaptation – S.C.M.C.)

▬▬ EXERCICE 7-21

Monson ltée fabrique un montage spécial qui nécessite trois catégories différentes de main-d'œuvre directe : E1, E2 et E3. Les standards de main-d'œuvre directe pour une unité de montage sont de 2 heures de E1, 3 heures de E2 et 5 heures de E3. Les taux horaires standards pour E1, E2 et E3 sont respectivement de 10 $, 12 $ et 8 $.

Durant le mois de février, 1 000 unités ont été montées. Les apports de mains-d'œuvre directes E1, E2 et E3 ont été respectivement de 900 heures, 1 800 heures et 2 100 heures. Les salaires, pour E1 et E2, sont demeurés aux taux standards, mais pour le groupe E3, dans lequel la main-d'œuvre est rare, on a dû payer 8,50 $ l'heure.

ON DEMANDE

de déterminer, s'il y a lieu, les écarts sur taux, sur composition et sur rendement de la main-d'œuvre directe.

(Adaptation – S.C.M.C.)

▬▬ EXERCICE 7-22

Énergie ltée produit un additif pour l'essence automobile. Ce produit accroît l'efficacité du moteur et permet de parcourir plus de kilomètres par litre grâce à une combustion davantage complète.

Au cours du processus de production, on doit contrôler de façon rigoureuse la combinaison des intrants chimiques et l'évaporation. En l'absence de tels contrôles, il peut se produire des pertes de production et d'efficacité.

Le coût standard de production d'un lot constitué de 500 litres dudit additif est de 135 $. Le mélange standard des intrants et le prix standard de chacun d'eux en vue de l'obtention de 500 litres d'additif sont les suivants :

Intrant chimique	Mélange standard des intrants (en litres)	Prix standard (le litre)	Coût total
Échol	200	0,200 $	40,00 $
Protex	100	0,425	42,50
Benz	250	0,150	37,50
CT-40	50	0,300	15,00
	600		135,00 $

La production de l'exercice courant a été de 140 lots de 500 litres chacun. Voici les quantités d'intrants chimiques achetées et utilisées au cours de cet exercice :

Intrant chimique	Quantité achetée	Coût total des acquisitions	Quantité utilisée
Échol	25 000 L	5 365 $	26 600 L
Protex	13 000 L	6 240	12 880 L
Benz	40 000 L	5 840	37 800 L
CT-40	7 500 L	2 220	7 140 L
	85 500 L	19 665 $	84 420 L

ON DEMANDE

1. de calculer l'écart sur prix pour chacune des matières premières ;
2. de calculer l'écart total sur quantité et de l'analyser en déterminant l'écart global sur composition et l'écart global sur rendement.
(Adaptation – C.M.A.)

■■■ EXERCICE 7-23

X ltée utilise un système de coût de revient standard. L'entreprise a établi des limites de contrôle concernant la norme relative à la quantité de matière première entrant dans le produit fabriqué. Les limites, fixées à 1,02 et 1,08 kilogrammes, correspondent à la quantité standard ± 3 écarts types.

La quantité réelle de matière première utilisée par produit a excédé la limite de contrôle supérieure. Les renseignements suivants concernent l'analyse de cet écart : frais qu'entraînerait la recherche des causes de l'écart : 500 $; probabilité de pouvoir déceler des causes non aléatoires : 20 % ; valeur actualisée des frais futurs qui seraient évités au cas où la recherche conduirait à la découverte de causes non aléatoires : 5 000 $; frais de correction dans le cas de causes non aléatoires : 3 000 $.

ON DEMANDE

1. de déterminer, calculs à l'appui, le standard quantité de matière première par produit utilisé dans le cadre du système de coût de revient standard de l'entreprise ;
2. de déterminer, calculs à l'appui, si l'entreprise devrait effectuer la recherche des causes de l'écart qui s'est produit dans l'utilisation des matières premières.

(Adaptation – S.C.M.C.)

■■■■ EXERCICE 7-24

Pour Fourgon ltée, le coût standard des pièces entrant dans la fabrication d'un camion de modèle courant est de 28 000 $. La semaine dernière, plusieurs camions ont été produits à un coût moyen de 34 000 $ pour les pièces. On a demandé à T. Lecompte, chargé de l'analyse des coûts, de déterminer si une étude spéciale était nécessaire.

T. Lecompte pense que si l'on ne fait pas cette étude et que le processus n'est pas contrôlé, la valeur actualisée des coûts supplémentaires sera de 2 600 $ pour le futur prévisible. Une étude spéciale coûterait 380 $. Il en coûterait 850 $ pour contrôler le processus. T. Lecompte estime toutefois à 80 % la probabilité que l'étude ne permette pas de repérer de cause contrôlable.

ON DEMANDE

1. de déterminer, calculs à l'appui, si l'on doit procéder à l'étude spéciale ;
2. de déterminer le niveau de probabilité nécessaire de repérage d'une cause contrôlable qui rendrait M. Lecompte indifférent quant à l'étude à entreprendre.

(Adaptation – S.C.M.C.)

■■■■ EXERCICE 7-25

David Gravel, contremaître du service de raffinage, vient de recevoir un rapport de rendement sur la machine de traitement automatisé de son service. Cette machine effectue une opération de fraisage très importante sur des pièces fabriquées sur mesure. Le rapport indique un taux de rejet dépassant la normale, ce qui pourrait signifier que la machine est défectueuse. M. Gravel doit décider s'il faut procéder à la vérification de la machine.

D'après l'expérience, le coût d'une vérification se traduit par une distribution uniforme de probabilités s'échelonnant de 300 $ à 600 $. Le coût des réparations se traduit également par une distribution uniforme s'échelonnant de 2 100 $ à 2 800 $.

Si la machine est défectueuse et qu'elle est réparée, on économisera dorénavant 1 500 $ par mois. M. Gravel ne connaît pas avec certitude la valeur totale de ces économies parce qu'elles dépendent du nombre de mois qui s'écouleront avant qu'une défectuosité ne réapparaisse. Le tableau qui suit présente l'estimation, faite par M. Gravel, du temps qui s'écoulera avant la prochaine défectuosité :

Prochaine défectuosité dans	Probabilité
2 mois	0,15
3	0,30
4	0,45
5	0,10

D'après son expérience, M. Gravel a estimé qu'il y a une probabilité de 0,20 que la machine soit défectueuse.

ON DEMANDE

d'indiquer, calculs à l'appui, si M. Gravel doit recommander ou non de faire la vérification.

(Adaptation — S.C.M.C.)

EXERCICE 7-26

Précibec ltée, qui fabrique des produits de précision, comptabilise ses coûts de production selon la méthode du coût de revient standard. Elle ne fabrique qu'un seul produit de haute précision, dont les coûts unitaires standards se présentent comme suit :

Composant A (moulage de fonte acheté : 1 unité)	15,00 $
Composant B (moulage d'acier acheté : 1 unité)	9,00
Main-d'œuvre directe (5 h à 6,20 $)	31,00
Frais indirects de fabrication variables (5 h à 3,60 $)	18,00
Frais indirects de fabrication fixes (5 h à 1,40 $)	7,00
Coût standard, compte non tenu des pertes normales	80,00
Pertes normales (15 %)	12,00
Coût unitaire standard total	92,00 $

Le composant A entre dans la production au début du procédé. La main-d'œuvre et les frais indirects de fabrication sont engagés uniformément durant la période de traitement. Le composant B est ajouté au moment où les articles en cours de traitement sont achevés à 50 %.

L'inspection a lieu à la fin du processus de production et le standard admet, comme perte normale, 15 % des bons produits.

Les coûts réels engagés en octobre se présentent comme suit :

a) Composant A : 79 400 unités utilisées pour la production ;
   Composant B : 42 000 unités utilisées pour la production ;
b) Coût de la main-d'œuvre directe : 348 000 heures à 6,18 $ = 2 150 640 $;
c) Frais indirects de fabrication :
   variables : 1 270 000 $;
   fixes : 533 000 $;
d) Données budgétaires : la production prévue pour le mois était de 75 000 unités équivalentes, soit le douzième de la production annuelle prévue (900 000 produits) ;
e) Disposition des écarts : tous les écarts sont accumulés dans divers comptes et sont débités ou crédités au compte Coût des produits vendus à la fin de l'exercice financier ;
f) Les produits gâchés n'ont aucune valeur de réalisation.

Le tableau des produits traités pour le mois d'octobre indique ce qui suit :

Produits en cours au début de la période (achevés à 60 %)	30 000
Produits mis en fabrication	80 000
Nombre de produits traités	110 000

Le tableau des extrants est le suivant :

Produits terminés	60 000
Produits perdus	10 000
Produits en cours à la fin de la période (achevés à 40 %)	40 000
	110 000

ON DEMANDE

1. de présenter le tableau des unités équivalentes de la production aux fins du calcul des écarts ;
2. de calculer deux écarts pour chacun des éléments suivants :
   a) main-d'œuvre directe ;
   b) frais indirects de fabrication variables ;
   c) frais indirects de fabrication fixes ;
3. de calculer les écarts concernant les matières premières et dont la détermination est possible ;
4. de présenter les écritures de journal qu'il est possible de faire compte tenu des renseignements disponibles.
(Adaptation – S.C.M.C.)

■■■ EXERCICE 7-27

OPQ ltée fabrique un produit qui est traité dans deux ateliers, I et II. La société emploie un système de coût de revient standard pour fabrication continue.

Dans l'atelier II, l'inspection a lieu alors que le produit est achevé à 80 %. Un taux de rejet correspondant à 5 % de la bonne production est considéré comme normal. La matière est ajoutée aux bonnes unités après l'inspection.

Renseignements concernant l'atelier II pour le mois courant :

a) Stock de produits en cours au début (achevés à 50 %) : 10 000 unités ;
b) Produits reçus de l'atelier I durant le mois : 40 000 unités ;
c) Produits transférés à l'entrepôt des produits finis : 42 000 unités ;
d) Stock de produits en cours à la fin (achevés à 90 %) : 5 000 unités ;

e) Frais engagés durant l'exercice concernant l'atelier II :

Matières (98 000 pièces) utilisées et achetées	44 100 $
Main-d'œuvre directe (22 500 heures)	180 000
Frais indirects de fabrication variables	33 800
Frais indirects de fabrication fixes	8 200

f) Coût de revient standard – Atelier I : 4,00 $;

g) Coût de revient standard – Atelier II (avant de tenir compte de la perte normale) :

Matières (2 pièces à 0,48 $)	0,96 $
Main-d'œuvre directe (½ heure à 7,60 $)	3,80
Frais indirects de fabrication variables (½ heure à 1,40 $)	0,70
Frais indirects de fabrication fixes (½ heure à 0,40 $)	0,20
	5,66 $

h) Budget de frais indirects de fabrication fixes – Atelier II : 8 000 $;

i) Des 22 500 heures de main-d'œuvre directe, 80 heures de temps mort ont été payées aux employés de la production à cause d'un bris qui aurait pu être évité par le service de l'entretien ;

j) Le directeur du service des achats a décidé, au cours de l'exercice, de se procurer les matières premières chez un autre fournisseur qui les lui offrait à meilleur prix. L'écart d'utilisation s'est produit uniquement sur les matières achetées de ce dernier fournisseur, car ces matières se sont avérées de qualité inférieure à la norme. On évalue à 20 heures le temps que cela a pu faire perdre aux ouvriers.

ON DEMANDE

1. de calculer pour l'atelier II tous les écarts possibles pour l'exercice courant ;
2. de déterminer la capacité normale de l'atelier II ;
3. de présenter le rapport des coûts de production ;
4. de présenter les écritures relatives à :
   a) l'enregistrement des écarts,
   b) l'enregistrement des transferts d'unités à l'entrepôt des produits finis ;
5. de déterminer les véritables écarts sur utilisation des matières et sur rendement des ouvriers dont le contremaître de l'atelier II peut être a priori tenu pour responsable.

(Adaptation – C.G.A.)

▬ EXERCICE 7-28

Henri Albert est directeur de production chez Zap inc., entreprise qui fabrique et vend un produit moulé appelé Zap. Pour fabriquer ce produit, on mélange trois matières premières dans un mélangeur spécial et on verse le mélange dans de larges moules. L'importance relative des matières par rapport à l'ensemble peut varier selon la qualité de chaque matière. Comme la vérification de la qualité des matières prend beaucoup de temps et nécessite des produits chimiques coûteux, le contremaître de la production juge lui-même de la quantité des trois matières entrant dans la préparation d'un lot. Son avis s'est avéré exact dans 80 % des cas. Un seul lot de mélange remplit 40 moules, et chaque moule donne 12 000 unités de Zap. Après avoir retiré les unités de Zap des moules, on vérifie si elles ne sont pas gâchées. Le taux standard de rejet est de 2 % des unités de Zap retirées.

Les prix standards des matières premières et les quantités standards de matières premières pour un seul lot se présentent comme suit :

Matière première	Prix standard au kg	Quantité standard par lot
A	100 $	600 kg
B	5 $	1 600 kg
C	20 $	200 kg

Zap inc. évalue les produits en cours au coût standard et ne maintient aucun stock de matières premières.

Afin de profiter des baisses de prix des matières A et C, le contremaître de la production a diminué la quantité utilisée de B et augmenté celle des deux autres matières dans la préparation du lot le plus récent. Il pense que ce changement ne modifiera pas la qualité ou le rendement des Zap produits puisque le nouveau mélange correspond à la façon dont il a porté un jugement sur la qualité des matières premières mises en production. Les quantités et les coûts réels des matières utilisées dans le lot le plus récent sont les suivants :

Matière première	Quantité réelle	Coût réel
A	610 kg	60 000 $
B	1 550 kg	8 000 $
C	240 kg	4 200 $

Sur les Zap produits à partir de ce lot, 458 640 sont acceptés lors de l'inspection et vendus 0,50 $ l'unité. Le fait que le taux de rejet soit plus élevé que la normale amène Henri Albert à s'interroger sur le processus de production.

ON DEMANDE

1. de supposer que la composition du nouveau mélange a provoqué un taux de rejet plus élevé que la normale, et de calculer les écarts sur matières premières de façon aussi détaillée que les données le permettent pour le lot le plus récent de Zap. Évaluer également si le contremaître a bien agi dans le cas présent ;

2. de résoudre le problème suivant : supposer que l'entreprise économise 1 000 $ en coûts variables par lot (c'est-à-dire que les coûts variables réels sont inférieurs de 1 000 $ aux coûts variables standards pour chaque lot) en adoptant, à la place de la composition standard, la composition du nouveau mélange entrant dans la préparation du lot le plus récent. Cette économie demeure la même quel que soit le taux de rejet pour le lot.

M. Albert ignore si le taux de rejet plus élevé que la normale découle du changement de composition du nouveau mélange, d'une défectuosité mécanique ou encore de facteurs aléatoires normaux. Il estime à 20 % la probabilité que cela soit causé par un changement de composition, à 70 % par une défectuosité mécanique et à 10 % par des facteurs aléatoires.

Une enquête permettrait de découvrir avec certitude la cause de cette variation et coûterait 15 000 $. S'il s'agit d'une défectuosité mécanique, il en coûtera 10 000 $ pour interrompre la production afin d'effectuer les réparations. (Cette interruption aura lieu après la production de 6 autres lots pour permettre l'entretien, la réparation et le nettoyage des machines ; de toute façon, elle aura lieu qu'on ait ou non déjà interrompu la production ou réparé des machines précédemment.) Si l'on n'effectue pas d'enquête, on gardera la même composition du mélange pour les 6 prochains lots.

Indiquer, justification à l'appui, si l'enquête devrait se tenir dès maintenant ou si M. Albert devrait attendre que soient produits 6 autres lots.

(Adaptation – S.C.M.C.)

■■■ EXERCICE 7-29

L'hôpital Montagnard a adopté un système de coûts standards aux fins du contrôle de la rémunération associée aux soins infirmiers. L'hôpital est assimilé à une entreprise à produits multiples. Les produits correspondent à des catégories de diagnostics (CD). L'hôpital a établi des temps standards par catégorie de soins infirmiers. Ainsi, l'unité des soins infirmiers du quatrième étage de l'hôpital traite des patients que l'on rattache à l'une ou l'autre de quatre catégories de diagnostics. Le personnel infirmier est constitué d'infirmières diplômées (ID), d'infirmières stagiaires (IS) et d'aides infirmières (AI). Les temps et taux de rémunération standards sont les suivants :

Catégorie	Temps standards		
de diagnostic	ID	IS	AI
1	6	4	5
2	26	16	10
3	10	5	4
4	12	7	10

	Taux de rémunération standards
ID	12 $
IS	8
AI	6

Voici les résultats relatifs à mai 20X9 :

	Nombre réel de patients
CD 1	250
CD 2	90
CD 3	240
CD 4	140
	720

	ID	IS	AI
Heures réelles	8 150	4 300	4 400
Salaires réels	100 245 $	35 260 $	25 300 $
Taux réel de rémunération	12,30 $	8,20 $	5,75 $

ON DEMANDE

1. de calculer, pour l'ensemble des catégories de diagnostics, les écarts globaux sur :
   a) taux,
   b) composition,
   c) rendement ;
2. d'indiquer les causes possibles pouvant expliquer l'écart global sur composition calculé en 1.

(Adaptation – C.M.A.)

Une nouvelle approche en coût de revient et le nouveau contexte industriel

. . . .

8   LES COÛTS PAR ACTIVITÉS

9   NOUVELLES RÉALITÉS TOUCHANT
LA COMPTABILITÉ DE MANAGEMENT

. . . .

8
LES COÛTS PAR ACTIVITÉS

Les méthodes traditionnelles de détermination du coût de revient des produits ont été élaborées et développées pour répondre aux besoins des industriels au cours des années 40 et n'ont subi que de très légères modifications depuis lors. Toutes ces méthodes postulent que le coût de revient de chacun des produits (ou commandes) fabriqués au cours d'un exercice se compose de coûts directs et identifiables que sont les matières premières et la main-d'œuvre directe et d'**une juste part des frais indirects de fabrication engagés au cours du même exercice pour l'ensemble de la production**. Selon cette approche, les produits doivent *supporter* l'ensemble des frais indirects de fabrication engagés au cours de l'exercice. Le coût de revient des produits sert d'abord à l'évaluation des stocks de produits en cours et de produits finis aux fins de la présentation des états financiers ; en cela, il est tributaire des préceptes de la comptabilité financière. Il sert ensuite à la planification, à la prise de décision et au contrôle, fins que privilégie la comptabilité de management.

Les méthodes de coût de revient traditionnelles ne reflètent plus la réalité opérationnelle et économique de bon nombre d'entreprises contemporaines. Les techniques utilisées pour répartir les frais indirects de fabrication entre les produits sont fondées sur le volume de production ou des volumes axés sur ceux-ci, telles les heures de main-d'œuvre et les heures de fonctionnement de machine. Or, le cumul des frais indirects de fabrication, fût-il par atelier de production, est rarement relié à une seule activité. Il faut en outre se rappeler que les frais indirects de fabrication constituent un ensemble hétéroclite de coûts qui s'accumulent au cours d'un exercice donné selon des règles très souvent propres à chacun. Il s'ensuit que toute répartition de frais indirects de fabrication basée sur les volumes dont il fut question précédemment risque de fausser la mesure du coût de fabrication d'un produit lorsque plusieurs produits différents sont fabriqués. Plus il y a de produits, plus l'attribution de ces coûts devient problématique. Cela a probablement peu d'effet lorsque les frais indirects de fabrication constituent une très faible proportion du coût global de fabrication. Mais est-ce le lot de la majorité des entreprises industrielles d'aujourd'hui ?

On peut affirmer, sans risque de se tromper, que les moyennes et les grandes entreprises contemporaines utilisent des méthodes de production fortement mécanisées, assistées par ordinateur ou robotisées. Ce qui n'est pas sans effet sur la nature même des frais indirects de fabrication et sur la part relative de ceux-ci dans le coût de production global de l'entreprise. Dans certains cas, les frais indirects de fabrication constituent l'élément principal du coût unitaire d'un produit. Dans de tels cas, les méthodes traditionnelles d'attribution des frais indirects risquent de fausser la mesure du coût du produit. Si la seule conséquence de cette distorsion était de causer une sur- ou une sous-évaluation des stocks de produits en cours et de produits finis aux fins de la présentation des états financiers, cela pourrait constituer un moindre mal dans la mesure où ces entreprises ont de plus en plus pour politique de réduire le plus possible le niveau de ces stocks en tout temps. L'effet pervers se fait davantage sentir au niveau des décisions prises qui peuvent affecter la rentabilité de l'entreprise et, par conséquent, sa survie à moyen terme. Des coûts de revient non significatifs pourraient inciter les entreprises à déterminer des prix de vente non appropriés. Elles pourraient juger qu'un ou plusieurs de leurs produits sont apparemment non rentables compte tenu des prix pratiqués sur le marché par les concurrents et décider de les retirer du marché. Inversement, des produits comportant des marges bénéficiaires artificiellement élevées peuvent inciter les entreprises à élaborer des stratégies coûteuses de baisse de prix de vente pour accroître leur part du marché. Pour les gestionnaires d'entreprises industrielles, un coût de revient non fiable empêche l'élaboration de stratégies de mise en marché solides à court et à moyen terme pour un produit donné, sans compter l'effet potentiel sur les produits complémentaires ou substituts.

Les petites entreprises font aussi de plus en plus appel aux nouvelles technologies de fabrication. L'utilisation des méthodes traditionnelles risque, sans doute à un moindre degré, de générer des coûts de revient faussés, peu utiles pour la prise de décision chez le petit entrepreneur qui est souvent confronté à l'exercice de la détermination du prix de vente de son produit à l'occasion de la présentation de soumissions publiques ou privées.

De plus, on a observé que les facteurs qui influencent la rentabilité d'un produit ne sont plus strictement liés à des activités de production et de distribution. Il y a des activités *ex ante* qui peuvent être déterminantes. Outre les activités habituellement associées à la production, telles celles reliées à l'entrepôt de l'usine et aux services auxiliaires, il y a aussi celles relatives à la conception du produit et au design de ses composantes, pour ne nommer que celles-là. Les coûts relatifs à ces dernières activités sont souvent considérés comme faisant partie des charges d'exploitation (charges non incorporables) alors que lesdites activités ont des impacts qui se feront sentir sur la durée de vie du produit parfois étalée sur plusieurs exercices et qu'elles sont souvent reliées à un produit spécifique. Quant aux coûts des autres services normalement rattachés à la production, ils sont souvent incorporés en vrac au coût de revient de production via l'imputation des frais indirects de fabrication. Et pourtant, une analyse de ces frais pourrait permettre, pour certains d'entre eux, d'établir des liens spécifiques avec les produits. Une étude des coûts hors production, tels ceux reliés à l'entreposage, l'expédition, la livraison, la représentation, la publicité, la promotion et la mise en marché, pourrait faire ressortir des liens de cause à effet avec les produits. Ces coûts englo-beraient bien d'autres coûts que ceux déjà bien identifiables au produit, tels les commissions des vendeurs, les frais spécifiques de publicité et les frais de fournitures d'emballage.

Un autre élément qui a de l'incidence sur la rentabilité effective du produit, c'est sa durée de vie. Autrefois, un produit pouvait avoir une durée de vie de 10 ou 15 ans, ce qui permettait, en général, de récupérer assez facilement les fonds investis aux fins de sa conception, de sa fabrication et de sa mise en marché. Aujourd'hui, cette durée de vie est beaucoup plus courte, voire 5 ans, parfois moins. La période de récupération de ces investissements s'en trouve raccourcie d'autant, ce qui amenuise les marges de manœuvre potentielles reliées à la durée, sans parler de celles associées à des marges bénéficiaires de plus en plus restreintes dans bien des cas. Dans un tel contexte, la décision de commercialiser un nouveau produit doit prendre en compte tous les éléments *ex ante* et *ex post* à la production, en plus des éléments de pro-duction proprement dits ainsi que tous les autres facteurs pertinents qui influeront sur sa rentabilité au cours de son cycle de vie. On ne peut guère faire l'hypothèse que la marge bénéficiaire pouvant être réalisée sur les autres produits servira à subventionner les nouveaux produits qui pourraient être déficitaires. Ces autres pro-duits peuvent être soumis aux mêmes contraintes de temps et de rentabilité. Pour en arriver à rattacher à un produit les coûts qui lui sont propres, il faut déterminer et mesurer ce qui est nécessaire pour le créer, le fabriquer et le vendre en fonction de sa durée de vie probable, ce qui constitue une approche totalement opposée à l'approche traditionnelle.

1. L'ESSENCE DE LA MÉTHODE DES COÛTS PAR ACTIVITÉS

Pour faciliter l'apprentissage de la méthode des coûts par activités, nous avons décidé de la considérer d'abord sous l'aspect strict d'une méthode de coût de revient de fabrication afin d'assurer un enchaînement pédagogique harmonieux avec les mé-thodes de coût de revient traditionnelles étudiées aux chapitres précédents. D'ailleurs, il faut se souvenir que c'est au niveau des activités de production que se sont ef-fectuées les premières applications de la méthode des coûts par activités. Des notions complémentaires viendront s'y greffer par la suite.

Pour identifier et mesurer efficacement les ressources consommées pour la fabrication d'un produit, il faut se demander **comment** il est fabriqué. En observant n'importe quel processus de fabrication, on constate que le produit fabriqué est le résultat de l'utilisation de matières premières et de l'intervention d'un certain nombre d'actions visant à transformer ces matières premières en produit fini. Ces actions constituent des activités. Par exemple, la fabrication d'un cure-dent met en relation une matière première (le bois) et des activités qui permettent de transformer le bois en produit fini. Ces activités pourraient être les suivantes :

– couper en pièces de 6 cm de long (bouts de bois) les planches de bois reçues de l'entrepôt de l'usine ;
– couper les bouts de bois en tranches de 1 mm d'épaisseur ;
– fendre les tranches de bois en bâtonnets ;
– sabler les bâtonnets pour leur donner une forme cylindrique ;
– aiguiser les deux extrémités du bâtonnet pour obtenir le cure-dent ;
– faire tremper les cure-dents dans une solution chimique pour les nettoyer et les blanchir ;
– ensacher les cure-dents par lot de 100, 200, 500 et 1 000 unités.

La nature, le nombre et la séquence de ces activités pourraient être différents d'une entreprise à l'autre, car très souvent les fabricants utilisent des procédés et des méthodes de production qui leur sont propres même si les produits sont similaires. Cette approche singularise donc davantage la mesure du coût de revient du produit.

À partir de cet exemple, on peut inférer (voir la figure 1) que le coût d'un produit se compose du coût des ressources directes utilisées et du coût des activités engagées pour transformer ces ressources. Le déploiement de ces activités nécessite des ressources qui sont indirectes par rapport audit produit.

FIGURE 1
Eléments du coût d'un produit

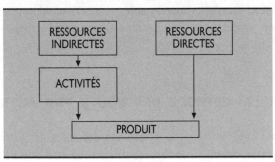

A. Les ressources

a. *Les ressources directes*

En ce qui a trait à la définition de l'expression **ressource directe**, deux approches peuvent être retenues. La première consiste à considérer comme une ressource directe tout élément qui peut être clairement identifiable au produit en fonction d'une relation de cause à effet. Hormis la matière première qui est toujours identifiée comme une ressource directe, des éléments de main-d'œuvre et de force motrice, pour ne nommer que ceux-là, pourraient être considérés, dans certaines circonstances, comme des ressources directes. Par exemple, dans un atelier du type artisanal où la main-d'œuvre est essentiellement l'agent de transformation de la matière première, cette main-d'œuvre pourrait être considérée comme une ressource directe. Lorsque la main-d'œuvre a pour tâche de surveiller le bon fonctionnement des machines qui transforment la matière première, elle pourrait être plutôt considérée comme faisant partie des ressources indirectes. La force motrice pourrait être incluse dans les ressources directes si la machinerie est utilisée exclusivement pour la fabrication d'un produit. Dans d'autres cas, elle serait considérée comme une ressource indirecte n'ayant pas de lien de cause à effet avec le produit.

La seconde approche s'appuie sur la notion même de processus. On considère alors qu'une seule ressource directe est soit physiquement rattachée au produit (la matière première), soit techniquement liée à celui-ci (le droit d'usage d'un brevet, par exemple), et que toutes les autres sont rattachées aux activités. Même si la main-d'œuvre façonne directement les matières premières, elle est considérée comme faisant partie intégrante du processus de transformation de ces matières premières.

Dans l'exemple précédent, les sept activités identifiées au processus de fabrication de cure-dents impliquent l'intervention d'une main-d'œuvre qui, en réalité, est beaucoup plus associée au processus de fabrication qu'au produit lui-même. Si on considère la première activité, à savoir couper en pièces de 6 cm de long (bouts de bois) les planches de bois reçues de l'entrepôt de l'usine, il va de soi qu'elle pourrait tout aussi bien être réalisée de façon artisanale (intervention directe de la main-d'œuvre à l'aide d'une scie circulaire) ou de façon mécanisée (intervention indirecte de la main-d'œuvre qui surveille le travail effectué par une machine programmée à l'avance). Dans les deux cas, c'est le processus de fabrication retenu par le fabricant qui module l'intervention de la main-d'œuvre. Ce qui fait que la main-d'œuvre dite directe ne peut être dissociée du processus de fabrication auquel elle est rattachée.

Sans affirmer que la première approche est erronée, nous croyons que la seconde est meilleure, car la méthode des coûts par activités est essentiellement fondée sur l'analyse des processus industriels et que la main-d'œuvre en fait naturellement partie. De plus, il n'est pas nécessaire, selon cette approche, d'avoir à déterminer pour chacune des activités si la main-d'œuvre dite directe est une ressource directe ou indirecte, ce qui peut s'avérer difficile dans certains cas, donc entaché d'arbitraire. Il faut mentionner aussi que des changements technologiques (le passage d'une opération artisanale à une opération mécanisée) impliqueraient la révision du statut de ressource directe antérieurement attribué à certains éléments si la première approche était retenue. Le choix de la seconde élude ce travail additionnel. Cette dernière permet un traitement uniforme de toutes les ressources autres que les matières premières et les redevances calculées en fonction du nombre de produits fabriqués qui, elles, ne sont pas liées au processus de fabrication du produit mais au produit lui-même. De façon générale, il est relativement facile de déterminer le coût des ressources directes en faisant appel aux techniques de mesure des coûts utilisées pour les méthodes de coût de revient classiques.

b.   Les ressources indirectes

Les coûts des ressources indirectes (main-d'œuvre, fournitures, utilisation d'immobilisations et services internes ou externes divers) sont regroupés par nature et sont comptabilisés de la même manière que le sont les frais indirects de fabrication dans le cadre des méthodes de coût de revient traditionnelles. Les coûts de ces ressources sont reliés à des activités et doivent leur être rattachés par le truchement d'inducteurs (ou de déterminants) appropriés.

B.   Les activités de fabrication

L'activité de fabrication constitue, du point de vue opérationnel, un travail précis du processus industriel. Du point de vue comptable, c'est un objet de coût, voire une section de calcul du type décrit aux chapitres 2 et 5, pour lequel on cumule les coûts reliés aux ressources que l'activité consomme. Pour cumuler les coûts des ressources relatifs audit objet du coût, on fait appel, dans le cas des ressources non spécifiques à l'objet du coût, à des inducteurs de coûts dits *primaires*, traduisant chacun une relation de cause à effet entre les coûts de la ressource indirecte consommée et l'activité concernée. Un coût de l'unité d'inducteur primaire est déterminé pour chacune des ressources indirectes consommées par l'activité ; on multiplie alors ce coût par le volume d'unités de l'inducteur que nécessite l'activité afin de déterminer le coût de la ressource consommée. Par un cumul des coûts qui lui sont spécifiques, on obtient le coût des ressources consommées par une activité. Au demeurant, plusieurs inducteurs de coût peuvent être nécessaires pour une même activité.

a.   Attribution du coût des ressources aux activités

Voici un exemple pour illustrer les notions d'inducteur de coût primaire, de coût de l'unité d'inducteur primaire et de volume d'unités de l'inducteur primaire, les deux dernières étant vues dans un contexte de coûts rationnels établis avant que l'exercice ne débute. Il sera donc question de coûts prédéterminés par unité d'inducteur primaire.

Dupont ltée fabrique sur commande des produits d'entretien industriel. Les commandes nécessitent le déploiement d'activités au sein d'un seul atelier de production. Une étude des processus de fabrication a montré que le travail effectué dans cet atelier comportait trois activités :
- activité n° 1 : régler et préparer les machines pour toute nouvelle commande ;
- activité n° 2 : procéder au mélange des matières premières de base à l'aide d'un malaxeur semi-automatique afin d'en obtenir une pâte consistante ;
- activité n° 3 : étendre la pâte et la mouler à l'aide de machines manœuvrées individuellement par la main-d'œuvre.

Les prévisions suivantes relatives aux coûts de certaines ressources indirectes ont été établies pour l'exercice 20X8 alors que l'entreprise anticipe de lancer 100 commandes :

Force motrice		4 500 $
Supervision		45 000
Entretien des machines		18 000
Amortissement-machines		
linéaire sur 15 ans	8 000 $	
linéaire sur 30 ans	1 000	9 000
Charges communes		8 000
		84 500 $

Outre les éléments déjà mentionnés, les coûts des ressources indirectes comprennent le salaire de la main-d'œuvre de transformation et les charges sociales afférentes. Les charges communes se composent, entre autres, d'une portion des primes d'assurances et des impôts fonciers.

Les services administratifs ont enfin fourni d'autres renseignements en rapport avec les opérations manufacturières prévues pour 20X8.

	Activités		
	N° 1	N° 2	N° 3
Heures de fonctionnement des machines		6 000 h	3 000 h
Heures de main-d'œuvre de transformation	2 000 h	2 000 h	20 000 h
Taux horaire de rémunération	10 $	15 $	12 $
Pourcentage des charges sociales	15 %	15 %	15 %
Supervision (temps relatif)	10 %	20 %	70 %
Superficie occupée	1 000 m²	4 000 m²	3 000 m²
Coût des machines		120 000 $	30 000 $

Il est à noter que la marche à suivre dans la détermination du coût prédéterminé à l'unité d'un inducteur primaire est pour ainsi dire similaire à celle utilisée pour le calcul du coefficient d'imputation dans le cadre de la méthode du coût de revient rationnel traditionnelle (chapitre 2). Ceci nous amène à utiliser l'expression *Coefficient d'imputation primaire* (C_p) pour chacun de ces coûts prédéterminés à l'unité d'inducteur primaire.

Force motrice

L'inducteur primaire le plus approprié serait sans doute fonction de la consommation d'énergie à l'heure par chaque machine, car il n'est pas certain que chacune d'elles consomme la même énergie à l'heure de fonctionnement. Cependant, pour obtenir une telle information, il faudrait installer un compteur sur chaque machine ou faire appel à un expert qui estimera leur niveau propre de consommation d'énergie. Ces actions peuvent s'avérer coûteuses et économiquement peu utiles, compte tenu de l'importance relative du coût de cette ressource par rapport à l'ensemble. Dans les circonstances, l'inducteur primaire le plus approprié serait sans doute le nombre total d'heures de fonctionnement des machines. Le coefficient d'imputation primaire relatif à cette ressource serait le suivant :

$$C_p(\text{force motrice}) : 4\,500\,\$/(6\,000\ \text{h} + 3\,000\ \text{h}) = 0{,}50\,\$/\text{h}$$

Supervision

Le coût total de cette ressource est partagé entre chacune des activités en fonction du temps relatif qui leur est consacré.

Entretien de la machinerie

L'inducteur primaire qui permettrait de mieux expliquer la consommation de cette ressource par les activités serait sans doute le nombre d'heures consacrées à l'entretien de chacune des machines à partir des données statistiques du service d'entretien ou à partir d'une estimation des heures d'entretien propres à chacune établie par expertise, compte tenu du type de machines, de leur degré d'usure et de leur condition d'utilisation. S'il est vrai qu'il est possible d'établir une relation entre les heures de fonctionnement d'une machine et l'entretien qu'elle requiert, il n'est pas certain qu'elle soit la même pour toutes les machines. Il serait sans doute valable de distinguer le temps d'entretien du coût des pièces de rechange qui serait spécifique à chaque type de machine. Encore une fois, le critère de l'importance relative va jouer dans la sélection d'un inducteur primaire qui n'est ni trop complexe ni trop coûteux. Dans le cas présent, le nombre d'heures de fonctionnement des machines serait un inducteur primaire acceptable. Le coefficient d'imputation primaire serait alors le suivant :

$$C_p(\text{entretien}) : 18\,000\,\$/(6\,000\ \text{h} + 3\,000\ \text{h}) = 2\,\$/\text{h}$$

Amortissement des machines

Si une des activités utilise de façon exclusive des machines, leur amortissement devrait lui être attribué spécifiquement. Dans le cas contraire, il faudrait calculer l'amortissement de chacune des machines et partager ce coût entre chaque activité concernée en fonction des heures de fonctionnement consommées par chacune d'entre elles. Dans le présent cas, les amortissements sont spécifiques à certaines activités.

Charges communes

Moins le type de coût a une relation claire avec l'objet du coût, en l'occurrence les activités, plus on doit faire intervenir des règles de partage arbitraire. C'est le cas des coûts reliés à l'infrastructure industrielle qui constituent des coûts communs d'ensemble ne pouvant être rattachés facilement à une activité en particulier. La méthode des coûts par activités ne garantit pas qu'il ne sera pas fait usage de techniques de partage arbitraires, mais elle fait en sorte qu'on y recourt le moins souvent possible. Dans le cas présent, à défaut d'un inducteur davantage acceptable, on pourrait utiliser la superficie pour partager les charges communes entre les activités. Et le coefficient d'imputation primaire serait le suivant :

$$C_P(\text{charges communes}) : 8\ 000\ \$/(1\ 000\ m^2 + 4\ 000\ m^2 + 3\ 000\ m^2) = 1\ \$/m^2$$

Main-d'œuvre de transformation et charges sociales afférentes

Comme on l'a mentionné précédemment, la main-d'œuvre dite directe qui travaille à la transformation de la matière première est intimement liée à l'activité à laquelle elle est rattachée. Les coûts de main-d'œuvre et les charges sociales afférentes sont ici des coûts spécifiques aux activités.

Les inducteurs de coût primaires et les coefficients d'imputation primaire ayant été établis, on peut, à partir des volumes d'unités d'inducteur prédéterminés fournis, calculer les coûts prévus de chacune des activités.

	Activités		
	N° 1	N° 2	N° 3
Force motrice			
6 000 h × 0,50 $		3 000 $	
3 000 h × 0,50 $			1 500 $
Supervision			
45 000 $ × 10 %	4 500 $		
45 000 $ × 20 %		9 000	
45 000 $ × 70 %			31 500
Entretien des machines			
6 000 h × 2 $		12 000	
3 000 h × 2 $			6 000
Amortissement des machines		8 000	1 000
Charges communes			
1 000 m² × 1 $	1 000		
4 000 m² × 1 $		4 000	
3 000 m² × 1 $			3 000
Main d'œuvre et transformation			
2 000 h × 10 $	20 000		
2 000 h × 15 $		30 000	
20 000 h × 12 $			240 000
Charges sociales			
20 000 $ × 15 %	3 000		
30 000 $ × 15 %		4 500	
240 000 $ × 15 %			36 000
	28 500 $	70 500 $	319 000 $

Lorsque les coûts de plus d'une ressource indirecte répondent à un même inducteur primaire, il est possible de les regrouper pour alléger le travail de répartition des coûts des ressources entre les activités. Dans l'exemple précédent, il est possible de regrouper, aux seules fins de cette répartition, les coefficients d'imputation primaire relatifs à la force motrice (0,50 $) et à l'entretien des machines (2,00 $). Ce coefficient unique s'élèverait à 2,50 $. Il est cependant préférable de continuer à comptabiliser séparément les coûts de ces deux ressources qui ont peu de relation entre elles et qui pourraient être l'objet d'inducteurs primaires différents si on décidait de raffiner la mesure des coûts par activités. De plus, il faut éviter de donner l'impression à l'utilisateur que des ressources artificiellement combinées ont toujours la même relation avec les activités correspondantes.

b. *Attribution du coût des activités au produit*

Il a été précédemment mentionné que le coût d'un produit se compose du coût des ressources directes utilisées et du coût de consommation des activités de transformation. Pour être en mesure d'attribuer au produit le coût des activités qu'il a consommées, il faut établir au mieux le facteur causal de chacune de ces activités. On appelle ce facteur un inducteur de coût *secondaire*. Il y a théoriquement autant d'inducteurs de coût secondaires qu'il y a d'activités intervenant dans la fabrication du produit. C'est souvent la description même de l'activité qui permet de choisir l'inducteur de coût secondaire le plus pertinent. Revenons à l'exemple de Dupont ltée ; essayons d'identifier l'inducteur approprié pour chacune des trois activités et calculons des coefficients d'imputation secondaire (C_S) à l'unité à partir des inducteurs identifiés et des volumes d'unités prédéterminés des inducteurs secondaires.

Activité n° 1 : régler et préparer les machines pour toute nouvelle commande

Cette activité intervient au lancement d'une nouvelle commande. Les coûts de cette action n'étant pas reliés au nombre d'articles prévu par la commande, il ne serait sans doute pas logique de retenir comme inducteur secondaire le nombre d'articles fabriqués. L'effort fourni sera le même, que la commande comporte 100 articles ou 1 000 articles. Le nombre de lancements de commandes pourrait être un inducteur secondaire plus approprié quant au volume d'unités prédéterminé de l'inducteur ; il est généralement établi à partir des données tirées des exercices passés ou des prévisions du service des ventes. Comme ce volume est de 100 commandes, le coefficient d'imputation secondaire relatif à l'activité n° 1 serait de 285 $ par commande, montant établi de la façon suivante :

$$C_S \text{ (activité n° 1)} : 28\,500 \text{ \$/100 commandes} = 285 \text{ \$/commande}$$

Activité n° 2 : procéder au mélange des matières premières de base à l'aide de malaxeurs semi-automatiques afin d'en obtenir une pâte consistante

La description de cette activité montre que l'effort est essentiellement fourni par les machines. Plusieurs types d'inducteurs secondaires pourraient être retenus au titre de déterminants des coûts de cette activité. Il pourrait s'agir du nombre d'articles qui seront fabriqués en invoquant le fait que plus une commande nécessite d'articles plus l'activité sera utilisée. Voilà un inducteur secondaire qui semble bien représenter une relation de cause à effet entre l'activité et la commande à remplir. Mais est-ce la meilleure ? Cela laisse sous-entendre que tous les articles fabriqués par l'entreprise au cours d'un exercice sont similaires ou ont la même consistance, ce qui risque de ne pas s'avérer juste dans la réalité. Le nombre d'heures de main-d'œuvre pourrait être envisagé comme inducteur secondaire. Cependant, la main-d'œuvre n'est pas réellement l'agent de transformation puisqu'elle est plutôt préposée au fonctionnement des véritables agents de transformation, les malaxeurs. Le nombre d'heures de fonctionnement des machines pourrait constituer, dans la présente situation, un meilleur inducteur secondaire.

Le volume prédéterminé de l'inducteur étant de 6 000 heures, le coefficient d'imputation secondaire relatif à l'activité n° 2 serait de 11,75 $ par heure de fonctionnement des machines et serait déterminé comme suit :

$$C_S \text{ (activité n° 2)} : 70\ 500\ \$/\ 6\ 000\ h = 11,75\ \$/h$$

Activité n° 3 : étendre et mouler la pâte à l'aide de machines manœuvrées individuellement par la main-d'œuvre

À l'instar de l'activité précédente, il serait possible de recourir à plusieurs types d'inducteurs secondaires au titre de déterminants des coûts de cette activité, mais il apparaît, dans le présent cas, que le nombre d'heures de la main-d'œuvre serait l'inducteur secondaire le plus approprié. Le coefficient d'imputation secondaire relatif à l'activité n° 3 serait de 15,95 $ par heure de main-d'œuvre et serait déterminé de la façon suivante :

$$C_S \text{ (activité n° 3)} : 319\ 000\ \$/20\ 000\ h = 15,95\ \$/h$$

C.   Le coût d'un produit

Le coût d'un produit ou d'une commande est la résultante du coût des ressources directes utilisées et du coût de consommation des activités de transformation s'y rapportant.

Voyons comment, à partir des renseignements complémentaires suivants serait établi, dans le cas de Dupont ltée, le coût d'une commande réalisée en 20X8 :
– matières premières utilisées : 5 000 $;
– heures de fonctionnement des machines (activité n° 2) : 40 h ;
– heures de main-d'œuvre de transformation (activité n° 3) : 100 h ;
– nombre d'articles : 1 000 unités.

Le coût de la commande serait le suivant :

Matières premières utilisées	5 000,00 $
Activité n° 1	285,00
Activité n° 2 : 40 h × 11,75 $	470,00
Activité n° 3 : 100 h × 15,95 $	1 595,00
	7 350,00 $

La figure 2 illustre, dans le cas de Dupont ltée, le fonctionnement de la méthode des coûts par activités.

FIGURE 2

Schéma de fonctionnement des coûts par activités chez Dupont ltée

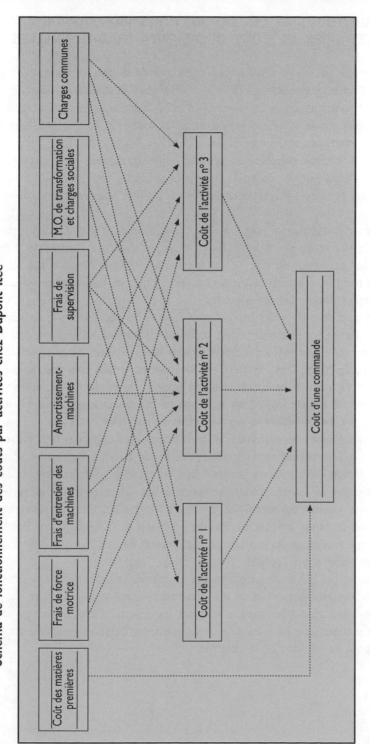

2.   LES SIMILITUDES ET LES DISTINCTIONS PAR RAPPORT AUX MÉTHODES DE COÛT DE REVIENT TRADITIONNELLES

La principale similitude tient au calcul des coefficients primaires (C_p) et secondaires (C_s) qui s'apparente à celui des coefficients d'imputation (C_i) de la méthode du coût de revient rationnel. Dans les deux cas, il faut choisir une unité d'œuvre, ou son équivalent appelé inducteur, pertinente et en établir le volume prédéterminé. À l'instar des méthodes traditionnelles, les différences entre, d'une part, les coûts des ressources indirectes attribuées aux activités et les coûts réels des ressources indirectes, et, d'autre part, les coûts de ressources indirectes attribuées aux produits et les coûts des ressources indirectes attribuées aux activités pourraient faire l'objet d'une analyse.

Les distinctions sont, quant à elles, fondamentales. Il y a d'abord le fait que la méthode des coûts par activités vise à *mesurer* le coût des ressources indirectes consommées par l'objet du coût (le produit ou la commande) et non pas à lui faire supporter une part des coûts indirects cumulés au cours de l'exercice, ce qui constitue des approches diamétralement opposées.

La méthode des coûts par activités s'appuie sur les processus de fabrication propres à l'entreprise ; c'est donc une technique naturelle fondée sur ce qui se fait vraiment en usine. Les méthodes traditionnelles sont inspirées de la structure organisationnelle de l'usine. Cette dernière est généralement établie pour assurer la gestion des opérations industrielles par la mise en place d'une hiérarchie de délégation de pouvoir. Elle est souvent copiée sur la structure des autres fonctions administratives de l'entreprise, ce qui donne à ces méthodes un caractère artificiel.

Les méthodes traditionnelles ne permettent l'attribution des frais indirects de fabrication qu'à partir des sections principales, par le biais de l'imputation. Pour que les frais indirects de fabrication cumulés dans les sections auxiliaires soient absorbés par les produits ou les commandes remplies, il faut les partager entre les sections principales en utilisant des techniques de répartition souvent très arbitraires. Selon la méthode des coûts par activités, tous les frais indirects de fabrication sont directement rattachés aux activités, et les produits ne sont imputés de tels frais que dans la mesure où ils font appel à ces activités.

Toutes ces distinctions mentionnées ne font pas nécessairement en sorte que le coût de revient des produits et des commandes établi par la méthode des coûts par activités soit plus exact, mais il a toutes les chances d'être, dans bien des cas, davantage pertinent que celui établi selon les méthodes traditionnelles. Cela est capital pour la prise de décision et le contrôle.

3. LES CONTRAINTES DE LA MÉTHODE

Une des contraintes majeures est de nature opérationnelle. Elle est liée au nombre d'activités pouvant être répertoriées. La fabrication de plusieurs produits différents comportant des processus de production d'un niveau de complexité moyen peut exiger de 20 à 30 activités. Il en résulte, en théorie du moins, un nombre équivalent d'inducteurs secondaires de coût, sans compter les inducteurs primaires relatifs aux ressources. Il est bien sûr possible de regrouper soit des activités soit des ressources, quand elles répondent ou obéissent à un même inducteur. Mais les regroupements artificiels peuvent dénaturer les fondements de la méthode et l'invalider. Il faut plutôt faire appel à l'outil informatique et à des logiciels appropriés pour surmonter les difficultés liées au nombre d'activités, si on veut que les coûts de revient soient à l'image des processus industriels et être utiles pour l'exercice du contrôle et la prise de décision.

Une autre contrainte importante, pour ne pas dire principale, est de nature organisationnelle. Il s'agit du cloisonnement étanche isolant la structure de gestion des activités industrielles des processus de fabrication proprement dits. Un contremaître d'usine est responsable des employés sous sa responsabilité, de leur rendement et de la qualité de leur travail. Son autorité hiérarchique s'exerce dans un lieu physique précis et sur des individus bien identifiés. Il en va de même pour son supérieur immédiat et ainsi de suite jusqu'au directeur d'usine, voire jusqu'au vice-président (production). C'est une structure compartimentée. Une approche basée sur les processus permet de voir le contremaître comme un superviseur d'activités qui dépassent les limites de son atelier et dont les responsabilités sont rarement individuelles et bien délimitées. Les modes traditionnels de gestion combinés à la culture d'entreprise peuvent donc constituer un écueil majeur à la mise en place et au fonctionnement efficace de la méthode des coûts de revient par activités. Il y a un risque qu'une telle méthode de coût de revient soit élaborée de façon théorique aux seules fins de servir de mesure parallèle des coûts, donc sans avoir d'impact sur le plan du contrôle et sur celui de la prise de décision.

Parmi les contraintes secondaires, il y a tous les effets liés à la résistance aux changements venant des gestionnaires et du personnel *staff*, y compris les experts-comptables.

4.   LA COMPTABILISATION DES COÛTS DE REVIENT

A.   Les ressources directes

La comptabilisation des ressources directes, essentiellement constituées de la matière première, s'effectue de la même manière que dans le cas des méthodes traditionnelles, c'est-à-dire en fonction de leur utilisation :

Stock de produits en cours	XXX	
Stock de matières		XXX

B.   Les ressources indirectes

Il faut se rappeler que ce sont les coûts des activités qui doivent être versés au coût du produit (SPC), et que ces mêmes activités sont tributaires des ressources indirectes. Il devrait en résulter une comptabilisation à deux niveaux, d'abord celle des ressources indirectes, ensuite celle des activités.

La comptabilisation des ressources indirectes pourrait se fonder sur le modèle utilisé pour les frais indirects de fabrication dans le cadre de la méthode du coût de revient rationnel. Les ressources indirectes réelles sont comptabilisées au fur et à mesure dans un compte collectif auquel est rattaché un grand livre auxiliaire. Celui-ci regroupe toutes les ressources indirectes par type de coût. Des régularisations mensuelles relatives au coût des ressources indirectes peuvent être comptabilisées. Ce n'est cependant pas une obligation, car le coût des ressources indirectes n'est connu objectivement qu'en fin d'exercice.

Ressources indirectes (compte collectif)	XXX	
Comptes fournisseurs		XXX
Salaires		XXX
Caisse		XXX
Frais payés d'avance		XXX
Autres		XXX

Les ressources indirectes consommées par les activités sont comptabilisées de façon régulière (au moins mensuellement) dans un journal dédié ou dans le journal général. Le coût d'une ressource indirecte consommée pour une activité se calcule comme suit :

C_p(ressource) × volume réel d'unités de l'inducteur

et l'inscription comptable correspondante est :

Activité (numéro)	XXX	
Ressources indirectes (compte collectif)		XXX

Le coût des activités consommées par les produits ou les commandes est comptabilisé de façon régulière (au moins mensuellement) dans un journal dédié ou dans le journal général. Le coût d'une activité consommée par un lot donné de produits ou une commande se calcule comme suit :

C_S(activité) × volume réel d'unités de l'inducteur

et l'inscription comptable correspondante est :

Stock de produits en cours   XXX
      Activité (numéro)   XXX

Lorsque le produit est terminé et transféré à l'entrepôt des produits finis, il y a inscription comptable dans le journal des produits terminés ou dans le journal général :

Stock de produits finis   XXX
      Stock de produits en cours   XXX

Lorsque le produit est expédié au client, il y a inscription dans le journal des produits vendus ou dans le journal général :

Coût des produits vendus   XXX
      Stock de produits finis   XXX

La figure 3 montre de façon schématique le cycle de comptabilisation des opérations relatives à la fabrication du produit et à son expédition chez le client.

FIGURE 3
Mécanisme de comptabilisation des coûts

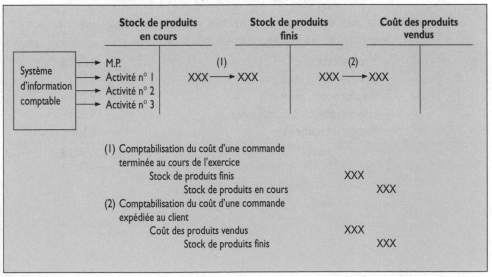

EXEMPLE

DONNÉES

Au début de l'exercice, Dupont ltée avait établi les coefficients d'imputation primaire et secondaire suivants :

Ressources indirectes et activivés	Inducteur de coût	Volume prédéterminé	Coefficient d'imputation
Force motrice	heures de fonctionnement des machines	9 000 h	0,50 $/h
Supervision[1]			
Entretien-machines	heures de fonctionnement	9 000 h	2,00 $/h
Amortissement[1]			
Charges communes	superficie	8 000 m²	1,00 $/m²
M.O. de transformation et charges sociales[1]			
Activité n° 1	nombre de commandes	100	285 $/ commande
Activité n° 2	heures de fonctionnement des machines	6 000 h	11,75 $/h
Activité n° 3	heures de main-d'œuvre de transformation	20 000 h	15,95 $/h

1. Dans le cas de ces ressources, il est possible d'identifier le coût des consommations faites par chacune des activités.

Les données relatives aux opérations de 20X8 suivent :

1) Coût réel des ressources indirectes (autres que la main-d'œuvre de transformation et les charges sociales afférentes) :

– force motrice	4 800 $
– supervision	45 000
– entretien des machines	19 200
– amortissement des machines	9 000
– charges communes	8 500
	86 500 $

2) Coût réel de la main d'œuvre de transformation et des charges sociales afférentes :

		M.O. de transformation	Charges sociales
Activité n° 1 :	1 950 h × 10 $	19 500 $	2 925 $
Activité n° 2 :	2 050 h × 15 $	30 750	4 612
Activité n° 3 :	19 000 h × 12 $	228 000	34 200
		278 250 $	41 737 $

3) Nombre d'heures de fonctionnement des machines :
   – Activité n° 2 : 6 100 h ;
   – Activité n° 3 : 3 200 h.

4) Nombre de commandes réalisées au cours de l'exercice : 95.

5) Coût des matières premières utilisées : 395 000 $.

SOLUTION

1) Écritures de journal

   a) Coût réel des ressources indirectes (autres que la main-d'œuvre de transformation et les charges sociales afférentes)

Ressources indirectes	86 500	
Salaires		45 000
Amort. cumulé – machines		9 000
Assurances, impôts fonciers, etc.		8 500
Comptes fournisseurs (4 800 $ + 19 200 $)		24 000

   b) Coût réel de la main-d'œuvre de transformation et des charges sociales afférentes

Ressources indirectes	319 987	
Salaires		278 250
Charges sociales		41 737

   c) Imputation aux activités au titre des ressources indirectes utilisées

Activité n° 1	27 925	
Activité n° 2	71 612	
Activité n° 3	305 700	
Ressources indirectes		405 237

Les montants imputés aux activités figurant dans cette écriture ont été préalablement établis en préparant le tableau suivant:

	Activités		
	N° 1	N° 2	N° 3
Force motrice			
6 100 h × 0,50 $		3 050 $	
3 200 h × 0,50 $			1 600 $
Supervision (10 %, 20 %, 70 %)	4 500 $	9 000	31 500
Entretien des machines			
6 100 h × 2 $		12 200	
3 200 h × 2 $			6 400
Amortissement des machines		8 000	1 000
Charges communes	1 000	4 000	3 000
Main-d'œuvre de transformation	19 500	30 750	228 000
Charges sociales	2 925	4 612	34 200
	27 925 $	71 612 $	305 700 $

d) Coûts des activités consommées par les commandes

Stock de produits en cours	401 800	
Activité n° 1 (95 commandes × 285,00 $)		27 075
Activité n° 2 (6 100 h × 11,75 $)		71 675
Activité n° 3 (19 000 h × 15,95 $)		303 050

e) Coût des matières premières utilisées

Stock de produits en cours	395 000	
Stock de matières		395 000

f) Coût des commandes terminées

Stock des produits finis	796 800	
Stock de produits en cours		796 800

g) Coût des commandes expédiées

Coût des produits vendus	796 800	
Stock de produits finis		796 800

2) Comptes du grand livre général

Stock de produits en cours		Stock de produits finis		Coût des produits vendus	
d) 401 800	f) 796 800	f) 796 800	g) 796 800	g) 796 800	
e) 395 000					

Ressources indirectes	
a) 86 500	c) 405 237
b) 319 987	
Solde 1 250	

Activité n° 1		Activité n° 2		Activité n° 3	
c) 27 925	d) 27 075	c) 71 612	d) 71 675	c) 305 700	d) 303 050
Solde 850			Solde 63	Solde 2 650	

5. LE SOLDE RÉSIDUEL DU COMPTE RESSOURCES INDIRECTES (COMPTE COLLECTIF) ET DES COMPTES ACTIVITÉ

A. À la fin de l'exercice

Le solde du compte collectif Ressources indirectes, qu'il soit débiteur ou créditeur, constitue un écart sur dépense qui pourrait être passé aux charges de l'exercice par un virement au compte Coût des produits vendus. Il est vrai qu'un tel écart pourrait théoriquement faire l'objet d'une ventilation entre les comptes Stock de produits en cours, Stock de produits finis et Coût des produits vendus, mais cela pourrait s'avérer d'une importance relative faible dans la mesure où les entreprises industrielles ont des investissements peu importants dans les stocks de toute nature. Aux fins d'analyse, il faut mentionner que le solde débiteur du compte Ressources indirectes indique l'existence d'un écart sur dépense défavorable. La situation inverse crée un écart sur dépense favorable.

Le solde débiteur ou créditeur de chacun des comptes Activité pourrait, pour les mêmes raisons que celles mentionnées précédemment, être viré au compte Coût des produits vendus. Aux fins d'analyse, le solde résiduel de chacun des comptes Activité se décompose en un écart sur le volume d'activité et en un écart sur rendement d'activité. Le tableau suivant illustre l'analyse pouvant être faite des soldes du compte collectif Ressources indirectes et des comptes Activité, et cela à partir de l'exemple de Dupont ltée.

Analyse des résultats

I. Ressources indirectes (par poste de coût)

	Coûts réels	Coûts attribués aux activités	Écarts spécifiques
Force motrice	4 800,00 $	4 650,00 $	150 $ D
Supervision	45 000,00	45 000,00	–
Entretien des machines	19 200,00	18 600,00	600 D
Amortissement des machines	9 000,00	9 000,00	–
Charges communes	8 500,00	8 000,00	500 D
Main-d'œuvre de transformation	278 250,00	278 250,00	–
Charges sociales	41 737,00	41 737,00	–
	406 487,00 $	405 237,00 $	I 250 $ D

Écart/dépense : I 250 $ D

2. Activités (par poste de coût)

	Activité N° I		
	Coûts attribués à l'activité	Coûts budgétés au volume réel d'unités de l'inducteur de l'activité (95 commandes)	Coûts attribués aux produits obtenus
Supervision	4 500 $	4 500 $	4 275 $
Charges communes	I 000	I 000	950
Main-d'œuvre de transformation			
I 950 h × I0 $	19 500		
2 000 h × 95 % × I0 $		19 000	
2 000 h × 95 % × I0 $			19 000
Charges sociales	2 925	2 850	2 850
	27 925 $	27 350 $	27 075 $

Écart/rendement   Écart/volume

575 $ D   275 $ D

Écart global : 850 $ D

	Activité N° 2		
	Coûts attribués à l'activité	Coûts budgétés au volume réel d'unités de l'inducteur de l'activité (6 100 h)	Coûts attribués aux produits obtenus
Force motrice	3 050 $	3 050 $	3 050 $
Supervision			
45 000 $ × 20 %	9 000	9 000	
45 000 $ × 20 % × 6 100 h/6 000 h			9 150
Entretien des machines	12 200	12 200	12 200
Amortissement des machines	8 000	8 000	
8 000 $ × 6 100 h/6 000 h			8 133
Charges communes	4 000	4 000	
4 000 $ × 6 100 h/6 000 h			4 067
Main-d'œuvre de transformation			
2 050 h × 15 $	30 750		
2 000 h × 6 100 h/6 000 h × 15 $		30 500	30 500
Charges sociales	4 612	4 575	4 575
	71 612 $	71 325 $	71 675 $

Écart/rendement   Écart/volume

287 $ D   350 $ F

Écart global : 63 $ F

	Activité N° 3		
	Coûts attribués à l'activité	Coûts budgétés au volume réel d'unités de l'inducteur de l'activité (19 000 h)	Coûts attribués aux produits obtenus
Force motrice			
3 200 × 0,50 $	1 600 $		
3 200 × 0,50 $ × 19 000 h/20 000 h		1 425 $	1 425 $
Supervision			
45 000 $ × 70 %	31 500	31 500	
45 000 $ × 70 % × 19 000 h/20 000 h			29 925
Entretien des machines			
3 200 × 2 $	6 400		
3 200 × 2 $ × 19 000 h/20 000 h		5 700	5 700
Amortissement des machines	1 000	1 000	
1 000 $ × 19 000 h/20 000 h			950
Charges communes	3 000	3 000	
3 000 $ × 19 000 h/20 000 h			2 850
Main-d'œuvre de transformation	228 000	228 000	228 000
Charges sociales	34 200	34 200	34 200
	305 700 $	304 825 $	303 050 $

Écart/rendement   Écart/volume

875 $ D   1 775 $ D

Écart global : 2 650 $ D

B.   En cours d'exercice

Pour la préparation d'états financiers intérimaires, on fait la somme algébrique du solde du compte collectif Ressources indirectes et des soldes des comptes Activité. Si le calcul donne un solde global débiteur, ce montant est présenté au bilan sous la rubrique Actif à court terme. S'il s'agit d'un solde global créditeur, le montant correspondant est présenté au bilan sous la rubrique Passif à court terme. Aucune analyse de ces soldes ne devrait normalement être effectuée car le coût réel des ressources indirectes consommées par les activités ne sera connu qu'à la fin de l'exercice.

Bien que l'analyse des soldes des comptes reliés aux activités puisse constituer en soi un excellent outil de contrôle s'apparentant aux techniques d'analyse d'écarts courantes dans le cadre des méthodes de coût de revient traditionnelles, c'est l'analyse individuelle des activités reliées à un produit ou à une commande qui est porteuse des principales possibilités de réduction du coût du produit ou de la commande. Il en est question plus loin dans ce chapitre.

6.   LA MÉTHODE DES COÛTS DE REVIENT PAR ACTIVITÉS ET LES MODES DE FABRICATION

A.   La fabrication sur commande

Le système traditionnel d'information comptable caractérisant le mode de fabrication sur commande peut facilement être adapté à la méthode des coûts de revient par activités. Le changement le plus important se situe au niveau du contenu de la fiche de fabrication dont le modèle est présenté ci-après. Cette dernière ne fait plus référence à des ateliers de production mais à des ressources directes (essentiellement des matières premières) et à des activités. Le compte Stock de produits en cours continue d'être un compte collectif auquel est rattaché un grand livre auxiliaire qui regroupe toutes les fiches de fabrication relatives aux commandes non terminées. Si le nombre d'activités est important, il serait pratiquement indispensable que la fiche de fabrication soit informatisée.

B.   La fabrication continue (en série)

En ce qui a trait à la fabrication continue, il est sans doute plus difficile d'adapter le système traditionnel d'information comptable pour satisfaire aux exigences de la méthode des coûts de revient par activités. Il faut se rappeler que le cumul des coûts de fabrication selon ce mode de fabrication se fait habituellement par atelier de production, et plus rarement par section de calcul. Or la méthode des coûts par activités est basée sur des notions qui constituent l'antithèse des méthodes qui s'en tiennent à des ateliers de production cloisonnés.

Il est possible cependant, dans le cas d'une entreprise qui passe d'une production de masse (grande série) à une production à la commande (petite série), de modifier les techniques de comptabilisation des coûts de production pour tenir compte de ces nouvelles conditions de production en les rapprochant de celles utilisées pour le mode de fabrication sur commande.

A ltée
FICHE DE FABRICATION

Client : _____
Adresse : _____

N° de commande : _____
Montant de la soumission : _____

Date du début : _____
Date de la fin : _____
Date de livraison : _____

MATIÈRES PREMIÈRES

Date	N° Bon de sortie	$

ACTIVITÉS

N° 1

Date	Coefficient	Volume	$

N° 2

Date	Coefficient	Volume

N° 3

Date	Coefficient	Volume

ACTIVITÉS

N° 4

Date	Coefficient	Volume	$

N° 5

Date	Coefficient	Volume

Sommaire

Matières premières : _____ $

Activités
N° 1 : _____ $
N° 2 : _____ $
N° 3 : _____ $
N° 4 : _____ $
N° 5 : _____ $

Selon ces nouvelles conditions de production, les produits sont donc fabriqués non pas de façon ininterrompue mais par lots distincts. Ces lots constituent des commandes internes. Il est donc possible d'utiliser en pareil cas les techniques de comptabilisation des coûts de revient employées pour le mode de fabrication sur commande, c'est-à-dire d'utiliser une fiche de fabrication pour chacun des lots distincts et fusionner tous les comptes Stock de produits en cours en un seul compte.

7. LES COÛTS DE REVIENT LIÉS AUX ACTIVITÉS HORS FABRICATION

Jusqu'à maintenant, c'est à dessein que l'étude de la méthode des coûts de revient par activités a été restreinte aux activités de production proprement dites. Nous croyons que cette approche a permis d'énoncer et d'illustrer simplement les concepts de la méthode en se rapprochant de ceux qui sous-tendent les méthodes de coûts de revient traditionnelles déjà étudiées. Mais, en réalité, les activités dépassent les ateliers de production qui ne sont en définitive que des cloisons matérielles et administratives. Comme il a été mentionné précédemment, les activités reliées à un produit franchissent les limites matérielles et administratives de la fonction *production*. Outre cette dernière, d'autres fonctions de l'entreprise industrielle agissent par des actions particulières sur le produit et, partant, sur son coût. En général, tous les frais engagés par ces autres fonctions sont traditionnellement considérés comme des charges d'exploitation autres que celles relatives au coût des produits vendus. Voici une liste non exhaustive de fonctions dont les activités (ou une partie de celles-ci) peuvent être reliées au produit :
– service des approvisionnements (achats) ;
– service de technologie industrielle ;
– service de la conception et du design des produits ;
– service de l'entreposage des produits finis ;
– service de l'emballage et de l'expédition ;
– service de la mise en marché ;
– service de la promotion et de la publicité.

Le service des approvisionnements d'une entreprise industrielle est souvent considéré comme une fonction administrative, à l'image de celle des entreprises commerciales. Ce n'est donc pas une fonction qui existe du simple fait que l'entreprise est un manufacturier. Quoi qu'il en soit, les services dits administratifs posent aussi des actions qui peuvent affecter plusieurs objets du coût dont celui d'un produit ou d'une commande.

L'analyse des activités d'un service, tel celui des approvisionnements, peut permettre de relier un certain nombre d'entre elles à un produit précis. Tous les efforts engagés pour faire l'acquisition de matières sont en rapport avec leur utilisation éventuelle (après un séjour à l'entrepôt de l'usine) comme ressources indirectes dans une activité d'entretien, par exemple, ou comme ressources directes dans la fabrication d'un produit ou d'une commande. Il serait sans doute possible de calculer, pour une matière donnée, un coefficient d'imputation primaire (C_p) ou un coefficient d'imputation secondaire (C_S), selon le cas, où l'inducteur serait l'unité de bon de commande.

Le service de l'emballage et de l'expédition, fonction hors production s'il en est une, a des activités qui sont reliées aux produits fabriqués. L'analyse des activités de ce service permettra souvent de constater que les efforts fournis pour chacun des types de produits peuvent être distincts tant par la nature des ressources directes engagées (les fournitures d'emballage, par exemple) que par l'intensité des efforts pour expédier les produits au client. Par exemple, certains produits sont expédiés par petits lots alors que d'autres sont livrés en vrac. Il est vraisemblable de penser que le coût des ressources consommées pour l'expédition d'un petit lot de produits puisse différer de celui des ressources consommées pour l'expédition d'un lot considérable de produits. Le nombre de lignes que comporte un bon d'expédition, le temps de préparation d'une livraison et le nombre d'articles livrés pourraient être, selon les circonstances, des inducteurs valables pour établir une relation réaliste entre des activités et des produits à expédier.

L'examen sommaire des activités du service des approvisionnements et du service de l'emballage et de l'expédition permet de constater que les produits nécessitent des activités qui dépassent de beaucoup celles généralement attitrées à la fonction *fabrication*, que les autres fonctions de l'organisation ont des processus qui engendrent des activités et que celles-ci peuvent être reliées à des objets de coûts.

8.   LA REMISE EN QUESTION ACCENTUÉE DU COUPLE COMPTABILITÉ DE MANAGEMENT – COMPTABILITÉ FINANCIÈRE

On a démontré précédemment qu'il était possible d'intégrer les techniques de comptabilisation de la méthode de coût de revient par activités au système d'information comptable de l'entreprise, pour autant qu'on en limite la portée à la fonction *fabrication*. Lorsque le répertoire des activités reliées aux produits incorpore celles qui sont issues des autres fonctions, on se rend compte que le nombre d'activités à considérer peut augmenter de façon sensible, ce qui, à coup sûr, alourdit le fonctionnement du système d'information comptable et surtout remet en question les fondements même de ce système. Il faut se rappeler que les systèmes d'information comptables ont été conçus pour la comptabilité financière et que l'intégration des techniques reliées au coût de revient des produits fabriqués n'avait que pour objet de mesurer le coût des stocks de produits en cours et de produits finis aux fins de la présentation des états financiers intérimaires ou de fin d'exercice.

Les objectifs de la comptabilité par activités peuvent influer sur le choix d'intégrer ou non celle-ci au système d'information comptable. Que l'objet du coût soit un produit industriel ou un service, l'objectif fondamental de la comptabilité par activités est de mesurer le coût des ressources directes et indirectes consommées par l'objet du coût afin de s'assurer que ce coût est pertinent pour la prise de décision. Les décisions se rapportent au lancement d'un nouveau produit ou d'un nouveau service, à son retrait du marché, à la détermination de son prix de vente à long terme, à l'élaboration de stratégies à court terme basées sur la relation coût-volume-profit ou à l'acceptation ou au rejet d'une commande spéciale. En ce qui a trait au lancement d'un nouveau produit, on considère tous les facteurs pertinents en fonction du cycle de vie du produit, ce qui déborde très souvent les limites de l'exercice financier classique.

Un autre objectif important de la comptabilité par activités vise à rechercher des moyens de réduire le coût des produits ou des services par une remise en question des activités qui leur sont rattachées, afin de maintenir et d'accroître la compétitivité de l'entreprise sur les marchés.

En plus des informations financières qui leur sont nécessaires, soit celles reliées aux ressources directes et indirectes utilisées au cours de l'exercice, la comptabilité par activités a aussi besoin de données quantitatives de toutes sortes qui sont utiles pour le calcul des coefficients d'imputation primaire et secondaire.

Le fait, pour l'entreprise, de savoir qu'une comptabilité par activités intégrée au système d'information comptable est soumise aux contraintes structurelles de la comptabilité financière peut également influer sur le choix de procéder ou non à une telle intégration ; tel est le cas, par exemple, d'une entreprise soumise à des conventions comptables générales édictées par des organismes externes, plus soucieux de l'uniformisation de l'information que des besoins particuliers des gestionnaires en informations financières. De plus, en même temps que s'effectue la comptabilisation des données financières, il y a le recours systématique aux documents comptables afin d'exercer le contrôle des opérations internes et externes, ce qui n'est pas sans nuire à l'efficacité du système d'information comptable.

9. LA COMPTABILITÉ PAR ACTIVITÉS ET LA RÉDUCTION DU COÛT DES PRODUITS OU DES SERVICES

L'analyse des activités d'une entreprise a pour objet premier d'identifier ses activités et ses interrelations avec les produits et les services pour en déterminer les coûts pertinents. Sans trop s'étendre sur les techniques d'analyse à la disposition des gestionnaires pour distinguer les activités entre elles et définir les différents inducteurs de coût primaires et secondaires, il est sans doute utile de mentionner que la réussite de cet exercice ne peut être acquise qu'avec le soutien et l'implication de la haute direction et des gestionnaires. Il faut se rappeler que cette approche basée sur les processus est pratiquement en contradiction avec la structure hiérarchique compartimentée actuellement en place dans la plupart des entreprises. Il ne s'agit pas ici d'une simple amélioration des systèmes de gestion actuels ou de l'ajout d'un support informatique pour accélérer les processus de fabrication et de gestion, mais plutôt d'une transformation radicale de la manière de faire les choses.

L'analyse comme telle doit mettre à contribution des intervenants de tous les niveaux de travail, y compris le personnel de base des différents services, si on veut être en mesure de bien saisir l'essence même des activités. Il se peut que la nature même d'une activité particulière ne soit pas toujours évidente. Des personnes peuvent confondre tâche (portion de travail faisant partie intégrante d'une activité) et activité. Placer des pièces transformées sur un convoyeur ou un chariot pour les expédier à une autre table de travail ne constitue pas une activité, mais plutôt une tâche. Le manuel de procédures de l'entreprise est de peu d'utilité pour cet exercice d'analyse car il traite essentiellement du contrôle interne des opérations et non pas des processus. L'expérience a montré que, chez bon nombre d'entreprises qui ont fait l'exercice, beaucoup de gestionnaires de niveau intermédiaire ignoraient que certaines tâches et activités étaient régulièrement effectuées dans leur service. L'analyse des processus doit montrer ce qui se fait réellement. Pour réaliser ce travail d'analyse, on peut faire appel à des techniques basées sur des questionnaires, des rencontres avec les employés et leur superviseur, ainsi qu'à l'observation sur les lieux de travail.

Si le premier travail consiste à répertorier les activités telles qu'elles se réalisent, le second travail visera à éliminer toutes les activités qui seront jugées inutiles ou à réduire le niveau de réalisation ainsi que les coûts des ressources consommées par celles-ci. Pour faciliter le travail, il serait avantageux de catégoriser les activités.

Il faut distinguer les activités **avec** valeur ajoutée de celles **sans** valeur ajoutée. Les premières sont pour ainsi dire nécessaires alors que les secondes sont en pratique inutiles. L'entreposage temporaire de produits semi-ouvrés entre deux opérations de transformation est un exemple d'activité sans valeur ajoutée. Elle consomme des ressources (frais liés à la manutention, espace d'entreposage, assurances et autres) qui auraient été épargnées si les opérations de fabrication étaient plus fluides. Les efforts de réduction des coûts devraient porter en priorité sur les activités sans valeur ajoutée, car elles offrent davantage de possibilités de réduction de coûts.

En général, il est moins facile d'agir sur une activité avec valeur ajoutée. Il faut la décortiquer pour mettre au jour les différentes tâches qui la composent. L'examen de ces tâches pourrait permettre d'en éliminer un certain nombre ou de modifier la façon de faire pour en réduire la durée. L'examen des ressources utilisées, tant directes qu'indirectes, constitue un autre moyen de réduire le coût d'un produit ou d'un service, mais il faut s'assurer que l'exercice est réalisé dans une perspective globale. Il peut être relativement facile pour un responsable des approvisionnements un peu débrouillard de remplacer les matières actuellement utilisées par d'autres ayant un coût d'acquisition moins élevé mais d'une qualité inférieure, surtout si cela a un impact sur sa rémunération. Cela pourrait avoir pour effet d'accroître le coût des activités de transformation de ces matières au-delà des économies réalisées sur leur coût d'acquisition.

Pour une réduction sensible des coûts, il faudra, dans certains cas, agir sur les ressources indirectes par des investissements en immobilisations et en ressources humaines (formation du personnel, par exemple). Mais avant que l'entreprise se lance dans la réalisation de tels programmes d'investissements, il serait peut-être opportun pour cette dernière d'avoir une bonne connaissance de ses processus et de les comparer à ceux d'autres organisations. Il s'agit ici de réaliser une analyse comparative (*benchmarking*).

10. L'ANALYSE COMPARATIVE

L'analyse comparative consiste à rechercher chez un ou plusieurs partenaires préalablement sélectionnés, des informations qui permettraient d'améliorer l'efficience des processus de l'entreprise.

Il peut sembler invraisemblable, au premier abord, que des entreprises puissent accepter de partager de l'information relative à leurs processus opérationnels, surtout si elles évoluent dans le même secteur d'activités. Il va sans dire qu'en pareilles circonstances l'échange d'informations ne porte pas sur des éléments de nature stratégique, tels que les coûts de revient et les marges bénéficiaires. La mondialisation des marchés, la forte concurrence des entreprises multinationales, la sensibilité des clients face aux prix et à la qualité des produits et services, aux délais de livraison et à la qualité du service après-vente sont quelques-uns des facteurs qui pourraient motiver des entreprises à partager des informations relatives à certains processus.

A. Les préalables de l'analyse comparative

L'analyse comparative est un exercice qui peut mener à des résultats médiocres si certains préalables sont absents ou si la planification est déficiente.

Avant toute chose, il faut que la haute direction de l'entreprise soit disposée à partager de l'information avec d'autres organisations. Un style de gestion d'entreprise traditionnel et fermé est incompatible avec le concept d'analyse comparative. Les dirigeants doivent être convaincus que des processus de leur entreprise sont déficients par rapport à ceux d'autres organisations.

Le travail doit être exécuté par une équipe restreinte de personnes soutenue par la haute direction afin de contrer le scepticisme et la résistance au changement qui ne manqueront pas de survenir. Cette équipe, qui inclut le responsable du processus mis à l'étude, devrait être formée de personnes ayant une connaissance approfondie des rouages et des activités de l'entreprise. Enfin, l'exercice devra s'effectuer sur une période relativement courte (quelques mois) pour que l'intérêt du personnel et de la haute direction soit maintenu.

B.   Les étapes de l'analyse comparative

Sommairement, l'analyse comparative est un exercice qui pourrait s'effectuer en trois étapes successives : la planification, l'analyse et la mise en œuvre des changements.

La planification est la plus importante de ces étapes car toutes les autres en sont tributaires. Il faut d'abord choisir le secteur d'activités qui sera étudié en fonction de son importance stratégique pour l'entreprise. Il pourrait s'agir, par exemple, de vouloir améliorer de façon sensible le service à la clientèle. Il faut par la suite étudier les processus rattachés au secteur d'activités et repérer celui qui semble déficient ou qui est susceptible d'être nettement amélioré. Il faut le décortiquer pour en identifier les composantes (activités, tâches et opérations). Ensuite, il faut choisir le partenaire avec lequel l'analyse comparative serait réalisée. Le choix du partenaire est l'opération ultime de la planification. Il faut cumuler beaucoup d'informations sur celui-ci à partir, entre autres, de rapports annuels, de sites Internet et d'articles de revues spécialisées et de journaux.

Le travail d'analyse proprement dit consiste d'abord à convaincre l'éventuel partenaire d'accepter de participer à l'analyse comparative du processus ciblé en faisant ressortir les avantages pour chacun des partenaires de participer à l'exercice. Il faut ensuite obtenir et échanger les informations recherchées. Si des documents et des procédures peuvent constituer des sources d'information de première main, c'est la visite industrielle qui est le principal agent d'information, car elle permet de voir le déroulement effectif du processus du partenaire et d'observer ce qui ne peut être consigné par écrit, comme l'ambiance de travail ou l'aspect physique du lieu de travail. Il faut ensuite comparer le processus de chacun pour en identifier les différences et éventuellement proposer des actions (modifications du processus ou investissements) pour améliorer le processus de l'entreprise.

La mise en œuvre consiste, pour l'équipe, à implanter les changements retenus et à en assurer le suivi. Un solide travail de planification et d'analyse est le meilleur moyen de vaincre la résistance au changement et d'amenuiser les dernières hésitations de la haute direction quand vient le temps de procéder à des investissements importants.

C. Les types de partenariat

a Le partenariat à l'interne

Ce type de partenariat implique que l'entreprise est à succursales multiples ou qu'elle possède plusieurs usines fabriquant des produits similaires. C'est souvent ce type de partenariat qui permet à l'entreprise de se faire la main avec la pratique de l'analyse comparative. Dans cette situation, on peut présumer que l'échange d'informations est très ouvert et est effectué dans un esprit de collaboration. Par ailleurs, l'effet bénéfique recherché a souvent une portée limitée car les partenaires évoluent dans le même environnement administratif et les pratiques opérationnelles de chacune des entités sont souvent régies par les politiques générales de l'entreprise.

b. Le partenariat à l'externe

Il s'agit du partenaire qui évolue dans un secteur d'activités apparenté à celui de l'entreprise. Dans ce cas, la planification de l'analyse comparative devra mettre en lumière l'aspect échange d'informations pouvant potentiellement être bénéfique aux deux partenaires. Ce type de partenariat peut nettement être plus avantageux que le premier car il est possible d'y découvrir d'autres approches et manières de faire les choses. Le partenariat permet de surcroît une comparaison plus objective de la valeur du processus étudié en faisant ressortir l'écart d'efficience d'un processus par rapport à l'étalon que constitue, dans ce cas, le processus du partenaire. Il peut aussi permettre de confirmer la bonne qualité de certains éléments du processus comparé à celui du partenaire. Ce type de partenariat peut comporter des contraintes légales (contraventions à des lois antimonopoles ou à des lois portant sur les pratiques restrictives, par exemple) qu'il ne faut pas prendre à la légère. Par ailleurs, un partenaire sceptique soupçonnant une tentative d'espionnage industriel pourrait décider de ne fournir qu'une information tronquée. Pour pallier ces inconvénients, certaines entreprises regroupées en association commerciale fournissent de façon volontaire et anonyme des informations relatives à leurs opérations. Ces données colligées et structurées par l'organisme représentatif sont par la suite mises à la disposition de tous les membres. Il faut cependant reconnaître qu'il s'agit d'un pis-aller. Il est peu probable que des données d'une nature générale soient de meilleure qualité que celles, plus spécifiques, dégagées d'un partenariat de deux entreprises.

c. Le partenariat axé sur les meilleures pratiques

Ce type de partenariat vise à rechercher comme partenaire l'entreprise qui serait reconnue comme leader au regard d'un processus donné, peu importe le domaine d'activités de cette entreprise. Si une entreprise du secteur des ventes au détail veut comparer son processus de prise de commandes téléphoniques, il se peut que le leader en cette matière soit une entreprise du domaine de la câblodistribution. En général, c'est ce type de partenariat qui est susceptible d'être le plus efficient, pour l'entreprise car le leader est le meilleur dans le domaine. Pour identifier le leader, l'équipe d'analyse comparative doit établir des critères de sélection qui risquent de ne pas être toujours objectifs et doit effectuer un travail de recherche très élaboré compte tenu du grand nombre de partenaires potentiels.

L'analyse comparative, tout en constituant une occasion d'échanger de l'information entre partenaires (sauf, peut-être, pour le leader qui en retire reconnaissance et prestige), permet de conforter les dirigeants au moment de prendre des décisions stratégiques cruciales pour la survie de l'entreprise. L'analyse comparative peut devenir un élément d'amélioration continue pour une direction toujours soucieuse de faire progresser la compétitivité de l'entreprise sur les marchés.

EXERCICES D'APPLICATION

■■■ EXERCICE 8-1

« Dans les systèmes de coût de revient traditionnels, les coûts des produits existants peuvent être trop élevés simplement parce que des éléments de coût relatifs à de nouveaux produits introduits leur ont été refilés. »

ON DEMANDE

de justifier le bien-fondé de cette phrase.

■■■ EXERCICE 8-2

Voici un énoncé traduisant en quelque sorte ce que l'on peut lire et entendre de plus en plus souvent :
« La comptabilité analytique doit être repensée car l'ensemble des efforts de saisie, d'exactitude et d'analyse vise encore aujourd'hui les coûts directs de matière première et de main-d'œuvre directe, même si ces derniers ont été dépassés en importance par les autres coûts. »

ON DEMANDE

1. d'indiquer en quoi le nouveau contexte de production peut expliquer l'importance décroissante des coûts directs de main-d'œuvre directe ;
2. d'indiquer des moyens qui pourraient être pris de façon que le coût des produits soit moins biaisé.

■■■ EXERCICE 8-3

Le volume de production ne saurait expliquer que très rarement, à lui seul, l'importance de chacun des montants des éléments entrant dans les frais indirects de fabrication.

ON DEMANDE

de motiver la justesse de cette affirmation.

■■■ EXERCICE 8-4

On entend de plus en plus souvent parler d'activités à valeur ajoutée et d'activités sans valeur ajoutée.

ON DEMANDE

de préciser l'intérêt qu'offre pareille distinction et l'apport, en cette matière, de la comptabilité des coûts par activités.

■■■ EXERCICE 8-5

Plusieurs chefs d'entreprises vendant de multiples produits affirment aujourd'hui que leur système de coût de revient ne convient plus, en raison de la forte concurrence due à la mondialisation des marchés. Ils indiquent que leurs gestionnaires prennent des décisions importantes concernant les produits à partir d'informations inexactes sur les coûts. Selon eux, l'explication tient au fait que les systèmes de coût de revient en question ont d'abord été conçus aux fins de l'évaluation des stocks. Aussi, afin d'améliorer cet état de choses, certains préconisent l'usage de la comptabilité par activités.

ON DEMANDE

d'indiquer pourquoi le système de coût de revient traditionnel axé sur l'évaluation des stocks produit une information qui peut induire en erreur.
(Adaptation – C.M.A.)

■■■ EXERCICE 8-6

Calibre ltée vient tout juste d'implanter un nouveau procédé pour contrôler la qualité des produits qu'elle fabrique. Jusqu'à maintenant, les produits étaient examinés par des contrôleurs au terme de chacune des étapes importantes. La rémunération des dix personnes affectées à cette tâche était comptabilisée comme un coût de main-d'œuvre directe. Le contrôle de la qualité est maintenant assuré par un système vidéo. Ledit système, d'un coût de 250 000 $, comprend, entre autres équipements, un micro-ordinateur et 15 caméras vidéo. Le nouveau procédé de contrôle fait appel à des caméras situées à des points clés du procédé de production. La caméra photographie les produits lors de leur cheminement alors que l'ordinateur compare les photos prises à celles qui correspondent à un produit en bon état. Un ingénieur chargé du contrôle de la qualité retire les produits de mauvaise qualité et discute des pertes avec les responsables de la production. Deux ingénieurs ont ainsi remplacé les dix personnes qui agissaient à titre de contrôleurs.

Les frais d'exploitation du nouveau procédé, y compris les salaires des deux ingénieurs en la matière, ont été considérés dans les frais indirects de fabrication pris en compte dans le calcul du seul coefficient d'imputation établi pour l'usine. L'unité d'œuvre est le coût de la main-d'œuvre directe.

Le président est très étonné car, bien que le vice-président à la production lui ait vanté les avantages du nouveau système, le coefficient relatif aux frais indirects de fabrication s'est considérablement accru. Voici les coefficients que représentent les frais indirects de fabrication, soit celui avant et celui après l'automatisation :

	Avant	Après
Frais indirects budgétés	1 900 000 $	2 100 000 $
Main-d'œuvre directe budgétée	1 000 000 $	700 000 $
Coefficients des frais indirects	190 %	300 %

Le président ne comprend pas comment l'entreprise pourra faire face à la concurrence, compte tenu d'un coefficient de frais indirects de l'ordre de 300 %.

ON DEMANDE

1. d'expliquer pourquoi l'augmentation du coefficient de frais indirects de fabrication ne saurait avoir ici d'effet sur la rentabilité de l'entreprise ;
2. d'indiquer les modifications qui pourraient être apportées à la façon de porter les frais indirects au coût des produits, de manière que le coût des produits n'induise pas en erreur ;
3. d'indiquer en quoi une comptabilité par activités pourrait être bénéfique à l'entreprise.

(Adaptation – C.M.A.)

EXERCICE 8-7

Une entreprise qui produit à partir des commandes de clients exploite un service qui voit aux mises en route au sein de ses deux ateliers de production. Les statistiques suivantes concernent son dernier exercice :

1) Frais du Service des mises en route : 20 000 $;
2) Nombre de mises en route (toute mise en route nécessite sensiblement le même temps) ;
   – 1er atelier de production : 3,
   – 2e atelier de production : 7 ;

3) Heures de fonctionnement des machines :
 – 1er atelier : 12 000 ;
 Les heures nécessitées par les commandes ont été respectivement de 3 000, 4 000 et 5 000 ;
 – 2e atelier : 7 000 ;
 Les heures nécessitées par les autres commandes ont été respectivement de 700, 300, 500, 2 000, 800, 1 200 et 1 500 ;
4) Frais indirects de fabrication propres aux ateliers de production :
 – 1er atelier : 108 000 $,
 – 2e atelier : 70 000.

L'entreprise a comme politique de ventiler les sur- ou sous-imputations.

ON DEMANDE

de déterminer les frais indirects de fabrication qui devraient être attribués aux commandes pour que la répartition soit conforme à ce qu'implique la comptabilité par activités.

■■■ EXERCICE 8-8

Allaire ltée fabrique différents types de panneaux de circuits imprimés. L'entreprise tire le gros de son chiffre d'affaires de la vente de deux de ces panneaux. L'un est utilisé dans la fabrication d'appareils de télévision. L'entreprise projette en vendre 65 000 unités en 20X3, et ce, au prix de 150 $ l'unité. L'autre panneau qui est également fort prisé a été mis au point récemment ; il est utilisé dans la fabrication d'ordinateurs portatifs. Comme sa fabrication fait appel à une technologie de pointe, son prix de vente est plus élevé. L'entreprise le vend 300 $ l'unité et prévoit en vendre 40 000 unités en 20X3.

Les membres du comité de direction sont présentement en réunion et discutent de stratégies se rapportant à 20X3. Le sujet à l'ordre du jour est précisément l'établissement du montant qui devrait être consacré à la publicité en 20X3. Le directeur commercial est d'avis que la publicité doit surtout porter sur les tableaux de circuits imprimés destinés aux appareils de télévision, car le marché de ce type de produits offre de grandes possibilités.

Par contre, le directeur de la production soutient qu'il y aurait lieu de faire davantage de publicité pour les panneaux de circuits destinés à la fabrication d'ordinateurs portatifs, car les fiches des produits indiquent que la marge bénéficiaire unitaire, compte non tenu des frais de vente et d'administration, de ce type de panneaux est près du double de celle relative au panneau destiné à la fabrication d'appareils de télévision.

L'entreprise utilise un système de coût de revient standard. Voici des normes relatives à chacun des deux types de panneaux :

	Panneau pour appareils de TV	Panneau pour ordinateurs portatifs
Matières premières	80 $	140 $
Main-d'œuvre directe	1,5 h	4 h
Heures-machine	0,5	1,5

Les frais indirects de fabrication variables de l'entreprise sont imputés en fonction des heures de main-d'œuvre directe. On prévoit qu'ils s'élèveront à 1 120 000 $ en 20X3, et que les heures de main-d'œuvre directe seront de 280 000. Les coûts horaires prévus de la main-d'œuvre directe et de la technologie s'élèvent respectivement à 14 $ et 10 $.

Les frais accessoires aux matières premières, que ne comprennent pas les frais indirects de fabrication variables mentionnés ci-dessus, sont imputés à raison de 10 % du coût des matières premières. L'entreprise prévoit que le coût prévu des acquisitions de matières premières en 20X3 s'élèvera à 10 600 000 $.

Le contrôleur soutient qu'avant d'aller plus avant au sujet du montant de publicité devant être affecté à chacun des deux types de panneaux, il y a lieu de se pencher sur les activités qu'ils nécessitent. À cet effet, le contrôleur a préparé le tableau suivant des coûts, autres que le coût d'acquisition des matières premières :

Coût budgété Frais accessoires aux matières premières		Inducteur du coût	Activité annuelle à l'inducteur	
Acquisition	400 000 $	Nombre de pièces	4 000 000	pièces
Empaquetage et expédition	440 000	Nombre de panneaux	110 000	panneaux
Autres	220 000	Nombre de panneaux	110 000	panneaux
	1 060 000 $			
Frais indirects variables				
Réglages de l'outillage	446 000 $	Nombre de réglages	278 750	réglages
Mise au rebut	48 000	Poids des déchets (kg)	16 000	kg
Contrôle de la qualité	560 000	Nombre d'inspections	160 000	inspections
Fournitures diverses	66 000	Nombre de panneaux	110 000	panneaux
	1 120 000 $			
Coût de technologie	1 200 000 $	Nombre de pièces	3 000 000	pièces
Coût de la M.O.D.	4 000 000 $	Nombre de pièces	1 000 000	pièces
Coût de la soudure	132 000 $	Nombre de panneaux	110 000	panneaux

Particularités par panneau	Panneau de TV	Panneau d'ordinateur portatif
Pièces	25	55
En faisant appel à la technologie	24	35
En faisant appel à la M.O.D.	I	20
Nombre de réglages de l'outillage	2	3
Mise au rebut	0,02 kg	0,35 kg
Nombre d'inspections	I	2

ON DEMANDE

1. de déterminer, compte tenu du système de coût de revient standard utilisé par l'entreprise, la marge bénéficiaire unitaire, abstraction faite des frais de vente et d'administration, pour chacun des deux types de panneaux à l'étude ;
2. de déterminer, en recourant à la méthode des coûts par activités, la marge bénéficiaire unitaire, compte non tenu des frais de vente et d'administration, pour chacun des deux mêmes types de panneaux ;
3. d'expliquer en quoi la comparaison des résultats obtenus en 1. et 2. peut avoir un impact sur les décisions du comité de direction d'Allaire ltée.
(*Adaptation* – *C.M.A.*)

■■■ EXERCICE 8-9

Manufac ltée (Manufac) est une entreprise canadienne qui fabrique des produits de haute technologie dont le cycle de vie varie entre 3 et 5 ans. À la fin des années 1990, l'entreprise a failli fermer ses portes à cause de graves problèmes de rentabilité. En 20X0, un cabinet de consultation a été chargé de passer en revue l'exploitation de Manufac et de recommander des améliorations. Six mois plus tard, les consultants ont présenté leur rapport.

Le conseil d'administration de Manufac, très impressionné par le rapport des consultants, a décidé d'en appliquer les recommandations au cours du prochain exercice et de mettre davantage l'accent sur le contrôle de la qualité pendant le développement d'un produit. Les nouveaux systèmes (réaménagement de l'usine par cellules où chaque groupe de travail exécute toutes les tâches requises pour fabriquer un produit donné, et approvisionnement et fabrication juste-à-temps) ont été implantés à compter du 1er trimestre de 20X1 et ils étaient fonctionnels au 31 décembre 20X1.

Le tableau 1 présente les résultats d'exploitation de l'exercice terminé le 31 décembre 20X1, soit l'année de l'implantation des nouveaux systèmes. Le tableau 2 fournit certains renseignements sur deux des produits de Manufac, A et B, au cours du 1er trimestre de 20X1. Les deux produits ont entrepris la troisième année de leur cycle de vie.

ON DEMANDE

1. de calculer le coût unitaire des produits A et B selon le nouveau système de coût de revient, à partir des données du 1er trimestre de 20X1. Analyser les différences du coût unitaire entre l'ancien système de coût de revient et le nouveau. Discuter de l'efficacité du nouveau système fondé sur les activités élémentaires ;
2. d'analyser, à partir des renseignements fournis par le nouveau système de coût de revient et résumés au tableau 1, l'impact des changements apportés aux systèmes.

(Adaptation – S.C.M.C.)

TABLEAU 1
Résultats d'exploitation de l'exercice terminé le 31 décembre 20X1

Données sur le chiffre d'affaires et les coûts (en milliers de dollars)	Premier trimestre	Deuxième trimestre	Troisième trimestre	Quatrième trimestre	Total
Chiffre d'affaires	28 013 $	28 932 $	30 552 $	31 970 $	119 467 $
Matières premières utilisées	10 210 $	10 073 $	10 346 $	10 209 $	40 838 $
Autres coûts de fabrication[1]					
Approvisionnement	2 000 $	2 048 $	2 142 $	2 176 $	8 366 $
Mise en route	1 190	1 218	1 496	1 395	5 299
Développement	2 520	2 772	3 825	3 600	12 717
Fabrication	4 293	4 238	4 258	4 203	16 992
Prévention[2]	605	1 265	1 339	1 383	4 592
Évaluation[3]	686	1 208	1 328	1 381	4 603
Défaillances internes[4]	3 908	2 388	1 469	1 007	8 772
Défaillances externes[5]	1 105	1 122	496	238	2 961
	16 307 $	16 259 $	16 353 $	15 383 $	64 302 $

Inducteurs de coût pour tous les produits	Premier trimestre	Deuxième trimestre	Troisième trimestre	Quatrième trimestre	Total
Nombre d'unités produites	150 000	148 000	152 000	150 000	600 000
Nombre d'expéditions des fournisseurs	10 000	15 000	25 000	25 000	75 000
Nombre de lots mis en production	700	700	850	750	3 000
Nombre de modèles conçus (36 derniers mois)	600	630	610	630	
Nombre d'heures de main-d'œuvre directe travaillées	54 000	51 800	51 680	49 500	206 980

Autres coûts de fabrication par inducteur de coût					
Approvisionnement par expédition	200,00 $	136,53 $	85,68 $	87,04 $	111,55 $
Mise en route par lot	1 700,00	1 740,00	1 760,00	1 860,00	1 766,00
Développement par modèle	4 200,00	4 400,00	6 270,00	5 714,00	
Fabrication par heure de main-d'œuvre directe	79,50	81,81	82,39	84,91	82,09
Prévention par unité	4,03	8,55	8,81	9,22	7,65
Évaluation par unité	4,57	8,16	8,74	9,31	7,67
Défaillances internes par unité	26,05	16,14	9,66	6,71	14,62
Défaillances externes par unité	7,37	7,58	3,26	1,59	4,94

1. Le coût de la main-d'œuvre directe est englobé dans les frais indirects de fabrication.
2. Ce poste traduit les coûts supportés pour assurer la conformité des produits.
3. Il s'agit ici des coûts d'évaluation de la conformité des produits.
4. Ce poste traduit les coûts des retouches et des rejets.
5. Ce poste traduit les coûts des garanties et manques à gagner à la suite de la perte de clientèle.

TABLEAU 2
Données sur les produits A et B pour le premier trimestre de l'exercice terminé le 31 décembre 20X1

	Produits A	Produit B
Nombre d'unités produites et vendues	4 000	2 000
Matières premières utilisées	200 000 $	150 000 $
Heures de main-d'œuvre directe	2 400	600
Nombre d'expéditions des fournisseurs	70	380
Nombre de modèles conçus	1	48
Nombre de lots mis en production	14	20
Coût des produits vendus selon l'ancien système de coût de revient		
Matières premières utilisées	200 000 $	150 000 $
Main-d'œuvre directe	48 000	20 000
Frais indirects de fabrication	676 756	281 981
Coût des produits vendus	924 756 $	451 981 $

9

NOUVELLES RÉALITÉS TOUCHANT LA COMPTABILITÉ DE MANAGEMENT

Les méthodes utilisées aujourd'hui en comptabilité de management datent du début du XXe siècle et mettent la priorité sur l'évaluation des stocks. Ces méthodes, selon les critiques, ne répondent plus à l'environnement manufacturier actuel qui est façonné par de nouvelles réalités. Parmi ces dernières, mentionnons l'augmentation des exigences en matière de qualité, l'implantation de l'approche de production juste-à-temps et l'avènement de technologies manufacturières automatisées. Ce chapitre explore chacune de ces nouvelles réalités et leurs conséquences sur la comptabilité de management traditionnelle.

1. L'AUGMENTATION DES EXIGENCES EN MATIÈRE DE QUALITÉ

Cette section présente un bref historique du mouvement de la qualité et de ses principaux théoriciens. Par la suite, deux concepts pertinents à la pratique comptable sont davantage explorés ; il s'agit des concepts coûts de la qualité et audits qualité.

A. Historique

Le concept de la qualité, qui n'est pas nouveau, a évolué avec les changements technologiques et socio-culturels du XXe siècle. Grâce à la contribution de plusieurs théoriciens, l'évolution du concept de la qualité s'est opérée en trois grandes phases : le contrôle de la qualité, l'assurance qualité et la gestion intégrale de la qualité.

a. Phase I : le contrôle de la qualité

La rapide industrialisation du début de ce siècle a donné naissance au mouvement de la qualité. C'est Frederick W. Taylor, le père de l'organisation scientifique du travail, qui a été l'artisan de cette première phase de l'évolution du concept de la qualité, appelée *contrôle de la qualité*. Selon Taylor, toute opération pouvait être subdivisée en tâches simples, et chaque tâche pouvait être accomplie de façon optimale. Ainsi, les travailleurs étaient assignés à des tâches simplifiées et standardisées, alors que les superviseurs et gestionnaires planifiaient et contrôlaient la performance des travailleurs et la qualité des produits finis.

À cette époque, la qualité était mesurée uniquement via l'inspection des produits finis fabriqués. L'objectif était simple : la détection de la non-qualité. L'utilisation des méthodes statistiques était, au cours de cette phase, fort limitée, et les entreprises se contentaient d'effectuer des *sondages pour acceptation* en vue de mesurer la qualité. Ainsi, un échantillon de produits finis était testé afin de déterminer le pourcentage des produits conformes aux spécifications. Au terme de cet examen, le lot entier de produits était accepté ou rejeté selon le pourcentage des produits non conformes dans l'échantillon et le nombre de produits défectueux acceptable (lui-même établi en fonction d'un niveau acceptable de qualité). Concrètement, cela signifiait qu'un niveau de non-qualité était toléré dans l'échantillon pour autant qu'il ne dépassait pas le niveau dit acceptable.

Si le lot de produits était rejeté, les produits pouvaient être réusinés, retouchés ou détruits selon le cas. Par conséquent, le coût de revient du produit fini commercialisable augmentait au fur et à mesure que le taux de rejet augmentait (c'est-à-dire que la qualité de l'échantillon diminuait). Voilà pourquoi durant cette phase initiale, soit celle du contrôle de la qualité, on croyait que « la qualité, ça se payait ». Ainsi devait-on en arriver à un compromis entre le coût et la qualité ; on ne pouvait avoir de qualité sans sacrifier le coût, et vice-versa. Comme nous le verrons, cette conception allait changer avec la deuxième phase de l'évolution du concept de la qualité.

b. Phase II : l'assurance qualité

Malgré l'inspection de la qualité des produits finis, la variabilité de la qualité des produits continua d'augmenter au fur et à mesure que l'industrialisation progressait. Vint alors la deuxième phase du concept de la qualité : *l'assurance qualité*. Le contrôle de la qualité s'est alors élargi de manière à porter non seulement sur la qualité des produits finis mais aussi sur la qualité des processus associés à la fabrication. Les processus sont une suite d'activités plurifonctionnelles exécutées par des travailleurs et le matériel.

Deming, l'un des théoriciens du domaine de la qualité, est responsable de cette conception élargie. Selon lui, les travailleurs ne pouvaient être tenus responsables de la mauvaise qualité des produits finis s'ils ne pouvaient contrôler et surveiller les processus dans lesquels ils interviennent ; la grande partie des écarts vient donc des variations des processus et autres contraintes sous la responsabilité des gestionnaires. Par conséquent, le contrôle de la qualité devait s'élargir et intégrer les processus.

Pour ce faire, Deming[1] suggéra d'ajouter le contrôle statistique des processus (CSP) au contrôle statistique de la qualité (CSQ). Le contrôle des processus devint la deuxième composante du contrôle statistique de la qualité (CSQ) après le sondage pour acceptation utilisé dans la phase préliminaire du contrôle de la qualité. Comme le tableau I l'illustre, le but ultime de chacune des composantes du contrôle statistique de la qualité (CSQ) diffère. Le contrôle statistique des processus (CSP) consiste à détecter la non-qualité (comme le font les sondages pour acceptation) tout en cherchant à la prévenir. Par conséquent, les activités du contrôle statistique des processus ne correspondent plus au contrôle traditionnel des produits finis, mais se situent plutôt au niveau des processus afin d'atteindre l'objectif d'une amélioration continue.

TABLEAU I
Deux composantes du contrôle statistique de la qualité (CSQ)

Contrôle statistique de la qualité
(CSQ)

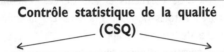

Sondage pour acceptation	**Contrôle statistique des processus (CSP)**
But : détection de la non-qualité	But : prévention de la non-qualité
Activités : Tester un échantillon de produits finis afin d'établir le pourcentage des produits conformes aux spécifications ; suite au résultat, décider si on accepte ou rejette le lot en se basant sur la qualité de l'échantillon et le niveau acceptable de qualité recherché.	Activités : Tester un échantillon de produits et déterminer si les processus permettent d'obtenir des articles conformes aux spécifications établies.

1. Deming est connu pour sa philosophie de la qualité ; elle comporte 14 points :
   1) Fixation d'un objectif visant l'amélioration continue du produit et du service ;
   2) Adoption de la nouvelle philosophie pour assurer une stabilité économique ;
   3) Abandon de l'unique critère de l'inspection massive des produits finis ;
   4) Choix des fournisseurs non uniquement fondé sur les plus bas coûts ;
   5) Recherche des causes des problèmes afin d'améliorer de façon continue le système de production et les autres activités de l'entreprise ;
   6) Mise en œuvre des activités de formation répétées directement sur le lieu de travail ;
   7) Introduction des méthodes modernes d'évaluation des gestionnaires ;
   8) Communication réciproque et efficace et utilisation d'autres moyens d'élimination du climat de peur qui pourrait régner dans l'entreprise ;
   9) Suppression du cloisonnement entre différents secteurs ;
   10) Adoption de méthodes efficaces pour accroître la productivité ;
   11) Suppression des normes de production qui fixent des quotas chiffrés (standards) des ouvriers ;
   12) Suppression de tout ce qui empêche les ouvriers et leurs supérieurs d'être fiers de leur travail ;
   13) Mise en place d'un vaste programme de formation et encouragement au perfectionnement de chacun ;
   14) Volonté de la haute direction de s'investir dans une amélioration continue de la qualité et de la productivité.

Pour réaliser l'assurance qualité (soit le contrôle et la maîtrise des processus) prônée par Deming, on utilise les graphiques de contrôle. Ils classent les causes de variations en causes normales et causes anormales. L'observation continue des processus vise l'élimination des causes anormales de variations et la réduction du nombre de causes normales. Les graphiques de contrôle sont l'un des « sept outils élémentaires d'assurance de la qualité » servant notamment aux cercles de qualité (elles seront davantage expliquées un peu plus loin). Mentionnons qu'il existe aussi des outils plus sophistiqués, tel le déploiement de la fonction qualité.

Les cercles de qualité ont commencé dans les années 20 et 30 aux États-Unis et leur application à l'assurance qualité est attribuée aux américains Deming et Juran. Plus tard, soit au début des années 50, le japonais Ishikawa a insisté sur le recours systématique des cercles de qualité à tous les niveaux de la hiérarchie de l'entreprise. Les cercles de qualité sont des petits groupes de collaborateurs (de cinq à douze) qui se rencontrent régulièrement afin de se pencher sur les problèmes inhérents à leur domaine de travail, particulièrement les problèmes issus du domaine de l'assurance qualité. La suggestion de correctifs émane de ces rencontres et lesdits correctifs sont mis en place, après autorisation s'il y a lieu. De la même façon, c'est le groupe qui contrôle le succès de correctifs apportés.

Bien que certains outils utilisés par les cercles de qualité aient une assise statistique, tous visent un même objectif, soit celui de permettre, par des représentations visuelles, d'identifier les problèmes, de les comprendre et de les résoudre. Les sept outils élémentaires en matière de qualité sont :
1) la liste récapitulative des défauts ;
2) l'histogramme (diagramme à colonnes) ;
3) le diagramme de dispersion ;
4) le diagramme de Pareto ;
5) le remue-méninges (ou *brainstorming*) ;
6) le diagramme causes-effet (ou diagramme d'Ishikawa) ;
7) le graphique de contrôle.

L'utilisation de ces outils élémentaires permet d'analyser les problèmes de manière systématique via la démarche de résolution de problème.

1. La liste récapitulative des défauts

La liste récapitulative des défauts présente dans un tableau les types de défauts, ou catégories de défauts, à examiner ainsi que leur fréquence. Ces données pourront subséquemment être évaluées grâce au diagramme de Pareto. Le tableau suivant montre un exemple de liste récapitulative des défauts relatifs à la fabrication d'un vêtement.

Type de défaut	Fréquence
mauvaise coupe	3
morceau manquant	4
mauvais assemblage	1
mauvaise couture	5
défaut de teinture	3
divers	4

2. L'histogramme

L'histogramme est un diagramme à colonnes qui illustre la répartition de données classées selon leur fréquence. Il met en évidence la forme de la distribution, l'amplitude des extrêmes sans toutefois faire apparaître les tendances ni l'origine des causes d'un phénomène observé. Voici un exemple d'histogramme :

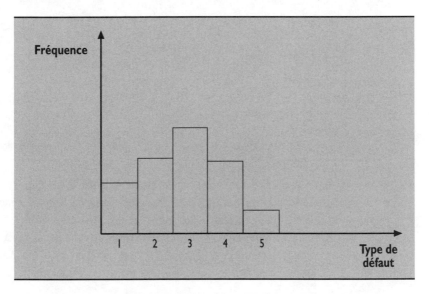

3. Le *diagramme de dispersion*

Le diagramme de dispersion est une représentation graphique qui montre l'intensité et la direction de la relation entre deux variables. Il ne permet toutefois pas de déduire de lien de causalité. Le coefficient de corrélation r que l'on peut établir, et qui varie dans l'intervalle {-1, +1}, permet de préciser la relation entre lesdites variables. Rappelons ce que nous avons indiqué dans le chapitre 4 : lorsque le coefficient de corrélation r est égal à zéro, il n'existe aucun lien entre les variables. C'est le cas des trois situations suivantes :

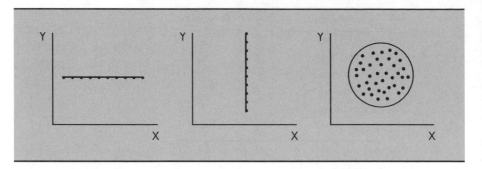

Rappelons également que si le coefficient de corrélation r est égal à 1, la corrélation est parfaitement positive entre X et Y. Si, au contraire, le coefficient de corrélation r est égal à – 1, la corrélation est parfaitement négative entre X et Y. Chacune de ces situations est illustrée dans les graphiques a et b suivants :

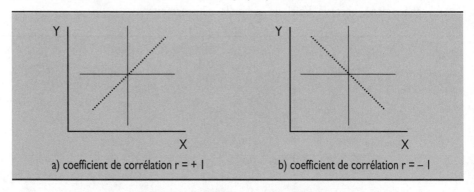

a) coefficient de corrélation r = + 1   b) coefficient de corrélation r = – 1

Si le coefficient de corrélation r se situe entre 0 et 1, la corrélation entre X et Y est dite positive. Plus le coefficient sera près de 1 (plus concentré sera le nuage de points), plus fort sera le lien entre les deux variables X et Y. Si le coefficient de corrélation r se situe entre 0 et –1, la corrélation entre X et Y est dite négative. Plus le coefficient sera près de – 1, plus fort sera le lien entre les deux variables X et Y. Chacune de ces situations est illustrée dans les graphiques c et d suivants :

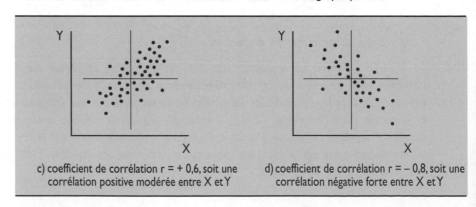

c) coefficient de corrélation r = + 0,6, soit une   d) coefficient de corrélation r = – 0,8, soit une
corrélation positive modérée entre X et Y   corrélation négative forte entre X et Y

4. Le diagramme de Pareto

Les problèmes surgissent souvent en si grand nombre qu'il est parfois difficile d'identifier l'ordre dans lequel il faut les traiter. En pareil cas, le diagramme de Pareto peut aider à décider. La loi de Pareto, adaptée au domaine de la qualité par Juran, signifie que 20 % des causes produisent 80 % des défauts constatés. Ces dernières sont qualifiées de causes cruciales alors que les autres causes potentielles sont qualifiées tout simplement d'utiles. Concrètement, le diagramme de Pareto est un diagramme à colonnes qui illustre les causes des problèmes selon l'ordre d'importance de leurs effets. Voici un exemple d'illustration du diagramme de Pareto avec une courbe cumulative des effets.

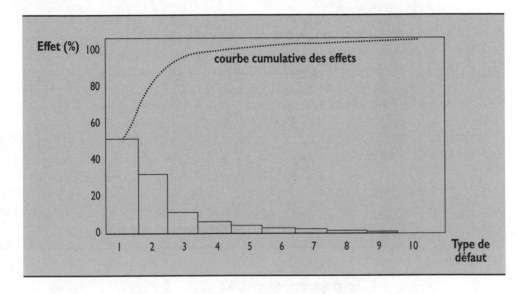

Comme on peut le voir, les défauts observés sont présentés en ordre décroissant. Cette présentation permet d'établir l'ordre des priorités des actions en se concentrant sur les causes les plus importantes d'un problème.

5. Le remue-méninges (brainstorming)

Le remue-méninges (ou brainstorming) est une méthode qui vise à trouver, en groupe, de nouvelles idées et des solutions innovatrices. Dans la première phase, dite créatrice, on invite les membres d'un groupe à communiquer leurs idées ; aucune critique ni évaluation des idées n'est faite à ce stade de collecte. Dans un second temps, les idées rassemblées sont organisées et évaluées.

6. Diagramme causes-effet (ou diagramme d'Ishikawa)

Le diagramme causes-effet (ou diagramme d'Ishikawa) sert à visualiser toutes les causes potentielles d'un problème (effet), en séparant les causes potentielles en causes principales et causes secondaires dans une représentation globale. Les causes principales sont reliées à la main-d'œuvre, à la machinerie, au milieu, aux matériaux, aux méthodes et à la mesure. Les causes secondaires, elles, sont les raisons sous-jacentes aux causes principales. L'exemple suivant illustre un diagramme causes-effet :

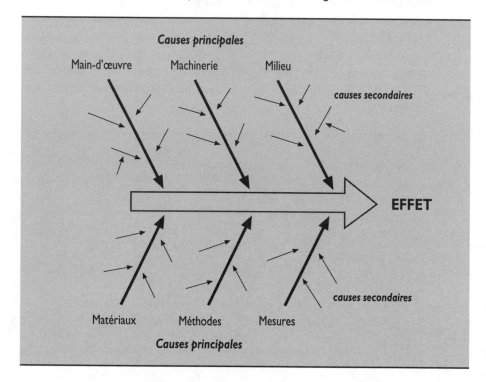

7. Le graphique de contrôle

Le graphique de contrôle est un outil qui permet le contrôle statistique des processus et, subséquemment, la maîtrise statistique de ceux-ci. Le principe à la base du contrôle et de la maîtrise des processus est le suivant : c'est le processus qui génère la qualité ou la non-qualité. Le graphique de contrôle permet justement d'examiner un processus en présentant une série chronologique de photos instantanées dudit processus. Cette schématisation permet de diagnostiquer son état de santé.

Le contrôle et la maîtrise statistique des processus partent du principe que tout processus comporte plusieurs sources de variations. Par conséquent, les caractéristiques de deux produits (valeur d'une résistance, teinte d'un tissu, élasticité d'un composant, etc.) ne sont jamais entièrement identiques. Les facteurs contribuant à ces fluctuations sont de deux types : les causes dites normales et les causes anormales. Les premières, inhérentes au processus lui-même, sont généralement très nombreuses (80 % des causes de variations) mais ont de faibles effets cumulés. Il s'agit, par exemple, de causes relatives au personnel, aux matières premières, aux machines et aux autres composants du processus. Les causes anormales, externes au processus, sont peu nombreuses (20 % des causes de variations), mais ont par ailleurs un grand effet. Fort heureusement, ces dernières résultent d'éléments qui peuvent être corrigés ou changés. Par exemple, une machine mal entretenue ou mal réglée, un outil brisé, un court-circuit représentent tous des causes anormales de variations auxquelles on peut remédier.

Les deux sources de variations, normales et anormales, sont prises en compte lorsqu'on recourt aux graphiques de contrôle. Les frontières de ces graphiques (appelées limites supérieure et inférieure de contrôle) délimitent les causes normales et les causes anormales. Cette délimitation peut être illustrée comme suit :

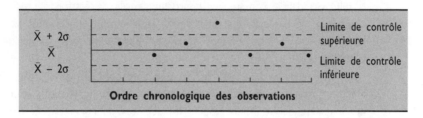

Les graphiques de contrôle reposant sur l'écart type ne sauraient constituer des tamis parfaits pour distinguer les variations normales des variations anormales. Certaines configurations (profils) de résultats peuvent amener les responsables à en chercher les raisons d'être, même lorsque ces résultats sont situés à l'intérieur des limites de contrôle fixées. Ces configurations particulières peuvent révéler, par exemple, diverses tendances qui sont autant de signes avant-coureurs que le déroulement du processus.

Il existe différents modèles de graphiques de contrôle : graphiques de contrôle utilisant des attributs (ex. : graphique de proportionnalité ou graphique p) et graphiques de contrôle utilisant les variables (graphique $\bar{X}$, soit la moyenne, et graphique R, soit l'étendue). Peu importe le type de graphique, les objectifs demeurent les mêmes : on utilise ces graphiques afin de vérifier qu'un processus reste en permanence à l'intérieur des limites de tolérance. Ils permettent ainsi de juger promptement si les caractéristiques des produits répondent à leurs spécifications et de détecter, s'il y a lieu, les dérives des processus.

Avec ces outils à sa disposition, toute entreprise devrait être motivée à entreprendre une démarche d'assurance qualité visant le contrôle et la maîtrise des processus. Pourquoi ? Selon Deming, tout s'explique par les effets bénéfiques qu'un investissement dans la qualité rapporte. L'amélioration de la qualité provoque une diminution des coûts, ce qui rend les prix des produits plus compétitifs ; cette diminution des prix assurera les parts de marché et renforcera la position compétitive de l'entreprise. Du compromis qu'il était dans la phase du contrôle de la qualité, le concept de la qualité a évolué et permet maintenant, dans la phase de l'assurance qualité, non seulement d'économiser des coûts, mais aussi de réaliser un avantage compétitif. La quête de la qualité était donc considérée comme un domaine rentable ! La troisième phase de l'évolution de la qualité saurait rendre cette quête encore plus attrayante.

c.   *Phase III : la gestion intégrale de la qualité*

Juran proposa d'étendre le concept du contrôle de la qualité de Deming au domaine de la gestion. Pour ce faire, il rejeta la pratique du taylorisme qui favorisait la spécialisation et la différenciation ; il rejeta aussi la délégation de la qualité à un service de contrôle de la qualité, délégation qui était la règle dans la phase précédente. Il proposa de procéder à l'amélioration continue de la qualité des processus en trois étapes, soit : 1) la planification de la qualité, 2) l'assurance qualité et la maîtrise de la qualité, et 3) l'amélioration de la qualité. Juran contribua ainsi à la troisième phase du concept de la qualité, soit la gestion intégrale de la qualité (GIQ). De façon générale, la GIQ est définie comme une approche globale de gestion qui vise la recherche et l'obtention de la qualité, par une étroite collaboration de tous les partenaires et dans le but de satisfaire les besoins du client. Ainsi, selon Juran, la qualité se définit par la satisfaction du client.

Feigenbaum a lui aussi jugé que le contrôle de la qualité traditionnel était trop limité et trop étroitement défini en fonction de la production. Selon lui, le contrôle de la qualité devait inclure toutes les activités de l'organisation reliées à la qualité. Il proposa alors le concept de la maîtrise totale (contrôle total) de la qualité (MTQ)[2] qui considère l'entreprise dans son ensemble et se base sur les exigences du client. En ce sens, la définition de la qualité de Feigenbaum converge avec celle de Juran : la qualité est déterminée par le consommateur et, par conséquent, son objectif change constamment selon les attentes de ce dernier.

La philosophie de la maîtrise totale de la qualité remplaça la notion tradition-nelle de niveau acceptable de qualité des phases précédentes. Produire selon les spécifications tout en éliminant le gaspillage et en procédant à une amélioration con-tinue sont les nouveaux objectifs à atteindre. En effet, l'amélioration continue et l'éli-mination du gaspillage (comme l'exige le juste-à-temps) sont maintenant les deux principes sous-jacents qui gouvernent l'excellence manufacturière et qui sont néces-saires pour survivre dans l'environnement actuel.

Dans la poursuite de cette excellence (via la gestion intégrale de la qualité), Crosby affirma qu'il était impératif que les gestionnaires puissent évaluer les bénéfices reliés aux efforts de qualité. À cette fin, il suggéra de quantifier les coûts de la qualité.

---

2. La maîtrise totale de la qualité (MTQ) comporte notamment les éléments suivants :
   1) élaboration de la politique et des objectifs en matière de qualité axés sur les besoins du client ;
   2) mise en application de la politique et des objectifs en matière de qualité via des activités ciblées ;
   3) intégration des activités centrées sur la qualité à l'ensemble de l'entreprise ;
   4) détection à la source des défauts et amélioration des produits et processus ;
   5) installations du matériel nécessaire ;
   6) mise en place de mesures d'assurance qualité propres aux fournisseurs ;
   7) mise en place d'informations sur la qualité et le processus ;
   8) prise de conscience axée sur la qualité, la motivation et la qualification du personnel ;
   9) établissement de standards en matière de qualité ;
   10) établissement de mesures correctives positives ;
   11) auto-contrôle continu et analyse des résultats ;
   12) exécution d'audits de système périodiques.

Ces derniers sont les coûts qui doivent être engagés si la qualité ne répond pas aux spécifications initialement prévues, ou pour éviter qu'elle ne le fasse. Selon Crosby, la mesure des coûts de la qualité représente la seule mesure de performance efficace. Il affirme que la qualité est non seulement rentable mais aussi gratuite !

Comme ce bref historique le montre, le domaine de la qualité a tellement évolué qu'il représente aujourd'hui un concept complexe et multidisciplinaire. La comptabilité peut, certes, apporter sa contribution dans ce domaine, notamment dans le cadre de la détermination des coûts de qualité et de l'audit qualité.

B.   Coûts de la qualité

Juran a été le premier à proposer, en 1951, de convertir le langage de la qualité en dollars. Depuis, l'idée a évolué et, aujourd'hui, les systèmes comptables sont de plus en plus appelés à regrouper et présenter l'information sur les coûts de la qualité. Pour bien comprendre ce concept, nous allons tout d'abord définir la qualité puis les coûts de la qualité. Par la suite, nous examinerons le comportement de ces coûts vis-à-vis de la qualité de conformité. Finalement, nous aborderons les questions relatives à la présentation de l'information sur les coûts de la qualité.

a.   Définition et types de qualité

Pour gérer la qualité, il faut d'abord que les coûts de qualité soient identifiés et mesurés. Le tableau 2 présente les deux types de qualité : la qualité de conception et la qualité de conformité. La *qualité de conception* traduit dans quelle mesure les caractéristiques d'un produit se comparent à celles d'un autre produit, alors que la *qualité de conformité* traduit dans quelle mesure les caractéristiques d'un produit répondent ou ne répondent pas à leurs spécifications.

TABLEAU 2
Deux types de qualité : qualité de conception et qualité de conformité

Qualité

Qualité de conception	Qualité de conformité
La qualité de conception traduit dans quelle mesure les caractéristiques d'un produit se comparent à celles d'un autre produit	La qualité de conformité traduit dans quelle mesure les caractéristiques d'un produit répondent ou ne répondent pas à leurs spécifications.

Supposons, par exemple, que l'on compare deux voitures de catégories différentes ; la première, dite économique, a un prix de vente de 13 000 $ et la seconde,
dite de luxe, a un prix de vente de 80 000 $. Bien sûr, chaque voiture a ses spé-
cifications respectives relativement à la durabilité des pièces, au confort, aux mesures
de sécurité, à l'apparence, etc. Lorsqu'on compare les deux voitures, on se réfère à
la *qualité de conception* ; on conclura sans difficulté que la voiture de luxe a une meilleure
qualité de conception que la voiture économique. La comparaison de leurs spécifications relève plutôt de la *qualité de conformité*. Ainsi, la voiture économique peut être
d'une excellente qualité de conformité si elle répond à ses spécifications. Poursuivons
notre exemple. La pédale d'embrayage de la voiture économique peut avoir des
spécifications indiquant une durée de vie utile de quatre ans. La voiture économique
aura une bonne qualité de conformité si la pédale d'embrayage fonctionne plus de quatre
ans. Si, au contraire, la pédale ne dure pas quatre ans, alors le produit aura une mauvaise
qualité de conformité. Le lecteur attentif aura remarqué que lorsqu'on parle de qualité
de conformité, il ne s'agit plus de comparer deux produits entre eux mais plutôt de
comparer chacun à ses spécifications propres.

Les experts en qualité mettent l'accent sur la qualité de conformité, car c'est
la non-conformité aux spécifications qui procure le plus de problèmes aux entreprises.
Ainsi, lorsque les experts en qualité disent qu'il faut améliorer la qualité, c'est pour
diminuer la non-conformité qui, il faut l'admettre, entraîne des coûts de la qualité.
Explorons davantage ces coûts.

b.   *Coûts de la qualité*

Dans la pire des situations, les coûts de la qualité représentent les coûts qu'une
entreprise doit supporter parce que la qualité obtenue ne répond pas à celle initialement prévue dans les spécifications. Dans une situation où on prend des mesures
pour faire face aux risques de non-qualité, les coûts de la qualité représentent les coûts
supportés pour s'assurer que la qualité initialement prévue dans les spécifications est
atteinte. Concrètement, les coûts de la qualité peuvent être subdivisés en quatre
catégories : *coûts de prévention, coûts d'évaluation, coûts de défaillances internes et coûts
de défaillances externes* (voir le tableau 3). Les coûts de prévention et d'évaluation
représentent des *coûts de conformité* car ils sont engagés afin de prévenir la non-
conformité et de s'assurer que le produit est conforme à ses spécifications. Les coûts
de défaillances internes et externes représentent des *coûts de non-conformité* puisqu'ils
sont engagés une fois que la non-conformité des produits est découverte.

TABLEAU 3
Les catégories de coûts de la qualité

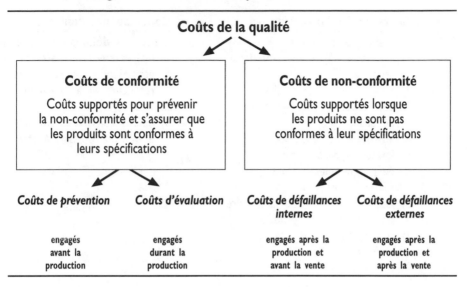

Comme l'illustre le tableau 3, la nature du coût et le moment où il survient déterminent la catégorie à laquelle il appartient. Les coûts de prévention sont engagés avant la mise en production afin de prévenir les erreurs ou défauts. Par exemple, des coûts de planification de la qualité, des coûts de développement des standards de qualité, des coûts de formation dans le cadre de programmes portant sur la qualité sont tous des coûts de prévention. Les coûts d'évaluation sont engagés afin d'identifier les produits défectueux en cours de production. Les coûts d'échantillonnage, d'inspection et de tests des produits en cours de production, qui visent à vérifier si lesdits produits répondent aux spécifications, appartiennent à la catégorie des coûts d'évaluation. En résumé, une entreprise doit supporter des coûts de prévention et d'évaluation lorsqu'une qualité de conformité laissant à désirer est susceptible de se produire. Lorsqu'un produit fini présente des défectuosités *avant d'être expédié aux consommateurs*, des coûts de défaillances internes doivent être supportés. Par exemple, les coûts relatifs au réusinage de produits finis et les coûts des rejets représentent des coûts de défaillances internes. Par contre, si le produit défectueux est détecté lorsque le produit est entre les mains du client, alors des coûts de défaillances externes doivent être supportés. Par exemple, les frais de garanties et les coûts résultant de procès ou d'indemnités à payer aux clients représentent des coûts de défaillances externes. En résumé, une entreprise subit des coûts de défaillances internes et externes lorsque la qualité fait défaut. Le tableau 4 présente quelques exemples de coûts de la qualité appartenant à chaque catégorie.

TABLEAU 4
Exemples des coûts de la qualité

Coûts de conformité	Coûts de non-conformité
Coûts de prévention	**Coûts de défaillances internes**
1) analyse et développement des processus	1) main-d'œuvre, matières premières, etc., associés au réusinage, aux retouches et au recyclage
2) planification de la qualité	2) rejets
3) développement des standards de qualité	3) heures consacrées aux inspections et nouveaux essais à effectuer
4) ingénierie de la qualité	
5) formation dans le cadre de programmes portant sur la qualité	
6) test et inspection de la matière première avant la production	
7) supervision des activités de prévention	
8) cercle de qualité	
Coûts d'évaluation	**Coûts de défaillances externes**
1) contrôles au cours des processus	1) garanties et réparations
2) supervision en cours de production	2) rappel d'un produit
3) échantillonnage	3) réclamations des clients
4) inspection et essais des produits en cours	4) procès ou indemnités
5) amortissement du matériel servant au contrôle	5) remplacement de pièces

c. *Comportement des coûts de la qualité*

Plus une qualité laissant à désirer est découverte tardivement, plus il en coûte à l'entreprise (figure 1). Le graphique présente, à son extrême droite, les coûts cachés de la qualité, lesquels ne sont toujours pas enregistrés dans les livres comptables. Parmi ces coûts, mentionnons, entre autres, les coûts reliés à la dégradation d'une image de marque, à la perte de réputation et de clientèle.

FIGURE 1

Relation entre les coûts de la qualité et le moment où la non-conformité est détectée

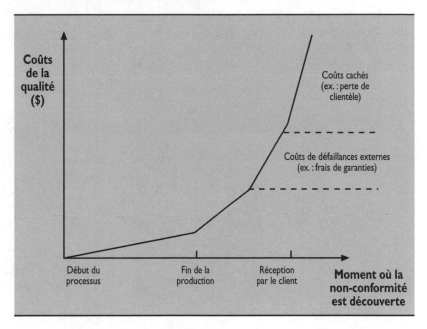

Pour les entreprises d'envergure mondiale, la concurrence est intense ; la qualité peut alors représenter un atout. Il ne s'agit plus d'avoir un niveau acceptable de qualité, mais plutôt de viser l'objectif du zéro défaut comme le montre l'analyse des coûts de la qualité. Comment ces coûts varient-ils ? Comme la figure 2 le montre, il existe deux fonctions : l'une, croissante, représente les coûts de conformité et l'autre, décroissante, est relative aux coûts de non-conformité. La première fonction montre que la qualité de conformité s'améliore au fur et à mesure que l'on investit dans les activités de prévention et d'évaluation ; en d'autres mots, plus on investit dans les activités de prévention et d'évaluation plus le niveau de conformité des produits augmente. L'objectif du zéro défaut est atteint lorsque le niveau de conformité atteint 100 %. La seconde fonction, elle, nous montre qu'au fur et à mesure que le niveau de conformité augmente, les coûts de défaillances internes et de défaillances externes diminuent.

FIGURE 2

Vision moderne de la relation entre les coûts de la qualité et le niveau de conformité

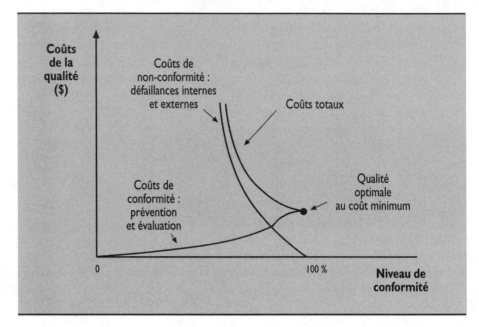

L'équation suivante traduit la fonction des coûts totaux de la qualité :

CQ = (CP + CE) + (CDI + CDE)

où

CQ = coûts totaux de la qualité
CP = coûts de prévention
CE = coûts d'évaluation
(CP + CE) = coûts de conformité
CDI = coûts de défaillances internes
CDE = coûts de défaillances externes
(CDI + CDE) = coûts de non-conformité

Crosby affirme que « la qualité est gratuite ». Il explique que l'économie des coûts de non-conformité (soit CDI + CDE) résultant de l'investissement de l'ensemble des coûts de conformité CP + CE est supérieur à cet investissement. Puisque les coûts de la qualité représentent tous les coûts (CQ), il en résulte une diminution des coûts totaux de la qualité. En d'autres mots, les coûts totaux de la qualité (soit CQ = (CP + CE) + (CDI + CDE)) diminuent puisque la relation suivante existe (voir la figure 2) :

Coûts de conformité   <   Coûts de non-conformité
(CP + CE)   <   (CDI + CDE)

Par conséquent, les entreprises ont tout avantage à investir dans leur coûts de conformité.

Les coûts de la qualité (coûts de prévention, d'évaluation, de défaillances internes et externes) bien qu'enregistrés sont souvent, encore aujourd'hui, portés dans toute une variété de comptes avec un libellé qui n'évoque en rien la qualité. Le rôle du comptable devient alors primordial en matière de gestion des coûts de la qualité.

d.   *Présentation de l'information relative aux coûts de la qualité*

Comment et pourquoi divulguer les coûts de la qualité ? Une politique de regroupement et de présentation des coûts de la qualité est essentielle si une organisation souhaite les améliorer et les contrôler. La première étape à réaliser pour y parvenir consiste à dresser une liste énumérant et classifiant les divers coûts de la qualité d'ores et déjà comptabilisés dans divers comptes. Cette liste permettra, dans un premier temps, de visualiser l'ampleur et la distribution de ces coûts pour chacune des catégories décrites précédemment. Dans un second temps, la liste permettra de divulguer l'information relative à ces coûts aux diverses personnes intéressées.

Les rapports portant sur les coûts de la qualité peuvent prendre plusieurs formes. Ces derniers peuvent être exprimés en pourcentage du chiffre d'affaires, qui, selon les experts de la qualité, ne devrait pas excéder 2,5 %. Les entreprises qui envisagent de diminuer les coûts de la qualité afin d'atteindre cet objectif devront toutefois s'assurer que cette diminution se réalise grâce à une amélioration de la qualité. Une réduction des coûts sans amélioration de la qualité peut s'avérer une stratégie dangereuse, voire désastreuse pour une entreprise.

Des renseignements additionnels peuvent aussi être transmis dans les rapports portant sur les coûts de la qualité. Ainsi, la part relative à chaque catégorie de coûts de la qualité par rapport à l'ensemble de ces coûts s'avérera des plus utiles. Les gestionnaires constateront ainsi l'évolution de chaque catégorie et, subséquemment, détermineront le montant qui devrait être dépensé dans chacune d'elles.

Les gestionnaires attachés à la vision moderne des coûts de la qualité (voir la figure 2) pourront tirer un double avantage, à savoir la diminution du niveau de non-conformité et la diminution des coûts totaux de la qualité. Ce niveau optimal de non-conformité est le niveau du *zéro défaut*. En tentant de l'atteindre, les gestionnaires découvriront l'avantage qu'offre la gestion des coûts de la qualité. Les entreprises qui augmenteront leurs coûts de prévention et d'évaluation verront leurs coûts de défaillances internes et externes diminuer davantage. La qualité de leurs produits étant améliorée, elles pourront éventuellement réduire leurs coûts de prévention et d'évaluation. Il en résultera une réduction permanente de toutes les catégories de coûts de la qualité.

Pour illustrer cette gestion, prenons l'exemple d'une entreprise qui décide de poursuivre une démarche sur la qualité. Parmi les nombreuses décisions que ses gestionnaires auront à prendre au cours de l'implantation, mentionnons celle de la sélection des fournisseurs qui satisferont à certains standards de qualité. Il faudra donc analyser les dossiers des fournisseurs, les contacter, négocier ; les coûts pour ce faire seront des coûts de prévention. Comme nous le verrons dans la prochaine section, une façon de s'assurer de la qualité est de demander aux fournisseurs un audit qualité.

Lorsque le programme qualité sera pleinement établi, il mettra en évidence la réduction des coûts de défaillances internes et externes subséquentes aux investissements en prévention et en évaluation. Dès que les économies de coûts de non-conformité seront établies, l'entreprise pourra économiser sur certains coûts de conformité ; par exemple, l'inspection des matières premières pourra être réduite, voire éliminée, si un audit du fournisseur est exigé. En bout de ligne, il en résultera une réduction de tous les coûts de la qualité, y compris les coûts de conformité, et une qualité de conformité améliorée. Toutefois, même si l'objectif du zéro défaut est atteint et que les coûts de la qualité sont contrôlés, jamais une entreprise n'éliminera totalement ces derniers. Les coûts de prévention et d'évaluation seront réduits, mais subsisteront. Rappelons qu'à leur niveau minimum, les coûts de la qualité devraient, selon les experts en qualité, représenter 2,5 % du chiffre d'affaires.

Comme l'exemple précédent le montre, l'information sur les coûts de la qualité est utile pour les décisions et l'évaluation de l'implantation d'une démarche relative à la qualité. Cependant, la présentation de cette information n'a sa raison d'être que si cette dernière améliore et facilite la planification, le contrôle et la prise de décision. De nombreux auteurs insistent sur son importance dans la prise de décision stratégique.

La présentation de l'information portant sur les coûts de la qualité n'est toutefois pas suffisante pour s'assurer du contrôle des coûts. Un contrôle approprié requiert l'établissement d'objectifs (standards) et une mesure des résultats afin de permettre un suivi de la performance et la prise d'actions correctives s'il y a lieu ; les rapports des coûts de la qualité suggérés précédemment comportent ces deux éléments essentiels. Tout écart des résultats obtenus par rapport aux résultats attendus peut être utilisé pour évaluer la performance des gestionnaires et signaler les problèmes possibles.

Comment ces coûts de la qualité varient-ils ? Sont-ils fixes ou variables ? La réponse dépend de la nature des coûts. Certains varient avec le chiffre d'affaires et sont de ce fait variables. D'autres ne varient pas avec le chiffre d'affaires et sont, par le fait même, fixes. Il est important de classer les coûts de qualité en coûts variables ou fixes si on désire que les rapports sur la performance soient utiles. Pour les coûts variables, l'amélioration de la qualité se traduira par une diminution des ratios des coûts variables. Les ratios d'une période à l'autre seront comparés afin de quantifier le montant d'économies réalisées (ou d'augmentations subies) sur les coûts. Les ratios actuels et budgétés peuvent aussi être comparés pour surveiller la progression vers les objectifs de la période. Pour les coûts fixes, les améliorations de la qualité seront mieux appréciées en exprimant les écarts de ces coûts en dollars absolus ; les coûts fixes seront évalués en comparant les montants réellement dépensés et les montants initialement budgétés.

Pour plusieurs entreprises, l'objectif du zéro défaut constitue un but à long terme. L'atteinte de cet objectif est évidemment reliée à la maîtrise des processus et à la réduction de la non-conformité, et, par conséquent, à la réduction des coûts de la qualité. Cet objectif du zéro défaut est aussi fortement dépendant de la qualité fournie par les fournisseurs, ce qui fait l'objet de la prochaine section.

C.   Les audits qualité

Pour la plupart des entreprises, le coût des matériaux et des services achetés à l'externe constitue une part importante du coût des produits. Par conséquent, toute entreprise désirant atteindre un objectif à long terme touchant la qualité devra impliquer ses fournisseurs dans sa démarche. Une façon de sensibiliser les fournisseurs est de leur demander d'obtenir un audit qualité.

a.   *Définition et types d'audit qualité*

Un audit qualité est un examen systématique et documenté d'une activité et de ses résultats, lesquels seront évalués en fonction du respect ou non d'exigences précises. Cet examen donne une image précise de l'efficacité des activités portant sur la qualité. L'audit soulignera les points faibles, suscitera des mesures d'amélioration et permettra le suivi vers la réussite.

L'audit peut être interne ou externe. Lorsqu'il est effectué par des membres du personnel, il s'agit d'un audit interne. Par exemple, une entreprise peut s'évaluer elle-même par rapport aux normes ISO. En procédant à des audits internes, une entreprise peut ainsi se créer une image positive pour le client actuel ou potentiel. Ces audits internes permettent aussi d'éviter les désagréables surprises que peut réserver un audit externe.

L'audit peut donc aussi être externe. Par exemple, un client peut effectuer un audit de son fournisseur. Cette tâche devient toutefois lourde pour celui qui doit le faire pour plusieurs fournisseurs. En pareil cas, l'audit peut être réalisé par une tierce partie, par exemple une entreprise externe reconnue, ce qui, d'un point de vue juridique, est évidemment meilleur.

Les audits, qu'ils soient internes ou externes, portent soit sur les produits, soit sur les processus (méthodes), soit sur les systèmes. L'*audit de produit* est un contrôle *a posteriori* qui consiste à examiner un petit nombre de produits finis et à juger s'ils sont conformes aux spécifications prédéterminées. L'analyse statistique de petits échantillons peut révéler l'existence de défauts, les concentrations de défauts et dégager les tendances de qualité à long terme. L'audit de produit permet aussi de classer les défauts en défauts critiques, majeurs et mineurs. Un *défaut critique* met en danger l'utilisateur (des dommages corporels demeurent possibles) ou le bon fonctionnement du produit. Un *défaut majeur* risque de rendre le produit partiellement ou totalement inutilisable, alors que le *défaut mineur* risque de rendre le produit un peu moins utilisable s'il s'écarte de ses spécifications initiales.

L'*audit de processus* consiste à examiner l'efficacité des processus en usage dans l'entreprise. En effectuant un audit de processus, une entreprise vise à améliorer ses processus en mettant en particulier l'accent sur la découverte des causes des défauts plutôt que des défauts eux-mêmes. L'audit de processus permet donc d'évaluer le risque de dysfonctionnement des processus observés et d'analyser leur capacité opération-nelle.

L'*audit de système*, lui, consiste à évaluer l'efficacité et le bon fonctionnement d'éléments distincts ou de l'ensemble du système de gestion de la qualité d'une entreprise. Lorsqu'une entreprise demande à un organisme d'enregistrement neutre d'examiner son système de gestion de la qualité, on lui délivre, s'il y a lieu, un certificat d'enregistrement (connu aussi sous le nom certification) pour indiquer que l'entreprise se conforme aux exigences des normes de la série ISO 9000. Maintenant, explorons davantage ces normes ISO.

b.   Les normes de la série ISO 9000

L'International Standards Organization (dont l'acronyme est ISO) est un orga-nisme international spécialisé dans la normalisation. En 1979, il créa le Comité tech-nique ISO/TC 176 à qui il a confié le mandat d'élaborer et de tenir à jour les normes de la série ISO 9000 relatives à la qualité, lesquelles sont reconnues au niveau national et international. Ce qui nous amène à distinguer entre la version des normes de la série ISO 9000 publiée le 15 décembre 2000 et la version précédente, soit celle de 1994. Mentionnons au préalable que les entreprises ayant un système de management de la qualité enregistré conformément à des exigences de la série ISO 9000 version 1994 ont jusqu'à décembre 2003 pour satisfaire aux exigences de la version 2000.

La version 1994 des normes de la série ISO 9000

Un aperçu d'un certain nombre de ces normes est présenté au tableau 5. La norme ISO 9000-1 et les normes ISO 9004-1/2/3 avaient été élaborées pour servir de lignes directrices; elles ne comportaient aucune exigence obligatoire. Les normes ISO 9001, ISO 9002 et ISO 9003 définissaient quant à elles des exigences obligatoires en matière d'enregistrement. En effet, selon les domaines d'activité qu'englobait le sys-tème de gestion de la qualité d'une entreprise, cette dernière devait, aux fins de l'en-registrement de son système de gestion de la qualité, répondre aux exigences de ces trois normes.

TABLEAU 5
Des normes de la série ISO 9000 – version 1994

Modèles pour l'assurance qualité

ISO 9001 :   En conception, développement, production, installation et prestations associées (ce modèle devait être utilisé lorsqu'on devait prévenir la non-conformité à toutes les étapes de conception, développement, production, installation et prestations associées).

ISO 9002 :   En production, installation et prestations associées (ce modèle devait être utilisé lorsqu'on désirait prévenir la non-conformité durant les étapes de production, d'installation et de prestations associées).

ISO 9003 :   En contrôle et essais finals (ce modèle devait être utilisé lorsqu'on voulait s'assurer de la conformité aux spécifications durant les étapes de contrôle et d'essais finals seulement).

Des guides de gestion de la qualité et éléments de systèmes qualité

ISO 9000-1 : Concepts qualité utilisés et sélection des modèles de systèmes qualité ISO 9001, ISO 9002 et ISO 9003.

ISO 9004-1 :   Gestion de la qualité et éléments d'un système qualité en entreprise.

ISO 9004-2 :   Gestion de la qualité et éléments d'un système qualité des services.

ISO 9004-3 :   Gestion de la qualité et éléments d'un système qualité des matériaux transformés.

La norme ISO 9001 de la version 1994 énonçait des exigences pour un système qualité qui portaient sur les activités allant de la conception jusqu'aux prestations associées.

Comme l'indique également le tableau 5, la norme ISO 9002, norme médiane, était similaire à la norme ISO 9001, sauf qu'elle ne considérait pas l'activité de conception alors que la norme ISO 9003, la moins exigeante des trois, ne considérait pas, outre l'activité de conception, d'autres activités.

En résumé, le tableau 5 indique bien que le champ de couverture des exigences obligatoires s'agrandissait lorsqu'on passait de la norme ISO 9003 à la norme ISO 9002, et de la norme ISO 9002 à la norme ISO 9001. Selon cette version 1994, comment faisait-on un choix entre l'enregistrement 9001, 9002 et 9003 ? Si l'entreprise intéressée réalisait la conception de ses produits, elle devait viser l'enregistrement ISO 9001. Par contre, si l'entreprise faisait seulement de la production en s'en remettant à d'autres pour la conception, alors l'enregistrement ISO 9002 était suffisant. Enfin, si l'entreprise ne faisait ni conception, ni production, l'enregistrement ISO 9003 convenait car elle se limitait à la qualité des produit finis.

La version 2000 des normes de la série ISO 9000

Disons d'abord que le noyau de la version 2000 des normes de la série ISO 9000 ne comporte que quatre normes, soit ISO 9000, ISO 9001, ISO 9004 et ISO 19011.

La norme ISO 9000, « Systèmes de gestion de la qualité : principes essentiels et vocalulaire », remplace les normes ISO 8402 et ISO 9000-1 de la version 1994. La nouvelle norme ISO 9001, « Systèmes de gestion de la qualité : exigences » (voir tableau 6), remplace quant à elle les normes ISO 9001, ISO 9002 et ISO 9003 de la version 1994.

TABLEAU 6
Principaux éléments couverts dans la norme ISO 9001 – version 2000

4) Sytème de gestion de la qualité
    4.1) Exigences générales
    4.2) Exigences générales relatives à la documentation

5) Responsabilités de la direction
    5.1) Engagement de la direction
    5.2) Écoute du client
    5.3) Politique qualité
    5.4) Planification
    5.5) Responsabilité, autorité et communication
    5.6) Revue de direction

6) Gestion des ressources
    6.1) Mise à disposition des ressources
    6.2) Ressources humaines
    6.3) Infrastructures
    6.4) Environnement de travail

7) Réalisation du produit
    7.1) Planification des processus de réalisation du produit
    7.2) Processus relatifs aux clients
    7.3) Conception et développement
    7.4) Achats
    7.5) Production et préparation du service
    7.6) Maîtrise des dispositifs de surveillance et de mesure

8) Mesure, analyse et amélioration
    8.1) Généralités
    8.2) Surveillance et mesure
    8.3) Maîtrise du produit non conforme
    8.4) Analyse des données
    8.5) Amélioration

De même, la nouvelle norme ISO 9004, « Systèmes de gestion de la qualité : lignes directrices pour l'amélioration des performances », remplace les normes ISO 9004-1, ISO 9004-2 et ISO 9004-3 également de la version 1994.

La quatrième norme de base, soit ISO 19011, « Lignes directrices relatives aux audits de systèmes de gestion qualité et/ou environnemental », remplace les normes ISO 10011-1/2/3 et trois normes d'audits de la série ISO 14000. Ces lignes directrices pourront servir, entre autres, aux fins de l'implantation et de l'enregistrement combinés des systèmes de gestion qualité et environnemental.

En somme, la version 2000 des normes de la série 9000 comprend un nombre sensiblement réduit de textes. Elle est de ce fait d'un accès plus facile que ne l'était la version 1994.

De plus en plus d'entreprises nord-américaines obtiennent leur enregistrement ISO. Une des raisons est évidente : cela devient un impératif commercial. En effet, bien que l'enregistrement ISO ne soit pas juridiquement obligatoire pour vendre sur les marchés étrangers, il devient un outil avantageux dans la concurrence. Il favorise un partenariat entre une entreprise et ses fournisseurs, partenariat essentiel, entre autres, pour celle qui envisage l'approche juste-à-temps comme mode de production.

2.   L'APPROCHE DE PRODUCTION JUSTE-À-TEMPS

La globalisation et la libéralisation des marchés ont amené un accroissement de la concurrence. Pour assurer leur survie, plusieurs entreprises d'envergure mondiale ont misé sur une approche de production dite du juste-à-temps (JAT). Cette section aborde les points suivants : les principes sous-jacents au JAT, les approches comparées de production juste-à-temps et traditionnelle et l'impact du JAT sur la comptabilité.

A.   Les principes sous-jacents au juste-à-temps

L'approche de production juste-à-temps vise essentiellement l'élimination du gaspillage et par le fait même la réduction des coûts. Dans les opérations manufacturières, le *gaspillage* correspond à tout ce qui dépasse le minimum d'espace, de matériel et d'heures de travail nécessaire pour fabriquer un produit. En d'autres mots, *tout* ce qui n'apporte pas de *valeur* au produit fini est considéré comme du gaspillage. Plus on élimine le gaspillage, plus on pourra diminuer le délai global, réduire les coûts, améliorer la qualité des produits et la productivité.

Les dix grands principes suivants servent d'assise au JAT pour éliminer le gaspillage.

1) Réduction du délai global

Le délai global d'une tâche de fabrication correspond au temps qui s'écoule entre la réception de la commande et la livraison du produit fini. Il s'agit, dans le cas d'une entreprise manufacturière, de la somme des temps
- de mise en course,
- de fabrication réelle (temps d'exécution),
- de transit d'un atelier à l'autre,
- de stockage,
- de transport.

La réduction du délai global est considérée comme l'élément clé du JAT : le délai global dont dispose un manufacturier devrait être tout simplement égal au temps d'exécution (soit le temps de production). Tout temps additionnel est vu comme un gaspillage.

2) Réduction des stocks à un strict minimum

Les tenants du JAT affirment que la présence de stocks dans l'approche traditionnelle est le symptôme de l'existence de problèmes. Rappelons que, dans l'approche traditionnelle, des stocks sont constitués dès que la production excède la demande. De plus, des stocks de sécurité ont dû avoir été constitués pour rencontrer une demande supérieure à la production. D'une façon ou d'une autre, les niveaux de stocks sont plus élevés dans un « système qui pousse la production » que dans un « système tiré par la demande ».

Le JAT, lui, accroît la fiabilité de l'approche de production (donc élimine les problèmes de surcapacité ou d'insuffisance de production) grâce à un synchronisme parfait. Ce faisant, l'entreprise tente d'éliminer toute constitution de stocks.

3) Synchronisation de tous les processus de production au rythme de la demande des clients

Dans le système juste-à-temps, le produit est fabriqué seulement s'il est demandé par les clients et uniquement dans les quantités requises par ceux-ci.

4) Utilisation du rythme de la demande pour stimuler la production

Aujourd'hui, la plupart des entreprises « poussent la production » vers le marché ; il s'agit d'une approche à flux tendu. Le JAT, lui, est un système « tiré par la demande » ; il s'agit d'une approche à flux tiré.

5) Réduction de la taille des lots

Selon le mode traditionnel d'organisation de la production, on établit la taille optimale des lots en fonction de différents facteurs, notamment les frais occasionnés, le temps de stockage et la demande de la période. En général, la taille dite optimale des lots correspond à des lots de production assez importants. Les exigences du JAT relativement à la réduction des stocks et du travail en cours requièrent une production plus fréquente et en plus petits lots.

6) Réduction des temps de changement et d'installation des machines

La souplesse de la production requise par le JAT a aussi pour effet de réduire significativement le temps consacré à l'installation et à l'ajustement des machines.

7) Assurance absolue de la qualité

Il est indispensable que seules les pièces parfaites soient transférées à l'étape de fabrication suivante si on veut être sûr que le processus de fabrication est irréprochable. Les rejets et rebuts sont du gaspillage ; le JAT ne les tolère pas et exige une assurance absolue de la qualité. Cette dernière peut être atteinte grâce à un système automatique de détection des défauts. Pour y arriver, il faut toutefois considérer l'ensemble du processus de travail dans l'entreprise et le potentiel de tous les employés, en particulier celui des opérateurs de machines.

8) Élimination de toute forme de reprise

Avoir à retoucher ou réusiner des produits représente un gaspillage ; le JAT vise à éliminer le gaspillage sous toutes ses formes. Avec le JAT, il faut bien faire dès la première fois !

9) Assignation des familles de produits à des cellules spécifiques

Le JAT implique l'assignation d'une même famille de produits aux mêmes travailleurs, pour permettre de réaliser des économies. Le concept de groupe auto-dirigé (partiellement autonome) est utilisé dans le JAT.

10) Établissement et développement d'ententes avec les fournisseurs

Un élément clé dans l'implantation du JAT est la relation entre une entreprise et ses fournisseurs. Ces derniers doivent, entre autres, s'engager à faire des livraisons de produits plus fréquentes, en plus petites quantités, avec la meilleure qualité de conformité. La certification ISO, rappelons-le, favorise le partenariat avec les fournisseurs.

B.   Comparaison entre l'approche juste-à-temps et l'approche traditionnelle

Le JAT met l'accent sur l'amélioration continue de la qualité en réduisant, notamment, les coûts de détention de stocks. La réduction des stocks qui en résulte libère du capital qui peut être utilisé pour d'autres investissements. De plus, l'accroissement de la qualité qu'entraîne le JAT améliore la position concurrentielle de l'entreprise. Le passage d'une approche manufacturière traditionnelle à une approche JAT permet donc à l'entreprise de mettre plus l'accent sur la qualité et la productivité.

De façon générale, l'approche JAT diffère de l'approche manufacturière traditionnelle sur plusieurs aspects. Rappelons que le JAT est une approche à flux tiré, alors que l'approche de production traditionnelle est à flux tendu. L'objectif du JAT est donc de produire uniquement sur demande du client et seulement dans les quantités dont il a besoin. La demande *tire* dans tout le processus manufacturier ; chaque opération d'un processus ne produit donc que ce qui est nécessaire pour satisfaire à la demande de l'opération suivante. Aucune production ne commence avant d'avoir reçu un signal de l'opération suivante, signal indiquant un besoin de produire. Ce signal se nomme *Kanban*, terme emprunté au japonais et qui signifie *carte* ou *enseigne*. De la même manière, les matériaux et pièces arrivent juste à temps dans la production.

Le JAT se distingue en particulier de l'approche manufacturière traditionnelle par les trois éléments suivants :

1) Cellules manufacturières et main-d'œuvre interdisciplinaire

Dans le mode traditionnel d'organisation de la production, les produits vont d'un groupe de machines identiques à un autre groupe de machines identiques. De façon générale, les machines réalisant le même type d'opération sont regroupées dans une aire appelée l'atelier. Les travailleurs qui y sont assignés sont les spécialistes de ces machines.

Le JAT remplace ce mode d'organisation traditionnelle par des cellules manufacturières, lesquelles contiennent et regroupent les machines nécessaires à la production d'un produit (ou famille de produits similaires). Les produits vont d'une machine à l'autre de façon à réaliser une chaîne ininterrompue d'opérations. Les travailleurs affectés à une cellule sont formés pour faire fonctionner toutes les machines qui s'y trouvent. Par conséquent, la main-d'œuvre est interdisciplinaire, et n'est pas confinée à une spécialisation. Chaque cellule manufacturière peut être considérée comme une mini-manufacture dans une manufacture.

2) La philosophie de la maîtrise totale de la qualité

Le JAT ne peut être implanté sans que l'entreprise ne s'engage pleinement dans la voie de la maîtrise totale de la qualité (MTQ), qui représente une quête continue vers une qualité parfaite et un processus manufacturier sans défaut. La mauvaise qualité ne peut tout simplement pas être tolérée dans un environnement où l'entreprise est censée opérer sans stocks, et tout défaut occasionnera un arrêt de la production. Cette approche s'oppose évidemment à la pratique traditionnelle selon laquelle on tolère un certain niveau acceptable de défauts (pour autant que celui-ci n'excède pas un niveau prédéterminé).

3) Décentralisation des services

Le JAT exige un accès rapide et facile aux services de soutien ; pour ce faire, on doit réduire le nombre de service centralisés et réaffecter leur personnel vers les activités de production. Par exemple, le JAT requiert plusieurs endroits où la matière première doit être disponible, soit là où elle sera utilisée ; l'entreposage central n'a plus sa raison d'être puisqu'il nuit à l'efficacité de la production.

Les différences essentielles entre les approches juste-à-temps et traditionnelle peuvent se résumer comme suit :

	Approche JAT	Approche traditionnelle
Production	tirée par la demande	poussée à la demande
Stocks	peu importants, voire éliminés	importants
Organisation du travail	cellule manufacturière	structure départementale
Main-d'œuvre	multidisciplinaire	spécialisée
Vision de la qualité	maîtrise totale de la qualité	niveau acceptable de la qualité
Services	décentralisés	centralisés

C.   La comptabilité et l'approche juste-à-temps

Le passage du mode traditionnel d'organisation de la production au juste-à-temps a des impacts sur la comptabilité de management. L'attribution des coûts, l'exactitude des coûts des produits, les coûts directs de la main-d'œuvre, l'évaluation des stocks, comme nous l'expliquerons dans les prochaines sous-sections, sont tous affectés par ce changement.

a.   Le juste-à-temps et l'attribution des coûts

Les cellules manufacturières, la main-d'œuvre interdisciplinaire et le décloisonnement des services jusque-là centralisés caractérisent l'environnement juste-à-temps. Ces caractéristiques influent sur l'attribution des coûts au produit.

Dans le mode traditionnel d'organisation de la production, le produit peut nécessiter des opérations dans plus d'un atelier. Chacun d'eux est affecté à des opérations spécialisées et plusieurs types de produits peuvent y passer simultanément. Par conséquent, un certain nombre de coûts relatifs à un atelier sont communs à tous les produits ayant passé par l'atelier et doivent de ce fait leur être répartis en fonction d'un critère d'attribution déterminé ; il ne s'agit donc pas d'une attribution *directe*. Dans le JAT, chaque produit passe par sa propre cellule. Tout le matériel nécessaire à la production d'un produit est installé dans une même cellule. Comme chaque cellule travaille à la fabrication d'un seul produit (ou d'une seule famille de produits), les coûts sont *directement* identifiables au produit (ou à la famille de produits).

Par exemple, l'amortissement du matériel installé auparavant dans les ateliers devient, à la suite de la réorganisation en cellules manufacturières dans le cadre du JAT, un coût directement identifiable à des produits donnés. Ce passage au JAT fera également en sorte que les coûts d'entretien et de maintenance deviendront directement attribuables à des produits donnés puisque les travailleurs sont formés pour réaliser leur travail et faire les ajustements et l'entretien de tout le matériel se trouvant dans la cellule manufacturière. Le tableau suivant montre la transformation de certains coûts indirects en coûts directs lorsqu'il y a passage du mode traditionnel d'organisation de la production au JAT.

Exemples	Coûts directs	Coûts indirects
Main-d'œuvre directe	TRAD et JAT	
Matières premières	TRAD et JAT	
Manutention des matières premières	JAT	TRAD
Réparations et maintenance	JAT	TRAD
Énergie	JAT	TRAD
Supervision	JAT	TRAD
Taxes et assurances		TRAD et JAT
Amortissement de l'immeuble		TRAD et JAT
Amortissement des machines	JAT	TRAD

Légende : JAT : approche juste-à-temps. TRAD : approche traditionnelle.

b. Le juste-à-temps et l'exactitude des coûts des produits

Comme nous l'avons vu dans la section précédente, les coûts indirects sont abaissés dans un environnement JAT. Ils se rapportent à plusieurs produits et doivent, par conséquent, être assignés à ces produits en utilisant des inducteurs de coûts (unités d'œuvre) et des coefficients d'imputation. En réduisant le nombre de coûts indirects, le JAT réduit la difficulté et l'imprécision de l'imputation, ce qui permet d'établir pour chacun des produits des coûts de production davantage appropriés pour la prise de décision. Les gestionnaires ont donc une image plus exacte des coûts relatifs à chacun des produits fabriqués.

c.   Le juste-à-temps et les coûts directs de la main-d'œuvre

Au fur et à mesure qu'une entreprise implante le JAT, les coûts directs traditionnels diminuent de façon significative, étant donné que la main-d'œuvre devient
multidisciplinaire et, surtout, que l'entreprise recourt de plus en plus à l'automatisation.

d.   Le juste-à-temps et l'évaluation des stocks

Dans le cas où l'acquisition de matières premières et la production s'effectuent
vraiment juste-à-temps, l'évaluation des stocks perd de son importance puisque les stocks
de matières premières et de produits finis doivent être théoriquement nuls. Toutefois,
l'existence d'en-cours à la fin d'un exercice demeure vraisemblable puisque le temps
de fabrication peut être plus ou moins long.

Ajoutons cependant que le JAT ne libère pas toujours l'entreprise de l'obligation d'évaluer les stocks à la fin d'un exercice et d'en rendre compte ; il a toutefois
le mérite de permettre des évaluations davantage appropriées.

e.   La comptabilisation en fabrication JAT

En tenant pour acquis que les coûts de main-d'œuvre directe sont si peu élevés
qu'il est justifié de les traiter comme des frais indirects de fabrication, voici ce qui
pourrait caractériser, dans bien des cas, le jeu des écritures de journal d'une entreprise
manufacturière.

a) *Achat de matières premières*

Matières et en-cours	XX	
Comptes fournisseurs		XX

En procédant ainsi, on n'utilise plus de compte Stock de matières pour ce qui
est des matières premières. Les matières premières non transformées et les en-cours
ne font qu'un.

b) *Utilisation de matières premières*

(aucune écriture)

c) *Imputation des frais indirects de fabrication (y compris les coûts de main-d'œuvre directe)*

Coûts des produits vendus	XX	
Frais indirects de fabrication imputés		XX

d) *Livraison de produits finis*

Coût des produits vendus	XX	
Matières et en-cours		XX

e) *Ajustement de fin de période au sujet des frais indirects de fabrication qu'il y a lieu d'imputer aux en-cours en stock à la fin*

Matières et en-cours	XX
Coût des produits vendus	XX

3. L'AVÈNEMENT DES TECHNOLOGIES MANUFACTURIÈRES AUTOMATISÉES

Il n'est pas rare qu'une firme optant pour le JAT poursuive sa démarche en ayant recours à des technologies manufacturières de pointe, donc qu'elle envisage l'automatisation. Les entreprises s'automatisent pour diverses raisons, notamment pour :
1) diminuer les coûts de main-d'œuvre, de matériaux, de possession de stocks, et ceux relatifs à la mauvaise qualité ;
2) améliorer la capacité productive et la productivité ;
3) diminuer le délai global et le délai d'exécution ;
4) améliorer la qualité et les caractéristiques des produits ;
5) augmenter la variété des produits.

Bref, les entreprises ont recours à l'automatisation pour mieux faire face à la concurrence.

Avant de s'automatiser, l'entreprise doit simplifier au maximum son processus de production. L'automatisation suit habituellement le JAT pour répondre au besoin croissant de qualité et de rapidité de temps de réponse. Il existe trois niveaux d'automatisation :
1) l'automatisation d'une machine seule ;
2) l'automatisation d'une cellule manufacturière ;
3) l'automatisation de l'ensemble des cellules manufacturières d'une usine tout entière.

Le *premier niveau* d'automatisation consiste à utiliser des machines à commande numérique informatisée (CNI). Dans ce cas, les diverses activités d'un processus sont exécutées par une machine-outil contrôlée par ordinateur. L'automatisation d'une machine-outil devient un peu plus sophistiquée si elle comporte le changement automatique des outils : nous avons alors affaire à un centre d'usinage. Lorsque l'automatisation d'un matériel amène la substitution complète de tâches répétitives et manuelles, nous parlons de robotisation.

Le *deuxième niveau* d'automatisation embrasse toute une cellule manufacturière. Dans ce cas, tout le matériel de la cellule est contrôlé par ordinateur. On réalise donc une fabrication assistée par ordinateur (FAO). Le système de production flexible est un exemple de ce deuxième niveau d'automatisation. Ce système permet de fabriquer, du début à la fin, les produits d'une même famille en utilisant des robots et d'autres formes de machines automatisées sous le contrôle d'un ordinateur central. Les systèmes de production flexible équivalent à des cellules JAT automatisées. Un tel système, qui permet de fabriquer une grande variété de produits en se servant des mêmes machines, est évidemment très avantageux.

Enfin, dans le cas du *troisième niveau*, plusieurs cellules peuvent coexister et l'automatisation s'étend alors à toute l'entreprise ; il s'agit de la productique ou de la fabrication intégrée à l'aide de l'ordinateur (FIO). Le FIO est une version automatisée de tout le processus et comprend les éléments suivants :

- une conception assistée par ordinateur (CAO) ;
- une ingénierie assistée par ordinateur (IAO) qui est utilisée pour évaluer et tester les caractéristiques du produit ;
- une fabrication assistée par ordinateur (FAO) ;
- un système d'information reliant les diverses composantes automatisées.

Les avantages du FIO résident essentiellement dans une conception, une productivité et une qualité accrues, des stocks réduits et des économies d'espace et de matières. Ces avantages tiennent avant tout au fait qu'il y a intégration de toutes les technologies mentionnées précédemment.

L'automatisation a aussi un impact sur la comptabilité. Tout d'abord, les coûts sont plus facilement attribuables aux produits concernés ; par exemple, dans le cas d'un système de production flexible, plusieurs coûts classés auparavant comme indirects dans le mode traditionnel d'organisation de la production deviennent des coûts directs. De plus, le contrôle par ordinateur permet de mesurer les coûts de façon plus exacte et rapide. Enfin, l'information est disponible en temps réel, ce qui améliore le contrôle des coûts de production

4. COMMUN DÉNOMINATEUR ENTRE L'AUTOMATISATION, LE JAT ET LA MAÎTRISE STATISTIQUE DES PROCESSUS

Dans ce chapitre, de nombreux concepts ont été abordés. Cette dernière sous-section vise à faire ressortir le caractère complémentaire, en termes de recherche de la qualité, de trois de ces concepts : la maîtrise statistique des processus (MSP), le juste-à-temps (JAT) et la fabrication intégrée à l'aide de l'ordinateur (FIO), et ce, en présentant de façon comparative les objectifs spécifiques (voir tableau 7) des principaux sous-systèmes d'un système global de la qualité.

TABLEAU 7

Objectifs des principaux sous-systèmes de la qualité

Sous-système	Objectif
Maîtrise statistique des processus (MSP)	Construire les limites de contrôle pour un processus afin d'identifier les causes de variations; il s'agit donc d'identifier les problèmes relatifs au processus considéré dans son ensemble; ainsi, la qualité et la productivité pourront être améliorées de façon continue.
Juste-à-temps (JAT)	Viser l'élimination du gaspillage et la poursuite constante de l'amélioration continue dans tout le processus. Il en résulte des réductions de stocks, de temps de production, des espaces nécessaires.
Fabrication intégrée à l'aide de l'ordinateur (FIO)	Viser une amélioration constante des produits et des processus en intégrant et automatisant toutes les fonctions de l'entreprise, y compris les fonctions productrices d'information (qui étaient traditionnellement isolées). Il en résulte des coûts réduits, des délais de mise en marché raccourcis, une qualité améliorée.

EXERCICES D'APPLICATION

EXERCICE 9-1

Identifier les nouvelles réalités de l'environnement manufacturier qui affectent la comptabilité de management traditionnelle.

EXERCICE 9-2

Quelle est la différence entre la qualité de conception et la qualité de conformité ? Expliquez.

EXERCICE 9-3

Définissez les quatre catégories de coûts de la qualité.

EXERCICE 9-4

Quelle est la différence entre les coûts de défaillances internes et les coûts de défaillances externes ? Expliquez et donnez quelques exemples.

EXERCICE 9-5

Quels sont les sept outils élémentaires en matière de qualité que les entreprises utilisent ? Quel est l'objectif commun de tous ces outils ?

EXERCICE 9-6

Pourquoi est-il important d'obtenir la certification ISO 9000 ?

EXERCICE 9-7

Quelle différence essentielle existe-t-il entre le diagramme de Pareto et le diagramme causes-effet ?

EXERCICE 9-8

Quel est l'objectif de l'approche de production juste-à-temps ?

■■■ EXERCICE 9-9

Quels sont les principes sous-jacents au JAT ?

■■■ EXERCICE 9-10

Expliquez en quoi l'approche de production du JAT diffère de l'approche traditionnelle ?

■■■ EXERCICE 9-11

Quels sont les impacts de l'approche juste-à-temps sur la comptabilité ?

■■■ EXERCICE 9-12

Quels sont les différents niveaux d'automatisation possibles ? Quel est l'impact de l'automatisation sur la comptabilité ?

■■■ EXERCICE 9-13

ON DEMANDE

De choisir la meilleure réponse pour chacun des points 1 à 9 suivants :

1. Selon le JAT, le délai global relatif à une commande passée chez un manufacturier devrait correspondre
   a) à la somme des temps de fabrication réelle, de transit d'un atelier à l'autre, de stockage et de transport ;
   b) à la somme des temps de mise en course, de fabrication réelle, de transit d'un atelier à l'autre, de stockage et de transport ;
   c) à la somme des temps de mise en course, de fabrication réelle, de transit d'un atelier à l'autre et de transport ;
   d) à la somme des temps de mise en course, de fabrication réelle et de transit d'un atelier à l'autre ;
   e) au temps de fabrication réelle.

2. Pour l'entreprise manufacturière qui passe au JAT et dont les coûts de main-d'œuvre directe sont très peu élevés, la tenue des livres implique obligatoirement l'utilisation
   a) d'un compte collectif Stock de matières ;
   b) d'un compte collectif Stock de produits en cours ;

c) des comptes collectifs Stock de matières et Stocks de produits finis ;

d) d'un compte collectif Matières et en-cours ;

e) d'un compte collectif Stock de produits finis.

3. L'inéquation qui devrait conduire à affirmer que la qualité est gratuite est

a) CP + CE > CDI + CDE

b) CP + CDI > CE + CDE

c) CP + CDI < CE + CDE

d) CE + CDI > CP + CDE

e) CP + CE < CDI + CDE

4. Lequel des énoncés suivants est fondé :

a) les coûts de la qualité sont tous fixes ;

b) les coûts de la qualité sont tous variables ;

c) certains coûts de la qualité sont fixes, alors que les autres sont variables ;

d) les coûts de la qualité sont tous des coûts discrétionnaires ;

e) les coûts de la qualité représentent toujours 2,5 % du chiffre d'affaires.

5. Concernant la version 1994 de la série ISO 9000, on peut affirmer des normes ISO 9001, ISO 9002 et ISO 9003 ce qui suit :

a) la plus exigeante était la norme ISO 9001 ;

b) la plus exigeante était la norme ISO 9002 ;

c) la plus exigeante était la norme ISO 9003 ;

d) les normes ISO 9001 et ISO 9002 étaient aussi exigeantes l'une que l'autre ;

e) les normes ISO 9001 et ISO 9003 étaient aussi exigeantes l'une que l'autre.

6. En principe, selon le JAT :

a) il ne devrait pas exister de stock de produits finis ;

b) il ne devrait exister ni stock de matières premières ni stock de produits finis ;

c) il ne devrait exister ni stock de matières premières ni stock de produits en cours ;

d) il ne devrait pas exister de stock de matières premières ;

e) il ne devrait exister ni stock de produits finis ni stock de produits en cours.

7. La gestion intégrale de la qualité consiste :

a) à effectuer un contrôle par inspection de la qualité que l'on étend à tous les produits fabriqués ;

b) à mener toutes les activités reliées à la qualité de façon à répondre aux attentes du client ;

c) à contrôler la qualité des produits fabriqués et la qualité des processus reliés à la fabrication ;

d) à s'intéresser autant à la qualité esthétique qu'à la qualité de conformité des produits ;

e) à recourir à la formation de cercles de qualité à tous les niveaux de la hiérarchie de l'entreprise.

8. Le diagramme d'Ishikawa est :
   a) un diagramme à colonnes ;
   b) un diagramme de corrélation ;
   c) un graphique de contrôle ;
   d) un graphique de proportionnalité ;
   e) un diagramme causes-effet.

9. Le FIO traduit un niveau technologique des instruments de production qui s'étend :
   a) à la conception seulement ;
   b) à l'ingénierie seulement ;
   c) à la conception et à l'ingénierie ;
   d) à la fabrication seulement ;
   e) à la conception, à l'ingénierie et à la fabrication.

■■■ EXERCICE 9-14

Au début de 20X8, une entreprise manufacturière a instauré un programme de gestion intégrale de la qualité. Ceci a conduit à la production du compte rendu suivant à la fin de 20X8.

	Sommaire des coûts de la qualité (en milliers de dollars)		Pourcentage de variation
	20X7	20X8	
Coûts de prévention	200 $	300 $	+ 50
Coûts d'évaluation	210	147	− 30
Coûts de défaillances internes			
Coûts des retouches	120	60	− 50
Coûts des rejets	72	54	− 25
Coûts de défaillances externes			
Coûts des garanties	1 200	621	− 48,3
	1 802 $	1 182 $	− 34,4
Coût total de production	9 000 $	10 000 $	+11,11

ON DEMANDE

d'indiquer, calculs à l'appui, si le programme de gestion intégrale de la qualité mis en place a été bénéfique à l'entreprise.

(Adaptation – C.M.A.)

▬▬ EXERCICE 9-15

Margo ltée est un fournisseur de pièces automobiles dont la fabrication est entièrement automatisée. Ces pièces de précision sont produites à partir de barres d'acier. Le stock moyen de barres d'acier que maintient la société s'élève à 600 000 $ et le coefficient de rotation de ce stock est de quatre au cours d'une année.

Jean Aubin, le président directeur général de l'entreprise, dit être préoccupé par les coûts de stockage. Il envisage l'adoption de la méthode juste-à-temps en matière d'approvisionnement de l'acier nécessaire. Il a alors demandé au contrôleur de l'entreprise d'étudier la faisabilité d'une telle méthode. Ce dernier a établi que l'adoption de la méthode aurait les effets suivants :

- Les ventes sacrifiées à la suite des ruptures de stock qui existeraient en l'absence d'heures supplémentaires seraient de 35 000 unités par année. Toutefois, si l'entreprise faisait appel à des heures supplémentaires pour atténuer cet effet, il lui en coûterait 40 000 $ en primes à verser. De plus, les heures supplémentaires possibles auraient uniquement pour effet de ramener les ventes sacrifiées à 20 000 unités.
- L'entrepôt servant présentement de lieu de stockage pour l'acier ne serait plus nécessaire. Cet entrepôt est loué à une autre société et le montant du loyer annuel est de 60 000 $.
- La prime d'assurance qui serait évitée annuellement s'élèverait à 10 000 $.

Les résultats prévus pour le prochain exercice, compte non tenu des effets de l'adoption de la méthode JAT, sont les suivants (en milliers de dollars) :

Chiffre d'affaires (900 000 unités)		10 800 $
Coût des produits vendus		
Variable	4 050 $	
Fixe	1 450	5 500
Bénéfice brut		5 300
Frais de vente et d'administration		
Variables	900	
Fixes	1 500	2 400
Bénéfice avant intérêts et impôt		2 900
Intérêts		900
Bénéfice avant impôt		2 000
Impôt sur le bénéfice (40 %)		800
Bénéfice net		1 200 $

ON DEMANDE

1. de tenir pour acquis que le rendement annuel sur les investissements à long terme s'élève à 12 % après impôt et de déterminer le montant du bénéfice ou de la perte qui se produirait au cours du prochain exercice et que l'on pourrait attribuer à la méthode JAT ;
2. d'énumérer et d'expliquer les conditions qui permettraient que l'implantation de la méthode JAT s'avère une réussite.

(Adaptation – C.M.A.)

■■■ EXERCICE 9-16

Une entreprise a établi le standard Quantité de matière première par produit en retenant la quantité moyenne de matière première utilisée par produit au cours des 32 derniers jours de travail. Elle a décidé de recourir à des graphiques dans le but de contrôler dorénavant les écarts.

Voici les statistiques pertinentes relatives à la consommation de matière première au cours de ces 32 jours de travail :

Jour	Quantité utilisée par produit	Jour	Quantité utilisée par produit
1	20	17	21
2	21	18	22
3	19	19	18
4	21	20	18
5	22	21	19
6	20	22	22
7	19	23	18
8	20	24	19
9	23	25	20
10	23	26	23
11	18	27	18
12	19	28	22
13	23	29	19
14	19	30	22
15	22	31	20
16	22	32	23

L'entreprise a donc fixé son standard à 20,5 unités de matière première par produit.

ON DEMANDE

de déterminer les valeurs des limites de contrôle en tenant pour acquis que l'entreprise a adopté la formule Standard ± 2 écarts types, et que l'écart type est déterminé à l'aide de la formule :

$$\sqrt{\frac{(X_i - \bar{X})^2}{n - 1}}$$

Des outils en matière de gestion et d'aide à la décision

. . . .

10 LA MÉTHODE DU COÛT VARIABLE ET LES ANALYSES COÛT-VOLUME-PROFIT ET VOLUME-PROFIT

11 LES DÉCISIONS ET LES ÉLÉMENTS FINANCIERS PERTINENTS SANS INCIDENCE SUR LES INVESTISSEMENTS

12 L'ANALYSE DES FRAIS DE VENTE

13 LES BUDGETS ANNUELS ET L'ANALYSE DES ÉCARTS SUR RÉSULTATS BUDGÉTÉS

14 LA COMPTABILITÉ PAR CENTRES DE RESPONSABILITÉ ET L'ÉVALUATION DU RENDEMENT DE CES DERNIERS ET DE LEURS TITULAIRES

15 L'OPTIMISATION DE L'ENSEMBLE COÛT-DÉLAI DANS LE PLANNING À CHEMIN CRITIQUE

16 L'ÉVALUATION DE LA RENTABILITÉ DES PROJETS D'INVESTISSEMENT ET DES RISQUES ENCOURUS

17 LA GESTION DES PRIX DE VENTE

. . . .

10 LA MÉTHODE DU COÛT VARIABLE ET LES ANALYSES COÛT-VOLUME-PROFIT ET VOLUME-PROFIT

Les méthodes de calcul du coût de revient que nous avons étudiées jusqu'à présent servent à déterminer le coût de revient complet. Le présent chapitre est consacré à l'étude d'une méthode de coût de revient partiel, soit la méthode du coût variable, et d'analyses classiques fondées sur un tel coût de revient partiel.

1. LES LIMITES DU COÛT DE REVIENT COMPLET

Le coût complet est un coût de revient qui englobe à la fois les coûts fixes et les coûts variables de fabrication. Des difficultés surgissent cependant dès qu'il s'agit d'incorporer au coût des produits les frais indirects de fabrication fixes ; ces obstacles sont dus au comportement même de ces frais face au volume de production. Ajoutons que les méthodes classiques de calcul du coût de revient complet résolvent plus ou moins bien ces difficultés.

Rappelons que, pour un exercice donné, les frais indirects de fabrication fixes à l'unité peuvent varier

1) suivant que l'on impute ou non les frais indirects de fabrication fixes aux produits (nous ne notons toutefois aucune différence lorsqu'il n'existe pas de surimputation ou de sous-imputation concernant ces frais fixes, ou lorsque la politique est de répartir celles-ci entre les stocks de produits en cours et de produits finis et le coût des produits vendus) ;

2) selon le concept de capacité utilisé dans le cas de l'imputation des frais indirects de fabrication, lorsque la pratique comptable consiste à comptabiliser les surimputations et les sous-imputations concernant les frais fixes comme résultats de l'exercice.

EXEMPLE

DONNÉES

- Total des frais indirects de fabrication fixes annuels : 180 000 $;
- Capacité prévue : 50 000 unités ;
- Capacité normale : 80 000 unités ;
- Capacité pratique : 90 000 unités ;
- Capacité théorique : 100 000 unités.

SOLUTION

Selon le concept de capacité choisi, les frais indirects de fabrication fixes à l'unité seraient les suivants, si les surimputations et les sous-imputations relatives aux frais fixes sont fermées au compte Coût des produits vendus ou au compte Sommaire des résultats.

- Capacité prévue (180 000 $/50 000) : 3,60 $
- Capacité normale (180 000 $/80 000) : 2,25 $
- Capacité pratique (180 000 $/90 000) : 2,00 $
- Capacité théorique (180 000 $/100 000) : 1,80 $

De plus, compte tenu du concept de capacité utilisé, les frais indirects de fabrication fixes à l'unité varieront plus ou moins souvent dans le temps si l'on suppose que les surimputations et les sous-imputations concernant les frais fixes sont passées au compte Coût des produits vendus ou au compte Sommaire des résultats. Ainsi, un coût unitaire déterminé selon la capacité annuelle prévue peut être modifié beaucoup plus souvent qu'un coût déterminé selon la capacité pratique.

Lorsqu'on emploie la méthode du coût de revient complet, l'ensemble des frais indirects de fabrication fixes passés en charges aux résultats de l'exercice, que ce soit uniquement au compte Coût des produits vendus ou à ce dernier et à des comptes d'écarts (ex. : sur volume, sur dépense), peut très bien être inférieur, supérieur ou exceptionnellement égal au montant des frais indirects de fabrication fixes engagés au cours de l'exercice.

Le problème posé réside essentiellement dans la difficulté d'interpréter les résultats obtenus dans le temps. Alors qu'on serait porté à croire que les résultats ne dépendent que du volume des ventes, en réalité il n'en est rien ; ces derniers sont habituellement fonction du volume des ventes et du volume de production. L'exemple suivant devrait permettre de saisir l'essentiel de ce problème.

EXEMPLE

DONNÉES

Le produit que fabrique une entreprise se vend 70 $, et les coûts variables unitaires (de fabrication, de vente et d'administration) s'élèvent respectivement à 35 $ et à 5 $; les frais annuels de vente et d'administration fixes se montent à 14 000 $ et les frais indirects de fabrication fixes sont de 40 320 $; les volumes de production, tant réels que prévus, et de vente relatifs aux trois premiers exercices de cette entreprise sont les suivants :

	Volume de production	Volume de vente
1er exercice	1 200	1 000
2e exercice	1 600	1 500
3e exercice	2 100	2 000

Cette entreprise utilise la méthode du coût rationnel complet selon DEPS. Le coefficient d'imputation est fonction du volume de production prévu. Le comportement réel des frais a été celui prévu.

SOLUTION

Déterminons les résultats relatifs à ces trois exercices ainsi que les montants de frais indirects de fabrication fixes passés en charges en vue d'arriver à ces résultats.

	1er exercice	2e exercice	3e exercice
Chiffre d'affaires			
1 000 × 70 $	70 000 $		
1 500 × 70 $		105 000 $	
2 000 × 70 $			140 000 $
Coût des produits vendus			
Stock de produits finis au début	– 0 –	13 720	19 740
Coût des produits fabriqués			
Coût variable de fabrication			
1 200 × 35 $	42 000		
1 600 × 35 $		56 000	
2 100 × 35 $			73 500
Frais indirects de fabrication			
fixes imputés	40 320	40 320	40 320
Stock de produits finis à la fin (DEPS)			
200 [35 $ + (40 320 $/1 200)]	(13 720)		
13 720 $ + 100 [35 $ + (40 320 $/1 600)]		(19 740)	
19 740 $ + 100 [35 $ + (40 320 $/2 100)]			(25 160)
	68 600 $	90 300 $	108 400 $
Bénéfice brut	1 400 $	14 700 $	31 600 $

Frais de vente et d'administration			
Fixes	14 000	14 000	14 000
Variables			
1 000 × 5 $	5 000		
1 500 × 5 $		7 500	
2 000 × 5 $			10 000
	19 000 $	21 500 $	24 000 $
Bénéfice (perte)	(17 600) $	(6 800) $	7 600 $
Frais indirects de fabrication fixes passés aux résultats			
40 320 $ − 200 (40 320 $/1 200)	33 600 $		
40 320 $ − 100 (40 320 $/1 600)		37 800 $	
40 320 $ − 100 (40 320 $/2 100)			38 400 $

On observera que la vente de 500 unités de plus au cours du deuxième exercice a amélioré le résultat de 10 800 $; par contre, le résultat du troisième exercice s'est amélioré de 14 400 $ par rapport à celui du deuxième, même si l'accroissement du volume des ventes a encore été de 500 unités. Le fait que l'amélioration du résultat varie alors que l'accroissement du volume des ventes reste le même est dû à des montants différents de frais indirects de fabrication fixes traités comme des charges dans le calcul des résultats des exercices (33 600 $, 37 800 $ et 38 400 $). Si le montant des frais indirects de fabrication fixes passés en charges avait été le même chaque année, l'écart entre le résultat du deuxième exercice et celui du premier aurait été de 15 000 $, et l'écart entre le résultat du troisième et celui du deuxième aurait également été de 15 000 $.

Ajoutons que le coût complet présente souvent peu d'intérêt lorsqu'il s'agit de prendre des décisions à court terme. Ainsi, quand une entreprise projette d'utiliser 85 % de la capacité de production au lieu de 80 % et qu'elle veut déterminer les coûts à engager, seuls importent alors les coûts marginaux, appelés aussi coûts différentiels. Ceux-ci correspondent normalement à des coûts variables et non à des coûts fixes, puisque le total des coûts fixes peut rester stationnaire, que la production soit poussée à 80 % ou à 85 % de sa capacité.

Ces limites, et d'autres encore, ont contribué à la mise au point d'une nouvelle méthode de calcul du coût de revient, la **méthode du coût variable**.

2. LA MÉTHODE DU COÛT VARIABLE

La méthode du coût variable consiste à déterminer un coût de revient de fabrication qui n'incorpore au coût des produits que les seuls coûts de fabrication variant en fonction du volume de production. La figure I, portant sur les coûts incorporables, fait nettement ressortir la nature des coûts entrant dans le coût d'un produit lorsqu'on utilise la méthode du coût variable par rapport à celle des coûts incorporables si l'on a recours à la méthode du coût complet. Comme on le voit, les frais indirects de fabrication fixes ne sont pas considérés comme des coûts de production ; ils doivent être traités comme des charges dans le calcul du résultat (bénéfice ou perte) de la période.

FIGURE I
Coûts incorporables

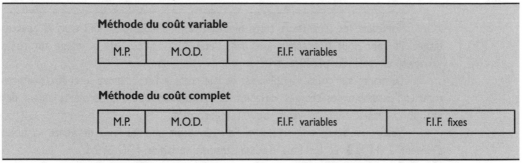

La méthode du coût variable peut être appliquée à l'un ou l'autre des systèmes de coût de revient suivants :
1) coût réel (coût variable réel) ;
2) coût rationnel (coût variable réel en matières premières et en main-d'œuvre directe, et coût variable imputé en frais indirects de fabrication) ;
3) coût standard (coût variable standard).

Puisque les frais indirects de fabrication fixes font partie des charges de l'exercice, aucun écart ne saurait être comptabilisé relativement à ces derniers (écart sur dépense, écart sur volume ou autre), quelle que soit la méthode du coût variable utilisée.

3. L'ÉTAT DES RÉSULTATS SELON LA MÉTHODE DU COÛT VARIABLE

Théoriquement, l'état des résultats présenté selon la méthode du coût variable pourrait être du type suivant :

X LTÉE
État des résultats pour un exercice donné

Chiffre d'affaires		100 000 $
Coût des produits vendus		
Stock de produits finis du début au coût variable	10 000 $	
Coût variable des produits fabriqués	60 000	
	70 000	
Stock de produits finis de la fin au coût variable	20 000	50 000
Bénéfice brut ou marge sur coûts variables de fabrication		50 000
Frais d'exploitation		
Frais indirects de fabrication fixes	5 000	
Frais de vente	10 000	
Frais d'administration	20 000	35 000
Bénéfice		15 000 $

Toutefois, les tenants de cette méthode vont encore plus loin dans la présentation ; ils sont pour la présentation, dans l'état des résultats, de la marge sur coûts variables, en plus du bénéfice brut.

La marge sur coûts variables est définie comme l'écart entre le chiffre d'affaires total et l'ensemble des charges variables de l'entreprise, que ces dernières soient des charges de fabrication, de vente ou d'administration.

Voici quel serait un tel état si l'on supposait que les frais de vente variables s'élèvent à 4 000 $ et les frais d'administration variables à 12 000 $.

X LTÉE
État des résultats pour un exercice donné

Chiffre d'affaires		100 000 $
Coût des produits vendus		
Stock de produits finis du début au coût variable	10 000 $	
Coût variable des produits fabriqués	60 000	
	70 000	
Stock de produits finis de la fin au coût variable	20 000	50 000
Bénéfice brut ou marge sur coûts variables de fabrication		50 000
Autres frais variables		
Frais de vente	4 000	
Frais d'administration	12 000	16 000
Marge sur coûts variables		34 000
Frais fixes		
Frais indirects de fabrication	5 000	
Frais de vente	6 000	
Frais d'administration	8 000	19 000
Bénéfice		15 000 $

4.   LES RÉSULTATS OBTENUS PAR LES DEUX MÉTHODES

L'écart entre les résultats obtenus par les deux méthodes correspond à la différence dans le montant des frais indirects de fabrication fixes ayant été pris en compte dans le calcul du résultat de l'exercice. Si, par résultat, on entend le bénéfice ou la perte, compte non tenu de l'impôt sur le revenu, le montant des frais indirects de fabrication fixes dont on a tenu compte dans le calcul du résultat de l'exercice correspondra à l'un ou l'autre des montants établis comme suit :

a) *Méthode du coût complet*

F.I.F. fixes inclus dans le S.P.F. au début	a
F.I.F. fixes inclus dans le S.P.C. au début	b
F.I.F. fixes réels engagés durant l'exercice	c
F.I.F. fixes inclus dans le S.P.F. à la fin	(d)
F.I.F. fixes inclus dans le S.P.C. à la fin	(e)
	X $

b) *Méthode du coût variable*

F.I.F. fixes réels engagés durant l'exercice	c $

Comme le montant **c** est pris en compte dans le calcul des résultats obtenus par les deux méthodes, ce dernier n'explique en rien la différence entre les résultats obtenus.

L'écart entre les résultats relatifs à un exercice se résume donc à ne considérer que la variation qui s'est produite dans le montant des frais indirects de fabrication fixes inclus dans les stocks en utilisant la méthode du coût complet, c'est-à-dire la somme algébrique des montants **a, b, d** et **e**.

Voici un exemple illustrant la différence de résultats obtenus selon que la méthode utilisée est celle du coût complet rationnel ou celle du coût variable rationnel.

Méthode du coût complet rationnel

MODERNE LTÉE
État des résultats
pour l'exercice terminé le 31 décembre 20X8

Chiffre d'affaires (110 000 × 70 $)			7 700 000 $
Coût complet rationnel des produits vendus			
Stock de produits finis au début (20 000 unités)		700 000 $	
Coût des produits fabriqués (109 000 unités)			
Matières premières utilisées (109 000 × 5 $)	545 000 $		
Main-d'œuvre directe (109 000 × 17 $)	1 853 000		
Frais indirects de fabrication imputés (109 000 × 15 $)	1 635 000	4 033 000	
		4 733 000	
Stock de produits finis à la fin (19 000 × 37 $)		703 000	4 030 000
Bénéfice brut			3 670 000
Écarts	*Défavorables*	*Favorables*	
Sur dépense relatif aux frais fixes	10 450		
Sur dépense relatif aux frais variables		5 450	
Sur volume	121 000		
	131 450 $	5 450 $	126 000
Bénéfice brut redressé			3 544 000
Frais de vente et d'administration			
Fixes		1 340 000	
Variables (110 000 × 6 $)		660 000	2 000 000
Bénéfice d'exploitation			1 544 000 $

Le coût du stock de produits finis au début comprend 200 000 $ de frais indirects de fabrication fixes, alors que celui de la fin, établi selon PEPS, en inclut 209 000 $.

En général, le montant du bénéfice d'exploitation établi en utilisant la méthode du coût variable est différent de celui établi avec la méthode du coût complet. Dans le présent cas, on peut d'ores et déjà affirmer que le bénéfice d'exploitation établi en utilisant la méthode du coût variable sera inférieur d'un montant de 9 000 $ à celui établi en faisant appel à la méthode du coût complet.

Ce bénéfice d'exploitation sera moindre parce que le montant des frais indirects de fabrication fixes, compris dans le stock de produits finis à la fin (209 000 $), est supérieur à celui inclus dans le stock de produits finis au début (200 000 $).

Méthode du coût variable rationnel

MODERNE LTÉE
État des résultats
pour l'exercice terminé le 31 décembre 20X8

Chiffre d'affaires (110 000 × 70 $)			7 700 000 $
Coût variable rationnel des produits vendus			
Stock de produits finis au début (20 000 unités)		500 000 $	
Coût variable des produits fabriqués			
(109 000 unités)			
Matières premières utilisées (109 000 × 5 $)	545 000 $		
Main-d'œuvre directe (109 000 × 17 $)	1 853 000		
Frais indirects de fabrication imputés			
(109 000 × 4 $)	436 000	2 834 000	
		3 334 000	
Stock de produits finis à la fin (19 000 × 26 $)		494 000	2 840 000
Bénéfice brut			4 860 000
Écart sur dépense relatif aux frais variables			5 450
Bénéfice brut redressé			4 865 450
Frais de vente et d'administration variables			
(110 000 × 6 $)			660 000
Marge sur coûts variables			4 205 450
Frais fixes			
Indirects de fabrication			
(1 635 000 $ − 436 000 $ + 10 450 $ + 121 000)		1 330 450	
De vente et d'administration		1 340 000	2 670 450
Bénéfice d'exploitation			1 535 000 $

Rapprochement des montants de bénéfices

Bénéfice d'exploitation selon la méthode du coût complet	1 544 000 $
plus :	
F.I.F. fixes compris dans le coût du stock	
de produits finis au début	200 000
	1 744 000
Moins :	
F.I.F. fixes compris dans le coût du stock de produits finis à la fin	209 000
Bénéfice d'exploitation selon la méthode du coût variable	1 535 000 $

5.   LES ARGUMENTS FONDAMENTAUX ET AUTRES MENTIONNÉS À L'APPUI DE LA MÉTHODE DU COÛT VARIABLE

Les arguments fondamentaux que plus d'un font valoir en faveur de la méthode du coût variable sont les suivants :

1) Les frais indirects de fabrication fixes ne découlant pas de l'usage des moyens de production mais plutôt de la possession de ces moyens de production ne peuvent être considérés comme des frais incorporables. Ces derniers sont toujours engagés indépendamment du volume de la production ;

2) L'incorporation des frais indirects de fabrication fixes ne réduit pas en soi le montant total des frais indirects de fabrication fixes qui seront engagés au cours de l'exercice ou des exercices suivants. Il n'y a donc pas d'avantages futurs associés aux frais indirects de fabrication fixes engagés au cours d'un exercice ;

3) Le résultat d'exploitation n'est pas amélioré, advenant la constitution d'un stock, par le fait qu'une partie des frais fixes est différée audit stock ; il n'est pas non plus moins intéressant, advenant la diminution du stock.

Des arguments d'ordre pratique sont également souvent invoqués. Mentionnons les suivants :

1) La quote-part des frais indirects de fabrication fixes attribuée aux stocks ne peut être qu'arbitraire par suite de l'impossibilité d'attribuer les frais indirects de fabrication fixes à des unités déterminées ;

2) La notion de coût incorporable, qui est à la base de la méthode du coût variable, est identique à celle sur laquelle reposent le graphique des interactions coût-volume-profit et le budget flexible. Cela facilite grandement la préparation même des budgets ;

3) Le fait d'indiquer séparément le total des frais indirects de fabrication fixes dans l'état des résultats permet au lecteur d'évaluer la portée qu'ont les frais indirects de fabrication fixes sur les résultats d'exploitation ;

4) Le fait pour un système de comptabilité de fournir directement le coût de fabrication variable présente un avantage par rapport à des calculs effectués hors comptabilité, vu l'importance que peut présenter la connaissance des coûts variables dans la prise de certaines décisions.

6.   LES ARGUMENTS MENTIONNÉS À L'ENCONTRE DE L'UTILISATION DU COÛT VARIABLE

Parmi les arguments mentionnés à l'encontre de la méthode du coût variable, signalons les suivants :

1) Dans le cas du recours à la méthode du coût variable, la mécanisation des procédés de fabrication peut contribuer à baisser le coût unitaire, même si les amortissements et les autres frais fixes relatifs à cette mécanisation correspondent aux

économies sur le coût de la main-d'œuvre directe. À ce propos, on soutient qu'il est difficile d'accepter que certains coûts puissent être rangés sous la rubrique Coûts incorporables lorsqu'ils sont variables (main-d'œuvre directe), et sous la rubrique Coûts de période lorsqu'ils sont ou deviennent fixes à la suite d'une substitution des machines à la main-d'œuvre directe. On ne voit pas pourquoi les frais indirects de fabrication fixes ne seraient pas des coûts incorporables au même titre que les frais de main-d'œuvre directe ;

2) L'évaluation des stocks de produits en cours et de produits finis selon la méthode du coût variable peut différer sensiblement de leur coût de remplacement. Plus le procédé de fabrication est mécanisé, plus l'écart entre les deux évaluations peut être important ;

3) Parmi les frais indirects de fabrication fixes, il n'y a que ceux reliés à la capacité de production non utilisée qui ne devraient pas être incorporés. Prétendre que la méthode du coût complet implique nécessairement que tous les frais indirects de fabrication fixes sont incorporés est une erreur ;

4) La détermination des frais indirects de fabrication fixes n'est pas toujours chose facile, compte tenu en particulier de l'existence des frais semi-variables ;

5) Les gestionnaires qui utilisent la méthode du coût variable risquent de ne pas prendre en compte les frais indirects de fabrication fixes quand vient le moment de déterminer les prix de vente à long terme. Pour assurer la survie de l'entreprise, il faut que le prix de vente couvre tous les frais, autant les fixes que les variables.

7. L'EMPLOI DE LA MÉTHODE

La méthode du coût variable n'obtient qu'un succès mitigé pour la simple raison que la notion de coût, qui est à la base de cette méthode, est difficilement acceptable pour l'évaluation des stocks. Son utilisation n'est cependant guère controversée lorsque les stocks de produits en cours et de produits finis sont quasi inexistants dans le temps.

Des stocks finals de produits en cours et de produits finis qui varient peu dans le temps ne sauraient justifier, s'ils sont significatifs, une évaluation au coût variable seulement. Il faut comprendre que si les stocks sont relativement importants, le résultat du premier exercice d'exploitation établi selon la méthode du coût variable pourrait différer sensiblement du résultat obtenu selon la méthode du coût complet.

L'intérêt majeur que présente la méthode du coût variable tient à la comptabilisation distincte des frais indirects de fabrication fixes et des frais indirects de fabrication variables, ce qui présente un avantage certain.

La comptabilité doit être d'abord, et avant tout, au service de l'entreprise. Aussi, pour mieux répondre aux besoins internes d'une exploitation, une comptabilisation selon la méthode du coût variable serait souhaitable. De plus, cette façon de faire n'exclut nullement la présentation d'états financiers selon la méthode du coût complet. Il suffit de redresser les comptes Stock de produits en cours et Stock de produits finis d'un montant correspondant à leur portion de frais indirects de fabrication fixes.

Le comité des normes comptables de l'ICCA recommande implicitement l'utilisation de la méthode du coût complet pour l'évaluation des stocks. Sa recommandation 3030.06 est la suivante : « Le coût des produits en cours et celui des produits finis se composent du coût en magasin des matières premières, de la main-d'œuvre directe et d'une juste part des frais généraux de fabrication[1]. »

Nous considérons que l'exclusion, en toutes circonstances, de la totalité des frais indirects de fabrication fixes dans l'évaluation de ces stocks (l'essentiel de la méthode du coût variable) est implicitement désavouée par ledit comité. Une juste part des frais indirects de fabrication est une juste part des frais indirects de fabrication variables et des frais indirects de fabrication fixes. L'exclusion, à cette fin, de la totalité des frais indirects de fabrication fixes serait exceptionnelle (par exemple dans la situation où l'outillage serait resté inutilisé), comme le stipule le paragraphe 3030.03 du *Manuel de l'ICCA*[2]. Ajoutons en terminant que certains refusent de voir dans le paragraphe 3030.06 le rejet implicite de la méthode du coût variable.

8. L'ANALYSE CLASSIQUE COÛT-VOLUME-PROFIT

L'analyse classique coût-volume-profit, appelée aussi analyse des interactions entre les produits d'exploitation, les frais et les résultats d'exploitation, constitue un outil de gestion pour bon nombre de gestionnaires d'entreprises œuvrant dans les différents secteurs d'activité. Cette analyse classique est, à toutes fins utiles, fonction de la méthode du coût variable. L'analyse coût-volume-profit prend en compte les effets des différents éléments qui affectent le résultat d'exploitation (bénéfice d'exploitation), c'est-à-dire les produits d'exploitation, les frais variables et les frais fixes. Elle permet, entre autres, de mesurer facilement et rapidement les impacts sur les résultats d'exploitation de changements envisagés dans les éléments précités.

L'analyse coût-volume-profit est un outil de gestion utilisé surtout lors de la préparation du budget annuel ou à l'occasion de la prise de décision ayant un impact à court terme. Une fois que les dirigeants de l'entreprise ont réussi à faire consensus sur le budget annuel d'exploitation (le budget de référence aux fins de l'analyse coût-volume-profit), il peut arriver que plusieurs options soient proposées afin d'accroître davantage les résultats d'exploitation budgétés, telles les suivantes :
- si le prix de vente du produit A était abaissé de 10 % et que le volume d'articles vendus augmentait de 5 %, quel en serait l'effet sur le bénéfice d'exploitation prévu ?
- si une somme additionnelle de 10 000 $ était engagée dans une campagne de publicité et que cela avait pour effet d'augmenter le volume d'articles vendus de 4 %, quel en serait l'effet sur le bénéfice d'exploitation prévu ?

1. *Manuel de l'ICCA*, Stocks, 1973, p. 1082.
2. *Op. cit.*, p. 1081.

Il est facile d'imaginer que plusieurs autres options peuvent être avancées par les dirigeants et les gestionnaires de l'entreprise. Mais ce qui les intéresse au premier abord, c'est de savoir si l'option proposée va augmenter le bénéfice d'exploitation prévu initialement au budget de référence et, si c'est le cas, de combien.

Essentiellement, deux avenues peuvent être empruntées par ceux chargés de mesurer les effets sur les résultats des différentes options proposées. La première consiste à préparer un nouveau budget d'exploitation compatible avec les hypothèses de chacune des options et de comparer les résultats obtenus avec ceux du budget de référence. La seconde avenue vise à n'identifier que les éléments touchés par les hypothèses de l'option proposée et d'en mesurer les effets sur les résultats prévus au budget de référence en termes d'augmentation ou de diminution. Il s'agit ici d'une des applications de l'analyse coût-volume-profit fondée sur la méthode du coût variable.

9. LES HYPOTHÈSES DE BASE DE L'ANALYSE CLASSIQUE COÛT-VOLUME-PROFIT

L'analyse classique des interactions coût-volume-profit est menée sans tenir compte de l'impôt sur le revenu et repose sur les hypothèses fondamentales suivantes :

1) Le chiffre d'affaires fluctue de façon directement proportionnelle avec le volume d'unités vendues. Dans le cas où l'entreprise vend plus d'un produit, cela signifie que l'importance relative des unités vendues d'un produit par rapport au volume total d'unités vendues ne fluctue pas ;
2) Le total des frais variables fluctue de façon directement proportionnelle avec le volume d'unités vendues ;
3) Le volume d'activité commerciale n'influe pas sur le total des frais fixes.

10. LES ÉLÉMENTS DE L'ANALYSE CLASSIQUE COÛT-VOLUME-PROFIT

La méthode du coût variable regroupe en bloc tous les éléments dont les coûts varient en fonction du volume d'activité commerciale, permettant ainsi de dégager la marge sur coûts variables. Elle regroupe en un autre bloc tous les éléments dont les coûts ne varient pas s'il y a des changements dans ledit volume d'activité commerciale.

En tenant pour acquis qu'il n'y a pas d'autres produits d'exploitation[3] que le chiffre d'affaires, voici comment pourrait être représenté de façon schématique le budget d'exploitation d'une entreprise :

---

3. S'il existe d'autres produits d'exploitation, ceux-ci sont considérés comme fixes et pris en compte en diminution des frais fixes.

Chiffre d'affaires (Q × prix de vente unitaire)	XXX $
Frais variables (Q × coût unitaire variable)	(XXX)
Marge sur coûts variables (Q × marge unitaire)	XXX
Frais fixes	(XXX)
Résultat d'exploitation	XXX $

Cela permet d'observer que les éléments variables (ventes, frais variables et marge sur coût variables) ont une composante commune, le volume d'activité commerciale (Q). Il montre également que les frais fixes ne sont pas influencés par ce même volume d'activité. Ces observations permettent d'énoncer les règles d'interactions suivantes :

– Toute augmentation ou diminution, soit du volume d'activité commerciale, soit du prix de vente, soit des frais variables unitaires, a une incidence directe sur la marge sur frais variables qui est totalement répercutée sur les résultats ;

– Toute augmentation ou diminution du total des frais fixes affecte les résultats d'un montant égal.

Ces deux règles permettent d'isoler les effets des changements pouvant survenir dans chacun des deux blocs d'éléments (variables et fixes) et d'en mesurer rapidement les effets sur les résultats.

EXEMPLE

DONNÉES

Voici le budget d'exploitation de Dubé ltée pour l'exercice se terminant le 31 décembre 20X8.

Chiffre d'affaires (50 000 × 15 $)		750 000 $
Coût variable des produits fabriqués et vendus		
Matières premières (50 000 × 3 $)	150 000 $	
Main-d'œuvre directe (50 000 × 2 $)	100 000	
Frais indirects de fabrication (50 000 × 1 $)	50 000	300 000
Bénéfice brut		450 000
Frais variables de vente et d'administration (50 000 × 4 $)		200 000
Marge sur coûts variables (5 $ l'unité)		250 000
Frais fixes		
Frais indirects de fabrication	100 000	
Frais de vente et d'administration	75 000	175 000
Bénéfice d'exploitation		75 000 $

Le président de la société a examiné ce budget d'exploitation et a formulé quelques hypothèses d'action stratégique. Il aimerait connaître, pour chacune d'elles, les effets sur les résultats en termes d'augmentation ou de diminution du bénéfice d'exploitation prévu.

Hypothèse n° I

Une diminution du prix de vente de I $ pourrait avoir pour effet d'augmenter le nombre de produits vendus de 6 000. Tous les autres éléments resteraient inchangés.

SOLUTION

Le recours à l'analyse coût-volume-profit permet de chiffrer comme suit l'incidence sur le bénéfice d'exploitation de la diminution du prix de vente :

Diminution de la marge sur coûts variables due à la baisse du prix de vente pour le nombre d'articles prévu au budget de référence (50 000 × I $)	(50 000 $)
Augmentation de la marge sur coûts variables due à une augmentation du nombre d'articles [6 000 × (5 $ − I $)]	24 000
Baisse du bénéfice d'exploitation	(26 000 $)

L'analyse coût-volume-profit consiste d'abord à identifier chacun des éléments variables et fixes du budget de référence qui sont affectés par les données de l'hypothèse et à calculer ensuite pour chacun l'effet des changements sur les résultats prévus.

Dans le cas de l'hypothèse n° I, on peut observer que les frais fixes restent inchangés ainsi que les frais variables unitaires. Seuls le prix de vente et le volume d'articles vendus changent. Ces deux derniers faisant partie du bloc des éléments variables, ils affecteront tous deux la marge sur coûts variables (et le bénéfice d'exploitation d'un même montant), mais en sens inverse. Ainsi, la baisse du prix de vente fait passer la marge sur coûts variables unitaires prévue de 5 $ à 4 $, et cette baisse touche tous les articles inclus dans le volume de produits vendus prévu au budget de référence. Par ailleurs, cette baisse de prix de vente prévu, entraînant un accroissement du volume d'articles vendus, a pour effet d'augmenter la marge sur coûts variables mais en prenant en compte la nouvelle marge sur coûts variables unitaires (4 $), car les 6 000 articles additionnels seront eux aussi vendus au prix de 14 $.

L'alternative à l'analyse coût-volume-profit, c'est la préparation d'un nouveau budget d'exploitation qui prendrait en compte les données additionnelles énoncées dans l'hypothèse.

Chiffre d'affaires (56 000 × 14 $)		784 000 $
Coût variable des produits fabriqués et vendus		
Matières premières (56 000 × 3 $)	168 000 $	
Main-d'œuvre directe (56 000 × 2 $)	112 000	
Frais indirects de fabrication (56 000 × 1 $)	56 000	336 000
Bénéfice brut		448 000
Frais variables de vente et d'administration		
(56 000 × 4 $)		224 000
Marge sur coûts variables (4 $ l'unité)		224 000
Frais fixes		
Frais indirects de fabrication	100 000	
Frais de vente et d'administration	75 000	175 000
Bénéfice d'exploitation		49 000
Bénéfice d'exploitation prévu au budget de référence		75 000
Baisse du bénéfice d'exploitation		(26 000 $)

Il est facile d'observer que la préparation d'un nouveau budget d'exploitation exige plus de travail que l'utilisation de l'analyse coût-volume-profit. Cette différence de travail s'accentue lorsque le budget d'exploitation comprend un nombre important de postes. Les budgets d'exploitation qu'on trouve en pratique sont beaucoup plus détaillés que celui de notre exemple. Par ailleurs, certains pourraient avancer l'idée que l'utilisation d'un logiciel approprié permettrait de préparer rapidement un grand nombre de versions du budget d'exploitation, compte tenu des différentes hypothèses proposées par les membres de la direction. C'est probablement vrai. Cependant, cette approche comporte un défaut majeur, celui de ne pas répondre simplement à la demande du requérant : si une hypothèse particulière était formulée, en résulterait-il une augmentation ou une diminution du bénéfice d'exploitation par rapport à celui établi au budget de référence ? Il va sans dire que, du point de vue financier, les hypothèses menant à une diminution du bénéfice seront rapidement éliminées. Habituellement, les décideurs ne retiendraient que les hypothèses les plus prometteuses et souhaiteraient en étudier les budgets détaillés. L'analyse coût-volume-profit permet en quelque sorte de déblayer le terrain sans inonder l'utilisateur d'une masse considérable d'informations additionnelles, inutiles à ce stade-ci de la prise de décision.

Hypothèse n° 2

Une augmentation de 0,50 $ du montant de la commission versée aux vendeurs par unité vendue pourrait avoir pour effet d'augmenter le nombre de produits vendus de 7 000. Tous les autres éléments resteraient inchangés.

SOLUTION

Le recours à l'analyse coût-volume-profit permet d'établir comme suit l'effet net sur le bénéfice d'exploitation de l'augmentation du coût unitaire de la commission des vendeurs :

Diminution de la marge sur coûts variables due à la hausse
de la commission aux vendeurs pour le nouveau nombre
d'articles prévu au budget de référence (57 000 × 0,50 $)   (28 500 $)

Augmentation de la marge sur coûts variables due à une
hausse du nombre d'articles prévu au budget de référence
(7 000 × 5 $)   35 000

Augmentation du bénéfice d'exploitation   6 500 $

11. LE SEUIL DE RENTABILITÉ

Le seuil de rentabilité (aussi appelé point mort) est une résultante de l'analyse coût-volume-profit, car il est fondé sur les mêmes éléments constitutifs, c'est-à-dire les produits d'exploitation, les frais variables et les frais fixes. Le seuil de rentabilité est le niveau d'activité commerciale, exprimé en unités ou en chiffre d'affaires, nécessaire pour que l'ensemble des produits d'exploitation couvre l'ensemble des frais d'exploitation. Il s'agit, autrement dit, des produits d'exploitation qui assurent un résultat nul. Cette définition permet d'en déduire une formule représentative du seuil de rentabilité :

Soit Q le nombre d'articles vendus au point mort. Au point mort, l'égalité suivante existe, si l'on tient pour acquis que le chiffre d'affaires est le seul produit d'exploitation qui existe.

Chiffre d'affaires = Frais totaux

Par transformation successive, on obtient les équations équivalentes suivantes :

1) Chiffre d'affaires = Frais variables + Frais fixes
2) (Prix de vente × Q) = (Frais variables unitaires × Q) + Frais fixes
3) (Prix de vente × Q) – (Frais variables unitaires × Q) = Frais fixes
4) Q (Prix de vente – Frais variables unitaires) = Frais fixes
5) Q = Frais fixes/(Prix de vente – Frais variables unitaires)

Or, on sait que l'expression « prix de vente – frais variables unitaires » correspond à la marge sur frais variables unitaires ou contribution marginale. Aussi, par transformation, la quantité au seuil de rentabilité est :

Q = Frais fixes/Marge unitaire

Le chiffre d'affaires au seuil de rentabilité est calculé à partir d'une formule qui découle de la transformation de celle relative à la quantité au seuil de rentabilité. On obtient la formule en procédant comme suit :

1) Q au seuil de rentabilité = Frais fixes/Marge unitaire
2) Q × Prix de vente = Frais fixes (Prix de vente)/Marge unitaire
3) Chiffre d'affaires au seuil de rentabilité = Frais fixes/(Marge unitaire/Prix de vente)
4) Chiffre d'affaires au seuil de rentabilité = Frais fixes/Pourcentage de marge sur frais variables

Pour illustrer les calculs relatifs au seuil de rentabilité et représenter graphiquement ce dernier, reportons-nous au budget d'exploitation de Dubé ltée présenté précédemment pour l'exercice se terminant le 31 décembre 20X8.

Marge sur frais variables unitaire : 250 000 $/50 000 = 5 $

Pourcentage de marge sur frais variables :

Marge sur frais variables/Chiffre d'affaires = 250 000 $/750 000 $
= 33 1/3 %

Seuil de rentabilité :
– en nombre d'articles : 175 000 $/5 $ = 35 000 unités
– en chiffre d'affaires : 175 000 $/33 1/3 % = 525 000 $
ou encore
– quantité au seuil de rentabilité x prix de vente :
35 000 u. × 15 $ = 525 000 $

La figure 2 traduit l'ensemble des interactions coût-volume-profit, dont celles existant au seuil de rentabilité.

À noter que ce graphique de rentabilité traduit toutes les interactions possibles entre coût-volume-profit. Tous les résultats d'exploitation possibles, même le résultat nul, découlent de l'équation fondamentale suivante :

Q (Marge sur frais variables unitaires) – Frais fixes

où

Q représente le niveau d'activité commerciale prévu exprimé en unités.

Il est à noter que tout changement apporté à un ou plusieurs des éléments constitutifs de l'analyse coût-volume-profit, exception faite du volume d'articles vendus, a des effets sur le calcul du seuil de rentabilité. Dans l'exemple de Dubé ltée (hypothèse 1), il était proposé de faire passer le prix de vente de 15 $ à 14 $ pour favoriser un accroissement du nombre d'articles vendus (+ 6 000 u.). Si cette hypothèse avait été retenue, les frais fixes seraient demeurés inchangés (175 000 $), mais la marge sur frais variables unitaires serait passée à 4 $. Dans ce cas, le seuil de rentabilité aurait été le suivant :
– en nombre d'articles : 175 000 $/4 $ = 43 750 unités
– en chiffre d'affaires : 175 000 $/(4 $/14 $) = 612 500 $

FIGURE 2
Graphique de rentabilité

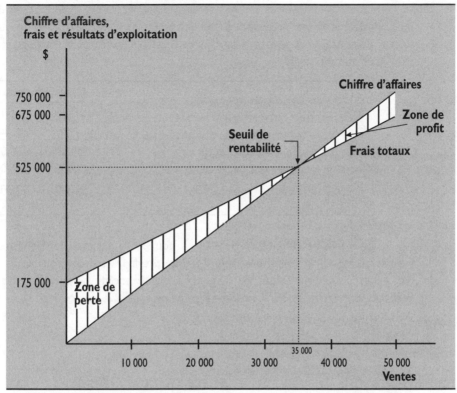

Il faut observer que l'augmentation du niveau du seuil de rentabilité est due uniquement à la baisse de la marge sur frais variables unitaires. La variation du volume d'articles vendus (+ 6 000 u.) n'a aucune incidence sur le seuil de rentabilité.

Le seuil de rentabilité est un outil de gestion particulièrement utile lors de la prise de décision relative au lancement d'un nouveau produit ou lorsque le niveau d'activité commerciale d'un produit existant n'est que légèrement supérieur au seuil de rentabilité. Par ailleurs, lorsque le niveau d'activité commerciale d'un nouveau produit ou d'un produit existant dépasse nettement le seuil de rentabilité, ce dernier fait davantage office d'indicateur. Il faut mentionner que le seuil de rentabilité dont il est question dans ce chapitre a une portée limitée à un exercice financier. Lorsque la durée de vie présumée d'un nouveau produit s'étale sur plusieurs exercices, d'autres outils de gestion, telle l'actualisation des flux monétaires (chapitre 16), peuvent s'avérer plus déterminants.

12.   LA MARGE DE SÉCURITÉ

La marge de sécurité est la différence entre les ventes exprimées en dollars (ou unités) à un niveau d'activité prévu et les ventes exprimées en dollars (ou unités) au seuil de rentabilité. À partir des données de l'exemple précédent, la marge de sécurité s'établirait comme suit :

	Marge de sécurité	
	exprimée en unités	exprimée en dollars
Ventes au niveau d'activité prévu	50 000	750 000 $
Ventes au seuil de rentabilité	35 000	525 000 $
	15 000	225 000 $

La marge de sécurité correspond au coussin de sécurité dont dispose l'entreprise au regard des ventes au niveau d'activité prévu. Dans notre exemple, le niveau des ventes prévu peut baisser de 30 % avant que la société ne subisse des pertes. Enfin, ce pourcentage de 30 % représente ce qu'on appelle le pourcentage de la marge de sécurité.

13.   LE CALCUL DU NIVEAU D'ACTIVITÉ COMMERCIALE ASSURANT UN RENDEMENT MINIMUM

Il est bien évident que l'entreprise qui lance un nouveau produit ne recherche pas un profit nul, mais vise plutôt à récupérer au moins l'investissement engagé dans ce nouveau produit. De plus, lorsque l'entreprise possède déjà d'autres produits, il faut être en mesure de définir plus précisément la notion de « frais fixes ». Il y a certains frais fixes de fabrication, de vente et d'administration qui ne peuvent être rattachés clairement à un produit en particulier, mais qui sont néanmoins nécessaires au bon fonctionnement de l'ensemble de l'organisation. Il s'agit des frais fixes communs. Les frais reliés à l'infrastructure industrielle ou opérationnelle de l'entreprise sont souvent inclus dans cette catégorie. Les frais fixes qui peuvent être reliés à un produit constituent les frais fixes spécifiques.

Le calcul du niveau d'activité commerciale assurant un rendement minimum pour un produit donné prend en compte la marge sur frais variables et les frais fixes spécifiques rattachés à ce produit. À cela s'ajoute un montant de bénéfice (profit cible) correspondant au rendement minimum sur le capital investi relatif à ce produit.

EXEMPLE

DONNÉES

Paugo ltée désire mettre en marché le produit A. Les services financiers de la société ont établi les prévisions suivantes :

Volume d'articles	12 500
Prix de vente	25 $
Frais variables unitaires	15 $
Frais fixes spécifiques au produit A	75 000 $
Capital spécifique au produit A	100 000 $
Rendement minimum sur le capital investi après impôt	12 %
Taux marginal d'imposition	40 %

Quel est le niveau prévu d'activité commerciale en unités et en dollars du produit A qui assurera un rendement minimum sur capital investi de 12 % après impôt ?

SOLUTION

Calcul du « profit cible » :

- Rendement sur capital investi après impôt :
    100 000 $ × 12 % = 12 000 $
- Rendement sur capital investi avant impôt (profit désiré) :
    12 000 $/(1 − 0,40) = 20 000 $

Calcul de la quantité qu'il faut vendre ou du chiffre d'affaires qu'il faut réaliser :

- Q : (Frais fixes spécifiques + Profit cible)/Marge unitaire
- Q : (75 000 $ + 20 000 $)/(25 $ − 15 $)
- Q : 9 500 unités
- Chiffre d'affaires : 237 500 $, soit 9 500 × 25 $

Il est à noter que le profit cible est assimilé à des frais fixes spécifiques aux fins du calcul de la quantité qu'il faut vendre ou du chiffre d'affaires qu'il faut réaliser, car il constitue, tout comme les frais fixes spécifiques, un montant global de marge sur coûts variables à réaliser.

14. L'ANALYSE CLASSIQUE VOLUME-PROFIT

La présentation graphique (figure 3) des interactions entre les ventes exprimées en unités et les résultats d'exploitation repose sur le raisonnement suivant :

1) Au seuil de rentabilité, la marge totale sur coûts variables correspond aux frais fixes :

Marge totale sur coûts variables = Frais fixes

2) Lorsque le chiffre d'affaires est inférieur à celui du seuil de rentabilité, la marge totale sur coûts variables sert à absorber les frais fixes, de telle sorte que la perte correspond à la différence entre les frais fixes et la marge totale sur coûts variables.

Si

Marge sur coûts variables < Frais fixes,

on peut en déduire

Marge sur coûts variables – Frais fixes = Perte

3) Lorsque le chiffre d'affaires est supérieur à celui du seuil de rentabilité, la marge totale sur coûts variables sert à absorber d'abord les frais fixes ; l'excédent correspond au bénéfice réalisé.

Si

Marge sur coûts variables > Frais fixes,

on peut en déduire

Marge sur coûts variables – Frais fixes = Profit

FIGURE 3
Graphique V-P

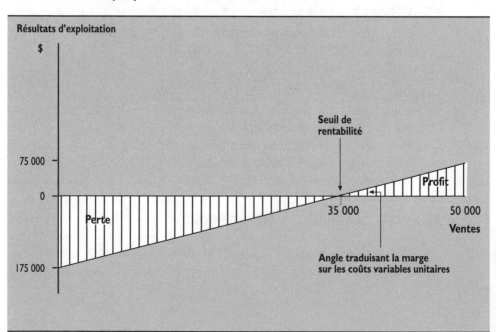

Cette représentation graphique repose également sur les hypothèses exposées dans le cas des interactions coût-volume-profit. Il va de soi que l'axe horizontal aurait pu être exprimé en chiffre d'affaires au lieu de l'être en unités.

Le graphique V-P (figure 3) a été préparé en utilisant les données précédentes concernant Dubé ltée. Le total des frais fixes de 175 000 $ figure comme perte théorique à un niveau de ventes égal à 0,00 $. Au niveau de 35 000 unités vendues, la perte devient nulle ; commencent alors les profits, qui sont de 75 000 $ pour 50 000 unités vendues.

Ainsi, si on trace une parallèle à l'axe horizontal à partir du résultat d'exploitation correspondant au total des frais fixes, le graphique obtenu pourrait fort bien s'appeler « Graphique des résultats d'exploitation et des marges sur coûts variables ». Ces dernières vont de la droite parallèle à celle des ventes exprimées en unités à la droite oblique représentant les résultats.

15. LES VENTES DIVERSIFIÉES

Les exemples d'analyse des interactions coût-volume-profit présentés jusqu'ici concernaient des entreprises qui ne vendaient qu'un seul produit. L'objectif de la présente section est d'illustrer une situation où plusieurs produits sont vendus.

EXEMPLE

DONNÉES

1) Importance relative des ventes et des chiffres d'affaires prévus

	Ventes	Importance relative	Chiffre d'affaires	Importance relative
Produit M	20 000 litres	40 %	200 000 $	25 %
Produit N	30 000 kilogrammes	60 %	600 000 $	75 %

2) Marge sur coûts variables unitaire

	Produit M	Produit N
Prix de vente	10,00 $	20,00 $
Coûts variables	7,00	12,00
Marge sur coûts unitaires	3,00 $	8,00 $

3) Total des frais fixes: 120 000 $.

SOLUTION

Tous les résultats d'exploitation possibles découlent de l'équation fondamentale suivante :

Q (Prix de vente moyen pondéré − Frais variables moyens pondérés) − Frais fixes

où

- Q est constitué de 40 % de litres de M et 60 % de kilogrammes de N ;
- le prix de vente moyen pondéré est de :
  40 % × 10 $ + 60 % × 20 $ = 16 $;
- les frais variables moyens pondérés sont de :
  40 % × 7 $ + 60 % × 12 $ = 10 $.

Le seuil de rentabilité exprimé en unités et l'analyse des ventes à ce seuil suivent :
- Seuil de rentabilité = 120 000 $/(16 $ − 10 $)
                        = 20 000 unités

- Analyse des ventes au seuil de rentabilité :
  Produit M : 40 % × 20 000 = 8 000 litres
  Produit N : 60 % × 20 000 = 12 000 kilogrammes

Le seuil de rentabilité exprimé en chiffre d'affaires et l'analyse du chiffre d'affaires à ce seuil sont les suivants :
- Pourcentage de la marge sur coûts variables unitaires :
  6 $/16 $ = 37,5 %
- Seuil de rentabilité = 120 000 $/0,375
                        = 320 000 $
- Analyse du chiffre d'affaires au seuil de rentabilité :
  Produit M 25 % × 320 000 $ = 80 000 $
  Produit N 75 % × 320 000 $ = 240 000 $

Des deux façons de déterminer le seuil de rentabilité, soit en unités soit en chiffre d'affaires, il va de soi que la seconde est la plus logique, puisque dans le cas présent les ventes des deux produits sont exprimées par des unités de mesure différentes, soit des litres soit des kilogrammes. De même, si un graphique de rentabilité devait être présenté, il serait davantage approprié, pour la même raison, d'exprimer l'axe des abscisses en fonction des chiffres d'affaires.

16. LIMITES DES ANALYSES CLASSIQUES COÛT-VOLUME-PROFIT ET VOLUME-PROFIT

Les hypothèses plus ou moins réalistes qui sous-tendent les analyses classiques coût-volume-profit et volume-profit et qui ont été présentées dans les pages précédentes révèlent les limites de tels outils pour la gestion prévisionnelle.

En fait, les niveaux d'activité doivent se situer à l'intérieur de limites raisonnables si l'on veut que les hypothèses concernant les prix de vente et les frais soient réalistes.

En effet, le chiffre d'affaires et les frais peuvent avoir un comportement régulier lorsque l'activité se maintient dans un certain segment, entre 25 000 et 50 000 unités par exemple. Dans ces limites, les frais variables sont constants à l'unité et les frais fixes constants au total. En dehors de ce segment d'activité, le chiffre d'affaires et les frais peuvent prendre une allure irrégulière.

Si le niveau d'activité est trop bas (inférieur à 25 000 unités par exemple), l'entreprise pourrait décider de remercier des équipes, de se départir de diverses machines ou de fermer ses ateliers ; les données des interactions entre coût-volume-profit ou volume-profit seraient alors très différentes de ce qu'elles seraient avec un segment pertinent d'activité.

Si au contraire l'activité est trop élevée (plus de 50 000 unités par exemple), l'entreprise devra, pour satisfaire à la demande, recourir à des procédés plus coûteux : équipes supplémentaires mal entraînées, location coûteuse d'immeubles, agrandissement de l'usine ou achat de nouvelles machines, ce qui, encore une fois, modifiera les interactions coût-volume-profit ou volume-profit.

Une autre lacune, qui est loin d'être la moindre, vient de ce qu'il n'a été tenu aucun compte de l'aspect aléatoire de variables critiques du résultat, tels les prix de vente et les quantités vendues. L'approche en termes de **point mort probabilisé** permet justement d'intégrer cette incertitude.

Illustrons cette approche à l'aide d'un exemple simplifié où la quantité pouvant être vendue est la seule variable qui n'est pas connue avec certitude.

Prenons comme exemple celui où le volume des ventes de Dubé ltée serait une **variable discontinue**. Supposons que trois volumes de vente soient possibles :

Quantité	Probabilité
30 000	0,10
50 000	0,70
60 000	0,20

Comme la vente de 35 000 unités, quantité correspondant au point mort, n'est pas dans le domaine du possible, la probabilisation du point mort consiste à établir la probabilité d'obtenir un bénéfice égal ou supérieur à zéro. Cette probabilité est ici de 0,90, soit 0,70 + 0,20.

Pour ceux qui désireraient approfondir la question de la probabilisation du point mort, nous recommandons l'excellent article de Robert Teller intitulé « Un modèle bayesien : le point-mort probabilisé », qui a été publié en mars 1975 dans la revue *Économie et comptabilité*.

EXERCICES D'APPLICATION

■■■ **EXERCICE 10-1**

Leblanc ltée utilise la méthode du coût variable à des fins internes et la méthode du coût de revient complet pour les rapports externes. À la fin de chaque exercice annuel, l'information obtenue par la méthode du coût de revient variable doit être donnée par la méthode du coût de revient complet pour satisfaire aux exigences extérieures.

À la fin de 20X6, on avait prévu que les ventes augmenteraient de 20 % en 20X7. En conséquence, la production fut portée de 20 000 unités à 24 000 unités pour répondre à la demande prévue. Mais les conditions économiques ne firent pas croître les ventes qui demeurèrent à 20 000 unités.

Les renseignements suivants ont trait aux années 20X6 et 20X7 :

	20X6	20X7
Prix de vente par unité	30 $	30 $
Ventes (unités)	20 000	20 000
Stock au début (unités)	2 000	2 000
Production (unités)	20 000	24 000
Stock à la fin (unités)	2 000	6 000
Écarts défavorables relatifs aux matières premières, à la main-d'œuvre directe et aux frais indirects de fabrication variables	5 000 $	4 000 $
Coûts variables standards par unité		
Main-d'œuvre directe	7,50 $	7,50 $
Matières premières	4,50	4,50
Frais indirects de fabrication variables	3,00	3,00
	15,00 $	15,00 $
Coûts fixes annuels (budgétés et réels)		
Fabrication	90 000 $	90 000 $
Vente et administration	100 000	100 000
	190 000 $	190 000 $

Le coefficient d'imputation des frais indirects de fabrication utilisé dans le système de coût de revient complet est basé sur la capacité pratique de l'usine, laquelle est de 30 000 unités par année. Tous les écarts sont portés au compte Coût des produits vendus.

ON DEMANDE

1. de présenter l'état des résultats concernant 20X7 selon la méthode du coût variable ;
2. de présenter l'état des résultats concernant 20X7 selon la méthode du coût complet ;
3. d'expliquer toute différence entre les résultats obtenus en 1. et 2. Présenter l'écriture, s'il y a lieu, pour redresser les comptes afin qu'ils soient conformes aux états financiers publiés.

(Adaptation – S.C.M.C.)

■■■ EXERCICE 10-2

Industrielle ltée utilise depuis plusieurs années la méthode du coût complet. Elle a toujours réalisé des bénéfices et déclaré chaque année un dividende représentant une quote-part du bénéfice réalisé. Il existe, à la fin de chaque exercice, un stock de produits finis.

Le bénéfice de l'exercice courant est inférieur à celui qui existerait si l'entreprise avait utilisé la méthode du coût variable.

ON DEMANDE

1. d'indiquer, par une réponse précise, si les bénéfices non répartis d'Industrielle ltée à la fin de l'exercice courant sont moins élevés que ceux qui existeraient si l'entreprise avait utilisé la méthode du coût variable ;
2. d'indiquer en quoi la méthode du coût variable peut conduire à des évaluations de stocks qui s'éloignent de la réalité économique.

■■■ EXERCICE 10-3

Le contrôleur d'une société manufacturière prépare les états des résultats A, B, C et D à partir des données relatives aux opérations du premier exercice. Chacun de ces états a été préparé selon une méthode différente de comptabilisation du coût de revient. Il n'y a pas de produits en cours à la fin de ce premier exercice.

	A	B	C	D
Chiffre d'affaires	1 000 000 $	1 000 000 $	1 000 000 $	1 000 000 $
Coût des produits vendus	325 000	250 000	358 750	340 000
Écarts				
Matières premières	15 000	15 000	Néant	Néant
Main-d'œuvre directe	5 000	5 000	Néant	Néant
Volume	25 000	Néant	Néant	25 000
Autres frais (fixes)	350 000	475 000	350 000	350 000
	720 000 $	745 000 $	708 750 $	715 000 $
Bénéfice avant impôt	280 000 $	255 000 $	291 250 $	285 000 $

Le contrôleur a utilisé les méthodes suivantes pour le calcul du coût de revient : a) coût réel ; b) coût réel en matières premières et en main-d'œuvre directe, et frais indirects de fabrication imputés ; c) coût de revient complet standard ; d) coût de revient variable standard.

ON DEMANDE

1. d'apparier chacune des méthodes de calcul de coût de revient avec l'un des états de résultats présentés ci-dessus ; indiquer l'état par la lettre A, B, C ou D ;
2. d'indiquer si le nombre d'unités fabriquées est égal au nombre d'unités vendues. Justifier votre réponse ;
3. d'indiquer si l'activité industrielle a été supérieure, inférieure ou égale à l'activité qui a servi à calculer le coefficient d'imputation utilisé. Justifier votre réponse ;
4. d'indiquer s'il existe un écart sur temps en supposant que l'unité d'œuvre est l'heure de main-d'œuvre directe. Justifier votre réponse.

(Adaptation — S.C.M.C.)

▬ EXERCICE 10-4

Jude Sauveur est le président-directeur général de Vital ltée depuis le début de l'année 20X6. Son contrat d'engagement lui assure une participation aux bénéfices de la société. Les états des résultats comparatifs suivants ont été présentés selon la méthode du coût complet :

	Exercice terminé le 31 décembre			
	20X5		20X6	
Chiffre d'affaires (1,00 $ l'unité)		60 000 $		60 000 $
Coûts des produits vendus				
Stock de produits finis au début (à 0,75 $ l'unité)		4 500		4 500
Coûts des produits fabriqués (fixes)	18 000 $		18 000 $	
Coûts des produits fabriqués (variables)	33 000	51 000	49 500	67 500
Stock de produits finis à la fin (à 0,75 $ l'unité)		(4 500)		(27 000)
		51 000 $		45 000 $
Bénéfice brut		9 000 $		15 000 $
Frais de vente et d'administration				
Fixes	5 000		5 000	
Variables	9 000	14 000	9 000	14 000
Bénéfice (perte) avant impôt		(5 000) $		1 000 $

L'entreprise impute les frais indirects de fabrication fixes. Son coefficient est fonction de la capacité pratique qui est de 90 000 unités. Les frais indirects de fabrication fixes ont été les mêmes en 20X5 et en 20X6, soit 18 000 $.

ON DEMANDE

1. de déterminer le nombre d'unités fabriquées en 20X5 ;
2. de déterminer le nombre d'unités fabriquées en 20X6 ;
3. de calculer le coût de fabrication unitaire selon la méthode du coût variable ;
4. de déterminer les charges variables (de fabrication, de vente et d'administration) à l'unité au cours des années 20X5 et 20X6 ;
5. de calculer la marge sur coûts variables unitaires ;
6. de déterminer les résultats (bénéfice ou perte) concernant 20X5 et 20X6, si l'entreprise avait utilisé la méthode du coût variable ;
7. d'expliquer la différence de 6 000 $ entre le résultat de 20X6 et celui de 20X5 ;
8. d'évaluer la clause, stipulée dans le contrat d'engagement de Sauveur, qui lui garantit un certain pourcentage des bénéfices réalisés.

■■■ EXERCICE 10-5

Les renseignements se rapportent à X ltée:

a)

	Stock de produits en cours		Stock de produits finis	
	Au début de l'exercice	À la fin de l'exercice	Au début de l'exercice	À la fin de l'exercice
Frais indirects de fabrication fixes inclus dans les stocks	1 000 $	2 000 $	5 000 $	3 000 $

b) Ventes de l'exercice (en unités): 81 000;

c) Frais indirects de fabrication fixes d'un exercice: 100 000 $;

d) Frais indirects de fabrication fixes imputés durant l'exercice: 80 000 $;

e) Les surimputations ou les sous-imputations sont fermées au coût des produits vendus;

f) Le coefficient d'imputation des frais indirects de fabrication fixes est toujours demeuré le même. L'imputation est fonction des unités équivalentes de la production.

ON DEMANDE

1. de calculer l'écart entre le bénéfice brut établi selon la méthode du coût complet et le bénéfice brut établi selon la méthode du coût variable;
2. de calculer l'écart entre le bénéfice avant impôt établi selon la méthode du coût complet et le bénéfice avant impôt déterminé selon la méthode du coût variable;
3. de déterminer le nombre de produits fabriqués durant l'exercice.

■■■ EXERCICE 10-6

Lefort ltée fabrique un accessoire pour automobile qu'elle vend aux distributeurs 10 $ l'unité. Tous les accessoires sont fabriqués sur commandes spéciales; les seuls accessoires en main représentent des produits finis non encore expédiés.

Une analyse des registres pour les exercices terminés les 31 décembre 20X1 et 20X2 révèle les faits suivants:

Unités en stock au début	– 0 –	1 000
Unités fabriquées	100 000	80 000
Ventes	990 000 $	760 000 $
Coûts de production engagés durant l'exercice		
Matière première	350 000 $	280 000 $
Main-d'œuvre directe	150 000	120 000
Frais indirects de fabrication	210 000	184 000
Frais de vente	113 850 $	92 000 $
Frais d'administration	75 000 $	75 000 $

En 20X2, il n'y a pas eu de changement dans le comportement des frais de vente et des frais indirects de fabrication par rapport à celui qui a caractérisé 20X1. Supposez que l'entreprise impute les frais indirects de fabrication à la production à raison de 2 $ l'unité fabriquée et que toute sur- ou sous-imputation de frais indirects de fabrication est portée annuellement au coût des produits vendus.

ON DEMANDE

1. de présenter un état des résultats selon la méthode du coût variable pour l'exercice terminé le 31 décembre 20X2 ;
2. d'indiquer, calculs à l'appui, quel serait le résultat pour 20X2 si l'on utilisait la méthode traditionnelle du coût complet ;
3. d'expliquer, calculs à l'appui, toute différence entre les résultats obtenus en 1. et 2. ;
4. en admettant que l'entreprise utilise la méthode du coût variable à des fins internes et la méthode du coût complet à des fins externes, de présenter l'écriture, s'il y a lieu, pour redresser les comptes afin qu'ils soient conformes à l'information figurant aux états financiers publiés. Supposez que les soldes des comptes de produits et de charges ont déjà été fermés dans le compte Bénéfices non répartis.

(Adaptation – S.C.M.C.)

▬▬ EXERCICE 10-7

Colombia ltée a établi son coefficient d'imputation sur une base de capacité normale de production de 100 000 unités par trimestre.

Le président s'inquiète des résultats de l'exploitation de la société. La perte enregistrée au cours du quatrième trimestre de 20X2 le contrarie. Cherchant à comprendre le pourquoi de telles variations des résultats d'un trimestre à l'autre pour un même volume de ventes, il porte ses soupçons sur un accroissement des frais injustifiés et incontrôlés, et doute même de la compétence du directeur de la production. Il conteste également la validité des états suivants dressés par le contrôleur :

	3e trimestre de 20X2	4e trimestre de 20X2	1er trimestre de 20X3
Chiffre d'affaires provenant de ventes à 20 $ l'unité	1 600 000 $	1 600 000 $	1 600 000 $
Coût de fabrication standard des produits vendus	1 200 000	1 200 000	1 200 000
Frais d'exploitation fixes	250 000	250 000	250 000
Écart sur volume concernant les frais indirects de fabrication	100 000	250 000	(50 000)
	1 550 000 $	1 700 000 $	1 400 000 $
Bénéfice (perte)	50 000 $	(100 000)$	200 000 $

En outre, on sait que les stocks de produits finis au début du troisième trimestre de 20X2 s'élevaient à 40 000 unités et que les coûts de fabrication variables standards représentent 50 % du chiffre d'affaires. Il n'y a pas de produits en cours.

ON DEMANDE

1. de préparer des états des résultats en se basant sur la méthode du coût variable, états qui permettront de mieux juger des résultats d'exploitation de la société ;
2. de rédiger à l'adresse du président une note explicative en bonne et due forme, où seront consignées et expliquées en détail toutes les différences existant entre le résultat calculé par le contrôleur pour chacun des trimestres et le résultat qui figure sur votre propre état.

(Adaptation – S.C.M.C.)

EXERCICE 10-8

Standard ltée utilise un système de coût de revient standard. Elle produit un article dont la fiche de coût de revient standard est la suivante :

Matières premières	31 $
Main-d'œuvre directe (1,5 h × 10 $)	15
Frais indirects de fabrication variables (1,5 h × 6 $)	9
Frais indirects de fabrication fixes (1,5 h × 4 $*)	6
	61 $

* Le montant de 4 $ est fondé sur un volume d'unités d'œuvre annuel correspondant à 90 000 heures de main-d'œuvre directe.

L'entreprise, qui ne maintient aucun stock de matière première et de produit en cours, a fabriqué 56 000 produits et en a vendu 48 000. Elle n'avait pas de stock de produit fini au début de l'exercice. Ses frais de vente variables se sont élevés à 354 240 $ (soit 9 % du chiffre d'affaires) alors que ses frais de vente et d'administration fixes ont été de 475 000 $. Les écarts sur les coûts de production variables standards ont été défavorables de 63 000 $. Il n'y a pas eu d'écart sur dépense en ce qui concerne les frais fixes.

ON DEMANDE

1. de préparer un état des résultats selon la méthode du coût variable en supposant que l'entreprise a comme politique de ventiler ses écarts ;
2. d'indiquer, calculs à l'appui, quel serait le résultat de l'entreprise si celle-ci avait utilisé la méthode du coût complet en supposant encore une fois que l'entreprise ventile ses écarts.

(Adaptation – S.C.M.C.)

EXERCICE 10-9

Voici certains renseignements concernant les trois premiers exercices d'une entreprise industrielle qui se spécialise dans la fabrication d'un produit unique.

	1er exercice	2e exercice	3e exercice
Fabrication	600	800	1 000
Ventes (en unités)	400	800	1 100
Capacité normale (en unités)	800	800	800
Frais indirects de fabrication fixes	8 000 $	8 000 $	8 000 $
Prix de vente	20	20	20
Coût de fabrication variable unitaire	6	6	6

En se fondant sur les renseignements précédents, le comptable a élaboré des états de résultats selon différentes méthodes comptables et fourni un élément pertinent (ou plus d'un élément) de l'actif à court terme :

a) **Méthode A**

	1er exercice	2e exercice	3e exercice
Ventes à 20 $	8 000 $	16 000 $	22 000 $
Coût des produits vendus	2 400	4 800	6 600
Bénéfice brut	5 600	11 200	15 400
Frais indirects de fabrication fixes	8 000	8 000	8 000
	(2 400)$	3 200 $	7 400 $
Stock à la fin de l'exercice	1 200 $	1 200 $	600 $

b) **Méthode B**

	1er exercice	2e exercice	3e exercice
Ventes à 20 $	8 000 $	16 000 $	22 000 $
Coût des produits vendus	6 400	12 800	17 600
Bénéfice brut	1 600 $	3 200 $	4 400 $
Stock à la fin de l'exercice	3 200 $	3 200 $	1 600 $
Excédent des écarts sur volume défavorables cumulatifs sur les écarts sur volume favorables cumulatifs (actif à court terme)	2 000 $	2 000 $	

c) **Méthode C**

	1er exercice	2e exercice	3e exercice
Ventes à 20 $	8 000 $	16 000 $	22 000 $
Coût des produits vendus	6 400	12 800	17 600
Bénéfice brut	1 600	3 200	4 400
Écarts sur volume	2 000	– 0 –	2 000
	(400)$	3 200 $	6 400 $
Stock à la fin de l'exercice	3 200 $	3 200 $	1 600 $

d) **Méthode D**

	1er exercice	2e exercice	3e exercice
Ventes à 20 $	8 000,00 $	16 000,00 $	22 000 $
Coût des produits vendus	7 733,33	13 466,67	15 800
Bénéfice brut	266,67 $	2 533,33 $	6 200 $
Stock à la fin de l'exercice	3 866,67 $	3 200,00 $	1 400 $

ON DEMANDE

1. d'identifier les méthodes utilisées par le comptable ;
2. d'expliquer l'écart, dans le calcul du deuxième exercice, entre le résultat de 2 533,33 $ (méthode D) et celui de 3 200 $ obtenu dans le cas des trois autres méthodes, en tenant compte du fait que la quantité fabriquée correspond à la quantité vendue ;
3. de déterminer les méthodes qui conduisent à des résultats variant non seulement en fonction des ventes mais également en fonction de la production ;
4. de déterminer les méthodes pour lesquelles le coût unitaire de production varie en fonction du volume de production.

■■■■ EXERCICE 10-10

Une entreprise industrielle, qui se spécialise dans la fabrication d'un produit unique, envisage d'abandonner son système de coût de revient actuel.

En ce qui concerne les stocks du début, le coût rationnel de 250 $ par unité équivalente de production inclut 84 $ de frais indirects de fabrication fixes. L'entreprise détermine le coût de ses stocks selon la méthode de l'épuisement successif.

Chiffre d'affaires		1 000 000 $
Coût des produits vendus		
Stock au début (1 500 produits × 250 $)	375 000 $	
Coût des produits fabriqués	380 000	
	755 000	
Stock à la fin (500 produits × 260 $)	130 000	625 000
Bénéfice brut rationnel		375 000
Sous-imputation		
Frais indirects de fabrication fixes	2 000	
Frais indirects de fabrication variables	3 000	5 000
Bénéfice brut redressé		370 000 $

Le coût des produits fabriqués a été déterminé comme suit :

S.P.C. au début (1 000 unités équivalentes à 250 $)		250 000 $
M.P. utilisées		100 000
M.O.D. (40 000 heures à 5 $)		200 000
F.I.F. imputés		
Fixes (40 000 heures à 4,25 $)	170 000 $	
Variables (40 000 heures à 1,25 $)	50 000	220 000
		770 000
S.P.C. à la fin (1 500 unités équivalentes à 260 $)		390 000
		380 000 $

ON DEMANDE

1. de dresser l'état du bénéfice brut redressé selon la méthode du coût variable ;
2. d'expliquer, chiffres à l'appui, la différence constatée entre les bénéfices bruts redressés obtenus selon chacune des deux méthodes de coût de revient.

(Adaptation – C.A.)

■■■ EXERCICE 10-11

Le prix de vente du seul produit vendu par une entreprise est de 50 $ alors que son coût de fabrication variable est de 20 $. Les frais fixes de l'entreprise sont les suivants :

Frais de vente et d'administration	20 000 $
Frais indirects de fabrication	24 000
	44 000 $

Les quantités fabriquées et celles vendues au cours des quatre premiers exercices sont les suivantes :

	Quantité fabriquée	Quantité vendue
1er exercice	1 200	1 000
2e exercice	1 800	1 500
3e exercice	2 400	2 000
4e exercice	3 600	3 000

L'entreprise utilise la méthode du coût complet réel (DEPS).

ON DEMANDE

1. de présenter, sous forme comparative, un état des résultats selon la méthode du coût complet ;
2. de présenter, sous forme comparative, un état des résultats selon la méthode du coût variable ;
3. d'expliquer, sans faire de calculs, pourquoi l'écart entre les résultats, quel que soit l'exercice considéré, est toujours de 4 000 $.

■ EXERCICE 10-12

Daniel ltée existe depuis trois ans. Elle fabrique des poutres à partir des devis des clients. L'entreprise utilise un système de coût de revient par commande. Elle impute les frais indirects de fabrication fixes et variables en utilisant l'heure de main-d'œuvre directe comme unité d'œuvre, et redresse le coût des produits vendus des sur- ou sous-imputations.

Daniel ltée a toujours utilisé le même coefficient d'imputation qui a été calculé à partir des données suivantes :

Frais indirects de fabrication fixes :	25 000 $
Frais indirects de fabrication variables :	155 000 $
Heures de main-d'œuvre directe :	25 000

Le coût des matières premières utilisées en 20X6 a été de 292 000 $ alors que celui des matières premières utilisées en 20X7 a été de 370 000 $. Les frais indirects de fabrication fixes réels ont été de 42 300 $ en 20X6 et de 37 400 $ en 20X7. Le taux de rémunération de la main-d'œuvre directe a été jusqu'à présent de 6 $.

Tous les frais d'administration sont fixes alors que les frais de vente représentent les commissions versées aux vendeurs qui se sont élevées à 5 % des chiffres d'affaires.

Voici les états des résultats de 20X6 et 20X7 ainsi que des statistiques concernant les stocks :

État des résultats

	20X6		20X7	
Chiffre d'affaires		840 000 $		1 015 000 $
Coût des produits vendus				
S.P.F. au début	25 000 $		18 000 $	
Coût de fabrication	548 000		657 600	
S.P.F. à la fin	(18 000)		(14 000)	
	555 000		661 600	
Sous-imputation	36 000	591 000	14 400	676 000
Bénéfice brut		249 000		339 000
Frais d'exploitation				
Frais de vente	82 000		95 000	
Frais d'administration	70 000	152 000	75 000	170 000
Bénéfice		97 000 $		169 000 $

Statistiques portant sur les stocks

	1er janvier 20X6	31 décembre 20X6	31 décembre 20X7
Matières premières	22 000 $	30 000 $	10 000 $
Stock de produits en cours			
Coûts	40 000 $	48 000 $	64 000 $
Heures de M.O.D.	1 335	1 600	2 100
Stock de produits finis			
Coûts	25 000 $	18 000 $	14 000 $
Heures de M.O.D.	1 450	1 050	820

ON DEMANDE

1. de présenter l'état des résultats pour l'exercice 20X7 selon la méthode du coût variable en y faisant figurer la marge sur coûts variables ;
2. de concilier le résultat obtenu selon la méthode du coût variable avec celui de 169 000 $ déterminé selon la méthode du coût complet.

(Adaptation – C.M.A.)

■■■ EXERCICE 10-13

Vous avez assisté à une réunion où il a été question du budget directeur concernant le prochain exercice. Dans les notes prises lors de cette réunion, figurent :
a) la marge de sécurité : 100 000 $;
b) le prix de vente unitaire : 10 $;
c) les frais variables à l'unité : 6 $.

ON DEMANDE

de déterminer le bénéfice prévu (avant impôt), renseignement qui n'a pas été noté lors de la réunion.

■■■ EXERCICE 10-14

Voici un graphique traduisant les interactions coût-volume-profit pour le segment pertinent d'activité. Le graphique n'est pas absolument à l'échelle.

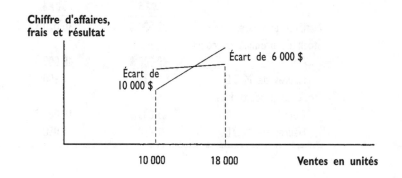

ON DEMANDE

de déterminer le point mort.

■■■ EXERCICE 10-15

M. Cantin a ouvert en 20X1 un restaurant dont la spécialité est la préparation de pizzas. À cette fin, il a loué un édifice dont le loyer mensuel est de 400 $.

Deux femmes y travaillent à temps plein, et six étudiants doivent consacrer 30 heures par semaine à la livraison.

Un cabinet de comptables s'occupe de la tenue de livres et de la préparation des déclarations de revenus ; leurs honoraires mensuels s'élèvent à 300 $. Le matériel de restaurant et les voitures de livraison nécessaires ont été payés comptant. Les frais relatifs aux services publics et aux fournitures ont été plutôt constants au cours des années.

Le comptable a préparé pour l'exercice 20X5 l'état des résultats prévisionnels suivant :

CANTIN LTÉE
État des résultats prévisionnels
pour l'exercice se terminant le 31 décembre 20X5

Chiffre d'affaires		95 000 $
Coût de la nourriture vendue	28 500 $	
Salaires des préposés à la préparation des pizzas	8 150	
Salaires des préposés à la livraison	17 300	
Loyer	4 800	
Services de comptabilité	3 600	
Amortissement du matériel de livraison	5 000	
Amortissement du matériel de restauration	3 000	
Électricité, eau et autres services publics	2 325	
Fournitures (savon, cire à plancher, etc.)	1 200	73 875
Bénéfice avant impôt		21 125
Impôt		6 338
Bénéfice net		14 787 $

On fournit les renseignements supplémentaires suivants :

a) le prix de vente moyen pour une pizza est de 2,50 $;
b) le taux d'imposition est de 30 %.

ON DEMANDE

1. de déterminer le point mort (quantité de pizzas qui devrait être vendue) ;
2. de déterminer quel serait le volume à atteindre (en quantité de pizzas) si M. Cantin voulait réaliser un bénéfice de 20 000 $ après impôt.

(Adaptation – C.M.A.)

■■■ **EXERCICE 10-16**

A ltée et B ltée vendent un même produit. Le prix de vente offert par les deux entreprises est identique et n'a pas varié au cours des années 20X4 et 20X5. Quant au comportement des frais, il n'a pas varié au cours des ans. Voici les résultats respectifs des deux entreprises pour les deux dernières exercices :

	A ltée		B ltée	
	20X4	**20X5**	**20X4**	**20X5**
Ventes	100 000 $	120 000 $	100 000 $	120 000 $
Frais	90 000	94 000	90 000	106 000
Bénéfice	10 000 $	26 000 $	10 000 $	14 000 $

ON DEMANDE

1. de calculer le seuil de rentabilité relatif à chacune de ces entreprises ;
2. de comparer les résultats de 20X4 entre les deux entreprises, à l'aide d'un même graphique volume-profit.

(Adaptation — S.C.M.C.)

■■■ **EXERCICE 10-17**

Le total des coûts à 100 % de la capacité normale de production (40 000 unités) s'élève à 40 000 $. La marge de bénéfice est de 20 % à 100 % de la capacité normale, et de 15 % à 80 % de la capacité. Tous les frais de vente et d'administration sont fixes. L'entreprise ne vend qu'un produit. Le bénéfice dont il est question est un bénéfice avant impôt.

ON DEMANDE

1. de déterminer le point mort ;
2. d'indiquer si l'augmentation du point mort sera proportionnelle à chacune des diminutions du prix de vente suivantes :
   a) une diminution de 10 % du prix de vente ;
   b) une diminution de 20 % du prix de vente ;
3. d'expliquer pourquoi le point mort établi lorsqu'il y a augmentation de 10 % du prix de vente est le même que lorsqu'il y a augmentation de 10 % du prix de vente et diminution de 20 % de la quantité vendue.

■■■ **EXERCICE 10-18**

Au cours de l'exercice 20X4, les ventes de X ltée se sont élevées à 200 000 $, la marge de sécurité à 25 %, et la marge sur coûts variables à 30 %. Au cours de 20X5, il y a eu une diminution considérable des frais fixes et une légère baisse du prix de vente. Ces variations ont porté la marge de sécurité à 40 % et la marge sur coûts variables à 20 %.

Les unités vendues au cours de ces deux exercices, ainsi que les frais variables, n'ont connu aucune modification.

ON DEMANDE

1. de déterminer la baisse du chiffre d'affaires ;
2. de déterminer le seuil de rentabilité de 20X5 ;
3. de déterminer le bénéfice de 20X5 ;
4. de déterminer la baisse des frais fixes.
(Adaptation – C.G.A.)

■■■ **EXERCICE 10-19**

L'administration de ABC ltée s'interroge sur les ventes et les coûts de production du prochain exercice financier. Vous avez été invité par le bureau de direction à assister à une de ses réunions, afin d'apporter votre collaboration à la solution de quelques-uns des problèmes de planification auxquels doit faire face la société.

Voici l'état des résultats préparé par les employés de votre service :

ABC LTÉE
État des résultats
pour l'exercice se terminant le 31 décembre 20X5

Chiffre d'affaires (220 000 × 27,50 $)		6 050 000 $
Coût des produits vendus		
Matières premières	1 100 000 $	
Main-d'œuvre directe	1 320 000	
Frais indirects de fabrication fixes	770 000	
Frais indirects de fabrication variables	660 000	3 850 000
		2 200 000
Frais de vente fixes	550 000	
Frais de vente variables	220 000	
Frais d'administration fixes	660 000	
Frais d'administration variables	88 000	1 518 000
Bénéfice		682 000 $

La capacité de production de l'usine est de 264 000 unités.

ON DEMANDE

1. de déterminer le point mort en chiffre d'affaires et en unités ;
2. de résoudre le problème suivant : le directeur des ventes soutient que, si le prix pouvait être réduit de 4 %, il pourrait vendre 264 000 unités ;
   a) Quel serait le nouveau point mort en unités ?
   b) Quel serait le pourcentage de baisse du bénéfice s'il ne se produisait en fait aucune augmentation d'unités ?
3. de résoudre le problème suivant : le directeur de la production indique que, si l'on utilisait une nouvelle machine, les coûts en main-d'œuvre directe subiraient une diminution de 2,20 $ l'unité. La nouvelle machine augmenterait les frais indirects de fabrication fixes d'un montant de 187 200 $.
   a) En supposant que 264 000 unités pourraient être vendues, à quel montant devrait-on fixer le prix de vente pour augmenter le bénéfice de 50 % ?
   b) Le bureau de direction vous demande de préparer un diagramme analytique volume-profit qui comparerait les résultats obtenus en 2a) et en 3a).
   c) Estimez, en vous référant au diagramme analytique volume-profit présenté en 3b), le chiffre d'affaires au point mort, eu égard aux hypothèses faites en 3a).

(Adaptation − S.C.M.C.)

■■■ EXERCICE 10-20

R.L. inc., une entreprise d'exportation et de consultation desservant surtout les fermes agricoles, s'est engagée par contrat à approvisionner en plants spéciaux une ferme expérimentale située dans le nord-est de l'Afrique. R.L. achète normalement ses plants chez Pousses Vertes inc. et les achemine par avion vers leur destination finale. Pousses Vertes est l'une des plus grandes pépinières du Canada et est financée en partie par le gouvernement. En temps normal, les services de foresterie du gouvernement canadien utilisent jusqu'à 50 % du volume annuel de plants de Pousses Vertes ; le reste est vendu selon le mode « premier arrivé premier servi ».

M. Rolland, associé principal chez R.L., vous remet le dossier du client qui contient les renseignements suivants :

a) Coûts

Coût de manutention de Pousses Vertes	0,55 $
Coût de manutention et de transport par plant	1,85
Frais engagés jusqu'ici dans le cadre du contrat (en excluant le voyage en Afrique pour les analyses du sol)	7 800
Coût du voyage aller-retour pour les analyses du sol	1 400
Frais prévus pour exécuter le contrat et n'ayant pas trait à l'achat de plants, à la manutention et au transport	10 000

b) Ventes

Prix de vente par plant	Volume de ventes (nombre de plants)	Probabilité
3,20 $	30 000	0,4
3,20 $	25 000	0,4
3,20 $	20 000	0,2

M. Rolland a reçu l'assurance de Pousses Vertes qu'elle pourra fournir la quantité de plants requises par R.L., quelle qu'elle soit, pour exécuter le contrat africain.

ON DEMANDE

1. de calculer le seuil de rentabilité relatif au contrat ;
2. de calculer la probabilité de dépasser le seuil de rentabilité
(Adaptation – S.C.M.C.)

■■■ EXERCICE 10-21

Voici certaines données se rapportant à une firme X pour l'exercice écoulé :

Ventes (à 10 $ l'unité)		1 000 000 $
Coût des produits vendus		500 000
Bénéfice brut		500 000
Frais de vente variables		100 000
Marge sur coûts variables		400 000
Frais fixes		
de fabrication	150 000 $	
de vente	50 000	
d'administration	80 000	280 000
		120 000
Intérêts créditeurs		20 000
		140 000
Impôt		67 200
Bénéfice avant poste extraordinaire		72 800
Gain extraordinaire, moins impôt de 4 800 $		5 200
Bénéfice net		78 000 $

ON DEMANDE

1. de calculer le point mort en unités ;
2. de déterminer la quantité qu'il aurait fallu vendre pour réaliser un bénéfice de 26 000 $ après impôt ;
3. de déterminer la marge de sécurité en dollars ;
4. d'indiquer quel devrait être le montant obtenu en multipliant la marge de sécurité (exprimée en dollars) par le ratio de la marge sur coûts variables.

■■■ EXERCICE 10-22

Les données suivantes sont tirées du budget flexible d'une entreprise :

Unités	Frais
2 000	8 000 $
4 200	10 200
6 000 (soit les $^2/_3$ de la demande et de l'offre actuelles)	12 000

ON DEMANDE

1. de déterminer la partie fixe et la partie variable des coûts à l'aide de la méthode graphique ;
2. de déterminer le seuil de rentabilité en unités et en dollars, sachant que la marge sur coûts variables est de 1,50 $ l'unité ou de 60 % (à reporter sur le graphique préparé en 1.) ;
3. de déterminer le seuil de rentabilité, en dollars seulement, si l'entreprise envisage une réduction de 10 % dans le prix de vente unitaire afin d'augmenter de 10 % les unités vendues (utiliser le même graphique pour indiquer l'effet sur le seuil de rentabilité) ;
4. de déterminer le bénéfice total réalisé au niveau de la demande du produit :
   a) en maintenant le prix de vente unitaire ;
   b) en procédant à la réduction du prix de vente unitaire mentionné en 3. ;
5. d'indiquer, s'il y avait réduction de 10 % du prix de vente, de quel pourcentage la quantité actuelle vendue devrait augmenter afin de réaliser le même montant de bénéfice.

EXERCICE 10-23

Le comportement de la demande pour le produit fabriqué par Pierrot ltée est le suivant :

Demande en unités	Prix de vente
De 4 000 à 8 000	10,00 $
De 8 001 à 12 000	7,50
De 12 001 à 16 000	6,00

La fonction traduisant les frais est la suivante :

30 000 $ + (5 $) (Nombre d'unités).

ON DEMANDE

1. de déterminer le segment pertinent d'activité ;
2. de calculer le point mort.

EXERCICE 10-24

Les données suivantes concernent une entreprise industrielle qui se spécialise dans la fabrication d'un unique produit :

a) Sa chaîne de montage requiert un superviseur et permet de fabriquer jusqu'à 20 000 unités ;

b) Ses coûts fixes sont de :

60 000 $ pour les 5 000 premières unités

+ 5 000 $ pour chaque tranche additionnelle de 5 000 unités ;

c) Les marges sur coûts variables unitaires réalisées selon les deux possibilités en matière d'établissement du prix de vente sont les suivantes :

1re possibilité : 20 $ – 12 $ = 8 $

2e possibilité : 18 $ – 12 $ = 6 $.

ON DEMANDE

de calculer le seuil de rentabilité selon chacune des possibilités de prix de vente.

(Adaptation – S.C.M.C.)

11

LES DÉCISIONS ET LES ÉLÉMENTS FINANCIERS PERTINENTS SANS INCIDENCE SUR LES INVESTISSEMENTS

La société est soumise à des changements brusques et à un rythme accéléré modifiant la composition du revenu national et sa distribution au sein de la population ; par le fait même, les conditions d'exploitation de l'entreprise, les formes et l'intensité de la concurrence en subissent le contrecoup.

La tâche de l'administrateur est donc difficile ; il doit saisir toutes les occasions d'augmenter la productivité. Ceci peut le conduire à accroître les ventes, à réduire les coûts, à profiter de tous les projets qui, à court comme à long terme, permettront d'augmenter les bénéfices de l'entreprise.

1. LES DÉCISIONS ADMINISTRATIVES

De ces occasions qui s'offrent à la firme, nous nous proposons, dans le présent chapitre, de mettre l'accent sur celles au sujet desquelles les décisions ne nécessitent pas le recours à la technique de l'actualisation, technique utilisée pour évaluer la rentabilité de projets d'investissement, parce qu'elles n'entraînent pas de désinvestissement ou d'investissement ou parce que l'incidence en la matière ne constitue pas un facteur déterminant touchant les occasions à l'étude : éliminer un produit apparemment déficitaire, mettre à profit la capacité inutilisée en produisant une pièce ou un produit au lieu de l'acheter, ou en acceptant des commandes spéciales à un prix de vente inférieur au prix ordinaire, faire subir des traitements complémentaires à des produits, procéder à l'embauchage d'une équipe supplémentaire, se débarrasser de marchandises désuètes, utiliser une superficie ou la louer, fermer temporairement un atelier.

En pareils cas, la direction des entreprises, petites et grandes, doit souvent choisir, entre plusieurs solutions, celle qui présente ordinairement le meilleur rendement possible, après avoir soupesé les avantages et désavantages de chacune ; telle est la nature de la prise de décision.

A.   Les décisions et la comptabilité générale

La comptabilité générale est impuissante à donner toutes les solutions ou même tous les éléments de solution aux problèmes que nous venons de citer. Le système comptable est le plus souvent organisé en vue de la présentation des états financiers, le tout selon les principes comptables généralement reconnus.

Cet objectif prévaut tant pour les investisseurs que pour les administrateurs ; cependant, ces derniers ont des besoins autres que ceux des investisseurs ; par conséquent, dans les études et les rapports internes, les administrateurs ne se sentent pas liés par les principes comptables ; ils veulent être éclairés par des données qui concernent l'avenir de l'entreprise et, pour eux, la comptabilité du passé ne peut être une mesure adéquate du futur. Les administrateurs veulent savoir de façon nette ce que les coûts et les profits peuvent être et doivent être et non seulement ce qu'ils ont été ; ils se préoccupent non seulement de l'exploitation prise globalement, mais aussi des secteurs ou composantes de l'entreprise.

Mettre sur pied un système comptable qui donnerait sur demande toutes les données financières propres à éclairer le grand nombre de décisions à prendre par la direction est d'un coût prohibitif pour la plupart des entreprises et probablement non souhaitable pour toutes. En effet, une décision est presque toujours différente d'une autre et met en cause des facteurs fort divers.

Pour en arriver à des décisions éclairées, la direction doit utiliser les instruments propres à fournir les renseignements indispensables à la solution la plus rationnelle des problèmes. Elle utilisera donc une comptabilité axée sur les besoins de gestion, ainsi que tous les éléments extérieurs propres à jeter quelque lumière sur les questions à l'étude et à favoriser des décisions judicieuses.

B.   Le rôle du comptable dans certaines décisions[1]

Les fonctions du comptable peuvent être divisées en deux grandes catégories : faire un rapport sur les coûts et les analyser. Le rapport sur les coûts comprend, entre autres choses, le calcul du coût des produits vendus et celui des stocks ; l'analyse des coûts consiste à examiner soigneusement un très grand nombre de données sur les coûts, fournies par le système de coût de revient, afin de mettre en évidence les faits

---

1. Cette section est inspirée des pages 3 et 4 de la leçon 15 de *Cost and Management Accounting*, La Société des comptables en management du Canada, 1968.

significatifs. Ces faits peuvent être présentés à la direction, habituellement sous forme de rapports spéciaux, en vue d'une exploitation heureuse de l'entreprise.

Même si les deux fonctions sont importantes, c'est par l'analyse des coûts que le comptable peut le mieux justifier sa présence au sein de l'équipe administrative et s'y affirmer. Lorsqu'il s'agit de saisir la signification des prix coûtants et de prévoir les conséquences que peut avoir sur les coûts une décision de la direction, le comptable devrait être la personne dont on attend des réponses éclairées.

Le rôle du comptable dans le procédé de prise de décision exige une grande habileté et beaucoup de jugement. Puisque les données comptables utilisées dans ce cas se rapportent aux activités futures de l'entreprise, on demande au comptable de voir plus loin que le simple enregistrement des actes du passé. Il doit déterminer, à titre d'analyste, les coûts pertinents pour la décision à prendre. Dans sa préparation des rapports analytiques à soumettre à la direction, le comptable doit se rappeler que :

1) dans tout rapport, les données sur les produits et les coûts se rapportant à chacun des projets doivent être pertinentes pour la décision à prendre ;

2) son rôle est tout d'abord de signaler les conséquences probables sur la rentabilité de l'entreprise de chacun des projets, sans avoir à recommander un choix plutôt qu'un autre, à moins qu'on ne lui demande spécifiquement de se prononcer, ce qui se présentera malgré tout assez souvent ;

3) son rapport devra être au point. Comme un rapport de cette nature porte sur les actions futures de la direction, certains détails peuvent quelquefois être sacrifiés, mais le rapport ne doit jamais être vague ni équivoque ;

4) son rapport n'est pas toujours la seule base des décisions de la direction. Même si son analyse quantitative est juste, la solution que semble favoriser le rapport du comptable peut, dans plusieurs cas, ne pas être retenue par la direction et cela, pour des raisons valables découlant de facteurs qualitatifs.

C. Les facteurs quantitatifs et qualitatifs

Toute décision demande une étude sérieuse de tous les facteurs qui peuvent entrer en jeu.

Les facteurs quantitatifs sont ceux qui peuvent être exprimés en chiffres, surtout en dollars ; ils mettent en cause des éléments comme les ventes supplémentaires, les économies ou les coûts supplémentaires ; leur étude indique s'il y a espoir d'une rentabilité suffisante. Le présent chapitre est surtout centré sur ces facteurs quantitatifs.

Les facteurs qualitatifs jouent souvent un rôle prédominant dans plusieurs décisions ; ce sont des facteurs qu'on ne peut inscrire aux livres comptables parce qu'il est difficile de les traduire en quantités ou en dollars. Les exemples classiques de tels facteurs sont les suivants : quelles seront les réactions des syndicats devant la fermeture temporaire d'une usine ? quelles seront les réactions des clients habituels et de la concurrence devant la vente à un client étranger d'un produit à un prix de vente inférieur au prix soi-disant coûtant ? si l'entreprise confie la fabrication d'une pièce à un fournisseur, pourra-t-elle obtenir la constance dans la qualité souhaitée, la continuité dans la livraison ou encore sera-t-elle à la merci de ce fournisseur ? l'entreprise trouvera-t-elle dans la ville ou la région choisie la main-d'œuvre dotée des connaissances techniques indispensables ?

Quant au comptable, même si de par son rôle strict il n'a pas à tenir compte des facteurs qualitatifs dans ses rapports à la direction, il doit, comme membre de l'équipe administrative, être conscient de ces facteurs ; placé au centre des opérations de la comptabilité, son poste est idéal pour observer les conséquences sur les flux monétaires des décisions prises.

Le comptable digne de ce nom sait que les données quantitatives n'éclairent qu'une partie du problème ou du choix et que les actions posées par la direction peuvent être inspirées par des motifs ne pouvant pas toujours être exprimés en chiffres ou en graphiques ; en particulier, les réalisations destinées à maintenir de bonnes relations avec les employés, les syndicats, les fournisseurs, la clientèle et le public, sont d'une importance telle que, dans plusieurs cas, elles auront préséance sur les seuls facteurs d'ordre quantitatif.

Même si l'on sait d'avance qu'un facteur qualitatif prédominera, une analyse quantitative s'impose. Elle fournit au moins une base pour comparer les facteurs qualitatifs. Par exemple, si l'entreprise doit fermer un atelier pendant deux mois, gardera-t-elle à son service les trois techniciens de cet atelier ou les licenciera-t-elle ? Elle sait que, si elle les garde à son service, il lui en coûtera 9 000 $ (soit 3 × 1 500 $ × 2 mois) en salaires. Pour les remplacer dans 2 mois, elle devra débourser 2 400 $ en frais de déplacement, de formation et autres, alors que la qualité de cette nouvelle main-d'œuvre n'est nullement assurée.

Par conséquent, la décision de garder à son service les trois techniciens actuels lui coûtera 6 600 $ (soit 9 000 $ − 2 400 $), prix à payer pour conserver une main-d'œuvre de qualité et maintenir de bonnes relations avec son personnel.

2.   LES PRODUITS ET COÛTS PERTINENTS

Pour établir le coût des produits en stock, nous avons toujours fait la distinction entre les coûts de fabrication et les autres coûts. Pour l'étude des interactions coût-volume-profit ainsi que pour l'étude de la méthode du coût variable, la distinction entre coût variable et coût fixe était essentielle.

Toutefois, lorsqu'il s'agit des décisions nécessitant un choix entre plusieurs actions, les distinctions entre les coûts précédents perdent de leur importance. La distinction essentielle doit être faite entre les coûts pertinents et les coûts non pertinents ou indifférents.

Les coûts et les produits pertinents sont ceux qui seront affectés, soit à la hausse, soit à la baisse, à la réalisation d'un projet, ou encore qui en découleront. Par exemple, si Jean Boisvert pense quitter son emploi où il gagne 25 000 $ pour acheter un commerce, la perte annuelle de ce salaire est un coût pertinent dont il doit tenir compte dans l'évaluation du rendement éventuel du commerce.

Les coûts et les produits non pertinents ou indifférents sont les coûts et les produits qui n'ont aucun rapport avec la décision à prendre ou, encore, qui resteront les mêmes quelle que soit la situation. Par exemple, le salaire du directeur de la production est non pertinent ou indifférent, car il ne changera pas du fait de l'augmentation ou de la diminution de l'activité de l'usine. Les qualificatifs non pertinents et indifférents sont, dans la pratique, interchangeables.

A. Les critères de la pertinence

Dans toute décision éventuelle, qu'elle porte sur l'acceptation ou le rejet d'une option, ou sur un choix entre de multiples options, il est essentiel de déterminer les éléments pertinents.

a. Premier critère : les produits et les coûts futurs

Les éléments pertinents qui affectent une décision sont des éléments futurs qui traduisent ce qui pourrait survenir dans une situation hypothétique. Dans ce cas, il faut prendre en compte tant les produits futurs que les coûts futurs, car les administrateurs veulent savoir d'une façon très précise ce que les produits, les coûts et les profits peuvent être et non pas seulement ce qu'ils ont été. Par conséquent, les produits et les coûts passés ne sont pas pertinents, si ce n'est qu'ils peuvent aider à éclairer la décision à prendre.

b. Second critère : les produits et les coûts significatifs dans une situation donnée

Dans une entreprise, chaque décision à prendre demande une étude distincte pour déterminer les éléments particuliers à une situation donnée et pour éliminer les éléments non pertinents ou indifférents. Il faut donc tenir compte des conditions économiques et des contraintes propres à influencer les produits et les frais de cette situation donnée.

Il n'est pas facile, par exemple, de déterminer les coûts pertinents et les coûts non pertinents, pour ne retenir que les coûts à inclure dans une étude comparative de différents projets ou de différentes situations. En effet, un élément pertinent dans un certain contexte peut être non pertinent ou indifférent dans un autre.

Il n'y a pas de coûts ou de produits qui, de par leur nature même, doivent être pris en considération plus que d'autres dans une décision ; on ne doit pas se préoccuper uniquement de quelques catégories de coûts ou de produits et exclure les autres ; le seul cadre de référence est leur pertinence ou leur non-pertinence par rapport au projet à l'étude, à la décision à prendre. Cependant, toujours sous l'angle de la pertinence, certaines catégories de coûts peuvent être envisagées plus naturel- lement : les coûts variables futurs et les coûts fixes futurs.

B.   Les coûts variables et les coûts pertinents

Les coûts variables sont les plus susceptibles de devenir des coûts pertinents. Cependant, si la décision doit porter par exemple sur le choix entre produire ou acheter un article pour le revendre, les frais de vente variables ne sont pas pertinents dans la décision à prendre. Ainsi donc, il faut éviter soigneusement de considérer comme synonymes coût pertinent et coût variable.

C.   Les coûts fixes et les coûts pertinents

Les coûts fixes sont moins susceptibles d'être pertinents dans les décisions auxquelles nous nous intéressons dans ce chapitre, parce qu'ils sont d'habitude peu touchés par ce genre de décision ; une décision de la direction peut toutefois entraîner des changements dans les coûts fixes si, par exemple, le niveau d'activité étant passé de 100 000 à 125 000 unités, certains coûts fixes (nombre de contremaîtres, équipes d'entretien) sont susceptibles d'augmenter. Ces coûts supplémentaires seront alors pertinents dans la décision à prendre.

Si on ouvre un nouveau territoire de vente, le salaire du directeur des ventes, bien que fixe, augmentera le total des coûts fixes et représentera par conséquent un coût différentiel ; cependant, le salaire du vice-président aux ventes demeurera vrai- semblablement constant et n'entrera donc pas en ligne de compte.

Concluons en indiquant qu'un examen attentif des coûts fixes s'impose pour établir leur pertinence ou leur non-pertinence.

3.   LES NOTIONS DE COÛTS FONDAMENTALES DANS LA PRISE DE DÉCISION

Outre les qualificatifs de variable, fixe et autres qui nous sont déjà connus, le comptable doit recourir à une terminologie complexe afin de préciser la nature véritable de certains coûts lors d'une décision à prendre. Le comptable ne doit toutefois utiliser ces notions que comme guides et points de référence.

A.   Les coûts de débours

Tous les coûts pertinents à la prise de décision sont des coûts de débours (coûts décaissés), c'est-à-dire des coûts qui donnent lieu à une sortie de fonds. L'amortissement n'est pas un coût de débours.

B.   Les coûts différentiels

Un coût différentiel n'est pas à proprement parler un coût d'une nature différente de celle d'un autre coût ; le coût différentiel représente tout simplement la différence arithmétique positive ou négative entre deux coûts ou deux totaux de coûts ; si la différence est positive, un coût différentiel serait aussi bien nommé coût supplémentaire ou additionnel ; si la différence est négative, il pourrait prendre le nom d'économie. Il pourrait s'agir aussi bien de coûts fixes que de coûts variables.

Les coûts différentiels ont été définis comme étant la différence entre les coûts de deux actions possibles qui se présentent à l'entreprise. Il arrive souvent que l'une de ces actions soit de s'en tenir au statu quo. Le tableau suivant fait ressortir la différence sur éléments de coûts pertinents relatifs à deux projets.

Éléments pertinents	Premier projet	Second projet	Coûts supplémentaires (ou économies) du premier projet
Matières premières	600 000 $	500 000 $	100 000 $
Main-d'œuvre directe	225 000	300 000	(75 000)
Coûts différentiels			25 000 $

Les coûts différentiels sur niveaux d'activité ont été définis comme étant l'augmentation du coût total occasionné par la production d'unités supplémentaires. Certains auteurs utilisent l'expression coût marginal, expression qui prête à confusion étant donné qu'en économique elle désigne le coût supplémentaire lorsque l'accroissement du volume tend vers zéro.

Comme l'indique l'exemple du tableau suivant, l'augmentation de la production de 500 unités a pour effet d'accroître les coûts totaux d'un montant de 5 000 $. Ces 5 000 $ représentent donc des coûts différentiels, en l'occurrence des coûts supplémentaires.

Éléments	Coût unitaire	1 000 unités	1 500 unités	Coûts différentiels
Matières premières	5,00 $	5 000 $	7 500 $	
Main-d'œuvre directe	3,00	3 000	4 500	
F.I.F. variables	2,00	2 000	3 000	
F.I.F. fixes		1 500	1 500	
		11 500 $	16 500 $	5 000 $

Comme on peut s'en rendre compte, le mot différentiel ne décrit donc pas la nature du coût, mais un mouvement du coût vers la hausse ou la baisse. On pourrait, en traitant des produits, utiliser l'expression produits différentiels.

L'étude des coûts différentiels n'est pas une méthode de comptabilisation des coûts ni de détermination des coûts de revient, mais une méthode d'analyse des coûts propre à aider la direction à prendre certaines décisions.

Une autre façon, encore plus claire pour l'administrateur, de rapporter les données est la suivante:

Éléments	1 000 unités	1 500 unités	Coûts différentiels
Matières premières	5 000 $	7 500 $	2 500 $
Main-d'œuvre directe	3 000	4 500	1 500
F.I.F. variables	2 000	3 000	1 000
F.I.F. fixes	1 500	1 500	– 0 –
	11 500 $	16 500 $	5 000 $

Ce tableau donne le coût différentiel pour chaque élément, ce qui augmente son utilité. Cette forme d'analyse permet de tenir compte de tous les éléments, même de ceux qui sont indifférents, sans que ces derniers influent sur la décision.

Lorsque la situation s'y prête, la présentation des données peut être simplifiée comme suit:

Éléments pertinents	Coûts différentiels
Matières premières	2 500 $
Main-d'œuvre directe	1 500
F.I.F. variables	1 000
	5 000 $

Ce tableau, d'une grande concision, ne présente que les seuls éléments pertinents; il est suffisant pour les administrateurs connaissant bien la situation à l'étude et ayant confiance en la compétence du comptable.

C.   Les coûts d'option, de substitution ou de renonciation

Les coûts d'option représentent des bénéfices ou des produits auxquels on renonce en choisissant un mode d'action plutôt qu'un autre. Bien que non comptabilisés, ces coûts deviennent réels lorsque vient le moment de prendre une décision, de faire un choix entre divers projets.

Rappelons-nous que les coûts représentent habituellement les montants des valeurs dont une entreprise se départit, au moment présent ou dans l'avenir, pour créer des biens ou en acquérir. Les coûts engagés pour obtenir un bien peuvent également comprendre les bénéfices auxquels une entreprise renonce (ou qu'elle sacrifie), pour créer ou acquérir un bien, ou pour faire un choix entre plusieurs possibilités présentant chacune des avantages et des inconvénients.

L'entreprise qui, pour satisfaire à une demande accrue de son produit, doit renoncer au produit de location qu'elle retirait faute d'utiliser un local à de meilleures fins, doit supporter un coût d'option. Si elle désire déterminer le résultat net supplémentaire qu'elle obtiendra de cette expansion, elle doit considérer comme élément de frais le produit de location auquel elle renonce.

Un coût d'option ou d'opportunité, comme son nom l'indique, résulte toujours d'un choix entre deux ou plusieurs actions. Placer 50 000 $ dans des actions signifie renoncer aux intérêts qu'on pourrait gagner en laissant cette somme dans un compte en banque, en achetant des obligations ou en prêtant sur hypothèque.

Si l'on décide de placer la somme dans des actions dont le taux de rendement sera de 12 %, les coûts d'option ou de renonciation aux autres choix sont les suivants :

Compte d'épargne bancaire   7 %
Obligations gouvernementales   9 %
Hypothèque   10 %

Le choix d'un placement en actions présente donc un avantage net de 5 %, 3 % et 2 % respectivement, compte non tenu de l'impôt.

Sauf dans les cas simples, il est difficile de déterminer avec exactitude les coûts d'option ; ce sont néanmoins des coûts réels à chercher et dont il faut tenir compte dans toute décision d'affaires.

D.   Les coûts évitables et les coûts inévitables

Les coûts évitables s'apparentent aux coûts pertinents ; ce sont les coûts engagés si l'entreprise prenait une décision impliquant un changement, mais qui n'auraient pas à l'être sans cette décision, toutes choses égales par ailleurs. Ainsi, certains coûts sont si étroitement liés à un produit qu'ils disparaissent avec l'abandon du produit.

Par exemple, si la firme décide d'abandonner la fabrication d'un téléviseur de 60 centimètres, les coûts évitables seront les frais directement attribuables à ce produit :

matières premières, main-d'œuvre directe, autres frais variables et frais fixes engagés spécifiquement pour ce produit.

Les coûts inévitables constituent un genre de coûts non pertinents ou indifférents ; ce sont les coûts que l'entreprise continuera à engager, peu importe le sens de la décision. Par exemple, le loyer de l'usine, les frais de la cantine, de l'infirmerie et d'un bon nombre de sections auxiliaires, sont des coûts inévitables (ou inéluctables) qui demeureront même si l'on abandonne un produit.

Certains coûts sont en partie évitables ; aussi, lors de la prise de décision, faut-il analyser soigneusement tous les coûts afin de les départager, s'il y a lieu, en leurs parties évitables, donc pertinentes, et inévitables, donc indifférentes. Si une firme veut supprimer un produit, sans doute pourra-t-elle faire des économies sur certains frais de publicité, mais celles-ci ne seront probablement pas proportionnelles au chiffre d'affaires perdu.

E.   Les coûts indifférents et les coûts irrécupérables

Un coût indifférent est un coût qui n'est pas modifié par la décision d'opter pour un projet plutôt que pour un autre. Un coût indifférent peut être soit un coût variable, soit un coût fixe, puisque le point important est que le coût ne sera pas changé par la décision prise.

Si la décision consiste, par exemple à augmenter la production de 7 000 à 10 000 unités, le total des coûts variables sera augmenté ; il y aura donc des coûts différentiels.

Dans le cas des coûts déjà engagés, ou passés, un coût indifférent prend le qualificatif d'irrécupérable. Prenons le cas d'un amateur qui a payé un montant de 300 $ non remboursable comme droit d'entrée sur un terrain de golf ; qu'il joue ou non, ses frais de 300 $ sont irrécupérables. Un ami lui demande d'assister à une partie de baseball ; sa dépense précédente de 300 $ le laisse indifférent quant à sa décision éventuelle ; seul le coût d'entrée de 4,00 $ à la partie de baseball est pertinent ; en effet, il ne peut pas dire que la partie de baseball va lui coûter 304 $, car les 300 $ de droit d'entrée au terrain de golf sont irrécupérables de toute façon. Ce coût est irrévocable parce qu'il a été engagé dans le passé et que, comme tel, il est irrécupérable dans une situation donnée ; une décision portant sur l'avenir ne peut modifier ce fait.

Dans certaines méthodes d'analyse en vue de la décision, on ne tient pas compte des coûts indifférents ou irrécupérables, afin de faire ressortir les seuls facteurs pertinents.

F.   Les coûts discrétionnaires

Il y a des coûts fixes qui peuvent augmenter ou diminuer et même disparaître complètement parce que leurs montants sont laissés à la discrétion de la direction; ils ne sont pas absolument essentiels à court terme, au sens strict.

Par exemple, les administrateurs peuvent décider de hausser le budget de publicité, de diminuer le budget réservé à deux ou trois produits et d'annuler celui d'un quatrième, ou encore de différer la campagne publicitaire d'un an ou deux. Ils peuvent subdiviser les équipes et placer à leur tête de nouveaux contremaîtres. Ils peuvent augmenter ou diminuer, selon les circonstances ou leur volonté, les montants affectés aux projets de recherche, aux œuvres de charité et à l'emploi d'experts-conseils.

Dans les décisions avec effets à court terme auxquelles fait face la direction, ces coûts peuvent être souvent évitables; c'est ainsi que les contributions aux universités peuvent être considérées comme très importantes pour l'entreprise qui veut s'assurer le recrutement de spécialistes qualifiés, alors que les administrateurs qualifieraient sans doute ces contributions de discrétionnaires.

G.   Les coûts supplétifs

Les coûts supplétifs, implicites ou théoriques sont des coûts obtenus par reclassification d'éléments financiers qui, lorsque l'on compare les coûts pertinents se rapportant à deux (ou plusieurs) options, doivent être pris en considération pour que la comparaison soit juste et la décision éclairée. On pourrait sans doute considérer ces coûts comme une catégorie spéciale de coûts d'option.

Dans la société A ltée, par exemple, les salaires des administrateurs sont considérés comme des frais de l'entreprise, alors que dans la société B, en nom collectif, les salaires sont comptabilisés comme des prélèvements; par conséquent, pour pouvoir comparer de façon réaliste les résultats des deux sociétés, il faudrait suppléer à la différence de traitement comptable en imputant (aux fins de comparaison seulement) aux résultats de la société B un coût supplétif égal aux salaires.

Nous présentons maintenant quelques exemples non exhaustifs, mais qui couvriront les secteurs importants et les catégories essentielles de coûts pertinents aux situations.

4.   EXEMPLES DE DÉCISIONS SANS AVOIR À RECOURIR À L'ACTUALISATION

A.   Une part accrue du marché et la capacité inutilisée

Lorsqu'une entreprise n'utilise qu'une partie de sa capacité de production, la direction doit étudier divers moyens de mettre à profit la capacité en chômage.

Cette idée soulève une question importante, celle de savoir quels sont les éléments du coût pertinents dans l'établissement des prix pour les opérations individuelles, là où on a besoin de plus de volume, où la concurrence est serrée et la précision des calculs essentielle. La bonne réponse dépend de la connaissance parfaite des composantes des coûts et d'une vision éclairée de l'effet probable de la décision.

DONNÉES

L'atelier de craquage de AB Oil ltée[2] fonctionne actuellement à 80 % de sa capacité normale hebdomadaire qui est de 400 000 litres de kérosène.

		Degré d'utilisation de la capacité			
	Fermeture	60 %	80 %	100 %	120 %
Main-d'œuvre directe	21 000 $	50 000 $	56 000 $	59 500 $	80 500 $
Autres frais de transformation variables	– 0 –	2 100	3 500	4 550	5 600
Frais de fabrication fixes	3 500	4 900	4 900	4 900	5 250
	24 500 $	57 000 $	64 400 $	68 950 $	91 350 $
Nombre de litres de kérosène traités chaque semaine	– 0 –	240 000	320 000	400 000	480 000

Au craquage, on obtient 75 % d'essence et 15 % de gas-oil ; leurs valeurs marchandes respectives sont de 0,60 $ et 0,21 $ le litre ; il y a une perte normale de 10 % en cours de production.

La société a l'occasion de produire à 100 % de sa capacité en achetant une quantité supplémentaire de 80 000 litres de kérosène par semaine à 0,20 $ le litre au lieu de 0,23 $. Devrait-elle profiter de cette occasion, en supposant que tous les frais de vente et d'administration sont fixes et s'élèvent à 10 000 $?

---

2. (Adaptation – C.A.)

SOLUTION

1) *Première forme de solution (analyse globale)*

	Activité		Résultats différentiels
	80 %	**100 %**	
Produits			
Vente d'essence	144 000 $	180 000 $	36 000 $
Vente de gas-oil	10 080	12 600	2 520
	154 080	192 600	38 520
Coûts de production			
Achat de kérosène	(73 600)	(89 600)	(16 000)
Craquage			
Main-d'œuvre directe	(56 000)	(59 500)	(3 500)
Autres frais de transformation variables	(3 500)	(4 550)	(1 050)
Frais de production fixes	(4 900)	(4 900)	– 0 –
Frais de vente et d'administration	(10 000)	(10 000)	– 0 –
Bénéfice	6 080 $	24 050 $	17 970 $

Ce tableau montre que l'achat d'une quantité supplémentaire de 80 000 litres de kérosène, à 0,20 $ le litre, procurerait à la société un bénéfice supplémentaire de 17 970 $. Elle aurait donc nettement avantage à profiter de cette occasion. Remarquons que les frais fixes ne sont pas pertinents à la décision ; cependant, comme ils se rapportent à 400 000 litres de kérosène au lieu de 320 000, il est possible, éventuellement, de mieux faire face à la concurrence.

2) *Autre forme de solution (analyse différentielle)*

Produits différentiels		
Vente d'essence (60 000 litres × 0,60 $)		36 000 $
Vente de gas-oil (12 000 litres × 0,21 $)		2 520
		38 520
Coûts différentiels		
Coût du kérosène (80 000 litres × 0,20 $)	16 000 $	
Craquage		
Main-d'œuvre directe	3 500	
Autres frais de transformation variables	1 050	20 550
Bénéfice différentiel		17 970 $

Cette dernière forme a l'avantage d'être plus claire, car elle met en relief les seuls éléments quantitatifs propres à influencer la décision ; les frais fixes sont donc absents du tableau parce qu'ils ne sont pas pertinents.

Cet exemple indique bien que la société n'aura pas à s'engager dans des investissements supplémentaires.

L'exemple ne mentionne pas quelle est la période d'engagement de la société AB Oil ltée, ni si les prix de vente actuels de l'essence et du gas-oil se maintiendront pendant une période équivalente.

B.　Une commande spéciale et la capacité inutilisée

Certaines entreprises fabriquent plusieurs sortes de produits ; quelques-uns sont standards et d'autres, spéciaux, ne sont fabriqués que sur demande spécifique du client qui fournit ses plans ou fait connaître ses désirs. Les prix de vente de ces derniers produits sont naturellement conformes à la politique générale des prix de la firme, c'est-à-dire qu'ils tiennent compte du fait qu'ils doivent absorber leur juste part des coûts fixes communs à toute l'usine.

Ce sont surtout des produits standards relatifs aux commandes dites spéciales dont il sera question ici.

Lorsqu'une entreprise ne fonctionne pas à sa pleine capacité, un des moyens d'utiliser la capacité en chômage pourrait être d'accepter certaines commandes dites spéciales pour les produits standards, mais à des prix de vente inférieurs au coût complet, c'est-à-dire à des prix qui couvriraient au moins tous les frais différentiels.

Les grands magasins et les grands manufacturiers passent des commandes spéciales, le plus souvent non répétées, parce qu'ils peuvent écouler de grandes quantités de produits.

DONNÉES

Plastic ltée[3] est une entreprise établie à Lévis ; elle ne fabrique qu'un seul produit appelé Sapinic et le vend 30 $ l'unité ; sa production normale est de 25 000 unités par mois. Les coûts standards de fabrication de Sapinic sont les suivants :

Matières premières	4,00 $
Main-d'œuvre directe	6,00
Frais indirects de fabrication variables	4,00
Frais indirects de fabrication fixes	2,00
	16,00 $

Les frais de vente variables sont de 2,00 $ l'unité, y compris la commission aux vendeurs. Les frais de vente et d'administration fixes sont de 25 000 $ par mois.

---

3. (Adaptation – C.G.A.)

La société, dont le marché est québécois, a reçu d'un magasin de Regina une offre d'achat de 5 000 Sapinic au prix spécial de 17 $ FAB Lévis. La société doit-elle accepter cette commande spéciale, dans l'hypothèse où la capacité inutilisée de l'usine lui permettrait de produire les 5 000 unités demandées ?

SOLUTION

Le coût complet du produit pourrait se détailler de la façon suivante :

Coûts de fabrication		
Matières premières	4,00 $	
Main-d'œuvre directe	6,00	
Frais indirects de fabrication variables	4,00	
Frais indirects de fabrication fixes	2,00	16,00 $
Frais de vente variables		2,00
Frais de vente fixes (25 000 $/25 000 unités)		1,00
Coût complet à l'unité		19,00 $

Considérons que, même si l'entreprise ne fonctionne pas à sa capacité normale, elle engage des frais fixes considérables qui ne seront pas plus élevés si on augmente la production.

De fait, si l'entreprise accepte la commande spéciale du magasin de Regina, elle n'aura à engager en supplément que les coûts variables qui, seuls, seront pertinents dans la décision à prendre.

	Éléments pertinents
Prix de vente à l'unité	17,00 $
Coûts variables à l'unité	
Matières premières	(4,00)
Main-d'œuvre directe	(6,00)
Frais indirects de fabrication variables	(4,00)
Bénéfice à l'unité	3,00 $
Bénéfice total (5 000 unités × 3,00 $)	15 000 $

Il est probable qu'à cette commande ne s'appliquent pas les frais de vente variables (la chose est certaine en ce qui a trait aux frais de livraison qui sont à la charge de l'acheteur) ; même si, pour cette commande, la société devait engager des frais de vente variables de 10 000 $ (soit 2,00 $ × 5 000 unités), il resterait encore un bénéfice de 5 000 $ sur l'opération.

Les frais indirects de fabrication fixes, de 50 000 $ (soit 2,00 $ × 25 000 unités), et les frais de vente fixes, de 25 000 $, sont non pertinents pour la décision à prendre, puisqu'ils n'augmenteront ni ne diminueront par suite de cette décision.

Il est évident que si, pour remplir cette commande spéciale, il avait fallu engager certains frais fixes, par exemple embaucher un contremaître, on devrait tenir compte de ces frais fixes dans l'analyse différentielle.

Le calcul du coût unitaire par la méthode du coût complet est pertinent pour établir les prix de vente normaux car, à long terme, tous les coûts tant fixes que variables doivent être récupérés ; mais pour déterminer la rentabilité d'une commande spéciale à prix réduit, on fera appel à l'analyse différentielle. Cet outil doit cependant être utilisé avec précaution.

Prise individuellement, chaque commande spéciale peut être intéressante car elle contribue aux frais fixes ; cependant elle peut faire boule de neige ; une commande à prix réduit attire d'autres commandes à prix réduit, ce qui perturbe le marché ordinaire : les clients peuvent chercher à obtenir, pour leurs commandes, les avantages accordés aux commandes spéciales en menaçant de changer de fournisseur ou de recourir à la loi.

Accepter des commandes à prix réduits peut conduire à une guerre des prix avec les concurrents qui voient envahir leur marché ; cela peut mener aussi à l'obligation de refuser des commandes plus intéressantes par la suite si l'usine fonctionne à pleine capacité à ce moment-là à cause des commandes spéciales.

Il arrive même que l'acceptation d'une commande spéciale signifie des retards dans la livraison d'autres commandes ou des réductions d'autres commandes.

L'entreprise qui accepte en pareil cas la commande spéciale doit souvent engager des frais supplémentaires en rapport avec les autres commandes livrées en retard ou supporter un coût de renonciation au sujet des autres commandes auxquelles l'entreprise renonce. Ce coût de renonciation correspond à la marge sur coûts variables sacrifiée. Voyons un exemple.

DONNÉES

Reprenons les données de l'exemple précédent en ajoutant que le fait d'accepter la commande spéciale obligera l'entreprise à renoncer à vendre 1 000 unités.

SOLUTION

Bénéfice relié à l'acceptation de la commande spéciale (déjà calculé)		15 000 $
Coût de renonciation relié aux ventes annulées		
Prix de vente à l'unité	30,00 $	
Coûts variables à l'unité		
Matières premières	(4,00)	
Main-d'œuvre directe	(6,00)	
Frais indirects de fabrication variables	(4,00)	
Frais de vente variables	(2,00)	
Marge sur coûts variables unitaires	14,00 $	
Marge totale sur coûts variables sacrifiée :		
1 000 unités × 14,00 $		14 000
Bénéfice total différentiel		1 000 $

L'approche précédente permet donc de décomposer le calcul du bénéfice différentiel en deux étapes : d'abord le calcul des effets économiques de la commande spéciale compte non tenu de la contrainte de capacité et ensuite le calcul du coût de renonciation lié à la contrainte de capacité.

Dans cet exemple, le bénéfice différentiel étant relativement faible, il est très possible que les gestionnaires refusent la commande spéciale d'autant plus que du point de vue qualitatif l'entreprise risque de perdre définitivement des clients réguliers.

Cependant, une commande spéciale crée la possibilité de pénétrer un nouveau marché, d'utiliser à titre d'essai de nouveaux canaux de distribution.

En conclusion, la technique de l'analyse différentielle est excellente en elle-même pour éclairer une situation donnée, que l'on accepte ou non une commande.

C. Le degré d'élaboration des produits

Au chapitre 6, nous avons étudié les co-produits et les sous-produits, ainsi que différentes méthodes de ventilation des coûts communs entre ces produits ; nous avons évidemment émis l'hypothèse que l'entreprise avait avantage à prolonger le traitement des matières après le point de séparation. Nous avons cependant affirmé que la répartition des coûts communs n'avait aucune importance lors de décisions à prendre, et que seuls les coûts supplémentaires étaient pertinents pour prendre de telles décisions.

DONNÉES

AB Oil ltée[4], dont il a été question dans un exemple précédent, se demande, après avoir porté sa production à 100 % de sa capacité normale, s'il n'y aurait pas avantage à atteindre 120 % de cette capacité en achetant une quantité supplémentaire de 80 000 litres de kérosène à 0,22 $ le litre. La société se demande, en outre, si elle ne devrait pas traiter et vendre ces 80 000 litres à l'état de kérosène plutôt que de procéder au craquage.

Les services de fabrication et de coût de revient ont fourni les renseignements suivants :

- les expériences en laboratoire ont démontré que cette catégorie de kérosène aurait un rendement de 85 % en essence et de 5 % en gas-oil, tout en subissant une perte normale en cours de production de 10 % du kérosène ;

- valeurs marchandes :

Kérosène après traitement spécial	0,30 $ le litre
Essence	0,60 $ le litre
Gas-oil	0,21 $ le litre

- le budget des coûts est le même que celui du premier exemple (voir p. 502) ; le coût d'un traitement spécial à faire subir au kérosène pour le rendre vendable s'élèverait à 0,04 $ le litre.

SOLUTION

1) *Premier choix : production et vente de l'essence et du gas-oil*

	Résultats différentiels	
Produits		
Vente d'essence (68 000 litres × 0,60 $)	40 800 $	
Vente de gas-oil (4 000 litres × 0,21 $)	840	41 640 $
Coûts de production		
Achat de kérosène (80 000 litres × 0,22 $)	17 600	
Craquage		
Main-d'œuvre directe	21 000	
Autres frais de transformation variables	1 050	
Frais de production fixes	350	40 000
Bénéfice différentiel		1 640 $

4. (Adaptation – C.A.)

2) *Second choix : vente du   kérosène traité*

		Résultats différentiels
Produit différentiel		
Vente de kérosène (80 000 litres × 0,30 $)		24 000 $
Coûts différentiels		
Achat de kérosène (80 000 litres × 0,22 $)	17 600 $	
Traitement supplémentaire (80 000 litres × 0,04 $)	3 200	20 800
Bénéfice différentiel		3 200 $

Dans ce cas particulier, il est évident qu'à court terme la société connaîtrait un bénéfice approximatif de 3 200 $ en procédant au traitement spécial du kérosène plutôt que de pousser la production jusqu'aux produits finals. Si, malgré tout, elle penchait pour la première solution, sa perte économique s'établirait à 1 560 $.

Bénéfice sur fabrication et vente d'essence et du gas-oil si l'activité de fabrication passe de 100 % à 120 %	1 640 $
moins : Coût d'option	3 200
Perte différentielle	1 560 $

D. La décision de produire ou d'acheter sans incidence sur les investissements

Combien de fois les administrateurs ne se sont-ils pas posé la question suivante lorsque la capacité n'est pas totalement utilisée : Est-il plus économique de produire une pièce ou une composante d'un produit que de l'acheter à un fournisseur éventuel ?

Le raisonnement est le même, d'ailleurs, en ce qui concerne les produits eux-mêmes : Vaut-il mieux, lorsque la capacité n'est pas totalement utilisée, fabriquer un produit et le revendre plutôt qu'acheter ce produit à un fournisseur éventuel pour le revendre ?

Dans l'un et l'autre cas, seuls les frais pertinents doivent être pris en considération pour déterminer les avantages économiques de chacun des choix.

DONNÉES

Leclair ltée[5] fabrique et vend trois produits J, K et L, dont le prix et les coûts standards à l'unité sont les suivants :

	J	K	L
Prix de vente	10,00 $	6,00 $	15,00 $
Matières premières	2,00 $	2,00 $	4,00 $
Main-d'œuvre directe	2,00	1,00	3,00
Frais indirects de fabrication variables	1,00	1,00	2,00
Frais indirects de fabrication fixes	1,00	1,00	3,00
Frais de vente variables	1,00	1,00	2,00

D'après le budget, les frais de vente fixes s'élèvent à 3 000 $ et les frais d'administration fixes atteignent 6 000 $. L'examen des statistiques des années passées montre que, pour une année type, la production et les ventes sont les suivantes et sont appelées à le demeurer à l'avenir :

J : 5 000 unités ;
K : 7 000 unités ;
L : 3 000 unités.

Le manufacturier Markim inc. a offert de lui fournir le produit K à 4,50 $ l'unité. La société devrait-elle accepter cette offre dans l'hypothèse où les ventes de J et L n'en seraient pas changées ?

SOLUTION

1) *Première forme de solution*

Si Leclair ltée fabrique le produit K, les coûts pertinents seront les suivants :

Matières premières	2,00 $
Main-d'œuvre directe	1,00
Frais indirects de fabrication variables	1,00
	4,00 $

Si la firme achetait le produit, son coût s'élèverait à 4,50 $, ce qui représenterait une perte différentielle de 3 500 $ (soit 0,50 $ × 7 000 unités) par rapport à la fabrication.

---

5. (Adaptation – C.G.A.)

2) *Autre forme de solution*

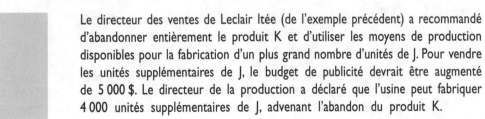

	Produire		Acheter
Prix de vente		6,00 $	6,00 $
moins : Coûts de fabrication pertinents			
Matières premières	2,00 $		
Main-d'œuvre directe	1,00		
Frais indirects de fabrication			
variables	1,00	4,00	
Prix d'achat du produit K			4,50
Marge sur coûts variables		2,00 $	1,50 $
Diminution de la marge sur coûts			
variables unitaires si l'on décidait			
d'acheter le produit K		0,50 $	
Diminution de la marge totale sur			
coûts variables (7 000 unités × 0,50 $)		3 500 $	

Dans le cas présent, le chiffre d'affaires et les frais de vente ne sont pas pertinents, car il s'agit simplement de savoir s'il faut produire ou acheter le produit K.

E. L'abandon d'un produit sans incidence sur les investissements

DONNÉES

Le directeur des ventes de Leclair ltée (de l'exemple précédent) a recommandé d'abandonner entièrement le produit K et d'utiliser les moyens de production disponibles pour la fabrication d'un plus grand nombre d'unités de J. Pour vendre les unités supplémentaires de J, le budget de publicité devrait être augmenté de 5 000 $. Le directeur de la production a déclaré que l'usine peut fabriquer 4 000 unités supplémentaires de J, advenant l'abandon du produit K.

La situation actuelle se présente comme suit et est appelée à perdurer :

	J	K	L	Total
Ventes de J (5 000 unités × 10 $)	50 000 $			
Ventes de K (7 000 unités × 6 $)		42 000 $		
Ventes de L (3 000 unités × 15 $)			45 000 $	
	50 000 $	42 000 $	45 000 $	137 000 $
Coûts de fabrication variables				
Matières premières	10 000	14 000	12 000	
Main-d'œuvre directe	10 000	7 000	9 000	
Frais indirects de fabrication	5 000	7 000	6 000	
	25 000 $	28 000 $	27 000 $	80 000 $
	25 000 $	14 000 $	18 000 $	57 000 $
Frais de vente variables	5 000	7 000	6 000	18 000
Marge sur coûts variables	20 000	7 000	12 000	39 000
F.I.F. fixes ventilés aux produits	5 000	7 000	9 000	21 000
Contribution aux frais de vente et d'administration et au bénéfice	15 000 $	– 0 – $	3 000 $	18 000 $
Frais de vente fixes communs				3 000
Frais d'administration fixes communs				6 000
				9 000 $
Bénéfice				9 000 $

Devrait-on accepter la recommandation du directeur des ventes en tenant pour acquis qu'il n'y aurait aucun désinvestissement si cette recommandation était rejetée ?

SOLUTION

La marge sur coûts variables de 7 000 $ du produit K est tout juste égale aux frais fixes de fabrication ventilés à K ; c'est dire que K ne contribue nullement, en apparence, aux frais de vente et d'administration fixes communs à tous les produits ; il peut alors sembler normal que la direction cherche des moyens d'accroître la rentabilité de l'usine.

Toutefois, il faut bien comprendre que le produit K représente une contribution de 7 000 $ à la couverture de l'ensemble des frais fixes de cette entreprise. Le problème est de savoir si la contribution à l'ensemble des frais fixes ne serait pas plus élevée si, au lieu de fabriquer le produit K, on fabriquait davantage de produits J ; ce problème se pose indépendamment du sens du résultat obtenu à la vente de tel ou tel produit.

1) *Première forme de calcul du bénéfice différentiel*

	Situation à l'étude			Situation actuelle	Éléments différentiels
	J	L	Totaux	Totaux	
Chiffre d'affaires					
de J	90 000 $		90 000 $	50 000 $	40 000 $
de K				42 000	(42 000)
de L		45 000 $	45 000	45 000	
	90 000 $	45 000 $	135 000 $	137 000 $	(2 000) $
Coûts de fabrication variables					
Matières premières	18 000	12 000	30 000	36 000	6 000
Main-d'œuvre directe	18 000	9 000	27 000	26 000	(1 000)
Frais indirects de fabrication	9 000	6 000	15 000	18 000	3 000
	45 000 $	27 000 $	72 000 $	80 000 $	8 000 $
	45 000 $	18 000 $	63 000 $	57 000 $	6 000 $
Frais de vente variables	9 000	6 000	15 000	18 000	3 000
Marge sur coûts variables	36 000	12 000	48 000	39 000	9 000
F.I.F. fixes ventilés aux produits	17 000 [1]	9 000	26 000	21 000	(5 000)
Contribution aux frais communs de vente et d'administration et au profit	19 000 $	3 000 $	22 000 $	18 000 $	4 000 $
Frais de vente fixes communs			3 000	3 000	
Frais d'administration fixes communs			6 000	6 000	
			9 000 $	9 000 $	
Bénéfice	19 000 $	3 000 $	13 000 $	9 000 $	4 000 $

1. Frais fixes ventilés à J   5 000 $
   Frais fixes ventilés à K assumés par J   7 000
   Frais supplémentaires de publicité   5 000
                                        17 000 $

Cette solution, qui comporte beaucoup de détails fort instructifs, est cependant très longue. La solution suivante est plus courte, mais suppose une grande maîtrise du problème et du comportement des coûts.

2) *Autre forme de calcul du bénéfice différentiel*

Bénéfice différentiel :

Contribution marginale de J		
Prix de vente à l'unité		10,00 $
Coûts variables à l'unité		
Matières premières	2,00 $	
Main-d'œuvre directe	2,00	
Frais indirects de fabrication	1,00	
Frais de vente	1,00	6,00
Marge sur coûts variables unitaires		4,00 $
Marge totale différentielle sur coûts variables de J (4 000 × 4,00 $)		16 000 $
Diminution de la marge totale sur coûts variables de K	7 000 $	
Frais supplémentaires de publicité	5 000	12 000
Bénéfice différentiel		4 000 $

Remarquons que l'abandon du produit K ne supprime pas les frais fixes ventilés à K, qui sont tout simplement assumés par J.

Dans notre exemple, nous avons posé l'hypothèse implicite que l'entreprise ne maintenait aucun stock de produits. Si tel n'était pas le cas, il y aurait lieu de tenir compte d'un coût supplémentaire, soit le coût de financement que représente l'investissement dans le stock. De plus, il n'existe pas, dans l'exemple étudié, de frais fixes spécifiques au produit faisant l'objet de l'analyse.

F.   L'embauchage d'une équipe supplémentaire

Un moyen d'augmenter la production est évidemment de faire travailler la main-d'œuvre en heures supplémentaires ; cependant, les longues heures de travail se traduisent par une perte de productivité générale propre à annuler les gains des heures supplémentaires.

Lorsque le recours aux heures supplémentaires n'est plus économique ou n'est plus approprié aux besoins de la société, celle-ci peut choisir d'embaucher une équipe supplémentaire.

L'utilisation d'une deuxième ou même d'une troisième équipe (beaucoup d'entreprises fonctionnent de cette façon) ne doublera ni ne triplera nécessairement la production, c'est là un phénomène connu ; mais elle peut cependant créer des économies réelles : achats de quantités de matières premières permettant des escomptes plus élevés, équipement et outillage utilisés de façon plus intensive, répartition sur un plus grand nombre d'unités de certains frais fixes comme les impôts fonciers, les assurances et le chauffage.

D'un autre côté, il est vraisemblable que certains coûts seront relativement plus élevés : prime pour le travail de soirée et de nuit, augmentation des frais d'entretien de l'outillage.

Dans l'ensemble, le coût total sera plus élevé, mais le coût unitaire de fabrication relativement moindre, joint à des ventes accrues, pourrait rendre rentable l'utilisation d'une seconde ou même d'une troisième équipe.

DONNÉES

Kalo ltée[6] fabrique un produit unique. L'usine, qui n'utilise qu'une seule équipe, a une capacité normale de 80 000 heures.

Connaissant l'état des résultats, la direction se demande :
1) si le bénéfice de la société aurait été plus élevé en 20X6, si on avait employé une seconde équipe ;
2) si elle ne devrait pas employer une seconde équipe en 20X7 ;
3) à quel niveau d'activité de l'usine il devient rentable d'employer une seconde équipe.

KALO LTÉE
État des résultats
pour l'exercice terminé le 31 décembre 20X6

Chiffre d'affaires (500 000 × 2,00 $)		1 000 000 $
Coûts variables		
Matières premières	200 000 $	
Main-d'œuvre directe (100 000 h × 2,50 $)	250 000	
Primes en heures supplémentaires (20 000 h × 1,25 $)	25 000	
Autres coûts variables	112 000	587 000
Marge sur coûts variables		413 000
Frais fixes		350 000
Bénéfice		63 000 $

On s'attend à une augmentation des ventes de 20 % en 20X7. Une seconde équipe exigerait l'embauchage d'un contremaître supplémentaire, au salaire de 18 000 $ par année, et un boni de travail du soir de 0,25 $ l'heure.

---

6. (Adaptation – C.G.A.)

SOLUTION

Procédons tout d'abord à une analyse différentielle des coûts.

	Situation actuelle	Emploi d'une 2e équipe	Éléments différentiels
Matières premières	200 000 $	200 000 $	
Main-d'œuvre directe	250 000	250 000	
Primes en heures supplémentaires	25 000	– 0 –	25 000 $
Autres coûts variables	112 000	112 000	
Frais fixes	350 000	350 000	
Coûts supplémentaires			
Salaire du contremaître		18 000	(18 000)
Bonis de l'équipe du soir			
(20 000 h × 0,25 $)		5 000	(5 000)
Économie résultant de l'emploi			
d'une seconde équipe			2 000 $

Donc, si la direction avait utilisé une deuxième équipe en 20X6, elle aurait réalisé des économies s'élevant à 2 000 $.

La société devrait-elle employer une seconde équipe en 20X7 ? Disons d'abord que les ventes atteindront en 20X7 l'équivalent de 100 000 heures × 120 %, soit 120 000 heures, d'où une différence de 40 000 heures (120 000 – 80 000) par rapport à l'activité normale. Procédons à une analyse différentielle des frais de rémunération relatifs à ces 40 000 heures.

	Emploi d'une seule équipe	Emploi d'une 2e équipe	Éléments différentiels
Main-d'œuvre directe			
Salaire de base			
(40 000 × 2,50 $)	100 000 $	100 000 $	
Primes en heures			
supplémentaires			
(40 000 h × 1,25 $)	50 000		50 000 $
Salaire du contremaître		18 000	(18 000)
Bonis de l'équipe du soir			
(40 000 h × 0,25 $)		10 000	(10 000)
	150 000 $	128 000 $	
Économie prévisionnelle résultant			
de l'emploi d'une seconde équipe			22 000 $

Ainsi donc, l'emploi d'une seconde équipe permettrait à la société de faire 22 000 $ d'économie, donc de bénéfice supplémentaire, pour l'année 20X7.

À ce stade-ci, la direction peut se demander avec raison si les augmentations des ventes persisteront et quel risque présente l'embauchage d'une seconde équipe. La réponse à la troisième question posée par la direction jettera quelque lumière sur cette interrogation.

À quel niveau d'activité devient-il rentable d'employer une seconde équipe ?

L'emploi de la seconde équipe ne commencerait qu'après 80 000 heures. Il est rentable de demander à la première équipe de faire un certain nombre d'heures supplémentaires jusqu'à ce que les primes en heures supplémentaires soient égales au coût de l'utilisation d'une seconde équipe.

$$\frac{\text{Primes en heures}}{\text{supplémentaires}} = \frac{\text{Coût d'utilisation}}{\text{d'une seconde équipe}}$$

Soit X le nombre d'heures excédant 80 000 ;

$$1,25 \ \$ \ X = 18\ 000 \ \$ + 0,25 \ \$ \ X$$

d'où

$$X = 18\ 000 \ \text{heures}$$

Il serait donc rentable d'employer une seconde équipe lorsque la capacité réelle de l'usine a atteint 98 000 heures (80 000 + 18 000). Le risque que peut comporter l'emploi d'une deuxième équipe est relativement minime, puisqu'il suffit de 18 000 heures de travail pour atteindre le seuil de rentabilité.

La main-d'œuvre semble assez peu spécialisée puisqu'on ne prévoit aucuns frais d'entraînement ; par conséquent, les affaires diminuant à moins de 98 000 heures, le personnel peut être réduit plus facilement à une seule équipe, quitte à en reformer une deuxième plus tard en cas de besoin.

Une autre solution aurait pu être étudiée ici, soit l'embauchage d'employés à temps partiel. Évidemment, d'autres solutions peuvent également être envisagées, comme agrandir l'usine, ouvrir une autre usine dans une région où la clientèle est suffisamment concentrée, remplacer l'outillage actuel par un meilleur, plus productif ; ces solutions font intervenir la question de la rentabilité de l'investissement qui ne sera abordée qu'ultérieurement.

5.   PRISE EN COMPTE DE L'INCERTITUDE

Nous avons supposé jusqu'ici qu'il ne pouvait exister plus d'une possibilité (état) concernant la réalisation anticipée d'un événement. Pour qu'il en soit ainsi, il faudrait faire face à des situations où il n'existe pas d'incertitude.

Il arrive que deux états, et même plus, soient possibles et comportent des probabilités de réalisation différentes. En pareils cas, il peut être utile de calculer la valeur espérée optimale du résultat ainsi que le coût maximum qu'on pourrait consentir pour l'obtention de l'information parfaite (valeur espérée de l'information parfaite). Pour ce faire, on devra suivre un certain nombre d'étapes.

Étapes à suivre

1) Définir l'objet de la décision.
2) Déterminer les différents états, E_i, suivant lesquels la situation est susceptible de se présenter et les probabilités subjectives de réalisation (probabilité *a priori*) rattachées à chacun de ces états $P(E_i)$.
3) Établir les différentes options d'actions possibles (A_i) mutuellement exclusives, pouvant être prises.
4) Présenter une matrice des résultats conditionnels aux choix d'actions et à la réalisation des états, R_{A_i}.
5) Déterminer, à partir de l'information disponible, la valeur espérée du résultat de chacune des options d'actions, RE_{A_i}, et la valeur espérée optimale du résultat pour l'entreprise, REID.
6) Déterminer la valeur espérée optimale du résultat en situation de certitude ou d'information parfaite, REIP.
7) Déterminer la valeur espérée de l'information parfaite, VEIP :

= écart entre REIP et REID.

La valeur espérée de l'information parfaite correspond également au coût d'option (ou coût de l'incertitude) moyen pondéré en s'en tenant à l'information disponible, les facteurs de pondération étant les probabilités relatives aux différents états possibles.

L'exemple suivant, extrait des examens de l'Institute of Certified Management Accounting, peut servir à illustrer cette démarche.

EXEMPLE

DONNÉES

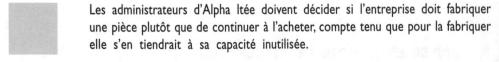

Les administrateurs d'Alpha ltée doivent décider si l'entreprise doit fabriquer une pièce plutôt que de continuer à l'acheter, compte tenu que pour la fabriquer elle s'en tiendrait à sa capacité inutilisée.

Voici un tableau des résultats conditionnels (total des coûts de fabrication ou d'acquisition) :

	État		
	E₁	E₂	E₃
Probabilité subjective de l'état	0,4	0,5	0,1
Action			
A1 (acquisition de la pièce à un coût unitaire constant)	10 000 $	20 000 $	30 000 $
A2 (fabrication de la pièce)	15 000	20 000	25 000

Les états E_2 et E_3 représentent respectivement le double et le triple du volume d'unités que représente E_1.

SOLUTION

Procédons selon les étapes que nous avons indiquées précédemment.

1) Objet de la décision : acquisition ou fabrication d'une pièce ;
2) Différents états :
   E_1 = volume de base ;
   E_2 = volume doublé ;
   E_3 = volume triplé.
3) Différentes options d'actions :
   A_1 = acquisition de la pièce ;
   A_2 = fabrication de la pièce.
4) et 5) Matrice des résultats conditionnels et valeurs espérées des actions :

	E₁	E₂	E₃	RE$_{A_i}$
Probabilité	0,40	0,50	0,10	
Actions		**Résultats**		
A1	10 000 $	20 000 $	30 000 $	17 000 $
A2	15 000	20 000	25 000	18 500

La valeur espérée optimale du résultat, REID, est la moins élevée des RE$_{A_i}$, soit 17 000 $.

L'arbre de décision suivant traduit la démarche suivie ; on procède de droite à gauche pour en arriver à la valeur espérée optimale du résultat.

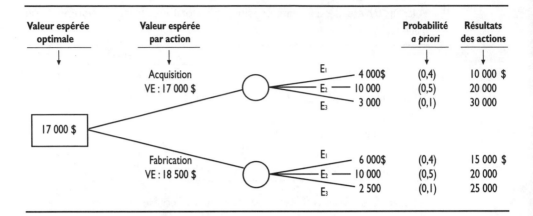

Valeur espérée optimale	Valeur espérée par action				Probabilité *a priori*	Résultats des actions
	Acquisition VE : 17 000 $		E₁	4 000$	(0,4)	10 000 $
			E₂	10 000	(0,5)	20 000
			E₃	3 000	(0,1)	30 000
17 000 $						
	Fabrication VE : 18 500 $		E₁	6 000$	(0,4)	15 000 $
			E₂	10 000	(0,5)	20 000
			E₃	2 500	(0,1)	25 000

6) Valeur espérée optimale en situation d'information parfaite :
REIP = (10 000 $ × 0,4) + (20 000 × 0,5) + (25 000 × 0,1)
    = 16 500 $

7) Valeur espérée de l'information parfaite :
    = 17 000 $ − 16 500 $
    = 500 $

EXERCICES D'APPLICATION

■■■ **EXERCICE 11-1**

Darien ltée exploite une cafétéria pour ses employés. Les frais fixes mensuels s'élèvent à 4 700 $ et les frais variables concernant cette exploitation représentent 40 % du chiffre d'affaires. Les ventes mensuelles de la cafétéria sont en moyenne de 12 000 $.

Darien a l'occasion de remplacer la cafétéria par des machines distributrices. Le chiffre d'affaires brut excéderait alors de 40 % le chiffre d'affaires actuel, puisque les clients auraient accès aux machines distributrices en tout temps. En remplaçant la cafétéria par des machines distributrices, Darien recevra 16 % des recettes brutes et évitera toutes les charges reliées à la cafétéria.

ON DEMANDE

de déterminer le résultat différentiel mensuel qui résulterait de la décision de Darien de remplacer la cafétéria par des machines distributrices. (Supposez que les frais fixes de 4 700 $ sont des frais fixes évitables.)
(Adaptation – C.M.A.)

■■■ **EXERCICE 11-2**

Pelso ltée, un fabricant de motoneiges, n'exploite son usine qu'à 70 % de sa capacité. Elle envisage la possibilité de fabriquer les phares qu'elle achète actuellement au prix relativement stable de 11 $ l'unité.

L'entreprise dispose déjà de l'outillage nécessaire à leur fabrication. L'ingénieur en design estime que chaque phare exigerait 4,00 $ de matières premières et 3,00 $ de main-d'œuvre directe. Les frais indirects de fabrication de l'usine de Pelso sont présentement imputés au taux de 200 % du coût de la main-d'œuvre directe ; les frais indirects de fabrication fixes représentent 40 % du total des frais indirects de fabrication.

ON DEMANDE

de déterminer le résultat (gain ou perte) réalisé par phare si Pelso ltée décidait de fabriquer le phare.
(Adaptation – C.M.A.)

■■■■ EXERCICE 11-3

Ferme Ensoleillée ltée est une épicerie régionale actuellement ouverte du lundi au samedi. Elle étudie la possibilité d'ouvrir le dimanche. Dans ce cas, les coûts supplémentaires annuels sont évalués à 24 960 $. La marge bénéficiaire brute réalisée par Ferme est de 20 % du chiffre d'affaires. Elle estime que 60 % de son chiffre d'affaires réalisé le dimanche auprès de ses clients le serait les autres jours si le magasin n'était pas ouvert le dimanche.

ON DEMANDE

de déterminer le chiffre d'affaires du dimanche qui serait nécessaire pour que Ferme Ensoleillée puisse réaliser le même bénéfice d'exploitation hebdomadaire que celui réalisé actuellement pendant une semaine de six jours.
(Adaptation – C.M.A.)

■■■■ EXERCICE 11-4

Un magasin à rayons a l'occasion de sous-louer l'espace occupé par son rayon A (où l'on maintient un stock moyen normal de 10 000 $) à un concessionnaire qui verserait un loyer annuel de 12 000 $. L'outillage du rayon A est entièrement amorti et n'a aucune valeur marchande.

Voici un état d'exploitation du magasin pour une année normale:

	Rayon A	Autres rayons	Total
Bénéfice brut sur les chiffres d'affaires	30 000 $	80 000 $	110 000 $
Coûts directs			
Salaires et autres coûts nécessitant un décaissement	12 000	15 600	27 600
Amortissement relatif à l'outillage		3 400	3 400
Coûts communs ventilés	11 000	16 000	27 000
	23 000 $	35 000 $	58 000 $
Bénéfice	7 000 $	45 000 $	52 000 $

Les coûts communs ventilés comprennent les coûts fixes comme le loyer du magasin, l'entretien de l'immeuble, les salaires des employés de bureau et les frais d'administration. La ventilation a été faite sur les bases suivantes: surfaces de plancher et chiffres d'affaires.

ON DEMANDE

de soumettre les faits qui seraient utiles aux administrateurs pour décider s'il est préférable de maintenir le rayon A ou de louer l'espace présentement occupé par le rayon A. Prendre comme hypothèse que le taux d'intérêt est de 8% par année.

(Adaptation – C.G.A.)

◼◼◼ EXERCICE 11-5

PQR ltée vend deux produits différents dans trois régions. Elle fabrique ces produits dans une seule usine. Tous les frais fixes sont communs et attribuables à la fabrication. Ces frais fixes sont répartis également entre toutes les unités produites. Tous les frais engagés pour les régions sont des frais variables. Les deux produits sont vendus dans les marchés où la concurrence est vive, mais chaque région peut établir ses propres prix de vente en tenant compte de ses coûts et des conditions du marché local.

Le comptable décide de procéder à une analyse afin de déterminer si l'on peut augmenter le bénéfice de la société (47 000 $ le mois passé). Il dresse donc d'abord le tableau suivant qui donne le nombre d'unités vendues le mois dernier:

	Région 1	Région 2	Région 3	Total
Produit A	10 000	20 000	10 000	40 000
Produit B	30 000	10 000	20 000	60 000
Total	40 000	30 000	30 000	100 000

Il recueille ensuite les données suivantes relatives à ce même mois:

Total des ventes du mois passé	1 457 500 $
Total des coûts du mois passé	1 410 500
Bénéfice du mois passé	47 000 $

Le comptable dresse ensuite le tableau suivant:

	Région 1	Région 2	Région 3
Produit A			
Prix de vente unitaire	12,00 $	11,00 $	15,00 $
Coût total unitaire	14,25	10,30	12,40
Bénéfice (perte) unitaire	(2,25) $	0,70 $	2,60 $
Produit B			
Prix de vente unitaire	16,00 $	14,75 $	17,00 $
Coût total unitaire	16,05	13,85	15,90
Bénéfice (perte) unitaire	(0,05) $	0,90 $	1,10 $

En regardant cette matrice, le comptable juge qu'il faudrait cesser de vendre le produit A dans la région I étant donné l'importance de la perte unitaire. Il recalcule donc le coût total unitaire et le bénéfice unitaire en supposant que l'on cesse de vendre le produit A dans la région I ; il trouve que le bénéfice de la société augmenterait bien de 7 500 $ mais que, d'après son analyse, la perte unitaire pour le produit B dans la région I se trouverait accrue.

Il semblerait donc que l'on devrait également cesser de vendre le produit B dans la région I, bref d'abandonner tout à fait cette région. Cependant, si l'on mettait ce projet à exécution, le bénéfice de la société baisserait de 54 500 $ à 11 000 $. En recalculant les coûts totaux unitaires, on constate que dans la région 2 les coûts unitaires des deux produits dépasseraient leur prix de vente. Mais si l'on abandonnait également la région 2, le bénéfice de la société se transformerait en perte parce que les coûts totaux unitaires des deux produits dans la région qui resterait, la région 3, dépasseraient leur prix de vente.

En conséquence, l'analyse montre clairement que la société devrait fermer ses portes bien que son bénéfice du mois précédent soit de 47 000 $. Déçu, le comptable doute du bien-fondé de son analyse.

ON DEMANDE

1. d'expliquer succinctement, mais avec précision, la faute théorique qu'a commise le comptable dans son analyse. Ne pas utiliser de chiffres dans la réponse ;
2. d'indiquer si l'entreprise devrait cesser de vendre certains produits dans des régions spécifiques ;
3. de calculer les marges unitaires sur coûts variables relatives à chacun des produits dans chacune des régions.

(Adaptation – C.A.)

▬▬▬ **EXERCICE 11-6**

Quandary ltée produit et vend normalement 6 000 unités de son produit par mois. Ce volume représente 80 % d'utilisation de la capacité de l'usine. Voici l'état des résultats du dernier mois :

Ventes (à 25 $ l'unité)		150 000 $
Coût des produits vendus		
Matières premières	36 000 $	
Main-d'œuvre directe	24 000	
Frais indirects de fabrication variables	18 000	
Frais indirects de fabrication fixes	30 000	108 000
Bénéfice brut		42 000
Frais de vente et d'administration		
Variables	3 000	
Fixes	22 500	25 500
Bénéfice		16 500 $

Dans sa recherche de moyens d'utiliser de façon rentable l'excédent de sa capacité de production, la société n'a trouvé qu'une possibilité. La société Southside Distributors Ltd. a offert d'acheter, au prix de 20 $, toutes les unités que Quandary ltée peut lui fournir, jusqu'à un maximum de 2 500 unités par mois. Les frais variables de vente et d'administration consistent presque entièrement en frais d'expédition et de facturation et devront être assumés par Quandary. De plus, les frais fixes de vente et d'administration augmenteraient de 3 000 $ par mois à cause des ventes à Southside.

Le directeur des ventes de Quandary a étudié l'offre de Southside et est d'avis de la rejeter parce qu'elle réduirait le bénéfice de Quandary. Pour appuyer sa conclusion, il a soumis les calculs suivants :

Prix de vente actuel à l'unité	25,00 $
Bénéfice actuel par unité (16 500 $/6 000)	2,75
Frais pour fabriquer et vendre à l'unité	22,25
Prix de vente à Southside	20,00
Perte à l'unité	2,25 $
Perte totale (réduction du profit total)	
Perte unitaire de 2,25 $ × 2 500 unités	5 625 $
Frais fixes de vente et d'administration additionnels	3 000
	8 625 $

Le directeur général pense lui aussi que l'offre de Southside doit être refusée ; il a présenté les calculs suivants à Southside :

Prix de vente		20,00 $
Frais		
Matières premières directes	6,00 $	
Main-d'œuvre directe	4,00	
Frais indirects de fabrication variables	3,00	
Frais indirects de fabrication fixes		
(30 000 $/7 500 unités)	4,00	
Frais variables de vente et d'administration	0,50	
Frais fixes de vente et d'administration		
(22 500 $ + 3 000 $)/7 500 unités	3,40	20,90
Perte à l'unité sur la commande de Southside		0,90 $

ON DEMANDE

1. de commenter les calculs présentés par chaque directeur, en mettant en évidence les points forts et les points faibles de chacune de ces analyses quantitatives ;
2. d'indiquer si vous auriez une approche différente pour la résolution d'un tel problème. Si oui, présentez vos calculs et dites en quoi ils sont préférables à ceux des directeurs de Quandary. Si non, indiquez laquelle des deux approches déjà illustrées convient le mieux et justifiez son utilisation dans la situation présente ;
3. de présenter très succinctement quelques considérations qualitatives importantes relatives à l'acceptation ou au refus, en général, d'une commande de ce type.

(Adaptation – C.G.A.)

EXERCICE 11-7

Atours ltée produit des coffrets à bijoux de différents styles. La direction estime que l'usine fonctionnera à 80 % de sa capacité pratique au cours du troisième trimestre de 20X6. Étant donné que la société désire une plus grande utilisation de sa capacité de production, elle envisage d'accepter une commande spéciale.

Deux entreprises différentes ont passé chacune une commande spéciale. La première, JCP ltée, aimerait mettre sur le marché un coffret à bijoux similaire à l'un de ceux d'Atours ltée. Ce coffret à bijoux serait vendu sous la propre marque de fabrique de JCP ltée. Cette entreprise a offert à Atours 5,75 $ par coffret à bijoux, et ce pour 20 000 coffrets qui doivent lui être livrés au plus tard le 1er octobre 20X6. Les informations relatives au coffret en question sont les suivantes :

Prix de vente courant par unité	9,00 $
Coût par unité	
Matières premières	2,50 $
Main-d'œuvre directe (0,5 heure à 6,00 $/heure)	3,00
Frais indirects de fabrication	
(0,25 heure-machine × 4,00 $/heure)	1,00
Total	6,50 $

La commande spéciale de JCP requiert des matières premières plus économiques. En conséquence, le coût des matières premières sera de 2,25 $ seulement par coffret. La direction estime que les temps de main-d'œuvre et d'utilisation des machines ne seront pas modifiés à l'unité de production.

La seconde commande spéciale provient de Bijoux ltée et comporte 7 500 coffrets à bijoux à 7,50 $ chacun. Ces coffrets seraient mis en vente sous la marque de fabrique de Bijoux ltée et devraient être expédiés au plus tard le 1er octobre 20X6. Toutefois, le coffret à bijoux commandé par Bijoux ltée aurait une forme différente. Les coûts prévus relatifs à chacun de ces coffrets seront les suivants :

Matières premières	3,25 $
Main-d'œuvre directe (0,5 heure à 6,00 $/heure)	3,00
Frais indirects de fabrication (0,5 heure-machine × 4,00 $/heure)	2,00
Total	8,25 $

De plus, Atours ltée devra engager des frais de mise au point supplémentaires de 1 500 $ et établir des plans spéciaux d'un coût de 2 500 $ pour produire les coffrets commandés par Bijoux ltée; ces plans seraient périmés une fois la commande terminée.

La capacité de production d'Atours ltée est limitée au nombre total des heures-machine disponibles. La capacité pratique des installations est de 90 000 heures-machine par année ou de 7 500 par mois. Les frais indirects de fabrication fixes budgétés pour 20X6 se sont chiffrés à 216 000 $. Tous les frais indirects de fabrication sont imputés à la production sur la base des heures-machine à raison de 4,00 $ l'heure.

La capacité, au cours des autres trimestres, ne peut servir que pour la demande régulière. La direction ne s'attend pas à ce que ces commandes spéciales soient renouvelées. De plus, la société a comme politique de ne pas confier à un sous-traitant l'exécution d'une partie d'une commande spéciale dont on n'est pas assuré du renouvellement.

ON DEMANDE

1. d'indiquer, calculs à l'appui, si Atours ltée devrait accepter l'une ou l'autre de ces commandes spéciales, toutes choses égales par ailleurs;
2. de mentionner d'autres facteurs pouvant entrer en ligne de compte lors de la prise de décision.

(Adaptation – C.M.A.)

EXERCICE 11-8

Une petite société de fabrication de produits chimiques obtient deux produits en traitant une matière première donnée. Ces produits peuvent être vendus en l'état où ils se trouvent à la fin dudit traitement.

Voici la production normale mensuelle et les coûts afférents:

Intrants – matières premières	100 000 kg
Coûts	
Matières premières	18 000 $
Coûts de transformation variables	30 000
Frais de fabrication fixes	24 000
	72 000 $
Production	
Produit A	40 000 kg
Produit B	50 000 kg
Sous-produit	10 000 kg

Le volume mensuel pourrait être augmenté de 20% sans que cela entraîne une augmentation des frais de fabrication fixes.

Les prix de vente sont les suivants:
- Produit A : 1,20 $ le kg;
- Produit B : 1,00 $ le kg;
- Sous-produit : 0,10 $ le kg.

Une récente étude de marché effectuée pour le compte de l'entreprise indique que les produits A et B peuvent être vendus à de meilleurs prix si on leur fait subir séparément des traitements complémentaires. Ces prix de vente sont:
- Produit A (raffiné) : 1,50 $ le kg;
- Produit B (raffiné) : 1,20 $ le kg.

L'étude révèle de plus que les volumes de vente des produits A et B, raffinés ou non raffinés, pourraient être accrus de 20%. Toutefois, pour vendre davantage de produits B, il faudrait réduire de 20% les prix de vente relatifs aux produits B (raffinés et non raffinés). Quant aux prix de vente des produits A (raffinés et non raffinés), il n'y a pas lieu de les modifier pour vendre davantage de produits A.

Le raffinement des produits occasionnerait à l'entreprise des coûts variables supplémentaires de 0,20 $ par kilogramme de produit A et 0,20 $ par kilogramme de produit B, ainsi qu'un coût fixe supplémentaire de 1 000 $ par mois pour la location d'outillage.

ON DEMANDE

1. de déterminer les différentes options qui se présentent à l'entreprise;
2. de calculer le résultat relatif au prochain mois si l'entreprise retenait l'option la plus rentable.

(Adaptation – S.C.M.C.)

■■■■■ EXERCICE 11-9

Une société importante a un compte en banque spécial réservé aux opérations salariales. La journée de paie de chaque semaine, soit le vendredi, elle effectue un virement de 1 000 000 $ du compte en banque général au compte en banque spécial, les deux comptes étant tenus à la même banque. Ce montant correspond à celui des salaires nets des employés.

Sara Bonier, la trésorière de la société, a étudié l'évolution du solde du compte en banque spécial au cours des derniers mois. Les mouvements suivants sont ceux que l'on observe généralement:

	Dépôt	Montant des chèques encaissés	Solde
Vendredi	1 000 000 $	400 000 $	600 000 $
Lundi		200 000	400 000
Mardi		200 000	200 000
Mercredi		100 000	100 000
Jeudi		100 000	
	1 000 000 $	1 000 000 $	

Le taux d'intérêt qu'offre la banque sur des soldes de 5 000 $ et plus est de 7,3 % et demeurera en vigueur pour les douze prochains mois. Pour calculer les intérêts, on considère que l'année comprend 365 jours.

Sara Bonier propose que l'entreprise procède plutôt à un virement quotidien correspondant au montant estimatif des chèques susceptibles d'être encaissés le jour même.

ON DEMANDE

1. de calculer le montant des économies possibles si l'entreprise adoptait la proposition de Sara Bonier;
2. d'indiquer les risques et les coûts possibles associés à ceux-ci;
3. de comparer les avantages et désavantages de la méthode proposée par Sara Bonier et de celle d'un compte en banque réservé aux salaires que l'on maintiendrait à zéro grâce à des transferts automatiques inter-comptes à l'encaissement de chèques de paie.

(Adaptation – C.M.A.)

■■■ EXERCICE 11-10

Vermon ltée produit et vend aux grossistes toute une gamme de lotions et d'insecticides qui sont utilisés durant la saison estivale. Bien que la vente de ces produits soit très rentable, l'entreprise a décidé de diversifier ses ventes, ce qui lui permettrait d'étaler son chiffre d'affaires sur l'année entière. Elle envisage la production de lotions et de crèmes destinées à être utilisées durant les mois d'hiver pour prévenir la déshydratation de la peau.

Après avoir effectué d'importantes recherches, plusieurs nouveaux produits ont été mis au point. Toutefois, le président a décidé de ne lancer sur le marché qu'un seul de ces nouveaux produits au cours de l'hiver suivant. Si le produit s'avère un succès, les autres ne tarderont pas à être mis sur le marché.

Le produit retenu pour le lancement sur le marché est une crème adoucissante pour les lèvres vendue en tube. Le produit sera vendu aux grossistes en boîtes de 24 tubes. Le prix sera de 8,00 $ la boîte. La capacité de production actuelle de l'entreprise est suffisante pour répondre à la demande; il n'y aurait donc aucuns frais fixes supplémentaires à engager pour fabriquer ce produit. Toutefois, le service de la comptabilité fera absorber au nouveau produit 100 000 $ du total des frais indirects de fabrication fixes actuels engagés.

En se basant sur une prévision de production et de vente de 100 000 boîtes, le service de la comptabilité a chiffré les coûts de fabrication comme suit:

Main-d'œuvre directe	2,00 $	la boîte
Matières premières	3,00	la boîte
Frais indirects de fabrication fixes et variables	1,50	la boîte
Total	6,50 $	la boîte

Vermon ltée a approché un fabricant de cosmétiques pour discuter de la possibilité que ce dernier fabrique le tube. Ce fabricant accepterait de produire les tubes vides au prix de 0,90 $ pour 24 tubes. En acceptant de faire affaire avec ce fabricant, l'entreprise estime que ses coûts en main-d'œuvre directe et en frais indirects de fabrication variables seraient réduits de 10% et ses coûts en matières premières de 20%.

ON DEMANDE

1. d'indiquer, calculs à l'appui, si Vermon ltée devrait fabriquer ou acheter les tubes;
2. d'indiquer le prix maximum que pourrait payer Vermon ltée pour les tubes;
3. de résoudre le problème suivant: une révision de la prévision des ventes indique que 125 000 boîtes au lieu de 100 000 pourraient être vendues. Toutefois, la fabrication des tubes, dans le cas d'une vente de 125 000 boîtes, nécessiterait la location, au prix de 10 000 $ l'an, d'un nouvel outillage. Cet outillage supplémentaire serait suffisant pour produire jusqu'à 300 000 boîtes (c'est l'objectif prévu pour la troisième année de production de cet article). Dans ces conditions, est-ce que Vermon ltée devrait fabriquer ou acheter les tubes? Présenter les calculs à l'appui de la réponse;
4. de préciser, calculs à l'appui, quelle serait la décision à prendre, en supposant que Vermon ltée peut produire une partie des tubes et acheter l'autre partie au fabricant de cosmétiques dont il fut question précédemment;
5. de mentionner les facteurs non quantifiables que Vermon ltée doit prendre en considération en vue de décider si elle doit fabriquer ou acheter les tubes vides.

(Adaptation – C.M.A.)

■■■■ EXERCICE 11-11

Un grand magasin évalue sa politique actuelle du service après vente pour les appareils ménagers. L'expérience passée a permis d'établir les probabilités suivantes concernant le nombre d'appels de service par année:

Nombre d'appels	Probabilité de l'événement
1 000 ou moins	0,3
2 000	0,5
3 000	0,2

Les coûts variables s'élèvent à 6,00 $ par appel de service. De plus, les coûts déboursés fixes du service après vente sont évalués à 12 000 $ par année. Deux autres options peuvent être envisagées :

a) Une entreprise de service de grande réputation offre de satisfaire aux appels de service, pièces et main-d'œuvre comprises, au prix fixe de 18 000 $ par année ;

b) Une autre entreprise de grande réputation offre ses services, pièces et main-d'œuvre comprises, au prix de 15 000 $ par année, jusqu'à un maximum de 1 000 appels. Chaque appel excédentaire occasionnerait un coût de 4 $.

Le grand magasin estime que, s'il accepte l'option a) ou l'option b), il réduira ses coûts fixes du tiers.

ON DEMANDE

d'indiquer, calculs à l'appui, quelle est la meilleure décision que pourrait prendre le grand magasin.
(Adaptation – S.C.M.C.)

◼◼◼ EXERCICE 11-12

Valbec ltée produit et distribue des maisons miniatures pour poupées. L'industrie des jouets est saisonnière ; les ventes de Valbec ltée ont lieu en grande partie vers la fin de l'été et à l'automne.

Le nombre d'unités que l'on prévoit vendre en 20X5 est indiqué au tableau présenté ci-après. Au prix de vente unitaire de 10 $, le chiffre d'affaires projeté est donc de 1,2 million de dollars. Valbec ltée a planifié sa production de façon que le stock de produits finis, à l'exclusion d'un stock de sécurité de 4 000 maisons de poupées, soit égal aux unités que l'on prévoit vendre au cours du mois suivant. Dans des conditions normales, chaque maison miniature devrait nécessiter une demi-heure de main-d'œuvre directe. En se basant sur le calendrier de production qui existait dans le passé, on a évalué le nombre total d'heures de main-d'œuvre directe qui devrait être requis mensuellement pour répondre aux ventes prévues (voir le tableau).

Le calendrier de production suivi dans le passé requiert la planification d'heures supplémentaires pour toute production mensuelle supérieure à 8 000 unités (4 000 heures de M.O.D.). Même si le recours à des heures supplémentaires est possible, la direction de Valbec ltée a décidé qu'elle pourrait envisager deux autres solutions:

a) engager temporairement des employés lors des mois de production élevée;

b) accroître la force de travail et adopter un niveau de production uniforme.

L'emploi d'une deuxième équipe de travail n'a pas été retenu, car la direction croit que le milieu rejetterait cette solution.

VALBEC LTÉ
Ventes et heures d'activité prévues
pour l'exercice se terminant le 31 décembre 20X5

	Ventes prévues (en unités)	Heures de M.O.D. prévues[1]
Janvier	8 000	4 000
Février	8 000	4 000
Mars	8 000	4 000
Avril	8 000	4 000
Mai	8 000	5 000
Juin	10 000	6 000
Juillet	12 000	6 000
Août	12 000	6 500
Septembre	13 000	6 500
Octobre	13 000	6 000
Novembre	12 000	4 000
Décembre	8 000	4 000[2]
	120 000	60 000

1. Ces heures ont été calculées sans tenir compte des heures improductives éventuelles.
2. Les ventes prévues pour janvier 20X6 sont de 8 000 unités.

Le taux de base de rémunération des employés préposés à la fabrication est de 6,00 $ l'heure; les avantages sociaux représentent en moyenne 20 % de la rémunération de la main-d'œuvre au taux de base. Au-delà de 4 000 heures par mois, les employés reçoivent une prime correspondant à 50 % du taux de base; cependant, les avantages sociaux relatifs à ces coûts additionnels seraient de l'ordre de 10 % au lieu de 20 %. L'expérience passée a montré que lorsqu'il est nécessaire de travailler en heures supplémentaires, l'importance des heures consacrées à ladite production représentait 105 % des heures qui auraient été nécessaires si la production avait été effectuée durant les heures normales de travail.

Plutôt que de payer des heures supplémentaires, Valbec ltée pourrait engager temporairement de nouveaux employés lorsque la production excède 8 000 unités par mois. Ces employés pourraient être engagés au même taux horaire (6,00 $), mais ne bénéficieraient pas d'avantages sociaux. La direction estime que ces employés mettraient 25 % de temps de plus pour fabriquer les maisons miniatures par rapport à celui que prendraient les employés permanents travaillant durant les heures normales de travail.

Si Valbec ltée adoptait un niveau de production uniforme, le nombre d'employés permanents serait accru, on n'aurait pas recours aux heures supplémentaires, le taux horaire effectif serait le taux de base et les avantages sociaux représenteraient en moyenne 20 % de la rémunération.

Il est possible de produire et d'entreposer jusqu'à 18 000 maisons miniatures ; le coût annuel prévu pour l'entreposage d'une unité est de 1,00 $. Le taux d'imposition de Valbec ltée est de 40 %.

ON DEMANDE

1. de préparer une analyse comparative des coûts associés à chacune des trois solutions qui s'offrent à Valbec ltée :
   a) opérer avec le même nombre d'employés et envisager des heures supplémentaires ;
   b) engager des employés sur une base temporaire ;
   c) embaucher de nouveaux employés et stabiliser le niveau de production ;
2. de déterminer et de discuter brièvement les facteurs non quantitatifs ou difficiles à quantifier que Valbec ltée devrait envisager avant qu'une décision finale soit prise concernant les trois solutions qui s'offrent à elle.
(Adaptation – C.M.A.)

■■■ EXERCICE 11-13

Dinitron ltée fabrique une gamme de mini-ordinateurs à utilisation commerciale. Ceux-ci sont entièrement composés de pièces achetées à des fabricants d'équipement électronique. Jusqu'à présent, Dinitron n'a fabriqué aucune des pièces qu'elle utilise.

Le directeur du service du génie est d'avis que l'entreprise dispose de l'infrastructure nécessaire pour fabriquer elle-même une des pièces les plus importantes.

Les services de la production, du génie et de la comptabilité ont réuni les renseignements suivants pouvant influencer la décision de fabriquer ou de ne pas fabriquer cette pièce :

Service de la production et du génie

a) production annuelle requise (unités): 50 000 ;
b) coût des matières premières directes: 19 $ l'unité ;
c) coût de la main-d'œuvre directe (4 heures à 12,50 $ l'heure): 50 $ l'unité ;
d) il existe suffisamment d'espace non utilisé dans l'usine pour monter cet atelier ;
e) salaires de l'équipe de supervision nécessaire à cet atelier:
 – gérant de l'atelier: 3 500 $ par mois ;
 – deux gérants adjoints: 1 500 $ chacun par mois ;
 – ingénieur en chef de la production: 2 000 $ par mois ;
 – trois contremaîtres: 1 500 $ chacun par mois ;
f) tout l'outillage nécessaire à la production peut être loué 32 000 $ par mois.

Service de la comptabilité

a) le prix d'achat actuel de cette pièce est de 100 $ l'unité ;
b) l'amortissement de l'outillage existant est de 100 000 $ par année ;
c) les frais indirects de fabrication sont actuellement imputés sur la base de 5,00 $ l'heure de main-d'œuvre directe. On prévoit que ce taux restera le même si l'on ajoute le nouvel atelier ;
d) la société verse actuellement 15 000 $ par mois pour la location de l'usine. Le nouvel atelier occupera 20 % de l'espace utile de l'usine.

ON DEMANDE

de déterminer, calculs à l'appui, si Dinitron doit continuer d'acheter la pièce ou si elle doit monter un atelier pour la fabriquer elle-même.
(Adaptation – S.C.M.C.)

EXERCICE 11-14

Boivin ltée est un important fabricant de motocyclettes. Elle doit définir une politique de garantie concernant un nouveau modèle qui doit être vendu à compter du 1er janvier 20X6. Elle prévoit en vendre 4 000 unités en 20X6 à 3 900 $ l'unité. Elle doit choisir entre les deux formules suivantes:
a) garantie de 12 mois ou 5 000 kilomètres en vertu de laquelle la société remplacera toutes les pièces défectueuses sans frais de pièces et de main-d'œuvre pour le client ;
b) garantie de 12 mois ou 5 000 kilomètres en vertu de laquelle la société remplacera toutes les pièces défectueuses sans frais de pièces pour le client. Après 30 jours, les frais de main-d'œuvre doivent être remboursés par le client. Toutefois, le client peut être dégagé de l'obligation de rembourser

moyennant un versement de 50 $ à l'achat de la motocyclette. Les probabilités que les clients versent cette somme pour un tel prolongement de la garantie sont les suivantes :

Nombre de clients	Probabilité
3 600	0,10
2 700	0,20
1 800	0,30
900	0,40

L'entreprise estime que les frais de pièces pour le nouveau modèle seront de 8 % plus élevés que ceux relatifs à un autre de ses modèles vendus en 20X5. Les frais de pièces engagés en 20X5 par unité de ce dernier modèle ont été de 150 $.

Si la première formule est choisie, le travail que nécessitera le respect de la garantie sera effectué par l'entreprise même moyennant 20 $ par motocyclette. Les frais indirects variables représentent 40 % du coût de la main-d'œuvre.

En optant pour la deuxième formule, l'entreprise confiera le travail à une agence tout en lui fournissant les pièces. L'agence accepterait, moyennant le versement de 12 $ par motocyclette vendue, d'effectuer les travaux reliés à la garantie de 30 jours ; elle accepterait également d'effectuer, pour un montant supplémentaire de 20 $, le travail relié à chaque contrat de garantie prolongée.

L'entreprise prévoit que le taux d'inflation sera de 5 % par année au cours de 20X6 et 20X7 et s'appliquera à tous les frais reliés à la garantie selon la première formule. Elle suppose que les ventes et le travail relié à la garantie seront étalés uniformément sur l'année.

ON DEMANDE

1. de calculer les frais de garantie estimatifs reliés aux ventes prévues du nouveau modèle de motocyclette pour 20X6 ;
2. de mentionner les autres facteurs dont l'entreprise devrait tenir compte pour sa politique à suivre.

(Adaptation − C.M.A.)

EXERCICE 11-15

Vendeur inc. est une entreprise autorisée à vendre des hot-dogs au cours des parties de football qui ont lieu dans le stade couvert d'une université.

L'analyse des ventes des cinq saisons antérieures indique ce qui suit ;

Ventes par partie	Nombre de parties
10 000 hot-dogs	5
20 000 hot-dogs	10
30 000 hot-dogs	20
40 000 hot-dogs	15
	50

Le prix de vente du hot-dog est de 0,50 $ et la marge sur coûts variables de 0,20 $. Vendeur inc. peut choisir entre les quatre stratégies d'achat suivantes : 10 000, 20 000, 30 000 ou 40 000 hot-dogs. Les stocks d'invendus à la fin d'une partie sont donnés à des œuvres de charité.

ON DEMANDE

1. de présenter le tableau des résultats conditionnels associés aux quatre stratégies d'achat ;
2. de déterminer le nombre de hot-dogs que Vendeur inc. devrait acheter pour une partie de football, si le critère de décision est la valeur espérée ;
3. de déterminer quelle serait la valeur espérée d'une information exacte concernant la demande.

(Adaptation − C.M.A.)

12 L'ANALYSE DES FRAIS DE VENTE

Les frais de vente comprennent les frais engagés pour obtenir des commandes, tels les frais de publicité, les salaires et commissions des vendeurs ; ils comprennent également les frais engagés pour exécuter les commandes : par exemple les frais de stockage, d'emballage, d'expédition, de recouvrement et de service après-vente.

1. ANALYSE DES FRAIS DE VENTE

L'analyse des frais de vente varie selon l'objet de l'analyse effectuée. L'objet de l'analyse peut être, par exemple, les activités reliées à la fonction vente, les produits, les gammes de produits, les lignes de produits, les clients, les vendeurs, les territoires de vente. La nomenclature des objets d'analyse peut varier d'une entreprise à l'autre.

Pourquoi l'entreprise procède-t-elle ou devrait-elle procéder à ce type d'analyse ? Parce que c'est la façon de connaître, entre autres, les activités reliées à la fonction vente qui sont par trop onéreuses, les produits et les clients qui ne contribuent pas au bénéfice de l'entreprise, les débouchés les plus profitables, la commande minimale acceptable, le périmètre idéal des territoires de vente.

Les analyses en matière de frais de vente peuvent être menées en conformité avec les concepts de la comptabilité par activités dont il a été question dans le chapitre 8. Selon les tenants de ce type de comptabilité, tous les frais de vente sont en quelque sorte variables, tout comme les frais d'administration d'ailleurs, et doivent, de ce fait, être affectés (frais directs) ou ventilés (frais indirects).

Des analyses plus classiques peuvent aussi être effectuées, analyses ne portant que sur certaines catégories de frais de vente, tels les frais directs soit variables soit variables et fixes.

2.   EXEMPLE D'ANALYSE DES FRAIS DE VENTE

L'exemple que nous utilisons pour illustrer l'analyse des frais de vente est adapté d'une question posée aux examens du C.M.A.

DONNÉES

Élégance ltée vend à travers le Canada des produits de toilette pour hommes par l'intermédiaire des grands magasins. Aux fins de planification et de contrôle, l'entreprise est répartie en dix régions géographiques comprenant chacune deux territoires. Il n'y a qu'un vendeur pour chacun des territoires de vente. Les articles produits passent directement de l'usine aux dix entrepôts régionaux. Une fois vendus, les produits sont livrés directement aux clients à partir des entrepôts. Au début de chaque exercice annuel, le siège social alloue à chacune des régions un montant déterminé pour la publicité régionale.

Le chiffre d'affaires concernant le dernier exercice s'est élevé à dix millions de dollars, et les frais de vente à deux millions de dollars. Les frais engagés par le siège social sont les suivants :

Administration centrale	250 000 $
Publicité nationale	100 000
	350 000 $

Voici l'état des résultats présenté par le vice-président de l'entreprise pour la région du Québec :

Chiffre d'affaires		1 350 000 $
Frais		
Publicité	54 000 $	
Coût des produits vendus	577 500	
Fret à la vente	22 600	
Assurance	10 000	
Salaires et avantages sociaux	172 200	
Commissions sur ventes	54 000	
Fournitures	12 000	
Frais de déplacement et de représentation	14 100	
Gages et avantages sociaux	108 000	
Amortissement-entrepôt	8 000	
Frais de fonctionnement-entrepôt	15 000	1 047 400
Bénéfice		302 600 $

La région québécoise comprend deux territoires. Le poste Salaires et avantages sociaux inclut ce qui suit :

Vice-président régional	48 000 $
Directeur régional de la publicité	37 500
Directeur régional de l'entrepôt	26 800
Vendeurs (le salaire est le même pour chacun des vendeurs)	31 200
Avantages sociaux	28 700
	172 200 $

Le vendeur reçoit un salaire de base *plus* une commission représentant 4 % du chiffre d'affaires qu'il réalise. Les frais de déplacement et de représentation se rapportent aux vendeurs et correspondent aux montants forfaitaires qui leur furent alloués avant même que l'entreprise ne débute. Les frais d'assurance se rapportent à l'assurance de l'entrepôt régional. Le poste Fournitures représente le coût des fournitures utilisées à l'entrepôt pour emballer les produits avant leur livraison. Les gages sont ceux des employés de l'entrepôt. Ces employés sont payés à l'heure et s'occupent de la préparation des colis de marchandises à livrer. Le poste Frais de fonctionnement-entrepôt inclut les frais de chauffage, d'éclairage et d'entretien.

Voici quelques données concernant les territoires de vente de la région québécoise :

	1er territoire	2e territoire	Total
Chiffre d'affaires	450 000 $	900 000 $	1 350 000 $
Coût des produits vendus	231 000	346 500	577 500
Frais de déplacement et de représentation	6 300	7 800	14 100
Fret à la vente	9 000	13 600	22 600
Unités vendues	150 000	350 000	500 000
Poids en kg relatif aux produits expédiés aux clients	210 000	390 000	600 000

La haute direction d'Élégance ltée désire que les résultats d'exploitation régionaux soient plus éclairants aux fins de l'évaluation de la rentabilité, en particulier en ce qui a trait aux frais de vente. Il s'agit donc de lui présenter d'autres formes d'états de résultats susceptibles d'être utilisées.

SOLUTION

Plusieurs formes de présentation de l'état des résultats peuvent être utilisées. Nous nous en tiendrons aux trois suivantes :

Première forme de présentation de l'état des résultats

Les résultats peuvent être présentés en satisfaisant aux exigences de la comptabilité par activités, c'est-à-dire en veillant à ce que les frais de vente directs par rapport à l'objet de coût lui soient affectés, et que les frais de vente indirects, qui lui sont également attribués, résultent de répartitions effectuées en recourant à des inducteurs appropriés.

L'état des résultats en question est le suivant:

	Région québécoise	Territoire n° 1	Territoire n° 2
Chiffre d'affaires	1 350 000 $	450 000 $	900 000 $
Coûts et frais directs			
Coût des produits vendus	577 500	231 000	346 500
Commissions des vendeurs	54 000	18 000	36 000
Frais de déplacement et de représentation des vendeurs	14 100	6 300	7 800
Salaires et avantages sociaux des vendeurs	37 440	18 720	18 720
Fret à la vente	22 600	9 000	13 600
	705 640 $	283 020 $	422 620 $
Coûts et frais indirects			
Fournitures d'emballage	12 000	4 200	7 800
Gages et avantages sociaux des préposés à l'emballage	108 000	37 800	70 200
Assurance-entrepôt	10 000	3 500	6 500
Amortissement-entrepôt	8 000	2 800	5 200
Salaire et avantages sociaux du directeur de l'entrepôt	32 160	11 256	20 904
Fonctionnement de l'entrepôt	15 000	5 250	9 750
Publicité régionale	54 000	18 000	36 000
Publicité nationale	13 500	4 500	9 000
Salaire et avantages sociaux du directeur de la publicité	45 000	15 000	30 000
Salaire et avantages sociaux du vice-président	57 600	28 800	28 800
Administration centrale	25 000	12 500	12 500
	380 260 $	143 606 $	236 654 $
Total des coûts et frais	1 085 900 $	426 626 $	659 274 $
Bénéfice	264 100 $	23 374 $	240 726 $

Vous saurez sans doute trouver sans trop de peine les inducteurs qui ont été utilisés aux fins de la ventilation des frais indirects.

L'état, tel que présenté, pourra vraisemblablement être utile pour déterminer, entre autres, le territoire au sujet duquel il faudra consacrer davantage d'efforts, bien que plusieurs soient d'avis que, pour en arriver là, il n'y a pas lieu de tenir compte des quotes-parts des frais indirects. Le fait de tenir compte de telles quotes-parts, lorsqu'on recourt à la comptabilité par activités, permet de voir si les territoires arrivent à les absorber ; cela peut même amener les responsables des régions à être davantage conscients de l'importance, pour les régions, de réduire leur consommation d'activités.

Il va sans dire que pour qu'il soit vraiment utile aux fins de l'évaluation de la performance du vice-président de la région québécoise, il n'aurait pas fallu prendre en compte les frais incontrôlables par ce dernier (veuillez vous reporter au besoin au chapitre 14).

Deuxième forme de présentation de l'état des résultats

Cette forme de présentation repose sur la distinction entre frais de vente variables et frais de vente fixes. De plus, contrairement à ce qu'implique la forme précédente, les frais de vente dits régionaux ne sont pas ventilés entre les territoires, et aucune quote-part des frais de l'administration centrale et de la publicité nationale n'est prise en ligne de compte. Il s'ensuit que les résultats territoriaux diffèrent, ainsi que le résultat de la région québécoise, comme l'indique l'état suivant :

	Territoires		Frais régionaux	Région québécoise
	n° 1	n° 2		
Chiffre d'affaires	450 000 $	900 000 $		1 350 000 $
Coût des produits vendus	231 000	346 500		577 500
Bénéfice brut	219 000 $	553 500 $		772 500 $
Frais de vente variables				
Commissions des vendeurs	18 000	36 000		54 000
Fret à la vente	9 000	13 600		22 600
Fournitures d'emballage	4 200	7 800		12 000
Gages et avantages sociaux des préposés à l'emballage	37 800	70 200		108 000
Total des frais de vente variables	69 000 $	127 600 $		196 600 $

Frais de vente fixes				
Publicité			54 000 $	54 000
Frais de déplacement et de représentation des vendeurs	6 300	7 800		14 100
Salaires et avantages sociaux du directeur de la publicité et des vendeurs	18 720	18 720	45 000	82 440
Frais de fonctionnement de l'entrepôt			15 000	15 000
Assurance-entrepôt			10 000	10 000
Amortissement-entrepôt			8 000	8 000
Salaire et avantages sociaux du directeur de l'entrepôt			32 160	32 160
Total des frais de vente fixes	25 020 $	26 520 $	164 160 $	215 700 $
Frais d'administration fixes				
Salaires et avantages sociaux du vice-président			57 600 $	57 600 $
Total des frais de vente et d'administration fixes	25 020 $	26 520 $	221 760 $	273 300 $
Total des frais de vente et d'administration	94 020 $	154 120 $	221 760 $	469 900 $
Bénéfice	124 980 $	399 380 $		302 600 $

Les deux premiers résultats figurant à la toute fin de l'état traduisent la rentabilité relative des deux territoires de la région québécoise, alors que le résultat de 302 600 $ traduit la rentabilité relative de la région québécoise par rapport à celle des autres régions du Canada. Les résultats touchant soit les territoires soit les régions de l'entreprise peuvent pousser à agir en vue de résultats futurs.

S'il s'était agi d'une entreprise commerciale, il aurait été possible de présenter les marges sur coûts variables par territoire de vente, une information touchant la rentabilité qui peut être fort utile à la prise de décision. La présentation de telles marges est également possible dans le cas des entreprises manufacturières, à la condition toutefois de connaître le coût de fabrication variable des produits vendus.

L'information que donne l'état ne peut, pour la raison déjà mentionnée, vraiment servir à l'évaluation de la performance du vice-président de la région québécoise.

Troisième forme de présentation de l'état des résultats

Cette forme de présentation a beaucoup en commun avec la forme précédente. Elle a ceci de particulier que les résultats par objet de coût s'articulent de façon hiérarchisée ; dans le cas présent, il s'agit de la contribution au bénéfice de l'entreprise provenant des territoires de vente du Québec, puis de la contribution au bénéfice de l'entreprise provenant de la région québécoise.

Voici cet état :

	Région québécoise	Territoire n° 1	Territoire n° 2
Chiffre d'affaires	1 350 000 $	450 000 $	900 000 $
Coût des produits vendus	577 500	231 000	346 500
Bénéfice brut	772 500 $	219 000 $	553 500 $
Frais attribuables aux territoires	(248 140)	94 020	154 120
Contribution au bénéfice de l'entreprise provenant des territoires		124 980 $	399 380 $
Frais attribuables à la région	(221 760)		
Contribution au bénéfice de l'entreprise provenant de la région québécoise	302 600 $		

Vous aurez noté que la nature des frais attribuables aux territoires de la région québécoise et de ceux attribuables à la région québécoise elle-même n'a pas été précisée ; cela a été fait ici à dessein afin d'abréger le texte. Précisons également qu'il n'est pas toujours facile, dans la pratique, d'effectuer le partage entre frais attribuables à un objet de coût plutôt qu'à un autre. Ceci est également vrai dans le cas où la deuxième forme de présentation de l'état des résultats est utilisée.

L'établissement de schémas d'articulation hiérarchisée des objets d'analyse des résultats peut amener à concevoir des comptes-rendus analytiques portant sur les résultats qui sont davantage utiles aux gestionnaires.

Ainsi, il est possible d'établir le schéma suivant dans le cas d'Élégance ltée :

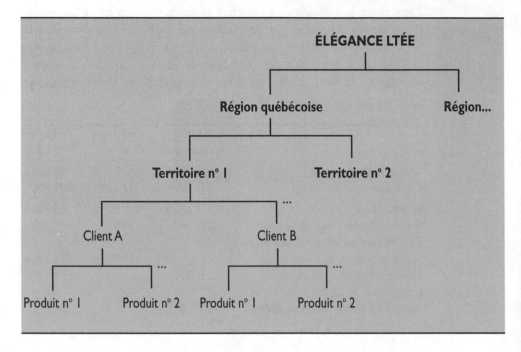

Si un tel schéma avait été préparé, l'état des résultats, selon la troisième forme de présentation, aurait pu avoir l'allure suivante :

	Région du Québec	Territoire n° 1	Territoire n° 2	Clients du territoire n° 1 Client A	Clients du territoire n° 1 Client B	Clients du territoire n° 2 Client M	Clients du territoire n° 2 Client N	Produits selon les clients Client A Produit n° 1	Client A Produit n° 2	Client B Produit n° 1	Client B Produit n° 2
Chiffre d'affaires	1 350 000	450 000	900 000	250 000	200 000	X	X	130 000	120 000	100 000	100 000
Coût des produits vendus	577 500	231 000	346 500	128 273	102 727	(X)	(X)	65 000	63 273	50 000	52 727
Bénéfice brut	772 500	219 000	553 500	121 727	97 273	X	X	65 000	56 727	50 000	47 273
Frais attribuables aux produits	(X)	(X)	(X)	(X)	(X)	(X)	(X)	(X)	(X)	(X)	(X)
Contribution au bénéfice de l'entreprise provenant des produits	X	X	X	X	X	X	X	X	X	X	X
Frais attribuables aux clients	(X)	(X)	(X)	(X)	(X)	(X)	(X)				
Contribution au bénéfice de l'entreprise provenant des clients	X	X	X	X	X	X	X				
Frais attribuables aux territoires	(X)	(X)	(X)								
Contribution au bénéfice de l'entreprise provenant des territoires	524 360	124 980	399 380								
Frais attribuables à la région	(221 760)										
Contribution au bénéfice de l'entreprise provenant de la région	302 600										

Notes : 1) Les montants figurant dans les colonnes autres que les trois premières sont fictifs.
2) Le nombre de produits et le nombre de clients sont également des données fictives.
3) Les X figurant dans les colonnes représentent des montants que l'entreprise devrait établir à la suite de l'analyse des frais concernés.

3.   COMPTABILISATION DES FRAIS DE VENTE

L'enregistrement des frais de vente est plus ou moins élaboré selon que l'on se limite à un enregistrement des frais par nature (commissions des vendeurs, loyer, etc.) ou que l'on désire en plus une comptabilisation des frais par activité (ex. : publicité, vente, livraison, etc.) et par objet de rentabilité (produit, client ou groupe de clients, canaux de distribution, etc.).

On peut comprendre sans peine que des analyses fines, portant sur les frais de vente, ne sauraient être facilement réalisées sans un système de comptabilité informatisé approprié.

4.   BUDGÉTISATION ET CONTRÔLE DES FRAIS DE VENTE

Nous avons déjà indiqué que les frais de vente comprenaient les frais relatifs à l'obtention de commandes et les frais engagés pour exécuter les commandes.

A.   Frais pour obtenir des commandes

Il est possible d'utiliser des standards lorsqu'on peut définir une unité d'œuvre appropriée. On s'entend toutefois sur la difficulté d'établir des standards dans le cas des activités reliées à l'obtention des commandes (publicité, vente proprement dite), à cause, précisément, de leur nature et de l'absence d'inducteur valable. On peut néanmoins utiliser des budgets.

Prenons le cas de la publicité. Même si elle est conçue pour susciter des commandes, cela ne signifie pas pour autant que les commandes passées seront fonction de l'importance des frais engagés à ce chapitre. L'absence de relation étroite entre cet intrant (la publicité) et l'extrant (le chiffre d'affaires) fait que le chiffre d'affaires peut difficilement servir de base dans l'établissement d'un standard pour les frais de publicité. L'état général du marché et les plans de l'entreprise face à cet état conditionnent les frais de publicité à engager. Voilà pourquoi on entend souvent dire que les frais de publicité sont des frais discrétionnaires, c'est-à-dire fixés d'avance. Les montants peuvent être définis globalement ou détaillés selon la nature ou la destination des frais. Le contrôle consiste à s'assurer qu'il n'y a pas d'excédent sans justification préalable.

Quant aux frais relatifs à la vente proprement dite (salaires et commissions des vendeurs, frais de séjour, de déplacement, etc.), il est à noter que les activités pour lesquelles ces frais sont engagés peuvent être en partie effectuées en dehors du milieu de l'entreprise, habituellement dans des milieux différents les uns des autres. Dès lors, il devient difficile d'établir des normes, surtout des normes d'application générale. Aussi, dans le cas où l'on en établit, ces normes doivent théoriquement différer d'un secteur à l'autre (ex. : standards différents par région de ventes pour ce qui est des frais de séjour). De plus, de tels standards seraient normalement fonction des activités (intrants) plutôt que des résultats (extrants), contrairement au cas des frais de production. Ainsi, les frais d'échantillons devraient être établis par rapport au nombre de clients potentiels visités plutôt que par rapport au nombre de clients qui passent des commandes. Le recours aux budgets est toujours possible.

Les entreprises soucieuses du contrôle exigent également de leurs vendeurs des rapports réguliers de frais (par exemple, toutes les semaines). De par sa connaissance du milieu, le responsable d'une région de ventes est habituellement en mesure d'évaluer les rapports de frais soumis par les vendeurs.

B.   Frais pour honorer les commandes

Plusieurs de ces frais se rapportent à des activités de nature répétitive se prêtant dès lors assez bien à l'établissement de standards. On peut, par exemple, établir des normes de frais standards pour les activités relatives à la livraison des articles vendus. Il est même possible d'établir des standards dans le cas des frais de facturation et de perception concernant les ventes effectuées à crédit. La détermination de standards est possible car il existe des inducteurs appropriés (nombre de produits, tonnage, etc.). Dans le cas des frais pour lesquels on n'utilise pas de standards, on peut recourir, comme nous l'avons dit, aux budgets.

5.   FRAIS DE VENTE ET COMPORTEMENT HUMAIN

L'importance de certains frais de vente engagés en vue de l'obtention de commandes peut dépendre d'un comportement biaisé et non souhaité de la part du personnel. Ainsi, une politique de rémunération basée sur le chiffre d'affaires pourra avoir pour effet ultime une réduction du bénéfice de l'entreprise, car les vendeurs avisés choisiront plutôt de mousser la vente des produits les plus coûteux qui leur rapportent des commissions plus élevées. Or, on sait très bien que le produit qui se vend le plus cher n'est pas nécessairement celui qui rapporte le plus à l'entreprise. D'autres moyens pourraient être pris par les vendeurs pour accroître le chiffre d'affaires, même dans le cas où l'entreprise est spécialisée dans la vente d'un produit unique. Ils pourraient, par exemple, accroître leur kilométrage, distribuer davantage d'échantillons, vendre à des clients moins solvables, vanter démesurément la qualité des produits, etc. L'entreprise doit donc avoir à l'esprit que certains principes de sa politique pourraient devenir de véritables instruments de contrôle des coûts s'ils étaient repensés.

6.   CONCLUSION

Il est plus difficile de contrôler les frais de vente que les coûts de production, car il n'est pas toujours possible de mesurer l'extrant obtenu par suite des frais de vente engagés. La conjoncture économique, la concurrence, les goûts changeants de la clientèle sont autant de facteurs externes qui influent sur l'extrant. Trop d'entreprises se contentent de comparer dans le temps, parfois dans l'espace, les ratios des frais de vente réels.

On comprendra assez facilement que les analyses pourront être relativement élaborées, car les répartitions possibles sont plutôt nombreuses. On se souviendra que les frais indirects de fabrication donnent lieu à des répartitions par section, puis à une imputation par produit, alors que les frais de vente peuvent être répartis par produit, par client ou groupe de clients, par canal de distribution, par région de vente, par vendeur, par commande type de la part des clients, etc.

EXERCICES D'APPLICATION

■ **EXERCICE 12-1**

Le président de Taylor inc., grossiste, soumet un relevé comparatif de données concernant deux de ses vendeurs ; il désire savoir si le système de rémunération des vendeurs va à l'encontre des intérêts de la société.

Voici l'essentiel du relevé :

	Vendeurs	
	Ménard	Simard
Chiffre d'affaires	247 000 $	142 000 $
Rendus sur ventes	17 000	2 000
Coût des produits vendus	180 000	85 000
Remboursement de frais (frais de représentation)	5 500	2 100
Autres frais directs (échantillons distribués)	4 000	450
Taux de commission sur le chiffre d'affaires	5 %	5 %

ON DEMANDE

1. d'indiquer les pratiques de vente à proscrire auxquelles un vendeur pourrait avoir recours dans le cas d'un paiement de commissions calculées sur le chiffre d'affaires brut ;
2. de préciser si les données fournies par le président de Taylor inc. indiquent que, selon toute vraisemblance, le système de rémunération des vendeurs nuit aux intérêts de la société.

(Adaptation – C.P.A.)

■ **EXERCICE 12-2**

Au cours des dernières années, les frais de vente d'Annie Itée ont augmenté plus que tous autres frais. Afin d'en renforcer le contrôle, la société projette de fournir des états de résultats à chacun de ses directeurs locaux. Ces états indiqueraient les résultats du mois relatifs au territoire du directeur, le cumul de ces résultats mensuels pour l'exercice courant et les résultats de l'exercice précédent. Chaque point de vente relève d'un directeur local. Les commandes des clients sont acheminées au bureau central et remplies à partir d'un entrepôt central. De plus, la facturation et la perception sont des opérations centralisées.

Les frais, autres que les salaires et commissions des vendeurs qui ont chacun leur territoire de vente, sont d'abord ventilés par activité ; puis les frais de chaque activité sont eux-mêmes ventilés par territoire en recourant aux clés suivantes :

Activité	Inducteur des frais
Publicité	Ventes exprimées en dollars
Entreposage	Ventes exprimées en dollars
Emballage et livraison	Poids des paquets
Facturation et perception	Nombre de factures
Gestion commerciale	Parts égales

ON DEMANDE

1. de discuter de la valeur des états de résultats d'Annie ltée si, aux fins de contrôle, ils étaient subdivisés par territoire de vente. Indiquer les facteurs dont il faut tenir compte, ainsi que les modifications qu'il y aurait lieu d'apporter pour faire véritablement l'évaluation des directeurs de vente locaux ;
2. de comparer le degré de contrôle qui peut être atteint en matière de frais de vente par rapport à celui qui caractérise les coûts de fabrication ;
3. de critiquer la ventilation :
   a) des frais de publicité ;
   b) des frais d'entreposage ;
   c) des frais de gestion commerciale.

(Adaptation – C.P.A.)

■■■ EXERCICE 12-3

Voici l'état des résultats, pour l'exercice 20X5, de Latraverse ltée, compte non tenu des frais d'administration et de l'impôt sur le bénéfice :

Chiffre d'affaires (1 900 000 unités)		3 800 000 $
Coût des produits vendus		2 280 000
Bénéfice brut		1 520 000
Frais de vente		
Emballage et livraison		
Contenants	91 750 $	
Salaires	221 250	
Fret à la vente	375 750	688 750 $

Frais de la vente proprement dite
   Salaire du directeur   15 200
   Salaires des vendeurs   32 000
   Commissions aux vendeurs   24 000
   Commissions à l'agence   30 000
   Mauvaises créances   11 500   112 700
Publicité
   Journaux locaux   43 500
   Revue nationale   57 000   100 500
Frais d'administration (fixes)   64 750   966 700
Bénéfice   553 300 $

L'entreprise fabrique un produit unique dont le prix de vente est de 2,00 $ l'unité. Le produit est distribué dans les régions A, B, C et D.

L'usine et le siège social sont situés dans la région A. Il n'y a pas de vendeurs dans cette région. Les commandes arrivent par la poste et par téléphone. Les clients viennent eux-mêmes chercher le produit à l'usine.

La région B est située à 200 kilomètres de l'usine. La société emploie 4 vendeurs payés à la commission dans cette région ; elle paie une publicité d'un quart de page, une fois la semaine, dans un journal local.

La région C est située à 400 kilomètres de l'usine. La société emploie 8 vendeurs touchant un salaire fixe. Elle fait une publicité d'un quart de page, trois fois la semaine, dans le journal local, et le coût par insertion est le double de celui de la région B.

Dans la région D, l'entreprise fait affaire avec une agence. Cette région est située à 800 kilomètres de l'usine. La société partage avec l'agence, dans une proportion de 1 : 3, le coût d'une publicité d'un quart de page, une fois la semaine, dans un journal local. Le coût de l'espace occupé est le même que celui de la région B.

Le produit est emballé dans des contenants de trois tailles différentes : 16 unités (petite), 32 unités (moyenne), 48 unités (grande), et la livraison ne se fait que par lot de caisses. On suppose que chaque commande consiste en une caisse.

Les coûts unitaires par caisse ont été déterminés comme suit :

	Petite	Moyenne	Grande
Contenants	1,00 $	1,50 $	2,00 $
Salaires pour emballage et livraison	3,00	3,50	4,00
Transport (coût pour 200 kilomètres)	2,00	3,50	5,00

Une analyse des opérations de mise en marché donne les résultats suivants :

		Régions			
	Total	A	B	C	D
Nombre de connaissements					
Petites caisses	22 500	2 500		20 000	
Caisses moyennes	30 500	5 000	7 500	15 000	3 000
Grandes caisses	11 750		7 500		4 250
	64 750				
Mauvaises créances					
(% du chiffre d'affaires)		¼ %	⅛ %	⅜ %	½ %

ON DEMANDE

de présenter dans un même état financier le bénéfice par région et le bénéfice total pour la société. Les montants du chiffre d'affaires servent de base de répartition pour le salaire du directeur des ventes et pour la publicité. Les frais d'administration seront répartis d'après le nombre de commandes. *(Adaptation — S.C.M.C.)*

■■■■ EXERCICE 12-4

Caprice ltée vend deux produits : un petit classeur portatif de bureau qu'elle fabrique depuis plus de 15 ans et un classeur maison/voyage introduit en 20XI. Les classeurs sont produits dans la seule usine de Caprice. Les coûts variables de production unitaires prévus sont les suivants :

	Classeur de bureau	Classeur maison/voyage
Feuille de métal	3,50 $	
Plastique		3,75 $
Main-d'œuvre directe (à 8 $ l'heure)	4,00	2,00
Frais indirects de fabrication variables (à 9 $ l'heure de M.O.D.)	4,50	2,25
	12,00 $	8,00 $

Les frais indirects de fabrication fixes prévus pour l'année sont de 120 000 $. La moitié de ces frais est attribuable directement à l'atelier des classeurs de bureau et 22 % sont imputables à l'atelier des classeurs maison/voyage ; ce qui reste de ces coûts, soit 28 %, n'est imputable à aucun des ateliers.

Caprice emploie deux représentants permanents : Pierre Vigeant et Robert Laforge. Chacun d'eux reçoit un salaire annuel de 14 000 $, *plus* une commission de 10 % sur son chiffre d'affaires brut total. Les frais de voyage et de représentation prévus annuellement pour chacun de ces représentants sont de 22 000 $. On s'attend à ce que Vigeant vende 60 % de la quantité totale de chaque produit prévue, le reste constituant la part de Laforge. Les frais d'administration fixes de Caprice sont de 80 000 $; ils ne sont imputables ni à l'un ni à l'autre des classeurs ; les frais de vente sont les suivants :

	Classeur de bureau	Classeur maison/voyage
Frais d'emballage à l'unité	2,00 $	1,50 $
Frais de promotion	30 000 $	40 000 $

Les données relatives aux ventes prévues et aux ventes réelles de Caprice pour l'exercice financier terminé le 31 mai 20X4 sont présentées ci-après. Il n'y a pas de variation entre les soldes d'ouverture et de fermeture des stocks de produits finis et des stocks de produits en cours.

	Classeur de bureau	Classeur maison/voyage
Ventes prévues en unités	15 000	15 000
Prix de vente prévu et réel	29,50 $	19,50 $
Ventes réelles en unités		
Pierre Vigeant	10 000	9 500
Robert Laforge	5 000	10 500
	15 000	20 000

Voici les autres renseignements relatifs aux opérations de l'exercice terminé le 31 mai 20X4 :

a) Il n'y a pas eu d'augmentation ni de diminution des stocks de matières premières, qu'il s'agisse de feuilles de métal ou de plastique, et il n'y a pas eu d'écart sur quantité utilisée. Toutefois, le prix des feuilles de métal a été défavorable de 6 %, et le prix du plastique a été favorable de 4 % ;

b) Les heures et les coûts de main-d'œuvre directe se répartissent comme suit :

	Heures	Montant
Classeur de bureau	7 500	57 000 $
Classeur maison/voyage	6 000	45 600
	13 500	102 600 $

c) Les frais indirects de fabrication fixes imputables à l'atelier qui fabrique des classeurs de bureau ont été défavorables de 8 000 $. Tous les autres frais indirects de fabrication fixes engagés ont été ceux prévus, et tous les frais indirects de fabrication variables ont été engagés aux taux horaires prévus ;

d) Tous les frais de vente et d'administration ont été engagés aux taux ou montants prévus à l'exception des éléments suivants :

Frais d'administration imputables		34 000 $
Frais de promotion		
Classeur de bureau	32 000 $	
Classeur maison/voyage	58 000	90 000
Frais de voyage et de représentation		
Pierre Vigeant	24 000	
Robert Laforge	28 000	52 000
		176 000 $

ON DEMANDE

1. de préparer un état des résultats portant sur les activités réelles de Caprice ltée pour l'exercice financier terminé le 31 mai 20X4. L'état devrait faire ressortir la marge totale sur coûts variables par produit et devrait refléter le bénéfice total de l'entreprise avant l'impôt sur le bénéfice ;

2. d'indiquer la nature du rapport qui pourrait être présenté et qui serait utile pour évaluer la performance globale de Caprice ltée relativement à l'exercice 20X4. Il n'est donc aucunement nécessaire de faire état de chiffres ;

3. d'indiquer la nature du rapport qui pourrait être présenté pour l'exercice terminé le 31 mai 20X4 et qui serait utile pour l'évaluation du rendement de Robert Laforge.

(Adaptation – C.M.A.)

▬▬ EXERCICE 12-5

Marc Faubert, président de Grosdoux inc., analyse les rapports de rendement de novembre. L'entreprise vit une période de croissance soutenue depuis deux ans. Le défi de l'heure pour le président est de s'assurer que l'entreprise maintient un contrôle sur ses frais de vente.

Ainsi, le président rencontra-t-il Suzanne Fortier, contrôleure nouvellement embauchée par l'entreprise, pour discuter de l'incidence des écarts que traduit le rapport de rendement de novembre et pour établir une stratégie en vue de l'amélioration du rendement. Suzanne exprima l'avis que le type de rapport utilisé par l'entreprise ne permet probablement pas de donner une image fidèle de la réalité. Elle proposa le recours au budget flexible. Elle promit qu'elle verrait à lui présenter le rapport de rendement de novembre axé sur ce type de budget, afin qu'il puisse en évaluer les avantages.

À cette fin, Suzanne obtient les renseignements suivants concernant les frais de vente :

a) les vendeurs reçoivent un salaire fixe ainsi qu'une commission fondée sur le chiffre d'affaires ;

b) les frais de bureau, autres que les salaires, du service commercial sont des frais dits mixtes. La quote-part fixe s'élève annuellement à 3 000 000 $ étalée uniformément sur l'année. La quote-part variable a trait au nombre de commandes ;

c) l'entreprise décida, quelque temps après avoir adopté le budget annuel de l'exercice en cours, d'étendre son territoire de vente. En conséquence, six nouveaux vendeurs commencèrent à travailler le 1er novembre. Suzanne considère qu'elle devra tenir compte de ce fait dans la préparation du rapport révisé pour novembre ;

d) le système de remboursement des frais de déplacement consiste en un montant forfaitaire par vendeur par jour de déplacement. Le montant prévu dans le budget initial est fondé sur 90 vendeurs voyageant quinze jours par mois ;

e) les frais d'expédition sont des frais mixtes dont la quote-part variable représente 3 $ l'unité vendue ; quant à la quote-part fixe, elle est étalée uniformément sur l'année.

GROSDOUX INC.
Rapport de rendement concernant les frais de vente
pour novembre 20X8

	Budget de l'année	Budget de novembre	Chiffres réels de novembre	Écarts en novembre
Ventes en unités	2 000 000	280 000	310 000	30 000
Chiffre d'affaires	80 000 000 $	11 200 000 $	12 400 000 $	1 200 000 $
Nombre de commandes	54 000	6 500	5 800	(700)
Nombre de vendeurs par mois	90	90	96	(6)
Publicité	19 800 000 $	1 650 000 $	1 660 000 $	10 000 $D
Salaires de bureau	1 500 000	125 000	125 000	– 0 –
Salaires des vendeurs	1 296 000	108 000	115 400	7 400 D
Commissions aux vendeurs	3 200 000	448 000	496 000	48 000 D
Montants forfaitaires aux fins de déplacements	1 782 000	148 500	162 600	14 100 D
Frais de bureau autres que les salaires	4 080 000	340 000	358 400	18 400 D
Frais d'expédition	6 750 000	902 500	976 500	74 000 D
	38 408 000 $	3 722 000 $	3 893 900 $	171 900 $D

ON DEMANDE

1. de mentionner l'utilité qu'aurait l'usage du budget flexible dans le cas de Grosdoux inc. ;
2. de présenter le rapport de rendement pour novembre que s'apprête à préparer Suzanne Fortier.

(Adaptation – C.M.A.)

■■■ EXERCICE 12-6

Moderne ltée fabrique les produits X et Y. Au cours du dernier mois, elle a produit 2 000 unités de X et 3 000 unités de Y. Chacun de ces produits se vend 100 $.

Les coûts directs par produit sont les suivants :

	Produit X	Produit Y
M.P.		
M	1 kg × 6 $ = 6 $	2 kg × 6 $ = 12 $
N	2 kg × 12 $ = 24	
M.O.D.	1 h × 16 $ = 16	1 h × 16 $ = 16

Le produit X nécessite 0,5 heure-machine alors que le produit Y en requiert une.

Les coûts indirects de fabrication s'élèvent à 156 800 $, soit 28 800 $ pour la section Approvisionnement et 128 000 $ pour la section de production. Les charges indirectes, au montant de 60 000 $, ont trait à la fonction Vente.

Jusqu'à présent, les unités d'œuvre ont été l'heure-machine pour ce qui est des coûts indirects de fabrication, et le dollar de chiffre d'affaires dans le cas des charges indirectes.

Renseignements supplémentaires

a) Identification des activités et des inducteurs de coût

	Approvisionnement	Fabrication	Vente
A^1	Achat : nbre de commandes		
A^2	Réception : nbre d'unités de M.P.		
A^3	Contrôle : nbre de sortes de M.P.		
A^4		Préparation des fab. : nbre de lots	
A^5		Fabrication même : nbre d'h-mach.	
A^6			Publicité : nbre de produits différents
A^7			Vente : nbre de clients

b) Ventilation des coûts indirects par activités

	Approvisionnement	Fabrication	Vente
A^1	18 000 $	A^4 : 72 000 $	A^6 : 42 000 $
A^2	4 800	A^5 : 56 000	A^7 : 18 000
A^3	6 000		

c) Nombre des unités relatives à certains inducteurs

Nombre de commandes :
Produit X : 1 commande
Produit Y : 2 commandes
3

Nombre de lots mis en fabrication :
Produit X : 1
Produit Y : 2
3

Nombre de clients :
Produit X : 4
Produit Y : 2
6

Nombre de sortes de M.P. :
M.P. M : 1
M.P. N : 1
2

ON DEMANDE

de calculer les coûts de revient unitaires de fabrication et de vente relatifs aux produits X et Y, en tenant pour acquis que l'entreprise recourt à la comptabilité par activités.

■■■■■ EXERCICE 12-7

Horlogeries Éclair (HE) fabrique des minuteries à des fins industrielles. Récemment, son bénéfice a chuté, de sorte que la direction vous demande, à titre de consultant externe, quels sont les changements qu'il conviendrait d'apporter.

Fondée il y a 60 ans, HE s'est acquis une clientèle solide et fidèle grâce surtout à la grande qualité de ses minuteries. Elle a investi des sommes importantes dans la conception de nouveaux produits par ordinateur et dans la robotisation, ce qui lui a permis de réduire les frais d'exploitation et de maintenir une longueur d'avance sur ses concurrents. Cependant, les ventes de ses deux principaux produits baissent ou stagnent depuis trois ans. Sans l'augmentation des ventes de minuteries « sur mesure », elle se serait retrouvée dans une situation déficitaire.

Les principaux produits consistent en un modèle « de base » et un modèle « de luxe ». Pour le modèle « de base », il faut 8 $ en matières directes, 0,4 heure pour l'usinage et 0,6 heure pour l'assemblage. Le modèle « de luxe » requiert 4 $ de plus en matières directes, 0,5 heure pour l'usinage et 1 heure pour l'assemblage. Le salaire standard est de 12 $ l'heure.

L'entreprise fabrique aussi des minuteries « sur mesure ». Le coût moyen d'une minuterie de ce genre se chiffre à environ 20 $ en matières directes et à 30 $ en main-d'œuvre directe. Chaque unité nécessite 0,8 heure pour l'usinage et 1,7 heure pour l'assemblage.

Les frais indirects de fabrication sont importants : ils se sont élevés à 1 700 000 $ en 20X8. Les frais indirects variables englobent les petits outils, les lubrifiants et la main-d'œuvre indirecte. Les frais indirects fixes se répartissent entre les postes suivants : ingénierie (conception et devis) – 80 000 $; contrôle de la qualité (temps de mise en route et matières) – 130 000 $; amortissement de l'immeuble-usine et du matériel, impôts fonciers et salaires du personnel d'entretien – 690 000 $; frais divers – 200 000 $. L'état complet des résultats de 20X8 figure dans l'annexe.

Au début de janvier 20X9, afin d'exécuter votre mandat, vous commencez votre étude par l'analyse de la situation actuelle et vous rencontrez le personnel de la production, dont des représentants des services de l'ingénierie, du contrôle de la qualité, de l'usinage et de l'assemblage. Puis des représentants des services du marketing et de l'administration. Voici un résumé de ces entretiens.

Carl Béchard (Ingénierie) : « Le nouveau système de conception assistée par ordinateur a vraiment transformé nos méthodes de travail. Dès qu'elle est reçue, une commande est classée « de base », « de luxe » ou « sur mesure ». J'estime que nous consacrons environ 75 % de notre temps aux commandes « sur mesure », parce qu'elles nécessitent habituellement des adaptations importantes. Le modèle « de base », quant à lui, ne représente que 5 % de notre temps. Les modifications requises par le modèle « de luxe » sont un peu plus compliquées et accaparent normalement le reste de notre temps. Si les volumes de production des trois produits revenaient à leur niveau d'il y a trois ans, nous consacrerions environ la moitié de notre temps aux commandes « sur mesure », les heures restantes étant divisées également entre les deux autres produits. »

Henri Palda (Contrôle de la qualité) : « Les minuteries de cette usine sont rigoureusement conformes aux exigences du client. Elles ne correspondent peut-être pas toujours à ce qu'il voulait, mais nous garantissons que c'est ce qu'il a commandé. Seule une surveillance minutieuse de la qualité de nos matières premières et du processus de fabrication nous assure un contrôle aussi serré de la qualité des produits. Nous vérifions les minuteries sortant des centres de travail lorsqu'ils entreprennent une nouvelle commande, puis nous en examinons un certain nombre au hasard. Étant donné la grosseur des lots des modèles « de base » et « de luxe », j'estime que nous consacrons actuellement environ 20 % de notre temps chaque mois à la vérification de chacun de ces deux modèles. Je ne peux fournir de chiffres plus précis parce que les données réelles sur volume de production ne nous sont communiquées que deux fois par année. Si le volume des ventes du modèle « de base » revenait à son niveau d'il y a trois ans, je suis convaincu que les heures affectées aux deux principaux produits augmenteraient à environ 30 % par produit. Quoi qu'il en soit, les heures restantes sont accaparées par les commandes « sur mesure », pour lesquelles il nous faut être vraiment vigilants. »

Frank Pignon (superviseur, Usinage et assemblage) : « Grâce au nouveau matériel de fabrication assistée par ordinateur, nos procédés ont bien changé. Quand je pense qu'il y a quelques années à peine, il nous fallait suivre attentivement chaque opération. Maintenant, il suffit de préparer le matériel, puis de surveiller les produits qui en sortent. Le montant annuel pour l'amortissement, les impôts fonciers et les salaires du personnel d'entretien correspond, aux fins du calcul de coûts unitaires fiables et pertinents, à 230 000 $ pour chaque gamme de produits. Les frais de fabrication divers indiqués dans les rapports comptables semblent reliés principalement au nombre de commandes passées par nos clients. L'ordonnancement des heures d'assemblage constitue mon plus gros problème. L'aménagement des lieux limite l'espace utilisable dans l'usine, ce qui restreint le nombre d'heures que je peux affecter à l'assemblage. En effet, l'assemblage est plafonné à 72 000 heures, et il est impossible de l'augmenter au cours des douze prochains mois. »

Simon Venne (Marketing) : « Les heures, les énergies et les dépenses déployées pour chaque gamme de produits semblent dépendre du nombre des commandes. Si j'en juge par les propos de vendeurs, les prix posent des difficultés. Ainsi, le modèle « de base » est de 5 $ plus cher que celui de nos concurrents, et notre volume de vente s'en ressent vraiment. Si nous pouvions l'abaisser à un niveau plus concurrentiel, j'estime que les ventes grimperaient à 74 000 unités par année, ce qui correspondrait au niveau d'il y a trois ans. À l'heure actuelle, tous nos prix correspondent aux coûts variables majorés de 50 %, puis arrondis au dollar le plus proche.

Mes vendeurs sont heureux de l'affluence des commandes « sur mesure ». Il est très difficile de savoir quels prix exigent nos concurrents pour des produits semblables, mais il y a lieu de croire que l'écart est appréciable par rapport aux nôtres. Notre stratégie consiste à commercialiser les modèles « de base » et « de luxe » et à proposer le modèle « sur mesure » à titre de services à nos clients assidus moyennant un prix plus élevé. Par conséquent, nous devrions normalement vendre environ 1 000 unités « sur mesure » par année, soit le niveau d'il y a trois ans. En ce qui concerne le modèle « de luxe », le prix actuel est à peu près correct, et le volume devrait donc se maintenir au niveau actuel pendant quelque temps encore. »

Vincent Ménard (vice-président) : « Il nous faut renverser la vapeur, sinon nous devrons vendre. Le patron a reçu des offres alléchantes de certains fabricants américains de machines-outils. Nos objectifs consistent à récupérer les coûts propres à chaque produit et à dégager annuellement une marge bénéficiaire (globale et par gramme de produit) d'au moins 10 % avant impôts. »

ON DEMANDE

1. de rédiger à l'intention de la direction des Horlogeries Éclair, en qualité de consultant externe, un rapport qui met clairement en évidence les problèmes de l'entreprise, en fait une analyse et recommande des mesures précises pour corriger la situation ;
2. d'établir un état *pro forma* des chiffres d'affaires de 20X9, en tenant pour acquis que l'accroissement du volume des ventes d'un produit ne modifie pas le nombre de commandes de ce produit et en tenant compte de vos recommandations et des niveaux de volume de vente d'il y a trois ans.

(Adaptation – S.C.M.C.)

Annexe
Résultats de l'exercice terminé le 31 décembre 20X8

	De base	De luxe	Sur mesure	Total
Volume (unités)	50 000	25 000	5 000	80 000
Nombre des commandes	50	25	5	80
Chiffre d'affaires	2 100 000 $	1 575 000 $	525 000 $	4 200 000 $
Coûts variables				
Matières premières	400 000	300 000	100 000	800 000
Main-d'œuvre	600 000	450 000	150 000	1 200 000
Frais indirects[1]	300 000	225 000	75 000	600 000
Commissions (5 % × C.A.)	105 000	78 750	26 250	210 000
Total des coûts variables	1 405 000	1 053 750	351 250	2 810 000
Marge sur coûts variables	695 000	521 250	173 750	1 390 000
Coûts fixes				
Ingénierie[2]	40 000	30 000	10 000	80 000
Contrôle de la qualité[2]	65 000	48 750	16 250	130 000
Amortissement, impôts fonciers, salaires du personnel d'entretien[2]	345 000	258 750	86 250	690 000
Frais de fabrication divers[3]	125 000	62 500	12 500	200 000
Frais de vente et d'administration[3]	78 125	39 063	7 812	125 000
Total des coûts fixes	653 125	439 063	132 812	1 225 000
Bénéfice net	41 875 $	82 187 $	40 938 $	165 000 $

1. Des calculs valables ont établi que les frais indirects de fabrication variables sont fonction du coût de la main-d'œuvre directe.
2. Ces frais de fabrication sont répartis entre les produits d'après leur pourcentage du coût total de la main-d'œuvre.
3. Ces frais de fabrication et ces frais de vente et d'administration sont imputés aux produits d'après le nombre des commandes.

13
LE BUDGET ANNUEL
ET L'ANALYSE DES ÉCARTS
SUR RÉSULTATS BUDGÉTÉS

Une entreprise peut être dirigée par intermittence, suivant l'arrivée des problèmes, ce qui crée ainsi une irrégularité du travail au sein du personnel. Nombre d'entreprises, dirigées de la sorte, vont au désastre.

La direction d'une entreprise devrait s'organiser méthodiquement afin d'affronter sans crainte les difficultés de dernière heure. Une telle direction ne saurait exister sans plan d'action, ni prévisions.

Nous traiterons dans ce chpitre du budget annuel et d'analyse des écarts sur résultats budgétés de l'entreprise industrielle. Les principes de base demeureraient les mêmes si l'on se référait à une entreprise à caractère strictement commercial ou si l'on envisageait le problème au niveau de l'individu.

1. LA DÉFINITION ET LES FINS DU BUDGET ANNUEL

A. Définition

Le budget annuel d'une entreprise est l'ensemble coordonné des prévisions, exprimées en unités physiques (ventes prévues en unités, nombre d'heures de main-d'œuvre directe, etc.) et en unités monétaires (chiffre d'affaires, coût de la main-d'œuvre directe, etc.), concernant son prochain exercice financier.

Le budget annuel d'une entreprise est un ensemble de prévisions : prévision des ventes (quantité et chiffre d'affaires), des achats (quantité et valeur), de la production, des frais de vente, etc. Toutes ces prévisions doivent être coordonnées en fonction d'un objectif commun.

Le budget annuel est donc, avant tout, un budget-objectif, un budget qui traduit, pour l'année à venir, les préoccupations communes à l'ensemble du personnel responsable. En cela, le budget annuel se distingue du budget flexible étudié précédemment, lequel est essentiellement un budget-contrôle.

B.   Fins

Un système budgétaire peut être exploité à différentes fins dont celles de planification, de contrôle et de coordination. On pourrait en ajouter d'autres, comme la motivation et l'éducation.

Ajoutons que certains auteurs ont montré que les entreprises ne pouvaient s'attendre logiquement à ce que le système budgétaire atteigne de manière également satisfaisante toutes ces fins à la fois. Ils soutiennent même que certaines des fins précitées sont incompatibles, en particulier la fin de motivation et celles de planification et de contrôle. Nous reviendrons plus loin sur cet aspect.

a.   La planification

L'entreprise moderne évolue dans une économie d'abondance caractérisée par une concurrence des plus vives. Dans une telle économie, la stabilité de l'entreprise n'est pas assurée, car elle est conditionnée par le rendement de l'exploitation prévu et par une situation financière saine qui exige la prise de mesures préventives. Le budget annuel, en permettant une analyse préalable des problèmes et de leur solution, réduit au minimum les situations d'urgence au cours d'un exercice financier et contribue à maintenir la stabilité de l'entreprise.

Ainsi, la firme qui prépare un budget annuel est en mesure de déterminer à l'avance à quel moment et pour quel montant le financement deviendra nécessaire. Elle dispose alors d'une marge de temps plus importante pour examiner les moyens d'obtenir ce financement aux meilleures conditions. Une telle démarche est préférable à une action qui se limite à l'attente passive jusqu'à ce que se présentent certaines situations financières à corriger de toute urgence. Attendre à la dernière minute, c'est courir le risque de voir compromettre la situation financière de l'entreprise et, partant, sa survie.

b.   Le contrôle

La direction scientifique d'une entreprise commande l'emploi le plus rationnel et le plus économique possible des ressources humaines, matérielles et financières de l'entreprise. Le budget annuel permet d'exercer ce contrôle dans la mesure où les services de l'entreprise doivent prouver leurs besoins légitimes nés des objectifs du budget et démontrer l'utilisation économique des ressources mises à leur disposition.

Toujours sur le plan du contrôle, la formule budgétaire permet de mettre périodiquement en relief les écarts entre les réalisations et les prévisions, et d'apporter les correctifs appropriés. Aux fins de cette évaluation, le budget initial est rarement adéquat, en particulier lorsque l'horizon de prévision est l'année considérée globalement. Certaines entreprises font de la réalisation du budget un processus continu. Ceci consiste à subdiviser la période en sous-périodes, à retrancher, dès qu'une sous-période se termine, les données budgétaires la concernant, à revoir à ce moment-là les données budgétaires des sous-périodes suivantes tout en ajoutant les prévisions pour une sous-période supplémentaire. La durée de la période demeure ainsi la même tout au cours de l'année (ex. : un budget pour 12 mois d'avance). On qualifie ce type de budget de budget continu, de budget roulant ou encore de budget glissant.

Malgré le réalisme accru des budgets, il y a habituellement lieu, pour évaluer les résultats obtenus, de procéder à des ajustements des budgets de façon à tenir compte des changements de l'environnement qui se sont produits au cours de la période.

Quant à l'utilité que l'on pourrait retirer de la comparaison entre budgets initiaux et budgets ajustés, elle pourrait consister dans les indications fournies sur la valeur des budgets initiaux élaborés par les responsables.

c.   *La coordination*

L'entreprise, avec ses multiples services tels que le service des ventes, de production, des finances, etc., se voit dans l'obligation d'assurer un juste équilibre entre leurs activités. De même que le directeur du service de production ne doit pas planifier la fabrication sans se préoccuper des possibilités de vente, de même le directeur du service des ventes doit tenir compte des possibilités de la production. Le budget annuel répond également à cet impératif de coordination des efforts et des objectifs particuliers, par le fait qu'il s'étend à toutes les activités de l'entreprise et qu'il résulte de l'engagement de toutes les branches de l'organisation vers un objectif unique.

2.   LA PÉRIODE BUDGÉTAIRE

Nous traitons dans ce chapitre du budget dit annuel, c'est-à-dire qui s'étend sur une année de la vie de l'entreprise. Des prévisions annuelles nous paraissent normales dans la mesure où l'année constitue l'unité de temps reconnue dans le domaine des affaires. Toutefois, les prévisions annuelles peuvent être subdivisées en mois, en trimestres, en semestres, selon la périodicité de l'appréciation budgétaire ou les besoins inhérents à l'exploitation de l'entreprise.

Ces subdivisions posent un problème au comptable ; en effet, comme le nombre de jours de travail diffère selon les mois, les comparaisons d'un mois à l'autre, ou d'un trimestre à l'autre, peuvent être difficiles à établir.

Afin de résoudre le problème, il serait préférable que les entreprises recourent à une division de l'année en périodes égales qui compteraient chacune un nombre égal de journées de travail.

Si la semaine de travail s'étend sur cinq jours, l'entreprise pourrait diviser l'année en 10 périodes de 25 jours de travail chacune.

Soulignons que certaine firmes divisent leur année en 12 périodes dont 11 d'entre elles comptent 21 journées de travail chacune ; d'autres la partagent en 13 parties égales de 4 semaines chacune. Cependant, nous constatons que ces périodes ne comportent pas toutes un nombre égal de journées de travail par suite des vacances et des fêtes légales ; aussi, les comparaisons d'une période à une autre sont-elles quelque peu sujettes à caution.

3.   LA MISE EN PLACE ET L'EXPLOITATION DE LA FORMULE BUDGÉTAIRE

La mise en place de la formule du budget annuel s'effectue graduellement. La formule doit s'étendre, dans un laps de temps relativement court, à tous les secteurs de l'entreprise, sinon le doute naît dans les esprits sur les intentions véritables de la direction.

L'aspect humain revêt une très grande importance en matière d'implantation et d'exploitation budgétaires. Il est bien difficile d'énumérer toutes les variables qui peuvent avoir une incidence sur le comportement humain en cette matière. Outre l'âge des employés, leur formation, leur philosophie, l'environnement et le style de leadership, l'entreprise doit particulièrement être consciente de certaines réalités.

Les budgets véhiculent des objectifs. L'atteinte de ces objectifs sera davantage assurée si l'employé participe à leur élaboration. En l'absence d'une telle participation, il faudrait évaluer la perception que pourrait avoir l'employé de la difficulté de réalisation des objectifs établis de façon autoritaire. On pense généralement que le fait, pour l'employé, de participer à la préparation des budgets l'aide à intérioriser les objectifs et augmente sa motivation et son rendement.

Le fait que le budget sert souvent non seulement à la planification, mais également au contrôle, peut inciter les employés à inclure du jeu (mou) dans leurs budgets. Des prévisions de frais pessimistes en sont un exemple.

Se servir des budgets comme moyen de pression en vue d'obtenir de meilleurs résultats peut entraîner la formation de groupes improvisés qui se ligueront pour contrer leurs effets.

Pour ne pas être taxé de mauvais planificateur ou pour éviter des compressions budgétaires, on peut être enclin à procéder à l'engagement de frais dans les derniers jours d'un exercice, non parce que cet engagement est nécessaire à ce moment, mais uniquement parce qu'il avait été prévu. De même, l'engagement urgent de certains frais pourra être différé sous le prétexte qu'il n'avait pas été prévu au budget.

La mise en place de la formule budgétaire donne lieu à la création de certains mécanismes ou fonctions qui en assurent l'exploitation, comme la formation d'un comité du budget, la nomination d'un directeur du budget et l'élaboration d'un manuel budgétaire.

Le comité du budget est composé de différents cadres hiérarchiques, tels que le vice-président des finances, le directeur des ventes, le directeur de la production, etc., qui prennent les décisions au sein de l'entreprise. La mission du comité du budget consiste en :

1) la coordination et l'arrêt définitif des budgets ;
2) la discussion des rapports d'exécution : réalisations contre prévisions.

Le directeur du budget est l'exécutant du comité du budget. Il remplit habituellement les fonctions suivantes :

1) collaborer à l'élaboration des prévisions et les colliger ; soulignons que le directeur du budget est un conseiller et qu'à ce titre il n'est pas censé préparer lui-même les prévisions ;
2) déterminer les écarts aux normes du budget et en informer les personnes intéressées ;
3) rechercher l'amélioration constante des techniques de prévision, et des prévisions elles-mêmes ;
4) réunir les membres du comité du budget afin d'arrêter définitivement le budget ou d'analyser les résultats obtenus.

Le manuel budgétaire est utilisé par plusieurs entreprises ; les employés peuvent s'y référer afin de savoir ce qui doit être fait, qui doit le faire, à quel moment, de quelle manière et en utilisant quelles formules. Ce manuel est recommandé bien que son usage ne soit pas fréquent dans les petites et moyennes entreprises.

Comme l'indique la figure 1, tout budget annuel est constitué de deux types de budgets : les budgets de base et les budgets connexes.

FIGURE I
Exemple de budget global annuel d'une entreprise industrielle

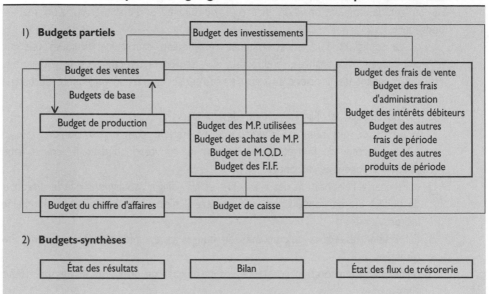

1) **Budgets partiels**

Budget des investissements

Budget des ventes

Budgets de base

Budget de production

Budget des M.P. utilisées
Budget des achats de M.P.
Budget de M.O.D.
Budget des F.I.F.

Budget des frais de vente
Budget des frais
d'administration
Budget des intérêts débiteurs
Budget des autres
frais de période
Budget des autres
produits de période

Budget du chiffre d'affaires

Budget de caisse

2) **Budgets-synthèses**

État des résultats

Bilan

État des flux de trésorerie

4.   LES BUDGETS OPÉRATIONNELS DE BASE

Les budgets opérationnels de base concernant l'entreprise industrielle consistent en un **budget des ventes** et un **budget de production**. On les désigne ainsi parce qu'ils conditionnent habituellement l'activité de l'entreprise et doivent en conséquence précéder tous les autres ; les budgets connexes en découlent.

On procède d'abord à une prévision des ventes, car il ne saurait être question d'activité industrielle sans appréciation préalable des possibilités de vente. Par ailleurs, celles-ci ne sauraient être retenues dans l'élaboration budgétaire si le potentiel de production n'est pas en mesure de les satisfaire. Le budget des ventes, appelé également **budget directeur**, sera donc limité, de l'intérieur, par la capacité de l'entreprise à mener parallèlement la fonction correspondante de production. Il devient donc indispensable d'ajuster les fonctions vente et fabrication, compte tenu de la politique de stockage. Il faudra réduire les possibilités de vente si, à court terme, le potentiel de production est insuffisant pour satisfaire à la demande ; dans la situation inverse, il faudra ou réduire le potentiel de production, ou utiliser le potentiel excédentaire pour fabriquer de nouveaux produits, ou encore s'en servir à d'autres fins rentables. L'exemple suivant illustre la situation d'une entreprise à la recherche du meilleur résultat qui doit ajuster les fonctions vente et fabrication.

EXEMPLE

DONNÉES

Après étude des prévisions de vente, une entreprise détermine les possibilités d'écoulement de ses deux produits. On prévoit les ventes suivantes :

Produit X   6 000 unités
Produit Y   7 000 unités

Les deux produits passent successivement par deux sections de fabrication et nécessitent les temps de fabrication suivants :

	Temps de fabrication	
	Section A	Section B
Produit X	1 heure	3 heures
Produit Y	2 heures	10 heures

Les temps productifs dont disposent les sections sont les suivants :

Section A   19 000 h
Section B   90 000 h

Les marges sur coûts variables unitaires sont les suivantes :

Produit X   12 $
Produit Y   18 $

Tous les frais fixes sont des frais communs aux deux produits.

En exprimant les prévisions des ventes en heures de travail, on obtient ce qui suit :

	Section A		Section B	
Produit X	(6 000 × 1 h)	6 000 h	(6 000 × 3 h)	18 000 h
Produit Y	(7 000 × 2 h)	14 000 h	(7 000 × 10 h)	70 000 h
		20 000 h		88 000 h
moins : Capacité de production				
Section A		19 000 h		
Section B				90 000 h
Excédent (ou insuffisance)				
des temps productifs		(1 000) h		2 000 h

Le temps productif dont dispose la section A est insuffisant pour atteindre les prévisions de ventes. À la suite de cette étude préliminaire, la direction est amenée à se demander si elle peut :

1) accroître dans l'immédiat le temps productif ;
2) modifier à court terme la structure des ventes.

SOLUTION

À défaut de solution à court terme, l'entreprise devra réduire ses possibilités de vente en fonction des possibilités de production de la section A.

La réduction du chargement de la section A de 1 000 heures (soit 20 000 – 19 000) pourrait signifier une réduction uniforme de 5 % des ventes de X et Y. Les heures productives nécessaires au sein de la section B diminueraient obligatoirement à 83 600 malgré un potentiel de 90 000 heures. Il y aurait une sous-activité dans la section B, alors que tous les moyens de production de la section A seraient utilisés. Le budget des ventes comprendrait alors l'écoulement de 5 700 unités de X (soit 95 % de 6 000 unités) et 6 650 unités de Y (soit 95 % de 7 000 unités).

En réduisant uniformément de 5 % le potentiel de vente de chacun des produits, nous avons volontairement mis de côté le fait que chaque produit rapporte une marge sur coûts variables différente.

Posons l'hypothèse que l'entreprise désire maximiser à court terme son bénéfice. Si tel est l'objectif à court terme, l'entreprise a intérêt à vendre le produit ayant la meilleure marge sur coûts variables par unité du facteur rare. Dans notre exemple, ce sont les heures qui constituent le facteur rare. Aussi l'entreprise doit-elle vendre des produits X avant de vendre des produits Y.

Certaines entreprises recourent à la programmation linéaire pour résoudre de tels problèmes. Parmi ces dernières, il y en a qui ont même élaboré des modèles de programmation linéaire servant à l'élaboration du budget global, y compris les états financiers prévisionnels.

La programmation linéaire est une méthode qui permet de sélectionner, parmi les solutions possibles à un problème déterminé, celle qui donnera le résultat optimal. On exprime d'abord la fonction économique. En tenant pour acquis que les frais fixes sont des frais communs engagés tant pour la fabrication du produit X que pour celle du produit Y, la recherche de la meilleure marge totale sur coûts variables ou la recherche du meilleur bénéfice sont des objectifs équivalents. Les frais fixes communs étant une constante, on exprime la fonction économique d'après les marges sur coûts variables rapportées par chacun des produits. En voici la formulation habituelle :

Max $Z = 12X + 18Y$

On exprime ensuite les contraintes au moyen d'inéquations. Les contraintes relatives au marché peuvent être exprimées de la façon suivante :

Produit $X \leq 6\,000$ unités
Produit $Y \leq 7\,000$ unités

Les contraintes relatives aux heures productives peuvent aussi être traduites sous forme d'inéquations :

Section A : $1X + 2Y \leq 19\,000$ heures
Section B : $3X + 10Y \leq 90\,000$ heures

Il existe en outre un autre type de contraintes, soit les contraintes de non-négativité :

$X \geq 0 ; Y \geq 0$

Dans le cas où il n'existe que deux produits, on peut résoudre le problème à l'aide d'un graphique à deux axes (voir la figure 2).

FIGURE 2
Graphique traduisant les contraintes relatives au marché et à la capacité de production

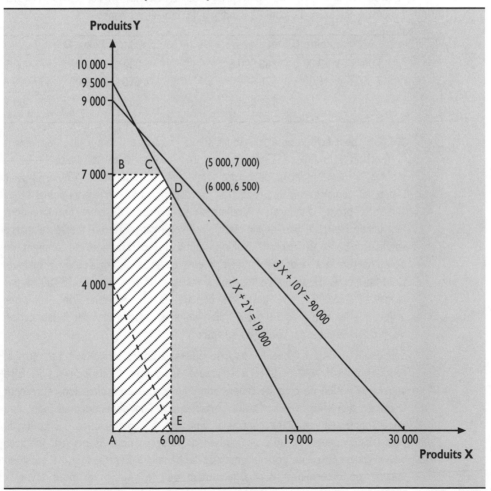

L'axe vertical indique les fabrications du produit Y, l'axe horizontal les fabrications du produit X. Les contraintes relatives au marché sont représentées par des pointillés, et les contraintes relatives aux heures productives dans chacune des sections de fabrication par des traits continus. Le trait continu, pour la section A, relie les 19 000 unités de l'axe horizontal aux 9 500 unités de l'axe vertical. On l'établit à partir des hypothèses suivantes :

1) si seuls les produits X passaient par la section A, on pourrait en fabriquer 19 000 (soit 19 000/1 heure par produit X) ;

2) si seuls les produits Y passaient par la section A, on pourrait en fabriquer 9 500 (soit 19 000/2 heures par produit Y).

On procède de la même façon pour établir le trait concernant la section B.

Le polygone ABCDE (surface hachurée) présente les combinaisons possibles de la production. Cependant, l'entreprise réalisera sa marge sur coûts variables maximale au point D, comme l'indique le tableau suivant :

Point C			Point D		
5 000X à 12,00 $	60 000 $		6 000X à 12,00 $	72 000 $	
7 000Y à 18,00	126 000		6 500Y à 18,00	117 000	
	186 000 $			189 000 $	

Ce point peut être localisé facilement sur le graphique si l'on y place également la fonction économique. Cette fonction, représentée ici par la droite ------, indique le même montant de marge totale sur coûts variables (72 000 $) pour toutes les combinaisons de production correspondant aux différents points situés sur cette droite. Une droite parallèle située à droite de cette dernière dont une partie n'excède pas les limites du polygone rapporte une meilleure marge totale sur coûts variables. La solution optimale correspondra au sommet du polygone touchant la droite parallèle la plus éloignée de l'origine du graphique. L'entreprise réalise sa marge sur coûts variables la plus élevée : 189 000 $ par rapport à 186 000 $, mais aussi son bénéfice le plus élevé, si l'on tient pour acquis que les frais fixes sont des frais communs engagés tant par la fabrication du produit X que par celle du produit Y.

Supposons maintenant que l'entreprise puisse, à court terme, soit accroître le temps productif, soit modifier la structure des ventes. Nous pouvons ici faire appel à la notion de coût de renonciation. Un coût de renonciation représente la marge supplémentaire sur coûts variables que l'on obtiendrait en ayant une unité supplémentaire d'une contrainte limitative. La connaissance des coûts de renonciation peut être utile en matière de budgétisation : ils peuvent indiquer des avenues possibles pour augmenter le bénéfice. L'entreprise est aussi en mesure de déterminer le prix maximum qu'elle peut payer pour lever la contrainte limitative.

Dans notre exemple, la détermination des coûts de renonciation peut consister :

1) à trouver les coussins relatifs aux contraintes, compte tenu du programme optimal déjà obtenu ($X = 6\,000$ et $Y = 6\,500$).

	Coussin
Contrainte n° 1 : $6\,000 = 6\,000$	0
Contrainte n° 2 : $6\,500 < 7\,000$	500
Contrainte n° 3 : $6\,000 + 2\,(6\,500) = 19\,000$	0
Contrainte n° 4 : $3\,(6\,000) + 10\,(6\,500) < 90\,000$	7\,000

Si le coussin est > 0, le coût de renonciation $= 0$, alors que, si le coussin $= 0$, le coût de renonciation peut être différent de 0 ;

2) à trouver les coûts de renonciation relatifs aux contraintes n°s 1 et 3.

— Contrainte relative au marché de X :

Si la première contrainte était :

$X \leq 6\,001$

le programme optimal serait :

$X = 6\,001$
$Y = 6\,499,5$

car les heures pouvant être consacrées aux produits Y dans la section A seraient de $19\,000 - 6\,001$, soit $12\,999$.

La marge totale sur coûts variables serait de :

$12\,\$\,(6\,001) + 18\,\$\,(6\,499,5) = 189\,003\,\$$

ce qui donne $3\,\$$ de plus que le programme optimal établi. Ce montant de $3\,\$$ représente le coût de renonciation. Cela signifie que, pour chaque unité X vendue en plus des $6\,000$, le bénéfice de l'entreprise augmenterait de $3\,\$$. Autrement dit, il serait avantageux pour l'entreprise qu'elle puisse obtenir d'autres commandes de X en réduisant le prix de vente d'un montant inférieur à $3\,\$$ à condition que cela n'ait pas d'incidence sur les quantités vendues de X au prix de vente actuel.

— Contrainte relative à la section A :

Si la contrainte était :

$1X + 2Y \leq 19\,001$

le programme optimal serait :

$X = 6\,000$ et $Y = 6\,500,5$

et la marge totale sur coûts variables serait de :

$12\,\$\,(6\,000) + 18\,\$\,(6\,500,5) = 189\,009\,\$$

Donc le coût de renonciation serait de 9 $, soit un prix correspondant à la marge sur coûts variables supplémentaires générée par 0,5 unité supplémentaire de Y. L'entreprise pourrait donc, pour chaque heure supplémentaire, payer jusqu'à 9 $ de plus que le taux horaire de base, car la marge de 18 $ sur coûts variables unitaires tient compte du taux de rémunération de base.

On ne doit pas se limiter à la connaissance des coûts de renonciation. Encore faut-il en connaître les **limites de validité**. Ces limites sont les suivantes :

	Coût de renonciation	Limites de validité
Contrainte n° 1	3 $	De 5 000 à 19 000 produits
Contrainte n° 3	9	De 6 000 à 20 000 heures

La limite de 5 000 produits X correspond à la contrainte commerciale qui serait nécessaire à leur égard pour que le programme optimal comporte 7 000 produits Y. La limite de 19 000 produits X correspond à la contrainte commerciale qui serait nécessaire à leur égard pour que le programme optimal ne comporte aucun produit Y. Autrement dit, la substitution de produits X à des produits Y, tout en augmentant le bénéfice de 3 $ par produit X supplémentaire, n'est possible que pour des volumes de vente du produit X allant de 5 000 unités à 19 000 unités.

De même, la limite de 6 000 heures représente la contrainte technique de la section A par laquelle le programme optimal ne comporterait que des produits X, alors que la limite de 20 000 est la contrainte technique par laquelle le programme optimal comporterait 6 000 unités de X et 7 000 unités de Y.

Le potentiel technique et le potentiel commercial ne sont évidemment pas les seules contraintes pouvant se présenter dans l'élaboration du budget. Il peut en exister d'autres dont il faut également tenir compte, comme une pénurie de matières, ou une encaisse insuffisante.

Ainsi, une certaine pénurie de matières peut être envisagée pour les premiers mois du prochain exercice. L'entreprise devra donc tenir compte dans son budget de l'une ou l'autre des possibilités de solution suivantes :

1) maintien de la production par l'utilisation de substituts ou de matières de qualité inférieure ;

2) réduction de la production pendant les premiers mois et augmentation par la suite.

Les budgets de production, tout comme ceux des ventes d'ailleurs, sont habituellement subdivisés par sous-période de l'exercice. Pour l'entreprise qui fabrique un produit unique, cas auquel nous nous limiterons et qui est le plus simple entre tous, l'établissement du programme de production par sous-période de l'exercice est facilité lorsque les ventes de l'entreprise s'échelonnent assez régulièrement au cours de l'exercice. En effet, il est possible de maintenir une production stable pendant tout l'exercice, c'est-à-dire relativement égale aux unités vendues.

Cependant, si les ventes subissent des variations saisonnières importantes, l'entreprise peut choisir entre

1) une production stable, donc répartie uniformément sur l'exercice ;
2) une production variant en synchronisme avec les ventes ;
3) une production variable économique.

L'entreprise qui opte pour une production stable, comme celle dont il vient d'être question, accepte d'accumuler les stocks durant certaines périodes ; elle doit donc être prête à supporter des frais de stockage qui peuvent être particulièrement élevés : intérêt sur les capitaux supplémentaires, entreposage, assurances, risques de pertes et de bris, etc. L'entreprise recourt bien souvent à une production stable, parce qu'elle doit conserver à son service une main-d'œuvre spécialisée. Un rythme de production stable ne peut évidemment convenir lorsque les matières premières ou les produits sont périssables, comme dans les conserveries de fruits et légumes.

Une production variant en synchronisme avec les ventes nécessite une main-d'œuvre permanente peu nombreuse, aidée par une main-d'œuvre saisonnière, à moins que les opérations à l'usine ne soient très mécanisées. Cette mobilité de la main-d'œuvre entraîne ordinairement des coûts supplémentaires, par exemple de recrutement et de formation d'employés.

Une production variant selon les ventes requiert habituellement un investissement plus élevé ; il faut, en effet, recourir à l'outillage exigé par le plus haut niveau de production, après avoir épuisé les autres recours, c'est-à-dire le travail en heures supplémentaires et la production continue par la création de nouvelles équipes de travail.

En tenant compte des remarques précédentes, l'entreprise peut choisir une solution de compromis et faire varier la production de telle sorte que les coûts de production supplémentaires n'excèdent pas les économies qu'elle pourrait réaliser dans les frais de stockage. C'est ce que nous appelons une production variable économique.

5. LES BUDGETS CONNEXES

Les budgets connexes sont ceux reliés aux budgets opérationnels de base dont il a été question plus tôt. Ce sont, comme le montre la figure I, le budget du chiffre d'affaires, celui des autres produits, le budget des achats, les budgets des divers frais, le budget des investissements et le budget de caisse. Une remarque importante s'impose : il existe une possibilité d'interaction entre certains de ces budgets.

Le budget des ventes, arrêté conformément aux possibilités de production, permet ensuite l'élaboration du **budget du chiffre d'affaires**.

Une fois le budget de production arrêté, on peut préparer le **budget des achats** ou budget d'approvisionnement, compte tenu des stocks existants et des stocks désirés en fin d'exercice ou des sous-périodes de l'exercice.

Le **budget des frais** est relié soit au budget des ventes (exemple : les divers frais de vente), soit au budget de production (exemples : les divers frais indirects de fabrication, la matière première à utiliser et la main-d'œuvre directe), ou aux deux fonctions vente et production (exemple : les frais d'administration), ou encore aux autres types de budgets connexes (exemple : l'intérêt peut dépendre dans une certaine mesure du budget de caisse).

Le **budget des investissements** est constitué des dépenses prévues en capital (terrain, bâtiment, machines, outillage, etc.) que l'entreprise entend engager pour adapter ses moyens aux objectifs poursuivis.

Comme le montre le tableau I, ce budget indique normalement aussi bien les dépenses prévues en capital pour de nouveaux projets que celles prévues pour des projets entrepris et non achevés au cours des exercices passés.

TABLEAU I
Budget des investissements pour l'exercice 20X6

Nature de l'investissement	Total	20X5 et avant	20X6	1er trim.	2e trim.	3e trim.	4e trim.	Après 20X6
Immeuble	40 000 $		10 000 $				10 000 $	30 000 $
Outillage	25 000	5 000 $	20 000	10 000 $	10 000 $			
	65 000 $	5 000 $	30 000 $	10 000 $	10 000 $	$	10 000 $	30 000 $

La préparation du budget des investissements passe par trois étapes fondamentales :

1) la communication, aux différents services, des nouveaux objectifs et des politiques à court, moyen et long terme. Exemples : lancement d'un nouveau produit, ouverture d'un nouveau secteur de vente, etc. ;
2) l'élaboration de requêtes d'investissements de la part des différents services ;
3) l'étude des requêtes précédentes par le comité du budget.

Le choix des projets à retenir repose sur plusieurs considérations telles que les orientations à long terme de l'entreprise, le caractère prioritaire de certains projets (des projets dont on envisage la réalisation peuvent être les compléments d'autres projets) et la rentabilité de projets, laquelle sera étudiée au chapitre 16.

Quant au **budget de caisse** ou budget de trésorerie, mentionnons qu'il traduit l'ensemble des implications financières (recettes et décaissements) de l'activité prévue pour le prochain exercice. Les subdivisions temporelles de ce budget varient selon les besoins de l'entreprise. Ainsi, celle qui a des problèmes de trésorerie aurait intérêt à connaître beaucoup plus fréquemment qu'une autre la situation de son encaisse ; elle pourrait alors mieux circonscrire les dates où elle devra emprunter, effectuer des placements temporaires ou encore procéder à la liquidation de tels placements.

Les recettes prévues pourront provenir

1) du règlement de ventes ;
2) de la vente d'immobilisations ;
3) de placements ;
4) d'emprunts et d'émissions d'actions ;
5) de sources diverses.

Les recettes prévues en provenance des clients sont parfois déterminées à partir de l'équation fondamentale suivante :

Solde des comptes clients au début de l'exercice	+	Chiffres d'affaires prévu pour l'exercice	=	Recettes prévues en provenance des clients	+	Solde prévu des comptes clients à la fin de l'exercice

Les décaissements prévus pourront être reliés, entre autres,

1) au règlement d'achats de matières premières, de salaires relatifs à la main-d'œuvre directe, de frais indirects de l'usine, de frais de vente et d'administration ;
2) au paiement de dividendes, d'intérêts et d'impôts ;
3) au remboursement d'emprunts ;
4) à l'acquisition d'immobilisations ;
5) au rachat d'actions.

Tout comme dans le cas des recettes prévues en provenance des clients, les décaissements prévus destinés aux fournisseurs de produits sont parfois trouvés à partir de l'équation fondamentale suivante :

Solde des comptes fournisseurs au début de l'exercice	+	Achats prévus de produits au cours de l'exercice	=	Décaissements prévus destinés aux fournisseurs	+	Solde prévu des comptes fournisseurs à la fin de l'exercice

Les décaissements prévus relatifs à l'acquisition de services peuvent être chiffrés en se fondant sur des formules semblables à celles relatives aux achats.

6. LES ÉTATS-SYNTHÈSES PRÉVISIONNELS

Dès que les budgets de base et les budgets connexes sont établis, on prépare les états-synthèses prévisionnels qui pourront comprendre notamment :

1) l'**état des résultats** ;
2) le **bilan** ;
3) l'**état des flux de trésorerie**.

Avant d'illustrer la préparation d'états financiers prévisionnels, il importe de préciser la nature des écarts susceptibles d'être présentés dans un état budgété des résultats. Dans un état budgété des résultats dressé pour un exercice annuel, il ne saurait y avoir d'écarts sur prix et sur taux car les prix et taux budgétés annuels correspondent aux prix et taux standards annuels. Il va de soi qu'il ne saurait non plus y avoir d'écarts sur dépense.

Par contre, les écarts sur quantité, sur temps et sur rendement demeurent possibles. En effet, les prévisions en termes de quantité de matières premières, de nombre d'heures de main-d'œuvre directe et d'unités d'œuvre par produit peuvent différer des standards à ce chapitre. Les écarts sur volume demeurent également possibles.

Ainsi, dans un système de coût de revient rationnel, le nombre total d'unités d'œuvre prévues pour l'exercice peut différer du total des unités d'œuvre prévues au volume correspondant à la capacité ayant servi à trouver le taux d'imputation relatif aux frais indirects de fabrication fixes. De même, dans un système de coût de revient standard, le nombre total d'unités d'œuvre standards pour les unités équivalentes prévues peut différer du total des unités d'œuvre standards correspondant à la capacité ayant servi à trouver le coefficient d'imputation relatif aux frais indirects de fabrication fixes.

Dans un état budgété des résultats présenté pour une sous-période de l'exercice annuel, on peut trouver n'importe lequel des écarts possibles dans l'état annuel. Quant aux écarts sur prix, sur taux, et sur dépense relatifs aux frais indirects de fabrication variables, ils demeurent possibles dans l'état d'une sous-période. En effet, le prix d'une matière première prévu pour une sous-période peut différer du prix prévu moyen pondéré pour l'exercice. Il en est de même du taux de rémunération d'une main-d'œuvre directe et du taux par unité d'œuvre pour ce qui est des frais indirects de fabrication variables.

7.   EXEMPLE DE BUDGET ANNUEL

L'exemple suivant montre comment, à l'aide de certaines données, on prépare un budget annuel simple en respectant les procédures principales.

L'objectif consiste en la préparation de ce qui suit :
1) le budget de production pour chacun des mois de l'exercice ;
2) le budget des achats de matières premières pour chacun des six premiers mois de l'année ;
3) le budget du coût de fabrication pour chacun des deux premiers trimestres de l'exercice ;
4) l'état des résultats budgétés pour chacun des deux premiers trimestres de l'exercice ;
5) le budget de caisse pour chacun des six premiers mois de l'exercice ;
6) le bilan prévu à la fin du deuxième trimestre.

DONNÉES

Les prévisions des ventes ont conduit au budget des ventes suivant pour l'exercice 20X6 :

	Ventes prévues en unités	
Janvier	1 000	
Février	2 000	
Mars	3 000	6 000
Avril	4 000	
Mai	5 000	
Juin	6 000	15 000
Juillet	7 000	
Août	6 000	
Septembre	5 000	18 000
Octobre	4 000	
Novembre	3 000	
Décembre	2 000	9 000
		48 000

Ce profil des ventes a également caractérisé les deux exercices précédents et caractérisera vraisemblablement les exercices 20X7 et 20X8.

Le bilan de l'entreprise au 31 décembre 20X5 était le suivant :

Bilan
31 décembre 20X5

Actif

Encaisse		11 200 $
Comptes clients - décembre		138 000
Stocks		
Matières premières (480 kilogrammes)	4 800 $	
Produits finis (200 unités)	16 000	20 800
Outillage	240 000	
moins : Amortissement cumulé	120 000	120 000
		290 000 $

Passif et capitaux propres

Comptes fournisseurs - matières premières		33 600 $
Capital-actions	250 000 $	
Bénéfices non répartis	6 400	256 400
		290 000 $

Les autres données sont les suivantes :

1) l'entreprise compte faire en sorte que le stock de matières premières, à la fin d'un mois, corresponde tout juste à 20 % des besoins prévus pour la production du mois suivant ;

2) l'entreprise vise à ce que le stock de produits finis, à la fin d'un mois, corresponde à 20 % des ventes du mois suivant. Exceptionnellement, le stock devra être plus élevé s'il y a contrainte du côté de l'outillage disponible ;

3) l'outillage ne pourra pas permettre de fabriquer plus de 6 500 unités par mois ;

4) le prix de vente prévu est de 115 $ l'unité ;

5) le coût de production de base prévu à l'unité est de :

Matière première (2 kg à 10 $)	20 $
Main-d'œuvre directe (3 h à 15 $)	45
	65 $

6) les frais indirects de fabrication seront imputés à raison de 5 $ l'heure de main-d'œuvre directe :

Fixes (3 h à 4 $)	12 $
Variables (3 h à 1 $)	3
	15 $

7) le coefficient d'imputation est fonction de l'activité anticipée pour l'exercice ;

8) l'amortissement annuel prévu, qui est linéaire, est de 12 000 $; c'est le seul élément des frais fixes qui ne donne pas lieu à des sorties de fonds ;

9) les frais de vente prévus à l'unité sont de 10 $;

10) les frais d'administration prévus s'élèvent à 360 000 $, et seront engagés uniformément sur une base mensuelle à l'instar des frais indirects de fabrication fixes ;

11) l'entreprise n'est pas soumise à l'impôt sur le revenu ;

12) le profil prévu du recouvrement des créances sur ventes est le suivant :
   40 % durant le mois de la vente,
   60 % durant le mois après vente ;

13) l'entreprise prévoit régler tout achat de matière première durant le mois après achat ;

14) les frais sont réglés au cours du mois où ils sont engagés ;

15) l'entreprise peut emprunter à la banque un montant de 10 000 $ ou des multiples de 10 000 $. Ces emprunts sont consentis au taux de 12 % par année, pour une période de un mois. La banque déduit l'intérêt dès le moment où le prêt est consenti. Les emprunts sont obtenus au début d'un mois et sont remboursés au début d'un mois.

SOLUTION

a. Observations préliminaires

À la lecture du bilan du 31 décembre 20X5, on en déduit que le coût unitaire de la matière première en stock correspond au coût unitaire d'acquisition prévu pour 20X6. De même, le coût unitaire des produits finis au début de l'exercice 20X6 correspond au coût unitaire rationnel relatif aux unités que l'entreprise prévoit fabriquer en 20X6.

b. Détermination du programme de fabrication

Nous savons que tout budget annuel s'ouvre sur les budgets de vente et de production et que ces deux budgets doivent être coordonnés de la façon la plus efficace et la plus rentable possible.

Le budget des ventes en unités est indiqué dans l'énoncé de l'exemple. Les ventes étant connues, il nous faut maintenant établir un programme de production qui devra répondre

1) aux exigences mensuelles des ventes ;
2) aux impératifs suivants de la direction :
   a) 80 % des unités vendues durant un mois doivent être fabriquées durant le mois même ;
   b) une capacité maximale de production de 6 500 unités par mois.

Les renseignements précédents nous permettent de présenter l'état suivant :

Production totale prévue pour 20X6

Stock de produits finis au 1er janvier 20X6	200	unités
Unités à fabriquer en 20X6	?	unités
Stock que l'on prévoit disponible pour la vente	?	unités
moins : Stock exigé de produits finis au 31 décembre 20X6	200	unités
Unités à vendre selon le budget	48 000	unités

D'après cet état, il est facile de déduire que 48 000 unités devront être fabriquées en 20X6 pour répondre aux besoins des ventes et de l'inventaire.

Examinons le tableau suivant qui fait état de la fabrication et des stocks mensuels en unités.

	Ventes	+	Stock à la fin	–	Stock au début	=	Fabrication
Janvier	1 000	+	400	–	200	=	1 200
Février	2 000	+	600	–	400	=	2 200
Mars	3 000	+	800	–	600	=	3 200
Avril	4 000	+	1 000	–	800	=	4 200
Mai	5 000	+	1 200	–	1 000	=	5 200
Juin	6 000	+	1 400	–	1 200	=	6 200
Juillet	7 000	+	1 200	–	1 400	=	**6 800**
Août	6 000	+	1 000	–	1 200	=	5 800
Septembre	5 000	+	800	–	1 000	=	4 800
Octobre	4 000	+	600	–	800	=	3 800
Novembre	3 000	+	400	–	600	=	2 800
Décembre	2 000	+	200	–	400	=	1 800

Il ressort de ce tableau que la fabrication de 6 800 unités en juillet excéderait de 300 unités le maximum de la capacité qui est de 6 500 unités. Il nous faut donc modifier le programme de production précédent de manière à ne fabriquer que 6 500 unités en juillet. Les 300 unités manquantes devront plutôt être fabriquées en juin. D'où l'établissement du tableau suivant :

	Ventes	+	Stock à la fin	–	Stock au début	=	Fabrication	Fabrication trimestrielle
Janvier	1 000	+	400	–	200	=	1 200	
Février	2 000	+	600	–	400	=	2 200	
Mars	3 000	+	800	–	600	=	3 200	6 600
Avril	4 000	+	1 000	–	800	=	4 200	
Mai	5 000	+	1 200	–	1 000	=	5 200	
Juin	6 000	+	1 700	–	1 200	=	6 500	15 900
Juillet	7 000	+	1 200	–	1 700	=	6 500	
Août	6 000	+	1 000	–	1 200	=	5 800	
Septembre	5 000	+	800	–	1 000	=	4 800	17 100
Octobre	4 000	+	600	–	800	=	3 800	
Novembre	3 000	+	400	–	600	=	2 800	
Décembre	2 000	+	200	–	400	=	1 800	8 400

c. Le budget des achats de matières premières

À l'aide du tableau précédent, il nous est possible d'établir le budget des achats de matières premières.

Budget des achats de matières premières en 20X6 (en kilogrammes et en dollars)

	Matières nécessaire à la fabrication[1]	+	Matières en magasin exigées à la fin du mois	–	Matières disponibles au début du mois	=	Programme d'achats mensuel en kilogrammes	Programme d'achats mensuel en dollars	Programme d'achats trimestriel en dollars
Janvier	2 400 kg	+	880 kg	–	480 kg	=	2 800 kg	28 000 $	
Février	4 400 kg	+	1 280 kg	–	880 kg	=	4 800 kg	48 000	
Mars	6 400 kg	+	1 680 kg	–	1 280 kg	=	6 800 kg	68 000	144 000 $
Avril	8 400 kg	+	2 080 kg	–	1 680 kg	=	8 800 kg	88 000	
Mai	10 400 kg	+	2 600 kg	–	2 080 kg	=	10 920 kg	109 200	
Juin	13 000 kg	+	2 600 kg	–	2 600 kg	=	13 000 kg	130 000	327 200 $

1.   L'utilisation prévue est de 2 kg par produit.

d. Le budget du coût de fabrication

Une fois préparé le budget des achats exprimé en unités et sachant que la fabrication trimestrielle sera de 6 600 unités au premier trimestre et de 15 900 au second, nous pouvons présenter le budget définitif du coût de fabrication (méthode du premier entré, premier sorti).

Budget du coût de fabrication pour les deux premiers trimestres de l'exercice 20X6

	Du 1er janvier au 30 mars			Du 1er avril au 30 juin		
	Quantité	Coût unitaire	Total	Quantité	Coût unitaire	Total
Matières premières utilisées						
Stock au début du trimestre	480	10,00 $	4 800 $	1 680	10,00 $	16 800 $
Achats	14 400	10,00	144 000	32 720	10,00	327 200
Matières disponibles						
pour la fabrication	14 880		148 800	34 400		344 000
moins : Stock à la fin						
du trimestre	1 680	10,00	16 800	2 600	10,00	26 000
Matières premières utilisées	13 200	10,00	132 000	31 800	10,00	318 000
Main-d'œuvre directe	6 600	45,00	297 000	15 900	45,00	715 500
Frais indirects de fabrication imputés	6 600	15,00	99 000	15 900	15,00	238 500
Coût de fabrication budgété	6 600		528 000 $			1 272 000 $

e. Le budget des résultats

Nous possédons tous les éléments pour dresser un budget des résultats pour les deux premiers trimestres de 20X6. Ils nous sont fournis par les tableaux précédents et par les données se rapportant à la société qui nous sert d'exemple depuis le début de cet exposé.

Budget des résultats pour les deux premiers trimestres de l'exercice 20X6

	Du 1er janvier au 31 mars	Du 1er avril au 30 juin
Chiffre d'affaires[1]	690 000 $	1 725 000 $
Coût des produits vendus		
Stock de produits finis au début	16 000	64 000
plus : Coût rationnel de fabrication	528 000	1 272 000
Stock disponible pour la vente	544 000	1 336 000
moins : Stock de produits finis à la fin[2]	64 000	136 000
Coût des produits vendus	480 000 $	1 200 000 $
Bénéfice brut	210 000 $	525 000 $
Frais d'exploitation		
Frais de vente[3]	60 000	150 000
Frais d'administration[4]	90 000	90 000
	150 000 $	240 000 $
Bénéfice d'exploitation	60 000 $	285 000 $
Intérêt sur emprunts bancaires[5]	1 500	1 400
Bénéfice pour le trimestre	58 500 $	283 600 $

1. Prix de vente unitaire de 115 $.
2. Premier trimestre : (800 × 80 $) ;
   deuxième trimestre : (1 700 × 80 $).
3. Les frais de vente par unité sont de 10 $.
4. 360 000 $/4 trimestres = 90 000 $.
5. Voir le budget de caisse.

f. Le budget de caisse

Le budget de caisse est une prévision des recettes et des décaissements de toute provenance joints au solde en caisse au début de l'exercice.

La plupart des éléments du budget de caisse sont connus par les tableaux précédents, auxquels pourraient s'ajouter

1) celui des recettes provenant du règlement de comptes clients ;
2) celui des décaissements découlant du règlement de comptes fournisseurs ; nous avons plutôt effectué des calculs dans le corps même du budget de caisse reproduit ci-après.

Rappelons que la direction fait appel à l'emprunt bancaire pour ses besoins temporaires.

Budget de caisse pour les six premiers mois de l'exercice 20X6

		Janvier	Février	Mars	Avril	Mai	Juin
Encaisse — début		11 200 $	17 000 $	6 800 $	3 300 $	6 800 $	7 700 $
Recettes comptes clients							
Solde au 1er janvier 20X6	138 000 $	138 000					
Ventes							
Janvier	115 000	46 000	69 000				
Février	230 000		92 000	138 000			
Mars	345 000			138 000	207 000		
Avril	460 000				184 000	276 000	
Mai	575 000					230 000	345 000
Juin	690 000						276 000
Encaissements	(2 139 000)	184 000 $	161 000 $	276 000 $	391 000 $	506 000 $	621 000 $
Solde au 30 juin 20X6	414 000 $	195 200 $	178 000 $	282 800 $	394 300 $	512 800 $	628 700 $
Décaissements comptes fournisseurs							
Solde au 1er janvier 20X6	33 600 $	33 600					
Achats							
Janvier	28 000		28 000				
Février	48 000			48 000			
Mars	68 000				68 000		
Avril	88 000					88 000	
Mai	109 200						109 200
Juin	130 000						
Paiements	(374 800)	33 600	28 000	48 000	68 000	88 000	109 200
Solde au 30 juin 20X6	130 000 $						
Main-d'oeuvre directe		54 000	99 000	144 000	189 000	234 000	292 500
Frais indirects de fabrication[1]		50 600	53 600	56 600	59 600	62 600	66 500
Frais de vente		10 000	20 000	30 000	40 000	50 000	60 000
Frais d'administration		30 000	30 000	30 000	30 000	30 000	30 000
		178 200 $	230 600 $	308 600 $	386 600 $	464 600 $	558 200 $
Excédent ou (déficit)		17 000 $	(52 600)$	(25 800)$	7 700 $	48 200 $	70 500 $
Emprunt bancaire			60 000	90 000	90 000	50 000	
Intérêt mensuel sur l'emprunt : 1%			(600)	(900)	(900)	(500)	
Remboursement de l'emprunt				(60 000)	(90 000)	(90 000)	(50 000)
Encaisse — fin		17 000 $	6 800 $	3 300 $	6 800 $	7 700 $	20 500 $

1. Frais fixes: (48 000 u. x 12 $ – 12 000 $)/12 mois.
   Frais variables : nombre de produits fabriqués x 3 $.

g. Le bilan prévisionnel

Nous avons maintenant tous les renseignements nous permettant de dresser le bilan prévisionnel de l'entreprise au 30 juin 20X6.

Bilan prévisionnel
30 juin 20X6

Actif
À court terme

Encaisse		20 500 $	
Comptes clients		414 000	
Stocks au coût			
Produits finis	136 000 $		
Matières premières	26 000	162 000	
Sous-imputation[1]		18 000	614 500 $
Immobilisations			
Matériel et outillage au coût		240 000	
Amortissement cumulé[2]		126 000	114 000
			728 500 $

Passif
À court terme

Comptes fournisseurs			130 000 $
Capitaux propres			
Capital-actions		250 000 $	
Bénéfices non répartis			
Solde au 1er janvier	6 400 $		
plus :			
Bénéfice du 1er trimestre	58 500		
Bénéfice du 2e trimestre	283 600	348 500	598 500
			728 500 $

1. Frais indirects de fabrication fixes prévus (48 000 x 12) (6 mois/12 mois) = 288 000 $
   Frais indirects de fabrication fixes imputés (22 500 unités x 12,00 $) = 270 000
   Sous-imputation   18 000 $

2. (120 000 $ + 12 000 $/2).

8.   L'ANALYSE DES ÉCARTS SUR RÉSULTATS BUDGÉTÉS

Les écarts sur résultats budgétés peuvent être des écarts sur des montants de bénéfice brut, de marge sur coûts variables ou de bénéfice avant impôts. L'analyse de tels écarts peut porter sur des résultats d'ensemble ou des résultats sectoriels de l'entreprise.

A.   Le budget flexible ou à échelle variable

Le résultat prévu initialement (résultat cible, objectif) ne peut être, dans la plupart des cas, comparé directement au résultat constaté, car ces deux résultats correspondent habituellement à des niveaux d'activité qui diffèrent. Le résultat cible peut être comparé à un résultat budgété *a posteriori* fondé sur l'activité atteinte, afin de mesurer l'écart sur ce résultat à la suite d'une fluctuation du niveau d'activité. Le résultat réel peut lui aussi être comparé au résultat budgété *a posteriori* pour juger de la performance atteinte au niveau de l'activité réelle.

Il faut noter que si le niveau d'activité est unique dans le cas de l'entreprise strictement commerciale, il n'en est pas toujours ainsi pour l'entreprise industrielle dont le volume des ventes peut différer du volume de production. Aussi, dans le secteur manufacturier, le résultat budgété *a posteriori* doit-il également tenir compte du niveau réel de l'activité industrielle en plus du niveau de l'activité commerciale. C'est ainsi, par exemple, que l'écart sur volume relatif aux frais indirects de fabrication fixes, qui peut avoir été pris en considération dans le calcul d'un résultat prévu au budget initial, pourrait fort bien différer de l'écart sur volume retenu dans le calcul du résultat budgété *a posteriori*. Le résultat budgété *a posteriori* découle de l'application de la notion de budget flexible, notion capitale en matière de gestion des opérations. Rappelons que le comportement des prix de vente et celui des frais budgétés pourraient différer selon les niveaux d'activité étudiés.

B.   Écart sur taille et écart sur part de marché

L'entreprise qui ne jouit pas d'un monopole peut être intéressée à connaître l'effet qu'a sur le résultat une fluctuation du marché d'un produit ou d'un groupe de produits dont les marchés sont interdépendants. Pour ce calcul, il faut supposer qu'il n'y a pas de variation de la part relative escomptée par rapport au marché.

Le fait que l'importance relative du nombre réel des unités du produit qu'elle a vendues, par rapport au nombre réel des unités vendues sur tout le marché, diffère de celle escomptée peut avoir, sur le résultat, une incidence que l'entreprise désire également connaître.

C.   Écarts sur composition des ventes

L'existence d'écarts sur composition des ventes suppose la vente de plus d'un produit. Ces écarts traduisent les effets, sur les résultats, des modifications qui se sont produites dans le rapport des unités vendues des différents produits, toutes choses étant égales par ailleurs. Pour calculer les écarts sur composition, on suppose qu'il n'y a pas eu d'écarts concernant les prix de vente unitaires, les coûts variables unitaires et les coûts fixes. Les techniques de calcul de ces écarts s'inspirent de celles qui ont servi au calcul des écarts sur composition relatifs aux matières premières et à la main-d'œuvre directe.

Dans le présent chapitre, nous faisons abstraction de la méthode qui consiste à mesurer l'importance relative des ventes d'un produit en fonction du chiffre d'affaires.

D.   Des exemples à solution commentées

Dans les exemples qui suivent, les quatre premiers ont trait à une entreprise commerciale qui vend un produit unique. Nous avons posé les hypothèses que les prix de vente budgétés et les formules de budget flexible sont les mêmes quel que soit le nombre d'unités considéré.

a.   Premier exemple

Ce premier exemple, le plus simple entre tous, a trait à une entreprise commerciale qui jouit d'une situation de monopole.

DONNÉES

	Bénéfice constaté		Bénéfice cible	
Chiffre d'affaires	$110 \times 1\,050\,\$$ =	$115\,500\,\$$	$100 \times 1\,000\,\$$ =	$100\,000\,\$$
Coût des marchandises				
vendues	110×410 =	$(45\,100)$	100×400 =	$(40\,000)$
Autres coûts variables	110×63 =	$(6\,930)$	100×50 =	$(5\,000)$
Frais de vente fixes		$(19\,000)$		$(20\,000)$
Frais d'administration fixes		$(27\,970)$		$(25\,000)$
Bénéfice		$16\,500\,\$$		$10\,000\,\$$

Nous devons analyser l'écart favorable au montant de 6 500 $ qui s'est produit entre 16 500 $ (bénéfice constaté) et 10 000 $ (bénéfice cible).

SOLUTION

Pour analyser l'écart de 6 500 $, on peut repérer les éléments qui ont eu un effet sur le bénéfice, définir la nature de cet effet et le mesurer.

Éléments ayant eu un effet sur le bénéfice	Nature de l'effet sur le bénéfice
La quantité vendue a été supérieure à la quantité prévue	Augmentation du bénéfice
Le prix de vente réel a été supérieur au prix de vente prévu	Augmentation du bénéfice
Le coût réel d'acquisition du produit a été supérieur au coût d'acquisition unitaire prévu	Diminution du bénéfice
Les autres coûts variables unitaires réels ont été dans l'ensemble supérieurs à ceux prévus	Diminution du bénéfice
Les frais de vente fixes réels ont été dans l'ensemble inférieurs à ceux prévus	Augmentation du bénéfice
Les frais d'administration fixes réels ont été dans l'ensemble supérieurs à ceux prévus	Diminution du bénéfice

La mesure de ces effets peut consister, entre autres, à déterminer les écarts suivants.

L'écart global sur volume des ventes est l'écart global sur bénéfice traduisant l'effet d'une variation du volume d'unités vendues, compte non tenu des variations de comportement de prix de vente, de coût variable à l'unité ou de frais fixes en totalité. L'écart global sur volume des ventes peut ici être subdivisé en écart relatif au chiffre d'affaires, écart relatif au coût des marchandises vendues et écart relatif aux autres coûts variables.

L'écart global sur volume des ventes peut être calculé à l'aide de la formule suivante :

(VR-VB) CMB

où

VR = quantité vendue du produit,
VB = ventes prévues en unités du produit,
CMB = marge sur coûts variables prévue à l'unité du produit ou contribution marginale budgétée.

L'écart qui s'est produit est favorable et s'élève à 5 500 $.

Écart sur volume des ventes = (110 – 100) (1 000 $ – 400 $ – 50 $)
= 5 500 $ (écart favorable)

L'écart sur prix de vente peut être trouvé à l'aide de la formule suivante :

(PVR − PVB) VR

où

PVR   = prix de vente réel du produit,
PVB   = prix de vente prévu du produit.

L'écart est favorable et s'élève à 5 500 $.

Écart sur prix de vente   = (1 050 $ − 1 000 $) 110
= 5 500 $ (écart favorable)

L'écart sur coût d'acquisition du produit peut être chiffré à l'aide de la formule suivante :

(CAR − CAB) VR

où

CAR   = coût réel d'acquisition du produit,
CAB   = coût prévu d'acquisition du produit.

L'écart, qui est défavorable, s'élève à 1 100 $.

Écart sur coût d'acquisition du produit = (410 $ − 400 $) 110
= 1 100 $ (écart défavorable)

L'écart sur les autres coûts variables unitaires du produit peut également être déterminé à l'aide d'une formule semblable à la précédente :

(ACVR − ACVB) VR

où

ACVR   = autres coûts variables unitaires réels du produit,
ACVB   = autres coûts variables unitaires budgétés du produit.

L'écart, qui est également défavorable, s'élève à 1 430 $.

Écart sur autres coûts variables unitaires = (63 $ − 50 $) 110
= 1 430 $ (écart défavorable)

L'écart sur frais de vente fixes et **l'écart sur frais d'administration fixes** correspondent, chacun pour leur part, à la différence entre le montant réel desdits frais et le montant budgété des mêmes frais. L'un de ces écarts est favorable et s'élève à 1 000 $, alors que l'autre qui est défavorable s'élève à 2 970 $.

Écart sur frais de vente fixes   = 19 000 $ − 20 000 $
= 1 000 $ (écart favorable)

Écart sur frais d'administration fixes = 27 970 $ − 25 000 $
= 2 970 $ (écart défavorable)

La somme algébrique des six écarts précédents correspond à la différence de 6 500 $ qui existe entre le bénéfice constaté et le bénéfice cible.

L'analyse précédente de la différence de 6 500 $ aurait pu également être effectuée à partir d'un tableau (tableau 2).

TABLEAU 2
Analyse de l'écart sur bénéfices : monopole commercial et un seul produit

	Bénéfice constaté	Bénéfice budgété au volume vendu		Bénéfice cible
Ventes	110 unités		110 unités	100 unités
Chiffre d'affaires	115 500 $	110 × 1000 $ =	110 000 $	100 000 $
Coût des marchandises vendues	(45 100)	110 × 400 =	(44 000)	(40 000)
Autres coûts variables	(6 930)		(5 500)	(5 000)
Frais de vente fixes	(19 000)		(20 000)	(20 000)
Frais d'administration fixes	(27 970)		(25 000)	(25 000)
Bénéfice	16 500 $		15 500 $	10 000 $

Δ global résiduel 1 000 $ F

Δ global sur volume des ventes 5 500 $ F

En comparant le bénéfice de la deuxième colonne à celui de la troisième colonne, la différence correspond à l'écart global sur volume des ventes. Maintenant, en comparant, ligne par ligne, les composantes des bénéfices figurant dans les deux mêmes colonnes, nous trouvons les subdivisions de l'écart global sur volume des ventes, à savoir un écart favorable au montant de 10 000 $ touchant le chiffre d'affaires, un écart défavorable au montant de 4 000 $ pour ce qui est du coût des marchandises vendues et un écart également défavorable, au montant de 500 $, relativement aux autres coûts variables.

b.   *Deuxième exemple*

Dans ce deuxième exemple, il s'agit encore d'une entreprise commerciale qui ne vend qu'un seul produit, mais cette fois, elle ne jouit pas d'un monopole.

DONNÉES

Les données, à l'exception des données complémentaires suivantes, sont celles du premier exemple.

Données complémentaires :

Ventes du produit sur le marché par toutes les entreprises vendant ledit produit :

Réelles   1 000 unités
Prévues   800 unités

Nous devons ici encore analyser l'écart favorable au montant de 6 500 $ qui s'est produit entre 16 500 $ (bénéfice constaté) et 10 000 $ (bénéfice cible).

SOLUTION

Les écarts déterminés relativement au premier exemple valent également pour le présent exemple. Toutefois, ce deuxième exemple permet de décomposer l'écart global sur volume des ventes en **écart global sur part de marché** et **écart global sur taille de marché** lesquels peuvent à leur tour être subdivisés en écarts relatifs au chiffre d'affaires, écarts relatifs au coût des marchandises vendues et écarts relatifs aux autres coûts variables.

L'écart global sur part de marché peut être trouvé à l'aide de la formule suivante :

(Part relative réelle – Part relative budgétée) Taille réelle du marché (CMB)

L'écart est défavorable et s'élève à 8 250 $.

Écart global sur part
de marché   = [(110/1 000) – (100/800)] 1 000 (550 $)
                     = (11 % – 12,5 %) 1 000 (550 $)
                     = 8 250 $ (écart défavorable)

Quant à l'écart global sur taille de marché, il peut être déterminé en utilisant la formule suivante :

(Taille réelle du marché – Taille budgétée du marché) Part relative budgétée (CMB)

L'écart est favorable et s'établit à 13 750 $.

Écart global sur part de marché   = (1 000 – 800) 12,5 % (550 $)
                                  = 13 750 $ (écart favorable)

Il faut remarquer que dès que la taille réelle du marché a été plus grande que celle prévue, l'écart est favorable. La situation inverse entraîne un écart défavorable.

Le tableau 3 aurait pu évidemment servir à analyser la différence de 6 500 $ qui existe entre le bénéfice constaté et le bénéfice budgété initialement.

TABLEAU 3
Analyse de l'écart sur bénéfices : pas de monopole commercial et un seul produit

	Bénéfice constaté	Bénéfice budgété au volume vendu	Bénéfice budgété pour maintenir la part de marché	Bénéfice cible
Ventes	110 unités	110 unités	125 unités	100 unités
Chiffre d'affaires	115 500 $	110 000 $	125 000 $	100 000 $
Coût des marchandises vendues	(45 100)	(44 000)	(50 000)	(40 000)
Autres coûts variables	(6 930)	(5 500)	(6 250)	(5 000)
Frais de vente fixes	(19 000)	(20 000)	(20 000)	(20 000)
Frais d'administration fixes	(27 970)	(25 000)	(25 000)	(25 000)
Bénéfice	16 500 $	15 500 $	23 750 $	10 000 $

Δ global résiduel
1 000 $ F

Δ global sur part de marché
8 250 $ D

Δ global sur taille de marché
13 750 $ F

Δ global sur volume des ventes
5 500 $ F

Il faut noter que l'écart global résiduel, tout comme dans le cas des autres exemples, ne présente pas tellement d'intérêt en tant que tel. Il importe dès lors d'en analyser les six composantes que l'on peut facilement établir en comparant, ligne par ligne, les composantes des bénéfices figurant dans les deux premières colonnes. Il va de soi que les autres écarts globaux peuvent aussi être analysés.

c.   Troisième exemple

Il s'agit toujours d'une entreprise commerciale ; celle-ci jouit d'une situation de monopole, vend plus d'un produit et est préoccupée par la composition des ventes car les produits ont des marchés interdépendants.

DONNÉES

	Bénéfice constaté	Bénéfice cible
Chiffre d'affaires		
Produit X	$110 \times 1\ 050\ \$ = 115\ 500\ \$$	$100 \times 1\ 000\ \$ = 100\ 000\ \$$
Produit Y	$220 \times 190 = 41\ 800$	$150 \times 200 = 30\ 000$
Coût des marchandises vendues		
Produit X	$110 \times 410 = (45\ 100)$	$100 \times 400 = (40\ 000)$
Produit Y	$220 \times 115 = (25\ 300)$	$150 \times 120 = (18\ 000)$
Autres coûts variables		
Produit X	$110 \times 63 = (6\ 930)$	$100 \times 50 = (5\ 000)$
Produit Y	$220 \times 11,40 = (2\ 508)$	$150 \times 10 = (1\ 500)$
Frais de vente fixes	$(19\ 000)$	$(20\ 000)$
Frais d'administration fixes	$(27\ 970)$	$(25\ 000)$
Bénéfice	$30\ 492\ \$$	$20\ 500\ \$$

Nous devons analyser l'écart favorable de 9 992 $ qui s'est produit entre 30 492 $ (bénéfice constaté) et 20 500 $ (bénéfice cible).

SOLUTION

En se fondant sur le fait qu'il existe deux produits, on peut d'abord déterminer les écarts suivants :

Écarts sur prix de vente

Produit X	[(1 050 $ − 1 000 $) 110]		5 500 $	F
Produit Y	[(190 $ − 200 $) 220]		2 200	D

Écarts sur coût unitaire
d'acquisition

Produit X	[(410 $ − 400 $) 110]		1 100	D
Produit Y	[(115 $ − 120 $) 220]		1 100	F

Écart sur les autres coûts
variables unitaires

Produit X	[(63 $ − 50 $) 110]		1 430	D
Produit Y	[(11,40 $ − 10 $) 220]		308	D

Écart global sur volume
des ventes

Produit X	[(110 $ − 100 $) 550]	5 500 $	F			
Produit Y	[(220 $ − 150 $) 70]	4 900	F	10 400	F

Écart sur frais de
vente fixes

	[19 000 $ − 20 000 $]		1 000	F

Écart sur frais
d'administration fixes

	[27 970 $ − 25 000 $]		2 970	D
			9 992 $	F

L'analyse précédente serait appropriée si les ventes du produit X étaient indépendantes des ventes du produit Y. Puisque tel n'est pas le cas, il faut distraire des écarts globaux, sur volume des ventes établis par produit, l'incidence de la modification de la composition des ventes et isoler cette dernière. Ceci amène à déterminer un **écart global sur composition des ventes** et un **écart global réel sur volume des ventes**. La somme algébrique de ces deux écarts globaux remplace l'écart global de 10 400 $ calculé ci-dessus que l'on peut qualifier d'écart global brut sur volume des ventes. Il va sans dire que l'écart global réel sur volume des ventes, tout comme l'écart global sur composition des ventes, peuvent être décomposés par produit.

L'écart global sur composition des ventes pourrait être déterminé à partir de la formule classique suivante :

$$\left(CMB_{COR} - CMB_{COB}\right) V_t R$$

où

CMB_{COR} = contribution marginale moyenne pondérée prévue selon la composition réelle des ventes,

CMB_{COB} = contribution marginale moyenne pondérée prévue selon la composition prévue des ventes,

$V_t R$ = ventes totales réelles pour tous les produits.

L'écart est défavorable et d'un montant de 10 560 $.

Écart global sur composition des ventes = (230 $ – 262 $) 330
= 10 560 $ (écart défavorable)

où

230 $ = (1/3) 550 $ + (2/3) 70 $,
262 $ = (0,40) 550 $ + (0,60) 70 $.

Quant à l'écart global réel sur volume des ventes, on peut le calculer en utilisant la formule suivante :

$$(V_t R - V_t B)\ CMB_{COB}$$

où

$V_t B$ = ventes totales prévues pour tous les produits.

L'écart est favorable et d'un montant de 20 960 $.

Écart global réel sur volume des ventes = (330 – 250) 262 $
= 20 960 $ (écart favorable)

Pour qui désire procéder à l'analyse de la différence de 9 992 $ sur bénéfices à l'aide d'un tableau, voici quel pourrait être ce tableau (tableau 4).

TABLEAU 4
Analyse de l'écart sur bénéfices : monopole commercial et plus d'un produit

	Bénéfice constaté	Bénéfice budgété au volume vendu (composition réelle)	Bénéfice budgété au volume vendu (composition prévue)	Bénéfice cible
Ventes				
Produit X	110 unités	110 unités	132 unités	100 unités
Produit Y	220 unités	220 unités	198 unités	150 unités
Chiffre d'affaires				
Produit X	115 500 $	110 000 $	132 000 $	100 000 $
Produit Y	41 800	44 000	39 600	30 000
Coût des marchandises vendues				
Produit X	(45 100)	(44 000)	(52 800)	(40 000)
Produit Y	(25 300)	(26 400)	(23 760)	(18 000)
Autres coûts variables				
Produit X	(6 930)	(5 500)	(6 600)	(5 000)
Produit Y	(2 508)	(2 200)	(1 980)	(1 500)
Frais de vente fixes	(19 000)	(20 000)	(20 000)	(20 000)
Frais d'administration fixes	(27 970)	(25 000)	(25 000)	(25 000)
Bénéfice	30 492 $	30 900 $	41 460 $	20 500 $

Δ global résiduel 408 $ D

Δ global sur composition des ventes 10 560 $ D

Δ global réel sur volume des ventes 20 960 $ F

Δ global brut sur volume des ventes 10 400 $ F

d.   *Quatrième exemple*

Cet exemple est identique au troisième, à la différence près que l'entreprise ne jouit pas d'une situation de monopole.

DONNÉES

Les données, à l'exception des données complémentaires suivantes, sont celles du troisième exemple.

Données complémentaires :

Ventes des deux produits, prises comme un tout, sur le marché par toutes les entreprises vendant lesdits produits :

Réelles   3 000 unités
Prévues   2 500 unités

Il nous faut analyser l'écart favorable de 9 992 $ qui s'est produit dans les bénéfices.

SOLUTION

Les écarts déterminés relativement au troisième exemple demeurent valables ici. Toutefois, ce quatrième exemple permet de décomposer l'écart global réel sur volume des ventes en écart global sur part de marché et écart global sur taille de marché.

L'écart global sur part de marché peut être trouvé à l'aide de la formule suivante :

$$\left(\begin{array}{c} \text{Part relative réelle pour} \\ \text{l'ensemble des deux produits} \end{array} - \begin{array}{c} \text{Part relative budgétée pour} \\ \text{l'ensemble des deux produits} \end{array} \right) \begin{array}{c} \text{Taille réelle du marché} \\ \text{des deux produits} \end{array} \left(\text{CMB}_{\text{COB}} \right)$$

L'écart est favorable et s'élève à 7 860 $.

$$\begin{aligned} \text{Écart global sur part de marché} &= (11\,\% - 10\,\%)\ 3\,000\ (262\,\$) \\ &= 7\,860\,\$ \text{ (écart favorable)} \end{aligned}$$

où

11 % = 330/3 000,
10 % = 250/2 500.

L'écart global sur taille de marché peut être déterminé à l'aide de la formule suivante :

(Taille réelle du marché − Taille prévue) Part relative escomptée (CMB_{COB})

L'écart est favorable et s'établit à 13 100 $.

$$\begin{aligned} \text{Écart global sur taille de marché} &= (3\,000 - 2\,500)\ 10\,\%\ (262\,\$) \\ &= 13\,100\,\$ \text{ (écart favorable)} \end{aligned}$$

Voici un tableau qui pourrait servir à l'analyse de l'écart de 9 992 $ sur les bénéfices (tableau 5).

TABLEAU 5
Analyse de l'écart sur bénéfices :
pas de monopole commercial et plus d'un produit

	Bénéfice constaté	Bénéfice budgété au volume vendu (composition réelle)	Bénéfice budgété au volume vendu (composition prévue)	Bénéfice budgété au volume pour maintenir la part de marché (composition prévue)	Budget cible
Ventes					
Produit X	110 unités	110 unités	132 unités	120 unités	100 unités
Produit Y	220 unités	220 unités	198 unités	180 unités	150 unités
Chiffre d'affaires					
Produit X	115 500 $	110 000 $	132 000 $	120 000 $	100 000 $
Produit Y	41 800	44 000	39 600	36 000	30 000
Coût des marchandises vendues					
Produit X	(45 100)	(44 000)	(52 800)	(48 000)	(40 000)
Produit Y	(25 300)	(26 400)	(23 760)	(21 600)	(18 000)
Autres coûts variables					
Produit X	(6 930)	(5 500)	(6 600)	(6 000)	(5 000)
Produit Y	(2 508)	(2 200)	(1 980)	(1 800)	(1 500)
Frais de vente fixes	(19 000)	(20 000)	(20 000)	(20 000)	(20 000)
Frais d'administration fixes	(27 970)	(25 000)	(25 000)	(25 000)	(25 000)
Bénéfice	30 492 $	30 900 $	41 460 $	33 600 $	20 500 $

Δ global résiduel 408 $ D

Δ global sur composition des ventes 10 560 $ D

Δ global sur part de marché 7 860 $ F

Δ global sur taille de marché 13 100 $ F

Δ global réel sur volume des ventes 20 960 $ F

Δ global brut sur volume des ventes 10 400 $ F

e.   *Cinquième exemple*

Ce cinquième exemple et les deux suivants portent sur une entreprise manufacturière qui utilise un système de coût de revient standard. Nous supposons que pour ces trois derniers exemples les écarts comptabilisés sont passés aux résultats de l'exercice et qu'il n'existe pas de produits en cours à la fin d'un exercice.

DONNÉES

	Bénéfice constaté		Bénéfice cible	
Chiffre d'affaires	$110 \times 1\,050\,\$ =$	115 500 $	$100 \times 1\,000\,\$ =$	100 000 $
Coûts des produits vendus	$110 \times 300 =$	(33 000)	$100 \times 300 =$	(30 000)
Écart sur prix		100		—
Écart sur quantité		(200)		(100)
Autres coûts variables	$110 \times 63 =$	(6 930)	$100 \times 50 =$	(5 000)
Frais de vente fixes		(19 000)		(20 000)
Frais d'administration fixes		(27 970)		(25 000)
Frais de fabrication fixes		(12 000)		(9 900)
Bénéfice		16 500 $		10 000 $
S.P.F. au début	$10 \times 300\,\$ =$	3 000 $	$10 \times 300\,\$ =$	3 000 $
S.P.F. à la fin	$10 \times 300\,\$ =$	3 000 $	$10 \times 300\,\$ =$	3 000 $

Nous devons expliquer l'écart favorable au montant de 6 500 $ qui existe entre les deux montants de bénéfice.

SOLUTION

À la lecture des données, on se rend compte que l'entreprise utilise la méthode du coût variable. N'eût été l'existence des écarts sur quantité de matière première, l'analyse aurait été pratiquement aussi simple que celle qui caractérise une entreprise commerciale.

L'analyse conduit aux écarts suivants :

Écart sur prix de vente	[(1 050 $ – 1 000 $) 110]	5 500 $ F
Écart sur prix relatif à la matière première		100 F
Écart sur quantité budgétée de matière première	[200 $ – (100 $/100) 110]	90 D
Écart sur quantité dû à la variation du volume d'unités fabriquées	[(110 – 100) (100 $/100)]	10 D
Écart global sur volume des ventes	[(110 – 100) (1 000 $ – 300 $ – 50 $]	6 500 F
Écart sur les autres coûts variables unitaires	[(63 $ – 50 $) 110]	1 430 D
Écart sur frais de vente fixes	[19 000 $ – 20 000 $]	1 000 F
Écart sur frais d'administration fixes	[27 970 $ – 25 000 $]	2 970 D
Écart sur frais indirects de fabrication fixes	[12 000 $ – 9 900 $]	2 100 D
		6 500 $ F

L'écart sur quantité budgétée de matière première vient de la comparaison entre l'écart réel sur quantité et l'écart prévu au volume d'unités fabriquées. Selon le budget initial (budget cible), l'écart prévu sur quantité s'élève à 1 $ par unité fabriquée ; dès lors, l'écart prévu sur quantité pour 110 unités fabriquées est de 110 $. Donc, il existe un écart sur quantité budgétée qui s'élève à 200 $ – 110 $, eu égard aux 110 unités fabriquées.

L'écart défavorable au montant de 10 $ est une variation qui tient au fait que le volume de production a différé du volume prévu. En produisant 10 unités de plus, l'écart prévu sur quantité (budget flexible) est plus élevé d'un montant de 10 $, soit 10 unités × 1 $.

En effectuant l'analyse de la différence des 6 500 $ entre les deux montants de bénéfice, à l'aide du tableau suivant (tableau 6), la nature des écarts défavorables de 90 $ et 10 $ ressort à l'évidence.

TABLEAU 6
Analyse de l'écart sur bénéfices : monopole industriel, un seul produit, aucune variation des S.P.F. et emploi de la méthode du coût variable

	Bénéfice constaté	Bénéfice budgété au volume fabriqué et au volume vendu	Bénéfice cible
Ventes	110 unités	110 unités	100 unités
Production	110 unités	110 unités	100 unités
Chiffre d'affaires	115 500 $	110 000 $	100 000 $
Coût des produits vendus	(33 000)	(33 000)	(30 000)
Écart sur prix	100	—	—
Écart sur quantité	(200)	(110)	(100)
Autres coûts variables	(6 930)	(5 500)	(5 000)
Frais de vente fixes	(19 000)	(20 000)	(20 000)
Frais d'administration fixes	(27 970)	(25 000)	(25 000)
Frais indirects de fabrication fixes	(12 000)	(9 900)	(9 900)
Bénéfice	16 500 $	16 490 $	10 000 $

Δ sur quantité dû à la variation du volume de production
10 $ D
Δ global sur volume des ventes
6 500 $ F

Δ global résiduel
10 $ F

f.   *Sixième exemple*

Cet exemple diffère du précédent en ce que l'entreprise manufacturière utilise la méthode du coût complet.

DONNÉES

	Bénéfice constaté		Bénéfice cible	
Chiffre d'affaires	110 × 1 050 $	=115 500,00 $	100 × 1 000 $	= 100 000 $
Coût des produits vendus	110 × 423,75	= (46 612,50)	100 × 423,75	= (42 375)
Écart sur dépense relatif aux F.I.F. fixes		(2 100,00)		–
Écart sur prix		100,00		–
Écart sur quantité		(200,00)		(100)
Écart sur volume		3 712,50		2 475
Autres coûts variables	110 × 63 =	(6 930,00)	100 × 50 =	(5 000)
Frais de vente fixes		(19 000,00)		(20 000)
Frais d'administration fixes		(27 970,00)		(25 000)
Bénéfice		16 500,00 $		10 000 $
S.P.F. au début	10 × 423,75 $ =	4 237,50 $	10 × 423,75 $	= 4 237,50 $
S.P.F. à la fin	10 × 423,75 $ =	4 237,50 $	10 × 423,75 $	= 4 237,50 $

Il s'agit d'expliquer l'écart de 6 500 $ qui existe entre les deux montants de bénéfice, en tenant pour acquis que le coût complet standard du produit consiste en 300 $ de coût variable et 123,75 $ de coût fixe. Il faut dire qu'en l'absence de ces composantes, il aurait été possible de trouver par soi-même les composantes du coût complet standard.

SOLUTION

Comme il n'existe pas de produits en cours et que la quantité vendue correspond à la quantité produite, aussi bien en termes réels qu'en termes prévisionnels, les écarts sont en tout point identiques à ceux relatifs à l'exemple précédent.

Il est important ici de se rappeler (revoir au besoin le chapitre 10) que le montant des frais indirects de fabrication fixes passés en charges à l'exercice peut être calculé comme suit, selon que l'on raisonne dans le cadre du bénéfice constaté ou dans celui du bénéfice cible.

Frais indirects de fabrication fixes passés en charges :

a) Si bénéfice constaté :

    F.I.F. fixes réels de l'exercice

+ Diminution du montant des F.I.F. fixes inclus dans les stocks

– Augmentation du montant des F.I.F. fixes inclus dans les stocks

= F.I.F. fixes passés en charges

b) Si bénéfice cible :

    F.I.F. fixes budgétés de l'exercice

+ Diminution prévue du montant des F.I.F. fixes inclus dans les stocks

– Augmentation prévue du montant des F.I.F. fixes inclus dans les stocks

= F.I.F. fixes passés en charges

Dans l'exemple, comme il n'y a pas de variation des stocks, ni dans le budget initial, ni en réalité, les frais indirects de fabrication fixes n'expliquent qu'à raison d'un montant défavorable de 2 100 $, soit le montant de l'écart sur dépense relatif aux frais indirects de fabrication fixes, la différence de 6 500 $ entre les deux montants de bénéfice (tableau 7).

TABLEAU 7
Analyse de l'écart sur bénéfices : monopole industriel, un seul produit, aucune variation des S.P.F. et emploi de la méthode du coût complet

	Bénéfice constaté	Bénéfice budgété au volume fabriqué et au volume vendu	Bénéfice cible
Ventes	110 unités	110 unités	100 unités
Production	110 unités	110 unités	100 unités
Chiffre d'affaires	115 500,00 $	110 000,00 $	100 000 $
Coût des produits vendus	(46 612,50)	(46 612,50)	(42 375)
Écart sur dépense relatif aux F.I.F. fixes	(2 100,00)	–	–
Écart sur prix	100,00	–	–
Écart sur quantité	(200,00)	(110,00)	(100)
Écart sur volume	3 712,50	3 712,50	2 475
Autres coûts variables	(6 930,00)	(5 500,00)	(5 000)
Frais de vente fixes	(19 000,00)	(20 000,00)	(20 000)
Frais d'administration fixes	(27 970,00)	(25 000,00)	(25 000)
Bénéfice	16 500,00 $	16 490,00 $	10 000 $

Δ global résiduel
10 $ F

Δ sur quantité dû à la variation du volume de production
10 $ D
Δ global sur volume des ventes
6 500 $ F

g.   *Septième exemple*

C'est le dernier exemple concernant une entreprise industrielle. Il diffère du précédent en ce qu'il existe une variation dans le stock de produits finis tant dans le budget initial que dans l'état du bénéfice constaté.

DONNÉES

	Bénéfice constaté		Bénéfice cible	
Chiffre d'affaires	110 × 1 050 $ =	115 500,00 $	100 × 1 000 $	= 100 000 $
Coût des produits				
vendus	110 × 423,75 =	(46 612,50)	100 × 423,75	= (42 375)
Écart sur dépense				
relatif aux F.I.F. fixes		(2 100,00)		–
Écart sur prix		100,00		–
Écart sur quantité		(220,00)		(100)
Écart sur volume		5 073,75		2 475
Autres coûts variables	110 × 63 =	(6 930,00)	100 × 50	= (5 000)
Frais de vente fixes		(19 000,00)		(20 000)
Frais d'admin. fixes		(27 970,00)		(25 000)
Bénéfice		17 841,25 $		10 000 $
S.P.F. au début	10 × 423,75 $ =	4 237,50 $	10 × 423,75 $ =	4 237,50 $
S.P.F. à la fin	21 × 423,75 $ =	8 898,75 $	10 × 423,75 $ =	4 237,50 $

Il existe un écart favorable de 7 841,25 $ entre les deux montants de bénéfice, écart que nous devons expliquer.

SOLUTION

L'analyse conduit aux écarts suivants :

Écart sur prix de vente	5 500,00 $	F
Écart sur prix relatif à la matière première	100,00	F
Écart sur quantité budgétée de matière première [220 $ − (100 $/100) 121]	99,00	D
Écart sur quantité dû à la variation du volume d'unités fabriquées [(121 − 100) (100 $/100)]	21,00	D
Écart global sur volume des ventes	6 500,00	F
Écart sur les autres coûts variables unitaires	1 430,00	D
Écart sur dépense relatif aux frais indirects de fabrication fixes	2 100,00	D
Écart sur frais de vente fixes	1 000,00	F
Écart sur frais d'administration fixes	2 970,00	D
Écart sur variation du stock de produits finis en frais indirects de fabrication fixes [(21 − 10) 123,75 $ − (10 − 10) 123,75 $]	1 361,25	F
	7 841,25 $	F

Le dernier écart favorable, au montant de 1 361,25 $, demande de plus amples explications. Cet écart vient de la différence entre la variation réelle du stock de produits finis pour ce qui est des frais indirects fixes et la variation prévue du stock de produits finis quant au même genre de frais. Pour en saisir la provenance, procédons par le biais du calcul des composantes des montants de frais indirects de fabrication fixes passés en charges à l'exercice dans le cadre du bénéfice constaté et dans celui du bénéfice budgété initialement.

Montants de frais indirects de fabrication fixes passés en charges :

Aux fins du calcul du bénéfice constaté

Aux fins du calcul du bénéfice cible

F.I.F. fixes réels de l'exercice

F.I.F. fixes budgétés de l'exercice

12 000 $

9 900 $

Δ sur dépense
2 100 $ D

moins

Augmentation du montant des F.I.F. fixes inclus dans le S.P.F. (21 − 10) 123,75 $ = 1 361,25 $

Aucune variation du montant des F.I.F. fixes inclus dans le S.P.F. (10 − 10) 123,75 $ = 0 $

Δ sur variation du S.P.F. en F.I.F. fixes
1 361,25 $ F

Le tableau suivant (tableau 8) aurait pu être utilisé aux fins de l'analyse de l'écart favorable de 7 841,25 $ sur les bénéfices.

TABLEAU 8
Analyse de l'écart sur bénéfices : monopole industriel, un seul produit, variation des S.P.F. et emploi de la méthode du coût complet

	Bénéfice constaté	Bénéfice budgété au volume fabriqué et au volume vendu	Bénéfice cible
Ventes	110 unités	110 unités	100 unités
Production	121 unités	121 unités	100 unités
Chiffre d'affaires	115 500,00 $	110 000,00 $	100 000 $
Coût des produits vendus	(46 612,50)	(46 612,50)	(42 375)
Écart sur dépense relatif aux F.I.F. fixes	(2 100,00)	–	–
Écart sur prix	100,00	–	–
Écart sur quantité	(220,00)	(121,00)	(100)
Écart sur volume	5 073,75	5 073,75	2 475
Autres coûts variables	(6 930,00)	(5 500,00)	(5 000)
Frais de vente fixes	(19 000,00)	(20 000,00)	(20 000)
Frais d'administration fixes	(27 970,00)	(25 000,00)	(25 000)
Bénéfice	17 841,25 $	17 840,25 $	10 000 $

Δ sur quantité dû à la variation du volume de production
21 $ D

Δ global sur volume des ventes
6 500 $ F

Δ sur variation des S.P.F. en F.I.F. fixes
1 361, 25 $ F

Δ global résiduel
1 $ F

E.   Degré de complexité et portée de l'analyse des écarts sur résultats budgétés

Bien que l'analyse des écarts sur résultats budgétés puisse être plus ou moins élaborée, il n'en reste pas moins qu'elle doit être suffisamment poussée si on veut que l'exercice du contrôle budgétaire soit significatif.

Ainsi, si les autres coûts variables dont il a été question dans le premier exemple consistaient en des commissions fondées sur le chiffre d'affaires, soit un taux budgété de 5 % et un taux réel de 6 %, il aurait été intéressant de pousser plus loin l'analyse de la différence de 1 930 $ qui s'est produite entre le montant réel des commissions et celui porté au budget initial. Ladite différente résulterait d'un écart défavorable de 275 $ dû au fait que le prix de vente a été majoré, soit (1 050 $ – 1 000 $) 5 % (110), d'un écart défavorable de 1 155 $ provenant d'une hausse du taux des commissions qui a été porté de 5 % à 6 %, soit (6 % – 5 %) 115 500 $, et d'un écart défavorable de 500 $ attribuable à l'accroissement du volume des ventes, soit (110 – 100) 1 000 $ (5 %). Ce dernier écart de 500 $ est évidemment inclus dans l'écart global sur volume des ventes qui s'élève à 5 500 $. L'analyse plus détaillée a donc consisté à substituer les écarts défavorables de 275 $ et 1 155 $ à l'écart défavorable de 1 430 $ qui avait été calculé.

L'analyse ne doit cependant pas être raffinée au point de faire oublier ou de négliger le but même du calcul des écarts, qui est d'en retirer une information propre à orienter l'action.

On aura observé que l'analyse est particulièrement simplifiée s'il s'agit d'une entreprise commerciale, c'est-à-dire une entreprise qui ne fabrique pas ce qu'elle vend, surtout dans le cas où elle ne vend qu'un seul produit. Cette analyse est un peu plus complexe lorsque l'entreprise commerciale ne jouit pas d'une situation de monopole. Le tableau 9 schématise l'analyse de l'écart sur bénéfices qui a trait à une entreprise commerciale qui ne jouit pas d'une situation de monopole et qui vend plus d'un produit. À partir de ce tableau, il est relativement facile de se rendre compte que la détermination des écarts serait de beaucoup simplifiée si l'entreprise ne vendait qu'un seul produit et était seule à le vendre.

Dans le cas d'une entreprise industrielle, l'analyse est facilitée lorsque le contenu du coût des stocks de produits en cours et de produits finis, en frais indirects de fabrication fixes, est pratiquement stable. On peut alors procéder comme si l'entreprise utilisait la méthode du coût variable. Le tableau 10 schématise l'analyse de l'écart sur bénéfices d'une entreprise industrielle lorsque celle-ci ne vend qu'un seul produit et jouit d'une situation de monopole.

Analyse schématique de l'écart sur bénéfices : entreprise commerciale, pas de monopole et plus d'un produit

CONTEXTE : Aucun coût variable ne varie en fonction du prix de vente.

Éléments de la marge sur coûts variables

- Δ/prix de vente (par produit) :
$$(PVR - PVB)\, VR$$

- Δ/coût variable (par élément et par produit) :
$$(CVR - CVB)\, VR$$

- Δ global brut/volume des ventes (par produit, puis on en fait la somme algébrique) :
$$\sum_{1}^{n} (VR - VB)\, CMB$$

a) Δ/composition des ventes :
$$(CMB_{COR} - CMB_{COB})\, V_{t}R$$

b) Δ global réel/volume des ventes :
$$(V_{t}R - V_{t}B)\, CMB_{COB}$$

- Δ global/part du marché des produits :
$$\left(\begin{array}{c} \text{Part} \\ \text{relative} \\ \text{réelle} \end{array} - \begin{array}{c} \text{Part} \\ \text{relative} \\ \text{budgétée} \end{array} \right) \left(\begin{array}{c} \text{Taille} \\ \text{réelle du} \\ \text{marché} \end{array} \right) (CMB_{COB})$$

- Δglobal/taille du marché des produits :
$$\left(\begin{array}{c} \text{Taille} \\ \text{réelle} \\ \text{du marché} \end{array} - \begin{array}{c} \text{Taille} \\ \text{budgétée} \\ \text{du marché} \end{array} \right) \left(\begin{array}{c} \text{Part} \\ \text{relative} \\ \text{budgétée} \end{array} \right) (CMB_{COB})$$

Éléments de frais fixes

- Écart :
$$\begin{array}{ccc} \text{Montant réel} & - & \text{Montant budgété} \\ \text{(par élément)} & & \text{(par élément)} \end{array}$$

LÉGENDE

PVR : Prix de vente réel d'un produit
PVB : Prix de vente budgété du produit
CVR : Coût variable réel d'un produit pour un élément donné
CVB : Coût variable budgété du produit pour le même élément
VR : Ventes réelles d'un produit

VB : Ventes budgétées du produit
CMB : Contribution marginale budgétée du produit
CMB_{COB} : Contribution marginale budgétée selon la composition budgétée des ventes
CMB_{COR} : Contribution marginale budgétée selon la composition réelle des ventes

$V_{t}R$: Ventes totales réelles pour l'ensemble des produits
$V_{t}B$: Ventes totales budgétées pour l'ensemble des produits
n : Nombre de produits

TABLEAU 10

Analyse schématique de l'écart sur bénéfices : entreprise industrielle, monopole et un seul produit

		CONTEXTE : Méthode du coût variable standard et écarts portés aux résultats de l'exercice. Aucun écart dans le budget initial. Aucun coût variable ne varie en fonction du prix de vente.	CONTEXTE : Méthode du coût complet standard et écarts portés aux résultats de l'exercice. Aucun écart (sauf Δ/volume) dans le budget initial. Aucun coût variable ne varie en fonction du prix de vente.
Éléments de la marge sur coûts variables	• Δ/prix de vente : (PVR – PVB)VR • Δ/coût variable : Δ/prix budgété Δ/quantité budgétée Δ/taux budgété Δ/temps budgété Δ/dép. relatif aux FIF variables Δ/quantité budgétée d'unités d'œuvre relatif aux FIF variables	• Δ global/volume des ventes : (VR – VB) (PVB – CVB – FVAB)	(Voir ci-contre)
Éléments de frais fixes (de fabrication, de vente et d'adm.)	• Écart : Montant réel (par élément) – Montant budgété (par élément)		(Voir ci-contre) **PLUS** • Δ/variation des stocks en frais fixes : Montant de la variation réelle des stocks en FIF fixes – Montant de la variation budgétée des stocks en FIF fixes

LÉGENDE

PVR	: Prix de vente réel	VR	: Ventes réelles en unités
PVB	: Prix de vente budgété	VB	: Ventes budgétées en unités
CVS	: Coût de production variable standard par unité		
FVAB	: Frais de vente et d'administration variables budgétés par unité		

ANNEXE

Les budgets à base zéro et la rationalisation des choix budgétaires

1. Les budgets à base zéro

Certains présentent les budgets à base zéro (BBZ) qui ont fait leur apparition au début des années 1970 comme un outil révolutionnaire de management et d'autres comme un outil ancien qui trouve toute sa pertinence en retournant à sa vocation première.

Précisons d'abord qu'il s'agit de budgets de frais ou de dépenses d'investissement. L'essentiel réside dans le fait que les secteurs de l'entreprise doivent justifier leurs demandes budgétaires ; faire valoir les allocations budgétaires antérieures ne saurait constituer une justification à la demande courante. Bon nombre voient la formule budgétaire traditionnelle trop libérale à cet égard, alors que les tenants de la formule budgétaire traditionnelle soutiennent que le type de jeu (mou) décelé dans l'usage de la méthode classique tend à s'estomper quand, le contexte économique aidant, on prend conscience de la nécessité de resserrer le contrôle.

Sans pouvoir départager les mérites des deux options, il faut tout de même reconnaître que nous entendons davantage parler d'investissements que de désinvestissements. À ce point de vue, on peut penser que bien souvent, en pratique, les budgets de frais sont reconduits, augmentés même d'une période à l'autre, comme si c'était dans l'ordre naturel des choses. On ne s'interroge pas suffisamment souvent sur la nécessité des activités déployées au sein de l'entreprise, ou, le cas échéant, sur le niveau optimal d'exploitation de ces activités (exemple : une entreprise doit-elle continuer d'utiliser le système d'inventaire permanent pour tous les articles en magasin?). Dès lors, il ne faut pas se surprendre si l'utilisation des ressources n'est pas toujours optimale.

L'organisation qui utilise la technique du BBZ doit :
- répertorier les unités décisionnelles (centres de décision) et les activités relevant de ces unités ;
- déterminer les niveaux de réalisation de chacune des activités (l'un de ces niveaux, qualifié de minimum, est un niveau en deçà duquel la poursuite de l'activité est compromise) ;
- préparer un devis décisionnel, encore appelé demande de financement, pour chaque niveau de réalisation d'activité (il s'agit d'un document précisant l'objectif de l'activité et en donnant une description compte tenu du niveau de réalisation considéré, les modifications, s'il y a lieu, par rapport à un autre niveau de réalisation, les ressources humaines et financières nécessaires, les mesures de l'extrant ou des extrants en découlant, les conséquences du défaut d'atteinte d'un tel niveau de réalisation, les autres niveaux de réalisation et les solutions de rechange) ;
- classer les devis décisionnels par ordre d'importance décroissante, compte tenu, entre autres, des législations existantes (le classement définitif des devis permet à la

direction générale de l'organisation de répartir les ressources qui sont en quantité restreinte).

On trouvera dans les pages ci-après une formule modèle de devis décisionnel que l'on trouve dans un ouvrage publié par La Société des comptables en management du Canada.

Même s'il est possible d'admettre que le BBZ puisse réduire le mou plus que toute autre technique budgétaire connue, qu'il traite sur un pied d'égalité les activités nouvelles et celles déjà existantes, et qu'il fait participer davantage les gestionnaires à l'élaboration des budgets, il n'en présente pas moins certains inconvénients de taille que l'usage a pu confirmer.

Il requiert beaucoup de temps et d'effort de la part des gestionnaires qui perçoivent bien souvent le BBZ comme une menace de réduction de l'importance des activités dont ils sont responsables et qui considèrent que le processus de classement des devis est soumis à la partialité de ceux qui l'effectuent.

L'importance des coûts d'implantation et de fonctionnement ont amené P. Rubinyi[1] à suggérer une variante du BBZ, soit le ZBR (Zero Base Review). D'après lui, il faudrait souvent se contenter de s'en inspirer aux fins de redressement budgétaire au lieu de l'utiliser comme outil de budgétisation généralisée. Selon le ZBR, l'analyse annuelle des activités ne porterait que sur une partie des activités de l'organisation. Des devis décisionnels ne seraient donc préparés que pour les activités sujettes à amélioration. Dès lors, dans chaque cas, une étude coûts-avantages devrait permettre de mieux décider de l'emploi du BBZ.

Les concepts de base du BBZ peuvent être appliqués dans n'importe quel type d'organisation, bien que l'on fasse davantage état de l'utilisation du BBZ dans le secteur public ou pour les organismes sans but lucratif. Dans un travail de session d'une étudiante portant sur le BBZ, nous pouvons lire :

> Par exemple, j'ai travaillé quelques années dans des organismes de loisirs privés, sans but lucratif, qui auraient eu avantage à utiliser ce processus de budgétisation. Ces organismes ont en général comme seules sources de financement la cotisation de leurs membres et une subvention gouvernementale. Dans les années fastes, on préparait le budget en le calquant sur celui de l'année précédente en y ajoutant quelques nouveaux programmes. Cela ne leur causait pas de problème, puisqu'en général ils obtenaient des subventions croissantes d'année en année. Le problème s'est posé lorsque le gouvernement a imposé le statu quo, puis quand il a effectué des coupures de subvention.
>
> Ces organismes, qui étaient habitués à en avoir toujours plus, se sont retrouvés en pleine stagnation, et comme ils ne remettaient pas leurs activités en question, ils ont cessé d'innover. Encore aujourd'hui, beaucoup d'entre eux attendent encore une meilleure subvention pour offrir à leurs membres de nouveaux programmes alors que certains autres programmes pourraient être abandonnés ou aménagés de façon différente pour libérer des fonds qui seraient utilisés à d'autres fins.

---

1. P. Rubinyi, « Le Z.B.R. en remplacement de Z.B.B. ? », *CAmagazine*, supplément français, avril 1980, pp. 4-9.

Les seuls organismes que je connaisse qui ont réussi à connaître une certaine crois-sance (nombre de membres et intérêt de ceux-ci) en cette période difficile, ce sont ceux qui ont appliqué la technique du BBZ. Bien sûr, cette application s'est faite sur une petite échelle et de façon peu formelle, cependant cela a donné des résultats.

Les frais discrétionnaires se prêtent particulièrement bien à l'usage des con-cepts sur lesquels repose le BBZ. Toutefois, le contrôle des coûts techniques, comme celui des matières premières et de la main-d'œuvre directe, ne saurait s'effectuer selon les modalités des budgets à base zéro.

2. La rationalisation des choix budgétaires

La rationalisation des choix budgétaires (RCB)[2] remonte au début des années 1960. À cette époque, les États-Unis y ont eu recours au sein du Département de la défense.

La RCB est une technique de budgétisation utilisée par des gestionnaires dont l'intérêt principal n'est pas d'ordre financier.

La RCB force l'organisme qui y recourt à définir les objectifs qu'il poursuit dans les différents domaines qui le concernent. La réalisation de ces objectifs nécessite le lancement de programmes (ou de projets). Ce sont ces derniers qui donnent lieu à une budgétisation.

La budgétisation par programme est établie pour toute la durée de chacun des programmes. Il s'agit, contrairement au BBZ, d'un processus de planification qui tend à procéder de haut en bas. Cela va de soi puisque les programmes en question reposent sur une volonté politique.

Certaines municipalités sont des organismes qui utilisent la RCB. La célébration d'un centenaire, par exemple, pourrait donner lieu à la création d'un programme dont la réalisation peut s'échelonner sur quelques années. Il y aurait budgétisation, pour chacune des années, des frais des différentes activités que l'organisation de ces fêtes implique.

La RCB requiert également que des critères d'efficacité (c'est-à-dire des cri-tères permettant de déterminer dans quelle mesure les objectifs sont atteints) et des critères d'efficience (c'est-à-dire des critères servant à déterminer si les résultats obtenus l'ont été au moindre coût) soient définis pour chacun des programmes.

En somme, la RCB est utilisée dans le cas des programmes sans but lucratif, car la mesure du profit ne constitue pas une base convenable d'évaluation à leur égard. La RCB permet des études en comparant les avantages, humains avant tout, et les coûts des programmes tout en s'assurant que les programmes sont conformes aux objectifs poursuivis. Et, contrairement au budget traditionnel et au BBZ, elle favorise la planification à long terme plutôt que celle à court terme.

---

2. Le sigle anglais équivalent est PPBS et signifie *Planning, Programming and Budgeting System*.

Demande de financement

(1) Intitulé de la demande	(2) Service	(3) Préparé par	(4) Date	(5) Rang
Programme de cadeaux-primes aux clients (2 de 3)	N° 6306 — Relations avec les clients	Johanne Saucier	Le 31 mai 1978	

(6) But/Objectif

Encouragement additionnel aux clients à rester fidèles à la marque, à la raison sociale et à la gamme de produits de la société en s'assurant que les cadeaux-primes soient intéressants au prix suggéré.

(7) Description des actions (opérations) à ce niveau :

On aura recours à une société de promotion des ventes (ABC & Cie) pour l'administration du programme de cadeaux-primes aux clients. Cette société recouvrera ses coûts d'administration et réalisera des bénéfices grâce à son pouvoir d'achat.

Notre société absorbera le coût des produits-cadeaux choisis par les clients jusqu'au point où le client réalisera une économie de 50 % sur le prix de détail, ce qui représente environ 40 % du coût d'achat original des cadeaux pour nous.

(8) Modifications/Améliorations des opérations actuelles (matériel immobilisé) :

Notre société abandonnera la section des cadeaux-primes aux consommateurs sous sa forme actuelle au Service des relations avec la clientèle. Une personne sera affectée à temps partiel à la coordination des activités avec la société de promotion des ventes. Nous n'aurons plus besoin d'acheter ni de stocker les articles qui seront donnés en cadeaux, ni de préparer et de distribuer de catalogues.

Le niveau de fonctionnement actuel serait maintenu pour le client qui peut réaliser des économies intéressantes. La société économisera environ 300 000 $ par année à ce niveau de fonctionnement, compte non tenu de l'augmentation des coûts par rapport à l'année dernière.

(9) Mesures de la charge de travail ou de la performance

	1976	1977	1978
Nombre de clients demandant un catalogue	70,0K	68,0K	100,0K
Nombre de cadeaux envoyés par la poste	25,0K	27,5K	33,0K
Nombre de cadeaux offerts	20	20	30
Investissement dans le stock	180K	200K	Néant
Plaintes relatives aux cadeaux	15	28	20

(10) Ressources nécessaires

	1976 Réel	1977 Budget	1977 Révisé	1978 Proposé
Postes - ce niveau				0,5
- cumulatif	8,0	7,0	7,0	0,5
Dépenses - ce niveau				350,0
- cumulatif	680,0	750,0	800,0	500,0
% de l'année précédente		110 %	118 %	74 %
Capital				0

(1) Intitulé de la demande Programme de cadeaux-primes aux clients (2 de 3)	(2) Service N° 6306 Relations avec les clients	(3) Préparé par Johanne Saucier	(4) Date Le 31 mai 1978	(5) Rang

(11) Conséquences d'éliminer cette demande :
Les prix des cadeaux-primes ne seront pas assez attrayants pour atteindre les objectifs du programme en matière de relations avec les clients.
Les prix demandés doivent constituer une aubaine si l'on veut que le système de primes garde son intérêt.

Fonction n°	Dép. n°	(14) Dépenses	1977 Révisé	1978 Proposé
04	03	Salaires - Superviseur	25 000	*
	04	Salaires - Salariés à l'heure	105 000	
	12	Charges sociales	20 000	
	20	Fournitures	35 000	
	32	Affranchissements	55 000	
	37	Téléphone et télégraphe	6 000	
	42	Réparations du matériel	4 000	
	60	Services à contrat		150 000
	98	Coût des cadeaux	550 000	350 000
		Total	800 000	500 000

(12) Autres niveaux de fonctionnement identifiés :
1. Programme dans lequel la société n'absorbe rien du coût des cadeaux (1 de 3) : Coût 150 000 $
   Économies de 650 000 $ mais programme moins efficace
2. Programme dans lequel la société absorbe la totalité du coût des cadeaux (3 de 3) : Coût 500 000 $. Programme très intéressant.
   Économie de 300 000 $.

(13) Solutions de rechange :
1. Continuer d'exploiter la section des cadeaux-primes comme cela se fait actuellement. Coûts de plus de 800 000 $ par année, exige un investissement de plus de 200 000 $ par année dans les stocks, suscite de nombreux problèmes causés par les manquants, etc.
2. Restreindre le programme à des produits choisis. Cette approche n'attire l'attention des clients que sur les produits choisis et ne permet pas d'atteindre les objectifs que la société s'est fixés pour l'ensemble des produits. Entraînerait une économie d'environ 100 000 $ par année au poste des cadeaux si le programme était abandonné pour les produits lancés depuis le 1er janvier 1977. On a déjà essayé d'abandonner certaines parties du programme, ce qui avait causé une augmentation des plaintes des clients.

* La moitié du salaire du superviseur est attribuée à l'unité de décision B du Service des relations avec les clients.

Source : Henry C. Knight, Le budget à base zéro : évaluation, mise en application et utilisation, La Société des comptables en management du Canada, 1981, pp. 291-292.

EXERCICES D'APPLICATION

■■■ EXERCICE 13-1

Konkorde inc. fabrique et vend trois produits, A, B et C. Elle est en train de modifier la méthode de planification à court terme qu'elle utilise présentement en adoptant des techniques plus perfectionnées. Le contrôleur et certains membres de son équipe ont discuté avec un expert-conseil de la possibilité d'utiliser un modèle de programmation linéaire pour calculer la combinaison optimale des produits.

L'information servant à la planification à court terme a été obtenue par la même méthode que celle des années précédentes. Cette information comprend les prix de vente prévus ainsi que les coûts prévus pour la main-d'œuvre directe et les matières premières relativement à chaque produit. En outre, les frais indirects de fabrication fixes et variables sont considérés comme identiques pour chacun des produits.

	Prix et coût (à l'unité)		
	A	B	C
Prix de vente	32,50 $	40,00 $	52,50 $
Main-d'œuvre directe	15,00	20,00	25,00
Matières premières	9,00	6,00	10,50
Frais indirects de fabrication variables	6,00	6,00	6,00
Frais indirects de fabrication fixes	7,00	7,00	7,00

Les trois produits demandent le même type de matières premières qui coûtent 1,50 $ le kilogramme. La main-d'œuvre directe est rémunérée à un taux horaire de 10 $. Il y a 2 000 heures de main-d'œuvre directe et 20 000 kilogrammes de matières premières disponibles chaque mois.

ON DEMANDE

de formuler la fonction objective et les contraintes du programme linéaire de maximisation de la marge sur coûts variables mensuelle de Konkorde en supposant que les données relatives aux coûts sont exactes.

L'expert-conseil, après avoir examiné les données et le programme linéaire, procède à une autre analyse sur le comportement des frais indirects de fabrication, ce qui lui permet d'établir l'équation suivante :

$$Y = 5\,000 + 2X_A + 4X_B + 3X_C$$

où

Y = total des frais indirects de fabrication mensuels exprimé en dollars ;
X_A = heures de main-d'œuvre directe par mois pour le produit A ;
X_B = heures de main-d'œuvre directe par mois pour le produit B ;
X_C = heures de main-d'œuvre directe par mois pour le produit C.

ON DEMANDE

de reformuler la fonction objective de Konkorde d'après les résultats de cette analyse.

Konkorde vient de trouver un fournisseur de matières premières qui peut lui vendre une quantité illimitée de matières premières au prix actuel.

ON DEMANDE

de déterminer le nombre d'unités de chaque produit que devrait fabriquer l'entreprise ainsi que le bénéfice mensuel qu'elle réaliserait si la demande mensuelle courante pour les produits A, B et C est respectivement de 400, 500 et 500 unités.
(Adaptation – S.C.M.C.)

■■ EXERCICE 13-2

Antiquar ltée fabrique deux modèles de berceuses : Pommair et Courbet. Chacune se vend 120 $, bien que les coûts variables soient différents : 84 $ pour Pommair et 72 $ pour Courbet. Chaque unité de Pommair requiert 2 heures-machine et 3 heures-homme pour le travail d'assemblage ; Courbet exige 3 heures-machine et 2 heures-homme pour ce même travail. La capacité de production de l'usine est de 1 200 heures-machine et de 1 400 heures-homme pour le travail d'assemblage par période.

À cause de la pénurie de bois de pommier, l'entreprise ne dispose de matériaux que pour produire un maximum de 400 berceuses Pommair. Les matériaux utilisés pour la fabrication du modèle Courbet sont disponibles en quantité illimitée. L'entreprise s'est engagée à exécuter les commandes actuelles de 50 berceuses Courbet. L'entreprise désire calculer la composition optimale.

ON DEMANDE

   1. de déterminer la composition optimale des deux modèles de berceuses à fabriquer ;

   2. de déterminer quel serait l'effet sur la composition optimale si le nombre total d'heures-machine passait de 1 200 à 1 500, et le montant maximum que la société devrait être disposée à verser à chaque période pour une telle hausse de la capacité de production ;

   3. de supposer que les heures-homme d'assemblage ne sont assujetties à aucune contrainte mais que toutes les autres contraintes figurant dans l'énoncé du problème sont présentes, et de calculer la composition optimale de produits sans employer la programmation linéaire.

(Adaptation – S.C.M.C.)

▬▬▬ EXERCICE 13-3

Raymond ltée fabrique les produits A, B et C. Ces produits sont à ce point populaires qu'il est impossible à l'entreprise de satisfaire à toute la demande. Voici les données relatives à ces trois produits :

	A	B	C
Prix de vente	15	19	24
Coût des matières premières utilisées	5	10	13
Autres coûts variables			
(payés dès qu'ils sont engagés)	6	4	7
Quote-part du montant facturé au client			
perçue au cours du mois de la vente	$\frac{1}{3}$	– 0 –	– 0 –

Chaque produit requiert une unité de matière première ; celle qui entre dans la fabrication d'un produit ne peut être utilisée dans la fabrication d'un autre produit.

Les quantités de matières premières en stock au début du mois seront :
– 200 unités de la matière première nécessaire à la fabrication de A ;
– 120 unités de la matière première nécessaire à la fabrication de B ;
– 50 unités de la matière première nécessaire à la fabrication de C.

Les quantités supplémentaires de matières seront achetées au comptant dès qu'elles seront requises. Supposez que A_1, B_1 et C_1 représentent les quantités de matières en stock au début, et que A_2, B_2 et C_2 représentent les quantités de matières achetées durant le mois.

Chaque produit est traité dans deux ateliers. Les heures-machine dont on disposera durant le mois sont au nombre de 400 dans l'atelier I et de 800 dans l'atelier II. Dans chaque atelier, les heures-machine par unité sont les suivantes :

	Heures par unité		
	A	**B**	**C**
Atelier I	0,5	1	0,25
Atelier II	1	1	4,5

Les coûts fixes pour l'ensemble des deux ateliers seront de 900 $ pour le mois. De ce total, un montant de 200 $ représentera l'amortissement ; le solde des coûts fixes donnera lieu à un décaissement au cours du mois. On prévoit que l'encaisse du début sera de 6 660 $, et on désire que le solde de l'encaisse de la fin ne soit pas inférieur à 3 000 $. La société n'aura aucun montant à recevoir des clients ou à payer au début du mois.

ON DEMANDE

de formuler algébriquement la fonction de maximisation des bénéfices pour le prochain mois, ainsi que toutes les contraintes auxquelles est assujettie cette fonction.
(Adaptation – S.C.M.C.)

■■■ EXERCICE 13-4

Ranger ltée fabrique deux produits, X et Y. La société désire préparer un budget annuel. Comme la capacité de production ne permet pas de produire tout ce que la société peut vendre, le directeur du budget décide de déterminer le mélange optimal de production de X et de Y qui maximisera la marge totale sur coûts variables. Les renseignements suivants sont disponibles :

	Produit X	Produit Y
Prix de vente unitaire	22 $	25 $
Coût variable unitaire	16	15
Contribution marginale	6	10
Temps requis pour produire une unité		
à l'atelier de production n° 1	1 heure	1 heure
à l'atelier de production n° 2	1 heure	2 heures

La capacité totale annuelle de l'atelier de production n° 1 est de 160 000 heures, et celle de l'atelier de production n° 2, de 200 000 heures. L'entreprise ne peut vendre plus de 300 000 unités de X et 140 000 unités de Y aux prix de vente mentionnés précédemment, compte tenu des frais actuels de publicité.

ON DEMANDE

1. de formuler le problème précédent par programmation linéaire en indiquant la fonction objective et toutes les contraintes ;
2. de trouver, à l'aide d'un graphique, le mélange optimal de production de X et de Y, ainsi que la marge totale sur coûts variables correspondante ;
3. de résoudre le problème suivant : le coût de renonciation, pour la contrainte de capacité de l'atelier n° 1, est de 2 $ et demeure valable pour les activités allant de 100 000 à 200 000 heures. Il est toutefois possible d'utiliser une deuxième équipe qui permettrait d'augmenter la capacité de l'atelier n° 1 de 50 000 heures ; ces heures devraient toutefois être rémunérées à un taux horaire majoré de 1,50 $. Indiquer, justification à l'appui, si la société devrait avoir une deuxième équipe ;
4. de résoudre le problème suivant : la direction de la société préfère ne pas faire appel à une deuxième équipe. Cependant, la capacité de l'atelier n° 1 peut aussi être augmentée en recourant aux heures supplémentaires. Le maximum d'heures supplémentaires est de 10 000 ; l'entreprise devrait payer une prime de 2,25 $ de l'heure supplémentaire. Indiquer, justification à l'appui, si l'entreprise devrait retenir la formule des heures supplémentaires ;
5. de calculer le coût de renonciation relatif à la contrainte de capacité de l'atelier n° 2, sans tenir compte des questions 3. et 4. ;
6. de calculer le coût de renonciation relatif à la contrainte de marché du produit X, sans tenir compte des questions 3., 4. et 5.

(Adaptation par Helen McDonough – S.C.M.C.)

▬▬ EXERCICE 13-5

Une usine d'Hétéroclite ltée fabrique un produit de haute qualité. Le produit se vend 1,60 $ l'unité, mais la direction a décidé d'étudier la possibilité d'élever le prix de vente afin de compenser l'accroissement des coûts.

Le contrôleur d'Hétéroclite a dressé le tableau des coûts estimatifs :

| Production mensuelle (en unités) | Frais d'exploitation | |
	Frais fixes	Frais variables marginaux (à l'unité)
50 000 et moins	20 000 $	1,16 $
50 001 – 60 000	20 000	1,22
60 001 – 70 000	20 000	1,24
70 001 – 80 000	22 000	1,28
80 001 – 90 000	22 000	1,34
90 001 – 100 000	22 000	1,42
100 001 – 110 000	24 000	1,50
110 001 – 120 000	24 000	1,58
120 001 – 130 000	26 000	1,70

Le directeur du marketing vient de terminer l'analyse de l'effet de l'augmentation du prix de vente sur le volume des ventes et soumet les estimations suivantes :

Prix de vente à l'unité	Ventes mensuelles (en unités)
1,50 $	100 000
1,60	90 000
1,70	80 000
1,80	70 000
1,90	60 000
2,00	50 000

ON DEMANDE

de préparer un tableau indiquant le bénéfice correspondant aux différents niveaux de prix de vente, et de déterminer lequel de ces prix serait le plus avantageux. (Adaptation – S.C.M.C.)

EXERCICE 13-6

Voici le coût unitaire budgété du produit d'une entreprise à différents volumes de production, sauf au volume de 150 000 unités. Il vous appartient de déterminer le coût unitaire pour ce dernier volume.

	50 000 unités	75 000 unités	100 000 unités	125 000 unités	150 000 unités	175 000 unités
Matières premières	6,06 $	6,040 $	6,02 $	6,000 $	$	5,960 $
Main-d'œuvre directe	3,17	3,160	3,15	3,150		3,150
Autres frais de fabrication						
1re catégorie	1,90	1,900	1,90	1,900		1,900
2e catégorie	6,38	4,253	3,19	2,552		1,823
Commissions/ventes	2,50	2,500	2,50	2,500		2,500
Autres frais de vente	2,80	1,867	1,40	1,120		0,800
Frais d'administration						
1re catégorie	1,00	1,000	1,00	1,000		1,000
2e catégorie	4,00	2,667	2,00	2,000		1,429
	27,81 $	23,387 $	21,16 $	20,222 $	$	18,562 $

Voici les prévisions des volumes de ventes après consultation du personnel du service commercial :

Prix de vente	Demande des clients
37 $	50 000
32	75 000
28	100 000
26	125 000
24	150 000
22	175 000

ON DEMANDE

de déterminer lequel des volumes de vente maximisera le bénéfice de l'entreprise.
(Adaptation – C.A.)

EXERCICE 13-7

Tabco ltée est en exploitation depuis huit ans. Pendant les premières années, l'entreprise a connu une croissance plutôt lente. Il y a deux ans, Don Feinberg a été embauché par le conseil d'administration de Tabco afin d'exercer la fonction de directeur général. Feinberg a sensiblement modifié les activités de l'entreprise. Les résultats de ses efforts sont remarquables : les ventes ont augmenté considérablement et ce, à un taux plus rapide que les bénéfices. Les montants des bénéfices sont jugés satisfaisants. L'augmentation des ventes semble résulter des quatre facteurs suivants :

a) stockage d'un plus grand nombre de produits afin de réduire les commandes en souffrance et les commandes annulées ;
b) élargissement des conditions de crédit et de la politique de recouvrement afin de donner des périodes de paiement plus longues aux clients ;
c) crédit accordé à une catégorie de clients plus risquée ;
d) publicité plus efficace pour les produits.

Feinberg vise les ratios financiers suivants pour le prochain exercice :

a) le stock de fin d'exercice devrait représenter 20 % du coût de la marchandise que l'on prévoit vendre au cours de l'exercice suivant ;
b) le solde net des comptes clients devrait représenter environ un sixième des ventes de l'exercice ;
c) les frais de publicité devraient représenter au moins 10 % des ventes ;
d) les stocks devraient être financés par les fournisseurs grâce à des comptes non réglés représentant le tiers de l'actif à court terme à l'exception de l'encaisse ;

Le conseil d'administration est, jusqu'à présent, heureux des résultats. Les objectifs suivants, adoptés par le conseil, demeurent valables :

a) croissance régulière des ventes ;
b) croissance régulière des bénéfices ;
c) augmentation annuelle de 20 % des dividendes en espèces ;
d) passif limité aux comptes fournisseurs, au solde de l'hypothèque sur l'entrepôt et aux intérêts afférents.

Feinberg croit que les ventes devraient continuer à augmenter au rythme de 40 % annuellement pour les prochaines années, si l'on poursuit la politique et que l'on atteint les ratios financiers visés. Cependant, l'augmentation des ventes exigera un accroissement de l'espace d'entreposage. En prévision de la croissance future, Feinberg a l'intention de signer un contrat de location-exploitation pour un entrepôt. Il lui en coûtera 150 000 $ annuellement, mais cet entrepôt devrait permettre de répondre aux besoins des huit à quinze prochaines années. La durée du bail portant sur l'entrepôt présentement loué a pris fin le 31 mai 20X3 et ledit bail ne sera pas renouvelé. Les états financiers pour l'exercice terminé le 31 mai 20X3 sont les suivants :

TABCO LTÉE
État des résultats et des bénéfices non répartis
pour l'exercice terminé le 31 mai 20X3 (en milliers de $)

Ventes	3 000 $
moins : Frais et charges	
Coût des marchandises vendues	2 000
Salaires (variables)	200
Salaires (fixes)	35
Entrepôt	
Amortissement (linéaire)	165
Location	50
Frais de publicité	250
Intérêts	120
	2 820 $
Bénéfice avant impôt	180 $
Impôt sur le bénéfice (40 %)	72
Bénéfice net	108
Bénéfices non répartis au 1er juin 20X2	842
Dividendes en espèces	(50)
Bénéfices non répartis au 31 mai 20X3	900 $

TABCO LTÉE
Bilan
au 31 mai 20X3 (en milliers de $)

Actif	
Encaisse	370 $
Comptes clients	400
Stock	500
	1 270
Entrepôt (net)	2 000
	3 270 $
Passif et capitaux propres	
Comptes fournisseurs	300 $
Intérêts à payer[1]	120
Portion à court terme de l'hypothèque[1]	200
	620
Hypothèque à payer	1 000
	1 620
Capital-actions	750
Bénéfices non répartis	900
	3 270 $

1. Remboursement annuel de 200 000 $ et intérêts à 10 %.

ON DEMANDE

de supposer que l'on peut réaliser les plans, atteindre les ratios financiers souhaités et réussir à accroître les ventes comme prévu, et de préparer pour Tabco :

a) l'état des résultats et des bénéfices non répartis budgétés pour l'exercice financier 20X3-20X4 ;

b) le bilan prévu au 31 mai 20X4.

À noter que tous les coûts et les frais qui n'ont pas été spécifiés correspondront aux mêmes taux et montants que ceux de l'exercice qui a pris fin le 31 mai 20X3.

(Adaptation – C.M.A.)

■■■ EXERCICE 13-8

Le personnel de Fabrication ltée est en train de dresser les budgets du prochain exercice qui doivent être approuvés par le bureau de direction. Le service de la comptabilité a préparé l'état des résultats suivants :

FABRICATION LTÉE
État des résultats budgétés
pour l'exercice se terminant le 30 juin 20X7

Chiffre d'affaires		235 000 $
Coût des produits vendus		
Stock de produits finis au 30 juin 20X6	95 000 $	
Matières premières	62 000	
Main-d'œuvre directe	60 000	
Frais indirects de fabrication (comprenant 3 000 $ d'amortissement sur immeubles, 12 000 $ d'amortissement sur outillage ainsi que 2 000 $ d'assurance)	23 000	
	240 000	
Stock de produits finis au 30 juin 20X7	110 000	130 000
		105 000
Frais de vente	50 000	
Frais d'administration	35 000	
Intérêts débiteurs	3 375	88 375
		16 625
Impôt sur le bénéfice		3 500
Bénéfice net		13 125 $

Les frais de vente et d'administration incluent un amortissement de 1 000 $ sur immeubles et de 2 000 $ sur mobilier et des frais d'assurance de 500 $.

Voici le bilan de l'entreprise au 30 juin 20X6 :

FABRICATION LTÉE
Bilan
au 30 juin 20X6

Actif à court terme		
Encaisse		5 000 $
Comptes clients	45 000 $	
moins: Provision pour créances douteuses	3 000	42 000
Stocks au coût		95 000
Assurance payée d'avance		1 500
		143 500 $
Immobilisations		
Terrain		25 000
Immeubles	90 000	
moins: Amortissement cumulé	15 000	75 000
Mobilier et outillage	60 000	
moins: Amortissement cumulé	35 000	25 000
		125 000
		268 500 $
Passif à court terme		
Comptes fournisseurs	15 000 $	
Articles à payer	3 000	
Tranche sur les obligations échéant le 31 mars 20X7	10 000	28 000 $
Dette à long terme		
Obligations échéant en série, 5 %, remboursables par versements annuels de 10 000 $ effectués les 31 mars. L'intérêt est payable annuellement.		60 000
		88 000
Capitaux propres		
Capital-actions		
Actions ordinaires, sans valeur nominale – autorisées et émises – 10 000 actions	90 000	
Bénéfices non répartis		
Solde au 1er janvier 20X5	75 500	
Bénéfice net pour l'année	15 000	180 500
		268 500 $

Les articles à payer au 30 juin 20X6 se détaillent ainsi :

Salaires (M.O.D.)	1 000 $
Intérêts	875
Impôt sur le bénéfice	1 125
	3 000 $

Voici d'autres renseignements dont il faut tenir compte dans l'élaboration des budgets pour 20X7 :

a) On prévoit que les comptes clients du 30 juin 20X7 s'élèveront à 8 % du chiffre d'affaires de l'exercice. On prévoit également qu'au cours de l'année un montant de 3 500 $ sera débité au compte Provision pour créances douteuses, et qu'un montant de 1 500 $ lui sera crédité à la suite de la perception prévue d'un compte qui avait été radié au cours de l'exercice précédent ;

b) Les frais de vente budgétés incluent un montant de 3 000 $ représentant des mauvaises créances ;

c) Des primes d'assurance, de 2 500 $, seront payées au cours de l'exercice. Des dépenses en immobilisations de l'ordre de 4 500 $ pour les immeubles, et de 6 000 $ pour le mobilier et l'outillage, seront effectuées au cours de l'exercice ;

d) On estime que les comptes fournisseurs du 30 juin 20X7 s'élèveront à 10 % du montant des achats de matières premières. On prévoit que les salaires (M.O.D.) à payer à cette date s'élèveront à 1 500 $;

e) Le montant total des versements relatif à l'impôt sur le bénéfice qui seront effectués durant l'exercice s'élèvera à 3 000 $. Il a été proposé que, au cours de l'exercice, l'entreprise paie un dividende de 0,85 $ par action ordinaire.

ON DEMANDE

1. de préparer le budget de caisse pour l'exercice se terminant le 30 juin 20X7 ;
2. de préparer, en bonne et due forme, le bilan prévu au 30 juin 20X7.
(*Adaptation – S.C.M.C.*)

EXERCICE 13-9

Barker ltée fabrique des bâtons de baseball en bois dans son usine située en Georgie. C'est une entreprise de type saisonnier dont les ventes sont effectuées pour la plupart au cours de l'hiver et au début du printemps. Le programme de production relatif au dernier trimestre de l'exercice est établi en vue de constituer les stocks nécessaires pour le volume de ventes prévu.

Durant cette période de production intense, la société est momentanément à court de fonds. Les coûts de la main-d'œuvre augmentent au cours du dernier trimestre, car il faut recourir aux heures supplémentaires pour pouvoir atteindre le niveau de production prévu. Comme peu de ventes sont effectuées en automne, les perceptions sur comptes sont assez faibles. Cette année, le problème de la société est amplifié par l'augmentation rapide des prix à cause de l'inflation. De plus, pour la première fois au cours des trois dernières années, les prévisions du service des ventes se situent à un niveau inférieur à un million de bâtons. Cette chute des ventes semble être due à la popularité dont jouissent les bâtons en aluminium.

L'encaisse augmente durant les premier et deuxième trimestres, moment où les ventes sont supérieures à la production. Le surplus est investi dans des bons du Trésor et autres titres à court terme. Au cours des six derniers mois de l'exercice, les placements temporaires sont liquidés pour faire face au règlement de comptes. Au début, la société devait effectuer des emprunts à court terme, ce qui n'a pas été nécessaire pour les derniers exercices. Comme les coûts sont plus élevés cette année, le trésorier demande de faire une prévision pour décembre, de manière à pouvoir juger si les 40 000 $ en placements temporaires suffiront pour poursuivre l'exploitation pendant le mois en maintenant un solde minimum en banque de 10 000 $. Si ce montant (40 000 $) s'avérait insuffisant, le trésorier désire entamer des négociations pour un emprunt à court terme.

Les unités vendues au cours des deux derniers mois et celles que l'entreprise prévoit vendre au cours des quatre prochains mois sont les suivantes :

Octobre (donnée réelle)	70 000
Novembre (donnée réelle)	50 000
Décembre (prévision)	50 000
Janvier (prévision)	90 000
Février (prévision)	90 000
Mars (prévision)	120 000

Les bâtons sont vendus 3,00 $ chacun. Toutes les ventes sont effectuées à crédit. La moitié des montants facturés sont perçus au cours du mois de la vente, 40 % au cours du mois suivant celui de la vente et le solde durant le deuxième mois suivant celui de la vente. Les montants encaissés pendant le mois de la vente donnent lieu à un escompte de caisse de 2 %.

Le programme de production qui suit, pour la période de six mois commençant en octobre, respecte la politique de la société de maintenir une main-d'œuvre stable tout au long de l'année, et tient compte des possibilités d'heures supplémentaires :

Octobre (donnée réelle)	90 000
Novembre (donnée réelle)	90 000
Décembre (prévision)	90 000
Janvier (prévision)	90 000
Février (prévision)	100 000
Mars (prévision)	100 000

Les bâtons sont fabriqués à partir de billots de bois qui coûtent 6,00 $ chacun. Dix bâtons peuvent être faits à partir d'un seul billot. Les billots sont acquis un an à l'avance, ce qui leur assure un séchage approprié. Barker paie mensuellement au fournisseur le douzième du coût de ce matériau jusqu'à la fin du contrat. Le paiement mensuel est de 60 000 $.

La semaine de travail comporte 40 heures et s'étend sur 5 jours. Toutefois, durant la période intense de production, la semaine de travail est portée à 6 jours, à raison de 10 heures de travail par jour. Les travailleurs peuvent produire 15 bâtons à l'heure. La production normale mensuelle est de 75 000 bâtons. Les ouvriers de l'usine sont payés au taux de base de 8,00 $ l'heure (augmentation de 0,50 $ par rapport à l'année précédente), majoré de moitié pour les heures supplémentaires.

Les autres coûts de fabrication incluent des frais indirects variables de 0,30 $ l'unité et des frais indirects fixes annuels de 280 000 $. Les amortissements, totalisant 40 000 $, sont inclus dans ces frais indirects fixes. Les frais de vente comprennent des frais variables de 0,20 $ l'unité et des frais fixes annuels de 60 000 $. Les frais fixes administratifs sont de 120 000 $ annuellement. Les frais fixes déboursés sont engagés et payés uniformément tout au long de l'année.

Le contrôleur a recueilli les informations additionnelles suivantes :
a) Soldes de certains comptes au 30 novembre 20X4 :

Encaisse	12 000 $
Titres négociables (coût = valeur au marché)	40 000
Comptes clients	96 000
Frais payés d'avance	4 800
Comptes fournisseurs (achat des matières premières)	300 000
Provision pour congés (dette)	9 500
Billet à payer sur l'outillage	102 000
Impôt sur le bénéfice à payer	50 000

b) Les intérêts à tirer des placements temporaires effectués par la société sont estimés à 500 $ pour le mois de décembre ;

c) Des frais payés d'avance, de 3 600 $, expireront durant le mois de décembre ; on prévoit que le solde du compte Frais payés d'avance sera de 4 200 $ à la fin de décembre ;

d) La société Barker a acheté un outillage supplémentaire en 20X4 lors d'un programme de modernisation de l'usine. L'outillage a été financé au moyen d'un emprunt de 144 000 $. Les termes de l'emprunt comportent des remboursements de capital égaux échelonnés sur les 24 mois suivants et des intérêts au taux de 1 % par mois sur le solde non payé au début du mois. Le premier paiement a été effectué le 1er mai 20X4. Les intérêts relatifs à un mois sont payés au cours du même mois;

e) Un vieil outillage, possédant une valeur comptable de 8 000 $, sera vendu en décembre au prix de 7 500 $ comptant;

f) Chaque mois, la société enregistre des frais de 1 700 $ relativement aux congés, en débitant Frais de congés et en créditant Provision pour congés. L'usine ferme pendant 2 semaines en juin pour les vacances des employés;

g) Un dividende trimestriel de 0,20 $ par action sera payé le 15 décembre aux actionnaires inscrits aux registres. La société Barker a un capital autorisé de 10 000 actions dont 7 000 ont été émises;

h) Le paiement trimestriel d'impôt de 50 000 $ est dû le 15 décembre 20X4.

ON DEMANDE

1. de préparer un tableau prévoyant la situation de l'encaisse au 31 décembre 20X4 et, le cas échéant, de préciser la façon de maintenir le solde de l'encaisse à 10 000 $;

2. en faisant abstraction de la réponse donnée en 1, de supposer que la société Barker doit régulièrement négocier des emprunts à court terme durant la période allant de novembre à février, et d'indiquer la nature des changements à apporter pour réduire ou éliminer les besoins d'emprunt à court terme.

(Adaptation – C.M.A.)

▬▬ EXERCICE 13-10

Hervé ltée est spécialisée dans la fabrication et la vente d'un produit donné. Elle utilise un système de coût de revient standard. Le service de la comptabilité prépare des états mensuels qui présentent, en redressement du coût standard des produits vendus, tous les écarts sur coûts de production. Pour un mois donné, les réalisations et les prévisions du mois sont mises en parallèle. L'état suivant est celui du bénéfice brut relatif au mois d'avril 20X5 :

	Réalisations	Prévisions	Écart	
Unités vendues	38 000	40 000	2 000	D
Chiffre d'affaires	298 300 $	318 000 $	19 700 $	D
Coût standard des produits vendus	228 000	240 000	12 000	F
Écarts				
sur prix des matières	2 000 F		2 000	F
sur quantité de matières utilisées	1 800 D		1 800	D
sur taux de rémunération	3 150 F	4 200 F	1 050	D
sur dépense concernant les frais				
indirects de fabrication	1 200 D		1 200	D
sur volume relatif aux frais indirects				
de fabrication	2 800 F		2 800	F
Total	223 050 $	235 800 $	12 750 $	F
Bénéfice brut	75 250 $	82 200 $	6 950 $	D

La prévision révisée des ventes de mai est de 39 000 unités et le volume de production de mai sera porté à 36 000 unités. Quant au prix de vente, il sera de 7,80 $ au cours du mois de mai. Supposez que la capacité normale est de 20 000 heures.

On fournit les renseignements complémentaires suivants :

a) À cause des délais de livraison qui sont considérables, les commandes de pièces auprès du fournisseur doivent être effectuées plusieurs mois à l'avance. Les quantités commandées mensuellement doivent donc reposer sur la capacité normale (activité moyenne). Le prix des pièces peut varier d'un mois à l'autre. En mai, le prix par pièce excédera de 0,08 $ celui qui était en vigueur en avril. Une seule pièce entre dans la fabrication d'un produit fini. Le prix standard est de 1,00 $ la pièce ;

b) Un nouvel outillage sera utilisé pour la première fois en mai ; on prévoit qu'il y aura moins de matières gaspillées et, également, que la quantité de pièces qui sera utilisée en mai excédera de 2 % la quantité standard ;

c) Les taux de rémunération en mai devraient être identiques à ceux d'avril. Toutefois, on prévoit que le total des heures de main-d'œuvre directe en mai dépassera de 200 les heures standards. À compter du 1er mai, quatre nouveaux ouvriers travailleront à l'atelier du broyage. La norme de production est de deux unités par heure de main-d'œuvre directe ;

d) L'écart sur dépense relatif aux frais indirects de fabrication, qui a existé en avril, est exceptionnel et ne devrait pas se reproduire en mai. Les frais indirects de fabrication sont imputés à la production à raison de 4,00 $ de l'heure standard de main-d'œuvre directe. La partie de coefficient qui a trait aux frais indirects de fabrication variables est de 1,20 $.

ON DEMANDE

1. de présenter l'état des résultats budgétés relatif au mois de mai, avec les écarts sur coûts de production rajustés au coût standard des produits vendus ;
2. d'expliquer pourquoi les prévisions établies font état d'un écart sur taux de rémunération.

(Adaptation – S.C.M.C.)

■■■ EXERCICE 13-11

Soleil ltée, filiale en propriété exclusive de Jardin ltée, fabrique et vend trois gammes de produits principaux. Ces sociétés utilisent des systèmes de coût de revient standard.

Au début de l'exercice 20X5, le président de Soleil ltée a soumis son budget annuel de fonctionnement à la société mère. La contribution de 15 800 $, prévue au budget consolidé, y figure.

L'augmentation des ventes depuis le début de 20X5 a amené le président de Soleil ltée à croire que le bénéfice annuel prévu serait dépassé. Il ne saisit donc pas pourquoi, selon le budget annuel révisé au 30 novembre 20X5 et présenté par le contrôleur, le bénéfice est de quelque 11 % inférieur au bénéfice prévu initialement. Les prévisions annuelles du 1er janvier 20X5 et du 30 novembre 20X5 étaient les suivantes :

SOLEIL LTÉE
Résultats d'exploitation prévus

	Prévisions	
	1er janvier 20X5	30 novembre 20X5
Chiffre d'affaires	268 000 $	294 800 $
Coût standard des produits vendus	212 000 [1]	233 200
Bénéfice brut standard	56 000	61 600
Écart sur volume		(6 000)
Bénéfice brut redressé	56 000 $	55 600 $
Frais de vente	13 400	14 740
Frais d'administration	26 800	26 800
	40 200 $	41 540 $
Bénéfice, compte non tenu de l'impôt	15 800 $	14 060 $

1. Ce montant inclut 30 000 $ de frais indirects de fabrication fixes.

Dans les prévisions révisées, le contrôleur a considéré que les ventes augmenteraient de 10 %. Il a toutefois utilisé les mêmes prix de vente unitaires et la même importance relative des ventes d'un produit par rapport à un autre que ceux qui ont été utilisés lors de l'établissement des prévisions initiales du 1er janvier 20X5. L'écart sur volume relatif aux frais indirects de fabrication fixes résulte de la réduction de la production due à un manque de matières premières causé par une grève. Le nombre d'heures standards de fonctionnement des machines, concernant les unités équivalentes de la production prévue maintenant pour l'exercice, est de 16 000 ; celui des heures standards au niveau de la capacité de production est de 20 000.

ON DEMANDE

1. d'expliquer pourquoi on prévoit maintenant un bénéfice moindre en dépit d'une augmentation des ventes et d'un excellent contrôle des coûts ;
2. d'indiquer l'action qui pourrait être entreprise en décembre par Soleil ltée pour accroître le résultat de l'exercice annuel ;
3. de présenter l'état des résultats prévisionnels qui, à des fins internes, aurait évité les pièges de la méthode actuellement en vigueur.

(Adaptation – C.M.A.)

■ EXERCICE 13-12

En août 20X4, la direction de B ltée décide de s'engager dans un programme d'expansion. Des études de marché ont montré qu'il serait possible d'accroître substantiellement les ventes si on diminuait le prix. Des installations industrielles additionnelles seraient immédiatement disponibles pour faire face au besoin d'accroissement de la production. La direction fournit au comptable les renseignements suivants :

a) On estime vendre le nombre d'unités suivant :

Année et prix	1er trimestre	2e trimestre	3e trimestre	4e trimestre
20X5 – à 8,50 $ l'unité	3 000	7 000	7 000	7 000
20X6 – à 8,00 $ l'unité	7 000	10 000	10 000	10 000

b) Le stock de produits finis (en unités) à la fin de chaque trimestre est égal aux ventes (en unités) estimées pour le trimestre suivant ;
c) La période nécessaire pour transformer les matières premières en produits finis s'étend sur six mois. Toutes les matières premières sont employées dès le début de la fabrication ; la main-d'œuvre ainsi que les frais indirects de fabrication se répartissent également au cours de la période de production ;

Suivant les prévisions de production, on met un lot en fabrication le premier jour de chaque trimestre en utilisant toutes les matières premières en stock. Ainsi, le lot mis en fabrication le 1er octobre épuisera toutes les matières premières en stock au 30 septembre et sera terminé à la fin du mois de mars. De même, le lot mis en fabrication le 1er janvier épuisera toutes les matières premières en stock au 31 décembre et sera terminé à la fin du mois de juin ;

d) Le prix de tous les stocks est fixé suivant la méthode de l'épuisement successif ; procédé du premier entré, premier sorti (PEPS) ;

e) Au cours des sept premiers mois de 20X4, la société a vendu 1 000 unités par mois, au prix de 9,00 $ chacune. Le coût de revient unitaire était le suivant :

Matières premières	1,50 $
Main-d'œuvre directe	1,50
Frais indirects de fabrication	3,00
	6,00 $

La direction estime que ces chiffres de vente et ces coûts de production se maintiendront au même niveau pour le reste de l'exercice. Cependant, on modifiera le rythme de production pendant le reste de l'exercice 20X4 pour accumuler, au 31 décembre 20X4, les stocks de produits finis, de produits en cours et de matières premières prévus au budget ;

f) Les escomptes de quantité sur les achats de matières premières sont estimés à :

1) 4 % sur les achats annuels de 30 000 unités et plus ;
2) 8 % sur les achats annuels de 40 000 unités et plus ;

g) On prévoit que les frais indirects de fabrication augmenteront de 10 % à compter du 1er janvier 20X5, mais que les frais de main-d'œuvre directe demeureront les mêmes à l'unité.

ON DEMANDE

de présenter l'état du bénéfice brut budgété pour 20X5.
(Adaptation – C.A.)

◾ EXERCICE 13-13

Yves Simard, contrôleur de la Clinique Duchesne, prépare le budget de 20X8 en vue de le présenter au comité des finances. Lors de la dernière réunion, le comité, insatisfait du processus de préparation du budget, a demandé à Yves d'élaborer un système plus fiable de planification et de contrôle. En outre, Yves a reçu la consigne de préparer une évaluation financière du projet de centre de désintoxication pour drogués et alcooliques.

Il s'agit d'un hôpital établi dans une petite agglomération, qui compte 200 lits et 5 divisions : la chirurgie, la gériatrie, la pédiatrie, l'obstétrique et l'orthopédie. Chaque division est dirigée par le plus ancien des médecins qui y travaillent. Par le passé, les chefs de division basaient leurs budgets sur les chiffres de l'année précédente qu'ils majoraient de 10 % pour tenir compte de l'inflation et des imprévus. Lorsque le total des prévisions était trop élevé, le comité des finances imposait une réduction répartie au prorata parmi toutes les divisions. Ce système s'est avéré inefficace pour prévoir et contrôler les coûts : les budgets étaient constamment dépassés et les déficits par conséquent chroniques. Au cours d'une réunion récente avec des fonctionnaires du ministère provincial de la Santé, le comité des finances a appris que le ministère refusait de financer de nouveaux déficits.

Dans le but d'améliorer la trésorerie de la Clinique, le conseil d'administration a proposé d'ajouter un centre de désintoxication pour drogués et alcooliques de 15 lits. En effet, la Société Géante, un important fabricant d'une ville voisine, a récemment proposé que la Clinique mette sur pied un centre de désintoxication pour ceux qui, parmi ses employés et les membres de leurs familles, sont aux prises avec des problèmes de drogue et d'alcool. La Société Géante est prête à garantir un taux d'occupation de 80 % de 15 lits, et les premières études ont révélé que les lits restants seraient occupés par des patients provenant d'autres entreprises de la région. La Société Géante prêterait les capitaux nécessaires à l'expansion moyennant un taux d'intérêt annuel de 10 %, et la Clinique rembourserait l'emprunt par des versements annuels égaux pendant dix ans, à même les produits du centre.

Les budgets de la Clinique posent un problème de taille : il existe un grand nombre de postes de frais et, dans la plupart des cas, on ne sait trop s'ils sont fixes, variables ou semi-variables. Yves a alors tenté d'établir une relation statistique entre les coûts et l'activité. En plus des cinq divisions, l'hôpital compte plusieurs services auxiliaires. Dans un premier temps, Yves a établi les coûts de chacun des services auxiliaires ainsi que diverses mesures de l'activité comme le total des sommes facturées aux patients, le nombre de journées d'hospitalisation et de lits disponibles. Cette analyse a permis de dégager la meilleure corrélation entre les coûts et les mesures de l'activité (annexe A).

Yves a ensuite constaté que les renseignements tirés de cette corrélation lui permettraient d'établir le budget de 20X8 et d'évaluer le projet de centre de désintoxication. Il a choisi la division de l'obstétrique pour vérifier le bien-fondé de son approche budgétaire. Il a étudié avec le docteur Trahan, chef de la division, les besoins pour 20X8 (annexe B).

Enfin, Yves a étudié le projet de centre de désintoxication. Le centre utiliserait les installations actuelles des services auxiliaires, à l'exception de la salle d'opération. Il va donc décider que son analyse de corrélation pourrait servir à estimer les coûts de fonctionnement du centre. Les données sur le centre sont présentées sommairement à l'annexe C.

Yves a procédé de la manière indiquée plus haut à l'établissement du budget de la division d'obstétrique et à l'analyse du projet de centre de désintoxication. Il se demande cependant s'il ne devrait pas considérer d'autres techniques utilisées en comptabilité de management, telles que le coût de revient standard et les budgets flexibles pour un contrôle plus efficace des coûts, ainsi que le budget à base zéro pour une meilleure planification.

ON DEMANDE

1. de préparer le budget de 20X8 pour la division d'obstétrique au moyen des données réunies par Yves Simard ;
2. de préparer le budget de caisse annuel relatif au centre de désintoxication proposé par la Société Géante ;
3. de traiter des avantages et des inconvénients du recours à l'analyse de corrélation faite par Yves pour prévoir les coûts des services auxiliaires en vue de l'établissement des budgets à la Clinique et l'évaluation du projet de centre de désintoxication ;
4. de discuter à savoir si les techniques telles que le coût de revient standard, le budget flexible et le budget à base zéro aideraient Yves à résoudre le problème du budget de la Clinique. Traiter chaque technique séparément.

Annexe A
Analyse des coûts des services auxiliaires

À l'aide d'un ordinateur, Yves a réalisé une analyse de régression des coûts engagés par chaque service auxiliaire au cours des cinq dernières années en regard de trois variables : sommes facturées aux patients, nombre de journées d'hospitalisation et nombre de lits disponibles. Il a alors constaté que, dans tous les cas, les coûts étaient davantage corrélés avec le nombre de journées d'hospitalisation. Voici son interprétation des résultats obtenus pour chaque service auxiliaire :

Service auxiliaire	Frais d'exploitation variables par jour par patient	Frais fixes annuels
Service de diététique	25 $	24 000 $
Conciergerie	5	32 000
Laboratoire	26	208 000
Buanderie	8	40 000
Salle d'opération	50	524 000
Pharmacie	14	36 000
Réparations et entretien	5	80 000
Administration générale	29	320 000
Facturation et recouvrement	5	36 000
Secrétariat	10	512 000
Autres*	13	492 000
	190 $	2 304 000 $

* Les « autres » frais comprennent des frais internes de l'hôpital concernant l'assurance, les augmentations salariales et d'autres éventualités.

Yves a ensuite décidé d'imputer les frais fixes annuels à chacune des cinq divisions en fonction du nombre moyen quotidien de lits occupés. Il a prévu un taux d'occupation moyen de 80 % des 200 lits disponibles en 20X8 et retenu l'équation suivante pour la répartition des frais fixes :

2 304 000 $/(200 × 80 %) × nombre moyen quotidien de lits occupés dans la division = 14 400 $ × nombre moyen quotidien de lits occupés dans la division.

Annexe B
Division de l'obstétrique – Besoins budgétaires de 20X8

Les estimations suivantes découlent d'une discussion entre le docteur Trahan, chef de la division, et Yves Simard, contrôleur de l'hôpital, qui a permis de modifier certaines estimations pour les rendre conformes aux prévisions de l'hôpital et aux résultats antérieurs.

Lits disponibles	20
Occupation quotidienne moyenne – taux prévu	90 %
Produit par journée d'hospitalisation	520 $
Salaires du personnel infirmier pour l'année	450 000 $
Honoraires des médecins par journée d'hospitalisation	180 $
Frais généraux fixes de la division pour l'année	100 000 $

Annexe C
Renseignements concernant le projet de centre de désintoxication

Coût total des immobilisations, y compris le matériel	6 000 000 $
Lits disponibles	15
Taux d'occupation quotidien moyen	100 %
Produit quotidien moyen par patient	400 $
Frais	
Salaires annuels du personnel infirmier et des spécialistes en désintoxication	250 000 $
Frais généraux fixes par année	70 000 $

Les frais des services auxiliaires, à l'exception de ceux de la salle d'opération, seraient ventilés selon les mêmes taux que ceux utilisés pour les autres divisions de l'hôpital.
(Adaptation – S.C.M.C.)

▬▬▬ EXERCICE 13-14

À titre de comptable en coût de revient nouvellement engagé par Hautechno inc. (une petite entreprise manufacturière), l'une de vos premières tâches a été d'évaluer le système actuel de budgétisation des coûts et de recommander tout changement de méthode nécessaire. Votre évaluation du système existant démontre que l'entreprise utilise un système de budgétisation où les activités ne sont pas remises en question et où seules les nouvelles activités doivent être justifiées.

Aux fins de budgétisation, la partie fixe et la partie variable des coûts des intrants sont établies et prises en compte.

M. Bélanger, le directeur général, vous avait précisé ses attentes en s'exprimant ainsi : « Je ne sais pas ce que signifie l'expression « budget à base zéro », mais j'ai entendu dire que c'est le fin du fin en technique de budgétisation et qu'il permet d'éliminer le mou d'un budget. Par conséquent, je suggère que vous examiniez la possibilité d'adopter le système du « budget à base zéro ». »

ON DEMANDE

de présenter le rapport que vous transmettrez à M. Bélanger au terme du travail d'évaluation demandé.
(Adaptation – S.C.M.C.)

EXERCICE 13-15

La direction générale de Consultation ltée est des plus satisfaites du rendement qu'elle a connu au cours des neuf premiers mois du présent exercice. Elle a demandé au contrôleur de présenter un état révisé des résultats qu'elle prévoit pour le quatrième trimestre.

L'analyse des résultats des trois derniers trimestres par rapport aux résultats prévus (voir l'annexe) et de ce qui est anticipé pour le quatrième trimestre amène le contrôleur à tenir compte des éléments suivants dans l'élaboration de l'état révisé des résultats budgétés pour le quatrième trimestre:

a) L'entreprise, qui a pu compter jusqu'à présent sur 10 conseillers en gestion et 15 conseillers en informatique, a embauché 3 nouveaux conseillers en gestion qui commenceront à travailler au tout début du quatrième trimestre.

b) Les taux horaires de facturation pour les conseils fournis à la clientèle correspondront aux taux prévus, soit 90 $ dans le cas des conseillers en gestion et 75 $ dans le cas des conseillers en informatique. Au cours de chacun des trois premiers trimestres, l'entreprise a pu facturer 50 heures de plus par conseiller que le nombre d'heures prévues, et l'entreprise s'attend à ce qu'il en soit de même pendant le quatrième trimestre.

c) Les salaires annuels prévus ont été les suivants:

Pour un conseiller en gestion	50 000 $
Pour un conseiller en informatique	46 000

La direction générale a toutefois décidé d'augmenter de 10% les salaires des conseillers qu'elle emploie déjà. L'augmentation entre en vigueur le premier jour du quatrième trimestre. Le salaire de tout nouveau conseiller correspondra à celui utilisé aux fins de l'élaboration des résultats prévisionnels pour l'exercice.

d) Les avantages sociaux dont on avait tenu compte représentaient 30% des salaires prévus. Ils seront portés à 40% à compter du début du quatrième trimestre.

e) Le budget initial tenait compte d'un taux horaire fixe par heure de consultation, à titre de frais de déplacement non remboursés par les clients. L'entreprise décide de s'en tenir à cette politique.

f) Les produits «Autres» sont des produits tirés de placements et de locations, et l'entreprise ne prévoit aucune modification à ce sujet.

g) Les frais généraux d'administration réels ont été inférieurs de 7% par rapport à ceux prévus, et il ne sera de même au cours du quatrième trimestre.

h) Les amortissements sont linéaires et ils devraient demeurer inchangés.

Annexe

Division Mason
Résultats budgétés

	1er trimestre	2e trimestre	3e trimestre
Produits			
Honoraires de consultation			
Gestion	315 000 $	315 000 $	315 000 $
Informatique	421 875	421 875	421 875
Autres	10 000	10 000	10 000
	746 875 $	746 875 $	746 875 $
Charges			
Salaires et avantages sociaux des conseillers	386 750	386 750	386 750
Frais de déplacement	45 625	45 625	45 625
Frais généraux d'administration	100 000	100 000	100 000
Amortissements	40 000	40 000	40 000
	572 375 $	572 375 $	572 375 $
Bénéfices	174 500 $	174 500 $	174 500 $

ON DEMANDE

de présenter l'état révisé des résultats budgétés pour le quatrième trimestre du présent exercice.
(Adaptation – C.M.A.)

■■■■ EXERCICE 13-16

On vous présente l'état du bénéfice brut prévu et l'état du bénéfice brut réel relatifs à un exercice annuel. L'entreprise ne vend qu'un seul produit.

a) *Prévisions budgétaires*

Ventes (25 000 unités)	5 000 000 $
Coût des produits vendus	
Matières premières (50 000 kg × 20 $)	1 000 000
Main-d'œuvre directe (125 000 heures × 6 $)	750 000
Frais indirects de fabrication variables	
(50 % du coût de la M.O.D.)	375 000
	2 125 000 $
Bénéfice brut	2 875 000 $

b) *Chiffres réels*

Ventes (24 000 unités)	5 040 000 $
Coût des produits vendus	
Matières premières (45 000 kg × 22 $)	990 000
Main-d'œuvre directe (130 000 heures × 6,60 $)	858 000
Frais indirects de fabrication variables	
(50 % du coût de la M.O.D.)	429 000
	2 277 000 $
Bénéfice brut	2 763 000 $

ON DEMANDE

de faire une analyse détaillée de l'écart global entre le bénéfice brut réel et le bénéfice brut prévu.

■ EXERCICE 13-17

Le président de la société T.F. Jacquemin, qui fabrique un seul produit, vient de recevoir le rapport de contrôle budgétaire suivant:

SOCIÉTÉ T.F. JACQUEMIN
Rapport de rendement budgétaire
de l'exercice terminé le 31 décembre 20X3

	Prévisions budgétaires	Chiffres réels	Écarts	
Unités fabriquées et vendues	10 000	11 000	1 000	F
Chiffre d'affaires	250 000 $	272 250 $	22 250 $	F
Coût des produits vendus				
Matières premières	60 000	65 340[1]	5 340	D
Main-d'œuvre directe	40 000	42 790[2]	2 790	D
Frais indirects de fabrication variables	50 000	54 120	4 120	D
Frais indirects de fabrication fixes	30 000	30 000	– 0 –	
Coût total des produits vendus	180 000 $	192 250 $	12 250 $	D
Bénéfice brut	70 000 $	80 000 $	10 000 $	F
Frais de vente variables	20 000	29 850	9 850	D
Frais de vente et d'administration fixes	20 000	20 000	– 0 –	
	40 000 $	49 850 $	9 850 $	D
Bénéfice	30 000 $	30 150 $	150 $	F

1. Quantité réelle de matières premières utilisées : 32 500 kg.
2. Heures réelles de main-d'œuvre directe utilisée : 2 100 heures.

Le coût de production variable unitaire prévu est le suivant :

Matières premières (3 kg à 2 $ le kg)	6 $
Main-d'œuvre directe (0,2 heure à 20 $ l'heure)	4
Frais indirects de fabrication variables (25 $ l'heure de main-d'œuvre directe)	5
Coût de production variable unitaire prévu	15 $

Le président s'estime très satisfait du rendement du directeur des ventes pour l'exercice, comme en témoigne son écart total favorable de 12 400 $ (soit 22 250 $ F – 9 850 $ D). Il décide de lui accorder une prime en reconnaissance du travail bien fait. Quant au directeur de la production, le président lui fait parvenir une note de service dans laquelle il lui reproche son piètre rendement (12 250 $ d'écarts défavorables) et le tient responsable du fait que l'entreprise ait obtenu un pourcentage de bénéfice inférieur à celui budgété.

ON DEMANDE

    I. de calculer les écarts sur chiffre d'affaires, matières premières, main-d'œuvre et frais indirects de fabrication variables de la société T.F. Jacquemin, de façon aussi détaillée que le permettent les données ;

    2. d'indiquer si l'évaluation du rendement des directeurs des ventes et de la production par le président était juste. Expliquez votre réponse en détail.

    (Adaptation – S.C.M.C.)

▬▬ EXERCICE 13-18

Vous êtes contrôleur de K ltée. Celle-ci fabrique et vend un article dont la production s'effectue dans deux ateliers différents.

On vient de déterminer les résultats financiers de la société pour le premier trimestre de l'exercice et le président s'inquiète du fait que, d'après le budget établi, la société aurait dû réaliser pour le trimestre un bénéfice de 126 000 $ avant impôt, alors qu'elle a subi une perte de 104 424 $ avant impôt. Le président vous demande de rédiger un rapport concis dans lequel vous devrez résumer et commenter les facteurs importants qui expliquent la différence entre le bénéfice prévu et la perte subie.

Votre adjoint dresse la feuille de travail qui suit, dans laquelle il analyse les résultats du trimestre et donne les détails de l'écart total. Vous constatez que les variations de stocks n'ont qu'un effet négligeable sur les résultats du trimestre.

Analyse de l'écart sur résultats pour le premier trimestre :

	Prévision budgétaires		Chiffres réels		Écarts
Ventes	60 000 u. × 50 $	3 000 000 $	48 000 u. × 55 $	2 640 000 $	(360 000) $
Coût des produits vendus					
Atelier n° 1					
Matières premières	300 000 kg × 3 $	900 000	238 000 kg × 3,40 $	809 200	90 800
Main-d'œuvre directe	80 000 h × 6 $	480 000	80 640 h × 5,50 $	443 520	36 480
Frais indirects de fabrication					
Variables (a)	300 000 kg × 0,50 $	150 000	238 000 kg × 0,55 $	130 900	19 100
Variables (b)	480 000 $ × 20 %	96 000	443 520 × 20 %	88 704	7 296
Fixes		108 000		120 000	(12 000)
		1 734 000 $		1 592 324 $	
Atelier n° 2					
Main-d'œuvre directe	120 000 h × 5 $	600 000	110 000 h × 4,90 $	539 000	61 000
Frais indirects de fabrication					
Variables	600 000 $ × 20 %	120 000	539 000 $ × 30 %	161 700	(41 700)
Fixes		18 000		18 000	– 0 –
		738 000 $		718 700 $	
Coût total des produits vendus		2 472 000 $		2 311 024 $	160 976 $
Bénéfice brut		528 000 $		328 976 $	(199 024)$
Frais fixes de publicité		60 000		39 600	20 400
Frais d'entreposage					
Variables	60 000 u. × 0,50 $	30 000	48 000 × 1 $	48 000	(18 000)
Fixes		24 000		20 400	3 600
Divers frais de vente					
Variables	3 000 000 $ × 5 %	150 000	2 640 000 $ × 6 %	158 400	(8 400)
Fixes		36 000		45 000	(9 000)
Frais d'administration fixes		102 000		122 000	(20 000)
		402 000 $		433 400 $	(31 400) $
Bénéfice (perte) avant impôt		126 000 $		(104 424)$	(230 424) $

ON DEMANDE

de préparer l'analyse demandée par le président. Commenter les différences obtenues.

(Adaptation – C.A.)

■ EXERCICE 13-19

AB ltée vend les produits A et B. Le budget de l'exercice 20X5 était le suivant:

	A			B			Total		
	Unités	Prix	Total	Unités	Prix	Total	Unités	Prix	Total
Ventes	4 000	40 $	160 000 $	1 000	60 $	60 000 $	5 000	44,00 $	220 000 $
Coûts variables	4 000	32	128 000	1 000	45	45 000	5 000	34,60	173 000
Marge sur coûts variables		8 $	32 000 $		15 $	15 000 $		9,40 $	47 000 $

Les résultats réels de l'exercice 20X5 ont été les suivants:

	A			B			Total		
	Unités	Prix	Total	Unités	Prix	Total	Unités	Prix	Total
Ventes	3 700	40 $	148 000 $	1 400	60 $	84 000 $	5 100	45,50 $	232 000 $
Coûts variables	3 700	32	118 400	1 400	45	63 000	5 100	35,58	181 400
Marge sur coûts variables		8 $	29 600 $		15 $	21 000 $		9,92 $	50 600 $

ON DEMANDE

de calculer, en tenant pour acquis que les produits A et B peuvent se substituer l'un à l'autre:

a) l'écart sur volume des ventes;

b) l'écart sur composition.

(Adaptation – S.C.M.C.)

■ EXERCICE 13-20

Multiproduits ltée vend trois produits et ne maintient en stock qu'un nombre d'unités très peu important. De plus, elle utilise un système de coût de revient variable. Le bénéfice brut prévu, ainsi que le bénéfice brut réel concernant le dernier exercice étaient les suivants:

	Bénéfice brut prévu		Bénéfice brut réel	
	Total	À l'unité	Total	À l'unité
Ventes				
Produit A	1 064 000 $	20,00 $	883 500 $	19,00 $
Produit B	912 000	15,00	1 278 750	16,50
Produit C	418 000	11,00	341 000	11,00
	2 394 000 $		2 503 250 $	
Coût des produits vendus				
Produit A	532 000	10,00	465 000	10,00
Produit B	608 000	10,00	891 250	11,50
Produit C	304 000	8,00	217 000	7,00
	1 444 000 $		1 573 250 $	
Bénéfice brut	950 000 $		930 000 $	

ON DEMANDE

de procéder à l'analyse des écarts.

(Adaptation de l'article de Réjean Brault, « L'analyse des variations de profit brut et l'algèbre matricielle », Cost and Management, *janvier-février 1972, p. 6-10)*

■■■ EXERCICE 13-21

Une entreprise vend deux produits. Voici certains renseignements concernant cette entreprise :

a) Ventes totales (en unités) : 10 000 ;

b) Importance relative des unités vendues :
   - 40 % du premier produit ;
   - 60 % du second produit ;

c) Marge (sur coûts variables) moyenne budgétée, compte tenu des quantités réellement vendues : 4,80 $;

d) Importance relative des ventes prévues :
   - 60 % du premier produit ;
   - 40 % du second produit ;

e) Marge (sur coûts variables) moyenne budgétée, compte tenu des quantités de ventes prévues : 5,20 $.

Prenons les deux situations suivantes :

Situation A

Les ventes totales réelles (en unités) correspondent aux ventes totales prévues (en unités).

ON DEMANDE

d'indiquer s'il existe un écart total sur composition. Si oui, déterminer cet écart.

Situation B

Les ventes totales réelles (en unités) représentent deux fois les ventes totales prévues (en unités).

ON DEMANDE

1. de déterminer l'écart global sur composition ;
2. de déterminer l'écart sur composition par produit ;
3. de déterminer l'écart global réellement dû au volume des ventes.

EXERCICE 13-22

S'inspirant d'un modèle que vous lui avez fourni, votre assistant, un technicien en comptabilité, vous présente comme suit l'ébauche de tableau dont l'objet est d'expliquer pourquoi la marge totale sur coûts variables de l'exercice fut différente de la marge sur coûts variables prévue initialement.

	Chiffres réels (Qté × marge unit.)		(1)	(2)	Prévisions (Qté × marge unit.)	
Produit A	25 × 2 $ =	50 $	X	X	20 × 4 $ =	80 $
Produit B	20 × 4 =	80	X	X	40 × 2 =	80
		130 $	X	X		160 $
		Δ/marge unitaire	Δ/com- position		Δ/volume des ventes	

ON DEMANDE

de compléter le tableau précédent en remplaçant chaque X par sa valeur.
(Adaptation d'une question préparée par René Garneau, professeur)

EXERCICE 13-23

JK ltée a vendu 550 000 unités durant le premier trimestre terminé le 31 mars 20X4. Ces ventes représentent une augmentation de 10 % par rapport aux ventes prévues pour le trimestre. En dépit de cette augmentation, le bénéfice a été inférieur au résultat prévu, comme l'état des résultats suivant le montre :

JK LTÉE
État des résultats
pour le premier trimestre terminé le 31 mars 20X4 (en milliers de $)

	Budget	Chiffres réels
Chiffre d'affaires	2 500 $	2 530 $
Frais variables		
Coût des produits vendus	1 475	1 540
Vente	400	440
Total des frais variables	1 875 $	1 980 $
Marge sur coûts et frais variables	625 $	550 $
Frais fixes		
Vente	125	150
Administration	275	300
Total des frais fixes	400 $	450 $
Bénéfice avant impôt	225 $	100 $
Impôt (40 %)	90	40
Bénéfice net	135 $	60 $

Le marché total pour l'ensemble des commerçants a été de 4 800 000 unités, alors que celui prévu était de 4 000 000.

Le service de comptabilité prépare toujours une brève analyse expliquant la différence entre le bénéfice net prévu et le bénéfice net obtenu.

ON DEMANDE

1. d'expliquer l'écart défavorable de 125 000 $ entre le bénéfice obtenu avant impôt et celui qui avait été prévu. Déterminer le montant de l'effet total dû à chacun des facteurs suivants :
   a) variation du prix de vente ;
   b) variation des frais variables unitaires ;
   c) variation du volume (écart global sur volume des ventes) ;
   d) variation des frais fixes ;
2. d'analyser de façon détaillée l'effet total dû au volume.
(Adaptation – C.M.A.)

■ EXERCICE 13-24

Goulet inc. fabrique deux produits distincts, A et B. En raison de la concurrence élevée qui existe pour ses produits, elle base son budget annuel sur sa part du marché exprimée en pourcentage. Le président de la société vient de recevoir les données suivantes pour l'exercice se terminant le 31 décembre 20X4:

	Chiffres budgétés (en milliers)	Chiffres réels (en milliers)
Taille du marché (en unités)		
Produit A	4 800	5 040
Produit B	8 000	8 400
	12 800	13 440
Unités fabriquées et vendues		
Produit A	120	106
Produit B	200	230
	320	336
Part totale du marché	2,5 %	2,5 %

	Chiffres budgétés (en milliers)		Chiffres réels (en milliers)	
Ventes				
Produit A	6 000 $		5 406 $	
Produit B	13 000	19 000 $	14 490	19 896 $
Coûts de fabrication variables				
Produit A	3 300		2 915	
Produit B	10 100	(13 400)	11 615	(14 530)
Frais de vente variables				
Produit A	300		159	
Produit B	500	(800)	920	(1 079)
Marge sur coûts variables		4 800		4 287
Coûts fixes		3 600		3 600
Bénéfice avant impôt		1 200 $		687 $

Dès qu'il a pris connaissance de ces chiffres, le président vous fait venir, vous le contrôleur, et vous dit: «Que fait donc Bernard Sicotte (le directeur du marketing)? Je sais que les marchés se développent plus vite que prévu et j'ai dit à Bernard que s'il atteignait la part du marché prévue, il recevrait une prime. Bien sûr, j'ai supposé que les profits augmenteraient proportionnellement. Comment les profits réalisés peuvent-ils être inférieurs à ceux budgétés quand les ventes sont supérieures? Ai-je offert la prime trop rapidement? Je veux une analyse complète de la situation. Je veux également que vous évaluiez le résultat obtenu par Bernard en fonction de l'expansion des marchés et de mes directives.»

ON DEMANDE

de préparer une réponse au président.
(Adaptation — S.C.M.C.)

■■■ EXERCICE 13-25

Les Établissements Lachute fabriquent le produit SCRAM, un détersif industriel. Le 15 novembre 20X8, le président, M. Émile Trottier, demande au contrôleur, Cathy Collins, de dresser une analyse des résultats du dernier exercice.

M. Trottier présente l'état des résultats suivant:

ÉTABLISSEMENTS LACHUTE
État des résultats
de l'exercice se terminant le 30 septembre 20X8

	Résultats réels		Résultats prévus au budget de	Écarts par rapport aux prévisions
	20X7	20X8	20X8	budgétaires
Chiffre d'affaires	910 000 $	880 000 $	1 000 000 $	(120 000) $
Coût des produits vendus	837 200	809 800	860 000	50 200
Bénéfice brut	72 800	70 200	140 000	(69 800)
Frais de vente et d'administration	120 000	132 000	138 000	6 000
Bénéfice (perte) avant impôt	(47 200) $	(61 800) $	2 000 $	(63 800) $

Cathy extrait certains renseignements supplémentaires de divers registres tenus indépendamment de ceux du service de la comptabilité:

a) Un communiqué de Statistique Canada, daté d'octobre 20X8, portant sur l'état du marché des détersifs industriels du genre de SCRAM, contenait les données suivantes relatives aux exercices se terminant le 30 septembre:

	20X7	20X8
Ensemble des fabricants (y compris les Établissements Lachute)		
Ventes		
en dollars	6 500 000 $	6 970 000 $
en unités	650 000	689 000
Part du marché des Établissements Lachute		
Ventes		
en dollars	910 000 $	880 000 $
en unités	91 000	80 000

En août 20X7, le Conseil économique du Canada avait prévu, pour l'année suivante, un taux de croissance économique de 9,89 %. Compte tenu de ce fait, la société avait décidé, à cette époque, de mettre 100 000 unités sur le marché au cours de l'exercice 20X8 et de les vendre 10 $ l'unité ;

b) À la fin de septembre 20X7, le service du marketing a augmenté de 1 $ le prix de vente à l'unité, et en a donné comme raison la hausse des coûts entraînée par la signature de nouvelles conventions collectives et la baisse de la productivité. Le service du marketing est d'avis que, sans cette augmentation de prix, la société aurait pu continuer à maintenir sa part du marché ;

c) Depuis quatre ans, le volume des stocks de produits en cours et de produits finis est pratiquement stable. Les stocks sont évalués au coût standard et tous les écarts relatifs aux frais de fabrication sont imputés au compte Coût des produits vendus à la fin de chaque exercice.

Pour les exercices se terminant le 30 septembre, l'analyse du coût des produits vendus permet de dégager les données suivantes :

	Coût réel 20X7	Coût réel 20X8	Coût prévu 20X8
Matières premières	445 900 $	408 000 $	460 000 $
Main-d'œuvre directe	191 100	201 600	200 000
Frais indirects de fabrication variables	100 100	88 200	100 000
Frais indirects de fabrication fixes	100 100	112 000	100 000
	837 200 $	809 800 $	860 000 $

d) En 20X8, le production a nécessité 82 000 kilogrammes de matières premières et 28 000 heures de main-d'œuvre directe. Quatre-vingt mille (80 000) unités vendables ont été produites et vendues au cours de l'année.

Le coût standard de SCRAM se décompose comme suit :

Matières premières (1 kilogramme)	4,60 $
Main-d'œuvre directe (⅓ heure)	2,00
Frais indirects de fabrication variables (3,00 $ l'heure de main-d'œuvre de fabrication directe)	1,00
Frais indirects de fabrication fixes	1,00
Coût unitaire standard total	8,60 $

L'imputation des frais indirects de fabrication variables et fixes est de 2 $ par unité pour une production normale de 100 000 unités, production qui représente 80 % de la capacité de production de la société.

Pour l'exercice 20X7, les registres montrent un écart défavorable net d'environ 7 % par rapport au coût standard.

John prétend que le produit des Établissements Lachute est de meilleure qualité que les autres détersifs industriels du même type offerts par les entreprises concurrentes ;

e) Les frais de vente et d'administration sont fixes, à l'exception de la commission des vendeurs, qui est de 0,70 $ par unité de SCRAM vendue. Au cours de l'exercice, le personnel de bureau s'est accru d'une personne, ce qui n'était pas prévu ;

f) Les frais fixes comptabilisés par la société en 20X8 ont été de 188 000 $.

ON DEMANDE

d'effectuer l'analyse demandée à Cathy.
(Adaptation – C.A.)

■■■ EXERCICE 13-26

Julien Lafeuille, président de Gingo ltée, est très satisfait, bien qu'intrigué, des résultats d'exploitation de 20X6 (tableau 1). Connaissant les problèmes qu'ont éprouvés les services Fabrication et Marketing durant l'exercice, il ne s'attendait pas à ce que le bénéfice réel d'exploitation excède le bénéfice budgété. Julien accorde une grande importance au respect du budget de la part de ses directeurs, désireux qu'il est de s'assurer que le bénéfice projeté soit réalisé.

TABLEAU 1
Résultats d'exploitation de l'exercice terminé le 31 décembre 20X6

	Budget fixe	Données réelles
Ventes en kg	1 425 000	1 920 000
Ventes en dollars	17 575 000 $	24 672 000 $
Frais variables		
Fabrication	10 022 500	13 440 000
Vente	4 560 000	7 968 000
Total des frais variables	14 582 500 $	21 408 000 $
Marge sur coûts variables	2 992 500 $	3 264 000 $
Frais fixes		
Fabrication	550 000	565 000
Vente	345 000	370 000
Administration	150 000	140 000
Total des frais fixes	1 045 000 $	1 075 000 $
Bénéfice d'exploitation	1 947 500 $	2 189 000 $

Gingo fabrique deux gammes de produits, des pastilles de chlorure et de bromure pour piscines privées. La production et les ventes se mesurent en kilogrammes ; le bromure est le plus cher des deux. Lorsque arrive décembre, le contrôleur prépare le budget de l'exercice suivant, mais il lui est difficile de prévoir les ventes, qui dépendent en grande partie du climat et de la préférence imprévisible des clients pour l'un ou l'autre des deux produits. Le directeur des ventes est consulté. On estime quelles seront les ventes totales en kilogrammes et la part de marché de chacun des deux produits de Gingo. À partir de ces prévisions, on établit le budget. Les éléments fixes et variables des coûts budgétés sont axés sur les chiffres révisés de l'exercice courant, de façon à obtenir les meilleures estimations pour l'exercice suivant.

Au cours de l'année 20X6, le programme de production a dû subir de nombreuses modifications pour s'ajuster à la demande, ce qui a donné lieu à des problèmes et des pertes de production. Le directeur des ventes a cherché à stimuler la vente du bromure, parce que le prix de vente unitaire est le plus élevé, et se réjouit de l'excédent des ventes par rapport au budget.

Julien demande au contrôleur de lui remettre une analyse détaillée des résultats d'exploitation et une recommandation quant à la remise de gratifications aux directeurs des ventes et de la production. Le contrôleur commence par rassembler, au regard de 20X6, les estimations budgétaires initiales de coûts et de chiffre d'affaires ainsi que les données réelles qu'il tire des registres comptables et des statistiques relatives aux ventes et au marché (tableau 2).

TABLEAU 2
Données relatives aux ventes, aux coûts et au marché pour 20X6

	Budget fixe		Données réelles	
	Chlorure	Bromure	Chlorure	Bromure
Frais variables par kg				
Fabrication	5,75 $	8,50 $	6,25 $	7,50 $
Vente	2,50	4,00	2,50	5,25
Prix de vente par kg	10,00 $	15,00 $	10,00 $	14,75 $

	Volume de vente et volume du marché (part de marché)			
	Kg budgétés		Kg réels	
Volume de vente de Gingo				
Chlorure	760 000	(8 %)	768 000	(8 %)
Bromure	665 000	(7 %)	1 152 000	(12 %)
Volume du marché total	9 500 000	(100 %)	9 600 000	(100 %)

ON DEMANDE

1. de préparer le budget flexible de Gingo pour 20X6 à partir des données des deux tableaux. Votre budget comportera trois colonnes : une pour chacune des deux gammes de produits et une pour l'entreprise dans son ensemble ;
2. de préparer une analyse des écarts. Déterminer les écarts relevant du service Marketing et ceux relevant du service Fabrication. Enfin, trouver le service, Marketing ou Fabrication, auquel incombe la responsabilité des écarts ;
3. de recommander un système de gratification fondé sur le rendement des directeurs des ventes et de la production.

(Adaptation – S.C.M.C.)

■■■ EXERCICE 13-27

L'entreprise manufacturière Médium, fabricant d'un seul produit, utilise la méthode du coût de revient complet standard pour la détermination du coût de production, la planification et le contrôle. Pour des ventes et une production annuelles prévues de 96 000 unités et un prix de vente unitaire prévu de 16 $, les coûts standards s'établissent comme suit pour l'exercice courant :

	Coût unitaire
Matières directes	3,30 $
Main-d'œuvre directe	2,20
Frais indirects de fabrication variables	1,50
Frais indirects de fabrication fixes	5,00
Coût standard de fabrication	12,00
Frais de vente variables	0,50
Frais de vente fixes	2,00
	14,50 $

Les charges mensuelles fixes prévues représentent 40 000 $ de frais indirects de fabrication et 16 000 $ de frais de vente et d'administration.

Le président examine le rapport suivant qui vient de lui être remis :

	Budget initial de janvier	Chiffres réels de janvier	Budget révisé de février
Ventes (à 16 $)	144 000 $	96 000 $	121 600 $
Coût standard des produits vendus	108 000	72 000	91 200
Bénéfice brut au coût standard	36 000	24 000	30 400
Écart sur volume	5 000	5 000	(15 000)
Bénéfice brut redressé	41 000	29 000	15 400
Frais de vente et d'administration	20 500	19 000	19 800
Bénéfice	20 500 $	10 000 $	(4 400) $

Les ventes de janvier, qui devaient être plus élevées que la normale, se sont en fait avérées inférieures de 3 000 unités par rapport aux prévisions parce que la commande la plus importante de l'entreprise a été annulée en raison d'une grève à l'usine du client.

Le président est content que la productivité ait été maintenue. En janvier, tous les coûts contrôlables ont correspondu aux standards fixés, et il devrait en être de même en février. Le président est toutefois perplexe et mécontent des résultats contenus dans le rapport : « Les ventes de janvier, dit-il, se situent au-dessous du seuil de rentabilité mensuel dégagé par l'analyse classique des relations coût-volume-profit préparée au début de l'exercice, et on prévoit que les ventes de février devraient dépasser le seuil de rentabilité. Comment alors se fait-il que le rapport indique un bénéfice pour janvier et prévoit une perte pour février ? »

ON DEMANDE

1. de recalculer le résultat pour janvier, en gardant à l'esprit les préoccupations du président, et d'expliquer en détail la ou les causes de l'écart existant entre le résultat calculé et le bénéfice indiqué dans le rapport ;
2. d'expliquer en détail la ou les causes de l'écart existant entre le bénéfice de janvier indiqué dans le rapport et le résultat prévu pour février dans le budget révisé.

(Adaptation – S.C.M.C.)

■ EXERCICE 13-28

La société Nord-Sud ltée est une entreprise qui fabrique et vend un seul produit. Voici quel était, dans le budget général, son état prévisionnel des produits et des charges (à l'exception de l'impôt sur le bénéfice) pour l'exercice qui vient de se terminer :

Ventes (19 000 unités à 7,00 $)			133 000 $
Coût standard des produits vendus			
Matières premières (19 000 unités à 1,50 $)		28 500 $	
Main-d'œuvre directe (19 000 unités à 1,20 $)		22 800	
Frais indirects de fabrication			
Fixes (19 000 unités à 1,50 $)	28 500 $		
Variables (19 000 unités à 0,80 $)	15 200	43 700	95 000
Bénéfice brut (standard)			38 000
Écart sur volume (20 800 – 19 800) 1,50 $			1 500
			39 500
Frais de vente et d'administration			
Fixes	20 000		
Variables (19 000 unités à 0,50 $)	9 500		29 500
Bénéfice prévu au budget (avant impôt)			10 000 $

La société comptabilise les coûts de fabrication par la méthode du coût complet standard. Elle n'a produit que 20 500 unités au lieu des 20 800 prévues. La capacité normale de production est de 19 800 unités.

L'état des résultats de l'exercice se présente comme suit :

NORD-SUD LTÉE
État des résultats
pour l'exercice terminé le...

Ventes (20 000 unités à 7,50 $)		150 000 $
Coût standard des produits vendus		100 000
		50 000
Écarts sur coûts de fabrication		
Matières premières	1 025 $	
Main-d'œuvre directe	820	
Budget relatif aux frais indirects de fabrication fixes	1 000	
Volume	(1 050)	
Frais indirects de fabrication variables	410	2 205
		47 795
Frais de vente et d'administration		
Fixes	20 500	
Variables	9 800	30 300
Bénéfice de l'exercice (avant impôt)		17 495 $

ON DEMANDE

de procéder à l'analyse de la différence de 7 495 $ entre le bénéfice de 10 000 $ prévu dans le budget général et le bénéfice réel de 17 495 $.
(Adaptation – S.C.M.C.)

▬ EXERCICE 13-29

Éclair ltée, filiale d'une importante entreprise manufacturière de meubles, fabrique et vend un seul produit connu sous le nom de Sibo. La société prépare mensuellement des états de résultats conformément à la méthode du coût complet, ainsi qu'une analyse de la différence entre le résultat réel et le résultat budgété.

Les résultats constatés pour le mois de mars 20X6 sont indiqués ci-après :

ÉCLAIR LTÉE
État des résultats
pour le mois de mars 20X6

Ventes (11 000 unités à 12 $)			132 000 $
Stock de produits finis au 1er mars 20X6			
(4 000 unités)		31 200 $	
Coût de fabrication (13 000 unités)			
Matières premières (1,30 $ l'unité)	16 900 $		
Main-d'œuvre (1,70 $ l'unité)	22 100		
Frais indirects de fabrication (4,80 $ l'unité)	62 400	101 400	
		132 600	
Stock de produits finis au 31 mars 20X6		46 800	
		85 800	
Écart sur volume relatif aux frais indirects de			
fabrication		3 000	82 800
Bénéfice brut			49 200
Frais de vente et d'administration (fixes et variables)			40 500
Bénéfice avant impôt			8 700 $

On fournit les renseignements complémentaires suivants :
a) le comportement de tous les coûts du mois de mars est représentatif de ce qu'on avait prévu. Le prix de vente, prévu à 13 $, a cependant été réduit à 12 $;
b) l'activité industrielle normale est de 12 000 unités par mois ;
c) la société aurait réalisé un bénéfice de 20 400 $ avant impôt si le nombre d'unités fabriquées et celui des unités vendues avaient correspondu au nombre prévu de 12 000 unités et si le prix de vente avait été de 13 $.

ON DEMANDE

d'effectuer l'analyse de la différence entre le bénéfice de 8 700 $ et le bénéfice prévu initialement de 20 400 $, sachant que l'entreprise utilise un système de coût de revient standard.

■■■ EXERCICE 13-30

La présidente d'une association professionnelle est très satisfaite des résultats relatifs à novembre 20X8 (voir annexe A) qu'a connus le Service de formation continue de ladite association. Toutefois, elle demande au responsable du Service de lui expliquer tout écart représentant au moins 5 % par rapport au montant budgété.

À cette fin, le responsable du Service a listé les données suivantes qui lui ont permis de présenter l'annexe B :

a) Le budget relatif à l'exercice 20X8 a été arrêté en décembre 20X7. Le seul programme de cours prévu pour novembre 20X8 comportait des cours qui devaient être offerts à Montréal du 14 au 18 novembre 20X8 inclusivement à raison de huit cours par jour. On prévoyait 425 participants et 1 000 jours/cours.

b) Les droits d'inscription aux cours prévus étaient de 150 $ par jour de cours. Toutefois, on prévoyait faire bénéficier le participant d'un unique rabais de 10 % par jour de cours s'il s'abonnait aux publications de l'association ou s'il était le deuxième, le troisième, etc., du même organisme ou de la même entreprise à s'inscrire. De sorte qu'en se fondant sur l'expérience antérieure, il fut tenu pour acquis que le rabais de 10 % ne s'appliquerait que sur 300 jours/cours.

c) Trois articles du budget et les montants unitaires ayant servi à chiffrer les montants totaux budgétés correspondants sont les suivants :
   - Repas, etc., par jour et par participant   27 $
   - Matériel didactique par participant   8
   - Honoraires quotidiens par animateur   1 000

d) Il y eut 530 participants aux cours dispensés en novembre 20X8 et le nombre de jours/cours a été de 1 280. Ce nombre de 1 280 tient compte du fait que 20 individus se sont inscrits à un cours d'une durée de 2 jours portant sur la comptabilisation des coûts relatifs aux régimes de retraite. Ce cours n'avait pas été prévu lors de l'élaboration du budget pour novembre 20X8. Le Service a dû faire appel à un nouvel animateur pour dispenser ce cours. Voici l'analyse des 1 280 jours/cours :

Sans rabais	704
Avec rabais	
Par suite d'abonnements	256
Par suite du nombre d'individus venant d'un même organisme	320
	1 280

e) La publicité faite par la poste a porté à la fois sur le programme de cours offerts à Montréal, et sur celui des cours qui allaient être offerts à Québec en décembre 20X8. Le fait d'avoir profité de l'occasion pour publiciser le programme de cours offerts à Québec a eu pour effet d'accroître de 5 000 $ les frais de publicité.

Cela a également eu pour effet que le Service de formation continue a perçu en novembre même des droits d'inscription au programme de cours destiné aux gens de la région de Québec. Ces recettes exprimées en jours/cours représentent ce qui suit :

Sans rabais	140
Avec rabais	60
	200

f) Le Service de formation continue met régulièrement à jour sa banque de cours, ce qui l'amène à consacrer chaque mois 2 000 $ à cette fin. L'écart qui s'est produit à ce chapitre en novembre a trait à l'élaboration d'un cours qui devrait être dispensé pour la première fois en février 20X9. L'élaboration d'un tel cours n'avait pas été prévue lors de la préparation du budget pour novembre 20X8.

Annexe A

SERVICE DE FORMATION CONTINUE
Résultats
pour novembre 20X8

	Chiffres réels	Chiffres budgétés	Écart favorable (défavorable)	Pourcentage de l'écart
Produits				
Droits d'inscription	212 460 $	145 500 $	66 960 $	46,0
Charges				
Repas	32 000	27 000	(5 000)	18,5
Matériel didactique	4 770	3 400	(1 370)	40,3
Honoraires des animateurs	42 000	40 000	(2 000)	5,0
Frais de déplacement des animateurs	9 885	9 600	(285)	3,0
Salaires et avantages sociaux des employés permanents	12 250	12 000	(250)	2,1
Frais de déplacement des employés permanents	2 400	2 500	100	4,0
Publicité	25 000	20 000	(5 000)	25,0
Élaboration de cours	5 000	2 000	(3 000)	150,0
	133 305 $	116 500 $	(16 805) $	
Excédent des produits sur les charges	79 155 $	29 000 $	50 155 $	

Annexe B

Analyse des résultats
pour novembre 20X8

Produits budgétés			145 500 $	
Écarts				
Sur volume	40 740 $ F			
Sur composition	2 880	D		
Sur démarcation	29 100	F	66 960	F
Produits réels			212 460 $	
Charges budgétées			116 500 $	
Écarts sur quantité				
Repas	7 560	D		
Matériel didactique	840	D		
Honoraires des animateurs	2 000	D	10 400	D
Écarts sur prix				
Repas	2 560	F		
Matériel didactique	530	D	2 030	F
Écarts sur démarcation				
Publicité	5 000	D		
Élaboration de cours	3 000	D	8 000	D
Écarts non analysés (ceux de moins de 5 %)				
Frais de déplacement des animateurs	285	D		
Salaires et avantages sociaux des employés permanents	250	D		
Frais de déplacement des employés permanents	100	F	435	D
Charges réelles			133 305 $	

ON DEMANDE

de préparer un mémo destiné à expliquer le calcul des écarts suivants à la présidente :
a) l'écart sur composition des produits ;
b) les écarts défavorables sur quantité, au montant de 10 400 $;
c) l'écart favorable sur prix relatif aux repas ;
d) l'écart sur démarcation relatif aux produits.
(Adaptation – C.M.A.)

■■■■ EXERCICE 13-31

Au début de 20X9, Paul Kirouac, propriétaire et président de Ménage ABC inc. (ABC), examine les résultats d'exploitation de 20X8 (annexe A), les statistiques de l'industrie (annexe B) et le rapport des écarts (annexe C). La part de marché du secteur Commercial a dépassé, à sa grande satisfaction, la cible de 25 %. En revanche, le secteur Résidentiel n'a pas atteint son objectif de 6 %, ce qui inquiète M. Kirouac. En outre, la faiblesse du bénéfice d'exploitation de 20X8 le préoccupe, car c'est la deuxième année de suite qu'il est aussi bas.

M. Kirouac a fondé son entreprise en 20X0 pour offrir des services et des produits d'entretien aux entreprises commerciales d'une ville canadienne. Vers 20X5, ne pouvant plus superviser personnellement toutes les équipes de ménage, il a désigné des chefs d'équipe qui, en plus de leurs tâches de nettoyage, doivent voir au contrôle de la qualité. M. Kirouac a aussi implanté un système de coût de revient standard dans lequel les standards temps de main-d'œuvre directe et utilisation des frais généraux par unité de ménage sont basés sur les chiffres réels moyens de l'année précédente Une unité de ménage est définie comme une surface de 100 mètres carrés nettoyée par une équipe. Toutefois, la période moyenne requise pour une unité de ménage a augmenté peu à peu. En 20X7, les équipes de ménage commercial prenaient en moyenne 7,5 minutes pour une unité de ménage.

En 20X7, M. Kirouac a cherché à augmenter sa part de marché en proposant des prix inférieurs à ceux de ses concurrents. Il a également décidé d'offrir des services de ménage aux particuliers pour tirer parti de la croissance de ce marché.

Traditionnellement, le marché du ménage résidentiel a été occupé par des femmes de ménage dont les tarifs étaient établis selon le type de travail (c'est-à-dire un ménage hebdomadaire régulier ou des travaux occasionnels comme le grand ménage du printemps). M. Kirouac a décidé que le prix applicable à chaque unité de ménage résiduel serait facturé de façon uniforme pour tous les types de travaux. De plus, il a établi les standards relatifs à ces travaux de nettoyage en se basant sur une modification de ceux utilisés pour les ménages du secteur Commercial.

Pour atteindre la part de marché convoitée, M. Kirouac a toujours insisté auprès de ses chefs d'équipe sur le fait qu'il fallait satisfaire la clientèle. Deux fois par an, il demande à ses clients de remplir une formule d'évaluation, de commenter le rendement des équipes de ménage et de faire des suggestions pour améliorer le service. Il transmet les rapports aux chefs d'équipe pour qu'ils présentent leurs observations. En règle générale, les rapports des clients sur les équipes du secteur Commercial ont toujours été très favorables. Par contre, ceux qui concernent le secteur Résidentiel ont été mitigés ; les commentaires des chefs d'équipe (annexe D) révèlent bien les raisons fondamentales de cet état de choses.

ON DEMANDE

d'analyser l'exploitation de Ménage ABC inc. et de rédiger un rapport à l'intention de son président. Le rapport doit porter non seulement sur l'interprétation du contenu de l'annexe C, mais également sur l'évaluation :
a) de la politique de fixation des prix par unité de ménage de ABC,
b) de ses standards par unité de ménage,
c) de ses pratiques d'évaluation du rendement.
(Adaptation – S.C.M.C.)

Annexe A

MÉNAGE ABC INC.
Résultats budgétés pour 20X8

	Commercial	Résidentiel	Total
Nombre d'unités de ménage	1 200 000	24 000	1 224 000
Chiffre d'affaires			
Ménage à 3,50 $ et 25 $	4 200 000 $	600 000 $	4 800 000 $
Produits d'entretien (coût × 125 %)	900 000	– 0 –	900 000
Chiffre d'affaires total	5 100 000 $	600 000 $	5 700 000 $
Coûts variables			
Main-d'œuvre directe – Ménage[1]	3 600 000	384 000	3 984 000
Frais généraux – Ménage[2]	300 000	6 000	306 000
Coûts des produits d'entretien vendus	720 000	– 0 –	720 000
Total des coûts variables	4 620 000 $	390 000 $	5 010 000 $
Marge sur coûts variables	480 000 $	210 000 $	690 000 $
Frais de vente et d'administration fixes			250 000
Bénéfice d'exploitation			440 000 $

1. Main-d'œuvre directe standard par unité de ménage :
   Commercial
   Taux horaire   = (1 chef d'équipe à 10 $) + (2 employés à 7 $) = 24 $ l'heure ;
   Temps alloué   = 7,5 minutes par unité de ménage (selon les heures réelles en 20X7) ;
   Main-d'œuvre   = (7,5/60) × 24 $ = 3 $.
   Résidentiel
   Taux horaire   = (1 chef d'équipe à 10 $) + (1 employé à 6 $) = 16 $ l'heure ;
   Temps alloué   = 60 minutes ou 1 heure par unité de ménage (selon les heures réelles en 20X7) ;
   Main-d'œuvre   = (60/60) × 16 $ = 16 $.
2. Les Frais généraux – Ménage se rapportent aux fournitures utilisées, aux frais de transport variables et à des frais divers. Le taux standard de 0,25 $ par unité de ménage est fondé sur les frais généraux des années antérieures pour le ménage commercial. On a supposé qu'ils seraient les mêmes pour le ménage résidentiel.

Résultats réels pour 20X8

	Commercial	Résidentiel	Total
Nombre d'unités de ménage	1 320 000	21 000	1 341 000
Chiffre d'affaires			
Ménage à 3,25 $ et 25 $	4 290 000 $	525 000 $	4 815 000 $
Produits d'entretien (coût × 125 %)	1 030 000	– 0 –	1 030 000
Chiffre d'affaires total	5 320 000 $	525 000 $	5 845 000 $
Coûts variables			
Main-d'œuvre directe – Ménage[3]	4 039 200	392 000	4 431 200
Frais généraux – Ménage	264 000	63 000	327 000
Coûts des produits d'entretien vendus[4]	824 000	– 0 –	824 000
Total des coûts variables	5 127 200 $	455 000 $	5 582 200 $
Marge sur coûts variables	192 800 $	70 000 $	262 800 $
Frais de vente et d'administration fixes			260 000
Bénéfice d'exploitation			2 800 $

3. Main-d'œuvre directe réelle par unité de ménage :
Commercial
Taux horaire   = (1 surveillant à 10,50 $) + (2 employés à 7,50 $) = 25,50 $ l'heure ;
Temps consacré = 7,2 minutes par unité de ménage ;
Main-d'œuvre   = (7,2/60) × 25,50 $ = 3,06 $.
Résidentiel
Taux horaire   = (1 surveillant à 10 $) + (1 employé à 6 $)= 16 $ l'heure ;
Temps alloué   = 70 minutes par unité de ménage ;
Main-d'œuvre   = (70/60) × 16 $ = 18 ⅔ $.
4. Le coût réel de chacun des produits d'entretien a été celui qui avait été prévu.

Annexe B
Statistiques de l'industrie

	Ménage ABC	Ménage Rapide	Autres
Prix moyen			
Par unité de ménage – Commercial			
20X6	3,50 $	3,50 $	3,50 $
20X7	3,50 $	3,60 $	3,65 $
20X8	3,25 $	3,70 $	3,80 $
Part de marché – Commercial			
20X6	20 %	20 %	60 %
20X7	22 %	20 %	58 %
20X8	30 %	18 %	52 %

	Ménage ABC	Ménage Rapide	Autres
Prix moyen			
Par unité de ménage – Résidentiel			
20X8 – Clients réguliers	25,00 $		25,00 $
20X8 – Clients occasionnels	25,00 $		40,00 $
Part de marché – Résidentiel			
20X7	2 %		98 %
20X8	5 %		95 %

Annexe C
Rapport détaillé des écarts de 20X8

	Commercial	Résidentiel	Total
Prix de vente par unité de ménage	330 000 $ D	– 0 –	330 000 $ D
Volume des ventes			
Composition – Ménage*	1 324 $ F	46 324 $ D	45 000 $ D
Quantité – Ménage*	28 676 F	20 074 F	48 750 F
Produits d'entretien	26 000 F	– 0 –	26 000 F
	56 000 $ F	26 250 $ D	29 750 $ F
Main-d'œuvre directe			
Taux	237 600 $ D	– 0 – $	237 600 $ D
Temps	158 400 F	56 000 D	102 400 F
	79 200 $ D	56 000 $ D	135 200 $ D
Frais généraux			
Prix	10 000 $ F	2 000 $ F	12 000 $ F
Utilisation	56 000 F	59 750 D	3 750 D
	66 000 $ F	57 750 $ D	8 250 $ F
Frais fixes – Vente et administration			10 000 $ D
Écart total			437 200 $ D

* Les écarts sur composition et sur quantité des travaux de ménage se subdivisent selon la part de marché et la taille de marché :

Écart sur part de marché	55 000 $ F	36 750 $ D	18 250 $ F
Écart sur taille de marché	25 000 D	10 500 F	14 500 D
	30 000 $ F	26 250 $ D	3 750 $ F

Annexe D
Sommaire des observations des chefs d'équipe du secteur Résidentiel sur les rapports d'évaluation des clients

1. Certains employés ont demandé à être mutés au secteur Commercial, même s'il faut travailler le soir et non le jour, car les salaires sont plus élevés et les travaux plus faciles.

2. De nombreux employés ont donné leur démission pour aller travailler dans d'autres entreprises de ménage, et ce, malgré les salaires plus élevés payés par ABC. Parmi les raisons invoquées, citons : a) il n'y a pas assez de travaux répétitifs qui permettent aux employés de connaître les lieux et de répartir les gros travaux sur un certain nombre de visites ; b) il y a trop de clients occasionnels chez lesquels un bon ménage n'a pas été fait depuis des mois ; il s'agit de gros travaux de ménage tels que le lavage de vitres, de murs et de planchers, et c) les normes de qualité ne peuvent pas être respectées dans les délais prévus pour les travaux occasionnels.

3. Bon nombre d'employés tirent peu de satisfaction de leur travail. Certains se sentent coupables de bâcler leur travail chez les clients réguliers de façon à pouvoir accorder plus de temps aux clients occasionnels. D'autres, qui consacrent aux travaux de routine le temps standard par unité de ménage et tentent de passer un peu plus de temps pour les travaux occasionnels, estiment qu'ils font bien les travaux réguliers mais non les travaux occasionnels.

4. Le nombre des ménages réguliers a baissé graduellement au cours de la dernière année alors que les ménages occasionnels ont augmenté de façon constante.

14

LA COMPTABILITÉ PAR CENTRES DE RESPONSABILITÉ ET L'ÉVALUATION DU RENDEMENT DE CES DERNIERS ET DE LEURS TITULAIRES

Depuis toujours, la notion de responsabilité est associée à celle d'autorité. En effet, à toute autorité correspondent certains pouvoirs, dont celui d'utiliser à bon escient les ressources de l'entreprise. Il est donc normal que toute autorité soit responsable de ses actions, ce qui entraîne l'obligation de rendre des comptes.

1. LES PARTICULARITÉS DE LA COMPTABILITÉ PAR CENTRES DE RESPONSABILITÉ

Dans ce chapitre, nous nous attacherons à un aspect particulier de ce que pourrait être la comptabilité, soit l'accumulation et la présentation des données comptables de façon à mettre systématiquement en évidence la responsabilité d'individus en matière de gestion.

L'objectif n'est pas de prendre le responsable ou le groupe en défaut, mais de lui fournir l'aide dont il peut avoir besoin pour mieux comprendre sa tâche et l'accomplir ; cette aide est fournie en définissant cette tâche dans tous ses détails et en la quantifiant en dollars ou en une autre unité de mesure de sorte que, finalement, les ressources de l'entreprise soient utilisées avec un rendement maximal.

La concrétisation de la responsabilité se fait au moyen de rapports comptables qui permettent de comparer des données réelles dans le temps, ou encore les résultats concrets obtenus, à des budgets ou des standards en mettant en évidence les écarts.

À cette fin, la seule distinction qui importe est celle entre produits, coûts et autres éléments financiers contrôlables d'une part, et coûts, produits et autres éléments financiers non contrôlables d'autre part. Théoriquement, seuls les articles contrôlables par le destinataire du compte rendu de gestion le concernant devraient être portés au compte rendu. Certaines entreprises portent quand même au compte rendu soumis au responsable certains articles non contrôlables par ce dernier. Le but est de sensibiliser le responsable à l'existence d'autres articles concernant son unité organisationnelle qui échappent à son contrôle. L'essentiel, toutefois, est que de tels éléments non contrôlables soient bien présentés, dans le compte rendu, comme des articles non contrôlables par le responsable de l'unité organisationnelle.

Prenons les coûts, par exemple. On retrouve habituellement parmi les coûts contrôlables par le responsable situé au plus bas échelon de responsabilité beaucoup plus de coûts variables que de coûts fixes. Plus on monte dans l'échelle des responsabilités, plus la proportion des frais fixes apparaissant aux rapports de contrôle augmente, parce que les responsables ont participé davantage à la décision d'engager ces frais.

Pour qu'un coût soit considéré comme contrôlable par une personne, il suffit que cette personne occupe une fonction telle qu'elle puisse en influencer sensiblement l'importance. Ainsi, un coût en main-d'œuvre directe ne sera pas attribué au service du personnel mais bien au chef d'atelier intéressé, même si ce n'est pas lui qui embauche cette main-d'œuvre.

Il découle de ces observations que l'organigramme de l'entreprise forme la pierre d'assise des comptes rendus de gestion par centres de responsabilité ; il délimite, en effet, les différents centres de responsabilité et détermine ainsi à quels échelons les comptes rendus de gestion seront nécessaires.

Lors du travail préparatoire à la production des comptes rendus de gestion par centres de responsabilité, l'une des tâches les plus difficiles est donc de déterminer avec précision les activités de l'entreprise, de les répartir par centres dont les limites seront précisées. Pour atteindre cet objectif, rien de vraiment efficace ne peut être fait sans la participation active et éclairée de tout le personnel administratif.

La comptabilité par centres de responsabilité est donc tout simplement une modification des mécanismes de comptabilisation en vue d'obtenir des renseignements supplémentaires à partir des données traditionnelles de base. Autrement dit, cette comptabilité n'implique pas un système de tenue de livres complètement différent.

La comptabilité par centres de responsabilité ajoute au système un élément, soit celui d'enregistrer les frais, parfois les valeurs actives et passives ou uniquement les produits, en fonction du contrôle ; aussi, dans le cas d'un individu agissant, par exemple, de façon déterminante sur certains de ces montants, on comptabilise à son centre ces montants.

Ce faisant, le système de comptabilité d'une entreprise industrielle pourrait servir à la fois :

1) de système de comptabilité générale aux fins de rapport externe ;
2) de système de coût de revient pour la détermination des résultats et la prise de décision ;
3) de système de comptabilité par centres de responsabilité pour la planification et le contrôle.

Tout comme le système de coût de revient, la comptabilité par centres de responsabilité est habituellement intégrée à la comptabilité générale.

2. LE PLAN COMPTABLE DE L'ENTREPRISE

Les comptes rendus constituant le produit de la comptabilité par centres de responsabilité, il faut donc que le plan comptable prévoie un numéro pour chacun des centres de responsabilité. C'est ce numéro qui différenciera les données relatives à un niveau donné de responsabilité. La référence s'en trouvera ainsi facilitée.

Le plan comptable suivant peut convenir à un grand nombre d'entreprises car les comptes peuvent comporter jusqu'à 13 chiffres.

Centre de responsabilité	Grand livre général	Subdivisions auxiliaires du grand livre général
XX (01 à 99)	XX (01 à 99)	XXX (001 à 999) XXX (001 à 999) XXX (001 à 999)

A. Codification des centres de responsabilité

Le nombre de X indique le nombre de chiffres d'un compte. Les deux premiers chiffres caractérisent le centre de responsabilité. Le plan pourra convenir à une entreprise qui a moins de 100 centres de responsabilité.

B. Codification des comptes du grand livre général

Les deux chiffres figurant aux comptes du grand livre général proprement dit ont la signification suivante : le premier chiffre, qui peut être de 0 à 9 inclusivement, représente une des catégories principales suivantes des comptes du grand livre général :

1 Actifs liquides
2 Montants à recevoir
3 Stocks
4 Immobilisations
5 Montants à payer à court terme

6 Dettes à long terme et autres passifs

7 Fonds propres

8 Produits

9 Coûts

0 Articles spéciaux

Le second chiffre caractérise une subdivision de chacune des catégories principales précédentes. Ainsi 11 se rapporte à l'**argent en main**, et 12, à l'**argent en banque** ; 93 est réservé aux **frais indirects de fabrication**.

C. Codification des subdivisions auxiliaires de comptes du grand livre général

Certains comptes du grand livre général sont eux-mêmes subdivisés ; on ajoute, pour chaque type de renseignements désiré, un groupe de trois chiffres. Ainsi, le compte du grand livre général 09.93.134.001 pourrait signifier ce qui suit :

09.	Centre de responsabilité : celui du chef de l'atelier 1
93.	Frais indirects de fabrication
134.	13 signifie qu'il s'agit d'une charge sociale
	4 indique la nature de cette charge (assurance-emploi)
001	Section de calcul : atelier 1

09. 93. 134. 001

Il devient dès lors indispensable que les pièces justificatives portent un code qui caractérise :

1) le centre de responsabilité (le chef d'atelier) ;

2) le compte du grand livre général (frais indirects de fabrication) ;

3) le compte auxiliaire (assurance-emploi) ;

4) la section de calcul (atelier 1).

Cet exemple nous oblige ici à faire une distinction ; il nous faut en effet établir la différence entre section de calcul et centre de responsabilité en matière de coûts.

Une section de calcul est, rappelons-le, un groupement de coûts en vue de déterminer le coût de revient. Les coûts peuvent concerner une unité organique de l'entreprise ou une partie fictive de celle-ci. La section de calcul est dite fictive lorsqu'elle ne correspond pas à une des unités figurant à l'organigramme de l'entreprise.

Les coûts ventilés à une section de calcul ne relèvent pas nécessairement d'un même responsable. Ainsi, l'amortissement de l'outillage peut entrer en ligne de compte dans l'accumulation des coûts d'une section de calcul en vue de la détermination du coût de revient des fabrications. Toutefois, en supposant que cette section de calcul soit également un centre de responsabilité, l'amortissement ne sera pas pris en considération dans les comptes rendus de gestion de ce centre, puisqu'il ne peut le contrôler, surtout à ce niveau ; le responsable, en effet, n'a aucun rôle à jouer dans la détermination du montant de l'amortissement et ne peut donc l'affecter d'aucune façon, que la gestion soit efficace ou non.

3.   LES CENTRES DE RESPONSABILITÉ

Le centre de responsabilité est une unité organique de l'entreprise sur la base de laquelle on regroupe les coûts, parfois les valeurs actives et passives ou uniquement les produits qu'elle peut contrôler. Il sert à identifier les individus ou groupes qui doivent répondre de ces articles.

On distingue quatre types de centres de responsabilité : centre de coûts, centre de profit, centre d'investissement et centre de produits. Voici les définitions que l'on peut en donner.

Le centre de coûts est une unité organique de l'entreprise dont le titulaire doit répondre des coûts de l'unité relevant de sa responsabilité Certains de ces centres sont des centres de coûts standards alors que d'autres sont des centres de coûts discrétionnaires.

Nous avons traité, dans le chapitre 7, de mesures de rendement utilisées à l'égard de centres de coûts de production standards. Rappelons qu'il s'est agi, entre autres, de mesurer la production en termes de quantité d'intrants par unité d'extrant. Nous y revenons dans la dernière section du présent chapitre. L'exemple dont nous nous servons indique toutefois que, dans le cas de certains centres de coûts, ce sont d'abord et avant tout des budgets flexibles qui servent à l'évaluation du rendement compte tenu de la difficulté de mesurer l'extrant.

Le centre de produits est une unité organique de l'entreprise dont le titulaire a la responsabilité de la création de produits d'exploitation. Une division de distribution qui vend les produits que fabrique une autre division en est un exemple. Il ne serait pas très approprié de ne mesurer le rendement d'un tel centre qu'en termes de produits d'exploitation générés. En effet, le fait de ne considérer aucune espèce de coûts dans la mesure du rendement est susceptible d'inciter à accroître les produits d'exploitation même si la poursuite de cet objectif peut avoir une incidence sur la rentabilité globale de l'entreprise. Les écarts sur composition des ventes et les écarts sur volume des ventes, en départageant à l'occasion les écarts sur volume des ventes dus à la variation des parts de marché de ceux dus à la variation des tailles de marché, peuvent servir à évaluer le rendement de tels centres.

Le centre de profit est une unité organique de l'entreprise dont le responsable doit répondre de produits d'exploitation et des coûts afférents à l'exploitation en question. À titre d'exemple, mentionnons la division qui fabrique et vend un produit donné.

Le centre d'investissement est normalement un centre de profit dont le responsable décide également des investissements concernant son secteur.

4. LES CENTRES DE COÛTS

Le principal outil utilisé aux fins de l'évaluation du rendement des centres de responsabilité en matière de coûts consiste en la présentation périodique de comptes rendus portant sur les coûts.

Afin d'illustrer la nature des comptes rendus de gestion particuliers à ce type de centres, nous allons établir une série de figures et tableaux d'une entreprise industrielle fictive, Montrouge ltée, utilisant des coûts de revient standards.

La figure I traduit la liaison hiérarchique d'autorité et de responsabilité qui existe entre le chef et ses subordonnés. Le directeur général a sous sa direction trois directeurs : le directeur technique, le directeur administratif et le directeur commercial.

Du directeur technique relèvent :

1) le directeur de l'usine qui est responsable de trois ateliers de fabrication confiés chacun à un chef d'atelier ;

2) le directeur des achats ;

3) le directeur qui supervise le travail de deux autres responsables dont l'un s'occupe du planning et des méthodes de production, l'autre de l'outillage et de l'entrepôt de l'entreprise.

La figure 2 reproduit une branche d'activité, soit celle allant du chef de l'atelier I au directeur général, en passant par le directeur de l'usine et le directeur technique. Les flèches indiquent le sens du flux des informations relatives à l'exécution et à la responsabilité. Cette figure montre également l'articulation ascendante de ces comptes rendus de gestion d'un niveau à l'autre. Les totaux concernant chaque sommaire de coûts contrôlables du centre de responsabilité Atelier I – chef d'atelier sont reportés dans le rapport de la section dont il dépend, c'est-à-dire Sections de production – directeur de l'usine ; ainsi de suite jusqu'au niveau le plus élevé.

La branche de responsabilité choisie ne comporte que quatre niveaux où des comptes rendus sont nécessaires. En pratique, nous pouvons rencontrer un nombre beaucoup plus considérable de niveaux.

Les comptes rendus de gestion

Le premier compte rendu (tableau I) est établi pour le chef de l'atelier I et comprend deux parties : la première a trait aux coûts contrôlables au moyen de budgets flexibles, la seconde aux coûts contrôlables au moyen de coûts standards. Ce compte rendu indique les cinq postes de coûts contrôlables par le chef de l'atelier I. Les coûts réels sont comparés aux coûts budgétés (budget flexible) ou aux coûts standards pour faire apparaître les écarts.

Ces coûts contrôlables ne représentent pas la totalité des coûts de l'atelier, mais seulement ceux pour lesquels le chef de l'atelier engage sa propre responsabilité et dont il influence le comportement.

L'ensemble des coûts (7 200 $ + 411 120 $) représente le total, à ce jour, des coûts contrôlables de l'atelier I.

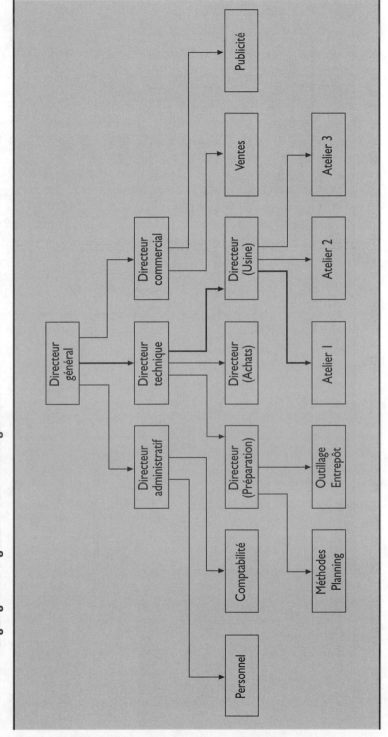

FIGURE I
Organigramme général de Montrouge ltée

FIGURE 2

Articulation des comptes rendus de gestion pour la branche d'activité mise en relief dans la figure I

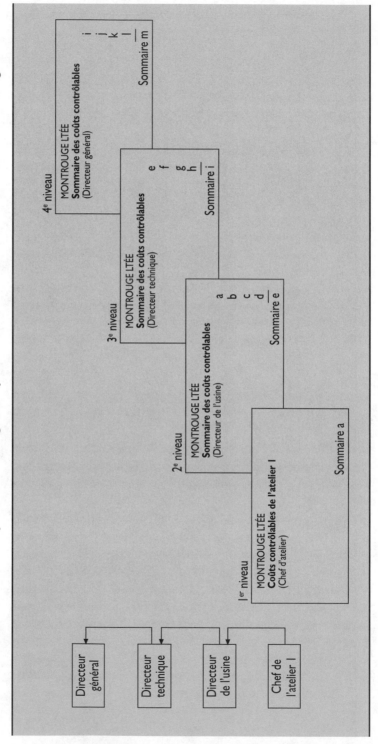

Ainsi, dans le cas présent, les frais indirects de fabrication fixes tels que les amortissements, les impôts fonciers, l'éclairage, le chauffage, les assurances, relèvent du directeur général.

TABLEAU I
Compte rendu de gestion du 1er niveau – Chef de l'atelier I

	Mois de juin 20X5			Cumul depuis le début de l'exercice 20X5		
	Chiffres réels	Budget flexible	Écart	Chiffres réels	Budget flexible	Écart
a) **Sommaire des coûts contrôlables au moyen de budgets flexibles**						
Supervision	800 $	750 $	50 $	4 600 $	4 500 $	100 $
Petit outillage	100	110	(10)	500	500	– 0 –
Fournitures	400	340	60	2 100	2 000	100
Total	1 300 $	1 200 $	100 $	7 200 $	7 000 $	200 $

	Chiffres réels	Coûts standards	Écart	Chiffres réels	Coûts standards	Écart
b) **Sommaire des coûts contrôlables au moyen de coûts standards**						
Matières premières	60 200 $	60 000 $	200 $	400 900 $	400 000 $	900 $
Main-d'œuvre directe	1 810	1 800	10	10 220	10 000	220
Total	62 010 $	61 800 $	210 $	411 120 $	410 000 $	1 120 $
Analyse des écarts sur coûts de base						
Écart sur prix[1]			– 0 –			875 $
Écart sur quantité			200 $			25
Écart sur taux[1]			90			60
Écart sur temps			(80)			160
Total			210 $			1 120 $

---

1. Théoriquement du moins, les écarts sur prix et sur taux ne devraient être inclus dans le compte rendu concernant le chef de l'atelier I que dans la mesure où celui-ci en est responsable.

Considérons maintenant le compte rendu de gestion concernant le second échelon.

Les totaux des sommaires des coûts contrôlables paraissant au compte rendu de l'atelier I, de même que ceux des autres ateliers, ont été reportés sur le compte rendu de gestion destiné au directeur de l'usine (tableau 2). On y porte également les frais de bureau du directeur de l'usine.

L'ensemble des coûts (30 700 $ + 444 925 $) représente les coûts contrôlables pour lesquels on tient pour responsable le directeur de l'usine.

TABLEAU 2
Compte rendu de gestion du 2ᵉ niveau – Directeur de l'usine

	Mois de juin 20X5			Cumul depuis le début de l'exercice 20X5		
	Chiffres réels	Budget flexible	Écart	Chiffres réels	Budget flexible	Écart
a) **Sommaire des coûts contrôlables au moyen de budgets flexibles**						
Bureau du directeur de l'usine (détails)	1 000 $	900 $	100 $	5 500 $	5 400 $	100 $
Atelier 1	1 300	1 200	100	7 200	7 000	200
Atelier 2	1 400	1 430	(30)	8 000	7 500	500
Atelier 3	1 650	1 580	70	10 000	9 860	140
Total	5 350 $	5 110 $	240 $	30 700 $	29 760 $	940 $
	Chiffres réels	Budget flexible	Écart	Chiffres réels	Budget flexible	Écart
b) **Sommaire des coûts contrôlables au moyen de coûts standards**						
Matières premières et main-d'œuvre directe						
Atelier 1	62 010 $	61 800 $	210 $	411 120 $	410 000 $	1 120 $
Main-d'œuvre directe						
Atelier 2	3 020	2 950	70	18 210	18 000	210
Atelier 3	2 510	2 430	80	15 595	15 425	170
Total	67 540 $	67 180 $	360 $	444 925 $	443 425 $	1 500 $

Le tableau 3 représente le compte rendu adressé au directeur technique, c'est-à-dire au responsable du troisième échelon. Celui-ci est en outre responsable du total des coûts placés sous le contrôle immédiat du directeur de l'usine.

On y porte également d'autres montants, soit les frais des services auxiliaires qui rendent des comptes au directeur technique. Il faut ajouter à tout ceci les frais de bureau propres au service du directeur technique.

TABLEAU 3
Compte rendu de gestion du 3ᵉ niveau – Directeur technique

	Mois de juin 20X5			Cumul depuis le début de l'exercice 20X5		
	Chiffres réels	Budget flexible	Écart	Chiffres réels	Budget flexible	Écart
a) **Sommaire des coûts contrôlables au moyen de budgets flexibles**						
Bureau du directeur technique (détails)	1 000 $	875 $	125 $	5 700 $	5 400 $	300 $
Sections de production	5 350	5 110	240	30 700	29 760	940
Sections de préparation	800	820	(20)	4 500	4 700	(200)
Section des achats	1 050	1 100	(50)	6 125	6 800	(675)
Total	8 200 $	7 905 $	295 $	47 025 $	46 660 $	365 $
	Chiffres réels	Budget flexible	Écart	Chiffres réels	Budget flexible	Écart
b) **Sommaire des coûts contrôlables au moyen de coûts standards**						
Matières premières et main-d'œuvre directe	67 540 $	67 180 $	360 $	444 925 $	443 425 $	1 500 $

Passons enfin au compte rendu destiné au quatrième échelon, c'est-à-dire au directeur général de la société (tableau 4).

Les coûts tombant sous la responsabilité du directeur technique ont été transférés à cet échelon supérieur et représentent un fort pourcentage de la responsabilité globale du directeur.

En résumé, ce compte rendu constitue une brève synthèse des coûts contrôlables, engagés d'une part et budgétés ou standards d'autre part, pour chacun des principaux services responsables.

TABLEAU 4

Compte rendu de gestion du 4ᵉ niveau – Directeur général

	Mois de juin 20X5			Cumul depuis le début de l'exercice 20X5		
	Chiffres réels	Budget flexible	Écart	Chiffres réels	Budget flexible	Écart
a) **Sommaire des coûts contrôlables au moyen de budgets flexibles**						
Bureau du directeur général (détails)	6 600 $	6 620 $	(20) $	40 400 $	40 000 $	400 $
Directeur technique	8 200	7 905	295	47 025	46 660	365
Directeur administratif	3 140	3 400	(260)	19 650	19 000	650
Directeur commercial	12 000	12 500	(500)	75 000	73 000	2 000
Total	29 940 $	30 425 $	(485) $	182 075 $	178 660 $	3 415 $
	Chiffres réels	Budget flexible	Écart	Chiffres réels	Budget flexible	Écart
b) **Sommaire des coûts contrôlables au moyen de coûts standards**						
Matières premières et main-d'œuvre directe	67 540 $	67 180 $	360 $	444 925 $	443 425 $	1 500 $

Soulignons quelques avantages caractérisant les comptes rendus précédents. Mentionnons d'abord qu'ils accroissent l'efficacité de la gestion par exception en présentant les données réelles sur une base directement comparable aux données servant de normes (budgets flexibles, standards, etc.). Ensuite, ils motivent davantage les responsables du fait qu'il n'y pas de ventilation d'articles communs (exemple : coûts communs).

5. LES CENTRES DE PROFIT

Face à une croissance soutenue, l'entreprise centralisée doit résoudre des problèmes de plus en plus nombreux et variés. Il apparaît évident qu'une telle structure organisationnelle, qui peut convenir lorsque la croissance de l'entreprise se maintient à l'intérieur de certaines limites, est tout à fait contre-indiquée dans un contexte de croissance constante.

Dès lors, beaucoup d'entreprises ont dû procéder à la décentralisation. Décentraliser l'entreprise est en quelque sorte étendre le concept de la liberté d'entreprise au sein même de la firme. En régime capitaliste, les entreprises se prévalent de cette liberté d'action dans le respect de certaines contraintes que l'État leur impose. C'est, à peu de chose près, ce qui caractérise l'entreprise décentralisée : la direction générale se réserve habituellement certaines décisions ; pour les autres, elle s'en remet à des directions générales d'unités plus restreintes. Il est donc rarement question de décentralisation absolue. Ces unités sont appelées divisions. La figure 3 représente l'exemple d'une structure organisationnelle d'une entreprise décentralisée au sein de laquelle chacune des divisions gère les activités pour un produit donné.

FIGURE 3
Exemple de structure organisationnelle d'une entreprise décentralisée

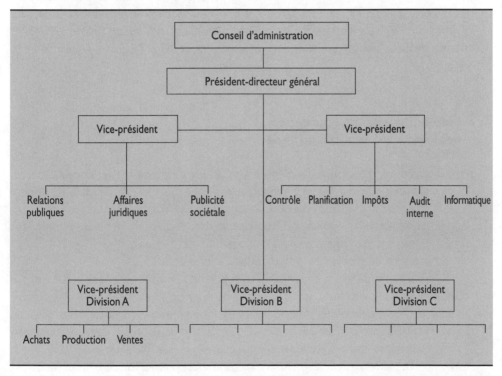

Dans cet exemple de structure organisationnelle décentralisée, les divisions n'ont pas d'entité juridique distincte. En pratique, il arrive également que des entités juridiques soient traitées comme des divisions. Il peut en être ainsi de filiales en propriété exclusive.

La décentralisation ne s'étend pas forcément à toutes les activités déployées au sein de l'entreprise : il peut exister des services centralisés qui sont évalués à partir de budgets flexibles en matière de coût, car ils constituent des centres de coûts et non des centres de profit. Il faudrait normalement, pour qu'une division soit un centre de profit, que son responsable ait le pouvoir et dispose des moyens de contrôler la formation du profit. Or, la division est rarement, en pratique, un centre de profit autonome ; on rencontre même des divisions qui ne possèdent aucune autonomie en matière de conception du produit et de conquête du marché. C'est le cas d'une division qui fabrique un produit intermédiaire entrant dans la fabrication du produit final d'une autre division et pour lequel il n'y a pas de marché extérieur.

L'outil le plus utilisé aux fins de l'évaluation du rendement des centres de profit est la présentation périodique des états des résultats. La détermination de résultats divisionnaires fait la plupart du temps problème. Les raisons tiennent à différentes réalités dont plusieurs ressortiront de la présente étude. Cette détermination des résultats des divisions nous conduit à traiter des prix de cession relatifs aux biens produits et cédés à l'intérieur de l'entreprise que l'on désigne biens intermédiaires. Il importe d'indiquer ici que les cessions internes ne donnent lieu à aucun transfert de fonds des divisions clientes aux divisions cédantes lorsque les divisions n'ont pas d'entité juridique.

A.   Méthodes de détermination des prix de cession interne

Le prix de cession des biens intermédiaires a forcément une incidence sur les résultats divisionnaires. Leur détermination est compliquée par la difficulté d'atteindre à la fois les trois objectifs suivants, à savoir :
1) un rendement divisionnaire allant dans le sens de l'intérêt global de l'entreprise ;
2) le respect de l'autonomie des responsables de division ;
3) le souci de motiver les responsables de division.

Il va de soi que la décentralisation représente un coût pour l'entreprise lorsque les résultats d'ensemble ne sont pas optimaux. À partir du moment où le prix à payer pour la décentralisation (le manque à gagner) est jugé trop élevé, la direction générale intervient. Toutefois, à chaque fois qu'elle le fait en invoquant l'intérêt général, elle discrédite la structure décentralisée qu'elle a elle-même implantée.

La détermination de résultats sectoriels de l'entreprise doit idéalement respecter certains principes. Ainsi, le résultat d'une division cliente devrait demeurer neutre, à la suite d'écarts sur consommations de la part des autres divisions de l'entreprise ou à la suite des manques de productivité de la division cédante.

Plusieurs méthodes sont utilisées pour déterminer les prix de cession interne d'un bien intermédiaire. Nous ne verrons que les suivantes qui sont d'ailleurs les plus utilisées.

a. La production du bien intermédiaire peut être vendue en totalité ou en partie sur le marché

Capacité de production de la division du bien intermédiaire totalement utilisée pour répondre à des commandes externes

Cession au prix du marché ou au prix modifié du marché

Si le bien cédé à l'intérieur peut tout autant être vendu en l'état à l'extérieur, le prix du marché de ce produit intermédiaire, ou le prix du marché défalqué des économies de frais de vente en cédant à l'interne, est souvent utilisé pour évaluer les cessions internes du bien. On prétend alors que l'usage d'un tel prix assure le meilleur résultat pour l'ensemble de l'entreprise. Il faut toutefois noter que, pour qu'il en soit ainsi, les demandes des produits intermédiaires et finals doivent être indépendantes, ce qui est plutôt rare. Si tel n'est pas le cas, les résultats de l'entreprise ne seront pas nécessairement optimaux.

Prenons une situation où entrent en jeu une division cédante A qui produit une pièce et une division B qui utilise une telle pièce dans la fabrication de son produit. Le prix du marché de la pièce est de 1 000 $ alors que celui du produit final est de 2 000 $. Les coûts variables unitaires de la pièce sont de 800 $ alors que ceux du produit final, à l'exclusion du coût de la pièce, sont de 900 $. À défaut pour B de pouvoir se procurer la pièce auprès de A au prix de 1 000 $, elle l'achètera à l'extérieur à ce prix. La division A peut produire un maximum de 800 pièces par mois qu'elle peut vendre sans problème sur le marché, alors que la division B en a besoin de 400 par mois.

Analysons le comportement de ceux qui doivent répondre des résultats. Il y a d'abord les responsables des divisions. Celui de la division A n'a pas intérêt à ce que la pièce cédée à l'intérieur le soit à un prix inférieur à 1 000 $, prix qu'il peut obtenir en vendant la pièce à l'extérieur. Dès lors, le responsable de la division B ne réussira pas à obtenir que le prix de cession soit inférieur au prix du marché.

Dans les circonstances, les responsables des divisions A et B sont donc indifférents à ce qu'il y ait ou non cession à l'interne. Il en est de même pour la direction générale de l'entreprise. Pour s'en convaincre, il faut procéder au calcul des recettes nettes différentielles pour l'entreprise selon que la division A cède la pièce à la division B ou la vende à l'extérieur.

	Si la division A cède la pièce à la division B		Si la division A vend la pièce à l'extérieur	
Recettes provenant de la vente				
de la pièce			1 000 $	
du produit final		2 000 $	2 000	3 000 $
Décaissements relatifs				
à la fabrication de la pièce	800 $		800	
à l'achat de la pièce			1 000	
aux autres coûts variables du produit final	900	1 700	900	2 700
Recettes nettes		300 $		300 $

On constate qu'il n'existe pas d'écart entre les recettes nettes pour l'entreprise, que la division cède la pièce à l'intérieur ou la vende à l'extérieur. Les coûts fixes n'ont pas été considérés car ils ne représentent pas des coûts différentiels. Le montant de 300 $ équivaut à la contribution marginale obtenue à la vente d'un produit final car celle-ci est plus élevée que celle obtenue à la vente d'une pièce qui s'élève en l'occurrence à 200 $.

Cet effet net de 300 $ sur le bénéfice de l'entreprise est constitué de la somme des effets suivants sur les résultats sectoriels :

$$
\begin{array}{ccc}
\text{Effet sur le} & & \text{Effet sur le} \\
\text{résultat de} & + & \text{résultat de} \\
\text{la division A} & & \text{la division B} \\
1\,000\,\$ - 800\,\$ & + & 2\,000\,\$ - (1\,000\,\$ + 900\,\$) \\
200\,\$ & + & 100\,\$
\end{array}
$$

Une cession imposée au coût variable, ou à un prix situé entre le coût variable de 800 $ et le moins élevé du prix du marché de la pièce (1 000 $) et de la différence entre le prix de vente du produit final et les coûts variables de ce dernier à l'exclusion du coût de la pièce (2 000 $ – 900 $), irait dans le sens de l'intérêt global de l'entreprise mais porterait atteinte à l'autonomie des divisions et à la motivation du responsable de la division A.

Ajoutons que si les coûts variables du produit final, autres que le coût de la pièce, s'élevaient à 1 100 $ au lieu de 900 $, la cession au coût variable irait à l'encontre de l'intérêt global de l'entreprise. Dans ce cas, il est évident qu'il est plus intéressant pour l'entreprise que la pièce soit vendue plutôt que le produit final.

	Si la division A cède la pièce à la division B		Si la division A vend la pièce à l'extérieur
Recettes provenant de la vente			
de la pièce			1 000 $
du produit final		2 000 $	
Décaissements relatifs			
à la fabrication de la pièce	800 $		800
aux autres coûts variables du produit final	1 100	1 900	
Recettes nettes		100 $	200 $

Aussi, si le prix de cession devait être, comme il se doit, le prix du marché de 1 000 $, la division B abandonnerait le produit final puisqu'à ce prix elle subirait une perte de 100 $, soit 2 000 $ − (1 000 $ + 1 100 $) ; il n'y aurait pas de cession interne, le bien intermédiaire serait vendu sur le marché.

Dans le cas d'une cession interne, il faut donc que la vente du produit final permette d'augmenter le bénéfice de l'entreprise d'un montant supérieur au montant de contribution marginale qu'elle réaliserait à la suite de la vente à l'extérieur du produit intermédiaire. Ce montant de contribution constitue donc un coût de renonciation pour l'entreprise si le bien intermédiaire est cédé à la division B.

Capacité de production de la division du bien intermédiaire non totalement utilisée faute de commandes externes

Dans la mesure où le coût variable du bien intermédiaire est inférieur à son prix de vente, il y a ici intérêt pour l'ensemble de l'entreprise à ce que les unités supplémentaires soient fabriquées et cédées à l'intérieur de l'entreprise plutôt que de laisser la division cliente libre de choisir une acquisition interne ou une acquisition externe. En supposant que le coût variable du bien intermédiaire est constant, le prix de cession de telles unités qui permettrait de préserver l'intérêt global de l'entreprise serait le coût variable unitaire du bien intermédiaire, car il n'y a pas à leur égard de coût de renonciation pour cette dernière. En fait, si l'objectif est la maximisation du bénéfice, pour y arriver, que l'entreprise soit décentralisée ou pas, elle doit pousser la production tant et aussi longtemps que le revenu marginal ne devient pas inférieur au coût marginal. Modifions maintenant l'une des données de notre situation de départ. Supposons que la division A ne peut vendre à l'extérieur que 500 pièces au lieu de 800.

Comparons les recettes nettes différentielles pour l'entreprise selon que la division A, une fois satisfaite toute la demande externe, cède une pièce à la division B, ou que la division B achète la pièce à l'extérieur.

	Si la division A cède la pièce à la division B		Si la division B achète la pièce à l'extérieur	
Recettes provenant de la vente du produit final		2 000 $		2 000 $
Décaissements relatifs				
à la fabrication de la pièce	800 $			
à l'achat de la pièce			1 000 $	
aux autres coûts variables du produit final	900	1 700	900	1 900
Recettes nettes		300 $		100 $

Le prix de cession ne saurait être ici le prix du marché, car à un tel prix, la division B pourrait acheter la pièce à l'extérieur ; ce faisant, l'entreprise perdrait 200 $. La cession au coût variable de 800 $ inciterait la division B à se procurer la pièce auprès de la division A. Aux fins de l'évaluation du rendement de la division cliente, il est préférable que le coût variable de 800 $ soit un coût standard établi au début de l'exercice afin que le résultat de la division cliente demeure neutre. Toutefois, un prix de cession au coût variable ne respecte pas l'autonomie de la division A et enlève à son responsable toute motivation. Aussi, pour inciter la division A à produire des unités supplémentaires, il faudrait que le produit attribué à la division A pour la cession d'une pièce excède le coût variable de cette dernière.

Dès lors, pour les unités supplémentaires à celles pouvant être vendues sur le marché, qui seraient cédées à l'intérieur, le produit brut total attribué à la division A pourrait, par exemple, correspondre à :

1) montant imputé à la division B :
     (Coût variable de la pièce) (Unités cédées)
2) montant imputé au siège social :
     (Prix de vente de la pièce – Coût variable de la pièce) (Unités cédées)

Le dernier montant représente en quelque sorte un subside attribué par le siège social à la division A.

Une autre façon de procéder consisterait, pour les divisions, à convenir entre elles d'un prix de cession qui se situerait entre le coût variable de la pièce et le moins élevé du prix de vente de la pièce et de la différence entre le prix de vente du produit final et les coûts variables du produit final autres que le coût de la pièce. Mais tout montant imputé à la division B autre que le coût variable de la pièce pourrait aller à l'encontre de l'intérêt global de l'entreprise.

En terminant, mentionnons que, même si la capacité de production de la division cédante peut être totalement utilisée à des fins externes, la direction générale ne saurait accepter, à l'occasion, que des cessions de biens intermédiaires soient imputées à la division cliente au prix du marché. Qu'arrive-t-il lorsque les demandes des produits de l'entreprise ne sont pas indépendantes, par exemple lorsqu'un client s'engage à acquérir d'autres types de produits vendus par l'entreprise à la condition que la division cédante accepte de lui vendre une certaine quantité du produit intermédiaire ? Le coût de renonciation pour l'entreprise par unité qui serait cédée à l'intérieur pourrait alors être supérieur à l'excédent du prix de vente du bien intermédiaire sur son coût variable. Il s'ensuit que le prix de cession devrait être, dans ce cas, supérieur au prix de vente du bien intermédiaire. Il n'y aurait donc pas de cession interne à ce prix, car la division cliente achètera plutôt à l'extérieur. Encore une fois, l'autonomie des divisions et la motivation de leurs responsables peuvent être affectées.

b. La production du bien intermédiaire ne trouve pas preneur sur le marché

Cession au prix négocié

En l'absence de prix de marché pour le produit intermédiaire, le prix de cession qui maximise le résultat d'ensemble de l'entreprise est ici encore le coût marginal de la division fournisseuse au volume où le revenu marginal de la division cliente se rapproche le plus de l'ensemble du coût marginal de fabrication et du coût marginal de distribution sans lui être inférieur. Si un tel prix de cession s'impose pour guider l'action de la division cliente, il ne saurait être acceptable par la division cédante considérée comme un centre de profit. D'où la possibilité de soumettre les divisions à la négociation.

La négociation risque d'être fort longue. La division fournisseuse désirera facturer aux divisions clientes tous les coûts, tout en recherchant à réaliser une certaine marge de profit. Le prix négocié, une fois arrêté, et il n'est pas sûr qu'il soit arrêté sans arbitrage, sera perçu par la division cliente comme un prix entièrement variable. Ceci constitue un danger grave lorsque les cessions internes sont importantes ou sont appelées à le devenir, car la division cliente ne connaît pas les composantes de ce prix (coûts fixes, coûts variables, profit). Certes, la communication de cette information ne modifierait pas forcément le comportement du responsable de la division cliente si ses décisions, prises sans tenir compte de cette information, avaient, sur le résultat d'ensemble de l'entreprise, un effet qui n'entre pas en ligne de compte dans l'évaluation de son rendement.

EXEMPLE

DONNÉES

Prenons l'exemple de deux divisions interdépendantes : une division X qui fabrique une pièce entrant dans la fabrication du produit final de la division Y. La division X ne peut vendre sa pièce sur le marché et la division Y ne peut acquérir cette pièce sur le marché.

La demande du produit de la division Y ne peut être qu'un des volumes suivants :

Volume	Prix de vente
1 000	1 500 $
2 000	1 400
3 000	1 300
4 000	1 200
5 000	1 100
6 000	1 000
7 000	900
8 000	800

La fonction des coûts de la division X est :

500 000 + 300 (nombre de pièces),

alors que celle des coûts de la division Y, autres que celui de la pièce, est :

600 000 + 100 (nombre de produits).

La division X estime que le seul prix de cession qui lui convient est de 550 $ et elle est en mesure de produire un maximum de 10 000 pièces.

Quel volume de produits la division Y aurait-elle intérêt à vendre si le prix de cession était de 550 $? Ce volume représente-t-il le meilleur volume pour l'ensemble de l'entreprise ?

SOLUTION

Présentons les montants que les divisions et l'entreprise considèrent comme étant leur revenu marginal (RM) et leur coût marginal (CM) au regard de chacun des volumes possibles.

Volume	Division X		Division Y		Entreprise	
	RM	CM	RM	CM	RM	CM
1 000	550	300	1 500	650	1 500	400
2 000	550	300	1 300	650	1 300	400
3 000	550	300	1 100	650	1 100	400
4 000	550	300	900	650	900	400
5 000	550	300	700 >	650	700	400
6 000	550	300	500	650	500 >	400
7 000	550	300	300	650	300	400
8 000	550 >	300	100	650	100	400

Le tableau précédent indique que la division Y devrait vendre 5 000 unités de son produit, car c'est le plus fort volume au niveau duquel le revenu marginal excède le coût marginal.

Mais ce volume ne correspond pas au volume optimal pour l'ensemble de l'entreprise. En effet, le tableau indique que le volume optimal serait plutôt de 6 000 unités. Aussi, en permettant aux divisions X et Y de convenir entre elles d'un prix de cession de 550 $, l'entreprise subit un manque à gagner de 100 000 $.

	6 000 unités	5 000 unités	Écarts
Chiffres d'affaires	6 000 000 $	5 500 000 $	500 000 $
Coûts			
Variables à 400 $ l'unité	2 400 000	2 000 000	400 000
Fixes	1 100 000	1 100 000	– 0 –
	3 500 000 $	3 100 000 $	400 000 $
	2 500 000 $	2 400 000 $	100 000 $

Il faut observer que si le prix de cession avait été le coût variable de 300 $ au lieu de 550 $, la division Y aurait opté pour le volume optimal de 6 000. Si la direction générale tient, à l'encontre de toute logique, à traiter la division X, qui n'a pas de marché extérieur, comme un centre de profit, de deux choses l'une : ou bien elle accepte d'en payer le prix, ou bien elle entend intervenir dès qu'elle juge que le prix à payer est trop élevé. Mais le fait pour la direction d'intervenir porte atteinte à l'autonomie des divisions et affecte la motivation de leurs responsables. Tout compte fait, il semblerait plus sage de faire de la division X un simple centre de coûts.

Cession au coût de fabrication complet majoré

En l'absence de prix de marché et en refusant aux divisions la liberté de négocier entre elles des prix de cession interne, l'entreprise peut fixer le prix de cession au montant du coût complet majoré d'un certain pourcentage.

Il s'agit d'un coût de revient complet standard, réel ou encore rationnel. Certes, pour évaluer le rendement du responsable de la division cliente, il est préférable d'utiliser un coût de revient standard afin que le résultat de la division cliente demeure neutre. La fixation de la majoration relève de la direction générale (sinon ce serait une forme de prix négocié), ce qui ne cadre pas tellement bien avec l'idée que l'on se fait de divisions autonomes.

Encore ici, les divisions clientes pourront avoir tendance à considérer le prix de cession comme entièrement variable dans la prise de leurs décisions. Dès lors, la sous-estimation du résultat global demeure du domaine du possible. Même si les divisions clientes connaissaient les composantes du prix de cession, leur comportement ne serait pas nécessairement modifié pour autant.

Prenons pour exemple le cas d'une entreprise à deux divisions : une division de production et une division de distribution. La division de production céderait un produit intermédiaire à la division de distribution au coût standard de 50 $ l'unité, majoré de 10 %. La vente du produit fini serait faite au prix de 65 $. La division de distribution aurait à engager des frais supplémentaires de 11 $ l'unité pour vendre le produit fini sur le marché.

Sur la base de ces chiffres, la division de distribution refusera de vendre le produit. En effet, la vente de chaque unité de ce produit signifierait pour elle une perte de 1 $, soit 65 $ – (55 $ + 11 $). Cette décision de la division de distribution va à l'encontre de l'intérêt de l'entreprise, car même en supposant que le coût standard de 50 $ est un coût constitué d'éléments essentiellement variables, l'entreprise réaliserait, s'il y avait vente, un profit de 4 $ l'unité, soit 65 $ – (50 $ + 11 $).

Afin d'inciter la division de distribution à vendre le produit, la direction générale peut attribuer un produit d'exploitation supplétif de 5 $ à la division de distribution, de manière à ce que cette dernière réalise un profit à la vente du produit. Une variante consisterait à attribuer le subside à la division de production de façon qu'elle accepte de réduire le prix de cession interne.

B. L'optimisation des résultats et l'existence de plus d'une division cliente

Nous avons vu le cas où l'intérêt général de l'entreprise pouvait être compromis lorsqu'une division cédante a à choisir entre répondre à la demande externe et répondre à la demande de la division cliente. S'il existe plusieurs divisions clientes, le problème de l'acheminement des biens ou des services, vers les utilisations les plus rentables pour l'entreprise, se pose avec plus d'acuité. Les formules de détermination des prix de cession – celle du prix du marché, celle du coût majoré et celle consistant en un prix négocié – ne garantiraient pas nécessairement dans le présent cas des résultats optimaux pour l'ensemble de l'entreprise.

C. Exemple d'état présentant des résultats divisionnaires

Voici l'état des résultats d'une entreprise décentralisée comportant une division industrielle et une division commerciale :

A LTÉE
État des résultats
pour l'exercice terminé le 31 décembre 20X5

	Division industrielle	Division commerciale	Montant des frais non répartis aux divisions	Situation globale
Chiffre d'affaires	1 000 $	6 000 $		7 000 $
Cessions internes au prix du marché	2 000	– 0 –		
	3 000 $	6 000 $		
Coûts variables				
Achats interdivisionnaires[1]		2 000		
Matières premières	1 500	– 0 –		(1 500)
Main-d'œuvre directe	600	– 0 –		(600)
Autres	400	1 400		(1 800)
	2 500 $	3 400 $		
Marge sur coûts variables divisionnaires	500 $	2 600 $		3 100 $
Frais fixes contrôlables des divisionnaires	100	1 000	600 $	(1 700)
Bénéfice contrôlable divisionnaire	400	1 600		
Frais fixes non contrôlables mais directement imputables				
Amortissement relatif à l'outillage	70			(70)
Marge contributive	330	1 600		
Frais fixes non contrôlables et non directement imputables mais ventilés				
Amortissement relatif à l'immeuble	80	100	110 $	(290)
Bénéfice d'exploitation divisionnaire	250 $	1 500 $		
Frais non ventilés				
Intérêts débiteurs			5 $	(5)
Frais divers			85 $	(85)
Impôt			437 $	(437)
Bénéfice net				513 $

---

1. Nous supposons ici que les divisions à l'étude ne maintenaient aucun stock.

On notera que plusieurs résultats ont été déterminés pour chacune des deux divisions : marge sur coûts variables, bénéfice contrôlable, marge contributive et bénéfice d'exploitation.

D.   Les résultats divisionnaires et le rendement des responsables divisionnaires

Des résultats précédents, il n'y a que le bénéfice contrôlable qui paraît approprié pour l'évaluation du rendement des responsables divisionnaires. Le bénéfice contrôlable de même que la marge sur coûts variables peuvent servir de guides à la prise de décisions à court terme. La marge contributive pourrait peut-être servir dans l'évaluation *ex post* des investissements divisionnaires effectués. Le bénéfice d'exploitation est sans doute le critère le plus utilisé pour évaluer la rentabilité sectorielle.

Le résultat utilisé pour évaluer le rendement du responsable d'une division ne doit pas, idéalement du moins, avoir été obtenu en considérant des quotes-parts de frais communs ou d'autres frais non contrôlables par ce dernier.

E.   Les prix de cession et le commerce international

Il arrive que dans le processus normal de génération du profit, des achats ou des ventes soient effectués par une division à des apparentés qui se trouvent à l'étranger. Il en est ainsi des divisions d'une entreprise canadienne qui vendent des produits aux filiales européennes de cette dernière. Il est bien évident, alors, que l'entreprise souhaiterait que les prix de cession interne soient assez bas dans le cas des ventes effectuées à des filiales situées dans des pays où les taux d'imposition des entreprises sont moins élevés. La politique des différents ministères du revenu, tant dans le pays où se trouvent les divisions productrices qu'à l'étranger, a pour effet d'éviter que les prix de cession soient trop bas (préoccupations du ministère du revenu du pays d'origine) ou trop élevés (préoccupations des ministères du revenu à l'étranger). Il faut ajouter qu'à l'étranger même, le ministère du revenu n'est pas totalement libre en la matière ; le service des douanes désire que la valeur servant au calcul des tarifs douaniers soit appropriée. Le ministère du revenu et le service des douanes d'un même pays peuvent donc avoir des intérêts divergents.

D'autres facteurs entrent en jeu également dans la fixation des prix de cession aux filiales de l'étranger, comme l'importance relative de la participation de la société mère, la possibilité que l'accroissement de l'avoir net des filiales à l'étranger ne puisse revenir à la société mère, la possibilité d'une dévaluation monétaire, etc.

La présence d'une entreprise à l'étranger pourrait être assurée par une entreprise en participation. On comprendra facilement que, dans ce cas, l'entreprise souhaite que le prix de cession soit plus élevé que dans la situation où la cession est effectuée à une filiale en propriété exclusive.

Des positions portant sur l'emploi de méthodes de prix de cession interne reflétant les prix observés dans des conditions de pleine concurrence ont été prises au cours des dernières années par l'Organisation de coopération et de développement économique (OCDE) et par Revenu Canada, respectivement en 1995 et 1999.

Le lecteur intéressé à avoir un aperçu des méthodes de prix de cession qui, selon l'OCDE et Revenu Canada, sont susceptibles de respecter le principe de pleine concurrence est invité à prendre connaissance de l'annexe du présent chapitre. Le prix de cession servant de référence, signalons-le ici, nécessite à l'occasion des ajustements pour en assurer la fiabilité. Tel est le cas lorsqu'une filiale exploitée à l'étranger doit payer le fret et les droits de douane relatifs au bien acquis de la société mère canadienne, alors qu'elle pourrait acheter le même bien d'un fournisseur situé à proximité.

L'utilisation d'une méthode respectant le principe de pleine concurrence est rendue obligatoire par Revenu Canada. Quant aux normes comptables canadiennes, soulignons qu'il est fait mention dans le chapitre 3840 du *Manuel de l'ICCA-comptabilité*, en particulier au paragraphe 18, de l'obligation d'utiliser le prix à la valeur d'échange : « [...] une opération non monétaire entre apparentés qui constitue l'aboutissement du processus de génération du profit doit être mesurée à la valeur d'échange lorqu'elle est conclue dans le cours normal des activités ».

Et la valeur d'échange est ainsi définie au paragraphe 3b) de ce chapitre : « La valeur d'échange est la valeur de la contrepartie payée ou reçue, qui a été établie et acceptée par les apparentés. » Enfin, dans la section du chapitre intitulée Informations à fournir, on peut lire ce qui suit au paragraphe 55 :

> Il faut éviter les déclarations [dans les états financiers publiés] selon lesquelles la valeur d'échange équivaut à la juste valeur (ou à une valeur équivalente à celle d'une opération conclue dans des conditions de pleine concurrence), à moins que l'on puisse étayer ces déclarations. Lorsqu'une entreprise peut prouver qu'elle a conclu une opération entre apparentés aux mêmes conditions que les opérations courantes avec des parties non apparentées, selon des modalités similaires quant aux volumes et aux autres conditions, la mention de ce fait constitue une information utile. Dans de nombreux cas, la juste valeur ne peut être déterminée que s'il existe des opérations identiques et que les valeurs des éléments échangés sont déterminées par le marché (par exemple, la juste valeur d'un échange d'or et d'espèces est déterminée par le marché). Lorsque de telles informations sont fournies, on mentionne la base ayant servi à déterminer la juste valeur.

Tout ceci nous amène à conclure que le choix des méthodes de prix de cession interne peut varier selon qu'il s'agit de répondre à des normes comptables ou à des normes fiscales.

F.   Le secteur fournisseur traité comme un centre de coûts

Nous avons mentionné au début de la section 5 que la décentralisation ne s'étend pas à toutes les activités déployées au sein de l'entreprise. Il peut en être ainsi par exemple des activités touchant les relations publiques, les affaires juridiques, la publicité sociétale, l'informatique. L'entreprise peut vouloir, aux fins de la détermination des résultats divisionnaires, imputer une charge aux divisions à l'égard des coûts relatifs à chacune de ces activités ou de certaines d'entre elles. Encore une fois, le résultat d'une division devrait idéalement demeurer neutre à la suite des actions posées par les autres divisions ou à la suite des manques de productivité du service qui assure les prestations.

EXEMPLE

DONNÉES

Les coûts réels et budgétés du service d'informatique centralisé d'une entreprise qui a trois divisions ont été les suivants pour l'exercice :

	Coûts budgétés	Coûts réels
Fixes	100 000 $	102 000 $
Variables à l'heure de prestation	10	11

Le volume d'activité maximum du service d'informatique, celui prévu lorsque l'exploitation des divisions sera à son apogée, celui prévu au début de l'exercice et le volume réel de l'exercice suivent :

– Volume maximum   4 000 h

– Volume prévu

	À l'apogée	Au début de l'exercice
Division M	1 000 h	600 h
Division N	600	400
Division O	400	250
	2 000 h	1 250 h

– Volume réel

Division M	600 h
Division N	300
Division O	300
	1 200 h

La direction de l'entreprise demande de comparer l'approche consistant à ventiler, en fonction des heures de prestation réelles, le coût total réel de 115 200 $ à d'autres approches d'imputation d'un montant aux divisions. Pour chacune des approches, il importe d'indiquer, le cas échéant, les avantages et les désavantages. Nous tenons ici pour acquis que les volumes prévus ne sont pas délibérément faussés par les divisions elles-mêmes.

SOLUTION

a) Ventilation du coût réel au montant de 115 200 $:

Division M	57 600 $
Division N	28 800
Division O	28 800
	115 200 $

Avantage :
Cette méthode est des plus simples à utiliser.

Désavantages :
Le montant total des frais fixes imputés à une division ne lui est pas connu dès le début de l'exercice. Il en est de même du montant des frais variables à l'heure. De plus, le montant des frais fixes dépend du comportement des autres divisions. Ainsi, bien que la division M ait atteint les 600 heures prévues, elle se voit attribuer un montant plus élevé du fait que les divisions N et O n'ont pas atteint leurs prévisions. Enfin, les divisions se voient imputer les écarts sur dépense et les écarts de rendement du service d'informatique.

b) Imputation d'une charge au montant de 35 $ l'heure réelle, soit 25 $ (100 000 $/4 000 h) pour les frais fixes et 10 $ pour les variables :

Division M	600 × 35 $	21 000 $
Division N	300 × 35	10 500
Division O	300 × 35	10 500
		42 000 $

Avantages :
Le montant des frais variables à l'heure qui est imputé à une division lui est connu dès le début de l'exercice. Elle sait aussi d'avance le montant qui lui sera imputé à l'heure en ce qui a trait aux frais fixes. Certains pourraient même considérer comme un avantage le fait de ne pas imputer aux divisions les frais fixes budgétés relatifs à la capacité inutilisée.

Désavantages :

Le montant total des frais fixes imputés à une division ne lui est pas connu dès le début de l'exercice. De plus, les divisions se voient imputer les écarts de rendement du service d'informatique.

c) Imputation d'une charge en frais fixes au montant de 25 $ pondéré par le nombre d'heures correspondant aux besoins prévus des divisions en pleine apogée, et imputation d'une charge en frais variables au montant de 10 $ par heure réelle. Pour éviter que les divisions sous-évaluent leurs besoins maximaux, il y a peut-être lieu d'accorder la priorité aux divisions à concurrence des heures correspondant à ces besoins.

Division M

1 000 × 25 $	25 000 $	
600 × 10	6 000	31 000 $

Division N

600 × 25 $	15 000	
300 × 10	3 000	18 000

Division O

400 × 25 $	10 000	
300 × 10	3 000	13 000
		62 000 $

Avantages :

Le montant total des frais fixes imputés à une division lui est connu dès le début de l'exercice. Il en est de même du montant des frais variables à l'heure. Certains pourraient considérer comme un avantage le fait de ne pas imputer aux divisions les frais fixes budgétés relatifs à la capacité qu'elles ne prévoyaient pas utiliser en pleine apogée.

Désavantage :

Les divisions se voient imputer les écarts de rendement du service d'informatique.

Les approches décrites ici ne sont pas les seules rencontrées en pratique. Le but de cet exemple n'était pas de faire un inventaire exhaustif de toutes les approches mais plutôt d'indiquer que les méthodes utilisées en pratique ne sont pas nécessairement les plus adéquates.

G. Les résultats divisionnaires et le comportement des responsables divisionnaires

Soulignons d'abord que le responsable de division qui est évalué sur la base du résultat divisionnaire vise à ce que le prix des cessions internes de biens intermédiaires, ou le montant imputé à l'égard de prestations de services à l'interne, soit à son avantage même si cela va à l'encontre de l'intérêt de l'entreprise.

Précisons ensuite que l'engagement de certains frais sous le contrôle du responsable de division peut être différé par ce dernier de manière à accroître à court terme le résultat divisionnaire. À titre indicatif, mentionnons les frais d'entretien. Une telle action peut encore ici aller à l'encontre de l'intérêt de l'entreprise à plus ou moins long terme.

H. La viabilité des centres de profit

Pour les uns, les centres de profit internes ne correspondent à aucune réalité économique. D. Blondé écrit à ce sujet : « Il ne peut y avoir de rentabilité qu'au moment de la vente, qui seule détermine la valeur d'échange que le marché accorde effectivement aux biens ou services [...] toutes les formules qui, par le biais de prix de cessions intérieures, visent à déterminer de soi-disant résultats intermédiaires sont artificielles, faussent la réalité économique et sont, par conséquent, à proscrire par principe[1]. » De son côté, M. C. Wells écrit : « Si on rejette les centres de profit parce qu'ils n'ont aucune raison d'être et, pis encore, parce qu'ils sont tout à fait inutiles, il faut tout aussi radicalement se départir des prix de cession interne[2]. » Cet auteur ne reconnaît aucune utilité aux centres de profit internes. Pour d'autres, la raison d'être des centres de profit n'est pas remise en question.

Les comptables, eux, doivent continuer à s'accommoder de la présence des centres de profit au sein de l'entreprise. Ils ont une triple mission :
1) chercher à faire préciser par les dirigeants les objectifs que l'entreprise poursuit en demandant que soient mesurés les résultats internes ;
2) suggérer des méthodes susceptibles d'atteindre le plus adéquatement possible ces objectifs ;
3) indiquer les limites des méthodes proposées (par exemple, si elles sont de nature à inciter les responsables des divisions à agir dans l'intérêt de leurs divisions au détriment de l'intérêt général de l'entreprise).

---

1. D. Blondé, *La gestion programmée*, Dunod, 1964, p. 78.
2. M. C. Wells, « Profit Centers, Transfer Prices and Mysticism », *Abacus*, décembre 1968, p. 178.

La recherche du meilleur résultat d'ensemble nécessiterait normalement, au sein du siège social, la présence d'une équipe forte, capable d'une vision globale des problèmes de l'entreprise. Par rapport à ce résultat optimal, le degré d'autonomie que la direction générale est prête à consentir aux divisions représente un coût ; il importe que la direction générale en soit pleinement consciente.

La disparition complète des centres de profit n'est pas prévisible dans un avenir prochain, même si certains voient dans les progrès récents en informatique la possibilité d'une recentralisation des pouvoirs, car la poursuite du profit comme objectif constitue, soutient-on, un critère d'évaluation très motivant. Il n'en demeure pas moins que le statut de division devrait être accordé avec beaucoup de discernement : D. Solomons[3] suggère même que, dans certaines circonstances, l'entreprise transforme des centres de profit en centres de coûts. Ainsi, dans le cas où il n'existe pas de marché pour un produit intermédiaire, le secteur fabriquant ce produit pourrait être traité comme un centre de coûts plutôt que comme un centre de profit.

6. LES CENTRES D'INVESTISSEMENT

Les deux principaux critères utilisés aux fins de l'évaluation du rendement des centres d'investissement sont le taux de rendement du capital investi (RCI) et le bénéfice résiduel (BR). Ces mêmes critères servent également, bien souvent de façon plus ou moins heureuse, à l'évaluation des responsables divisionnaires. Ce double usage ressort de la figure 4.

FIGURE 4
Double emploi des critères d'évaluation RCI et BR

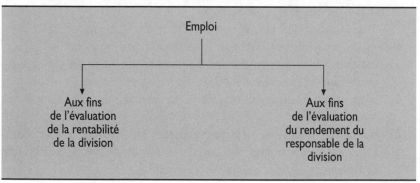

---

3. D. Solomons, *Divisional Performance : Measurement and Control*, Homewood, Illinois, Richard D. Irwin Inc., 1965, p. 201.

A. Composantes du taux de rendement du capital investi

La formule générale suivante de calcul du taux de rendement du capital investi fait très bien ressortir les composantes dudit taux :

$$\frac{\text{Bénéfice}}{\text{Capital investi}} = \frac{\text{Bénéfice}}{\text{Chiffre d'affaires}} \times \frac{\text{Chiffre d'affaires}}{\text{Capital investi}}$$

Le premier ratio représente une mesure du bénéfice par dollar de chiffre d'affaires. Le bénéfice considéré est habituellement le bénéfice d'exploitation. Ce bénéfice fait dès lors abstraction des intérêts et de l'impôt. Le deuxième est celui de la rotation de l'actif ; il traduit le taux d'activité de la division. Le RCI mesure dès lors la rentabilité économique de tout le capital investi, en l'absence supposée d'endettement. Évidemment, plus le chiffre d'affaires est élevé par rapport à un même montant de capital investi, plus c'est avantageux.

Le responsable d'un centre d'investissement a tout intérêt à bien comprendre les composantes du taux de rendement du capital investi. Il saura ainsi qu'un faible taux de bénéfice par rapport au chiffre d'affaires peut être compensé par une plus grande rotation du capital investi.

L'utilisation d'un seul des deux ratios composant le taux de rendement du capital investi comme critère d'évaluation de la rentabilité peut aboutir à la non-convergence des objectifs poursuivis vers un objectif d'ensemble jugé préférable. La nature des ratios est telle que la recherche de l'augmentation de l'un de ceux-ci peut dans certains cas conduire à la diminution de l'autre. Ainsi, l'augmentation du ratio bénéficiaire à la suite de l'augmentation du chiffre d'affaires pourrait entraîner une rotation plus faible de l'actif si l'augmentation du chiffre d'affaires nécessitait une augmentation plus que proportionnelle du capital investi.

B. Deux méthodes courantes de calcul du taux de rendement du capital investi

Plusieurs méthodes servent au calcul du taux de rendement du capital investi une fois ce dernier effectué, dont celle du taux de rendement fondé sur le coût de remplacement. Notre propos vise l'étude des deux méthodes suivantes :

I) **Première méthode : V.C.**

$$\frac{\text{Bénéfice d'exploitation divisionnaire}}{\text{Valeur comptable de l'actif de la division}}$$

2) Deuxième méthode : V.C. majorée des amortissements cumulés

$$\frac{\text{Bénéfice d'exploitation divisionnaire}}{\text{Valeur comptable de l'actif de la division} + \text{Amortissement cumulé relatif à la division}}$$

On notera que le dénominateur des ratios précédents peut être fonction des données du début de l'exercice, des données de la fin de l'exercice ou encore de données moyennes.

Il devrait normalement exister une cohérence interne entre le numérateur et le dénominateur d'un taux de rentabilité économique (RCI). Cette cohérence n'existe pas toujours en pratique. Ainsi, le fait de tenir compte des amortissements dans le calcul du bénéfice d'exploitation divisionnaire, alors que l'entreprise utilise l'actif brut de la division pour calculer le RCI de la division, constituerait un manque évident de cohérence. Toutefois, comme l'intérêt de la détermination des RCI réside dans les tendances qu'ils permettent de dégager, la prise en compte d'amortissements linéaires est un moindre mal par rapport à ceux qui seraient calculés par une autre méthode.

La ventilation d'actifs communs entre les divisions est sans doute défendable aux fins du calcul de la rentabilité de l'investissement divisionnaire. Il en est ainsi d'une encaisse centrale existant pour l'ensemble des divisions. En effet, à défaut d'une encaisse commune, chacune des divisions devrait avoir sa propre encaisse.

La rentabilité de l'investissement d'une division peut toutefois être faussée, entre autres par les actions d'autres divisions de l'entreprise. Prenons l'exemple d'une encaisse commune ventilée selon les chiffres d'affaires. Tenons pour acquis les statistiques suivantes pour les exercices 20X1 et 20X2 :

	20X1	20X2
Encaisse	18 000 $	18 000 $
Chiffre d'affaires		
Division A	1 000 000	1 000 000
Division B	1 000 000	800 000

La ventilation concernant l'encaisse relative à chacun des deux exercices serait la suivante :

	20X1	20X2
Division A	9 000 $	10 000 $
Division B	9 000	8 000

Pour un même chiffre d'affaires d'une année à l'autre, la division A se voit imputer 1 000 $ de plus en 20X2. Cela est dû à la diminution du chiffre d'affaires de la division B en 20X2.

C. RCI et TRI

Le taux de rendement du capital investi est habituellement déterminé à partir de données comptables, contrairement au taux de rendement interne (TRI) de l'investissement qui repose sur des données prévisionnelles. De plus, il s'agit d'un taux concernant la rentabilité globale d'une division pour un exercice donné, alors que le taux de rendement interne porte sur toute la durée d'un investissement spécifique. La comparaison entre le RCI obtenu pour un exercice et le taux de rendement interne suppose qu'on utilise la méthode de l'amortissement à intérêt composé, alors que cette méthode est, en pratique, très peu utilisée dans la détermination des résultats comptables. L'exemple suivant fait ressortir les difficultés que présente l'analyse comparative des RCI obtenus après impôt si les amortissements n'ont pas été calculés selon la méthode de l'amortissement à intérêt composé.

EXEMPLE

DONNÉES

Une division a été créée le 1er janvier 20X6 pour une durée de 10 ans. L'investissement et les rentrées nettes annuelles (après impôt) furent les suivants :

1) Investissement

Stock de marchandises, vendu au coût au terme des 10 ans	10 000 $
Immobilisations amortissables	92 850

2) Rentrées nettes annuelles 20 000 $

Le taux de rendement interne de 15 % a été déterminé comme suit (en supposant que l'amortissement linéaire est accepté par le fisc) :

102 850 $ = (20 000 $ × F.C.V.A.[4]) + (10 000 $ × F.V.A.[5] de la 10e année)

Tous les achats et les ventes sont effectués au comptant. L'excédent du bénéfice comptable majoré de l'amortissement linéaire des immobilisations est porté à l'encaisse qui est un actif commun à l'ensemble des divisions de l'entreprise. Les prévisions établies lors de l'investissement relativement aux flux monétaires se sont avérées exactes, et le dénominateur du ratio de rentabilité divisionnaire est fonction de la valeur comptable de l'actif au début de l'exercice. De plus, le bénéfice divisionnaire est ici un bénéfice compte tenu de l'impôt.

---

4. Facteur cumulatif de valeur actualisée d'une annuité.
5. Facteur de valeur actualisée d'un montant unique.

SOLUTION

Les taux de RCI (après impôt) sont déterminés comme suit pour les exercices 20X6 et 20X7 :

1) 20X6 :   = (20 000 $ − 9 285 $)/102 850 $
            = 10,3 %
2) 20X7 :   = (20 000 $ − 9 285 $)/93 565 $
            = 11,5 %

On observera que les taux de rendement comptable croissent naturellement avec le temps, même si les bénéfices annuels ne fluctuent pas.

Le tableau suivant fait voir quels auraient été les amortissements des exercices 20X6 et 20X7 si la méthode d'amortissemnt reposait sur l'intérêt composé.

	Capital investi au début de l'exercice	Recettes nettes d'exploitation	Intérêt de 15 %	Capital investi recouvré (amortissement)	Capital investi non recouvré
20X6	102 850,00 $	20 000 $	15 427,50 $	4 572,50 $	98 277,50 $
20X7	98 277,50	20 000	14 741,62	5 258,38	93 019,12

Les RCI (après impôt) seraient les suivants :

1) 20X6 :   = (20 000 $ − 4 572,50 $)/102 850 $
            = 15 %
2) 20X7 :   = (20 000 $ − 5 258,38 $)/98 277,50 $
            = 15 %

On notera que le taux de rendement du capital investi se maintiendrait à 15 %.

D.   RCI et contexte inflationniste

L'information à la valeur d'origine ne convient pas pour le calcul du RCI dans un contexte hautement inflationniste, car d'importants gains de détention peuvent se glisser au numérateur et contribuer ainsi à gonfler le RCI. Le bénéfice s'accroît, alors que l'actif devient sous-évalué, à moins de mesurer le capital investi à l'aide des valeurs actuelles. Cette dernière solution offre l'avantage de placer toutes les divisions sur un pied d'égalité, quel que soit l'âge des actifs.

E.   RCI et performance du responsable divisionnaire

Le RCI utilisé pour évaluer la rentabilité d'une division ne constitue pas toujours une mesure correcte pour l'évaluation des responsables divisionnaires.

Dans la mesure où des éléments incontrôlables ont été considérés dans le calcul du numérateur du ratio (par exemple des quotes-parts de frais communs) ou dans le calcul du dénominateur (par exemple des quotes-parts d'éléments d'actif communs), le RCI ne saurait évidemment constituer un critère vraiment approprié aux fins de l'évaluation des responsables divisionnaires. La figure 5 permet de visualiser les différences fondamentales existant entre les éléments pris en compte dans le calcul du RCI selon qu'il s'agit d'une mesure de la rentabilité de la division ou d'une mesure du rendement du responsable de cette dernière.

FIGURE 5
Éléments du calcul du RCI selon l'emploi de ce critère d'évaluation

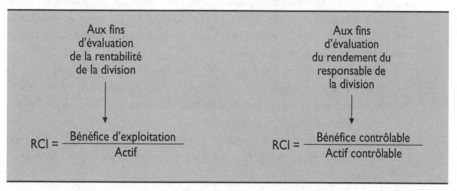

Le taux de rendement du capital investi divisionnaire est un instrument de mesure qui peut rarement tenir compte de l'ensemble complexe des données à envisager dans l'évaluation des responsables divisionnaires. En effet, on confond trop facilement mesure de rentabilité des investissements et mesure du succès obtenu de la part des responsables des secteurs où ont été effectués les investissements. Il faut bien reconnaître qu'il peut exister des circonstances indépendantes de la volonté des responsables, qui peuvent à elles seules entraîner une baisse (ou une augmentation) considérable du taux de rendement du capital investi. Un taux donné de rendement sur capital investi peut être nettement insuffisant pour savoir si le capital investi divisionnaire est rentable ; le même taux peut toutefois traduire un assez bon rendement du responsable divisionnaire, compte tenu des difficultés ou des particularités de la situation. En somme, le minimum d'équité consisterait, à tout le moins, à comparer le RCI obtenu et le RCI qui aurait dû être obtenu dans les circonstances.

On pourrait mettre l'accent sur l'utilisation optimale des capacités restreintes dans le cas des divisions dont c'est le problème, alors que la croissance des parts de marché ou les utilisations possibles des capacités inutilisées des installations pourraient primer dans le cas des divisions qui disposent de capacités excédentaires.

F.   RCI et comportement du responsable divisionnaire

S'il est évalué en fonction du taux de rendement de l'actif de sa division, le responsable de division agira de façon à accroître ce taux, même si les décisions prises vont à l'encontre de l'intérêt global de l'entreprise.

Rappelons d'abord que l'engagement de certains frais sous le contrôle du responsable de division peut être différé de manière à accroître à court terme le résultat de sa division. Dès lors, le RCI de sa division augmentera.

Prenons quelques exemples illustrant l'incidence, sur le montant du capital investi, d'actions susceptibles d'être prises par des directeurs de division **lorsque le calcul du RCI repose sur la valeur comptable de l'actif divisionnaire majorée des amortissements cumulés**.

1)   Le directeur divisionnaire pourrait avoir tendance à ne favoriser que les investissements qui permettront vraisemblablement de maintenir, sinon d'accroître, le RCI divisionnaire actuel, même si le taux de rendement interne de l'investissement est supérieur au coût du capital.

2)   Le directeur divisionnaire pourrait préférer la location à l'acquisition, lorsque les contrats de location ne donnent lieu à aucune capitalisation. Voyons l'exemple suivant.

Le critère d'évaluation de la performance des divisions est le RCI comptable basé sur la valeur comptable de l'actif majorée des amortissements cumulés. Le RCI comptable d'une division est de 10 %. Actuellement, l'outillage employé par ladite division est loué.

Le responsable de la division peut se demander s'il vaut mieux être partisan de la propriété de l'outillage sachant :

a)   que les frais annuels afférents à la propriété, y compris les intérêts débiteurs et les amortissements, seraient de 10 000 $ de moins que ceux de la location ;

b)   que l'investissement supplémentaire serait de 120 000 $.

Supposons que le résultat divisionnaire soit X et que la valeur comptable de l'actif divisionnaire majorée des amortissements cumulés soit Y. Dans le cas de la propriété, le RCI comptable deviendra (X + 10 000 $)/(Y + 120 000 $), soit un taux inférieur à 10 %. Ceci amènera le responsable de la division à conclure qu'il n'y a pas avantage à devenir propriétaire de l'outillage.

3) Le directeur divisionnaire pourrait recommander le désinvestissement de biens improductifs à court terme.

Nous envisageons ici une pratique courante, à savoir que le produit net sur désinvestissement va augmenter l'encaisse du siège social, la division ne disposant que d'une encaisse pour répondre aux besoins reliés à son exploitation courante ; le responsable divisionnaire, soucieux du taux de rendement calculé sur la valeur comptable de l'actif majorée des amortissements cumulés, a alors intérêt, dans l'immédiat du moins, à être favorable au désinvestissement de toute immobilisation qui ne sert pas temporairement (totalement ou partiellement amortie). Comme cela diminue le dénominateur du rapport, le taux de rendement divisionnaire sera accru par rapport à ce qu'il serait sans désinvestissement.

Prenons l'exemple suivant :

– Si la division conserve l'actif tout en ne l'utilisant pas à court terme :

$$RCI = \frac{\text{Bénéfice}}{\text{Actif}}$$
$$= \frac{95 \ \$}{1\ 000 \ \$}$$
$$= 9,5 \ \%$$

– Si la division recommande la vente de l'actif qu'elle n'utilise pas à court terme et si on donne suite à cette recommandation :

$$RCI = 95 \ \$/950 \ \$$$
$$= 10 \ \%$$

4) Le directeur divisionnaire pourrait recommander le remplacement prématuré d'immobilisations.

Advenant le cas de résultats décroissants dans le temps à cause, par exemple, de frais d'entretien d'immobilisations croissants, il pourrait être dans l'intérêt du responsable de division de procéder au remplacement prématuré de certaines immobilisations. Supposons, par exemple, les RCI suivants pour les deux prochains exercices s'il n'y a pas remplacement de l'outillage :

$$19\ 800 \ \$/200\ 000 \ \$$$

et

$$19\ 500 \ \$/200\ 000 \ \$$$

Supposons de plus que le coût du nouvel outillage est égal au coût de l'outillage actuel dans le cas du remplacement de ce dernier. Si le remplacement devait faire économiser des frais d'entretien à la division, toutes choses égales par ailleurs, le directeur de division aurait avantage à préconiser le remplacement de l'outillage. Puisque la sortie nette de fonds, dans le cas du remplacement d'outillage, est effectuée par le siège social, l'investissement divisionnaire ne diminuera pas.

5) Le directeur divisionnaire pourrait agir de manière à hâter, en fin d'exercice, le règlement des comptes fournisseurs (si le règlement de ces comptes entre dans ses attributions) de manière à réduire l'actif divisionnaire sur lequel repose le calcul du taux de rendement du capital investi divisionnaire.

Prenons l'exemple suivant :

– S'il n'y a pas de règlement hâtif des comptes :

$$RCI = 120 \text{ \$}/1\,000 \text{ \$}$$
$$= 12 \text{ \%}$$

– S'il y a un règlement hâtif des comptes :

$$RCI = 120 \text{ \$}/960 \text{ \$}$$
$$= 12,5 \text{ \%}$$

Le correctif pourrait consister à faire entrer le fonds de roulement (actif à court terme – passif à court terme) dans le calcul du capital investi divisionnaire.

Considérons maintenant quelle pourrait être l'attitude du directeur divisionnaire **lorsque le calcul du RCI repose sur la valeur comptable de l'actif divisionnaire**. Il importe d'indiquer que, au demeurant, le RCI croîtra naturellement avec le temps, étant donné qu'on tient compte du coût net des immobilisations pour calculer le RCI divisionnaire. Cette caractéristique devrait inciter à une grande prudence ceux qui, tout en utilisant cette méthode, effectuent des comparaisons de RCI autant dans le temps que dans l'espace (comparaison des RCI interdivisionnaires). Que le RCI augmente de soi n'élimine pas pour autant la possibilité que le directeur divisionnaire veuille accroître davantage le RCI divisionnaire :

a) Le directeur divisionnaire pourrait avoir tendance à n'être favorable qu'aux investissements qui n'auront pas d'effets négatifs sur les RCI prévisibles sans ces nouveaux investissements.

b) Le directeur divisionnaire pourrait préconiser la location d'immobilisations si les économies réalisées par la propriété par rapport à la location et rapportées à la diminution du capital investi (déduction faite des amortissements cumulés) découlant de la location donnaient un pourcentage inférieur au RCI calculé en demeurant propriétaire des immobilisations.

Prenons l'exemple suivant :

– Si l'entreprise demeure propriétaire des immobilisations :

$$RCI = 10 \text{ \$}/100 \text{ \$}$$
$$= 10 \text{ \%}$$

– Si l'entreprise loue les immobilisations :

$$RCI = 9,50 \text{ \$}/90 \text{ \$}$$
$$> 10 \text{ \%}$$

On observera les relations suivantes :

$$\frac{\text{Bénéfice différentiel}}{\text{Capital investi différentiel}} = 0,50 \, \$/10 \, \$$$

soit 5 % < 10 % qui est le RCI dans le cas de la propriété.

c) Le directeur divisionnaire pourrait également être en faveur du désinvestissement d'immobilisations dont le coût n'est pas totalement amorti et qui ne sont pas susceptibles d''être utilisées à court terme. Par contre, il n'y a aucun intérêt pour lui à disposer d'immobilisations si le coût de ces dernières est totalement amorti.

d) Le directeur divisionnaire n'a pas toujours intérêt à être favorable au remplacement au même coût d'immobilisations amortissables utilisées, car l'effet bénéfique des économies qui pourraient en résulter (ex. : économies de frais d'entretien) pourrait être annulé par l'augmentation du capital investi. En effet, les amortissements cumulés seraient vraisemblablement moins élevés dans le cas des nouvelles immobilisations que dans celui des immobilisations existantes. On peut donc dire, à ce sujet, que le RCI calculé sur la valeur comptable de l'actif divisionnaire peut décourager ou retarder les investissements de remplacement.

e) Voir 5) ci-dessus.

G. Comparaison des RCI dans le temps

Les comparaisons, dans le temps, des RCI d'une division permettent de dégager les tendances. Toutefois, de telles comparaisons longitudinales devraient inciter à une grande prudence. Nous avons vu à la section précédente que, pour un montant de capital investi décroissant d'une année à l'autre d'un montant correspondant à l'amortissement linéaire, les RCI reposant sur la valeur comptable de l'actif croissent naturellement avec le temps.

Il s'ensuit que des deux méthodes courantes étudiées aux fins du calcul du RCI, celle du RCI fondée sur la valeur comptable majorée des amortissements cumulés est davantage appropriée pour mener ces comparaisons dans le temps.

H. Comparaison des RCI dans l'espace

Il faut se méfier tout autant des comparaisons menées entre divisions : on oublie trop souvent les particularités qui en font des cas uniques. Ainsi, il arrive rarement que les divisions aient toutes été créées au même moment dans le temps et encore plus rarement qu'il existe une stabilité des prix.

Encore ici, certaines méthodes de calcul du RCI sont plus réalistes que d'autres. Ainsi, aux fins des comparaisons menées entre divisions, le RCI fondé sur la valeur comptable majorée des amortissements cumulés est préférable au RCI fondé sur la valeur comptable.

I.   Bénéfice résiduel

Le bénéfice résiduel divisionnaire est le bénéfice d'une division compte tenu du coût du capital investi. Il faut bien comprendre qu'il n'existe aucun lien entre les intérêts débiteurs de l'entreprise et les montants relatifs au coût du capital investi considérés dans le calcul des bénéfices résiduels des divisions. Évidemment, le coût du capital investi sera un coût compte non tenu de l'aspect fiscal dans la mesure où le bénéfice d'exploitation est un résultat déterminé en faisant abstraction de l'impôt.

EXEMPLE

DONNÉES

Les renseignements suivants ont trait à une division d'une entreprise dont le coût du capital est de 15 % :

Total de l'actif utilisé	20 000 $
Bénéfice d'exploitation	4 000

SOLUTION

Le bénéfice résiduel de la division est le suivant :

Bénéfice d'exploitation	4 000 $
Coût du capital investi 15 % (20 000 $)	3 000
	1 000 $

La figure 6 traduit l'essentiel des différences existant entre les éléments considérés dans le calcul du BR selon qu'il s'agit d'une mesure de la rentabilité de la division ou d'une mesure du rendement de son responsable.

FIGURE 6
Éléments du calcul du RCI et du BR selon l'emploi de ces critères d'évaluation

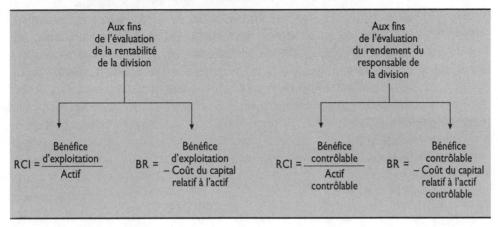

J.   Bénéfice résiduel et RCI

Les difficultés déjà indiquées concernant la détermination du RCI divisionnaire, que ce soit aux fins de l'évaluation de la rentabilité comptable ou aux fins de l'évaluation du rendement des responsables, demeurent encore possibles lorsque l'entreprise recourt au critère du bénéfice résiduel.

Toutefois, lorsqu'il s'agit de projets d'investissements, le responsable divisionnaire serait davantage enclin à favoriser tout investissement prometteur d'un TRI supérieur au coût du capital si le bénéfice résiduel sert à évaluer le rendement du responsable de la division.

EXEMPLE

DONNÉES

RCI actuel de la division calculé sur la valeur comptable
    au début de l'exercice majorée des amortissements cumulés   20 %
TRI   16 %
Coût du capital   13 %
Bénéfice d'exploitation supplémentaire de la division
    pour le prochain exercice   18 000 $
Investissement supplémentaire   100 000 $

SOLUTION

Le RCI prévu pour le prochain exercice est inférieur à 20 % car le RCI relatif à l'investissement supplémentaire est de 18 %. Le responsable de la division ne favorisera donc pas cet investissement car il se préoccupe davantage de l'incidence de ce dernier sur le RCI divisionnaire prévu à court terme que de l'intérêt global de l'entreprise. L'intérêt global de l'entreprise serait mieux servi si l'investissement était réalisé puisque le TRI excède le coût du capital. Si le bénéfice résiduel servait à évaluer le rendement du responsable, ce dernier en favoriserait la réalisation puisque son bénéfice résiduel augmenterait à court terme.

Bénéfice d'exploitation supplémentaire	18 000 $
Coût du capital (13 % × 100 000 $)	13 000
Bénéfice résiduel supplémentaire	5 000 $

7. DANGERS RELATIFS À L'ÉVALUATION DES RENDEMENTS DIVISIONNAIRES

Il en est du taux de rendement du capital investi et du bénéfice résiduel divisionnaires comme il en est du résultat divisionnaire. En effet, ils peuvent tous trois constituer des instruments appropriés de mesure à condition que l'entreprise en comprenne les limites et agisse en conséquence.

ANNEXE

Méthodes de prix de cession entre apparentés, dans le cadre d'opérations multinationales, jugées acceptables par Revenu Canada

L'Organisation de coopération et de développement économique (OCDE) a publié en 1995 *Principes applicables en matière de prix de transfert à l'intention des entreprises multinationales et des administrations fiscales.* Le principe de pleine concurrence qui y est énoncé a été adopté par Revenu Canada dans une circulaire publiée en 1999. Il s'agit de la circulaire n° 87-2R intitulée *Prix de transfert international.*

Selon le principe de pleine concurrence, les conditions convenues entre des parties ayant un lien de dépendance, donc dans le cadre d'opérations contrôlées, doivent correspondre à celles auxquelles on pourrait s'attendre de parties sans lien de dépendance, donc dans le cadre d'opérations non contrôlées. Il faut retenir que lorsqu'il s'agit de déterminer des prix de cession respectant le principe de pleine concurrence, il n'est pas toujours facile, et la circulaire de Revenu Canada le fait nettement ressortir, de trouver des bases de comparaison appropriées, en particulier dans le cas de cession d'actifs incorporels.

Le texte de l'OCDE mentionne un certain nombre de méthodes de détermination de prix de cession interne susceptibles de respecter le principe de pleine concurrence. On les classe comme suit :

1) méthodes fondées sur le prix ou sur le coût :
   – méthode du prix d'acquisition référentiel ;
   – méthode du prix de revente minoré ;
   – méthode du coût de revient majoré ;
2) méthodes fondées sur les résultats :
   – méthode du partage des bénéfices ;
   – méthode de la marge bénéficiaire nette.

Ces méthodes doivent être idéalement utilisées sur une base transactionnelle.

Les caractéristiques-clés suivantes relatives à chacune d'elles devraient aider à mieux saisir leur nature.

Méthode du prix d'acquisition référentiel

Le prix d'acquisition référentiel est un prix d'acquisition en usage dans le cadre d'une opération non contrôlée, donc un prix respectant le principe de pleine concurrence. Il arrive qu'un tel prix ne puisse pas être utilisé tel quel comme prix de cession interne faute d'être une base de comparaison adéquate. Cela peut être dû à plusieurs facteurs, tels qu'un marché non similaire, un volume d'unités vendues non du même ordre et des modalités de contrat différentes.

Toutefois, dans bien des cas, il pourrait être utilisable à la condition de pouvoir procéder aux ajustements nécessaires par suite de différences entre les opérations comparées, c'est-à-dire l'opération contrôlée *versus* l'opération non contrôlée.

Méthode du prix de revente minoré

a) Le prix de revente est celui de la partie à l'opération contrôlée qui achète le produit ou le service de l'autre partie. Ce prix de revente est forcément celui relatif à une opération non contrôlée.

b) La minoration opérée est calculée à partir du pourcentage de marge (bénéficiaire) brute en usage dans le cadre d'une opération non contrôlée, donc un pourcentage respectant le principe de pleine concurrence. Il se peut toutefois qu'il faille ajuster, à l'instar du prix d'acquisition référentiel, ce pourcentage pour tenir compte de différences existant entre les opérations comparées.

Méthode du coût de revient majoré

a) Le coût de revient est le coût de revient de la partie à l'opération contrôlée qui vend le produit ou le service à l'autre partie. Le coût de revient qui donne lieu à une majoration aux fins de la détermination du prix de cession interne comprend les coûts directs et indirects. Les frais de vente et d'administration sont exclus du calcul du coût de revient.

b) La majoration opérée est calculée à partir du taux de majoration du coût de revient (ou taux de marge) en usage dans le cadre d'une opération non contrôlée, donc un taux respectant le principe de pleine concurrence. Ce taux de marge équivaut à un pourcentage de marge (bénéficiaire) brute égal au quotient de la marge brute par le coût de revient.

Méthode du partage des bénéfices

a) Les bénéfices à partager sont ceux que les parties ont réalisés et qui ne l'auraient pas été en l'absence de l'opération contrôlée. Ils correspondent à la somme algébrique du résultat sur l'opération contrôlée (cession interne) et du résultat sur l'opération non contrôlée qui a suivi, c'est-à-dire lors de la revente. Il peut s'agir soit de bénéfices avant les frais d'intérêt et les taxes, soit de bénéfices bruts.

b) Le partage des bénéfices peut être effectué de différentes façons. Une façon de procéder consiste à partager le montant total des bénéfices en fonction de la valeur relative des contributions (en termes, entre autres, de fonctions exercées et d'éléments d'actifs utilisés) que les parties auraient dû apporter si les deux opérations avaient été des opérations non contrôlées.

Pour s'en tenir à deux façons d'effectuer le partage, mentionnons en terminant celle qui consiste à procéder en deux temps. Dans un premier temps, il s'agit d'attribuer un rendement, qu'auraient réalisé les parties dans le cadre d'opérations non contrôlées, pour ce qui est des fonctions qui leur sont facilement attribuables. Dans un deuxième temps, les bénéfices résiduels donnent lieu à une répartition selon des modalités rencontrées dans le cadre d'opérations non contrôlées.

Méthode de la marge bénéficiaire nette

a) La marge nette est la marge (bénéficiaire) brute minorée des frais d'exploitation.

b) L'utilisation de cette méthode nécessite d'abord que l'on définisse le pourcentage de marge nette que l'on est en mesure d'observer dans le cadre d'opérations non contrôlées (pourcentage par rapport aux ventes, pourcentage par rapport au coût des ventes et aux frais d'exploitation, pourcentage par rapport aux éléments d'actif utilisés ou pourcentage par rapport à une autre base appropriée).

c) Le prix de cession interne correspond ici aux coûts (coût des ventes et frais d'exploitation), pour la partie à l'opération contrôlée qui vend le produit ou le service à l'autre partie, majoré d'un montant établi en utilisant le pourcentage de marge observé.

Penchons-nous maintenant sur l'emploi effectif de ces méthodes. À ce sujet, on peut lire aux paragraphes 49 et 50 de la circulaire de Revenu Canada : « [...] le Ministère estime qu'il existe une hiérarchie naturelle des méthodes. Certaines méthodes permettent d'obtenir des résultats plus fiables que d'autres, selon le degré de comparabilité entre les opérations contrôlées et les opérations non contrôlées. La fiabilité d'une méthode dépend également de la disponibilité des données et de la précision des ajustements nécessaires pour assurer la comparabilité. »

On peut lire au paragraphe 119 de la même circulaire : « Il peut arriver qu'un contribuable respecte la hiérarchie des méthodes et soit néanmoins incapable d'établir un niveau de comparabilité approprié fondé sur les faits et circonstances. En pareil cas, le contribuable devra peut-être envisager l'application d'une méthode autre que celles mentionnées par l'OCDE de façon à respecter le principe de pleine concurrence. »

Selon la hiérarchie naturelle des méthodes mentionnées par l'OCDE qui ont été abordées précédemment dans cette annexe, la méthode la plus directe et la plus fiable est celle du prix d'acquisition référentiel. Toutefois, le manque de données de qualité portant sur les opérations non contrôlées ou l'impossibilité de chiffrer de façon fiable les incidences des différences, le cas échéant, entre les opérations comparées peuvent amener à envisager l'emploi de l'une des deux autres méthodes du premier groupe.

Le choix entre ces deux méthodes repose sur la qualité des données disponibles pour chacune des parties à l'opération contrôlée. La circulaire de Revenu Canada précise au paragraphe 58 : « La méthode du prix de revente peut s'avérer la plus appropriée, si la partie la moins complexe est un distributeur. »

Quant aux méthodes du deuxième groupe, soulignons que l'OCDE a précisé qu'elles ne devraient être utilisées qu'en dernier ressort.

Face à l'impossibilité de pouvoir trouver des données pertinentes relativement au pourcentage de marge de bénéfice brut dans le cadre d'opérations non contrôlées, donc face à l'impossibilité de pouvoir utiliser la méthode du prix de revente minoré et celle du coût de revient majoré, la méthode du partage des bénéfices pourrait être envisagée, pour autant que les activités soient intégrées au point où il devient difficile d'analyser séparément l'opération contrôlée et l'opération non contrôlée, ou qu'il existe des actifs incorporels de grande valeur ou uniques au point de ne pouvoir trouver des données pour servir de base de comparaison.

Enfin, en l'absence d'actifs incorporels de grande valeur ou uniques, ou en présence d'un faible degré d'intégration des activités, la méthode de la marge bénéficiaire nette pourrait être envisagée.

La circulaire de Revenu Canada présente un exemple d'application pour chacune des méthodes de détermination dont il a été question dans cette annexe. Le lecteur aurait intérêt à en prendre connaissance, ne serait-ce que pour voir en quoi peuvent consister les ajustements que nécessite l'emploi de ces méthodes.

En terminant, précisons que les données servant comme références, dans l'application de méthodes de détermination de prix de cession interne respectant le principe de pleine concurrence, peuvent avoir trait à des opérations non contrôlées de l'entreprise multinationale (donc d'origine interne) ou à des entreprises sans lien de dépendance avec l'entreprise multinationale en question (donc d'origine externe).

Voici un exemple de situation où l'origine des données servant de référence est interne :

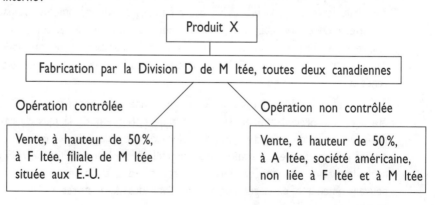

Aux fins de la détermination du prix de cession interne, le prix de vente facturé à A ltée peut servir de référence parce qu'il respecte le principe de pleine concurrence. Cette donnée de référence pertinente qu'est le prix de vente facturé par la Division D à une partie non liée au groupe formé de la Division D, de F ltée et de M ltée est ici d'origine interne.

Voici un autre exemple de situation où cette fois-ci l'origine des données servant de référence est externe:

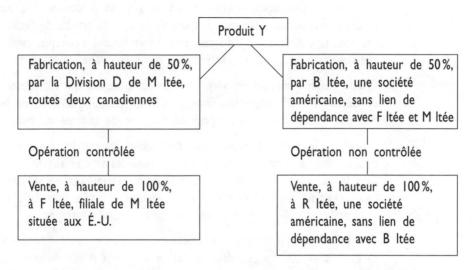

Aux fins de la détermination du prix de cession interne, seul le prix de vente facturé par B ltée respecte le principe de pleine concurrence. Cette donnée de référence pertinente qu'est le prix de vente facturé par une entreprise, sans lien de dépendance avec le groupe formé de la Division D, de F ltée et de M ltée, à une partie qui lui est elle-même étrangère est donc d'origine externe.

EXERCICES D'APPLICATION

▬▬ EXERCICE 14-1

M. Ringuet, qui exploite une chaîne de magasins de vente au détail d'articles de sport, a connu des difficultés en faisant usage des données comptables pour la prise de décisions. Actuellement, la chaîne comprend cinq magasins d'articles de sport. Chaque magasin vend les principales gammes de produits (équipement de tennis, bicyclettes, vêtements de sport, souliers, fusils, articles de pêche, etc.). Les commandes de chaque magasin sont acheminées à l'entrepôt central qui effectue tous les achats et l'entreposage pour la chaîne de magasins.

Chaque magasin effectue des ventes au comptant, ou à crédit sur présentation de cartes de crédit acceptées. Dans ce dernier cas, un personnel de bureau restreint travaillant à l'entrepôt central s'occupe de ces commandes.

La chaîne publie un catalogue annuel dans lequel figurent les produits vendus dans chacun des magasins. Chaque magasin vend les articles aux prix indiqués dans le catalogue. Les magasins sont pourvus d'une quantité suffisante de catalogues ; de plus, les clients peuvent en obtenir par la poste. Toutes les commandes postales sont exécutées directement par l'entrepôt.

Tous les achats sont centralisés et relèvent d'un agent préposé à cette fin. Tout ce qui a trait aux comptes fournisseurs et à la paie relève du personnel de bureau du siège social.

Actuellement, chaque magasin dépose quotidiennement les recettes, puis expédie au siège social les copies des bordereaux de dépôt, ainsi que les copies des factures de ventes à crédit. Les magasins enregistrent quotidiennement (à partir des rubans de caisses enregistreuses) les ventes ($) par gamme de produits. À la fin du mois, le siège social prépare un état des résultats relatif à la chaîne, complété par des annexes fournissant les ventes ($) par magasin et les ventes par gamme de produits. Le coût des marchandises vendues se rapportant à une gamme de produits est obtenu à partir du chiffre d'affaires duquel on déduit la majoration établie au taux moyen de majoration par gamme de produits. Chaque trimestre, l'entrepôt et tous les magasins font l'inventaire physique, et le coût des marchandises vendues est redressé.

Les profits ont baissé au cours des dix-huit derniers mois en dépit d'un volume de ventes accru. M. Ringuet est préoccupé par la situation et désire modifier le système de comptabilité de manière à obtenir plus d'informations pertinentes pour déterminer les causes de la baisse de profit.

ON DEMANDE

d'élaborer un nouveau système de comptabilité de nature à fournir à M. Ringuet de meilleurs rapports de rendement, tant au niveau de chaque magasin qu'au niveau des opérations de l'entrepôt ; pour ce faire, il y a lieu :

1. de mentionner les coûts qui devraient être inclus dans chaque rapport de rendement ;
2. d'expliquer si les coûts suivants devraient être portés ou non aux rapports de rendement :
   a) le coût des catalogues ;
   b) les frais de publicité ;
   c) les frais relatifs aux services centralisés des achats et de l'entreposage ;
   d) les frais du siège social.

(Adaptation – S.C.M.C.)

EXERCICE 14-2

Une université offre un programme d'éducation permanente dans plusieurs villes environnantes, Afin de faciliter les déplacements de son personnel enseignant et administratif, elle gère un parc automobile. Jusqu'à la fin de février de cette année, le parc automobile comprenait 20 véhicules. Le 1er mars, l'université a fait l'acquisition d'un véhicule supplémentaire. Outre le salaire et les charges sociales concernant le responsable de ce service et le mécanicien préposé à l'entretien normal des véhicules, la nature des autres frais d'exploitation du parc automobile ressort clairement du rapport de rendement pour le mois de mars.

Chaque année, le responsable élabore un budget d'exploitation du parc automobile. Le budget annuel du présent exercice repose sur les suppositions suivantes :

a) parc de 20 véhicules ;
b) 60 000 kilomètres par véhicule, par année ;
c) 10 kilomètres par litre, par automobile ;
d) 0,50 $ le litre d'essence ;
e) 0,0074 $ par kilomètre pour l'huile, l'entretien normal, les pièces et fournitures.

Le responsable se dit insatisfait du rapport de rendement suivant qu'on lui a présenté pour le mois de mars 20X5. Il est d'avis qu'un tel rapport ne rend aucunement compte de son rendement.

	Budget annuel	Budget d'un mois	Chiffres réels de mars	Écart
Essence	60 000 $	5 000 $	6 000 $	1 000 $ D
Huile, entretien normal, pièces et fournitures	8 880	740	891	151 D
Assurances	6 720	560	588	28 D
Salaires et charges sociales	36 000	3 000	3 000	– 0 –
Amortissement	44 400	3 700	3 885	185 D
	156 000 $	13 000 $	14 364 $	1 364 $ D
Nombre de kilomètres parcourus (total)	1 200 000	100 000	126 000	
Coût par kilomètre	0,13 $	0,13 $	0,114 $	
Nombre de véhicules	20	20	21	

ON DEMANDE

de représenter, en recourant au budget flexible, le rapport de rendement pour le mois de mars, où devront figurer les montants budgétés, les coûts réels et les écarts, et d'indiquer en quoi ce dernier rapport est plus satisfaisant que celui qui a été soumis au responsable.
(Adaptation – C.M.A.)

▬▬ EXERCICE 14-3

L'hôpital X dessert une région à vocation touristique durant la période estivale. La population de la région double pendant les mois de mai à août, alors que l'activité que connaît l'hôpital fait plus que doubler durant ces mêmes mois. La structure organisationnelle de l'hôpital comporte plusieurs services. Bien que ce soit un hôpital plutôt petit, l'atmosphère qui y règne a su attirer un personnel médical compétent.

Il y a un an, l'hôpital a engagé un administrateur en lui confiant la mission d'améliorer l'efficacité de l'exploitation de l'hôpital. Ce dernier a instauré une comptabilité par sections responsables. Les directeurs de service apprirent la chose en même temps qu'on leur soumettait pour la première fois des comptes rendus trimestriels portant sur les coûts. Antérieurement, la fréquence des rapports portant sur les coûts variait. Voici le contenu du rapport présenté au responsable du service de blanchissage :

« L'hôpital a adopté un système de comptabilité par sections responsables. À compter de maintenant, vous recevrez des rapports trimestriels qui divulgueront les coûts d'exploitation et les coûts prévus de votre service. Les rapports feront ressortir les écarts, de sorte que vous pourrez faire le nécessaire pour y remédier (c'est ce qu'on appelle la gestion par exceptions). La comptabilité par sections responsables signifie que vous êtes responsable de maintenir les coûts de votre service dans les limites du budget. Les écarts par rapport au budget vous aideront à mettre en évidence les coûts qu'il y a lieu de contrôler davantage. Le rapport qui vous concerne est joint au présent communiqué. »

HÔPITAL X
Rapport de rendement – Service de blanchissage
juillet – septembre 20X5

	Budget	Chiffres réels	Écart	Pourcentage de l'écart
Jours d'hospitalisation	9 500	11 900	(2 400)	(25)
Kilogrammes de linge blanchi	125 000	156 000	(31 000)	(25)
Frais				
Main-d'œuvre (blanchissage)	9 000 $	12 500 $	(3 500) $	(39)
Fournitures	1 100	1 875	(775)	(70)
Eau et frais de chauffage de l'eau	1 700	2 500	(800)	(47)
Entretien	1 400	2 200	(800)	(57)
Salaire du responsable	3 150	3 750	(600)	(19)
Frais répartis – administration	4 000	5 000	(1 000)	(25)
Amortissement du matériel	1 200	1 250	(50)	(4)
	21 550 $	29 075 $	(7 525) $	(35)

De l'avis de l'administrateur, les coûts engagés pendant le trimestre sont passablement plus élevés que ce qui était prévu. Il faut prêter une attention toute particulière à la main-d'œuvre, aux fournitures et à l'entretien.

Le budget annuel de 20X5 est l'œuvre du nouvel administrateur. Ce dernier a déterminé que le budget relatif à un trimestre devrait correspondre au quart du budget de l'année. Il a établi le budget à partir d'une analyse des coûts des trois années antérieures. L'analyse a révélé que tous les coûts avaient augmenté d'une année à l'autre et que cette augmentation était encore plus sensible au cours de la troisième année. Compte tenu de l'augmentation générale des prix, l'administrateur a établi le budget de 20X5 en prenant les coûts de 20X4. Toutefois, il a réduit ces derniers de 3 % en supposant que le nouveau système comptable permettrait de restreindre les coûts à un tel niveau. L'activité prévue pour 20X5, mesurée en journées d'hospitalisation et en kilogrammes de linge blanchi, fut l'activité réelle atteinte en 20X4 (l'activité réelle n'a pas varié au cours des trois dernières années).

ON DEMANDE

1. de faire la critique des procédés utilisés pour en arriver à l'élaboration du budget de 20X5 ;
2. d'indiquer si le compte rendu sur les coûts tel que présenté au responsable du service de blanchissage permet de juger réellement du rendement de ce responsable. Donner les raisons.

(Adaptation – C.M.A.)

■ **EXERCICE 14-4**

Pearsons est une chaîne de restaurants exploités au Québec. Chaque restaurant comprend une confiserie. Au fur et à mesure que le nombre de restaurants augmente, les techniques de contrôle deviennent davantage perfectionnées.

La direction de la société croit que l'implantation d'un contrôle budgétaire est devenue essentielle pour l'ensemble de la société, ainsi que pour chaque unité de restaurant-confiserie. Le budget présenté ci-après a été préparé par une unité type de la chaîne. On s'attend à ce que la nouvelle unité créée s'en tienne aux montants prévus dans ce budget.

RESTAURANT-CONFISERIE TYPE
État des résultats budgétés
pour l'exercice se terminant le 31 décembre 20X5 (en milliers de $)

	Confiserie	Restaurant	Total
Chiffre d'affaires	1 000 $	2 500 $	3 500 $
Achats	600	1 000	1 600
Salaires payés à l'heure	50	875	925
Frais de franchisage	30	75	105
Publicité	100	200	300
Électricité et chauffage	70	125	195
Amortissement	50	75	125
Location	30	50	80
Salaires fixes	30	50	80
Total	960 $	2 450 $	3 410 $
Bénéfice avant impôt	40 $	50 $	90 $

Toutes les unités (restaurant-confiserie) sont approximativement de mêmes dimensions ; l'espace réservé à la confiserie est sensiblement le même d'un restaurant à l'autre. Le style des installations et l'équipement utilisé sont uniformes pour toutes les unités. Le responsable de chaque unité doit suivre le programme de publicité recommandé par la société. Des frais de franchisage, calculés à partir d'un pourcentage du montant du chiffre d'affaires, sont imputés aux responsables pour l'utilisation du nom de la société, du bâtiment, etc.

L'unité de Montréal a été choisie pour tester la formule budgétaire. Le rendement du restaurant-confiserie de Montréal pour l'exercice se terminant le 31 décembre 20X5, comparé au budget type, se présente comme suit :

RESTAURANT-CONFISERIE DE MONTRÉAL
Compte rendu
pour l'exercice se terminant le 31 décembre 20X5 (en milliers de $)

| | Résultats réels | | | | Au-dessus (en dessous) du budget |
	Confiserie	Restaurant	Total	Budget	
Chiffre d'affaires	1 200 $	2 000 $	3 200 $	3 500 $	(300) $
Achats	780	800	1 580	1 600	(20)
Salaires payés à l'heure	60	700	760	925	(165)
Frais de franchisage	36	60	96	105	(9)
Publicité	100	200	300	300	- 0 -
Électricité et chauffage	76	100	176	195	(19)
Amortissement	50	75	125	125	- 0 -
Location	30	50	80	80	- 0 -
Salaires fixes	30	50	80	80	- 0 -
Total	1 162 $	2 035 $	3 197 $	3 410 $	(213) $
Bénéfice avant impôt	38 $	(35) $	3 $	90 $	(87) $

Les directeurs de la société ont procédé à une étude fouillée du rapport et ont discuté de son importance et de sa signification. Ils en ont conclu que la comparaison aurait été plus significative si l'analyse avait été effectuée à partir d'un budget flexible pour chacune des deux activités (restaurant, confiserie), au lieu d'un seul budget, comme ce fut le cas.

ON DEMANDE

1. de préparer un état où l'on compare le budget flexible de l'activité Confiserie de l'unité de Montréal à ses résultats réels ;
2. d'indiquer si un rapport complet, comparant le budget flexible aux résultats réels de chacune des deux activités, permettrait de repérer plus facilement les problèmes de l'unité de Montréal. Expliquer à l'aide des données de l'exercice et de la réponse fournie en 1 ;
3. d'indiquer si les comparaisons entre les budgets flexibles et les résultats réels devraient faire partie du système habituel de comptes rendus :
   a) sur une base annuelle ;
   b) sur une base mensuelle.

(Adaptation − C.M.A.)

■ EXERCICE 14-5

La Coopération est une importante banque qui exploite plusieurs succursales. Elle a un service d'informatique qui s'occupe de traiter toute son information ; de plus, ce service vend son temps-machine excédentaire pour traiter l'information venant de l'extérieur et prête son concours à des tiers pour l'implantation de systèmes informatiques.

Le service d'informatique est actuellement considéré comme un centre de coûts. Le directeur de ce service prépare annuellement un budget de frais, lequel doit être soumis et approuvé par la haute direction de la banque. On prépare des rapports mensuels d'exploitation qui comparent les frais réels et les frais budgétés. Dans ces rapports, on n'inclut pas les produits gagnés par le service d'informatique pour les services rendus à des tiers ; on inclut plutôt ces derniers dans la section Autres produits, dans l'état des résultats publié par la banque, sans jamais les faire figurer aux rapports mensuels d'exploitation destinés au service d'informatique. Cependant, les frais engagés pour gagner ces produits sont inclus dans les rapports de rendement mensuels concernant le service d'informatique.

Le directeur du service a proposé à la haute direction de la banque de convertir ce centre de coûts en un centre de profit ou d'investissement.

ON DEMANDE

1. d'indiquer les caractéristiques qui différencient centre de coûts, centre de profit et centre d'investissement ;

2. d'indiquer si le directeur aurait à gérer de façon différente son service si ce dernier était considéré comme un centre de profit ou un centre d'investissement plutôt que comme un centre de coûts. Expliquer.

(Adaptation – C.M.A.)

■■■ EXERCICE 14-6

La société Paon est une multinationale qui tient ses directeurs pour responsables du bénéfice divisionnaire. Chaque division fabrique et vend ses propres produits. Les directeurs de division sont également responsables de leurs niveaux de stocks. Le siège social fournit les services administratifs communs. Les coûts réels de ces services sont répartis entre toutes les divisions en fonction des chiffres d'affaires budgétés et sont compris dans les frais d'exploitation divisionnaires à titre de frais d'administration. Chaque année, toutes les divisions préparent leurs budgets d'exploitation et les soumettent au siège social. Il arrive fréquemment que, au cours de cet examen, le siège social demande des renseignements supplémentaires pour expliquer les changements importants par rapport aux tendances passées en matière de ventes, coûts ou frais. Le budget final est approuvé quand le rendement proposé de l'actif employé par la division est acceptable.

Le rendement de chaque division est surveillé chaque mois, et le directeur de division doit consigner et expliquer tout écart important par rapport au budget.

La division Aigle a connu un bénéfice acceptable pendant des années. Toutefois, au cours du dernier trimestre, surtout au mois de septembre, elle a éprouvé de graves problèmes.

La division fabrique des commutateurs qu'elle vend à des détaillants d'appareils électriques. Le personnel des ventes d'Aigle travaille à la commission. Les produits sont annoncés chaque mois dans les revues spécialisées. Jusqu'à tout récemment, le prix de vente au détaillant s'élevait à 13,50 $ le commutateur. La qualité du produit et le respect des dates de livraison sont des facteurs qui ont contribué au succès de la division.

Au cours des derniers mois, une nouvelle marque de commutateurs a envahi le marché. En faisant de la publicité sur des pages entières de revues et en offrant des prix de vente plus bas au détaillant, le nouveau concurrent a acquis une part importante du marché en l'espace de trois mois. Un échantillon de son produit a été soumis à un examen et à des tests : on a constaté qu'il était d'une qualité égale au commutateur d'Aigle. Le directeur de la division Aigle pense que la politique des bas prix se poursuivra encore trois mois et que les prix reviendront lentement à leur niveau normal, soit entre 13 $ et 14 $.

Au cours du dernier mois (septembre), Aigle a produit 22 000 unités, alors que sa production normale est de 30 000 unités. Par ailleurs, ses ventes n'ont été que de 14 500 unités, si bien qu'elle s'est retrouvée avec un stock de 50 000 unités le 30 septembre. Son budget d'exploitation annuel prévoyait des stocks de 20 000 unités à la fin de l'exercice, soit le 31 décembre.

On a utilisé les coûts de fabrication standards suivants pour préparer le budget d'exploitation annuel, coûts qui demeureront en vigueur pour la durée de l'exercice :

	(par commutateur)
Matières premières	2,40 $
Main-d'œuvre directe (9,60 $ l'heure)	3,20
Frais indirects de fabrication variables (3,60 $ l'heure de M.O.D.)	1,20
Frais indirects de fabrication fixes (6,60 $ l'heure de M.O.D.)	2,20
Total	9,00 $

Les frais indirects de fabrication standards par unité, à savoir 3,40 $, sont fondés sur le volume normal de production annuelle de 360 000 unités, soit 30 000 unités par mois. La capacité maximale de production qui n'accroît pas les frais indirects de fabrication fixes est de 35 000 unités par mois ou de 420 000 unités par année.

Le rapport de rendement pour la période de neuf mois prenant fin le 30 septembre est présenté ci-après.

DIVISION AIGLE
État des résultats
de la période de neuf mois terminée le 30 septembre

	Chiffres réels	Budget	Écarts	
Ventes (unités)	252 000	270 000	18 000	D
Chiffre d'affaires	3 333 500 $	3 645 000 $	311 500 $	D
Coût des produits vendus	2 297 900	2 430 000	132 100	F
Bénéfice brut	1 035 600 $	1 215 000 $	179 400 $	D
Frais				
Publicité	191 500	189 000	2 500	D
Expédition et livraison	151 200	162 000	10 800	F
Commissions	201 600	216 000	14 400	F
Administration	290 800	297 000	6 200	F
Total des frais	835 100 $	864 000 $	28 900 $	F
Bénéfice de la division Aigle	200 500 $	351 000 $	150 500 $	D

Le volume réel de production au cours de la période de neuf mois a été de 262 000 unités. Le coût des produits vendus pour la période terminée le 30 septembre se présente comme suit :

Matières premières au coût standard	628 800 $
Main-d'œuvre directe au coût standard	838 400
Frais indirects de fabrication imputés au coût standard	890 800
Coût standard des unités produites	2 358 000
moins : Augmentation des stocks (10 000 unités à 9 $)	90 000
Coût des produits vendus (standard)	2 268 000
Écarts (défavorables)	
Temps et rendement (main-d'œuvre et frais indirects de fabrication)	12 300
Volume (frais indirects de fabrication)	17 600
Coût des produits vendus	2 297 900 $

Les commissions et les frais d'expédition et de livraison varient proportionnellement au nombre d'unités vendues. Les écarts sur temps et rendement concernant la main-d'œuvre et les frais indirects de fabrication ne sont pas censés se répéter.

ON DEMANDE

1. de déterminer le prix de vente, le volume des ventes et le volume de production optimaux de la division Aigle pour le prochain trimestre en utilisant les résultats suivants relatifs à une étude de marché indépendante portant sur le quatrième trimestre. Supposez qu'on fixe maintenant à 10 000 unités le stock de fermeture de ce quatrième trimestre.

Prix de vente	Volume de ventes prévu de la division Aigle
12,00 $	60 000 unités
11,50	90 000 unités
11,00	130 000 unités
10,50	150 000 unités
10,00	170 000 unités

2. d'indiquer, raisons à l'appui, si la division Aigle devrait être considérée comme un centre de profit ;

3. d'évaluer la politique de la société Paon en ce qui a trait aux rapports de rendement, à l'évaluation et au contrôle. Faites des recommandations précises en vue d'améliorer la situation.

(Adaptation – S.C.M.C.)

■■■ EXERCICE 14-7

Musique inc. est une association de professeurs de musique qui comptait 20 000 membres en 20X8. L'association a un siège social ainsi que des sections régionales regroupant les membres dans tout le Canada. Les sections régionales tiennent des réunions mensuelles portant sur les développements récents dans le domaine de l'enseignement de la musique. Les publications de l'association consistent en un journal mensuel, Forum des professeurs, et en des études de recherche. De plus, elle parraine des cours professionnels dans le cadre d'un programme de formation continue.

Voici l'état des produits et des charges de l'association pour l'exercice terminé le 30 novembre 20X8.

	(en milliers de dollars)	
Produits		3 275 $
Charges		
Salaires	920 $	
Avantages sociaux	230	
Taxes foncières, assurances, etc.*	280	
Cotisations aux sections régionales	600	
Services aux membres	500	
Papeterie et impression	320	
Expédition	176	
Honoraires des professeurs	80	
Générales d'administration	38	3 144
Excédent des produits sur les charges		131 $

* dont 50 000 $ de frais de location d'un local d'entreposage pour le service des études de recherche.

Le bureau de direction a demandé qu'un état des résultats sectoriels soit préparé divulguant l'apport de chaque centre de produits (registrariat, journal, études de recherche, formation continue). Michel Daigle se voit confier cette tâche et parvient à réunir les renseignements suivants avant de préparer l'état demandé :

a) La cotisation annuelle de membre est de 100 $ incluant 20 $ pour l'abonnement au journal de l'association et la quote-part à transmettre à la section régionale.

b) Le prix de l'abonnement au journal, pour un non-membre, est de 30 $. Les abonnements des non-membres se sont élevés à 2 500. Les pages publicitaires ont rapporté au journal un produit de 100 000 $. Les coûts de papeterie et d'impression du journal s'élèvent à 7 $ par abonnement alors que les frais d'expédition se montent à 4 $.

c) Le service des études de recherche a vendu 28 000 exemplaires au prix de vente moyen unitaire de 25 $. Les frais moyens par exemplaire sont les suivants :

Papeterie et impression   4 $
Expédition   2

d) L'association offre, aux membres et aux non-membres, toute une variété de cours de formation continue. Les cours d'un jour, au prix de 75 $ chacun, ont été suivis par 2 400 participants en 20X8, alors que ceux d'une durée de deux jours, au prix de 125 $ le cours, l'ont été par 1 760 participants. L'association a dû, pour certains cours, faire appel à des professeurs qui ne font pas partie de son personnel.

e) Voici d'autres données concernant les salaires et les superficies de plancher :

	Salaires	Superficie en mètres carrés
Registrariat	210 000 $	2 000
Journal	150 000	2 000
Études de recherche	300 000	3 000
Formation continue	180 000	2 000
Direction générale	80 000	1 000
	920 000 $	10 000

f) Les avantages sociaux représentent 25 % des salaires.

g) Les frais de papeterie et d'impression autres que pour le journal et les études de recherche sont engagés pour le service de la formation continue.

h) Les charges générales d'administration sont engagées pour la direction générale.

Daigle a décidé qu'il attribuerait tous les produits et les frais aux centres de produits qu'il est possible d'affecter directement ou qu'il est possible d'attribuer en recourant à un critère logique et raisonnable.

Les frais qui peuvent être affectés à la direction générale ainsi que tous les autres frais qui ne peuvent être attribués aux centres de produits seront groupés avec les frais généraux d'administration et ne donneront lieu à aucune répartition entre les centres de produits.

ON DEMANDE

1. de présenter l'état des résultats sectoriels souhaité par la direction générale, tout en y faisant figurer les charges communes de l'association ;
2. d'indiquer à quelles fins l'utilisation de cette information sectorielle pourrait être faite par l'association si cette dernière opte définitivement pour la production de ce type d'information sectorielle ;
3. d'indiquer les raisons, autres que le caractère arbitraire des répartitions, qui sont souvent mentionnées pour justifier la non-répartition des frais indirects ou non directement affectables ;
4. de préciser les contextes qui pourraient rendre acceptable la répartition des frais indirects ou non directement affectables.

(Adaptation – C.M.A.)

■■■ EXERCICE 14-8

C et B ltée compte deux divisions, la division des Coques et la division des Bateaux. Des marchés existent aussi bien pour les coques (sans mâts ni voiles) que pour les bateaux (munis de voiles et de mâts). Chaque division est traitée comme un centre de profit. Le prix de cession interne des coques a été fixé au prix du marché.

Les données suivantes sont disponibles :

Prix de vente d'un bateau	3 000 $
Prix de vente d'une coque	2 600
Coûts variables supplémentaires engagés par la division des Bateaux pour chaque bateau	500
Coûts variables engagés par la division des Coques pour chaque coque	1 700

ON DEMANDE

1. d'indiquer si le prix du marché représente le prix de cession interne à utiliser et s'il y aura effectivement des cessions internes, en supposant que la division des Coques fonctionne à pleine capacité ;
2. d'indiquer, en supposant que la division des Coques a une capacité de production maximale de 1 000 unités et que ses ventes à l'extérieur de

la firme s'élèvent présentement à 800 unités, si la division des Coques devrait vendre 200 coques à la division des Bateaux. Si oui, indiquer quel serait le prix de cession pertinent.

(Adaptation – S.C.M.C.)

◾ EXERCICE 14-9

Textiles Canadiens ltée a quatre divisions : Tissage, Teinture, Confection et Ventes. Les deux premières divisions sont des centres de coûts, c'est-à-dire qu'elles transfèrent à la division suivante le produit fini au coût variable et qu'elles sont responsables de maintenir leurs coûts à un niveau minimal. Les divisions Confection et Ventes sont très décentralisées ; chaque directeur est libre de négocier des prix de cession interne qui sont à l'avantage de sa division. Durant l'exercice précédent, la division Confection a fourni des chemises pour hommes à la division Ventes au prix de cession interne de 4,25 $ l'unité.

Récemment, d'importantes quantités de chemises ont été importées d'Orient où le coût de la main-d'œuvre est passablement inférieur. La division Ventes peut maintenant approvisionner le marché canadien de chemises importées de même qualité et à un coût de 3,75 $ seulement. En conséquence, elle souhaite effectuer ses achats auprès de fournisseurs externes. Un changement de volume ne modifiera pas les coûts fixes de la division Confection. La division Ventes achète annuellement 150 000 chemises. Le coût de production de la division Confection s'élève à 4,00 $ la chemise (coûts variables 3,25 $, et coûts fixes 0,75 $).

ON DEMANDE

1. de déterminer si la société aurait avantage à permettre à sa division Ventes de s'approvisionner auprès de fournisseurs externes, sachant que les bâtiments et l'outillage de la division Confection peuvent être utilisés pour un autre contrat pouvant donner une marge sur coûts variables annuelle de 50 000 $;
2. de déterminer le prix de cession interne approprié et de mentionner les raisons motivant le choix de ce prix.

(Adaptation – S.C.M.C.)

◾ EXERCICE 14-10

Nordest ltée produit une grande variété de systèmes et de pièces détachées pour l'industrie de l'électronique.

La firme comporte plusieurs divisions où les directeurs ont le pouvoir de prendre toute décision au sujet des opérations. Le contrôle des opérations de chaque division est assuré par la direction générale à l'aide de la mesure du profit. La direction générale de Nordest ltée a été satisfaite des résultats de la structure organisationnelle et croit qu'elle est responsable du succès atteint par l'entreprise au cours des dernières années.

La division I produit des circuits intégrés et fonctionne à pleine capacité. La division II a demandé à la division I de lui fournir une plus grande quantité de circuits intégrés IC 378. La division I vend actuellement ces circuits 40 $ les cent unités à ses clients.

La division II, qui fonctionne à 60 % de sa capacité, veut faire entrer ces circuits dans la fabrication d'un système d'horlogerie. Elle a l'occasion de fournir une grande quantité de ces systèmes à Audio Électrique, important producteur de radios-horloges et d'autres appareils récréatifs très en demande. C'est la première fois que les divisions de Nordest ltée peuvent traiter avec Audio Électrique. Cette dernière offre 7,50 $ par système d'horlogerie.

La division II a préparé une analyse des coûts prévus pour la production des systèmes d'horlogerie. Elle a déterminé le prix de cession à la division I pour les circuits intégrés à partir du prix de vente du système d'horlogerie duquel elle retranche divers coûts.

Le tableau suivant résume la démarche suivie pour cette analyse :

Prix de vente suggéré		7,50 $
Coûts, excluant le coût des circuits intégrés requis IC 378, et profit désiré		
Pièces obtenues chez des fournisseurs extérieurs	2,75 $	
Gravure des circuits : main-d'œuvre et frais indirects variables	0,40	
Assemblage, vérification, empaquetage		
Main-d'œuvre et frais indirects variables	1,35	
Quote-part des frais indirects fixes	1,50	
Marge de profit désirée	0,50	6,50
Prix de cession possible pour les circuits intégrés IC 378 (5 à 20 $ les cent unités)		1,00 $

Après l'analyse, la division II a offert à la division I un prix de 20 $ les cent circuits intégrés. Cette offre a été refusée par le directeur de la division I qui prétend que la division II pourrait accepter un prix d'au moins 40 $ les cent unités, prix en vigueur pour les autres clients. Quand la division II s'aperçut qu'elle ne pourrait obtenir des fournisseurs extérieurs un circuit intégré comparable, la situation fut soumise à un comité d'arbitrage qui dut revoir toute la question.

Le comité d'arbitrage prépara une analyse montrant que 0,15 $ couvrait les coûts variables de production des circuits intégrés, 0,28 $ la totalité des coûts incluant les frais fixes, et que 0,35 $ procurait une marge satisfaisante égale à la moyenne des marges de profit sur tous les autres produits vendus par la division I. Le directeur de la division II réagit : il soutient que la division I pourrait lui céder ces circuits intégrés à 0,20 $ tout en obtenant une contribution au profit, et qu'en fait elle devrait être forcée de les lui céder à leur coût variable, soit 0,15 $, pour ne pas profiter de lui.

Dave Walter, directeur de la division I, riposta en prétendant qu'il serait absurde de céder à 20 $ les cent unités alors qu'il pouvait obtenir 40 $ à l'extérieur pour tous les circuits produits.

Le comité recommande de fixer le prix à 0,35 $ l'unité (35 $ les cent unités), ce que les deux directeurs rejettent. Le problème fut soumis au vice-président des opérations.

ON DEMANDE

1. d'indiquer s'il serait plus avantageux financièrement pour Nordest ltée d'obliger la division I à fournir des circuits IC 378 à la division II. Expliquer ;
2. de discuter, en supposant que Nordest ltée adopte une politique selon laquelle le prix dans toute cession interne soit égal au coût variable par unité de la division cédante, et que cette même division soit obligée de céder à ce prix si la division cliente veut obtenir le produit en question, les conséquences de l'adoption d'une telle politique qui aurait pour résultat d'éviter le recours au comité d'arbitrage ou à l'intervention du vice-président.
   (Adaptation − C.M.A.)

EXERCICE 14-11

Data ltée a un service d'informatique qui a été créé en vue de répondre aux besoins des sections de production A et B. On prévoyait consacrer 60 % des heures à la section A et 40 % à la section B.

Les coûts budgétés du service d'informatique sont constitués :

a) de frais variables de 245 $ par heure de traitement ;
b) de frais fixes de 258 000 $ par mois.

Les renseignements relatifs au dernier mois sont les suivants :

a) les heures exigées par la section A ont été de 630, alors que les heures standards étaient de 624 pour le travail effectué ;

b) les heures consacrées à la section B ont été de 315, contre 285 heures standards pour les travaux effectués ;

c) les frais totaux du service d'informatique se sont élevés à 489 525 $.

Les frais du service d'informatique ont été ventilés comme suit ;

a) frais réels à l'heure : 489 525 $/945 h = 518,016 $

b) montant attribué à la section A : 630 heures × 518,016 $ = 326 350 $

c) montant attribué à la section B : 315 heures × 518,016 $ = 163 175 $

ON DEMANDE

1. de faire état des objections à opposer, en tant que responsable de la section A, au mode de ventilation utilisé ;

2. de recommander, calculs à l'appui, une meilleure méthode de ventilation des frais du service d'informatique et d'indiquer en quoi elle le serait.
(Adaptation – S.C.M.C.)

◼◼◼ EXERCICE 14-12

Salaisons C et P ltée a deux divisions. La division 1 est responsable de l'abattage des animaux et de la coupe de la viande avant qu'elle ne soit apprêtée. La division 2 apprête les viandes, comme le jambon, le bacon, etc. Elle peut s'approvisionner en viande non apprêtée à la division 1 ou à des fournisseurs externes. La division 1 peut vendre au prix du marché toute la viande non apprêtée qu'elle est en mesure de produire. Voici l'état des résultats de la société pour 20X5 :

SALAISONS C ET P LTÉE
État des résultats
pour l'exercice terminé le 31 décembre 20X5 (en milliers de $)

Chiffre d'affaires			1 800 $
Coût des produits vendus			
Coûts de production			
Matières premières – division 1	500 $		
Main-d'œuvre directe – division 1	300		
Frais indirects de fabrication – division 1	200		
Main-d'œuvre directe – division 2	350		
Frais indirects de fabrication – division 2	100	1 450 $	
Coût des produits disponibles pour la vente		1 450	
Stock de la fin (au coût)			
Division 1	– 0 –		
Division 2	100	100	1 350
Bénéfice brut			450
Frais d'exploitation			
De vente et d'administration – division 1	110		
De vente et d'administration – division 2	120		
Frais généraux du siège social	140		370
Bénéfice avant impôt			80 $

Le stock de la fin de 100 000 $ est au coût de production engagé dans la division 1. Ces viandes n'ont pas encore été apprêtées. La valeur au marché de ce stock est de 120 000 $.

Le chiffre d'affaires de l'exercice se détaille comme suit :

Division 1	400 000 $
Division 2	1 400 000
	1 800 000 $

La valeur au marché de la viande non apprêtée, réellement transférée de la division 1 à la division 2, est de 1 120 000 $.

ON DEMANDE

1. de présenter un état des résultats, par division, destiné à évaluer le rendement des directeurs des deux divisions ;

2. de justifier le prix de cession qu'il fallait utiliser dans la préparation de l'état précédent.

(Adaptation – S.C.M.C.)

EXERCICE 14-13

Totale ltée est une entreprise de fabrication intégrée formée de multiples divisions. Deux de ses divisions, Roc et Choc, sont des centres de profit dont les directeurs assument l'entière responsabilité des ventes, tant internes qu'externes, et de la production. La haute direction évalue les directeurs de ces deux divisions en fonction du profit total.

La division Roc est seule à produire une pièce de matériel spéciale appelée Q-32. Comme aucun autre produit ne fait concurrence au Q-32 sur le marché extérieur, le directeur de la division Roc a fixé à 450 $ le prix unitaire du Q-32. À ce prix, le volume de vente et de production devrait s'établir à 21 000 unités ; la capacité de production annuelle est cependant de 26 000 unités. Le coût de production standard d'une unité de Q-32, établi en fonction du volume de production normal de 21 000 unités, est le suivant :

Matière premières	175,00 $
Main-d'œuvre directe	75,00
Frais indirects de fabrication variables	50,00
Frais indirects de fabrication fixes	90,00
	390,00 $

La division Choc fabrique à contrat de l'outillage pour plusieurs clients importants. Un client potentiel lui a récemment demandé de fabriquer une machine de conception spéciale exigeant une unité de Q-32, son principal composant. Le client serait disposé à signer un contrat à long terme pour l'achat de 10 400 machines par année à un prix maximum de 650 $ l'unité. Bien que la division Choc dispose d'une capacité inutilisée suffisante pour s'engager dans la production de cette machine spéciale, le directeur de la division ne consentira à l'entente que s'il peut négocier un prix de cession raisonnable avec le directeur de la division Roc pour le Q-32. Selon ses calculs, les éléments du coût unitaire de production de la machine spéciale sont les suivants :

Matières premières	100,00 $
Main-d'œuvre directe	50,00
Frais indirects de fabrication variables	35,00
Frais indirects de fabrication fixes	50,00
Coût de production unitaire total avant cession du Q-32	235,00 $

ON DEMANDE

1. de déterminer le prix de cession unitaire maximum que devrait consentir à payer le directeur de la division Choc pour le Q-32 s'il entend s'engager à produire la machine spéciale. Justifier votre réponse ;

2. de déterminer le prix unitaire minimal moyen auquel le directeur de la division Roc accepterait normalement de céder 10 400 unités de Q-32 sans que le résultat de sa division en soit touché. Justifier votre réponse ;

3. de supposer que la division Roc soit en mesure de vendre en totalité, sur le marché extérieur, les 26 000 unités de Q-32 qu'elle peut produire chaque année, moyennant une réduction de 5 % du prix de vente, et d'évaluer, du point de vue de la haute direction, s'il est préférable que la division Roc abaisse son prix externe ou cède à la division Choc les 10 400 unités de Q-32 dont cette dernière a besoin, compte tenu des facteurs quantitatifs aussi bien que qualitatifs.

(Adaptation – S.C.M.C.)

■■■ EXERCICE 14-14

A ltée vient d'adopter un mode de gestion décentralisé. Les directeurs divisionnaires ont la responsabilité de leurs décisions en ce qui concerne l'exploitation et les rapports avec les autres divisions. De plus, les directeurs sont jugés en fonction du profit réalisé.

Un différend oppose le directeur de la division Biens de consommation à celui de la division Génie, par suite de la réception par la division Génie d'une offre d'achat pouvant aller jusqu'à 100 000 pièces TX au prix de 5 $ l'unité, offre qui lui est faite par une entreprise indépendante dont le marché n'a aucun lien avec celui auquel s'adresse la division Biens de consommation. Jusqu'à tout récemment, toutes les pièces TX pouvant être produites par la division Génie étaient utilisées par la division Biens de consommation dans la fabrication d'un article ménager (4 pièces TX par article ménager). Dernièrement, la division Biens de consommation a connu des difficultés de commercialisation, de sorte qu'elle a maintenant réduit sa production à 56 000 articles ménagers par an. Voici quelques données sur la pièce TX et sur l'appareil ménager en question :

	Pièce TX (division Génie)	Appareil ménager (division Biens de consommation)
Capacité de production annuelle maximale	300 000 unités	75 000 unités
Prix de vente ou prix de cession	4,50 $ l'unité	80 $ l'unité
Coût de fabrication standard (au niveau de la production maximale)		
Frais propres à la division		
Frais variables	2,00 $ l'unité	37 $ l'unité
Frais fixes	1,75 l'unité	13 l'unité
Achats auprès de la division Génie		18 l'unité
	3,75 $	68 $

Le directeur de la division Biens de consommation a fait parvenir au président la requête suivante : « Pouvez-vous dire au directeur de la division Génie de refuser l'offre qu'il a reçue parce que je ne peux trouver la pièce TX ailleurs ? »

ON DEMANDE

1. d'indiquer, calculs à l'appui, quelle décision le directeur de la division Génie devrait prendre, au sujet de l'offre qu'il a reçue, pour optimiser le profit de sa division ;
2. d'évaluer l'effet global qu'aurait pour la société, dans les circonstances présentes, l'acceptation de l'offre par le directeur de la division Génie ;
3. d'indiquer quels facteurs le président devrait prendre en considération pour juger s'il doit intervenir dans le conflit.
(Adaptation – C.A.)

EXERCICE 14-15

Breton inc. est une importante entreprise décentralisée spécialisée dans l'électronique. Pour l'évaluation des réalisations relatives à ses divisions, elle recourt aux critères suivants :
- la rentabilité ;
- la productivité ;
- la position relative par rapport au marché ;
- la formation du personnel ;
- la responsabilité sociale ;
- l'état d'esprit des employés ;
- l'équilibre entre les objectifs à court terme et à long terme.

ON DEMANDE

1. de trouver et de discuter brièvement les avantages que représente l'évaluation des réalisations faite à partir de plusieurs critères par rapport à une évaluation fondée sur un critère unique ;
2. d'indiquer, puisque l'harmonisation des objectifs est un problème qui caractérise souvent les organisations relativement importantes,
   a) ce que l'on entend par harmonisation des objectifs ;
   b) si un système d'évaluation du rendement à partir de plusieurs critères permettra de parvenir à l'harmonisation des objectifs. Expliquer.

(Adaptation – C.M.A.)

EXERCICE 14-16

Une entreprise a deux divisions : M et N. La division de fabrication M produit un bien utilisé par la division N et qui ne peut être vendu à l'extérieur de l'entreprise ; la division de distribution N ne peut acheter ce bien à l'extérieur de l'entreprise, faute de producteur.

La fonction des coûts de la division M est la suivante :

50 000 $ + 2 $ (Nombre d'unités)

Compte non tenu des charges relatives aux biens reçus de la division M, la fonction des coûts de la division N est la suivante :

80 000 $ + 1 $ (Nombre d'unités)

Voici le comportement de la demande du produit vendu par la division N :

Prix de vente	Nombre d'unités
18,00 $	12 000
15,50	16 000
13,50	20 000
12,50	24 000
11,04	28 000
9,66	32 000

ON DEMANDE

1. d'indiquer, calculs à l'appui, quel devrait être le volume de production optimal pour l'ensemble de l'entreprise ;

2. d'indiquer, calculs à l'appui, quel pourrait être le volume de production qui permettrait à la division N de maximiser son résultat si elle acceptait un prix de cession de 7 $ l'unité ;

3. d'indiquer, toutes choses étant égales par ailleurs, quel devrait être, au prix de cession de 7 $ l'unité, le volume de production qui protège aussi bien l'intérêt de la division N que celui de la division M.

■■■ EXERCICE 14-17

Décentralise ltée a deux divisions. La division A produit une pièce qui se vend sur le marché 16 $ l'unité. Il en coûte 10 $ en frais déboursés pour fabriquer ladite pièce. Il existe présentement une sous-utilisation de la capacité de production de la division A qui pourrait produire 1 000 pièces supplémentaires.

La division B fabrique un produit dans lequel entre une certaine pièce. Par suite de l'accroissement de la demande, la division B aurait précisément besoin de 1 000 pièces supplémentaires identiques à celles que fabrique la division A. En plus du coût de la pièce, il en coûtera 11 $ en frais déboursés par produit.

Un client potentiel de l'entreprise a passé la commande suivante :
a) 600 produits de la division B au prix ordinaire de 30 $ l'unité ;
b) 1 000 pièces de la division A au prix de 16 $ l'unité.

La commande de ce client doit être acceptée ou refusée globalement.

ON DEMANDE

de déterminer le prix de cession interne qui préserverait l'intérêt global de l'entreprise.

■■■ EXERCICE 14-18

Jeux athlétiques limitée (JAL), une société établie au Canada, fabrique notamment une gamme restreinte de chaussures dans deux divisions dont l'une exerce ses activités au Canada et l'autre, aux États-Unis. Grâce à des produits alliant une conception de pointe et des matières premières de grande qualité, les deux divisions occupent une part importante de leur marché respectif. Le marché canadien est desservi par la division Énergie et celui des États-Unis, par la division Endurance. Chaque division a implanté son usine de fabrication de chaussures de marque JAL dans des villes se faisant face à la frontière canado-américaine. En raison des droits de douane et des taxes, les divisions n'exportent pas leurs produits.

Le succès de la gamme de chaussures dépend d'un composé de caoutchouc naturel, appelé Latex-SSK, qui provient seulement du Manana. Récemment, la concurrence exercée par les autres acheteurs du composé ainsi que d'autres facteurs ont fait monter son prix à 5,70 $ l'unité (avant droits de douane) et ont perturbé la stabilité de l'approvisionnement. La haute direction a donc décidé de créer une nouvelle division au Manana pour éliminer toute incertitude à l'égard du prix et de l'approvisionnement. Les prévisions des coûts de fabrication du Latex-SSK par la division Manana en 20X1 figurent dans l'annexe A. L'annexe B présente, pour les chaussures de marque JAL, des données prévisionnelles pour 20X1 sur les ventes et les coûts, excluant le Latex-SSK.

Le taux d'imposition effectif de la division Énergie au Canada est de 45 % et celui de la division Endurance est de 30 % aux États-Unis. Le gouvernement du Manana vient d'instituer un impôt sur les bénéfices des sociétés. Le taux applicable à la division Manana s'élèverait à 15 % du bénéfice aux fins de cet impôt ; le bénéfice est égal au prix de cession interne *moins* le coût complet. Au Canada et aux États-Unis, le prix de cession interne permis aux fins du calcul de l'impôt sur le revenu ne peut pas dépasser le coût complet majoré de 50 %. Au Manana, les prix de cession interne des marchandises exportées ne font l'objet d'aucune restriction.

Les droits de douane perçus sur le Latex-SSK importé s'élèvent à 30 % pour la division Énergie au Canada et à 27 % pour la division Endurance aux États-Unis. Le montant des droits est calculé d'après les prix à l'importation, par exemple les prix de cession interne. Le prix de cession interne permis au Canada et aux États-Unis pour le calcul des droits de douane ne peut être inférieur au coût complet.

ON DEMANDE

de supposer que JAL vise à maximiser le bénéfice net global de la société et de recommander un prix de cession interne pour le Latex-SSK dans chacun des cas suivants :
a) cession du Latex-SSK de la division Manana à la division Énergie ;
b) cession du Latex-SSK de la division Manana à la division Endurance.
(Adaptation – S.C.M.C.)

Annexe A
Coûts prévus pour la division Manana en 20X1
pour la fabrication du Latex-SSK
(par unité en dollars canadiens)

Matières premières	1,25 $
Main-d'œuvre directe	1,00
Frais indirects variables	0,50
Frais indirects fixes	2,25
Coûts unitaires pour un volume prévu de 250 000 unités	5,00 $

Il faut une unité de Latex-SSK pour fabriquer une paire de chaussures de marque JAL.

Annexe B
Données sur les ventes et les coûts en 20X1,
sauf le Latex-SSK, par paire de chaussures de marque JAL

	Division Énergie	Division Endurance
Prix de vente	50,00 $	50,00 $
Coûts variables sauf le Latex-SSK	15,00 $	15,00 $
Coûts fixes	10,00 $	10,00 $
Volume de vente (nombre de paires de chaussures)	50 000	200 000

■■■■ EXERCICE 14-19

René Jacques vient d'être embauché au poste de contrôleur de Fabrication Éden, fabricant d'une gamme complète de tissus, de lits, d'articles de literie et de tentures. Le siège social de l'entreprise est situé dans une grande ville canadienne, et trois divisions d'exploitation sont établies dans les environs : Tissus, Châssis et Ameublement. Une quatrième, la division Yamalie, est établie à l'étranger, pays où les taux d'imposition sur les bénéfices sont plus élevés qu'au Canada et dont la monnaie est très instable par rapport aux autres devises.

À l'heure actuelle, les divisions et leurs directeurs sont évalués en fonction du bénéfice réalisé. À l'exception de la division Châssis, les divisions sont entièrement libres de s'approvisionner à l'extérieur et d'écouler leurs produits sur le marché. Elles peuvent fixer leurs propres prix de cession interne.

La division Yamalie produit des tissus spécialisés ; une partie est destinée aux divisions Tissus et Ameublement au Canada, et le reste est écoulé sur le marché yamalien. Les cessions sont assujetties aux droits de douane et taxes d'accise du Canada, et, en plus, occasionnent des frais de transport importants.

La division Tissus fabrique des tissus pour la division Ameublement, ainsi que pour de grandes chaînes de magasins de détail et des distributeurs en gros au Canada. En outre, elle coud ses propres tissus, ou des tissus provenant de la division Yamalie, qui entrent dans la fabrication d'autres produits montés et finis par la division Ameublement.

La division Châssis fabrique des châssis de lits en acier et en bois, ainsi que des garnitures de sommier. Les produits sont tous cédés à la division Ameublement.

La division Ameublement constitue le principal centre de fabrication et de montage des établissements d'Éden. Elle fabrique et monte des matelas et des lits, et elle coud aussi la literie et les tentures. Sa production est entièrement écoulée sur le marché canadien.

La division Ameublement vient de se voir attribuer un contrat de fourniture de matelas spéciaux à plusieurs grands hôpitaux de la ville moyennant un prix de 900 $ le matelas. Les coûts de cette commande se chiffrent à 600 $ l'unité (400 $ variables et 200 $ fixes), plus le coût de confection des housses spéciales requises pour les matelas. Le tissu spécial qui sert à la confection des housses de matelas peut être obtenu de trois sources ; par ailleurs, il existe deux méthodes de confection des housses.

Sources d'approvisionnement du tissu

a) Obtenir le tissu spécial de la division Tissus à un prix de cession interne de 92 $ l'unité (voir l'annexe).
b) Obtenir le tissu spécial de la division Yamalie à un coût de 81 $ l'unité (voir l'annexe).
c) Se procurer le tissu spécial auprès d'un fournisseur externe de bonne réputation, au prix de 75 $ l'unité.
(N.B. Une unité est égale à la quantité de tissu nécessaire pour une housse de matelas.)

Confection des housses

a) La division Ameublement peut réaliser les housses de matelas à un coût unitaire qui englobe les éléments suivants en plus du coût du tissu :

Main-d'œuvre pour tailler et coudre le tissu	19,00 $
Frais indirects variables	5,00
Frais indirects fixes	18,00
Total des coûts de transformation	42,00 $

b) La division Tissus a proposé à la division Ameublement de réaliser les housses pour elle, moyennant un prix de cession interne de 146,05 $ la housse (voir l'annexe).

Toutes les divisions disposent de la capacité suffisante pour remplir les exigences du contrat sans perturber leurs autres activités.

Le directeur de la division Ameublement sait que la division Tissus et la division Yamalie ont ajouté une majoration standard à leurs coûts pour obtenir les prix de cession interne (voir l'annexe) ; il préférerait par ailleurs traiter avec une division de l'entreprise, s'il pouvait convaincre l'une ou l'autre d'égaler le prix de 75 $ proposé par le fournisseur externe. C'est pourquoi il demande au président de l'aider à négocier avec les autres divisions.

Le président demande alors à René Jacques, le nouveau contrôleur, d'étudier le dossier des matelas d'hôpitaux et de recommander un plan de production qui maximiserait la rentabilité de la société. Il le charge également de proposer des changements au système d'évaluation du rendement et d'établissement des prix de cession interne.

ON DEMANDE

1. de recommander le meilleurs plan de production pour les housses de matelas d'hôpitaux ;
2. de proposer, raison à l'appui, le changement qui pourrait être apporté au statut de la division Châssis aux fins d'évaluation du rendement ;
3. de proposer une nouvelle politique d'établissement des prix de cession interne qui conviendrait davantage dans les circonstances ;
4. de mentionner les facteurs environnementaux qui devraient être considérés dans l'établissement de la politique des prix de cession interne entre la division Yamalie et les divisions canadiennes.

(Adaptation – S.C.M.C.)

Annexe
Fabrication Éden
Calcul des prix de cession interne pour les housses
des matelas spéciaux et le tissu nécessaire à leur confection
Division Tissus

Le prix proposé par la division Tissus pour le tissu spécial nécessaire à la confection d'une housse a été calculé comme suit :

Matières premières	15,00 $
Main-d'œuvre pour tisser	30,00
Frais indirects variables	5,00
Frais indirects fixes	30,00
Coût de fabrication	80,00
Majoration normale (15 %)	12,00
Prix de cession interne du tissu	92,00 $

Le prix proposé par la division Tissus pour une housse de matelas complète a été calculé comme suit :

Prix de cession du tissu	92,00 $
Main-d'œuvre pour tailler et coudre	15,00
Frais indirects variables	5,00
Frais indirects fixes	15,00
Coût de fabrication	127,00
Majoration normale (15 %)	19,05
Prix de cession interne de la housse	146,05 $

Division Yamalie

Le prix proposé par la division Yamalie pour le tissu spécial nécessaire à la confection d'une housse a été calculé comme suit (tous les coûts sont convertis en monnaie canadienne) :

Matières premières	10,00 $
Main-d'œuvre pour tisser	8,00
Frais indirects variables	6,00
Frais indirects fixes	24,00
Coût de fabrication	48,00
Majoration normale (25 %)	12,00
Prix de cession interne du tissu	60,00
Autres coûts engagés par Éden	
Droits de douane et taxes d'accise au Canada	
(soit 25 % de la juste valeur marchande de 62 $)	15,50
Frais de transport	5,50
Coût du tissu	81,00 $

■■■■ EXERCICE 14-20

Produits Roberto ltée est une société qui comprend trois divisions : Division A, Division B et Division C. Le président de la société a conféré aux directeurs des divisions l'autorité de décider de la vente de leurs produits à l'interne ou à l'externe. Il leur appartient, dans le cas de cessions internes, de fixer les prix de cession.

Les conditions du marché sont telles que les cessions internes ou les ventes externes n'ont aucune incidence sur les prix de cession interne.

Les divisions sont toujours en mesure de se procurer ou de vendre les biens en cause sur les marchés. De plus, chaque directeur a comme objectif la maximisation de la marge totale sur coûts variables de sa division.

Le directeur de la Division B doit décider entre les deux offres suivantes :

a) La Division C a besoin de 3 000 moteurs que peut lui fournir la Division B. Pour fabriquer ces moteurs, la Division B obtiendrait les pièces de la Division A au prix de cession de 600 $ pour les pièces nécessaires à un moteur. Les coûts variables relatifs à ces pièces que devrait engager la Division A seraient de 300 $ par moteur. Les coûts variables des opérations d'assemblage des pièces par la Division B seraient de 500 $ par moteur.

À défaut de pouvoir obtenir les moteurs de la Division B, la Division C les achèterait de la Société Latour qui est prête à les lui vendre 1 500 $ chacun. Et la Société Latour achèterait les pièces nécessaires de la Division A au prix de 400 $ par moteur. Les coûts variables relatifs à ces pièces que devrait engager la Division A seraient de 200 $ par moteur.

b) La Société Gauthier offre d'acheter, au prix de 1 250 $ chacun, 3 500 moteurs. Advenant l'acceptation de cette offre, la Division B obtiendrait les pièces de la Division A au prix de cession de 500 $ pour les pièces nécessaires à un moteur. Les coûts variables relatifs à ces pièces que devrait engager la Division A seraient de 250 $ par moteur. Les coûts variables des opérations d'assemblage des pièces par la Division B seraient de 400 $ par moteur.

La capacité de production de la Division B étant limitée, cette dernière division ne saurait accepter que l'une ou l'autre des deux commandes précédentes. Tant le président de Produits Roberto ltée que le directeur de la Division B sont d'avis qu'il ne serait pas avantageux, à court comme à long terme, d'accroître cette capacité de production.

ON DEMANDE

1. de déterminer, calculs à l'appui, si le directeur de la Division B, dans l'optique où il recherche la maximisation de la marge sur coûts variables de sa division, devrait
   a) vendre les moteurs à la Division C, au prix ayant cours sur le marché, ou
   b) accepter l'offre de la Société Gauthier ;
2. de supposer que la Division B décide d'accepter l'offre de la Société Gauthier et de déterminer, calculs à l'appui, si cette décision va dans le sens du meilleur intérêt de Produits Roberto ltée.

(Adaptation – C.M.A.)

■■■ EXERCICE 14-21

Saba ltée a trois divisions : Eskot, Bruno, Carla. La division Eskot fabrique le produit semi-fini EXO pour lequel il n'existe aucun marché. Les divisions Bruno et Carla transforment le produit semi-fini EXO afin de pouvoir le vendre. Voici les chiffres d'affaires avant déduction des coûts relatifs aux traitements complémentaires par les divisions Bruno et Carla concernant les différentes quantités de EXO.

Division Bruno

Quantité de EXO traités (en litres)	Chiffres d'affaires
1 000	800 $
2 000	1 300
3 000	1 700
4 000	2 000

Division Carla

Quantité de EXO traités (en litres)	Chiffres d'affaires
2 000	1 600 $
3 000	2 400
4 000	2 900
5 000	3 300
6 000	3 600

Le tableau suivant traduit le comportement des coûts de la division Eskot :

Division Eskot

Quantité de EXO traités (en litres)	Coûts totaux
4 000	2 000 $
5 000	2 250
6 000	2 500
7 000	2 750
8 000	3 000
9 000	3 250
10 000	3 500

Les coûts des traitements complémentaires dans les divisions Bruno et Carla s'élèvent à 200 $ par 1 000 litres de EXO.

ON DEMANDE

de déterminer, calculs à l'appui, le nombre maximum de litres pouvant être cédé à chacune des divisions Bruno et Carla, en tenant pour acquis que l'entreprise vise la maximisation de son bénéfice.
(Adaptation – S.C.M.C.)

◼◼◼ EXERCICE 14-22

Texon ltée est organisée en divisions autonomes selon les lignes des marchés régionaux. Chaque directeur de division est maître à bord en matière d'exploitation et d'investissement.

Le vice-président des opérations générales de la société doit quitter ses fonctions en septembre 20X5. Un examen du rendement, des attitudes et des capacités de plusieurs employés de l'administration a été entrepris. Des entrevues avec des candidats qualifiés venant de l'extérieur ont aussi été faites. Le comité de sélection a retenu comme seules candidatures valables celles des directeurs des divisions A et F.

Les deux candidats retenus ont été nommés chefs de division au cours de l'exercice 20X1. Le directeur de la division A a été le directeur adjoint de cette division au cours des cinq exercices précédents. Le directeur de la division F a servi comme directeur adjoint de la division B avant d'être nommé à son poste actuel. Il a pris en charge la division F, une division créée en 20X0, après que son directeur a démissionné pour se joindre à un concurrent. Les résultats financiers de leur administration des trois derniers exercices sont les suivants (en milliers de $) :

	Division A			Division F		
	20X2	20X3	20X4	20X2	20X3	20X4
Chiffre d'affaires du secteur industriel	10 000 $	12 000 $	13 000 $	5 000 $	6 000 $	6 500 $
Chiffre d'affaires de la division	1 000 $	1 100 $	1 210 $	450 $	600 $	750 $
Coûts variables	300	320	345	135	175	210
Frais fixes discrétionnaires	400	405	420	170	200	230
Frais fixes structurels	275	325	350	140	200	250
Coûts totaux	975 $	1 050 $	1 115 $	445 $	575 $	690 $
Bénéfice	25 $	50 $	95 $	5 $	25 $	60 $
Capital investi	227 $	235 $	245 $	123 $	140 $	170 $
Rendement du capital investi	11 %	21 %	39 %	4 %	18 %	35 %

ON DEMANDE

1. d'indiquer, en tenant pour acquis que la société Texon mesure le rendement de ses divisions et de leur directeur en fonction du taux de rendement du capital investi, si cet instrument de mesure est approprié pour juger du rendement des directeurs de division. Expliquer ;
2. de vous prononcer sur l'énoncé suivant : certains croient qu'un seul instrument de mesure, tel le RCI, est inadéquat pour évaluer véritablement le rendement. Quel ou quels autres instruments peut-on utiliser ? Donner les raisons justifiant le recours à ces mesures complémentaires ;
3. d'indiquer, à partir de l'information fournie et justifications à l'appui, quel serait le directeur à recommander pour le poste de vice-président des opérations générales.

(Adaptation – C.M.A.)

▬▬ EXERCICE 14-23

La société Wisigoth compte plusieurs divisions fabriquant chacune un seul produit. Chaque division possède ses propres installations de fabrication et vend ses produits à la fois aux clients externes et aux autres divisions sœurs. L'entreprise a comme politique que les achats et les ventes se fassent à l'intérieur chaque fois que la chose est possible et que les prix de cession interne représentent 112 % du coût de revient de fabrication complet.

La division Rouge achète à la division Bleue toutes les matières X qui lui sont nécessaires. Toutefois, elle peut obtenir, de sources extérieures, un substitut proche de la matière X, au prix unitaire de 115 $. Jusqu'ici, la division Rouge avait besoin de la moitié de la production de la division Bleue ; comme elle vient d'augmenter sa capacité, elle aura désormais besoin de 90 % de la production de la division Bleue.

La division Bleue a fonctionné jusqu'à présent à pleine capacité ; pour des raisons techniques, les plans d'expansion ne peuvent être mis à exécution avant deux ans. Le directeur de la division Bleue est très ennuyé du fait que les nouvelles exigences posées par la division Rouge feront baisser le rendement du capital investi au-dessous du rendement exigé par l'entreprise, soit 12 %, basé sur le capital investi au début de l'exercice.

Le produit de la division Rouge se vend 350 $ sur le marché. À la fin de l'exercice qui vient de se terminer, le capital de base investi par la division Bleue et la division Rouge est de 500 000 $ et de 900 000 $ respectivement. Les états des résultats des deux divisions pour l'exercice écoulé sont les suivants :

	Division Bleue		Division Rouge	
Ventes internes et externes en unités		12 000		6 000
Chiffre d'affaires interne et externe		1 350 000 $		2 100 000 $
Matières premières	489 000 $		930 000 $*	
Main-d'œuvre directe	240 000		300 000	
Frais indirects de fabrication variables	132 000		150 000	
Frais indirects de fabrication fixes	264 000	1 125 000	360 000	1 740 000
Bénéfice brut		225 000		360 000
Frais de vente et d'administration (entièrement fixes)		140 000		216 000
Bénéfice		85 000 $		144 000 $

* Ce montant inclut le coût des unités cédées par la division Bleue.

On prévoit que les frais variables de la division Bleue ne changeront pas à l'unité, et que les frais fixes ne changeront pas en totalité.

La division Rouge vient d'investir 600 000 $ supplémentaires, en sus des 900 000 $ de base, pour pouvoir augmenter sa capacité annuelle et la porter à 10 800 unités. Les coûts unitaires par produit en matières premières, en main-d'œuvre directe et en frais indirects de fabrication variables demeureront les mêmes que ceux de l'exercice précédent. Ses frais indirects de fabrication fixes totaux sont estimés à 600 000 $, et ses frais de vente et d'administration à 370 000 $.

ON DEMANDE

1. de calculer le taux de rendement prévu du capital investi des deux divisions, Bleue et Rouge, pour l'exercice en cours, en respectant la politique de prix de cession interne actuelle et en supposant que toute la production peut être vendue aux prix du dernier exercice ;
2. de supposer que la politique de l'entreprise permette aux directeurs de division de négocier les prix de cession interne et de déterminer :
   a) le prix de cession interne minimum que la division Bleue pourrait accepter, tout en réalisant un RCI minimum de 12 % ;
   b) le prix de cession interne maximum que la division Rouge pourrait accepter, tout en réalisant un RCI minimum de 12 % ;
3. de discuter brièvement des conséquences que pourraient avoir les politiques suivantes de la société Wisigoth sur le plan du comportement de chacun des directeurs de division (étudier chaque cas séparément) :
   a) les achats et les ventes doivent se faire à l'intérieur chaque fois que la chose est possible, et les prix de cession interne représentent 112 % du coût de revient de fabrication complet ;
   b) les prix de cession interne sont fixés à 112 % du coût de revient de fabrication complet ; les directeurs de division ont toute liberté quant au choix des fournisseurs et des clients ;
   c) les achats et les ventes doivent se faire à l'intérieur chaque fois que la chose est possible, mais les directeurs de division ont toute liberté de négocier les prix de cession interne.

(Adaptation – S.C.M.C.)

■■■ EXERCICE 14-24

LWF inc., entreprise de moyenne importance, est un fabricant de luminaires à usage domestique et industriel. Établie il y a 14 ans, elle se consacre à la conception et à la fabrication de produits qu'elle distribue dans tout le Canada. Jusqu'en 20X3, ses activités étaient centralisées à son usine de Toronto. L'intensification des mises en chantier dans l'Ouest et la hausse des coûts de transport l'ont amenée à construire une usine moderne à Edmonton afin de desservir les régions situées à l'ouest de l'Ontario.

Avant la création de cette nouvelle usine, LWF n'avait guère réussi à s'implanter dans ces régions ; aussi, la direction espère conquérir une plus grande part du marché des luminaires à usage domestique. Elle est convaincue que l'expansion dans l'ouest du Canada fera grimper ses ventes, puisque, en Ontario, LWF subit une dure concurrence venant des importations de luminaires en plastique.

Les deux usines fabriquent et vendent actuellement la gamme complète des produits de LWF. La direction générale et le service de recherche et développement se trouvent toujours à l'usine de Toronto. En raison de l'expansion prévue, l'usine d'Edmonton a été dotée d'une capacité de production supérieure à celle de l'usine de Toronto.

La nouvelle usine d'Edmonton soulève, pour l'entreprise, des difficultés de contrôle. Auparavant, toutes les activités de l'entreprise étaient concentrées en un seul lieu. La structure fonctionnelle permettait d'adopter un système classique de comptabilité par centres de responsabilité où l'on contrôlait la fonction production par l'analyse des écarts entre les résultats réels et les standards et où l'on évaluait la fonction vente d'après les quotas de vente. Par suite de la recommandation d'un cabinet-conseil, LWF utilise un système de comptabilité par centres de profit, qui met l'accent sur la décentralisation : la prise de décision est désormais confiée aux directeurs d'usine et à leur personnel. Dans ce nouveau système, chaque usine doit dresser un plan de profit annuel qu'elle fait approuver par la direction générale. De plus, chacune fonctionne comme un centre de profit indépendant, ayant son budget, ses rapports financiers, ses effectifs de vente et d'usine. Les deux directeurs d'usine, des vétérans très ambitieux de LWF, ont accepté de bon cœur ce nouveau système.

Lors de la première évaluation du rendement, la direction générale du siège social de LWF a chaleureusement félicité le directeur de l'usine de Toronto pour ses efforts et les résultats atteints avec le nouveau système (voir le tableau I). Le directeur de l'usine d'Edmonton a également reçu des éloges, particulièrement en ce qui concerne sa marge bénéficiaire, mais son taux de rendement du capital investi a soulevé quelques inquiétudes.

Un an après son adoption, la direction générale s'interroge sur les effets du nouveau système. En effet, les directeurs d'usine proposent de modifier certains instruments de mesure du rendement tels que le pourcentage d'augmentation du bénéfice et des ventes, la créativité, la position sur le marché, le bénéfice avant impôt. Pour sa part, la direction générale se préoccupe depuis le début des deux principaux ratios de mesure du rendement des usines, à savoir :

a) le rendement du capital investi (le quotient du bénéfice après impôt par le total de l'actif comptable de l'usine) ;

b) le taux de la marge bénéficiaire (le quotient du bénéfice après impôt par le chiffre d'affaires).

Ces deux ratios sont tirés du tableau I.

TABLEAU I
Renseignements sur LWF

	Chiffres réels de 20X4 (en milliers de $)	Budget de 20X5 (en milliers de $)
Toronto		
Actif à court terme	230 $	320 $
Usine (au prix coûtant)	7 500	7 500
Amortissement cumulé	(4 200)	(4 500)
Autres éléments d'actif	470	530
Total de l'actif	4 000 $	3 850 $
Chiffre d'affaires	2 800 $	2 860 $
Frais fixes*	969,2	1 006
Frais variables	646,2	669
Bénéfice (après impôt)	616 $	600,6 $
Rendement du capital investi	15,4 %	15,6 %
Marge bénéficiaire	22,0 %	21,0 %
Capacité de production utilisée	93,3 %	95,3 %
Edmonton		
Actif à court terme	450 $	370 $
Usine (au prix coûtant)	10 000	10 500
Amortissement cumulé	(800)	(1 200)
Autres éléments d'actif	350	540
Total de l'actif	10 000 $	10 210 $
Chiffre d'affaires	1 540 $	1 631,7 $
Frais fixes*	500,8	510
Frais variables	270	297
Bénéfice (après impôt)	400 $	428,8 $
Rendement du capital investi	4,0 %	4,2 %
Marge bénéficiaire	26,0 %	26,3 %
Capacité de production utilisée	38,5 %	40,8 %

* Les montants comprennent l'amortissement basé sur une durée d'utilisation de 25 ans.

Les deux directeurs d'usine ne s'entendent pas sur le bien-fondé des instruments de mesure du rendement. Comme la direction générale se prépare à examiner les plans qu'ils ont présentés pour l'exercice à venir, il leur semble approprié de soulever la question pour établir une politique réaliste.

Le directeur de l'usine de Toronto exprime des réserves sur la façon dont on mesure le rendement global de son usine et son propre rendement. Selon lui, l'usine de Toronto, plus ancienne, nécessite des frais d'entretien plus considérables que celle d'Edmonton. Elle est également moins efficace qu'une nouvelle installation. Il s'interroge donc sur l'utilité, pour lui, d'une mesure du bénéfice après impôt.

En résumé, il pense que la meilleure mesure du rendement d'un gestionnaire réside dans son aptitude à utiliser efficacement, compte tenu des circonstances, les ressources dont il dispose. Il propose donc à la direction générale de recourir plutôt à des mesures telles que le montant en dollars du bénéfice total avant impôt, le taux de rendement de l'actif avant impôt et la position sur le marché.

Quant au directeur de l'usine d'Edmonton, il s'interroge également sur la façon dont on évalue son rendement. Les installations étant neuves, l'amortissement est plus élevé qu'à Toronto, ce qui entraîne un taux de rendement de l'actif plus faible, Par ailleurs, il se donne tout entier à la pénétration d'un nouveau marché et pense qu'on ne devrait pas tenir compte, dans son évaluation, de la capacité excédentaire de l'usine, puisque ce sont les aspects économiques qui ont dicté la construction d'installations aussi vastes. Pour éviter que les directeurs d'usine ne se concentrent sur des résultats à court terme, il recommande comme outils d'évaluation le pourcentage d'augmentation du montant en dollars du bénéfice et le pourcentage d'augmentation du chiffre d'affaires et du bénéfice.

Les antécédents et la taille de LWF indiquent clairement qu'un seul de ces directeurs pourra accéder au poste de président ; chacun essaie donc par tous les moyens de transformer le nouveau système à son avantage. Il devient impérieux d'évaluer le système utilisé pour mesurer le rendement des usines et de leurs directeurs.

ON DEMANDE

de faire les commentaires et les recommandations qui pourraient être jugées utiles, avec raisons à l'appui.
(Adaptation – S.C.M.C.)

■■■■ EXERCICE 14-25

La société Pharaon du Canada est une filiale en propriété exclusive de Sullair inc. Elle fabrique et vend des compresseurs d'air à travers le Canada. La plupart des pièces principales des compresseurs sont importées des usines de Sullair des États-Unis. Les pièces que ne peut fournir aisément la société mère sont achetées soit d'autres entreprises au Canada, soit d'autres fournisseurs en Europe.

L'un des principaux composants cédés à Pharaon par la société mère est un piston d'ajustage précis sous la marque « Tru-fit ». Chaque année, Pharaon commande des pistons pour une valeur de 900 000 $ à 1 800 000 $ qu'elle utilise dans l'assemblage des compresseurs d'air vendus au pays. Les pistons sont des pièces de haute précision conçus spécifiquement pour les produits Sullair. Ils satisfont des normes de rendement très élevées et leur fabrication exige une compétence technique certaine. Plusieurs revues de commerce ont déclaré que le piston est l'une des principales raisons qui font du compresseur d'air de Sullair un produit réputé de haute qualité.

Planifiant l'exercice 20X4, Pharaon informe la division des compresseurs d'air de Sullair qu'elle aura probablement besoin de 2 550 000 $ de pistons. Cependant, la société canadienne propose d'acheter ces pistons à une importante entreprise allemande plutôt qu'à la division des compresseurs d'air de Sullair. Pharaon espère ainsi économiser plus de 600 000 $, estimation fondée sur la soumission que Pharaon a reçue de l'entreprise allemande (voir le tableau 1).

La haute direction de la division des compresseurs d'air des États-Unis conteste cette proposition. Elle prétend qu'accepter cette proposition nuirait aux intérêts de Sullair. D'après l'offre présentée par l'entreprise allemande, Pharaon doit remettre à cette dernière des copies du plan du piston « Tru-fit ». Les directeurs prétendent que l'entreprise allemande pourrait ensuite fabriquer et vendre les pistons sur les marchés d'outre-mer où Sullair n'est pas protégée par un brevet. D'autres directeurs prétendent que les économies que Pharaon prévoit tirer de ce contrat ne sont pas aussi importantes qu'on le dit, en raison des modalités particulières de cession interne chez Sullair.

Cessions internes

Tous les composants des compresseurs d'air, y compris le piston, sont fabriqués par la division des composants de Sullair. De plus, cette division fabrique aussi des pièces destinées à d'autres produits de l'entreprise. Tous les composants des compresseurs sont vendus à la division américaine des compresseurs d'air pour l'assemblage des produits finis qui sont ensuite distribués à travers les États-Unis comme pièces de rechange, et exportés aux filiales et sur les marchés étrangers. Les dispositions actuelles exigent que toutes les cessions entre la division des composants et celle des compresseurs d'air soient faites en fonction des coûts de revient complets majorés d'un rendement de 10 % sur les éléments d'actif servant à la fabrication des pièces.

Au début de l'exercice, la division des compresseurs d'air indique à la division des composants combien d'unités, telles que les pistons, lui seront nécessaires pour l'exercice courant. À partir de ce volume et d'une estimation des coûts associés à la fabrication du volume désiré, on établit un prix de cession interne unitaire. À la fin de l'exercice, alors qu'on connaît le volume réel et les coûts réels, on procède à des régularisations entre les deux divisions pour s'assurer que tous les coûts de production ont été couverts et qu'on a atteint le bon rendement des éléments d'actif.

En utilisant ces coûts unitaires, la division des compresseurs d'air vend ensuite les pistons à la filiale canadienne en réalisant elle aussi une marge de profit de 10 % sur le coût des pièces (voir le tableau 2). Ces modalités sont également adoptées pour toutes les ventes de pièces de compresseur aux autres fournisseurs à l'intérieur des États-Unis et sur tous les marchés étrangers.

Actuellement, la direction de Pharaon est tenue pour responsable de l'ampleur des profits réalisés par la filiale canadienne. Une portion importante des primes versées à la direction canadienne dépend du rendement de la division. La haute direction de Sullair sait pertinemment que les politiciens et la presse se préoccupent de la manière dont les sociétés mères ont tendance à traiter la direction de leurs filiales canadiennes. Ces dernières années, ils se sont déclarés inquiets du fait que les sociétés mères n'ont pas suffisamment délégué de responsabilités décisionnelles aux gestionnaires de filiales en propriété exclusive. La direction de Sullair se demande que faire au sujet de la proposition soumise par la direction de Pharaon.

TABLEAU I
Comparaison entre prix de cession interne et prix d'un tiers

Facturation interne	
Coût des pistons	2 071 146 $
Droits de douane (10 %)	207 115
Coût total	2 278 261 $
Offre reçue de l'entreprise allemande	
Coût des pistons	1 502 867 $
Droits de douane (10 %)	150 287
Coût total	1 653 154 $

TABLEAU 2
**Facturation de la division des composants
à la division des compresseurs, pour la commande de Pharaon**

Coût des pistons	
Matières premières	807 042 $
Main-d'œuvre directe	86 544
Frais indirects de fabrication*	626 622
Administration	121 632
Emballage	83 370
Rendement des biens productifs (10 %)	157 650
Coût total de la commande	1 882 860 $

* Environ 25 % de ce poste varie en fonction du volume.

ON DEMANDE

d'évaluer, à titre de comptable de la société mère, la proposition présentée par la division canadienne (Pharaon) en ce qui a trait à l'aspect gestion de chacune des trois divisions. Justifier.
(Adaptation – S.C.M.C.)

■■■ EXERCICE 14-26

La présidente de Belle Électricité inc. (Belle), Sylvia Samson, s'interroge sur la nécessité d'agir continuellement comme médiatrice entre les directeurs de division. En 20X0, à la suite du rapport d'un conseiller, S. Samson a restructuré Belle en créant trois divisions d'exploitation dont les directeurs sont responsables du taux de rendement de l'actif divisionnaire. Cette restructuration avait pour but de libérer S. Samson des décisions relatives à l'exploitation de façon à lui permettre de se concentrer sur la planification stratégique et les possibilités de croissance. Elle s'est fiée beaucoup aux directeurs de division pour établir leurs budgets et atteindre l'objectif d'un rendement avant impôt de 20 % sur l'actif divisionnaire.

Les ingénieurs de la division Consommation (Consommation) ont mis au point un circuit intégré puissant et polyvalent pour commandes électroniques appelé « supercommandes ». Vu que Consommation ne disposait pas d'une capacité de production suffisante pour fabriquer les supercommandes, elle donna le contrat à la division Électronique (Électronique). Le contrat précise que toutes les supercommandes fabriquées par Électronique seront cédées à Consommation au coût majoré de 15 %, quel que soit l'acheteur final. Consommation utilise les supercommandes pour beaucoup de ses produits, et les vend également à des clients de l'extérieur comme à la division Produits industriels (Produits). Au cours des dernières années, les imitations de la supercommande fabriquées par les concurrents ont considérablement réduit les ventes des supercommandes à l'extérieur. Produits incorpore les supercommandes à des composantes qu'elle vend aux compagnies d'électricité.

En décembre 20X5, Produits prépare une soumission importante pour un contrat dans le domaine de l'énergie atomique, contrat qui exige 500 supercommandes ; Consommation a soumis à Produits un prix de 552 $ par unité livrée. Le directeur de Produits, Alain Moreau, a obtenu de As Électronique, un fournisseur étranger produisant un dispositif équivalant à la supercommande, un prix de 320 $ par unité livrée.

Le prix de cession interne pose un problème ; A. Moreau (directeur de Produits) avise Simon Soucy (directeur de Consommation) que Produits s'approvisionne chez As Électronique. S. Soucy adresse aussitôt de vives protestations à S. Samson (présidente).

Pour tenter de régler le différend, S. Samson convoque une réunion des directeurs concernés.

Sylvia Samson (présidente) : « M. Soucy, pourriez-vous exposer en détail vos problèmes ? »

Simon Soucy (directeur de Consommation) : « Il y a une entente selon laquelle les divisions s'approvisionnent au niveau interne dans la mesure du possible. Le prix de 552 $ que nous avons fixé était basé sur nos coûts *plus* une majoration raisonnable. Nous avons mis au point la supercommande et devons récupérer cet investissement. Les concurrents étrangers ont considérablement grugé notre marché ; si Produits s'approvisionne chez eux, cela ne fera qu'accroître leur chiffre d'affaires et leur permettre de faire des soumissions à des prix encore plus bas. Si nous ne pouvons obtenir un rendement raisonnable, il n'y a aucun intérêt à mettre au point d'autres produits. Nos coûts et la majoration utilisés pour calculer le prix de cession interne des 500 supercommandes destinées à Produits sont présentés au tableau 1. »

Thomas Kerouack (directeur d'Électronique) : « Depuis que nous avons commencé à fabriquer les supercommandes pour Consommation, cette dernière en est venue à utiliser 40 % de notre capacité de production. Comme nous fonctionnons seulement à 70 % de notre capacité, nous ne pouvons nous permettre que Produits s'approvisionne à l'extérieur. Le tableau 2 donne l'analyse détaillée du prix de cession interne négocié de 460 $ l'unité cédée à Consommation pour les 500 supercommandes destinées à Produits dans le cadre de la soumission relative à l'énergie atomique. »

Alain Moreau (directeur de Produits) : « Le problème qui se pose est que j'ai besoin de ce contrat dans le secteur atomique pour fonctionner à pleine capacité et obtenir le rendement de 20 % requis du capital investi. Les supercommandes représentent un élément important du prix de la soumission et nous devons réduire ce prix au maximum pour obtenir ce contrat. Voici les données à l'appui de la soumission que nous avons présentée (voir le tableau 3). Nous pensons que la soumission la plus basse chez nos concurrents se situera autour de 2 850 000 $ et que cela nous créera un problème. »

Victoria Godard (contrôleur) : « Alors, pourquoi ne pas permettre à Produits de négocier directement avec Électronique ? »

Simon Soucy (directeur de Consommation) : « Supercommande est notre produit et nous avons le droit d'en tirer un bénéfice. »

Alain Moreau (directeur de Produits) : « Si on suit le même raisonnement, on devrait nous permettre de nous approvisionner chez le fournisseur extérieur. »

Victoria Godard (contrôleur) : « À partir du moment où les divisions ont été traitées comme des centres d'investissement, on voulait que les prix de cession interne soient négociés entre les divisions intéressées. Les différends sur les prix de cession interne ne devraient être soumis au siège social que dans des circonstances exceptionnelles. Chaque directeur est libre de prendre les décisions quant à l'exploitation quotidienne de sa division, y compris celle d'établir le prix de cession interne, dans la mesure où il atteint à la fin de l'exercice le taux de rendement de 20 % du capital divisionnaire investi et fait approuver son budget annuel. »

TABLEAU I
Soumission de Consommation pour 500 supercommandes destinées à Produits

	Montant unitaire
Prix de cession interne demandé par Électronique	460 $
Redevance pour amortir la mise au point*	– 0 –
Traitement de la commande (frais variables)	20
	480
Majoration de 15 %	72
Prix unitaire	552 $

* Le coût total de mise au point s'élève à 9 000 000 $ et est amorti à raison de 90 $ l'unité. Jusqu'ici, 100 000 unités ont été vendues.

TABLEAU 2
**Prix demandé par Électronique à Consommation
pour les 500 supercommandes destinées à Produits**

	Montant unitaire
Matières premières	60 $
Main-d'œuvre directe	180
Frais indirects de fabrication variables	40
Frais indirects de fabrication fixes	120
	400
Majoration de 15 % selon le contrat passé avec Consommation	60
Prix de cession demandé à Consommation	460 $

TABLEAU 3
**Structure des coûts de Produits pour la soumission
dans le domaine de l'énergie atomique**

Matières premières*	1 200 000 $
Main-d'œuvre directe	950 000
Frais indirects de fabrication variables	50 000
Frais indirects de fabrication fixes	220 000
	2 420 000
Majoration de 20 %	484 000
Soumission proposée	2 904 000 $

* Comprend les 500 supercommandes au prix de cession interne de 552 $ l'unité fixé par Consommation.

ON DEMANDE

de rédiger, à titre de conseiller externe mandaté par la présidente, un rapport où vous traiterez des avantages et inconvénients des diverses options qu'elle peut suivre pour régler le problème que présente la cession interne, sachant que la division Électronique est totalement dépendante des autres divisions puisqu'elle ne peut vendre à l'extérieur.
(Adaptation — S.C.M.C.)

▬ **EXERCICE 14-27**

Si l'entreprise ne tient pas compte des effets de l'inflation, il peut résulter des RCI calculés une information biaisée.

ON DEMANDE

1. de comparer la portée des effets de l'inflation pour une division manufacturière par rapport à une division de services ;
2. d'analyser l'incidence de l'inflation sur les taux de rendement du capital investi et sur les investissements sectoriels.

(Adaptation − C.M.A.)

▬ **EXERCICE 14-28**

Haute Technologie Limitée (HTL) est une entreprise canadienne qui fabrique des lecteurs de disques compacts et des radios pour voiture qu'elle vend sur les marchés canadien et américain. Les lecteurs de disques compacts (DC) sont fabriqués et vendus par la division DC et les radios, par la division Radios.

Ces deux divisions d'exploitation sont considérées comme des centres d'investissement. Le principal critère d'évaluation du rendement divisionnaire est le bénéfice résiduel (BR) cible qui est établi séparément pour chaque division lors de la budgétisation. Le directeur de chaque division dresse d'abord un projet de budget, incluant un BR cible. Le budget est ensuite présenté au président de HTL pour qu'il l'examine et l'approuve. Lorsque celui-ci n'est pas d'accord avec le projet de budget, il en discute avec le directeur de division jusqu'à ce qu'il y ait entente. À la fin de l'exercice, des primes sont accordées à chaque division selon la formule suivante :

Prime divisionnaire = 4 % du BR réel − 2 % du BR cible

Les directeurs de division répartissent la prime entre les membres de leur personnel et les employés de la production en fonction d'un système complexe basé sur le mérite. Les deux divisions ont atteint leur BR cible en 20X0. Quant à 20X1, le président et les directeurs se sont entendus sur des BR cibles respectifs de 15 945 000 $ et 6 120 000 $ pour la division DC et la division Radios.

En décembre 20X0, le président de HTL a envisagé de produire les plaquettes de circuits qui constituent l'un des principaux éléments de fabrication des lecteurs DC et des radios pour voiture. On a besoin d'une plaquette de luxe par lecteur DC et d'une plaquette standard par radio. Le président croit que la demande des produits de HTL et des plaquettes en général continuera d'augmenter ; il a donc demandé au contrôleur d'effectuer une étude de faisabilité portant sur la fabrication de plaquettes à l'interne.

Au début de janvier 20X1, le président a rencontré le contrôleur qui lui a présenté un rapport préliminaire.

Président : « Quelles sont les conclusions jusqu'à présent ? »

Contrôleur : « J'ai déterminé que, à l'exception d'un équipement spécialisé, nous disposons actuellement des ressources voulues pour produire les plaquettes. Le genre d'équipement dont nous aurions besoin coûterait 3 000 000 $ et aurait une capacité maximum de 10 000 heures-machine par année pour une durée d'utilisation prévue de deux ans. Après deux ans, sa valeur de revente estimative s'élèverait à 750 000 $. Nous en amortirions le coût de façon linéaire en deux ans.

Avec cet équipement, nous serions en mesure de répondre à tous nos besoins internes en plaquettes et même d'utiliser toute capacité excédentaire pour produire des plaquettes de luxe ou des plaquettes standards et les vendre sur le marché externe. La demande étant forte, on devrait pouvoir écouler facilement notre production excédentaire au prix du marché.

Nous pourrions accepter de produire et de vendre une plaquette spéciale à Automobiles DORF ltée, un client de longue date. Si nous acceptons le contrat qui nous est proposé, il faudrait fournir 100 000 plaquettes spéciales par an pendant les deux prochaines années, pour un prix fixe de 29 $ chacune. Les prix de vente ou de cession et les coûts prévus de chaque type de plaquettes pour 20X1 et 20X2 sont présentés à l'annexe A. Les prévisions concernant les ventes et les coûts des lecteurs DC et des radios pour les deux prochains exercices figurent à l'annexe B. »

Président : « Avez-vous eu le temps d'analyser l'incidence de la création d'une division Plaquettes sur la rentabilité ? »

Contrôleur : « J'ai déjà dressé l'état des résultats prévisionnels de chaque division pour 20X1, en supposant que nous pourrons répondre à nos besoins internes en plaquettes et que nous fabriquerons, en plus, la plaquette spéciale pour Automobiles DORF ltée (annexe C). »

Président : « Je constate que le bénéfice résiduel cible serait plus élevé tant pour la division DC que pour la division Radios. Leurs directeurs vont-ils accepter cette augmentation ? Et qui voudrait diriger la division Plaquettes s'il n'avait aucune chance d'avoir une prime ? »

Contrôleur : « Je n'ai pas encore étudié toutes les possibilités en ce qui concerne la production et la vente des plaquettes. Quoi qu'il en soit, nous devons revoir

notre système actuel d'évaluation du rendement et examiner d'autres méthodes d'établissement des prix de cession interne. »

Président : « J'attends lundi matin votre rapport sur toutes ces questions. Il doit
porter en particulier sur :

a) le nombre de chaque type de plaquettes que la division Plaquettes devrait
   fabriquer pour cession interne et vente externe en 20X1 et en 20X2 afin
   de maximiser la rentabilité globale de l'entreprise ;

b) le calcul du bénéfice résiduel cible et de la prime prévue pour chaque division
   pour 20X1 et 20X2 d'après le dosage, conformément à a), entre fabrication
   pour cession interne et ventes externes, en supposant que le prix de cession
   interne des plaquettes est égal au coût variable ;

c) l'analyse des autres facteurs pertinents, comme la structure organisationnelle,
   la fixation des prix de cession interne et le système d'évaluation du rendement en regard du système de prime, et les recommandations judicieuses
   à l'égard de ces facteurs. »

ON DEMANDE

de rédiger le rapport que veut avoir le président.
(Adaptation – S.C.M.C.)

Annexe A
Prix de vente (cession) et coût prévus des plaquettes pour 20X1 et 20X2

	De luxe	Standard	Spéciale
Prix de vente (cession) prévus par unité	44,00 $	11,00 $	29,00 $
Heures-machine par plaquette	0,040	0,010	0,018
Coûts variables par unité			
Matières premières	12,00 $	3,50 $	7,00 $
Main-d'œuvre directe	4,00	1,00	1,80
Frais indirects	12,00	3,00	5,40
Frais de vente (cession)[1]	0,50	0,50	2,50
Total des coûts variables par unité	28,50 $	8,00 $	16,70 $
Coûts fixes relatifs aux trois plaquettes			
Amortissement			1 125 000 $
Autres frais de fabrication fixes			450 000
Frais de vente et d'administration fixes			477 000
Total des coûts fixes par année			2 052 000 $

1. Les frais de vente variables s'élèvent à 0,50 $ par plaquette pour les cessions internes et à 2,50 $
   par plaquette pour les ventes externes.

Annexe B

Ventes et coûts des lecteurs DC et des radios pour voiture prévus pour 20X1 et 20X2

	Lecteur de disques	Radios
Volume de vente estimatif pour 20X1	180 000	90 000
Volume de vente estimatif pour 20X2	190 000	98 000
Prix de vente par unité pour les deux années	500 $	250 $
Coûts variables par unité pour les deux années		
Plaquettes		
produites à l'interne	28,50 $	8,00 $
de provenance externe	44,50 $	11,00 $
Autres coûts variables	160,50 $	82,00 $
Coûts fixes		
Amortissement	13 450 000 $	2 150 000 $
Autres frais de fabrication fixes	21 000 000	4 260 000
Frais de vente et d'administration fixes	6 150 000	1 500 000
Total des coûts fixes par année	40 600 000 $	7 910 000 $

Annexe C

HAUTE TECHNOLOGIE LIMITÉE
Résultats prévisionnels de chaque division
pour l'exercice terminé le 31 décembre 20X1 (en milliers de $)

	Lecteurs de disques	Radios	Plaquettes
Volume de vente (en milliers d'unités)			
De luxe			180
Standard			90
Spéciale			100
Volume de vente total	180	90	370
Chiffre d'affaires[1]	90 000 $	22 500 $	8 750 $
Coût variables			
Plaquettes[1]	5 130	720	– 0 –
Autres coûts variables	28 890	7 380	7 520
Total des coûts variables	34 020 $	8 100 $	7 520 $
Marge sur coûts variables	55 980 $	14 400 $	1 230 $
Coûts fixes	40 600	7 910	2 052
Résultat par division[2]	15 380 $	6 490 $	(822)$
Investissement par division[3]	67 300 $	15 000 $	2 375 $
Résultat par division	15 380 $	6 490 $	(822)$
plus : Amortissement	13 450	2 150	1 125
Résultat avant amortissement	28 830	8 640	303
moins : Coût du capital[4]	10 095	2 250	356
Bénéfice résiduel cible	18 735 $	6 390 $	(53) $
Prime prévue	374 $	128 $	

1. La division Plaquettes cède ses produits au coût variable à la division DC et à la division Radios.
2. Si HTL ne produit pas les plaquettes à l'interne, les résultats prévisionnels des divisions DC et Radios s'élèvent pour 20X1 et 20X2 à :

	20X1	20X2
Division DC	12 590 000 $	15 545 000 $
Division Radios	6 220 000 $	7 476 000 $

3. L'investissement dans les divisions devrait demeurer le même en 20X1 et 20X2.
4. Le coût du capital s'élève à 15 % de l'investissement dans les divisions.

15

L'OPTIMISATION DE L'ENSEMBLE COÛT-DÉLAI DANS LE PLANNING À CHEMIN CRITIQUE

Certains travaux, encore nommés projets, se prêtent au planning à chemin critique. Le but du présent chapitre n'est pas d'exposer ce qu'est le planning à chemin critique utilisé aux fins de la simple détermination de la durée minimale totale d'un projet, de la définition des besoins en personnel pour réaliser le projet, et du contrôle de l'avancement des travaux. Notre propos porte essentiellement sur la détermination de la durée minimale d'exécution d'un projet au moindre coût ou encore sur la détermination du coût minimal d'un projet d'une durée donnée ; il porte également sur le contrôle budgétaire à exercer à leur sujet. En conclusion, nous traiterons du contexte de la fabrication en série.

1. NATURE DES COÛTS DANS LE PLANNING À CHEMIN CRITIQUE

Les coûts concernant un projet peuvent être de deux ordres :
1) des coûts d'exécution spécifique (directs) aux tâches du projet ;
2) des coûts indirects par rapport aux tâches du projet (comme le manque à gagner par unité de temps à compter de la date du début des travaux).

Certains coûts spécifiques relatifs aux tâches varient en fonction de la durée d'exécution de ces tâches. Ainsi, le coût de réalisation d'une tâche en main-d'œuvre pourrait avoir le comportement suivant :

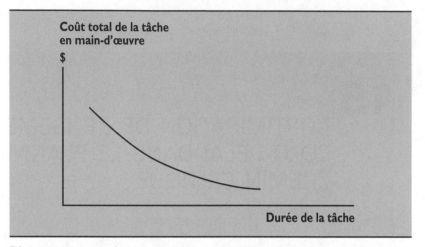

D'autres coûts spécifiques aux tâches peuvent être plutôt constants en totalité, quelles que soient les durées d'exécution des tâches. Il peut en être ainsi, par exemple, du coût total d'une tâche en matières premières :

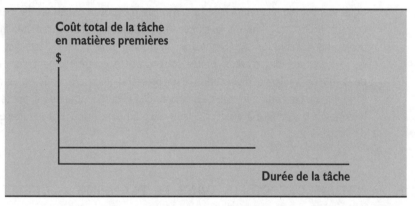

Les coûts indirects par rapport aux tâches peuvent être indifféremment des coûts fixes ou des coûts variables. À titre d'exemple, voici illustré le comportement des coûts relatifs au manque à gagner indiqué précédemment :

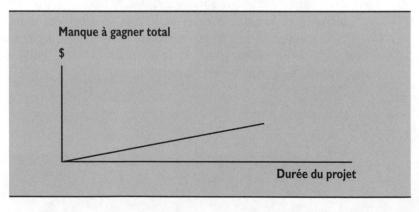

Le graphique d'optimisation concernant un projet peut donc être le suivant :

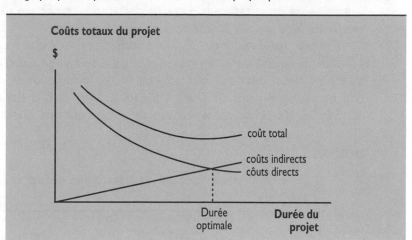

2. EXEMPLES D'OPTIMISATION DE L'ENSEMBLE COÛT-DÉLAI

a. Premier exemple

Dans ce premier exemple, on connaît la durée optimale relative à chacune des tâches du projet. À cette durée correspond le coût minimal. De plus, on connaît le comportement des coûts de réduction ou de prolongation de la durée optimale de chacune des tâches. La figure suivante fait état du comportement des coûts directs concernant une tâche :

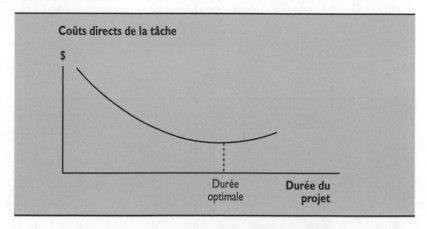

Le coût total minimal du projet est égal à la somme des coûts minimaux relatifs aux tâches du projet et des coûts indirects du projet associés à sa durée (somme des durées optimales des tâches qui constituent le chemin critique).

On peut chercher à déterminer le prix maximal que pourrait accepter de payer l'entreprise qui désire réduire la durée de réalisation du projet afin de respecter une date limite fixée pour la fin des travaux.

Il peut également arriver qu'un projet comporte une pénalité pour toute période de retard par rapport à une date prévue pour la fin des travaux. Comme cette pénalité n'entre pas dans le calcul des coûts proprement dits, l'optimisation de l'ensemble coût-délai concernant le projet consistera à réduire la durée, dans la mesure où les frais de réduction n'excèdent pas le montant de pénalité que l'on cherche à éviter.

DONNÉES

1) Les estimations suivantes ont trait aux tâches que nécessite la réalisation d'un projet :

Tâche	Durée (en jours) pour laquelle les coûts totaux de la tâche sont minimaux	Coûts totaux minimaux de la tâche	Frais par journée de prolongation ou de réduction	Durée minimale (en jours)
A (0-1)	6	1 000 $	125 $	5
B (0-2)	3	600	200	2
C (0-3)	7	1 200	250	5
D (1-4)	2	300	150	1
E (2-4)	6	2 000	800	5
F (3-4) (tâche fictive)	0	– 0 –	– 0 –	0
G (4-5)	5	3 000	500	3

2) Les frais indirects concernant le projet sont de 900 $ par jour.

SOLUTION

1re **étape :** détermination du chemin critique.

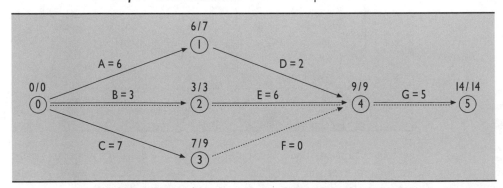

Dans ce graphique, les chiffres encerclés représentent les étapes d'avancement des travaux; les droites représentent les tâches (les droites en pointillé étant des tâches fictives sans durée mais révélant des contraintes d'antériorité).

Au-dessus de chaque numéro d'étape, nous avons indiqué deux chiffres séparés par un trait oblique; celui de gauche correspond au nombre de jours minimum nécessaire à la réalisation de l'étape, celui de droite au nombre de jours maximum. Lorsque, pour une même étape, les deux chiffres sont les mêmes, cela signifie que l'étape fait partie du **chemin critique**. Ce dernier est représenté sur le graphique de la façon suivante:

2e **étape:** établissement du choix des tâches du chemin critique dont l'entreprise devrait, s'il y a lieu, raccourcir la durée d'exécution.

Comme la durée de la tâche G est indépendante de la durée des autres tâches, on peut immédiatement réduire de deux jours la durée de cette tâche, car les frais de réduction de 1 000 $ (2 jours à 500 $) sont inférieurs aux frais évités, qui s'élèvent à 1 800 $ (2 jours à 900 $).

On peut procéder ensuite à l'aide de nouveaux graphiques d'enclenchement des tâches. Le graphique suivant ne diffère du précédent qu'en ce qu'il tient compte de la réduction de la durée de la tâche G et qu'il comporte des données inscrites à l'intérieur de rectangles. Les chiffres inscrits à l'intérieur des rectangles représentent le nombre de jours minimum pour finir une tâche. Il est alors facile de se rendre compte que les tâches D et F comportent respectivement des marges de 1 et 2 jours.

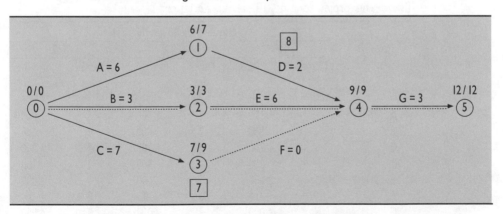

On détermine ensuite les frais de réduction de la durée du projet par unité de temps si l'on réduit la durée des autres tâches (autres que la tâche G) du chemin critique. Rappelons que l'on ne devrait pas réduire la durée d'une tâche critique lorsque les frais de réduction par unité de temps sont supérieurs à la réduction des coûts indirects (ou gains) par unité de temps. Le tableau suivant fait état des frais de réduction des tâches critiques B et E par unité de temps.

Tâche critique dont la durée serait réduite	Frais de réduction	Réduction des marges libres	Frais de réduction concernant d'autres tâches touchées	Total des frais de réduction	Frais de réduction par unité de temps
B seule	200 $	D = 1 F = 1		200 $	200 $
E seule	800	D = 1 F = 1		800	800
E (compte tenu de la réduction de la durée de la tâche B)	800	F = 1	A = 125 $	925	925

Ce tableau nous conduit à réduire d'un jour la durée de la tâche B, car ses frais de réduction par jour sont inférieurs à ceux de la tâche E et sont naturellement inférieurs à l'économie de coûts indirects. Si on réduisait en plus la durée de la tâche E, les frais de réduction d'un jour de cette tâche seraient de 800 $, mais il faudrait aussi réduire d'un jour la durée de la tâche A plutôt que celle de la tâche D, car les frais de réduction sont inférieurs à ceux concernant la tâche D. La réduction de la tâche E ne serait pas avantageuse, car les frais totaux de réduction seraient de 925 $, alors que les frais évités ne seraient que de 900 $.

Bref, voici les coûts comparatifs relatifs au projet selon que les durées de réalisation du projet sont de 10, 11 et 12 jours :

	Nombre de jours du projet					
	10		11		12	
Tâches	Durée des tâches	Frais	Durée des tâches	Frais	Durée des tâches	Frais
A	5	1 125 $	6	1 000 $	6	1 000 $
B	2	800	2	800	3	600
C	7	1 200	7	1 200	7	1 200
D	2	300	2	300	2	300
E	5	2 800	6	2 000	6	2 000
F	0	– 0 –	0	– 0 –	0	– 0 –
G	3	4 000	3	4 000	3	4 000
		10 225		9 300		9 100
Frais indirects en sus de ceux pour une durée de 10 jours				900		1 800
		10 225 $		10 200 $		10 900 $

On se rend compte que, si la durée du projet est de 11 jours, son coût est moindre.

b. Deuxième exemple

Dans ce deuxième exemple, soit on connaît la durée, soit on est en mesure de déterminer la durée espérée concernant chacune des tâches du projet. La durée minimale d'exécution du projet est la somme des durées des tâches que comporte un chemin critique. Lorsque les durées des tâches ont incertaines, on peut prendre comme durée la **durée espérée** (t_e) déterminée à l'aide de la formule suivante :

$$t_e = \frac{t_c + 4t_p + t_l}{6}$$

où

t_c = durée la plus courte
t_p = durée la plus probable (le mode)
t_l = durée la plus longue.

De plus, on connaît, pour chacune des tâches, le montant de la variation, par période, du total des coûts directs. Le graphique suivant représente le comportement linéaire d'une telle variation entre la durée la plus courte et la durée la plus longue d'une tâche. On notera qu'on ne peut associer le coût minimal de la tâche à la durée espérée.

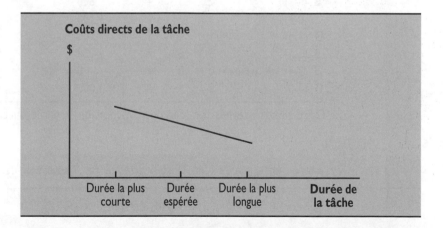

Supposons qu'on connaisse également le total des coûts directs relatifs à la durée (ou durée espérée) respective de chacune des tâches. Enfin, on connaît les coûts indirects par période pour le projet, lesquels coûts sont plus élevés que la variation des coûts directs par période pour n'importe quelle tâche.

La durée minimale de réalisation du projet au moindre coût peut être déterminée en suivant les étapes que voici :

1) Déterminer le ou les chemins critiques en se servant des t_e ;

2) Voir dans quelle mesure il est possible d'allonger les durées des tâches non critiques sans modifier le ou les chemins critiques. Il faut commencer par prolonger la durée des tâches qui permettent de faire le plus d'économies. L'objet de cette étape est de constituer une donnée pertinente pour l'étape suivante. Comme les durées espérées ne coïncident pas nécessairement avec les durées optimales, toute réduction de la durée totale du projet qui a pour effet de réduire des marges libres prive l'entreprise d'une économie qui découlerait de l'allongement de la durée des tâches non critiques touchées. La marge libre relative à une tâche représente la marge de manœuvre dont on dispose pour exécuter ladite tâche, en supposant que toutes les autres tâches du projet débutent incessamment ;

3) Voir dans quelle mesure il est possible de réduire la durée totale du projet. Il faut commencer par réduire la durée des tâches critiques qui présentent les meilleurs avantages nets (coûts indirects évités – frais de réduction).

DONNÉES

1)

Tâche	Durée t_c	Durée t_e	Durée t_l	Frais directs de la tâche de durée espérée	Variation par jour du total des frais directs
A (0-1)	5	6	7	1 000 $	125 $
B (0-2)	2	3	4	600	200
C (0-3)	5	7	9	1 200	250
D (1-4)	1	2	3	300	150
E (2-4)	5	6	7	2 000	800
F (3-4) (tâche fictive)	0	0	0	– 0 –	– 0 –
G (4-5)	3	5	6	3 000	500

2) Coûts indirects évités par jour de réduction de la durée du projet : 900 $.

SOLUTION

Ire **étape :** détermination du chemin critique par l'utilisation des t_e.

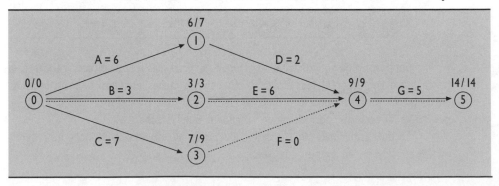

Le chemin critique est représenté de la façon suivante :

2ᵉ étape : établissement du choix des tâches non critiques dont l'entreprise devrait prolonger la durée d'exécution de manière à optimiser les économies de coûts d'exécution.

Il existe deux ensembles de tâches non critiques :
1) la tâche A et la tâche D ;
2) la tâche C et la tâche fictive F.

En ce qui concerne le premier ensemble, l'augmentation possible n'est que d'une seule journée. Il nous faut donc prolonger la durée de la tâche A ou celle de la tâche D, en choisissant celle qui permet de faire le plus d'économies. Comme le prolongement de la tâche D permettrait d'économiser 150 $, contre 125 $ pour la tâche A, il faut prolonger d'une journée la durée de la tâche D.

Pour les tâches C et F, le choix est vite fait puisque la tâche F est une tâche fictive. Il faut donc prolonger de deux jours la durée de la tâche C.

Ceci nous conduit à un nouveau graphique d'enclenchement des tâches :

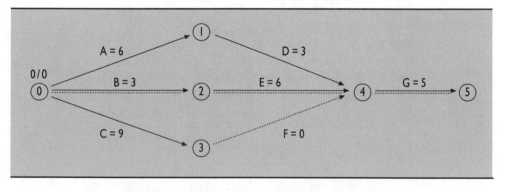

3ᵉ étape : établissement du choix des tâches du chemin critique dont l'entreprise devrait, s'il y a lieu, raccourcir la durée d'exécution.

Comme la durée de la tâche G est indépendante de celle des autres tâches, on peut immédiatement la réduire de deux jours, car les frais de réduction seraient de (2 jours × 500 $) et les frais évités seraient de (2 jours × 900 $). Cherchons ensuite si l'entreprise devrait réduire d'une journée supplémentaire la durée totale du projet. Pour les deux autres tâches du chemin critique initial (les tâches B et E), il faut réduire la durée de celle dont les frais de réduction sont moindres, soit la tâche B. En nous reportant au dernier graphique, nous pouvons envisager de réduire d'une journée la durée de la tâche A (car ses frais de réduction sont inférieurs à ceux de la tâche D) et d'en faire autant pour la tâche C. Les frais de réduction seraient de :

Tâche A (réduction de 6 à 5)   125 $
Tâche B (réduction de 3 à 2)   200
Tâche C (réduction de 9 à 8)   250
                                   ─────
                                    575 $
                                   ═════

Comme le montant de 575 $ est inférieur aux 900 $ correspondant aux frais évités, ce programme de réduction est avantageux pour l'entreprise.

Voyons maintenant s'il ne serait pas également avantageux pour l'entreprise de réduire d'une autre journée la durée du projet. Pour ce faire, il faut déterminer les frais de réduction si la durée du projet était réduite de deux journées au lieu d'une seule, et comparer ces frais de réduction aux frais évités de (2 × 900 $). Les frais de réduction seraient les suivants :

Tâche A (réduction de 6 à 5)   125 $
Tâche D (réduction de 3 à 2)   150
Tâche B (réduction de 3 à 2)   200
Tâche E (réduction de 6 à 5)   800
Tâche C (réduction de 9 à 7)   500
                                   ──────
                                    1 775 $
                                   ══════

L'avantage net pour l'entreprise n'est que de 25 $, soit (1 800 $ – 1 775 $), si la durée du projet est réduite de deux journées, alors qu'il est de 325 $, soit (900 $ – 575 $), dans le cas de la réduction d'une seule journée.

Les coûts comparatifs relatifs au projet selon que les durées de réalisation du projet sont de 10, 11 et 12 jours se présentent comme suit :

Tâches	Nombre de jours du projet					
	10		11		12	
	Durée des tâches	Frais	Durée des tâches	Frais	Durée des tâches	Frais
A	5	1 125 $	5	1 125 $	6	1 000 $
B	2	800	2	800	3	600
C	7	1 200	8	950	9	700
D	2	300	3	150	3	150
E	5	2 800	6	2 000	6	2 000
F	0	– 0 –	0	– 0 –	0	– 0 –
G	3	4 000	3	4 000	3	4 000
		10 225		9 025		8 450
Frais indirects en sus de ceux pour une durée de 10 jours				900		1 800
		10 225 $		9 925 $		10 250 $

On se rend compte que, si le projet est d'une durée de 11 jours, son coût est moindre.

3. CONTRÔLE BUDGÉTAIRE DES COÛTS DES TÂCHES

En ce qui concerne les durées effectives des tâches, plusieurs situations peuvent se présenter. Nous nous limiterons à l'application de la technique du contrôle budgétaire aux situations suivantes envisagées tour à tour dans le cadre de notre premier exemple. À cette fin, revenons au dernier graphique du premier exemple (p. 769).

a. Première situation

L'exécution de la tâche C a pris 8 jours, au lieu des 7 jours prévus. Dans ce cas, la durée totale d'exécution du projet n'est pas augmentée. On peut alors procéder à une analyse de la tâche C comme suit :

Budget optimal relatif à la tâche (7 jours)	Budget révisé tenant compte de la durée effective de la tâche (8 jours)	Coûts réels
1 200 $	1 450 $	1 500 $ (hypothèse)
Δ D de 250 $ dû à la durée de la tâche	Δ D de 50 $ sur les coûts de la tâche	

L'écart net sur coûts est la résultante des écarts traditionnels sur matières premières, main-d'œuvre directe et frais indirects de fabrication.

b. Deuxième situation

L'exécution de la tâche G a pris 4 jours au lieu des 3 prévus ; la durée totale d'exécution du projet sera donc augmentée d'un jour. L'analyse relative à la tâche G se présente comme suit :

Budget optimal relatif à la tâche (3 jours)	Budget révisé tenant compte de la durée effective de la tâche (4 jours)	Budget révisé tenant compte de l'effet sur la durée du projet	Coûts réels attribuables à la tâche
4 000 $	3 500 $	3 500 $ + 900 $	3 600 $ (hypothèse) + 900 $
Δ F de 500 $ dû à la durée de la tâche	Δ D de 900 $ dû à la durée du projet	Δ D de 100 $ sur les coûts attribués à la tâche	

Le budget révisé en fonction de l'effet produit par la variation de la durée de la tâche sur la durée du projet diffère du budget révisé en fonction de la durée effective de la tâche ; en effet, il tient compte, par exemple, des frais indirects dus au retard qui s'est produit dans l'exécution de la tâche G. L'effet, exprimé en coûts prévisionnels, sur les coûts réels du projet entraînés par l'augmentation de la durée de la tâche G doit être pris en compte dans le montant des coûts réels attribuables à la tâche G.

c.   Troisième situation

Supposons que la durée de la tâche B a été de 3 jours et qu'il a été possible de réduire la tâche E d'une journée. Dans ce cas, la durée totale du projet n'est pas touchée. L'analyse de la tâche B se fait de la façon suivante :

Budget optimal relatif à la tâche (2 jours)	Budget révisé tenant compte de la durée effective de la tâche (3 jours)	Budget révisé tenant compte de l'effet sur la durée du projet	Coûts réels attribuables à la tâche
600 $ + 200 $	600 $	600 $ + 900 $	620 $ (hypothèse) + 900 $
Δ F de 200 $ dû à la durée de la tâche	Δ D de 900 $ dû à la durée du projet	Δ D de 20 $ sur les coûts attribués à la tâche	

Le montant de 900 $ représente les coûts indirects évités grâce au responsable de la tâche E qui a pu empêcher une prolongation de la durée du projet en réduisant d'un jour la durée de la tâche E, dont l'analyse est la suivante :

Budget optimal relatif à la tâche (6 jours)	Budget révisé tenant compte de la durée effective de la tâche (5 jours)	Budget révisé tenant compte de l'effet sur la durée du projet	Coûts réels attribuables à la tâche
2 000 $	2 000 $ + 800 $	2 800 $ – 900 $	2 750 $ (hypothèse) – 900 $
Δ F de 800 $ dû à la durée de la tâche	Δ F de 900 $ dû à la durée du projet	Δ F de 50 $ sur les coûts attribués à la tâche	

4. OPTIMISATION DE L'ENSEMBLE COÛT-DÉLAI ET FABRICATION EN SÉRIE

L'optimisation de l'ensemble coût-délai n'est pas nécessairement d'application exclusive au type de travaux décrits précédemment.

À travers l'exemple chiffré de la fabrication en série d'un article qui fait appel à trois procédés, l'un à la suite de l'autre, W. R. Greer[1] a montré que les responsables des procédés en amont n'étaient pas incités à réduire les durées de ces procédés lorsque l'entreprise s'impose ou se voit imposer des contraintes quant à la durée de fabrication de l'article.

Pour Greer, les trois procédés de cette entreprise qui utilise un système de coût de revient standard constituent en soi un chemin critique. Voici l'essentiel des données de base de son exemple :

1) Les coûts de production standards eu égard aux durées sont les suivants :

Procédés	Coût standard minimum	Nombre de jours au coût standard minimum	Coût standard du temps de réduction		
			1 jour	2 jours	3 jours
A	200 $	8	10 $	40 $	90 $
B	300	4	5	20	40
C	100	6	15	40	100

2) Des contraintes obligent l'entreprise à produire l'article en 14 jours seulement ;
3) L'objectif de l'entreprise est de minimiser le coût de production de l'article ;
4) Le procédé A nécessita 8 jours alors que le procédé B en prit 3. Pour que l'article soit produit en 14 jours, il a donc fallu que le procédé C soit réalisé en 3 jours.

Comme l'entreprise se devait absolument de produire l'article en 14 jours au lieu de 18, elle a dû établir l'échéancier de production optimal suivant :

A   7 jours
B   2 jours
C   5 jours

À la suite du dépassement d'une journée au niveau du procédé A, l'entreprise aurait dû faire en sorte que le procédé B soit réalisé en 1 jour au lieu de 2.

1. W. R. Greer, « Better Motivation for Time-Constrained Sequential Production Processes », *Management Accounting*, août 1972, pp. 15-19.

On peut procéder ainsi au contrôle budgétaire :

Budget optimal relatif au procédé A (7 jours)	Budget révisé tenant compte de la durée effective du procédé (8 jours)	Budget révisé tenant compte de l'effet de la durée de fabrication	Coûts réels attribuables au procédé
200 $ + 10 $	200 $	200 $ + 20 $	228 $ (hypothèse) + 20 $
	Δ F de 10 $ dû à la durée du procédé	Δ D de 20 $ dû à la durée de fabrication	Δ D de 28 $ sur les coûts attribués au procédé

La raison du montant de 20 $ vient de ce que la durée du procédé B devait être réduite de 3 jours (au coût de 340 $) au lieu de 2 (au coût de 320 $), compte tenu du dépassement de 1 jour relatif au procédé A.

Budget optimal relatif au procédé B (2 jours)	Budget révisé tenant compte de la durée effective du procédé (3 jours)	Budget révisé tenant compte de l'effet de la durée de fabrication	Coûts réels attribuables au procédé
		(– 20 $ + 85 $)	(– 20 $ + 85 $)
320 $	305 $	305	311 (hypothèse)
320 $	305 $	370 $	376 $
	Δ F de 15 $ dû à la durée du procédé	Δ D de 65 $ dû à la durée de fabrication	Δ D de 6 $ sur les coûts attribués au procédé

La raison du montant de 85 $ vient de ce que la durée du procédé C a dû être réduite de 3 jours (au coûts de 200 $) au lieu de 1 jour (au coût de 115 $), compte tenu du dépassement de 1 jour dans le cas de chacun des procédés A et B.

Budget optimal relatif au procédé C (5 jours)	Budget révisé tenant compte de la durée effective du procédé (3 jours)	Budget révisé tenant compte de l'effet de la durée de fabrication	Coûts réels attribuables au procédé
		(– 85 $)	(– 85 $)
115 $	200 $	200	212 (hypothèse)
115 $	200 $	115 $	127 $
Δ D de 85 $ dû à la durée du procédé	Δ F de 85 $ dû à la durée de fabrication	Δ D de 12 $ sur les coûts attribués au procédé	

Cette façon de procéder à l'analyse des écarts dans un système de coût de revient standard a l'avantage d'amener les responsables à respecter l'échéancier optimal établi au départ. En effet, au lieu de s'en tenir aux écarts de 18 $ D, 9 $ F et 97 $ D qui auraient été normalement calculés au regard des trois procédés, les écarts dont il est fait état sont plutôt de 38 $ D, 56 $ D et 12 $ D.

En supposant que tous les coûts donnent lieu à des décaissements et que toutes les matières premières sont utilisées immédiatement après leur achat, nous pouvons résumer ainsi les écritures de comptabilisation des écarts et des transferts des produits :

Stock de matières, etc.	200	
Écart défavorable – A	28	
Caisse		228
S.P.C. – A	210	
Écart favorable – A		10
Stock de matières, etc.		200
Stock de matières, etc.	305	
Écart défavorable – B	6	
Caisse		311
S.P.C. – B	530	
S.P.C. – A		210
Stock de matières, etc.		305
Écart favorable – B		15
Stock de matières, etc.	200	
Écart défavorable – C	12	
Caisse		212

S.P.C. – C	645	
Écart défavorable – C	85	
S.P.C. – B		530
Stock de matières, etc.		200
Écart défavorable – A	20	
Écart favorable – B		20
Écart défavorable – B	85	
Écart favorable – C		85

EXERCICES D'APPLICATION

■ EXERCICE 15-1

Quimper ltée désire activer la préparation de ses états financiers mensuels. Elle a fait la liste des diverses tâches requises à la fin du mois et a établi comme suit leur séquence ainsi que diverses estimations de temps nécessaires.

	Activité immédiatement précédente	t_c	t_p	t_l
A Terminer les reports au grand livre général		1	1	1
B Faire la balance des registres auxiliaires	A	0	2	10
C Préparer les écritures de régularisation et le chiffrier	A	2	3	10
D Faire la balance du grand livre général	B, C	0	1	8
E Préparer les états financiers	D	1	2	3
F Préparer les tableaux connexes	D	2	3	4
G Dactylographier les états financiers	E	1	1	1
H Dactylographier les tableaux connexes	F	1	2	3
I Faire revoir par le trésorier	G, H	1	1	1

Les symboles t_c, t_p et t_l correspondent aux estimations « optimiste », « plus probable » et « pessimiste » du nombre de jours requis pour la tâche.

ON DEMANDE

1. de préparer un réseau PERT et de délimiter le chemin critique. Indiquer quel est le temps espéré pour la préparation des états financiers;
2. de résoudre le problème suivant: Quimper ltée a une politique de rémunération en vertu de laquelle le personnel de la comptabilité est payé pour les heures supplémentaires. La société estime que le temps d'exécution de certaines tâches peut être réduit du nombre de jours et aux coûts indiqués au tableau suivant:

Tâche	Réduction possible de t_e (en jours)	Coût total supplémentaire
B	I	50 $
C¹	2	50
D	I	60
E	I	150
H	I	100

I. La tâche C ne peut pas être raccourcie d'un jour à un coût de 25 $. Si elle doit être raccourcie, elle doit l'être de 2 jours. Les autres tâches ne peuvent être raccourcies.

Utiliser le réseau PERT pour conseiller Quimper ltée sur le moyen le plus économique de diminuer de 3 jours le temps de préparation des états financiers.
(Adaptation – S.C.M.C.)

EXERCICE 15-2

On donne le diagramme de PERT suivant :

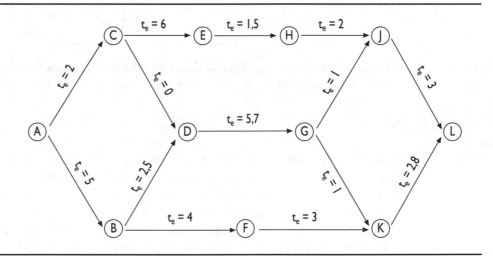

ON DEMANDE

1. de déterminer le chemin critique ;
2. de déterminer le temps qu'il faudra pour exécuter le travail ;
3. de résoudre les problèmes suivants, en supposant qu'il y a une pénalité de 10 $ par dixième de jour pour toute période excédant les treize jours prévus pour exécuter le travail. Le coût de réduction de t_e pour n'importe quelle

activité est de 7,50 $ par dixième de jour. Toute activité peut être raccourcie jusqu'à la moitié de sa durée originale t_e.

a) Quelles activités raccourciriez-vous et jusqu'à quel point ?

b) Pourquoi ne raccourciriez-vous pas davantage le temps ?

(Adaptation – S.C.M.C.)

▄▄▄ EXERCICE 15-3

On présente le réseau PERT suivant :

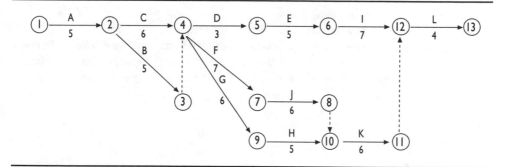

ON DEMANDE

1. de déterminer la durée minimale du projet. Indiquer les activités critiques ;
2. de déterminer, en utilisant les informations complémentaires suivantes, la durée minimale d'exécution au coût total minimal. Si la durée d'une activité doit être réduite, on doit tenir compte de la réduction totale qui s'y rapporte ;

Activité	Durées espérées t_e jours	Réduction des durées espérées (en jours)	Total des frais supplémentaires
A	5	1	300 $
B	5	1	500
C	6	2	600
D	3	1	600
E	5	1	500
F	7	2	1 000
G	6	1	300
H	5	1	200
I	7	2	800
J	6	1	400
K	6	2	1 400
L	4	1	250

3. de mentionner les activités qui devront être réduites et d'indiquer les frais totaux de réduction ;
4. d'indiquer le chemin critique révisé.
(Adaptation – S.C.M.C.)

■■■ EXERCICE 15-4

Voici les données relatives à un projet :

a)

Tâche	Durée (en jours) pour laquelle les coûts totaux sont minimums	Coûts totaux minimums	Frais supplémentaires par jour de réduction	Frais supplémentaires par jour de prolongation	Durée minimale (en jours)
A (0-1)	4	400 $	600 $	50 $	3
B (0-2)	4	600	225	40	3
C (1-4)	7	1 400	400	35	4
D (2-4)	3	300	200	20	2
E (2-3)	4	400	500	30	3
F (3-5)	4	500	100	50	3
G (4-5)	3	400	270	30	2

b) Les pénalités suivantes devront être payées si la durée de réalisation de l'ensemble du projet atteint 12, 13 ou 14 jours :
   – pénalité de 450 $ si le projet nécessite 12 jours ;
   – pénalité de 950 $ si le projet nécessite 13 jours ;
   – pénalité de 1 550 $ si le projet nécessite 14 jours.

c) Réalisation du projet :
   La durée et les frais directs relatifs à certaines tâches furent différents de ceux prévus lors de l'établissement de la durée minimale du projet au coût minimal. Étudiez les quatre possibilités suivantes :
   – 1er cas : durée et frais directs de la tâche D : 4 jours, 330 $;
   – 2e cas : durée et frais directs de la tâche G : 3 jours, 485 $;
   – 3e cas : durée et frais directs de la tâche A : 5 jours, 475 $; de la tâche C : 5 jours, 2 230 $;
   – 4e cas : durée et frais directs de la tâche F : 5 jours, 565 $; de la tâche G : 3 jours, 485 $.

ON DEMANDE

de présenter, pour chacun des cas précédents, les rapports de contrôle budgétaire concernant les tâches dont les durées ont varié. Supposer que les coûts d'une tâche sont engagés uniformément au cours de sa durée.
(Adaptation – F. Elikai et S. Moriarity, « Variance Analysis with Pert-Cost », The Accounting Review, janvier 1982, pp. 161-170)

◼ EXERCICE 15-5

Aviation ltée qui construit des avions commerciaux recourt au diagramme PERT suivant pour assurer le suivi de la réalisation des travaux :

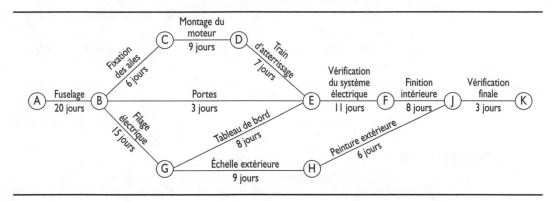

Bernard Potvin, président d'Aircargo inc., a récemment passé une commande de cinq avions auprès d'Aviation ltée, le premier devant être livré treize semaines après la conclusion du contrat. Chaque semaine comporte cinq jours ouvrables. À la suite de problèmes qu'a connus Aircargo inc., Bernard Potvin a contacté le directeur commercial d'Aviation ltée pour lui demander de devancer la date de livraison convenue. Ce dernier a indiqué qu'il était possible de devancer de dix jours la date de livraison mais qu'il en résulterait des coûts de construction supplémentaires. À cela, Bernard Potvin a répondu qu'Aircargo inc. accepterait de se voir imputer ces frais supplémentaires.

Le directeur commercial doit chiffrer ces frais supplémentaires à partir de l'information suivante :

	Tâche	Temps normal	Temps accéléré	Coût en temps normal	Coût en temps accéléré
AB	Fuselage	20 jours	16 jours	12 000 $	16 800 $
BC	Fixation des ailes	6	5	3 600	5 000
CD	Montage du moteur	9	7	6 600	8 000
DE	Train d'atterrissage	7	5	5 100	6 700
BE	Portes	3	3	1 400	1 400
BG	Filage électrique	15	13	9 000	11 000
GE	Tableau de bord	8	6	5 700	8 300
EF	Vérification du système électrique	11	10	6 800	7 600
GH	Échelle extérieure	9	7	4 200	5 200
FJ	Finition intérieure	8	7	3 600	4 000
HJ	Peinture extérieure	6	5	3 600	4 000
JK	Vérification finale	3	2	3 500	4 400
				65 100 $	82 400 $

ON DEMANDE

de déterminer le chemin critique, compte tenu de la construction de l'avion en onze semaines au lieu de treize, ainsi que les frais supplémentaires minimums qu'une telle réduction du nombre de semaines occasionnera.
(Adaptation – C.M.A.)

16

L'ÉVALUATION DE LA RENTABILITÉ DES PROJETS D'INVESTISSEMENT ET DES RISQUES ENCOURUS

L'une des tâches fondamentales de la direction de toute entreprise porte sur la recherche, l'analyse et le choix rationnel des projets à réaliser. Le projet consiste essentiellement à engager des sommes d'argent et à escompter de ces emplois de fonds des rendements intéressants.

La recherche de nouvelles occasions d'investissement doit être encouragée, car l'une des plus grandes difficultés que rencontre le planificateur est précisément la rareté de bons projets.

Il est préférable de procéder, chaque fois que la chose est possible, à une évaluation simultanée de tous les projets susceptibles d'être réalisés ; cependant, il arrive souvent que l'évaluation des projets s'effectue séparément parce qu'il n'y a que rarement simultanéité de bons projets.

Le but du présent chapitre n'est pas de définir le programme d'investissement global optimal de l'entreprise, mais de juger de la rentabilité des projets individuels au fur et à mesure qu'ils se présentent à elle.

1. LE CRITÈRE DE RENTABILITÉ : LE TAUX DE RENDEMENT MINIMUM ACCEPTABLE

L'entreprise qui possède certains fonds et qui peut en obtenir aux fins d'investissement cherchera tout naturellement à obtenir une juste rentabilité de leur utilisation.

Sans doute acceptera-t-elle d'en consacrer, à l'occasion, une certaine partie à des projets dont la rentabilité n'est qu'indirecte et difficile à évaluer : cafétéria pour les employés, infirmerie, etc., mais le rendement de l'ensemble des investissements de l'entreprise doit être suffisant pour constituer un rendement au moins minimal de l'investissement total, y compris l'investissement à rentabilité indirecte. Si les retombées ne représentent pas un taux de rendement acceptable ou raisonnablement attrayant pour l'entreprise, les fonds seront utilisés à d'autres fins.

Nous nous limiterons donc ici aux seuls projets générateurs d'un rendement. Précisons dès maintenant que, dans l'étude de rentabilité de tels projets, le taux de rendement minimum acceptable doit comprendre le coût d'utilisation du capital productif de l'entreprise, que l'on majore pour compenser le coût relatif aux investissements nécessaires mais sans rentabilité directe.

2. LA DÉTERMINATION DU COÛT DU CAPITAL

Le coût du capital est le taux de rémunération nette que représente l'utilisation des fonds par l'entreprise ; la rémunération est dite nette après déduction de l'impôt sur le revenu. Pour le financement au moyen d'emprunts : obligations, hypothèques, etc., le coût du capital ou coût d'emprunt sera l'intérêt net rapporté au produit net que l'entreprise obtiendrait si ces titres devaient être émis de nouveau.

Le coût du capital relatif au financement sous forme d'actions non participantes, à dividende cumulatif, correspond au dividende rapporté au produit net si ces actions devaient être émises de nouveau. Quant à la détermination du coût du capital concernant le financement assuré par les actions ordinaires, les opinions diffèrent. Pour notre part, nous retenons la formule suivante :

$$\frac{\text{Dividende par action pour l'exercice}}{\substack{\text{Produit net par action si l'action} \\ \text{devait être émise de nouveau}}} + \substack{\text{Taux anticipé d'augmentation[1]} \\ \text{du dividende}}$$

On peut calculer séparément le coût du capital concernant les fonds provenant de l'exploitation de l'entreprise et celui relatif aux fonds obtenus par émission d'actions ordinaires. La formule précédente servira au calcul du coût du capital concernant les fonds obtenus par émission d'actions ordinaires. Pour le calcul du coût du capital relatif aux fonds provenant de l'exploitation, on se servira de la même formule, sauf que, théoriquement, le dénominateur du premier membre devrait être plus élevé, puisque l'entreprise n'a pas ici à engager des frais d'émission.

Le coût du capital est évidemment un coût moyen qui varie selon la structure du capital de l'entreprise ; il varierait également si les différents types de projets de l'entreprise ne comportaient pas le même niveau de risque. Il ne convient pas de déterminer les sources de fonds spécifiques à chaque projet et, partant, le coût du capital s'y rapportant. Prenons un exemple.

---

1. Nous supposons que le taux anticipé d'augmentation du bénéfice par action est identique au taux anticipé d'augmentation du dividende.

EXEMPLE

DONNÉES

Les sociétés A ltée et B ltée ont des structures de capital différentes. On a émis les hypothèses suivantes :

1) le taux d'imposition est de 50 % ;
2) l'intérêt brut sur les obligations à payer est de 6 %, donc 3 % net après impôt sur le revenu ;
3) le coût des fonds propres après impôt est de 10 % ; autrement dit, les détenteurs des actions espèrent une rémunération minimale de 10 % sur leur capital investi ;
4) tous les projets d'investissement des deux entreprises ont le même niveau de risque ;
5) la structure du capital de A ltée est constituée de 20 000 $ d'obligations et de 80 000 $ de fonds propres, alors que celle de B ltée comprend 60 000 $ d'obligations et 40 000 $ de fonds propres.

SOLUTION

Le tableau suivant résume le calcul du coût du capital relatif à chacune des sociétés :

	A ltée			B ltée		
	Structure du capital	Coût du capital en %	en $	Structure du capital	Coût du capital en %	en $
Obligations à payer	20 000 $ ×	3 % (net) =	600 $	60 000 $ ×	3 % (net) =	1 800 $
Fonds propres (actions ordinaires)	80 000 ×	10 % =	8 000	40 000 ×	10 % =	4 000
	100 000 $ ×	8,6 % =	8 600 $	100 000 $ ×	5,8 % =	5 800 $

Étant donné que A ltée et B ltée utilisent toutes les deux 100 000 $ de capitaux et que B ltée utilise une plus grande proportion d'obligations, un rendement de 5 800 $ après impôt lui suffira pour répondre aux exigences des obligataires et des actionnaires ; par contre, A ltée, avec le même capital, devra gagner 8 600 $ parce que sa structure de capital comprend une plus grande proportion de fonds propres dont le coût est plus élevé.

Les calculs simples de l'exemple précédent indiquent bien que, selon sa structure de capital, une société aura un coût moyen du capital plus ou moins élevé. Plus une entreprise utilise des fonds à bon marché (les obligations, dans le cas étudié), plus le coût moyen du capital décroît ; autrement dit, un rendement moindre sera nécessaire pour satisfaire aux exigences légitimes des obligataires et des actionnaires.

En fait, il existe toujours une limite à l'importance relative du capital emprunté, limite au-delà de laquelle le coût moyen pondéré du capital augmente par suite de l'accroissement du risque financier. Le graphique suivant illustre l'existence d'une telle limite :

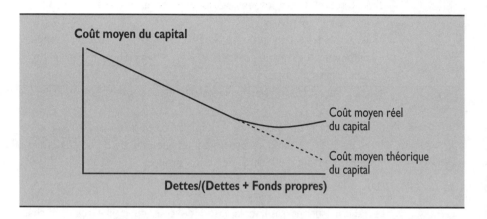

La structure du capital est optimale lorsque le coût moyen pondéré du capital est à son minimum et correspond au coût marginal du capital. Théoriquement, le coût moyen pondéré du capital devrait être établi au niveau de la structure optimale du capital.

3.   LE CONCEPT DE RENTABILITÉ

La rentabilité résulte d'une comparaison entre les recettes nettes d'exploitation et les dépenses d'investissement. Cette comparaison pose un réel problème par le fait que les dépenses d'investissement et les recettes d'exploitation s'effectuent à des périodes différentes.

En effet, supposons qu'une société investisse 2 000 000 $ dans une usine qui produira des recettes nettes d'exploitation pendant 20 ans. Pour mieux comparer la dépense d'investissement et les recettes nettes d'exploitation, il faut leur attribuer chronologiquement une même origine, par exemple la date de mise en œuvre de l'investissement, soit le début de la première année.

Cet ajustement s'effectue généralement en appliquant aux recettes nettes d'exploitation un taux d'actualisation qui les réduit en fonction du temps écoulé. Le tableau suivant précise davantage l'opération d'actualisation des flux monétaires qui devrait être effectuée au regard de la société précitée qui investit 2 000 000 $.

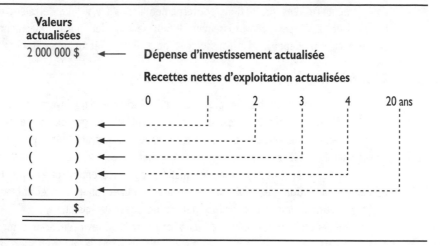

4. LES PRINCIPAUX FACTEURS INFLUENÇANT LA RENTABILITÉ

Plusieurs facteurs peuvent influencer la rentabilité d'un investissement ; mentionnons la dépense d'investissement, les recettes nettes d'exploitation, les valeurs de récupération, les récupérations d'amortissements fiscaux, les pertes finales et la durée de l'investissement.

a. *La dépense d'investissement*

Les investissements peuvent être, selon leur but :

1) des investissements de premier établissement : création de la capacité initiale de l'entreprise par l'achat de terrains, la construction d'usines, l'achat de machines, d'outillage, etc. ;

2) des investissements d'expansion : augmentation de la capacité de l'entreprise par l'ouverture de nouveaux territoires de vente, augmentation des stocks et du crédit aux clients, achat d'entreprises concurrentes, etc. ;

3) des investissements de renouvellement : remplacement d'outillages usés, etc. ;

4) des investissements de modernisation : remplacement d'un outillage par un autre plus perfectionné, rénovation de l'usine, réaménagement des machines, etc.

Par dépense d'investissement concernant un projet, il faut entendre le montant de l'investissement différentiel ou investissement net.

De plus, si l'investissement consiste à moderniser un outillage, la dépense d'investissement pourra inclure, entre autres éléments, le coût d'acquisition, les frais de transport et d'installation, le coût de démontage du vieil outillage (sa valeur de récupération, s'il y en a une, diminuera d'autant la dépense d'investissement), les investissements complémentaires requis (fonds de roulement additionnel, outillage complémentaire). Les subventions gouvernementales, s'il y a lieu, devraient entrer dans le calcul de la dépense d'investissement. Il faut se rappeler que l'engagement des fonds concernant une dépense d'investissement peut être effectué en plusieurs étapes.

b.   Les recettes nettes d'exploitation

Les recettes nettes d'exploitation qui découlent d'un investissement représentent la différence entre les recettes nettes d'exploitation qui existeraient si l'investissement n'était pas effectué et celles qui existeront vraisemblablement après avoir effectué l'investissement. Ce sont donc des recettes nettes différentielles d'exploitation. Leur évaluation pose un problème grave en matière d'investissement parce que, les recettes nettes d'exploitation s'échelonnant sur toute la durée du projet et même au-delà, il est pratiquement impossible de les déterminer avec précision.

Ni les intérêts sur les emprunts à long terme, ni les réductions d'impôt relatives à ces intérêts ne doivent entrer en ligne de compte dans la détermination des recettes nettes différentielles d'exploitation. Le rendement attendu des investissements vise à constituer la rémunération des différentes composantes de la structure du capital de l'entreprise.

c.   Les valeurs de récupération, les récupérations d'amortissements fiscaux, les pertes finales

Ces facteurs seront étudiés plus loin (voir p. 797).

d.   La durée de l'investissement

Pour nous, la durée de l'investissement représente la période de temps comprise entre le moment où la dépense d'investissement (ou une quote-part de celle-ci) est effectuée et le moment du désinvestissement.

5.   LE PROBLÈME DE L'IMPÔT SUR LE REVENU

L'impôt sur le revenu a sur les flux monétaires un effet que l'on ne peut ignorer, pas plus que l'on ne peut ignorer les décaissements relatifs aux fournitures, aux assurances, etc. Nous considérons ici uniquement le cas de la société par actions. Le taux d'imposition de 50 % est utilisé pour simplifier les calculs. Nous présentons à l'annexe B certaines particularités des impôts canadiens que l'étudiant doit connaître pour bien comprendre la suite de ce chapitre. Pour simplifier, nous avons supposé que l'impôt est payable en fin d'année. Afin de faciliter la compréhension de cette section, prenons un exemple.

EXEMPLE

DONNÉES

Une pièce d'outillage coûtera 5 000 $; sa durée d'utilisation sera de 5 ans et l'amortissement fiscal de sa catégorie est de 20 % du solde dégressif, sauf pour la première année, où le taux est réduit de moitié. L'acquisition de cette pièce permettra de réaliser, annuellement, des recettes nettes supplémentaires d'exploitation de 10 000 $ avant qu'interviennent les facteurs fiscaux.

SOLUTION

Le facteur Impôt sur le revenu peut être étudié à l'aide de deux méthodes.

a. Une première méthode

On tient compte du facteur Impôt dans le calcul des recettes nettes d'exploitation pour chaque année. On procède comme suit :

Recettes nettes d'exploitation, compte non tenu de l'impôt	10 000 $	10 000 $
moins : Amortissement fiscal (1re année) (5 000 $ × 20 % × 50 %)	500	
Revenu imposable	9 500 $	
Impôt (50 % × 9 500 $)		4 750
Recettes nettes d'exploitation après impôt		5 250 $

On notera que, lorsque les recettes nettes annuelles d'exploitation sont égales avant impôt, elles deviennent inégales après impôt si les amortissements fiscaux se calculent sur les soldes dégressifs, comme l'illustre l'exemple de l'outillage choisi précédemment figurant au tableau suivant :

	1re année	2e année	3e année	4e année	5e année
Recettes nettes d'exploitation avant impôt : (1)	10 000 $	10 000 $	10 000 $	10 000 $	10 000,00 $
Amortissement fiscal	500	900[1]	720[2]	576	460,80
Revenu imposable : (2)	9 500	9 100	9 280	9 424	9 539,20
Impôt : 50 % de (2) = (3)	4 750	4 550	4 640	4 712	4 769,60
Recettes nettes d'exploitation après impôt : (1) − (3)	5 250 $	5 450 $	5 360 $	5 288 $	5 230,40 $

1. (5 000 $ − 500 $) × 20 %
2. (4 500 $ − 900 $) × 20 %

Comme on peut le supposer, des recettes nettes annuelles d'exploitation différentes d'une année à l'autre, compte tenu de l'impôt, exigent des actualisations distinctes, donc un plus grand nombre de calculs que s'ils étaient égaux.

Il arrive également que des économies d'impôt persistent au-delà de la durée du projet. Cela peut se produire lorsque la fraction non amortie du coût en capital excède la valeur de récupération au terme du projet. La rentabilité d'un projet devrait, dans ce cas, tenir compte de toutes les économies qui en découlent, voire celles qui se réalisent lorsque le projet a pris fin ; mais cette première méthode permet difficilement de tenir compte de ces économies d'impôt, car les calculs cessent avec la cinquième année. Ainsi, si on suppose que l'outillage de la section précédente est mis au rebut (sans aucune valeur de récupération) et remplacé par un outillage neuf, il continuera d'être amorti fiscalement de la manière qui suit, et l'entreprise pourra continuer à bénéficier d'une réduction d'impôt.

	Amortissement fiscal	Réduction d'impôt
6ᵉ année [(2 304 $ − 460,80 $) × 20 %]	368,64 $	184,32 $
7ᵉ année [(1 843,20 $ − 368,64 $) × 20 %]	294,91	147,46

b. Une seconde méthode

On tient compte du facteur Impôt
1) dans le calcul de la dépense d'investissement en ce qui concerne l'amortissement fiscal ;
2) dans le calcul des recettes nettes d'exploitation pour chacune des années.

L'impôt dans le calcul de la dépense d'investissement

La dépense d'investissement représente ici l'actualisation de la sortie nette de fonds, sortie dite nette après avoir tenu compte de la réclamation, au cours des ans, des amortissements fiscaux permis par la législation.

Le tableau 1 indique la marche à suivre pour tenir compte de l'impôt dans le calcul de la dépense d'investissement.

TABLEAU I
Valeur actualisée de la dépense d'investissement après impôt

	Fraction non amortie du coût en capital	Amortissement fiscal (sur le solde dégressif)	Réduction d'impôt	Facteur de valeur actualisée[1] (10 %) d'intérêt)	Valeur actualisée des réductions d'impôt	Valeur actualisée nette de la dépense d'investissement
0	1 000,00 $			1,0000		1 000,00 $
1	900,00	100,00 $	50,00 $	0,9091	45,46 $	954,54
2	720,00	180,00	90,00	0,8264	74,38	880,16
3	576,00	144,00	72,00	0,7513	54,09	826,07
4	460,00	115,20	57,60	0,6830	39,34	786,73
5	368,64	92,16	46,08	0,6209	28,61	758,12
6	294,91	73,73	36,87	0,5645	20,81	737,31
7	235,93	58,98	29,49	0,5132	15,13	722,18
8	188,74	47,19	23,60	0,4665	11,01	711,17
9	150,99	37,75	18,88	0,4241	8,01	703,16
10	118,99	32,00	16,00	0,3855	6,17	696,99
Années subséquentes		118,99	59,48		14,99	682,00
		1 000,00 $	500,00 $		318,00 $	

1. Voir table I, annexe A.

La valeur actualisée nette de la dépense d'investissement s'élève donc à 682 $ pour un investissement d'outillage de 1 000 $, ce qui représente 0,682 $ par dollar investi. Ces 68,2 cents par dollar investi représentent ce qu'on appelle le **facteur de coût en capital** (F.C.C.).

Voici la formule générale qui permet de trouver les facteurs de coût en capital lorsque l'amortissement fiscal est calculé à un taux constant sur le solde dégressif, sauf pour la première année où le taux est réduit de moitié.

$$1 - \left(\frac{\text{Taux d'impôt} \times \text{Taux d'amortissement fiscal}}{\text{Taux d'actualisation} + \text{Taux d'amortissement fiscal}} \right) \left(\frac{1 + 0,5 \ (\text{Taux d'actualisation})}{1 + \text{Taux d'actualisation}} \right)$$

Lorsqu'on pouvait (avant le 12 novembre 1981) réclamer un plein montant d'amortissement fiscal calculé sur le solde dégressif pendant l'année d'acquisition d'un bien, la formule permettant de trouver les facteurs de coût en capital était la suivante :

$$1 - \frac{\text{Taux d'impôt} \times \text{Taux d'amortissement fiscal}}{\text{Taux d'actualisation} + \text{Taux d'amortissement fiscal}}$$

L'impôt dans le calcul des recettes nettes d'exploitation

Les recettes nettes d'exploitation de chacune des années sont déterminées de la façon suivante :

Recettes nettes d'exploitation de chacune des années (compte non tenu de l'impôt)	10 000 $
Impôt de 50 %	5 000
Recettes nettes d'exploitation après impôt	5 000 $

Il est à noter que les recettes nettes d'exploitation, égales avant impôt, le sont également après impôt, bien que les amortissements fiscaux soient calculés sur le solde dégressif.

c. La comparaison des deux méthodes

Limitons-nous à comparer les résultats obtenus par les deux méthodes pour la première année, sans tenir compte de l'aspect actualisation.

1) *Première méthode*

Investissement net	5 000 $
Recettes nettes d'exploitation de la 1re année après avoir tenu compte de la réduction d'impôt relative à l'amortissement pour la 1re année	5 250
Excédent des recettes nettes d'exploitation	250 $

2) *Seconde méthode*

Investissement net		5 000 $
moins : Réduction d'impôt relative à l'amortissement fiscal pour la 1re année (500 $ × 50 %)	250	4 750 $
Recettes nettes d'exploitation de la 1re année		5 000
Excédent des recettes nettes d'exploitation		250 $

Nous constatons que la réduction d'impôt de 250 $, provenant d'un amortissement fiscal de 500 $ pour la première année, a été considérée dans un cas comme une recette additionnelle d'exploitation et dans l'autre comme la récupération d'une partie de l'investissement net initial. L'effet est toutefois demeuré le même : on obtient un excédent de 250 $ des recettes nettes d'exploitation de la première année sur l'investissement net.

6. LES VALEURS DE RÉCUPÉRATION, LES RÉCUPÉRATIONS D'AMORTISSEMENTS FISCAUX ET LES PERTES FINALES[2]

Les valeurs de récupération différentielles sont les valeurs d'actifs que l'on retrouve ou qui peuvent être réalisées au terme de la durée envisagée pour le projet. L'expression « valeur de récupération » possède ici un sens large. Il peut s'agir aussi bien de valeur résiduelle que de valeur d'échange ou de valeur de mise au rebut. Est aussi considéré comme une valeur de récupération le fonds de roulement différentiel libéré à la fin d'un projet.

Dans l'évaluation de la rentabilité d'un investissement, on doit tenir compte des valeurs de récupération différentielles qui, dans certains cas, peuvent atteindre des montants importants.

A. Les investissements non amortissables

Les valeurs de récupération sont dans ce cas actualisées. Le montant actualisé peut être traité comme une recette supplémentaire d'exploitation ou comme une diminution de l'investissement net. S'il y a gain en capital, une quote-part de ce gain sera imposable. Il y a gain en capital lorsque la valeur de récupération d'un actif excède le coût en capital dudit bien ; le gain en capital correspond à cet excédent. La valeur actualisée de cet impôt peut entrer dans le calcul des recettes nettes d'exploitation ou être traitée comme une augmentation de l'investissement net.

La disposition des biens acquis avant 1972 (année de la réforme fiscale du temps) présente certains problèmes particuliers sur le plan fiscal. Dans ce chapitre, y compris dans les exercices d'application, nous ignorons ces problèmes particuliers, et supposons que la législation fiscale relative aux biens acquis après 1971 s'applique à ceux avant 1972.

B. Les investissements amortissables

Le traitement des valeurs de récupération concernant les investissements amortissables diffère selon que l'on a tenu compte des réductions d'impôt relatives aux amortissements fiscaux dans le calcul des recettes nettes d'exploitation ou dans celui de l'investissement net.

Considérons le cas où une catégorie fiscale de biens associée au projet est constituée uniquement d'actifs se rapportant au projet et où l'entreprise n'envisage

---

2 Cette partie du chapitre est, pour l'essentiel, tirée de l'article de R. Brault intitulé « Récupération d'amortissements fiscaux et pertes fiscales », *CAmagazine*, janvier 1982, pp. 53-55.

pas d'acquérir d'autres actifs appartenant à une catégorie quelconque avant la fin de l'année d'imposition au cours de laquelle elle réalisera les valeurs de récupération relatives au projet. Lors de la réalisation des valeurs de récupération, il y aura récupération d'amortissements fiscaux si le plus bas de deux montants, à savoir le coût en capital et la valeur de récupération des actifs réalisée, excède la fraction non amortie dudit coût en capital ; la récupération d'amortissements fiscaux correspond à cet excédent et est ajoutée au revenu de base de l'année d'imposition au cours de laquelle a lieu la réalisation de la valeur de récupération.

Si les déductions d'impôt relatives aux amortissements fiscaux entrent dans le calcul des recettes nettes d'exploitation, le montant net à actualiser, concernant la valeur de récupération relative au projet, peut comprendre les éléments suivants :

> Valeur de récupération
> – (Gain en capital) (Pourcentage imposable) (Taux d'impôt)
> – (Récupération d'amortissements fiscaux) (Taux d'impôt)

Par contre, si les réductions d'impôt relatives aux amortissements fiscaux entrent dans le calcul de l'investissement net, le montant net à actualiser, concernant la valeur de récupération relative au projet, peut comprendre les éléments suivants :

> Valeur de récupération – Gain en capital × F.C.C.
> + Récupération d'amortissements fiscaux incluant l'amortissement fiscal implicite concernant la dernière année du projet
> × (I – F.C.C. – T.I.) où T.I. signifie taux d'impôt
> + Gain en capital
> × [I – Pourcentage imposable (T.I.)]

Pour mieux comprendre les éléments compris dans le calcul du montant net à actualiser, il faut rappeler que l'investissement net effectué sous forme d'un bien amortissable sur le solde dégressif a été déterminé comme suit :

> (Coût en capital du bien) (Facteur de coût en capital)

Il s'ensuit que, si la valeur de récupération devait excéder le coût en capital du bien amortissable, l'investissement net ne pourrait être déduit d'un montant supérieur au coût en capital ; ceci est donné par l'élément (Valeur de récupération – Gain en capital) (F.C.C.).

Puisqu'on utilise les facteurs de coût en capital pour la détermination de l'investissement net, on doit procéder au calcul d'une récupération implicite d'amortissements fiscaux qui ne correspond pas à la récupération d'amortissements déterminée à des fins fiscales. La récupération implicite d'amortissements fiscaux correspond à la somme de la véritable récupération d'amortissements fiscaux et de l'amortissement fiscal implicite pour la dernière année du projet.

Le premier élément entrant dans le calcul du montant net à actualiser concernant la valeur de récupération a comme effet de ne pas tenir compte des réductions d'impôt relatives aux amortissements fiscaux réclamés en trop et aux amortissements implicites de la dernière année du projet ; nous devons cependant tenir compte de ces réductions d'impôt qui sont calculées de la façon suivante :

Récupération d'amortissements fiscaux
+ Amortissement fiscal implicite concernant la dernière année du projet
× (I − F.C.C.)

L'impôt relatif à la récupération implicite d'amortissements fiscaux correspond au résultat du calcul suivant :

Récupération d'amortissements fiscaux
+ Amortissement fiscal implicite concernant la dernière année du projet
× T.I.

Le dernier élément, gain en capital × [I − Pourcentage imposable (T.I.)], exprime le gain en capital comme source de fonds, compte tenu de l'impôt concernant la quote-part imposable du gain en capital.

Dans le cadre de la situation décrite précédemment, il peut se produire une perte finale au lieu d'une récupération d'amortissements fiscaux réclamés en trop. La perte finale (notion fiscale) correspond à la fraction du coût en capital qui resterait à réclamer après la réalisation des valeurs de récupération ou de la mise au rancart des actifs relatifs au projet. Le montant de la perte finale est déduit du revenu de base de l'année d'imposition au cours de laquelle a lieu la vente des actifs.

Si les réductions d'impôt relatives aux amortissements fiscaux sont entrées dans le calcul des recettes nettes d'exploitation, le montant net à actualiser concernant la valeur de récupération, si elle existe, et la perte finale peut comprendre les éléments suivants :

(Valeur de récupération) + (Perte finale) (Taux d'impôt)

Par contre, si les réductions d'impôt relatives aux amortissements fiscaux entrent dans le calcul de l'investissement net, le montant net à actualiser concernant la valeur de récupération, si elle existe, et la perte finale peut comprendre les éléments suivants :

Valeur de récupération × F.C.C.
− Perte finale, déduction faite de l'amortissement fiscal implicite concernant la dernière année du projet
× (I − F.C.C. + T.I.)

Puisque l'investissement net a été calculé en multipliant le coût en capital par le facteur de coût en capital, la réduction de l'investissement net correspondant à la valeur de récupération est la valeur actualisée de :

Valeur de récupération × F.C.C.

La fraction non amortie du coût en capital, après la réalisation des valeurs de récupération ou de la mise au rancart des actifs relatifs au projet, fait qu'il faut substituer la réclamation suivante à celle prévue initialement :

Perte finale
- Amortissement fiscal implicite concernant la dernière année du projet × T.I.

La réclamation qui avait été prévue initialement était de :

Perte finale
- Amortissement fiscal implicite concernant la dernière année du projet × (I − F.C.C.)

EXEMPLE

DONNÉES

Dans l'exemple de la page 793, nous avions tenu pour acquis qu'il n'y aurait pas de valeur de récupération au terme des 5 années d'usage de l'outillage. Nous allons maintenant supposer que l'outillage aura, au terme de ces 5 années, une valeur de récupération de 800 $ et illustrer le traitement de cette valeur de récupération.

SOLUTION

Étant donné qu'une valeur de récupération de 800 $ est réalisée au terme du projet, on peut la traiter comme une recette supplémentaire d'exploitation obtenue au terme de la cinquième année.

D'un autre côté, si les réductions d'impôt relatives aux amortissements fiscaux entrent dans le calcul de l'investissement net, on tient pour acquis que tout le coût en capital sera réclamé en amortissements fiscaux, soit 5 000 $. On a vu qu'une dépense d'investissement en outillage revient à 0,682 $ par dollar investi, si l'on suppose que le taux d'intérêt est de 10 % et le taux d'imposition de 50 %. Ce montant de 0,682 $ suppose que le dollar investi est réclamé en entier aux fins de l'impôt sur le revenu. Dans notre exemple, l'investissement de 5 000 $ reviendrait donc à l'entreprise à 3 410 $, soit 5 000 $ × 0,682.

Mais puisqu'il existe une récupération de 800 $ à la fin de la cinquième année, un montant identique sur le coût en capital ne pourra alors être réclamé à compter de la sixième année. Ce montant représente un coût actualisé de 800 $ (I − 0,682) au début de la sixième année. La valeur de récupération actualisée, compte tenu de ce coût, est de 545,60 $ (soit 800 $ × 0,682) au début de la sixième année. Si on actualise cette dernière valeur au moment où la dépense d'investissement a été effectuée, nous obtenons 338,76 $, soit 545,60 $ × 0,6209.

Cette opération équivaut à soustraire de l'investissement net la valeur de récupération multipliée par le facteur de coût en capital et par le facteur de valeur actualisée.

Investissement net		
(5 000 $ × 0,682)		3 410,00 $
Valeur de récupération		
(800 $ × 0,682 × 0,6209)		338,76
Investissement net redressé		3 071,24 $

La formule suivante est souvent utilisée pour déterminer le montant de l'investissement net redressé :

$$\left[1 - \left(\frac{\text{Taux d'impôt} \times \text{Taux d'amortissement fiscal}}{\text{Taux d'actualisation} + \text{Taux d'amortissement fiscal}}\right)\left(\frac{1 + (0,5)\,(\text{Taux d'actualisation})}{1 + \text{Taux d'actualisation}}\right)\right] \times \left[\text{Investissement} - \frac{\text{Valeur de récupération}}{(1 + \text{Taux d'actualisation})^n}\right]$$

7. L'USAGE DES FACTEURS DE COÛT EN CAPITAL

L'usage des facteurs de coût en capital n'est pratique que lorsque les amortissements fiscaux sont calculés sur le solde résiduel. Même dans ce cas, il n'est pas tellement avantageux s'il y a récupération d'amortissements fiscaux ou perte finale, et si la durée du projet n'est que de quelques années.

8. LES MÉTHODES DE CALCUL DE LA RENTABILITÉ

Les meilleures méthodes qui permettent de juger de la rentabilité des projets sont celles qui, comme nous l'avons signalé, font appel à l'actualisation des flux monétaires. Nous insisterons donc tout particulièrement sur la méthode de la valeur actualisée nette, qui est la plus utilisée, et sur la méthode du taux de rendement interne.

A. La méthode de la valeur actualisée nette (VAN)

Par la méthode de la valeur actualisée nette, nous voulons savoir si les sommes à investir produiront suffisamment de recettes nettes d'exploitation pour être récupérées par la suite. En d'autres termes, la méthode consiste à établir la différence entre la valeur actualisée des flux monétaires d'entrée différentiels (recettes nettes d'exploitation et valeur de récupération) consécutifs à l'investissement et celle des flux monétaires de sortie représentés par les dépenses d'investissement.

La différence entre ces deux montants s'obtiendra grâce aux opérations suivantes appliquées, le cas échéant, à l'exemple de Dubrau ltée présenté ci-après :

1) *Flux monétaire d'entrée*

   a) pour chacune des unités de temps constituant la durée de l'investissement, on calcule les recettes nettes différentielles d'exploitation découlant de sa réalisation. On obtient ainsi une série de montants de recettes nettes d'exploitation ;

   b) on applique à cette série le taux de rendement minimum acceptable par l'entreprise ; on obtient ainsi la valeur actualisée des recettes nettes d'exploitation ;

   c) on actualise également les valeurs de récupération prévues ;

   d) on calcule la somme des recettes nettes d'exploitation et des valeurs de récupération actualisées.

2) *Flux monétaire de sortie*

   De la somme précédente, on déduit la valeur actualisée des dépenses d'investissement différentielles relatives au projet.

Cette méthode mesure donc, pour la durée totale de l'investissement le mouvement monétaire net. Si la valeur actualisée nette est supérieure à zéro, on en déduit que le rendement est supérieur au taux de rendement minimum acceptable par l'entreprise.

EXEMPLE

Afin d'illustrer cette méthode, nous prendrons les données de la société canadienne Dubrau ltée.

DONNÉES

Les dirigeants de Dubrau ltée s'interrogent sur l'opportunité de remplacer une machine A au début du mois de janvier 2003. Les livres et les dossiers de la société fournissent les renseignements suivants sur cette machine :

1) elle a coûté 50 000 $ au début de l'année 2002 ;

2) sa durée d'utilisation avait été établie à 10 ans ; il semble qu'elle pourra être prolongée de 3 ans, c'est-à-dire jusqu'en 2005 ;

3) on estime que la machine se vendrait actuellement 3 000 $ sur le marché des machines d'occasion, mais que sa valeur de récupération serait nulle dans 10 ans ;

4) le directeur de la production estime que les frais de démontage et de déménagement s'élèveraient à 5 000 $ et seraient engagés à la fin de 2002. Ces frais pourraient être traités comme des frais d'exploitation dans le calcul du revenu imposable de 2002.

La machine B choisie pour remplacer la machine A coûterait 34 000 $. On prévoit que les frais de transport, d'installation et de mise en marché de cette machine s'élèveraient à 4 000 $.

Une étude du service des coûts de revient a permis de dresser le tableau suivant relativement aux frais annuels :

	Frais prévus pour la machine A	Frais prévus pour la machine B
Frais variables	15 000 $	6 400 $
Frais fixes		
Amortissement linéaire	5 000	3 900
Autres	2 400	1 000

Le coût du capital de la société après impôt sur le revenu est de 10 %, le taux d'imposition de 50 % et le taux d'amortissement fiscal de 20 % sur le solde dégressif, sauf pour la première année où le taux est réduit de moitié.

SOLUTION

Nous présentons ici deux formes de solution en tenant pour acquis que le coût du capital de l'entreprise correspond au taux de rendement minimum acceptable.

a. Une première forme de solution

Seuls les avantages découlant des amortissements fiscaux au cours de la durée de l'investissement sont appliqués aux recettes nettes d'exploitation.

1) Investissement net dans la machine B :

		Investissement net du point de vue de l'entreprise	Coût en capital net du point de vue fiscal
Coût d'acquisition de la machine B		34 000 $	34 000 $
Transport et installation		4 000	4 000
Frais de démontage de la machine A	5 000 $		
Récupération d'impôt (50 % × 5 000 $)	2 500	2 500	
Valeur de récupération de la machine A		(3 000)	(3 000)
		37 500 $	35 000 $

La société considère qu'elle devra débourser 37 500 $ si elle achète la machine B et vend la machine A, alors que la législation fiscale ne permet des amortissements fiscaux supplémentaires que sur 35 000 $.

2) Recettes nettes d'exploitation :

Le calcul des recettes nettes actualisées d'exploitation, compte tenu des amortissements fiscaux, serait le suivant :

	(1)	(2)	(3)	(4)	(5)	(6)
	Recettes nettes d'exploitation avant impôt	Augmentation de l'amortissement fiscal	Augmentation du revenu imposable (1) − (2)	Augmentation de l'impôt à payer (3) × 50 %	Recettes nettes d'exploitation après impôt (1) − (4)	Valeurs actualisées[1] des recettes nettes d'exploitation (5) × facteur de la table I[2]
2003	10 000 $	3 500 $	6 500 $	3 250 $	6 750 $	6 136 $
2004	10 000	6 300	3 700	1 850	8 150	6 735
2005	10 000	5 040	4 960	2 480	7 520	5 650
2006	10 000	4 032	5 968	2 984	7 016	4 792
2007	10 000	3 226	6 774	3 387	6 613	4 106
2008	10 000	2 580	7 420	3 710	6 290	3 551
2009	10 000	2 064	7 936	3 968	6 032	3 096
2010	10 000	1 652	8 348	4 174	5 826	2 718
2011	10 000	1 321	8 679	4 340	5 660	2 401
2012	10 000	1 057	8 943	4 472	5 528	2 131
	100 000 $	30 772 $	69 228 $	34 615 $	65 385 $	41 316 $

1. Au coût du capital de l'entreprise, soit 10 %.
2. Voir annexe A.

– Calcul des recettes nettes annuelles d'exploitation (réduction des sorties de fonds) avant impôt :

	Machine A	Machine B	Recettes nettes supplémentaires d'exploitation avant impôt
Frais variables déboursés	15 000 $	6 400 $	8 600 $
Frais fixes déboursés	2 400	1 000	1 400
	17 400 $	7 400 $	10 000 $

– Calcul des augmentations des amortissements fiscaux qui résulteraient de l'acquisition de la machine B :

	Fraction non amortie du coût en capital différentiel		Pourcentage d'amortissement fiscal		Augmentation de l'amortissement fiscal
2003	35 000 $	×	10 %	=	3 500 $
2004	31 500	×	20 %	=	6 300
2005	25 200	×	20 %	=	5 040
2006	20 160	×	20 %	=	4 032
2007	16 128	×	20 %	=	3 226
2008	12 902	×	20 %	=	2 580
2009	10 322	×	20 %	=	2 064
2010	8 258	×	20 %	=	1 652
2011	6 606	×	20 %	=	1 321
2012	5 285	×	20 %	=	1 057
					30 772 $

Un montant de 4 228 $ (soit 5 285 $ – 1 057 $) reste à amortir ; la présente forme de solution ne tient pas compte de cet avantage supplémentaire pour la machine B ; l'autre forme de solution en tient compte, ce qui fait qu'elle donne des recettes nettes différentielles d'exploitation un peu plus élevées.

3) Valeur actualisée nette de l'opération :

Recettes nettes actualisées d'exploitation après impôt, auxquelles on applique les avantages fiscaux associés aux amortissements fiscaux   (a)   41 316 $
Investissement net dans la machine B   (b)   37 500

3 816 $

- si la différence est nulle (a = b), il est indifférent d'investir ou non ;
- si la différence est positive (a > b), il est souhaitable d'acheter la machine B ;
- si la différence est négative (a < b), la société ne pourra récupérer son investissement ; il vaut alors mieux ne pas acheter la machine B.

Le taux de rendement minimum exigé par la firme étant de 10 %, le projet rapporterait plus de 10 % vu que la valeur actualisée nette est positive ; autrement dit, la valeur actualisée des recettes nettes d'exploitation excède celle de l'investissement.

Pour que l'entreprise accepte d'investir 37 500 $, il faut que la valeur actualisée des recettes nettes d'exploitation rembourse l'investissement, c'est-à-dire atteigne au moins 37 500 $, ce qui représenterait le taux de rendement minimum exigé de 10 %. Comme la valeur actualisée des recettes nettes d'exploitation excède ici de 3 816 $ le montant de 37 500 $ exigé, le taux de rendement effectif est supérieur à 10 %. L'achat de la machine B est donc souhaitable, toutes choses égales par ailleurs.

b. Une autre forme de solution

Tous les avantages fiscaux découlant des amortissements fiscaux sont appliqués à l'investissement. En utilisant les facteurs de coût en capital, on peut résoudre le problème de la façon suivante :

1) Investissement net dans la machine B :

(Dépense nette en capital pour la machine B
du point de vue fiscal) (Facteur de
coût en capital)
(35 000 $ × 0,682)   23 870 $

plus : Frais admissibles fiscalement en 2002,
compte tenu de la réduction d'impôt
Frais de démontage de la machine A   5 000 $
moins : Économie d'impôt (5 000 $ × 50 %)   2 500[3]   2 500
Investissement net, compte tenu de tous les
avantages fiscaux afférents à la dépense
nette en capital et aux frais de démontage   (a) 26 370 $

2) Recettes nettes d'exploitation

Recettes nettes annuelles d'exploitation avant impôt   10 000 $
Impôt de 50 %   5 000

Recettes nettes annuelles d'exploitation après impôt   5 000 $
Valeur actualisée des recettes nettes d'exploitation
Recettes nettes annuelles d'exploitation × Facteur
cumulatif de valeur actualisée[4]
(5 000 $ × 6,145)   (b) 30 725 $

3) Valeur actualisée nette de l'opération :

(b) – (a) = (c) = 4 355 $

Puisque l'entreprise investit dans un bien amortissable fiscalement, l'investissement provoquera une diminution d'impôt qui aura comme conséquence de réduire d'autant la valeur actualisée de l'investissement. Cet investissement est

---

3. Cette réduction aurait pu être considérée comme une recette d'exploitation se produisant au début de 2003. Pour simplifier, nous avons préféré en tenir compte dans le calcul de l'investissement net. La valeur actualisée nette n'en aurait pas été affectée pour autant.
4. Voir table 2, annexe A.

de 37 500 $, mais, grâce aux dégrèvements d'impôt actualisés, l'investissement revient à 26 370 $; donc, l'entreprise n'aura à récupérer qu'un montant équivalant à 26 370 $ en recettes nettes d'exploitation actualisées. Dans notre exemple, l'entreprise pourra récupérer non seulement ce montant, mais encore davantage, soit 30 725 $.

c. Une comparaison des deux formes de solutions

Cette comparaison vise surtout à faire ressortir ce par quoi les deux solutions diffèrent l'une de l'autre.

Première forme de solution			Autre forme de solution		
Investissement net		37 500 $	Investissement brut	37 500 $	
Recettes nettes d'exploitation actualisées après impôt	30 725 $		auquel on applique les avantages fiscaux associés aux amortissements fiscaux	11 130[2]	26 370 $
auxquelles on applique les avantages fiscaux associés aux amortissements fiscaux réclamés au cours de la durée du projet	10 591[1]	41 316	Recettes nettes d'exploitation actualisées après impôt		30 725
Recettes nettes d'exploitation actualisées excédentaires		3 816 $	Recettes nettes d'exploitation actualisées excédentaires		4 355 $

Différence de 539 $

1. (41 316 $ − 30 725 $ = 10 591 $)
2. (37 500 $ − 26 370 $ = 11 130 $)

La différence de 539 $ qui existe entre les valeurs actualisées nettes calculées selon les méthodes employées provient essentiellement des économies d'impôt qui découlent des amortissements fiscaux. Alors que dans la première nous n'avons tenu compte que des seuls amortissements réclamés au cours de la durée du projet (10 ans), dans la deuxième nous avons fait entrer les amortissements postérieurs au projet. Aussi, dans le cas étudié, la valeur actualisée nette déterminée selon la première forme est-elle sous-évaluée. On peut donc dire que la deuxième forme est plus précise, car elle évalue toutes les recettes d'un projet, même celles qui sont réalisées une fois le projet terminé.

B.   La méthode du taux de rendement interne

On sait que l'entreprise n'accepte aucun projet d'investissement qui n'atteint pas un certain taux de rendement minimum. Par la présente méthode, on détermine un certain taux de rendement, dit de rendement interne, que l'on compare au taux minimum acceptable de la société; si le taux calculé pour le projet est supérieur au taux minimum acceptable, le projet entre dans la catégorie de ceux dont l'entreprise peut envisager la réalisation.

Exprimé de façon plus scientifique, le taux de rendement interne correspond au taux d'actualisation qui, lorsqu'il est appliqué à la série des recettes nettes d'exploitation (et des valeurs de récupération s'il y a lieu) découlant de l'investissement, rend leur valeur actualisée égale à celle de l'investissement net. Quand ce taux est supérieur au taux de rendement minimum acceptable, on en conclut que le projet est acceptable, toutes choses égales par ailleurs.

EXEMPLE

DONNÉES

Ces données sont, comme pour l'exemple précédent, celles de Dubrau ltée.

SOLUTION

a. Une première forme de solution

On trouve le taux de rendement interne par la résolution de l'équation suivante :

Valeur actualisée de l'investissement net (compte tenu des réductions d'impôt relatives aux amortissement fiscaux) = Valeur actualisée des recettes nettes d'exploitation (y compris les réductions d'impôt relatives aux amortissements fiscaux pour la durée de l'investissement net)

37 500 $ = Recettes nettes d'exploitation actualisées au taux X

On trouve le taux de rendement interne (taux X) par des approximations successives.

Procédons d'abord avec un taux d'actualisation de 14 % : on obtient 35 408 $ comme valeur actualisée des recettes nettes d'exploitation (voir le tableau 2), ce qui est par trop inférieur à l'objectif de 37 500 $; le taux choisi arbitrairement est donc trop élevé.

Procédons ensuite avec un taux d'actualisation de 12 %: la valeur actualisée des recettes nettes d'exploitation atteint 38 177 $, montant trop éloigné de 37 500 $. On peut donc en conclure que le taux de rendement interne recherché se situe entre 12 % et 14 %.

Comme le taux de rendement minimum acceptable pour la firme est de 10 %, le projet pourrait être réalisé par l'entreprise, sauf si d'autres facteurs internes ou externes viennent s'y opposer.

TABLEAU 2
Calcul des VAN en utilisant différents taux d'actualisation

Valeurs actualisées au taux d'actualisation de		Recettes nettes d'exploitation reçues									
14 %	**12 %**	**Années**	**1**	**2**	**3**	**4**	**5**	**6**	**7**	**8**	**9**	**10**
5 921 $	6 027 $	.... 6 750 $									
6 271	6 497	...................8 150									
5 076	5 353	.... 7 520									
4 154	4 459	...............................7 016									
3 435	3 752	.... 6 613									
2 866	3 187	.... 6 290									
2 410	2 728	.... 6 032									
2 043	2 041	.... 5 826									
1 741	2 353	.... 5 661									
1 491	1 780	.... 5 528									
35 408	38 177										
37 500	37 500	Valeur actualisée de l'investissement net à récupérer									
(2 092)$	677 $	Valeur actualisée nette									

b. Une autre forme de solution

Comme dans la méthode précédente, il s'agit de trouver un certain taux d'actualisation à comparer avec le taux de rendement minimum exigé par l'entreprise pour tout projet d'investissement. On y parvient d'une façon différente.

Le taux d'actualisation recherché découle de la résolution de l'équation suivante :

Valeur actualisée de l'investissement net (compte tenu des avantages fiscaux associés aux amortissement)	=	Valeur actualisée des recettes nettes d'exploitation (compte non tenu des avantages fiscaux associés aux amortissements)
(35 000 $ × Facteur de coût en capital) + 2 500 $[5]	=	Valeur actualisée de 5 000 $ reçus annuellement pendant 10 ans (table 2)

Procédons, ici encore, par approximations successives en utilisant 14 % comme premier taux :

$$(35\ 000\ \$ \times 0{,}724) + 2\ 500\ \$ <-> 5\ 000\ \$ \times 5{,}216$$
$$27\ 840\ \$ > 26\ 080\ \$$$

L'écart entre les deux montants est, de toute évidence, trop important. Essayons maintenant le taux de 12 % :

$$(35\ 000\ \$ \times 0{,}724) + 2\ 500\ \$ <-> 5\ 000\ \$ \times 5{,}650$$
$$27\ 140\ \$ > 28\ 250\ \$$$

On parviendrait à une égalité en utilisant un taux situé entre 12 % et 14 %. La conclusion est semblable à celle qui a prévalu dans la solution précédente.

Outre les méthodes de la valeur actualisée nette et du taux de rendement interne, on rencontre souvent en pratique, pour évaluer la rentabilité des projets, un certain nombre d'autres méthodes.

C. La méthode du coût annuel équivalent

Dans le cas de projets voués uniquement à une économie annuelle de coûts, une méthode d'actualisation, telle que celle du coût annuel équivalent, pourrait fort bien remplacer les méthodes précédentes.

Une première forme de solution

Par cette méthode, on tient compte, non pas des économies, mais des coûts ; on choisira l'investissement qui coûtera le moins cher, par conséquent celui qui, indirectement, fera réaliser le plus d'économies.

---

5. Frais de démontage et de déménagement de 5 000 $ réclamés comme frais d'exploitation et permettant d'obtenir une réduction immédiate de 2 500 $ (soit 5 000 $ × 50 %).

Le coût annuel équivalent d'un projet est le coût annuel actualisé d'investissement et d'exploitation d'un projet, ou, plus exactement, la rente équivalente à l'investissement et aux coûts d'exploitation actualisés. Dans le processus d'évaluation, on accordera la préférence au projet dont le coût annuel équivalent est le moins élevé, si l'on ne tient aucun compte des autres facteurs – réactions du personnel, des syndicats, etc. – qui sont normalement à prendre en considération avant la décision finale.

EXEMPLE

DONNÉES

Ces données ont trait aux machines A et B de Dubrau ltée.

SOLUTION

	Machine A	Machine B
Coût annuel équivalent		
Dépenses d'investissement capitalisées	3 000 $	38 000 $
Dépenses d'investissement non capitalisées		
(Frais de démontage) (5 000 × 50 %)		2 500
Frais d'exploitation, impôts déduits[1]	52 547	11 233
Rente × Facteur cumulatif de valeur actualisée	55 547 $	51 733 $

1. Voir le tableau 3.

De l'équation du tableau précédent, on peut tirer la valeur des rentes.

		Machine A	Machine B
Rente =	Coût total actualisé d'investissement et d'exploitation / Facteur cumulatif de valeur actualisée[1]	$\dfrac{55\,547\,\$}{6,145} = 9\,039,38\,\$$	$\dfrac{51\,733\,\$}{6,145} = 8\,418,71\,\$$

1. Voir table 2, annexe A.

Le coût annuel équivalent dans le cas de la machine B (8 418,71 $) est inférieur à celui relatif à la machine A (9 039,38 $). En conséquence, il est préférable d'acheter la machine B plutôt que de conserver la machine A car, malgré un investissement élevé, l'utilisation de la machine B produit des économies nettement supérieures (620,67 $) à l'investissement différentiel.

TABLEAU 3
Frais d'exploitation actualisés (compte tenu de l'impôt sur le revenu)

	(1)	(2)	(3)	(4)	(5)	(6)
Machine A	Coûts déboursés avant réduction d'impôt	Amortissements fiscaux	Déduction du revenu imposable (1) + (2)	Réductions d'impôt de 50 % (3) × 50 %	Coûts déboursés après impôt (1) − (4)	Valeurs actualisées[1] des coûts déboursés d'exploitation (5) × facteur de la table I[2]
2003	17 400 $	300 $	17 700 $	8 850 $	8 550 $	7 773 $
2004	17 400	540	17 940	8 970	8 430	6 967
2005	17 400	432	17 832	8 916	8 484	6 374
2006	17 400	346	17 746	8 873	8 527	5 824
2007	17 400	276	17 676	8 838	8 562	5 316
2008	17 400	221	17 621	8 811	8 589	4 848
2009	17 400	177	17 577	8 789	8 611	4 419
2010	17 400	142	17 542	8 771	8 629	4 025
2011	17 400	113	17 513	8 757	8 643	3 665
2012	17 400	91	17 491	8 746	8 654	3 336
						52 547 $
Machine B						
2003	7 400 $	3 800 $	11 200 $	5 600 $	1 800 $	1 636 $
2004	7 400	6 840	14 240	7 120	280	231
2005	7 400	5 472	12 872	6 436	964	724
2006	7 400	4 378	11 778	5 889	1 511	1 032
2007	7 400	3 502	10 902	5 451	1 949	1 210
2008	7 400	2 802	10 202	5 101	2 299	1 298
2009	7 400	2 241	9 641	4 821	2 579	1 324
2010	7 400	1 793	9 193	4 597	2 803	1 308
2011	7 400	1 434	8 834	4 417	2 983	1 265
2012	7 400	1 148	8 548	4 274	3 126	1 205
						11 233 $

1. Au coût du capital de l'entreprise, soit 10 %. Voir table I, annexe A.
2. Voir annexe A.

Étant donné que nous faisons l'étude des coûts inhérents à chacune des machines, il nous faut envisager un investissement de 38 000 $ pour la nouvelle machine (coût d'acquisition de 34 000 $ *plus* frais de transport de 4 000 $). Par ailleurs, il est à noter que la différence entre les coûts actualisés

(55 547 $ – 51 733 $) correspond, à toutes fins utiles, à la valeur actualisée nette de 3 815 $ déterminée précédemment par la méthode de la valeur actualisée nette.

Une autre forme de solution

On peut également, toujours selon la méthode du coût annuel équivalent, procéder d'une autre façon ; cette solution consiste

1) à déterminer la valeur actualisée de l'investissement net après réductions d'impôt dues aux amortissements fiscaux ;
2) à y ajouter la valeur actualisée (après économies d'impôt) des coûts annuels d'exploitation ;
3) à déterminer la rente annuelle (coût annuel équivalent) à laquelle les valeurs actualisées précédentes pourraient équivaloir (table 2, annexe A).

	Machine A		Machine B	
Coût annuel équivalent				
Dépenses d'investissement				
capitalisées (après réduction d'impôt)	(3 000 $ × 0,682)	2 046,00 $	(38 000 $ × 0,682)	25 916,00 $
non capitalisées (démontage)			(5 000 $ × 50 %)	2 500,00
Frais d'exploitation	(17 400 $ × 50 % × 6,145)	53 461,50	(7 400 $ × 50 % × 6,145)	22 736,50
Rente × Facteur cumulatif de valeur actualisée		55 507,50 $		51 152,50 $

De l'équation du tableau précédent, on peut tirer les valeurs des rentes :

		Machine A	Machine B
Rente =	Coût total actualisé d'investissement et d'exploitation / Facteur cumulatif de valeur actualisée[1]	$\dfrac{55\ 507,50\ \$}{6,145} = 9\ 032,95\ \$$	$\dfrac{51\ 152,50\ \$}{6,145} = 8\ 324,25\ \$$

1. Voir table 2, annexe A.

Le coût annuel équivalent est donc moins élevé en acquérant la machine B qu'en conservant la machine A. On notera que, dans ce cas, l'aspect concernant les amortissements fiscaux n'a pas été limité aux dix premières années.

D. La méthode du délai de récupération

Nous avons étudié jusqu'ici trois méthodes utilisées par les dirigeants d'entreprises pour apprécier la rentabilité d'un projet d'investissement.

1) Si la valeur actualisée des recettes nettes d'exploitation dépasse la valeur actualisée de l'investissement net, le projet est acceptable : méthode de la valeur actualisée nette ;

2) Si le taux de rendement interne excède le taux minimum acceptable, on peut adopter le projet : méthode du taux de rendement interne ;

3) Si le coût annuel actualisé d'un projet est moins élevé que celui d'un autre projet, on choisira le premier : méthode du coût annuel équivalent.

Par la méthode du délai de récupération, on cherche à déterminer le temps requis pour recouvrer les fonds engagés dans l'investissement.

L'entreprise, au lieu de déterminer un taux de rendement minimum acceptable (par exemple 10 %), se fixe un délai de récupération de son investissement (par exemple 3 ans). Si les fonds à investir peuvent être récupérés durant le délai fixé, on peut prendre la décision d'investir. Si le délai de récupération dépasse le délai fixé, le projet est rejeté.

On obtient la solution de la manière suivante :

Recettes nettes d'exploitation non actualisées de la 1re année	XX
Recettes nettes d'exploitation non actualisées de la 2e année	XX
Recettes nettes d'exploitation non actualisées de la ne année	XX
Montant de l'investissement net	XXX

Observons qu'il serait plus exact de tenir compte des recettes nettes d'exploitation actualisées ; mais cette méthode peut donner, dans la pratique, de très bons résultats – si le délai de récupération fixé par l'entreprise est relativement court (2 à 3 ans) –, tout en étant des plus simples. On suppose que les recettes nettes d'exploitation d'une année sont réalisées uniformément au cours de l'année en question.

Cette méthode ne mesure pas à proprement parler la rentabilité d'un investissement, puisqu'elle ne tient pas compte de toutes les recettes nettes d'exploitation. Toutefois, elle est particulièrement utile lorsque l'entreprise ne peut engager des sommes importantes à très long terme ou lorsque l'objet du projet risque d'être modifié rapidement à la suite de nouvelles découvertes technologiques ou de la disparition du marché. Cette méthode ne saurait donc être utilisée isolément.

EXEMPLE

DONNÉES

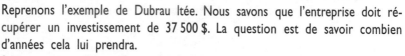

Reprenons l'exemple de Dubrau ltée. Nous savons que l'entreprise doit récupérer un investissement de 37 500 $. La question est de savoir combien d'années cela lui prendra.

Supposons que l'entreprise exige que les fonds investis soient récupérés par les recettes nettes d'exploitation après 3 ans.

SOLUTION

Les données suivantes permettent de déterminer le nombre d'années nécessaires à la récupération des fonds investis.

Investissement net à récupérer		37 500 $
Recettes nettes d'exploitation de la 1re année	6 750 $	
Recettes nettes d'exploitation de la 2e année	8 150	
Recettes nettes d'exploitation de la 3e année	7 520	
Recettes nettes d'exploitation de la 4e année	7 016	
Recettes nettes d'exploitation de la 5e année	6 613	
	36 049	
Partie des recettes nettes d'exploitation de la 6e année	1 451	37 500
		− 0 − $

Le délai de récupération est donc légèrement supérieur à 5 ans (5,23 ans). L'entreprise refuserait de réaliser le projet en question dans la mesure où les fonds investis ne seraient entièrement récupérés qu'au cours de la sixième année.

Le calcul d'un délai de récupération n'est pas toujours possible dans le cas des dépenses d'investissement effectuées par étapes au cours de la durée de l'investissement. Même dans le cas où le calcul est possible, le délai fixé n'a certes pas la signification du délai déterminé lorsque la dépense d'investissement est effectuée d'un seul coup au début de la durée de l'investissement.

E.   La réciprocité du délai de récupération

Certaines entreprises qui utilisent la méthode du délai de récupération déduisent des taux de rentabilité à partir des délais de récupération spécifiques aux projets d'investissement. Il s'agit, bien sûr, de taux de rentabilité approximatifs, qui peuvent être déterminés à l'aide de la formule suivante :

1/Délai de récupération relatif au projet (exprimé en nombre d'années)

Il peut arriver que les taux de rentabilité ainsi obtenus diffèrent sensiblement des taux effectifs de rentabilité, lorsque les recettes nettes d'exploitation ne sont pas égales et lorsque la durée de l'investissement n'est pas au moins égale à deux fois le délai de récupération relatif au projet.

F.   La méthode du taux de rendement comptable

La méthode du taux de rendement comptable ne tient aucunement compte du principe de l'actualisation.

Il s'agit essentiellement, dans cette méthode, d'obtenir le taux de rendement comptable. Pour ce faire, on divise les recettes nettes d'exploitation annuelles moyennes, diminuées de l'amortissement annuel moyen, par le montant de l'investissement net.

$$\text{Taux de rendement comptable} = \frac{\text{Recettes nettes d'exploitation} - \text{Amortissement}}{\text{Investissement comptable}}$$

C'est une méthode comptable en ce sens qu'elle fait appel aux notions de bénéfice et d'investissement comptables. Étant donné que les fonds investis sont récupérés pendant la durée complète du projet, plusieurs ont recours à l'investissement comptable moyen de préférence à l'investissement comptable initial.

EXEMPLE

DONNÉES

Reprenons encore une fois celles de Dubrau ltée.

SOLUTION

– avec recours à l'investissement comptable initial comme dénominateur :

$$\frac{[(65\ 385\ \$ - 2\ 500\ \$^6)/10\ \text{ans}] - 3\ 800\ \$}{38\ 000\ \$} = 6,55\ \%$$

– avec recours à l'investissement comptable moyen comme dénominateur :

$$(2\ 488,50\ \$/19\ 000\ \$) = 13,1\ \%$$

---

6. Les frais de démontage réduisent les recettes nettes d'exploitation car, en comptabilité, ils n'entrent pas dans le calcul de l'investissement comptable mais sont portés aux frais.

S'il existait une valeur de récupération au terme de l'utilisation de la nouvelle machine, la formule de l'investissement comptable moyen serait la suivante :

(Investissement comptable initial + Valeur de récupération)/2

Il est certain que le taux de rentabilité obtenu par cette méthode n'est pas le taux de rentabilité réel, puisqu'il se base sur des moyennes et que l'actualisation des flux monétaires n'intervient pas.

Cette méthode pourrait être utilisée, dans certaines conditions particulières, pour obtenir une évaluation approximative du taux de rentabilité d'un projet. Le taux sera plus ou moins réel, selon la durée du projet et du profil des recettes nettes d'exploitation.

9. UNE COMPARAISON DES DEUX PRINCIPALES MÉTHODES : VALEUR ACTUALISÉE NETTE ET TAUX DE RENDEMENT INTERNE

Les deux méthodes de base étant, nous l'avons dit, la méthode de la valeur actualisée nette et la méthode du taux de rendement interne, il convient d'en comparer, à la lumière de situations déterminées, les valeurs respectives.

A. Les calculs

Soulignons d'abord que les calculs à effectuer selon la méthode du taux de rendement interne sont fastidieux lorsque les recettes nettes d'exploitation diffèrent d'une année à l'autre. Dans ce cas, on procède par hypothèses, en s'appliquant à rechercher un taux d'actualisation qui rende l'expression positive et un autre qui la rende négative ; on peut, par la suite, trouver le taux d'intérêt par interpolation. Il existe parfois, dans certains cas, plus d'une solution, c'est-à-dire plus d'un taux :

	Flux	Valeur actualisée	
	monétaires	à 10 %	à 20 %
0	− 10 000 $	− 10 000 $	− 10 000 $
1	+ 23 072	+ 20 973	+ 19 219
2	− 13 284	− 10 973	− 9 219
		− 0 − $	− 0 − $

Nous sommes ici en présence de deux taux parce que le sens des flux monétaires a été modifié à deux reprises : d'abord négatif, puis positif et enfin négatif. Si le sens variait n fois, nous pourrions avoir au maximum n taux.

La méthode de la valeur actualisée nette permet de tenir compte des modifications prévues dans le coût futur du capital, ce qui n'est pas le cas pour la méthode du taux de rendement interne.

B.   La classification des projets par ordre de rentabilité relative

Comme elle a recours à des pourcentages, la méthode du taux de rendement interne facilite les comparaisons avec le taux de rendement minimum acceptable et, partant, la classification des différents projets selon leur rentabilité relative respective.

En recourant à la méthode de la valeur actualisée nette, on peut déterminer des indices de rentabilité pour classer les projets selon leur rentabilité relative propre. Mais la méthode utilisée pour tenir compte des facteurs fiscaux dans le calcul des valeurs actualisées nettes devrait être la même pour l'ensemble des projets étudiés.

L'indice de rentabilité est le rapport de la valeur actualisée des recettes nettes d'exploitation à la valeur actualisée de l'investissement. En recourant aux résultats obtenus selon les deux formes de solution de la page 797 apportées au regard de l'investissement que projette Dubrau ltée, on obtient:

$$\text{Indice de rentabilité} = \frac{\text{Valeur actualisée des recettes nettes d'exploitation}}{\text{Valeur actualisée de l'investissement}}$$

$$= \frac{41\ 316\ \$}{37\ 500\ \$} = 1,102$$

ou

$$= \frac{30\ 725\ \$}{26\ 370\ \$} = 1,165$$

Les divergences qui peuvent se produire dans les classifications obtenues posent un réel problème lorsqu'il faut faire un choix d'après le critère de la rentabilité entre divers projets d'investissement tous rentables en soi. Les exemples suivants montreront que ce sont les hypothèses relatives aux taux de réinvestissement des recettes nettes d'exploitation qui sont à l'origine de ces divergences.

Un exemple d'investissements de durées inégales et s'excluant mutuellement

DONNÉES

Le tableau suivant indique les flux monétaires, les TRI et les VAN relatifs aux projets X et Y:

	Projet X	Projet Y
Montant de l'investissement	33 520 $	33 520 $
Recettes nettes d'exploitation annuelles après impôt	10 000	6 426
Durée économique	5 ans	12 ans
Taux de rendement interne obtenu	15 %	14 %
Valeur actualisée nette (taux de 10 %)	4 390 $	5 968 $

SOLUTION

La méthode du taux de rendement interne favorise le projet X, alors que la méthode de la valeur actualisée nette favorise le projet Y. Pourquoi cette divergence puisque les deux méthodes reposent sur le principe de l'actualisation ? Cela tient aux hypothèses relatives aux taux de réinvestissement ou taux d'opportunité.

	Taux de réinvestissement	
	Projet X	Projet Y
Critère du taux de rendement interne	15 %	14 %
Critère de la valeur actualisée	10	10

Le taux de rendement interne de 15 % du projet X repose sur l'hypothèse d'un taux de réinvestissement de 15 %, de même que le taux de rendement interne de 14 % du projet Y repose sur l'hypothèse d'un taux de réinvestissement de 14 %. La méthode de la valeur actualisée nette fait intervenir un taux de réinvestissement correspondant au coût du capital. Cette dernière hypothèse nous paraît présenter le net avantage de ne pas faire varier le taux de réinvestissement d'un projet à l'autre. Le tableau suivant prouve que le taux de réinvestissement est bien de 15 % dans le cas du projet X :

	(1) Investissement	(2) Coût de renonciation en intérêt (15 %) (1) × 15 %	(3) Total (1) + (2)	(4) Recettes nettes d'exploitation
0	33 520 $			
1	33 520	5 028 $	38 548 $	10 000 $
2	28 548	4 282	32 830	10 000
3	22 830	3 425	26 255	10 000
4	16 255	2 438	18 693	10 000
5	8 693	1 307	10 000	10 000

Les recettes nettes d'exploitation d'une année couvrent d'abord l'intérêt sur l'investissement du début de l'année ; la différence réduit l'investissement de l'année suivante.

Pour comprendre l'écart entre les résultats des deux méthodes, on représente graphiquement les taux de rendement interne et les valeurs actualisées nettes de chaque projet susdit en recourant aux données précédentes.

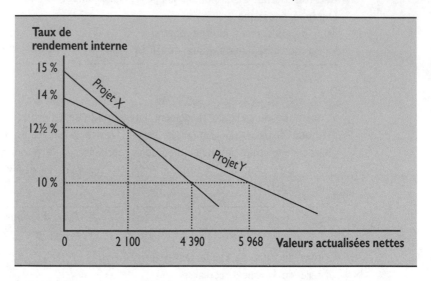

Le graphique montre qu'avec un taux de réinvestissement situé entre 10 % et environ 12½ %, les valeurs actualisées nettes du projet Y seraient supérieures à celles du projet X. Au-delà de 12½ %, les valeurs actualisées nettes du projet X seraient supérieures à celles du projet Y.

Plusieurs solutions ont été proposées pour résoudre cette difficulté. L'une d'entre elles serait de comparer le projet X renouvelé après 5 ans au projet Y, afin d'établir une comparaison sur une base de 10 ans (soit la durée du projet Y). L'utilisation de la méthode du coût annuel équivalent constituerait également une solution lorsque les conditions s'y prêtent. La solution générale qui nous semble la meilleure est celle préconisée par J. P. Couvreur dans son ouvrage intitulé *La décision d'investir et la politique de l'entreprise*[7].

Un exemple d'investissements s'excluant mutuellement et comportant des mises de fonds différentes

Il arrive que, par la méthode du taux de rendement interne, un projet comportant un taux de rendement intéressant se révèle plus attrayant qu'un projet présentant un investissement moindre mais à rendement plus élevé. L'exemple suivant illustre cette remarque.

---

7. Dunod, 1970, 301 pages.

DONNÉES

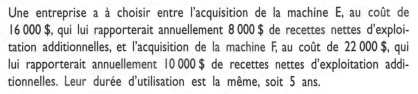

Une entreprise a à choisir entre l'acquisition de la machine E, au coût de 16 000 $, qui lui rapporterait annuellement 8 000 $ de recettes nettes d'exploitation additionnelles, et l'acquisition de la machine F, au coût de 22 000 $, qui lui rapporterait annuellement 10 000 $ de recettes nettes d'exploitation additionnelles. Leur durée d'utilisation est la même, soit 5 ans.

SOLUTION

Les taux de rendement interne sur investissement dans les machines E et F sont respectivement de 40 % et de 35 %. Si l'on s'en tient au taux le plus élevé, le choix portera sur la machine E.

Par ailleurs, si l'on suppose que les autres occasions d'investissement ne rapportent guère plus de 10 %, on optera pour la machine F car le rendement sur l'investissement différentiel est de 20 % environ, comme l'indique le tableau suivant.

	Machine E	Machine F	Différence
Investissement	16 000 $	22 000 $	6 000 $
Recettes nettes d'exploitation	8 000	10 000	2 000
Durée économique	5 ans	5 ans	
Taux de rendement interne obtenu (approximation)	40 %	35 %	20 %
Valeur actualisée nette à un taux de 10 %	14 328 $	15 910 $	1 582 $

Le présent chapitre avait pour objet premier l'étude des méthodes qui, à notre avis, constituent le fondement le plus objectif possible de l'évaluation des projets d'investissement. On remarquera toutefois que dans l'état actuel des connaissances aucune méthode n'est absolument sûre. À l'application d'une méthode quantitative doit s'ajouter, comme élément nécessaire et important d'une décision d'investissement, un jugement sain, fondé sur un nombre important de facteurs rebelles à l'évaluation quantitative.

C. Contrainte budgétaire

Le choix entre plusieurs projets d'investissement rentables peut s'imposer, non seulement parce que certains projets rentables s'excluent mutuellement, mais aussi parce que les fonds destinés aux investissements sont limités. La rentabilité relative (par dollar investi) des projets n'est pas nécessairement le critère décisionnel si l'entreprise a comme objectif de maximiser les résultats. L'exemple suivant fera ressortir cet aspect.

EXEMPLE

DONNÉES

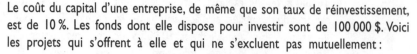

Le coût du capital d'une entreprise, de même que son taux de réinvestissement, est de 10 %. Les fonds dont elle dispose pour investir sont de 100 000 $. Voici les projets qui s'offrent à elle et qui ne s'excluent pas mutuellement :

	Montant de l'investissement	Indice de rentabilité
Projet A	40 000 $	1,3
Projet B	30 000	1,5
Projet C	50 000	1,4
Projet D	20 000	1,2
Projet E	10 000	1,1

SOLUTION

Si l'entreprise donnait la priorité aux projets dont l'indice de rentabilité est le plus élevé, elle ne réaliserait que les projets B et C, ce qui lui procurerait une valeur actualisée nette de 35 000 $. Par contre, en optant pour la réalisation des projets B, C et D, la valeur actualisée nette serait de 39 000 $. L'entreprise dont l'objectif serait de maximiser la valeur actualisée nette totale aurait donc avantage à réaliser les projets B, C et D. Ce type de problème peut être résolu en recourant à la programmation en nombres entiers qui devient presque nécessaire dès que les combinaisons possibles sont relativement nombreuses.

10.   DÉSINVESTISSEMENT

Les projets dont nous avons traité jusqu'à présent comportaient des investissements nets. Les entreprises devraient également considérer les possibilités de désinvestissement qui s'offrent à elles. C'est ainsi que, par exemple, l'abandon d'un secteur d'activité pourrait fort bien être décidé après une analyse de désinvestissement.

EXEMPLE

DONNÉES

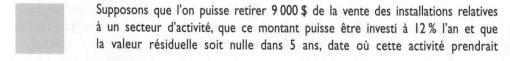

Supposons que l'on puisse retirer 9 000 $ de la vente des installations relatives à un secteur d'activité, que ce montant puisse être investi à 12 % l'an et que la valeur résiduelle soit nulle dans 5 ans, date où cette activité prendrait naturellement fin. La fraction non amortie du coût des installations est présentement de 9 000 $. L'amortissement fiscal est de 1 800 $ par année. Le taux d'imposition est de 50 %.

De plus, on dispose des renseignements suivants :

Marge annuelle sur coûts variables concernant le secteur d'activité à l'étude	1 700 $
Marge annuelle sur coûts variables d'activités connexes réalisée à condition que le secteur d'activité à l'étude soit maintenu	1 500
Produit annuel tiré de la location de l'espace libéré si le secteur d'activité à l'étude était abandonné	1 470

SOLUTION

Si les installations ne perdaient ni ne prenaient de la valeur, il est certain qu'il faudrait conserver le secteur d'activité. Les recettes nettes d'exploitation, compte non tenu de l'impôt, seraient de 3 200 $ si l'on maintenait l'exploitation du service, et de 2 550 $, soit 1 470 $ + (12 % × 9 000 $), dans le cas contraire.

Par contre, si on tient compte du fait que les installations se déprécient et que l'impôt est une réalité, les flux monétaires concernant chacune des options sont alors les suivants :

1) maintien du service

0	1	2	3	4	5
9 000	2 500	2 500	2 500	2 500	2 500

2) abandon du service

0	1	2	3	4	5
9 000	1 275	1 275	1 275	1 275	10 275

Les flux monétaires différentiels peuvent être exprimés comme suit :

0	1	2	3	4	5
0	1 225	1 225	1 225	1 225	(7 775)

La valeur actualisée nette déterminée en utilisant 6 % comme coût marginal du capital après impôt est la suivante :

$$(1\ 225\ \$ \times 4,212) - (9\ 000\ \$ \times 0,7473) = -\ 1\ 566\ \$$$

Il n'y a pas lieu de continuer à exploiter le service puisque la valeur actualisée nette est négative.

11.   LES DÉCISIONS D'INVESTIR ET LE RISQUE

Nous n'avons pas jusqu'ici abordé l'élément risque qui doit être pris en considération au moment de l'étude des projets d'investissement. Une des méthodes consiste à faire varier le rendement minimum attendu des projets : plus un projet est risqué, plus le rendement minimum escompté est élevé. Cette façon de faire est loin d'être adéquate, puisque la majoration du rendement minimum acceptable ne repose habituellement pas sur la détermination explicite du risque.

Le risque d'un investissement réside dans les écarts qui peuvent se produire par rapport aux prévisions relatives aux diverses variables qui en conditionnent la rentabilité : la dépense d'investissement peut être plus ou moins élevée que celle prévue, de même que les valeurs de récupération, la durée de l'investissement et toutes les composantes des recettes nettes d'exploitation.

Toutefois, les possibilités d'écarts ne sont pas les mêmes pour tous les facteurs : si le montant prévu d'un investissement peut être presque sûr, la durée économique l'est moins, à cause des progrès technologiques marquants du secteur économique visé. Pour l'entreprise, les causes du risque sont donc nombreuses, et aussi bien internes qu'externes.

A.   Risque et incertitude

En théorie, on différencie risque et incertitude, mais en pratique, ces termes sont souvent employés comme synonymes. Qu'il suffise de dire que, dans le présent chapitre, nous utiliserons indifféremment les termes risque et incertitude.

Il existe plusieurs méthodes de mesure du risque ; nous allons voir ici les principales.

B.   L'espérance mathématique

L'espérance mathématique d'une variable relative à un investissement est la moyenne pondérée de toutes les valeurs possibles de cette variable, les facteurs de pondération étant les probabilités de chaque possibilité. Ainsi, l'espérance mathématique des recettes nettes d'exploitation découlant d'un investissement est la moyenne pondérée de toutes les recettes nettes d'exploitation possibles de cet investissement.

EXEMPLE

DONNÉES

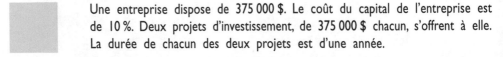

Une entreprise dispose de 375 000 $. Le coût du capital de l'entreprise est de 10 %. Deux projets d'investissement, de 375 000 $ chacun, s'offrent à elle. La durée de chacun des deux projets est d'une année.

Les possibilités de recettes nettes d'exploitation et les probabilités relatives à celles-ci sont les suivantes :

	Premier investissement	Probabilités	Deuxième investissement	Probabilités
1re possibilité	400 000 $	0,4	400 000 $	0,3
2e possibilité	450 000	0,3	442 500	0,2
3e possibilité	475 000	0,2	460 000	0,4
4e possibilité	500 000	0,1	475 000	0,1
		1,0		1,0

SOLUTION

1) Espérance mathématique des recettes nettes d'exploitation

– Premier investissement

400 000 $ × 0,4	160 000 $
450 000 $ × 0,3	135 000
475 000 $ × 0,2	95 000
500 000 $ × 0,1	50 000
	440 000 $

– Deuxième investissement

400 000 $ × 0,3	120 000 $
442 500 $ × 0,2	88 500
460 000 $ × 0,4	184 000
475 000 $ × 0,1	47 500
	440 000 $

Les deux projets ont donc la même espérance mathématique de recettes nettes d'exploitation.

2) Valeur actualisée nette pour chaque projet

Espérance mathématique des recettes nettes d'exploitation actualisées au taux de 10 %, soit le coût du capital (440 000 $ × 0,909)	399 960 $
Investissement initial	375 000
	24 960 $

3) Le choix

Si l'on retenait comme mesure du risque l'espérance mathématique, les deux investissements seraient donc aussi acceptables l'un que l'autre.

C.   L'écart entre les possibilités extrêmes

Il faut noter que, advenant la réalisation de la première possibilité relative à chaque investissement, l'un ou l'autre investissement permettrait de réaliser une recette nette d'exploitation de 25 000 $ (soit 400 000 $ – 375 000 $) avant actualisation.

Il est vrai par contre qu'au mieux, c'est-à-dire en prenant la meilleure possibilité pour chacun des deux investissements, le premier investissement serait plus profitable. En effet, la meilleure recette nette d'exploitation serait de 500 000 $ dans le cas du premier investissement et de 475 000 $ dans le cas du second. Mais, étant donné l'importance de l'écart entre les recettes nettes d'exploitation possibles extrêmes du premier investissement par rapport à l'écart entre celles du second investissement, nous concluons en disant que le premier investissement comporte un risque plus grand.

	Premier investissement	Deuxième investissement
Recette nette d'exploitation la plus élevée	500 000 $	475 000 $
Recette nette d'exploitation la moins élevée	400 000	400 000
Écart entre les possibilités extrêmes	100 000 $	75 000 $

Dans le présent exemple, il n'est pas nécessaire d'avoir recours à l'actualisation pour faire une comparaison, car la durée de chacun des projets est d'une année.

D.   La variance, l'écart type et le coefficient de variation

Dans l'exemple précédent, nous avons mesuré le risque en comparant les écarts entre la recette nette d'exploitation la plus élevée et la recette nette d'exploitation la moins élevée pour chacun des deux projets. Ce procédé ne constitue pas toujours une mesure adéquate de la dispersion des résultats possibles autour de la moyenne. L'écart entre les possibilités extrêmes est insuffisant pour mesurer le risque puisqu'il ne nous renseigne pas sur les probabilités de survenance entre les limites supérieure et inférieure qui ont servi à établir l'écart.

a.   La variance (σ^2)

La possibilité qu'un investissement entraîne une perte ne permet pas de se contenter du critère de l'espérance mathématique ou du critère de l'écart entre les possibilités extrêmes. La variance est une mesure de la dispersion de la distribution des probabilités autour de l'espérance mathématique. Elle consiste à établir la somme des carrés des écarts à l'espérance mathématique.

b. L'écart type (σ)

On utilise aussi, comme mesure de la dispersion dont il est question ici, l'écart type et le coefficient de variation. L'écart type, qui est le plus utilisé, est particulièrement avantageux quand la distribution est normale. Dans ce cas, il y a 50 chances sur 100 que le résultat soit compris entre l'espérance mathématique et $\pm 0,675\sigma$; 68 chances sur 100 que le résultat soit compris entre l'espérance mathématique et $\pm 1\sigma$; 95 % des chances qu'il se situe entre l'espérance mathématique et $\pm 2\sigma$; 99,73 % des chances qu'il soit compris entre l'espérance mathématique et $\pm 3\sigma$.

c. Le coefficient de variation

Ce coefficient correspond simplement à l'écart type rapporté à l'espérance mathématique. Il donne une indication de l'importance relative de l'écart type. Lorsqu'on évalue les risques relatifs à différents projets d'investissement, on devrait utiliser de préférence le coefficient de variation.

d. Exemple chiffré

Illustrons ces méthodes à l'aide des données utilisées précédemment.

SOLUTION

1) Variance du premier investissement

Recettes nettes d'exploitation possibles	Écart à l'espérance mathématique	Écart au carré	Probabilités	Variance
400 000	− 40 000	1 600 000 000	0,4	640 000 000
450 000	+ 10 000	100 000 000	0,3	30 000 000
475 000	+ 35 000	1 225 000 000	0,2	245 000 000
500 000	+ 60 000	3 600 000 000	0,1	360 000 000
				1 275 000 000

2) Écart type du premier investissement

$$\sqrt{1\,275\,000\,000} = 35\,707$$

3) Coefficient de variation du premier investissement

$$35\,707/440\,000 = 0,081$$

4) Variance du deuxième investissement

Recettes nettes d'exploitation possibles	Écart à l'espérance mathématique	Écart au carré	Probabilités	Variance
400 000	− 40 000	I 600 000 000	0,3	480 000 000
442 500	+ 2 500	6 250 000	0,2	I 250 000
460 000	+ 20 000	400 000 000	0,4	I60 000 000
475 000	+ 35 000	I 225 000 000	0,I	122 500 000
				763 750 000

5) Écart type du deuxième investissement

$$\sqrt{763\ 750\ 000} = 27\ 636$$

6) Coefficient de variation du deuxième investissement

27 636/440 000 = 0,063

Si on s'en tient au coefficient de variation pour mesurer le risque, on optera pour le deuxième investissement, car ce dernier présente un coefficient de variation de 0,063 contre 0,081 pour le premier investissement.

Nous pouvons, à ce stade-ci, énoncer la règle de décision suivante en matière de risque : à valeur actualisée nette positive égale par dollar investi (ou à rendement égal), on choisira l'investissement qui présente le risque le moins élevé. Ou encore : à risque égal, on choisira le projet dont la valeur actualisée nette positive par dollar investi (ou le rendement) sera la plus élevée.

E.   Autres méthodes de mesure du risque

Nous allons étudier d'autres méthodes utilisées pour mesurer le risque : la prime de risque, l'omission de certaines variables, la modification de données relatives à certaines variables, l'analyse de sensibilité et le délai de récupération.

a.   *La prime de risque ou le taux de rabais*

Certains appliquent des taux de rabais aux flux monétaires attendus dans le temps. Il est alors possible de recourir à n'importe quelle méthode d'actualisation des flux monétaires.

D'autres ajoutent une prime de risque au taux de rendement désiré ou au coût du capital, ou encore appliquent un taux de rabais au taux de rendement ou à la valeur actualisée nette. Ces méthodes ne sont pas sans soulever des critiques.

Lorsque, par exemple, on utilise un coût du capital majoré pour englober l'élément risque dans le calcul des valeurs actualisées nettes, on présuppose que le taux de réinvestissement est également majoré, ce qui est évidemment irréaliste. De plus, un tel coût du capital majoré équivaut à tenir pour acquis que le risque croît avec le temps.

En effet, lorsqu'on détermine la valeur actualisée nette en se servant d'un coût du capital majoré arbitrairement pour tenir compte du risque, on applique des facteurs décroissants d'équivalence de certitude aux flux monétaires. Le facteur d'équivalence de certitude concernant un flux monétaire qui se produit à la fin de la nième année est déterminé comme suit :

$$\frac{\text{Facteur pour la nième année}}{(1 + \text{Coût du capital})^n} = \frac{1}{(1 + \text{Coût du capital} + \text{Majoration})^n}$$

d'où :

$$\text{Facteur pour la nième année} = \left(\frac{1 + \text{Coût du capital}}{1 + \text{Coût du capital} + \text{Majoration}}\right)^n$$

On notera que les facteurs d'équivalence de certitude décroissent avec le temps ou, ce qui revient au même, que le risque croît avec le temps. Il faudrait pouvoir apprécier dans quelle mesure cela reflète le risque véritable.

b. *L'omission de certaines variables*

Cette méthode, tout comme la précédente, ne permet pas de mesurer le risque avec suffisamment de précision, car il n'est pas dit que l'omission de certaines variables compense parfaitement le risque assumé.

c. *La modification des données relatives à certaines variables*

Ainsi, la réduction systématique de la durée des investissements comme véritable mesure du risque laisse beaucoup à désirer. Le risque se situe au niveau des variables incertaines ; la durée des investissements n'en est pas toujours une ; et d'autres peuvent exister lorsqu'elle l'est.

d. *L'analyse de sensibilité*

Le taux de rendement d'un projet pourrait être appelé à varier par suite des écarts possibles des différentes variables du projet. Il va de soi que les écarts possibles relatifs à certaines variables ont plus d'effet sur le taux de rendement que ceux relatifs à d'autres variables. L'analyse de sensibilité vise essentiellement à mesurer l'importance de l'effet des écarts sur le taux de rendement d'un projet.

On pourrait également mener une telle analyse sur les valeurs actualisées nettes au lieu des taux de rendement. L'analyse de sensibilité permet d'en arriver à une meilleure idée du risque véritable encouru. Envisageons, à titre d'exemple, les deux variables, durée de vie et prix de vente, relatives à un investissement donné.

a) Durée de vie

	Taux de rendement
9 ans	13 %
10	15

b) Prix de vente

	Taux de rendement
100 $	15 %
105	20

Cette technique suppose une indépendance complète des variables d'un projet. Par exemple, si l'on envisage une augmentation du prix de vente de 5 %, on suppose que ceci n'influence aucunement le volume des ventes.

e.   Le délai de récupération

La définition du délai de récupération a été donnée à la page 804. Il s'agit de comparer le délai de récupération d'un projet à un délai de récupération standard. S'il excède le délai de récupération standard, le projet est rejeté ; dans le cas contraire, le projet est retenu. Une telle comparaison est jugée inadéquate par bon nombre d'auteurs car, de deux projets acceptables selon le critère du délai de récupération standard mais ayant un même délai de récupération, l'un pourrait comporter un risque beaucoup moins élevé que l'autre et devrait normalement être préféré à ce dernier.

F.   Valeur espérée d'une information parfaite

Il peut arriver que l'incertitude caractérisant un projet d'investissement puisse être levée, à la condition que certains frais soient engagés. L'obtention d'une information parfaite ne doit toutefois pas être recherchée à n'importe quel prix. Le coût maximum à consentir ne devrait pas excéder la valeur actualisée nette supplémentaire qui résulterait de l'obtention de l'information parfaite. Ce coût maximum représente la valeur espérée d'une information parfaite.

EXEMPLE

DONNÉES

Unetelle ltée veut évaluer un projet d'investissement dont le rendement futur est incertain. La société décide d'évaluer approximativement les effets de l'incertitude en déterminant les trois possibilités suivantes de recettes nettes

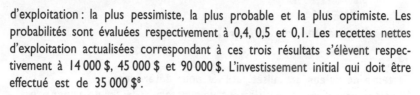

d'exploitation : la plus pessimiste, la plus probable et la plus optimiste. Les probabilités sont évaluées respectivement à 0,4, 0,5 et 0,1. Les recettes nettes d'exploitation actualisées correspondant à ces trois résultats s'élèvent respectivement à 14 000 $, 45 000 $ et 90 000 $. L'investissement initial qui doit être effectué est de 35 000 $[8].

SOLUTION

La valeur espérée de l'information, ou le prix maximum que l'entreprise pourrait envisager de payer pour une information parfaite, correspondrait, dans le cas présent, au montant de la valeur actualisée nette négative qui pourrait être évitée. Des trois possibilités de recettes nettes d'exploitation, il n'y en a qu'une qui entraînerait une valeur actualisée nette négative (14 000 $ – 35 000 $). Comme la probabilité que cette possibilité survienne n'est que de 0,4, l'avantage que l'entreprise retirerait d'une information parfaite représente donc 8 400 $, soit 0,4 de 21 000 $. C'est la valeur espérée de l'information parfaite.

Si elle était en possession d'une information parfaite, l'entreprise ne prendrait sa décision d'investir ou de ne pas investir qu'en envisageant les seules possibilités d'obtenir des valeurs actualisées nettes positives. Aussi, la valeur de l'information parfaite aurait-elle pu être déterminée comme suit :

– Valeur actualisée nette en ayant une information parfaite :

$$0,5 \ (45\ 000\ \$ - 35\ 000\ \$) + 0,1 \ (90\ 000\ \$ - 35\ 000\ \$) \qquad = 10\ 500\ \$$$

– Valeur actualisée nette en l'absence de l'information parfaite :

$$0,4 \ (14\ 000\ \$ - 35\ 000\ \$) + 0,5 \ (45\ 000\ \$ - 35\ 000\ \$)$$
$$+ \ 0,1 \ (90\ 000\ \$ - 35\ 000\ \$) \qquad\qquad = \underline{2\ 100}$$
$$\underline{\underline{8\ 400\ \$}}$$

---

8. Adaptation d'une question posée aux examens de la S.C.M.C.

ANNEXE A
Les tables de valeur actualisée

TABLE 1

**Facteurs de valeur actualisée, utilisés pour déterminer
la valeur actualisée d'un paiement unique reçu à la fin de n périodes**

Année	5%	6%	7%	8%	10%	12%	14%	16%	18%	20%	22%	24%
1	0,9524	0,9434	0,9346	0,9259	0,9091	0,8929	0,8772	0,8621	0,8475	0,8333	0,8197	0,8065
2	0,9070	0,8900	0,8734	0,8573	0,8264	0,7972	0,7695	0,7432	0,7182	0,6944	0,6719	0,6504
3	0,8638	0,8396	0,8163	0,7938	0,7513	0,7118	0,6750	0,6407	0,6086	0,5787	0,5507	0,5245
4	0,8227	0,7921	0,7629	0,7350	0,6830	0,6355	0,5921	0,5523	0,5158	0,4823	0,4514	0,4230
5	0,7835	0,7473	0,7130	0,6806	0,6209	0,5674	0,5194	0,4761	0,4371	0,4019	0,3700	0,3411
6	0,7462	0,7050	0,6663	0,6302	0,5645	0,5066	0,4556	0,4104	0,3704	0,3349	0,3033	0,2751
7	0,7107	0,6651	0,6227	0,5835	0,5132	0,4523	0,3996	0,3538	0,3139	0,2791	0,2486	0,2218
8	0,6768	0,6274	0,5820	0,5403	0,4665	0,4039	0,3506	0,3050	0,2660	0,2326	0,2038	0,1789
9	0,6446	0,5919	0,5439	0,5002	0,4241	0,3606	0,3075	0,2630	0,2255	0,1938	0,1670	0,1443
10	0,6139	0,5584	0,5083	0,4632	0,3855	0,3220	0,2697	0,2267	0,1911	0,1615	0,1369	0,1164
11	0,5847	0,5268	0,4751	0,4289	0,3505	0,2875	0,2366	0,1954	0,1619	0,1346	0,1122	0,0938
12	0,5568	0,4970	0,4440	0,3971	0,3186	0,2567	0,2076	0,1685	0,1372	0,1122	0,0920	0,0757
13	0,5303	0,4688	0,4150	0,3677	0,2897	0,2292	0,1821	0,1452	0,1163	0,0935	0,0754	0,0610
14	0,5051	0,4423	0,3878	0,3405	0,2633	0,2046	0,1597	0,1252	0,0985	0,0779	0,0618	0,0492
15	0,4810	0,4173	0,3624	0,3152	0,2394	0,1827	0,1401	0,1079	0,0835	0,0649	0,0507	0,0397
16	0,4581	0,3936	0,3387	0,2919	0,2176	0,1631	0,1229	0,0930	0,0708	0,0541	0,0415	0,0320
17	0,4363	0,3714	0,3166	0,2703	0,1978	0,1456	0,1078	0,0802	0,0600	0,0451	0,0340	0,0258
18	0,4155	0,3503	0,2959	0,2502	0,1799	0,1300	0,0946	0,0691	0,0508	0,0376	0,0279	0,0208
19	0,3957	0,3305	0,2765	0,2317	0,1635	0,1161	0,0829	0,0596	0,0431	0,0313	0,0229	0,0168
20	0,3769	0,3118	0,2584	0,2145	0,1486	0,1037	0,0728	0,0514	0,0365	0,0261	0,0187	0,0135

TABLE 2

**Facteurs cumulatifs de valeur actualisée, utilisés pour déterminer
la valeur actualisée d'une série de n paiements égaux**

Année	5%	6%	7%	8%	10%	12%	14%	16%	18%	20%	22%	24%
1	0,952	0,943	0,935	0,926	0,909	0,893	0,877	0,862	0,848	0,833	0,820	0,806
2	1,859	1,833	1,808	1,783	1,736	1,690	1,647	1,605	1,566	1,528	1,492	1,457
3	2,723	2,673	2,624	2,577	2,487	2,402	2,322	2,246	2,174	2,106	2,042	1,981
4	3,546	3,465	3,387	3,312	3,170	3,037	2,914	2,798	2,690	2,589	2,494	2,404
5	4,329	4,212	4,100	3,993	3,791	3,605	3,433	3,274	3,127	2,991	2,864	2,746
6	5,076	4,917	4,767	4,623	4,355	4,111	3,889	3,685	3,498	3,326	3,167	3,021
7	5,786	5,582	5,389	5,206	4,868	4,564	4,288	4,039	3,812	3,605	3,416	3,242
8	6,463	6,210	5,971	5,747	5,335	4,968	4,639	4,344	4,078	3,837	3,619	3,421
9	7,108	6,802	6,515	6,247	5,759	5,328	4,946	4,607	4,303	4,031	3,786	3,566
10	7,722	7,360	7,024	6,710	6,145	5,650	5,216	4,833	4,494	4,192	3,923	3,682
11	8,306	7,887	7,499	7,139	6,495	5,938	5,453	5,029	4,656	4,327	4,036	3,776
12	8,863	8,384	7,943	7,536	6,814	6,194	5,660	5,197	4,793	4,439	4,128	3,852
13	9,394	8,853	8,358	7,904	7,103	6,424	5,842	5,342	4,910	4,533	4,203	3,912
14	9,899	9,295	8,745	8,244	7,367	6,628	6,002	5,468	5,008	4,611	4,265	3,962
15	10,380	9,712	9,108	8,559	7,606	6,811	6,142	5,576	5,092	4,676	4,315	4,001
16	10,838	10,106	9,447	8,851	7,824	6,974	6,265	5,668	5,162	4,730	4,357	4,033
17	11,274	10,477	9,763	9,122	8,022	7,120	6,373	5,749	5,222	4,775	4,391	4,059
18	11,690	10,828	10,059	9,372	8,201	7,250	6,468	5,818	5,273	4,812	4,419	4,080
19	12,085	11,158	10,336	9,604	8,365	7,366	6,550	5,877	5,316	4,844	4,442	4,097
20	12,462	11,470	10,594	9,818	8,514	7,469	6,623	5,929	5,353	4,870	4,460	4,110

ANNEXE B
L'impôt sur le revenu des sociétés

L'étudiant qui ignore la législation fiscale néglige forcément le facteur fiscal dans l'étude de la rentabilité des projets d'investissement. Pourtant, ce facteur y joue un rôle important, puisque la société doit verser aux gouvernements fédéral et provincial, au chapitre de l'impôt, une quote-part importante de son revenu imposable.

Les explications qui suivent constituent la base des connaissances indispensables sur la législation fiscale pour comprendre les aspects fiscaux de la rentabilité des projets d'investissement évoqués dans ce chapitre. Nous limiterons notre propos aux seuls actifs acquis après le 31 décembre 1971.

a. **Le coût en capital des biens corporels**

C'est le coût des biens corporels immobilisés à des fins fiscales.

b. **L'amortissement fiscal (allocation de coût en capital)**

C'est la quote-part du coût en capital concernant les biens corporels que le fisc permet à l'entreprise de déduire à titre de frais annuels ; elle diminue le revenu net et, en conséquence, le revenu imposable.

c. **Le revenu imposable**

C'est le montant net obtenu en déduisant du revenu diverses déductions admises par le fisc ; l'impôt à payer est calculé sur ce revenu dit imposable.

d. **L'amortissement fiscal des biens corporels calculé à taux constant sur le solde dégressif**

La méthode d'amortissement sur le solde dégressif à taux constant est une des méthodes agréées par le fisc. Toutefois, il n'est plus possible maintenant (et cela depuis le 12 novembre 1981) de réclamer pour toute l'année la déduction pour amortissement fiscal permise à l'égard d'un bien amortissable acquis pendant l'année. L'amortissement fiscal pour l'année d'acquisition est réduit de moitié. Qui plus est, cette règle de la demi-année s'appliquera dorénavant, non pas à chaque bien, mais à l'excédent du coût d'acquisition des biens d'une certaine catégorie sur le produit de l'aliénation d'autres biens de même catégorie. À noter que, pour pouvoir commencer à réclamer une déduction pour amortissement fiscal, relativement à un bien acquis après 1989, il faut que ledit bien soit prêt à être mis en service.

Le fisc a établi un certain nombre de catégories de biens corporels fiscalement amortissables et a attribué à chacune un taux annuel maximal d'amortissement. L'amortissement fiscal peut être réclamé pour une catégorie, ou un groupe, d'actifs, et non pour chaque actif de la catégorie pris séparément.

L'amortissement fiscal par catégories d'actifs présente certaines règles. Mentionnons-en quelques-unes relatives aux biens corporels :

1) Lors de l'acquisition d'un bien corporel, le coût en capital de ce bien est additionné à la catégorie ; exemple : l'achat d'un camion pour la somme de 10 000 $ au début de l'année 2003 :

Solde (sur achats effectués à compter de 1972)	100 000 $
Achat en 2003	10 000
	110 000 $

2) Lors de la vente ou de la mise au rebut d'un bien corporel, le moins élevé du produit net et du coût en capital est déduit de la catégorie. Par exemple, la vente d'un camion, au début de l'année 2003, pour la somme de 3 000 $, et dont le coût d'acquisition avait été de 10 000 $, se traduira de la manière suivante :

Solde	100 000 $
Achat	10 000
Vente en 2003	(3 000)
	107 000 $

Théoriquement, il peut arriver que le coût en capital d'un actif ne soit jamais entièrement amorti ; c'est ce qui survient lorsqu'on dispose de l'actif pour une valeur inférieure au coût en capital non encore amorti, étant donné que l'amortissement fiscal est calculé sur le solde dégressif et que ce solde n'est pas nul.

EXEMPLE

DONNÉES

Y ltée possède un camion de 5 000 $ acheté au début d'une année et dont la durée d'utilisation est de 5 ans ; le fisc alloue un amortissement annuel de 30 % sur le coût non amorti ou solde dégressif.

SOLUTION

Pour chacune de ces 5 années, l'amortissement fiscal sera le suivant :

	(1) Coût en capital non amorti	(2) Amortissement fiscal[1]	(3) Solde (1) − (2)
1re année	5 000,00 $	750,00 $	4 250,00 $
2e année	4 250,00	1 275,00	2 975,00
3e année	2 975,00	892,50	2 082,50
4e année	2 082,50	624,75	1 457,75
5e année	1 457,75	437,33	1 020,42
		3 979,58 $	

1. 1re année : (1) × 30 % × 50 %
   Autres années : (1) × 30 %

En supposant que l'actif soit mis au rebut sans valeur de récupération, le solde de l'actif, à savoir 1 020,42 $, continuera à être amorti tant qu'il existera un autre actif dans la catégorie.

e.   *La perte finale concernant les biens corporels*

Elle correspond à la fraction non amortie d'une catégorie fiscale de biens corporels amortissables à la fin de l'exercice, quand il n'existe plus de biens corporels amortissables faisant partie de cette catégorie. La perte finale est une dépense qui doit être déduite dans le calcul du revenu de l'année pour l'impôt.

EXERCICES D'APPLICATION[1]

■■■ EXERCICE 16-1

À la fin de l'année 20X7, la structure de capital d'une société canadienne était la suivante :

Dette à long terme (taux d'intérêt 6 %)	45 000 000 $
Actions privilégiées (dividende cumulatif 7 %)	15 000 000
Actions ordinaires (4 000 000 d'actions en circulation)	30 000 000
Bénéfices non répartis	30 000 000
	120 000 000 $

Autres données :
a) actions ordinaires :
   - bénéfice par action en 20X7 : 3,00 $;
   - dividende par action en 20X7 : 1,50 $;
   - valeur marchande moyenne par action en 20X7 : 30,00 $;
b) les valeurs marchandes des dettes à long terme et des actions privilégiées sont égales à leurs valeurs comptables ;
c) le taux d'imposition des sociétés est de 50 % ;
d) les bénéfices non payés en dividendes seront réinvestis pour rapporter un rendement annuel de 8 %.

ON DEMANDE

de calculer le coût du capital moyen pondéré.
(Adaptation – C.G.A.)

■■■ EXERCICE 16-2

Micron ltée fabrique des pièces spéciales utilisées dans l'industrie électronique. La section Recherche et Développement a créé une nouvelle pièce, Spec II. On croit que cette pièce aura une vie économique de trois ans avant qu'une pièce plus perfectionnée ne prenne sa place. La production de Spec II pourra commencer le 1er juillet 20XI et elle exigera ce qui suit :
a) coût d'acquisition de l'outillage : 1 290 000 $;
b) location d'espace pour l'entreposage : 4 000 mètres carrés à 12,50 $ le mètre carré, paiement à effectuer annuellement ;

---

1. Dans les exercices d'application de ce chapitre, les taux d'amortissement fiscal à taux constant sur le solde dégressif ne sont pas forcément ceux qui sont permis par la législation.

c) la mise en place de l'outillage coûtera 20 000 $, et les essais 10 000 $. La valeur de récupération de l'outillage après trois ans est estimée à 120 000 $;
d) autres renseignements :
  – chiffres d'affaires prévus (1er juillet au 30 juin) :

    20X2   900 000 $
    20X3   1 400 000
    20X4   750 000

  – coûts variables : 40 % des chiffres d'affaires ;
  – coûts répartis : 10 % des coûts variables ;
  – amortissement comptable : méthode linéaire ;
  – taux d'imposition : 40 % ;
  – amortissement fiscal : 50 % sur le solde dégressif, sauf pour la première année.

Micron ltée n'a pas d'autre actif dans la catégorie de biens dont fait partie l'outillage. De plus, la société ne remplacera pas l'outillage au terme de sa durée.

ON DEMANDE

1. de présenter le tableau des flux monétaires différentiels après impôt relatifs au projet ;
2. d'indiquer, calculs à l'appui, si ce type d'investissement répond à l'exigence d'une période de récupération de deux ans ;
3. de déterminer la valeur actualisée nette, si la société veut obtenir, pour cette catégorie de projets, un rendement minimal de 24 % après impôt. Supposer que les coûts initiaux sont engagés le 1er juillet 20X1 et que tous les produits et tous les frais surviennent à la fin de chaque année.
(Adaptation – S.C.M.C.)

■■■ EXERCICE 16-3

C ltée a de nombreuses divisions semi-autonomes ayant chacune un directeur divisionnaire. Celui-ci a la responsabilité d'obtenir un rendement de 10 %, après impôt, sur l'actif employé dans sa division. Ce taux de rendement se calcule en divisant le bénéfice de la division, après impôt, par le total de l'actif figurant au bilan de la division.

En tant que vérificateur interne de C ltée, vous venez de terminer votre visite annuelle de la division industrielle W. Le directeur divisionnaire, P, vous demande de l'aider à préparer la présentation d'un projet d'investissement qu'il compte faire approuver par le siège social.

P se demande si la division industrielle W aurait intérêt à fabriquer elle-même la pièce AA qu'elle achète actuellement à un fournisseur externe. Il vous remet une copie de l'état qui résume son analyse préliminaire et vous donne aussi les renseignements suivants :

a) l'évaluation indique un taux de rendement minimum inférieur au taux de 10 % exigé ;

b) le directeur sent intuitivement que l'investissement doit être fait non seulement parce que les coûts seront réduits mais aussi parce qu'il en résultera des avantages quant à la qualité de la pièce en question et à son approvisionnement qui ne peuvent être quantifiés ;

c) de nouvelles directives du siège social exigent que toutes les évaluations d'investissement en immobilisations soient fondées sur l'actualisation des rentrées nettes de trésorerie en tenant compte d'un taux de rendement de 10 % après impôt.

DIVISION INDUSTRIELLE W
Projet d'investissement relatif à la fabrication de la pièce AA

				Coût unitaire
Prix d'achat actuel de la pièce AA				2,040 $
Coût de revient estimatif pour fabriquer la pièce AA fondé sur une production annuelle de 100 000 unités				
Matières premières			0,600 $	
Main-d'œuvre directe			0,700	
Frais indirects divisionnaires				
Variables		0,240 $		
Fixes				
Amortissement	0,090 $			
Divers	0,190	0,280	0,520	
Frais indirects de la société[1]			0,140	1,960
Estimation de l'économie réalisée				0,080
Impôt à 40 %				0,032
Économie nette				0,048 $
Investissement requis				
Nouvelle machine coûtant 50 000 $				
Rendement de l'investissement				
Estimation de l'économie réalisée sur chaque unité				0,048 $
Estimation de l'économie totale réalisée sur 100 000 pièces par an				4 800 $
Taux du rendement de l'investissement (4 800 $/50 000 $)				9,6 %

1. Les frais indirects de la société sont imputés à la division au taux de 20 % du coût prévu de la main-d'œuvre directe.

Après avoir examiné les données figurant dans l'état, vous obtenez les informations suivantes du directeur divisionnaire :

a) il estime à 100 000 le nombre de pièces AA dont il aura besoin chaque année ;

b) la pièce AA n'est requise que pour les cinq années à venir, au terme desquelles un nouveau produit dont la mise au point est très avancée la rendra désuète ;

c) la nouvelle machine sera mise au rancart au bout de cinq ans car la division industrielle W ne pourra l'utiliser à d'autres fins. Elle aura alors une valeur de rebut de 5 000 $. Le taux de l'amortissement fiscal calculé sur le solde dégressif est de 20 %, sauf pour la première année. La société calcule l'amortissement comptable selon la méthode de l'amortissement linéaire ;

d) la machine pourra être installée à un endroit de l'usine qui, autrement, ne serait pas utilisé ;

e) le taux marginal d'imposition de la division industrielle W est de 40 % ;

f) pour alimenter régulièrement la production, la division industrielle W devra avoir un stock de matières premières pour la pièce AA correspondant en moyenne à la moitié de la consommation annuelle.

ON DEMANDE

d'évaluer ce projet d'investissement en utilisant la méthode de l'actualisation des rentrées nettes de trésorerie prescrite par le siège social.
(Adaptation – C.A.)

■■■■ EXERCICE 16-4

Tir ltée étudie l'achat d'une nouvelle machine, X9, pour remplacer l'ancienne, X5. L'achat devrait être effectué au début de 20X5. La fin de l'exercice financier de la société est le 31 décembre.

Au 1er janvier 20X5, les données relatives à X5 sont les suivantes :

Coût d'acquisition	12 800 $
Amortissement cumulé (méthode linéaire)	5 120 $
Durée d'usage restante	3 ans
Valeur résiduelle au 1er janvier 20X5	2 000 $
Valeur de rebut estimative à la fin de 20X7	– 0 –

Les estimations relatives à X5 et X9 pour chacune des années 20X5 à 20X7 sont :

	X5	X9
Valeur marchande des unités fabriquées et vendues	18 000 $	24 000 $
Frais variables de fabrication et de vente	15 000	16 000
	3 000	8 000
Amortissement	2 560	3 000
	440	5 000
Frais indirects	800	1 000
Apport au bénéfice	(360) $	4 000 $

Les frais indirects représentent les frais indirects de l'usine imputés. Les frais indirects totaux de l'usine ne seront pas influencés par l'achat de X9.

La nouvelle machine, X9, coûterait 10 000 $, aurait une durée d'usage de 3 ans, et sa valeur résiduelle après 3 ans est estimée à 1 000 $. Le taux d'imposition de Tir ltée est de 40 %. L'entreprise réclame des amortissements fiscaux maximaux calculés sur le solde dégressif au taux de 20 %, sauf pour la première année. Le taux de rendement acceptable par la société pour les nouveaux investissements est de 10 % par année.

ON DEMANDE

de déterminer, calculs à l'appui, si X9 devrait être ou non achetée. Supposer que les mouvements de trésorerie surviennent, à moins d'indications contraires, à la fin de l'année. Ne tenir compte des réductions d'impôt concernant les amortissements fiscaux que pour les cinq premières années.
(Adaptation – C.G.A.)

■■■ EXERCICE 16-5

Une entreprise envisage de remplacer cinq de ses camions de livraison. Les camions actuels, achetés il y a deux ans 12 000 $ chacun, ont encore quatre ans de vie utile. L'entreprise ne prévoit retirer aucun montant de la mise au rebut des vieux camions dans quatre ans ; elle croit cependant pouvoir recevoir 4 000 $ par camion en les vendant maintenant.

On prévoit que trois nouveaux camions seraient aussi productifs que les cinq vieux. Les nouveaux coûtent 25 000 $ chacun ; leur durée d'utilisation prévue est de quatre ans et leur valeur de récupération est jugée nulle. En achetant les nouveaux camions, l'entreprise prévoit faire des économies sur les frais de réparation, les frais d'entretien courants, le combustible et l'huile. Pour chacun des vieux camions, ces frais sont évalués à 2 000 $ par année pour les quatre prochaines années ; si les nouveaux camions sont achetés, ces frais seront de 800 $ par camion.

Chaque camion exige un chauffeur dont la rémunération, avantages sociaux compris, est de 15 000 $ par année. Le coût du capital de l'entreprise, compte tenu de l'impôt, est de 16 %, le taux de l'amortissement fiscal de 30 % et le taux d'imposition de l'entreprise de 40 %.

ON DEMANDE

1. de calculer la dépense initiale qu'entraînerait le remplacement des cinq vieux camions ;
2. de calculer l'augmentation annuelle du bénéfice d'exploitation, avant amortissement et impôt, attribuable au remplacement des vieux camions ;
3. d'indiquer, calculs à l'appui, si, par la méthode de la valeur actualisée nette, les vieux camions devraient être remplacés.

(Adaptation – C.G.A.)

◼◼◼ EXERCICE 16-6

Une entreprise envisage d'investir des capitaux dans de nouvelles installations de production. Elle pourrait acquérir une propriété de 300 000 $ (200 000 $ pour le terrain et 100 000 $ pour l'immeuble). L'amortissement fiscal est de 10 % sur le solde dégressif, sauf pour la première année. Il faudrait acquérir dans un an des machines supplémentaires coûtant 50 000 $; le taux d'amortissement fiscal pour la machinerie est de 30 % sur le solde dégressif, sauf pour la première année. On prévoit que la production engendrera, à compter de la deuxième année, des rentrées nettes annuelles de fonds de 40 000 $, avant impôt (sans tenir compte des réductions fiscales que procurent les amortissements fiscaux), et ceci devrait durer jusqu'à la fin de la quinzième année. On suppose que les rentrées de fonds et le paiement de l'impôt se produisent à la fin de chaque exercice. L'immeuble et la machinerie n'auront aucune valeur de récupération, alors que la valeur du terrain devrait augmenter chaque année de 10 %. Le terrain sera alors vendu et l'impôt sur le gain en capital sera payé. La quote-part imposable du gain en capital est de 50 %. Le taux d'imposition de l'entreprise est de 50 % et devrait se maintenir à ce niveau. Le coût moyen pondéré du capital de l'entreprise est de 16 %.

ON DEMANDE

d'indiquer, calculs à l'appui, si l'acquisition de nouvelles installations de production devrait être effectuée.
(Adaptation – C.G.A.)

■ EXERCICE 16-7

L'analyse du risque devient de plus en plus populaire. Le graphique suivant indique la distribution de probabilité de deux projets d'investissement :

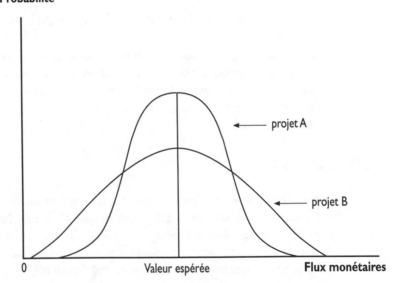

ON DEMANDE

d'indiquer si la crainte du risque devrait amener l'entreprise à préférer le projet A au projet B.
(Adaptation – S.C.M.C.)

■ EXERCICE 16-8

Calgary ltée est sur le point de choisir d'investir ou de ne pas investir 10 millions de dollars dans l'obtention du droit d'exploitation d'un puits de pétrole. L'entreprise a estimé que si elle découvrait du pétrole, les recettes nettes d'exploitation, compte non tenu de l'impôt et de la mise de fonds initiale de 10 millions de dollars, ramenées à la valeur actualisée seraient les suivantes :

Recettes nettes d'exploitation actualisées	Probabilités
10 millions de $	0,10
20 millions	0,25
30 millions	0,40
40 millions	0,15
50 millions	0,10

Par contre, Calgary ltée sait qu'il y a 60 % de risques qu'elle ne découvre pas de pétrole.

ON DEMANDE

1. de déterminer, sans tenir compte de l'impôt, la valeur espérée des flux monétaires et d'indiquer si l'entreprise devrait investir pour obtenir le droit d'exploitation d'un puits de pétrole ;
2. de résoudre le problème suivant en ne tenant pas compte de l'impôt. Calgary ltée a comme politique de procéder à des études géologiques préliminaires avant d'acheter ou de louer une propriété susceptible de renfermer du pétrole. À cause de l'importance de la sortie de fonds que cela entraînerait (10 millions de dollars), le président veut être certain que la propriété renferme ou non du pétrole. La division Exploration de l'entreprise affirme que les coûts à engager pour acquérir cette certitude seraient considérables. Déterminer le montant maximum que l'entreprise pourrait consentir pour obtenir une information parfaite concernant la présence ou l'absence de pétrole.

(Adaptation – S.C.M.C.)

■■■■ EXERCICE 16-9

L. Smith, contrôleuse d'Acajou ltée, vient de recevoir un rapport de M. Blanchard, directeur du service de recherche, concernant un nouveau produit appelé X dont la mise au point est en cours. Depuis un an, le service de recherche a dépensé 100 000 $ pour ce projet, et le directeur estime qu'il lui faudra encore un an et une somme supplémentaire de 30 000 $ avant que le produit X puisse être soumis aux tests. Si L. Smith devait suspendre la mise au point de X à cette étape, les fruits de la recherche pourraient être vendus pour 20 000 $.

M. Blanchard n'est pas sûr que le produit X répondra aux exigences une fois soumis aux tests. Il estime qu'il y a une probabilité de 0,60 que le produit respecte les exigences, une probabilité de 0,25 qu'il faudra une mise au point supplémentaire coûtant 45 000 $ pour que le produit X puisse répondre aux exigences, et une probabilité de 0,15 que ce produit connaisse un échec lamentable. Dans ce dernier cas, les recherches devraient être abandonnées ; l'entreprise pourrait alors récupérer 8 000 $.

L. Smith, après avoir discuté du lancement du produit X avec le service de marketing, n'est pas certaine du marché potentiel de ce produit. Si le marché réagit favorablement, L. Smith croit qu'Acajou aura des recettes nettes de 35 000 $, compte non tenu des coûts de marketing, au cours de chacune des trois années qui suivront le lancement du produit X. Si le marché est neutre vis-à-vis du produit, les recettes nettes seront de 25 000 $ au cours de chacune des trois années en question, et si le marché boude le produit, les recettes nettes annuelles seront de 10 000 $.

L'effort de marketing d'Acajou influencera certes l'attitude du marché. Acajou pourrait adopter une stratégie de marketing soit dynamique, soit discrète. Le tableau suivant montre la réaction du marché à chacune des stratégies. La stratégie dynamique coûterait annuellement 10 000 $ et la stratégie discrète, 5 000 $.

a) Stratégie dynamique

Réaction	Probabilité
Favorable	0,70
Neutre	0,20
Défavorable	0,10

b) Stratégie discrète

Réaction	Probabilité
Favorable	0,25
Neutre	0,45
Défavorable	0,30

ON DEMANDE

1. de préciser, arbre de décision à l'appui, si L. Smith devrait recommander la poursuite de la recherche sur le produit X ;
2. d'exposer brièvement deux autres facteurs qui pourraient influencer la décision de L. Smith.

(Adaptation – S.C.M.C.)

EXERCICE 16-10

Kébec ltée envisage l'expansion de ses installations pour l'année prochaine. À l'heure actuelle, l'usine est exploitée à pleine capacité. La direction songe à une vaste expansion qui coûterait 300 000 $ et serait appelée à augmenter la capacité de 10 000 unités. Une proposition de rechange qui augmenterait la capacité de 5 000 unités à un coût de 200 000 $ pourrait être adoptée.

La direction ne peut prévoir avec certitude la demande à l'égard de son produit pour la prochaine année. Elle a estimé qu'il existe une probabilité de 0,15 que la demande actuelle va se poursuivre, une probabilité de 0,50 qu'il y aura une augmentation modérée de la demande, et une probabilité de 0,35 qu'il y aura une forte augmentation de la demande.

Si la demande actuelle se poursuivait, l'expansion ne s'imposerait pas et toute capacité excédentaire resterait inutilisée. Une augmentation modérée pourrait se traduire par une demande de 6 000 unités supplémentaires au cours de l'année suivante. Enfin, s'il y avait une forte augmentation de la demande, la société serait en mesure de vendre 10 000 unités supplémentaires.

Kébec ltée retire une contribution marginale de 60 $ par unité produite et vendue, sans tenir compte des coûts d'une expansion quelconque. En raison de la nature périssable de son produit, elle ne garde pas de stock.

ON DEMANDE

d'indiquer, calculs à l'appui, si Kébec ltée doit augmenter sa capacité et, dans l'affirmative, de combien, en supposant que la société ne modifiera pas son prix de vente et que toute expansion sera parachevée avant le début de l'année suivante.

(Adaptation – S.C.M.C.)

17 LA GESTION DES PRIX DE VENTE

On a souvent l'impression que la détermination du prix de vente des produits[1] est l'apanage exclusif des grandes entreprises et que les autres ne font que suivre en insistant sur les aspects différentiels de leurs produits. En réalité, un grand nombre de PME ont à déterminer régulièrement un prix de vente pour leurs produits. On n'a qu'à penser à tous les entrepreneurs en construction et aux entreprises de services professionnels qui présentent des soumissions privées ou publiques dans le but de décrocher des contrats. Cette opération est d'autant plus importante que, à défaut de le faire, la survie de bon nombre d'entreprises est compromise. Dans le cas des soumissions relatives à des contrats, la survie de l'entreprise peut être menacée par le fait que l'on ne décroche pas de contrats (prix trop élevé par rapport à ceux des autres soumissionnaires) ou que l'on décroche un contrat à titre de plus bas soumissionnaire, contrat qui s'avère non rentable par la suite. On peut facilement transposer ces observations dans le domaine des produits de consommation industrielle ou commerciale.

Le choix du prix de vente approprié pour un produit est donc un élément fondamental de la survie de l'entreprise et constitue un des facteurs expliquant la rentabilité de celui-ci. Dans le présent chapitre, l'étude de la détermination du prix de vente est effectuée sous l'angle de sa relation avec les coûts tout en ne cherchant pas à sous-estimer ou à minimiser les aspects liés à la fonction marketing.

---

1. Le terme produit signifie un bien ou un service destiné à être vendu.

1.   LE PRIX DE VENTE RÉDUIT ET LE PRIX DE VENTE NORMALEMENT PRATIQUÉ

Le prix de vente réduit, en particulier dans le cadre d'une commande spéciale dont il a été question au chapitre 11, a un caractère exceptionnel et est généralement non récurrent. Le prix de vente normalement pratiqué est par contre relié aux opérations régulières de l'entreprise en relation directe avec sa survie à long terme. Parler d'un prix de vente normalement pratiqué ne signifie cependant pas qu'il soit fixe ou pratiquement immuable. Il peut faire l'objet de variations temporaires ou périodiques selon les circonstances ou en fonction des stratégies de l'entreprise. Mais il doit cependant demeurer l'objectif premier en matière de détermination de prix de vente.

Les variations de prix peuvent être reliées au degré de concurrence sur le marché des produits similaires ou des substituts, au désir d'accroître sa part de marché ou à des facteurs saisonniers. Par exemple, il est courant d'observer, dans le secteur des agences de voyages, que le prix de vente d'une destination soleil variera sensiblement selon la saison. Toutefois, il est important de retenir que ces variations de prix s'insèrent dans une stratégie plus globale de détermination du prix de vente.

2.   LES PRIX DE VENTE DANS LES MODÈLES ÉCONOMIQUES CLASSIQUES

Les modèles économiques classiques sont généralement axés sur la maximisation des profits à court terme de l'entreprise et ne tiennent aucun compte des contraintes de production, telles la capacité de production, les difficultés d'approvisionnement en matières premières et la disponibilité d'une main-d'œuvre qualifiée.

A.   Le marché de concurrence parfaite

Si le marché est de concurrence parfaite, l'entreprise produira et vendra normalement le volume lui assurant le meilleur résultat au prix fixé par le marché. Dans un tel marché, le prix de vente n'est pas un instrument de politique de l'entreprise, c'est une contrainte qui échappe à son contrôle. Dans ce contexte, et en supposant des rendements décroissants, le comportement du chiffre d'affaires total et celui des coûts totaux peuvent être représentés comme suit :

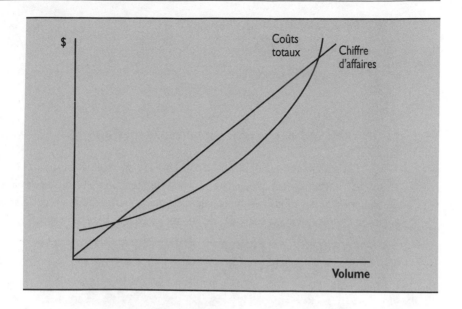

Le volume qui permet à l'entreprise de maximiser son résultat serait celui au niveau duquel l'excédent du chiffre d'affaires sur les coûts totaux serait le plus élevé. On pourrait également dire que, à ce niveau, le coût marginal correspond au revenu marginal. Le coût marginal est le coût supplémentaire lorsque l'accroissement du volume tend vers zéro. Dans un marché de concurrence parfaite, le revenu marginal correspond au prix de vente.

EXEMPLE

DONNÉES

Prenons l'exemple d'un marché de concurrence parfaite où le prix de vente égale 12 $.

La fonction des coûts totaux de l'entreprise est :

$$10\,000 + 0,0003Q^2$$

SOLUTION

Pour trouver le volume optimal, c'est-à-dire le volume au niveau duquel le bénéfice est le plus élevé, on peut le déduire de l'égalité qui doit exister entre le revenu marginal et le coût marginal. Le revenu marginal correspond au prix de vente, alors que le coût marginal est la dérivée du coût total.

Revenu marginal = coût marginal

$\qquad$ 12 = 0,0006Q

d'où

$\qquad$ Q = 20 000

B.   Le marché autre que de concurrence parfaite

Un marché de monopole ou d'oligopole est un marché imparfait. Limitons-nous au cas de l'entreprise qui jouit d'une situation de monopole et qui vise la maximisation de son résultat. Le modèle économique classique suivant traduit le comportement du chiffre d'affaires total et celui des coûts totaux d'une telle entreprise :

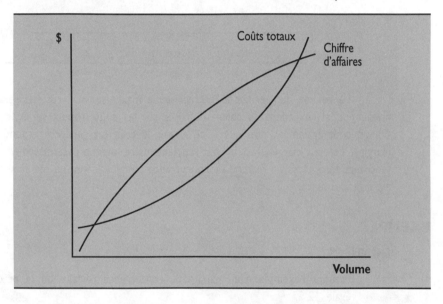

Le volume des ventes n'est pas indépendant, dans un tel contexte, du prix de vente fixé par l'entreprise. La détermination du prix de vente par l'entreprise se pose donc dans un marché imparfait. Le volume de production serait établi en tenant compte de la politique de stockage.

EXEMPLE

DONNÉES

La fonction de demande continue d'un marché de monopole est la suivante :

$\qquad$ Q = 32 000 − 2 000P

où Q est la quantité demandée et P le prix de vente.

La fonction des coûts totaux est : 10 000 + 0,0003Q^2

SOLUTION

Par transformation de la fonction de demande, la fonction du prix de vente est :

$$P = 16 - 0,0005Q$$

La fonction du revenu total devient : $16Q - 0,0005Q^2$, alors que le revenu marginal est la dérivée du revenu total. Le volume optimal est déduit encore ici de l'égalité entre le revenu marginal et le coût marginal.

Revenu marginal = coût marginal

$$16 - 0,001Q = 0,0006Q$$

d'où

$$Q = 10\ 000$$

Voici maintenant l'exemple d'une entreprise qui jouit d'un monopole dont l'objectif n'est pas de réaliser le bénéfice maximum mais d'obtenir un rendement jugé raisonnable. Il s'agit de trouver le volume nécessaire à cette fin.

EXEMPLE

DONNÉES

La fonction des coûts totaux de l'entreprise est :

$$10\ 000 + 0,0003Q^2$$

La fonction du chiffre d'affaires visé est :

$$125\ \% \ (10\ 000 + 0,0003Q^2)$$

Le capital investi de l'entreprise est de 500 000 $ et le rendement escompté de 20 %.

SOLUTION

La fonction du profit suivante correspond à la différence entre la fonction du chiffre d'affaires et la fonction des coûts totaux :

$$2\ 500 + 0,000\ 075Q^2$$

Le volume peut être déduit de la résolution de l'équation suivante :

$$20\ \% \ (500\ 000) = 2\ 500 + 0,000\ 075Q^2$$

d'où

$$Q = 36\ 055$$

Plusieurs peuvent prétendre que ces modèles économiques classiques sont essentiellement théoriques et qu'ils ne reflètent pas la réalité. Il est sans doute vrai que l'enteprise réelle subit des contraintes qui limitent sa capacité de fabriquer tous les produits qu'elle souhaiterait écouler sur le marché. De plus, l'entreprise ne vise pas nécessairement la maximisation de ses profits, mais recherche davantage la survie et la croissance à long terme.

3. LES PRIX DE VENTE FONDÉS SUR LE RENDEMENT

Dans le cas d'une entreprise qui ne fabrique qu'un seul produit, le produit est rentable lorsqu'il assure la couverture de l'ensemble des coûts et procure une marge bénéficiaire raisonnable. L'ensemble des coûts correspond au total des frais de fabrication, de vente et d'administration. Dans les autres cas, sûrement les plus fréquents, un produit rentable est un produit dont le chiffre d'affaires permet de couvrir d'abord ses coûts spécifiques (identifiables) de fabrication, de vente et d'administration. L'excédent (la marge) permet de contribuer à la couverture des coûts communs (non identifiables à un produit) et au bénéfice de l'entreprise.

EXEMPLE

DONNÉES

Un produit est vendu sur le marché à 20 $. L'analyse comptable suivante indique que le coût moyen de ce produit est de 22 $ si le volume des ventes est de 100 000 unités :

Frais variables (100 000 u. × 15 $)		1 500 000 $
Frais fixes spécifiques		200 000
		1 700 000
Quote-part des frais indirects de fabrication fixes	200 000 $	
Quote-part des frais d'administration fixes	300 000	500 000
		2 200 000 $

SOLUTION

Le produit est selon toutes les apparences non rentable. Pourtant, le produit va aider à la rentabilité globale de l'entreprise car il permet de dégager une marge sur coûts directs positive.

Ventes (100 000 u. × 20 $)	2 000 000 $
Frais variables	1 500 000
Marges sur coûts variables	500 000
Frais fixes spécifiques	200 000
Marge sur coûts directs	300 000 $

Il ne faut cependant pas se méprendre. En effet, les produits peuvent être tous rentables pris individuellement alors que l'entreprise peut être non rentable dans son ensemble. L'ensemble des marges sur coûts directs devrait normalement permettre la couverture des coûts communs (souvent reliés à l'infrastructure industrielle et administrative de l'entreprise) et assurer un bénéfice minimum. La marge serait alors fonction du taux de rendement minimum sur capital investi que vise à obtenir la haute direction.

Le rendement minimum, quant à lui, devrait normalement se fonder sur le coût du capital de l'entreprise, le même qui est utilisé dans les études de projets d'investissement. Dans les faits, la décision d'abandonner un produit ou de lancer un nouveau produit a une portée qui déborde généralement le cadre annuel des opérations. Dans ce cas, les techniques basées sur l'actualisation des flux monétaires (valeur actualisée nette et taux de rendement effectif) peuvent avantageusement servir à déterminer le prix cible à long terme.

EXEMPLE

DONNÉES

Un manufacturier a mis au point le produit A qu'il désire lancer sur le marché. La durée de vie de ce produit est évaluée à 5 ans. Le coût unitaire variable du produit est de 7,00 $. Voici les volumes d'unités que prévoit vendre l'entreprise au cours du cycle de vie du produit :

Année	1 :	20 000
"	2 :	30 000
"	3 :	60 000
"	4 :	20 000
"	5 :	5 000
		135 000

Il faudra en outre faire l'acquisition, au coût de 100 000 $, d'une machine qui sera utilisée exclusivement pour la fabrication du produit A. Le coût du capital de l'entreprise est de 12 %, son taux marginal d'imposition de 40 % et le taux d'amortissement fiscal de 20 %.

SOLUTION

Il faut calculer le prix de vente cible à long terme (Y) qui permettra d'obtenir une valeur actualisée nette (VAN) égale à zéro compte tenu du coût du capital.

Investissement initial (machinerie) $\quad\quad\quad\quad\quad\quad\quad\quad$ (100 000,00) $
Recettes nettes après impôt
Année 1 : 20 000 (Y–7 $) (0,60) (0,8929) = 10 714,8Y – 75 003,6 ⎫
Année 2 : 30 000 (Y–7 $) (0,60) (0,7972) = 14 349,6Y – 100 447,2 ⎪ 60 017,40 Y
Année 3 : 60 000 (Y–7 $) (0,60) (0,7118) = 25 624,8Y – 179 373,6 ⎬
Année 4 : 20 000 (Y–7 $) (0,60) (0,6355) = 7 626,0Y – 53 382,0 ⎪ (420 121,80)
Année 5 : 5 000 (Y–7 $) (0,60) (0,5674) = 1 702,2Y – 11 915,4 ⎭

Économies d'impôts relatives aux amortissements fiscaux

Année 1 : 100 000 (0,10) (0,40) (0,8929)   3 571,60

Autres années[2] : 90 000 [(0,40) (0,20)/(0,12 + 0,20)] 0,8929   20 090,25

VAN   – 0 – $

Il faut résoudre l'équation suivante qui permettra d'isoler le prix de vente cible à long terme (Y) :

$$0 = -100\,000\ \$ + 60\,017{,}4Y - 420\,121{,}80\ \$ + 23\,661{,}85\ \$$$
$$496\,459{,}95\ \$ = 60\,017{,}4Y$$
$$Y = 8{,}272\ \$$$

Le prix de 8,272 $ permettrait de réaliser une marge sur coûts directs telle que le produit participerait à la couverture des frais fixes communs et à la réalisation d'un bénéfice minimum.

Dans l'exemple précédent, il fut question du coût du capital (12 %) de l'entreprise. En fait, il ne s'agit pas, dans ce cas, du coût du capital traditionnel utilisé dans les manuels de finance, mais d'un coût de capital rajusté pour tenir compte de la couverture des frais fixes communs.

EXEMPLE

DONNÉES

Reprenons l'exemple du produit A et précisons le contenu de la marge et du coût en capital rajusté à partir des données complémentaires suivantes :

Frais fixes communs	150 000 $
Capital investi	1 500 000 $
Taux de rendement minimum sur le capital investi après impôts	6 %
Taux marginal d'imposition	40 %

SOLUTION

Frais fixes communs	150 000 $
Bénéfice visé avant impôt (1 500 000 $ × 6 %)/0,60	150 000
Marge globale	300 000 $

La marge globale de 300 000 $ représente l'ensemble des marges sur coûts directs des produits offerts à la clientèle ; elle peut être exprimée ainsi en fonction du capital investi :

300 000 $ × 0,60/1 500 000 $ = 12 %

Le taux de 12 % représente donc le coût du capital rajusté.

---

2. La formule utilisée ici peut être trouvée facilement au chapitre 16.

Il faut retenir que c'est le taux marginal d'imposition et non pas le taux effectif qui est utilisé pour calculer le coût du capital rajusté. Il pourrait être nécessaire de redresser le taux d'imposition, surtout dans le cas des PME industrielles qui ont un revenu imposable s'approchant du plafond annuel des affaires qui intervient aux fins du calcul de la déduction accordée aux petites entreprises. En général, le taux marginal d'imposition excède le taux effectif. Dès lors, l'utilisation du taux marginal donnera une marge de manœuvre supplémentaire pour la prise de décision.

Étant donné que les coûts spécifiques, et surtout les coûts inclus dans la marge, comportent des frais fixes, il va sans dire que le volume d'unités du produit peut avoir une incidence sur le prix cible à long terme.

En revenant à l'exemple portant sur le produit A, on peut observer qu'un prix cible à long terme a été calculé en fonction d'un volume déterminé d'unités. Si le volume avait été différent ou ventilé différemment sur la durée du cycle de vie du produit, on aurait obtenu un prix cible à long terme différent. L'objectif de la détermination des prix cibles à long terme pour les produits est de permettre à l'entreprise d'assurer sa survie à long terme en réalisant une certaine marge totale sur coûts variables. Dans notre exemple, s'il est intéressant de calculer le prix cible à long terme de 8,272 $, il est davantage intéressant de savoir que la marge totale sur coûts variables du produit A est de 171 720 $, soit (8,272 $ – 7 $) 135 000, car il est alors possible de procéder à une analyse des relations coût-volume-profit. Dans les circonstances, il serait plausible de parler de marge totale recherchée sur coûts variables[3]. Ainsi, si on détermine que le volume total des ventes sera de 150 000 unités au lieu de 135 000, on calculera un prix cible différent (171 720 $/150 000 + 7 $ = 8,145 $). Cela rend possible le calcul de plusieurs prix cibles, plus stratégiques, dont les effets combinés visent toujours à s'assurer d'une marge totale sur coûts variables acceptable à long terme. Cependant, s'il est relativement facile de mesurer les effets d'une variation de volume sur le prix cible, il n'en va pas de même quand il s'agit de mesurer les effets de la variation du prix sur le volume d'unités vendues.

4. LES PRIX DE VENTE FONDÉS SUR LES COÛTS

Une méthode de détermination du prix de vente fondée sur les coûts consiste à déterminer un certain coût unitaire pour le produit vendu, auquel on ajoute une majoration qui tient lieu de contribution. Il semble que les méthodes de détermination des prix de vente fondées sur les coûts soient assez répandues, du moins si on se fie à E. Shim et à E. F. Sudit (voir leur article : « How Manufacturers Price Products », dans *Management Accounting*, février 1995). Elles le sont sûrement dans le cas des contrats en régie intéressée.

3. Aux fins de la démonstration, on suppose que le volume d'unités relatif à chacune des cinq années du cycle du produit augmenterait dans la proportion de 150 000/135 000.

Parmi les avantages invoqués en faveur des méthodes d'établissement des prix de vente fondées sur les coûts, mentionnons les suivants :
- façons systématiques de calcul des prix de vente ne présentant aucune difficulté d'application, ce qui est particulièrement commode dans le cas de l'entreprise vendant plusieurs produits ;
- façons pratiques de calcul des prix de vente face aux incertitudes de la demande ;
- façons de pouvoir, dans bien des cas, mesurer l'ampleur de la réaction potentielle des concurrents, compte tenu que leurs prix de vente sont fondés, pour la plupart, sur leurs coûts.

Les coûts pris en compte selon ces méthodes peuvent être, entre autres, les coûts variables de fabrication, les coûts variables de fabrication et de vente, les coûts complets spécifiques de fabrication, les coûts complets spécifiques de fabrication et de vente. Toutefois, les coûts complets spécifiques de fabrication sont les plus utilisés. Il peut même arriver que des coûts relatifs à un produit soient majorés à un taux différent du ou des taux des autres coûts relatifs à ce même produit. Les majorations peuvent aussi être établies par produit et par marché.

Les taux de majoration utilisés en pratique sont des taux trouvés par calcul ou, encore, des taux que les firmes d'un même secteur ont pris l'habitude d'utiliser. Certaines entreprises utilisent même des taux de majoration uniformes pour l'ensemble de leurs produits ou, tout au plus, quelques taux différents. Ce qui peut à la rigueur être acceptable dans le cas de certaines entreprises commerciales (exemple : les épiceries), l'est beaucoup moins dans le cas des entreprises industrielles, compte tenu en particulier des investissements spécifiques qui peuvent varier considérablement en importance d'un produit à l'autre.

Certains affirment que si l'on établit le prix de vente à partir du coût majoré, on ne tient pas compte, alors, de l'effet du prix de vente sur la demande. Il semble qu'en pratique les entreprises ne partagent pas le point de vue selon lequel le volume dépend uniquement du prix de vente. Certes, le prix de vente établi en fonction du coût et d'une rentabilité escomptée signifie pour l'entreprise qu'un certain volume doit être atteint. Si tel est le cas, l'entreprise croit pouvoir obtenir ce volume en mettant en place des stratégies appropriées.

Pour les gestionnaires, le prix cible fondé sur les coûts complets spécifiques peut servir de balise afin de s'assurer que le prix de vente demeure supérieur au coût unitaire qui, lui, constitue pour ainsi dire le prix plancher. Cela n'est vrai cependant que pour un certain intervalle de volumes de produits vendus. Si le volume baisse de façon sensible, il se peut que le coût unitaire excède même le prix de vente.

EXEMPLE

DONNÉES

Prix de vente cible :	25 $
Frais variables unitaires :	15 $
Frais fixes spécifiques :	700 000 $

SOLUTION

Calcul de la marge sur coûts directs à l'unité en fonction d'un volume donné :

Volume	100 000 u.	75 000 u.	50 000 u.
Prix	25,00 $	25,00 $	25,00 $
Coût unitaire			
Frais variables	15,00	15,00	15,00
Frais fixes spécifiques	7,00	9,33	14,00
Prix plancher	22,00 $	24,33 $	29,00 $
Marge sur coûts directs à l'unité	3,00 $	0,67 $	(4,00) $

Au volume de 50 000 unités, le prix plancher de 29 $ est donc supérieur au prix de vente cible.

Les prix planchers vont donc inciter le gestionnaire à déterminer des volumes d'activité minimaux en deçà desquels il faudra peut-être remettre en question la commercialisation du produit concerné.

Le prix cible fondé sur les coûts complets spécifiques permet de ramener au niveau administratif intermédiaire la prise de décision sur le prix de vente effectif et les rajustements du prix de vente à court terme, car il en détermine les balises inférieures. Cela permet de libérer du temps précieux pour les décisions stratégiques au niveau de la haute direction. Dans certains secteurs commerciaux, tels les magasins à rayons, il serait impensable qu'il en soit autrement compte tenu du grand nombre de produits différents aux multiples formats, couleurs et tailles et des stratégies de publicité pratiquement hebdomadaires.

5.   L'IMPACT DU PRIX DE VENTE SUR LE VOLUME

La règle générale est qu'une baisse du prix de vente devrait entraîner une augmentation de la quantité vendue et vice-versa. Il n'est cependant pas facile d'évaluer la variation de la quantité vendue pour une variation donnée du prix de vente. Parmi les facteurs qui peuvent influencer la relation prix-volume, il y a la perception du consommateur et la situation du marché. Pour le consommateur, c'est la valeur du produit qui compte. La valeur correspond grosso modo à la capacité pour le produit de répondre à ses besoins. Le consommateur comparera la valeur que le produit a à ses yeux au prix dudit produit. C'est à ce niveau que les sciences du marketing sont le plus mises à contribution (enquête sur les perceptions des consommateurs, publicité, choix de canaux de distribution, marchandisage, etc.). En ce qui concerne le marché, est-il entièrement ouvert ou est-il dominé par un petit groupe de fabricants ? Dans le cas d'un marché oligopolistique, on observe généralement qu'une baisse de prix de vente entraîne un repositionnement des concurrents, ce qui a pour effet de maintenir les parts de marché respectives mais avec moins de profit. Inversement, une augmentation de prix effectuée par l'entreprise et qui n'est pas suivie par les autres concurrents pourrait lui faire subir une baisse considérable de son volume d'unités vendues. La situation devient plus complexe quand il s'agit d'un nouveau produit.

Une variation de prix peut avoir un effet en spirale. Elle peut entraîner une variation de volume qui aura à son tour un effet sur le coût unitaire qui influera sur le calcul du prix cible. Compte tenu du fait que les variations de prix peuvent avoir une incidence sur le volume d'unités vendues, le prix cible calculé devra immanquablement être comparé au prix du marché.

A.   Le produit est offert sur un marché existant

L'existence d'un marché pour un produit implique évidemment un prix de marché. Il s'agit pour l'entreprise de déterminer son prix cible et de le comparer au prix du marché. L'objectif de l'entreprise en général est de faire en sorte que le prix cible soit compétitif par rapport à ce dernier, c'est-à-dire qu'il lui soit égal ou inférieur. Cependant, que le prix cible soit inférieur ou supérieur, il pourrait y avoir alignement sur le prix du marché.

Si le prix cible est inférieur, il faut se demander si l'entreprise a avantage à fixer un prix qui diffère de celui du marché. Un prix inférieur peut-il être perçu par les clients potentiels comme étant le signe d'un produit de qualité inférieure et donc d'une valeur plus faible ? Cela va-t-il permettre à l'entreprise d'accroître sa part de marché anticipée ? Ne se prive-t-elle pas d'un bénéfice additionnel ?

Si le prix cible est supérieur au prix du marché, on a l'alternative de s'aligner sur le marché ou de s'en éloigner. Si on choisit de s'aligner sur le marché, il faudra revoir les composantes du prix cible, c'est-à-dire la marge et les coûts spécifiques[4]. Comme la marge ne peut être remise en question que pour des commandes spéciales ou des stratégies ayant une portée limitée dans le temps, à moins de remettre en question l'infrastructure qui affecterait l'ensemble des produits, c'est au niveau des coûts

---

4. Pour les entreprises japonaises qui appliquent le concept de la fabrication juste-à-temps (*Just in Time Production*), l'élément qui peut faire l'objet de compression représente les coûts. La formule du prix de vente se présente comme suit :
Prix de vente − marge = coûts

spécifiques qu'il faut agir. C'est d'abord au niveau de l'efficience de la production et de la distribution, y compris la réduction du gaspillage et le remplacement d'équipements, que les efforts seront déployés. Cette recherche de moyens qui permettront de fixer un prix compétitif par rapport au prix du marché peut aller jusqu'à remettre en question la composition physique du produit.

Si l'entreprise maintient son prix cible plus élevé que le prix du marché, il faudra qu'elle soit en mesure de justifier une telle différence de prix auprès des consommateurs. Il faudra faire ressortir la qualité supérieure du produit par rapport aux produits similaires. Il peut s'agir, en outre, de faire ressortir la bonne réputation du fabricant en insistant sur des considérations périphériques au produit, telles les suivantes :

- service après-vente ;
- garantie ;
- respect des délais de livraison ;
- situation financière solide ;
- conditions de crédit.

Cependant, fixer un prix supérieur à celui du marché entraînera des investissements et des coûts additionnels sous forme de publicité particulière, de promotion et de représentation. Cela va donc affecter à la hausse le calcul du prix cible.

B.   Le produit offert est tout nouveau

Dans le cas du lancement d'un nouveau produit, il n'est pas question de comparer le prix cible avec le prix du marché car il n'existe pas encore de marché. Le gestionnaire fait cependant face à une situation plus incertaine et souvent plus complexe. Le consommateur va-t-il accorder une bonne valeur au produit de l'entreprise ? Est-ce que le produit répond à un besoin actuel ou potentiel du consommateur ? L'entreprise devra arrimer le prix cible à une stratégie de marketing. En général, on considère qu'il y a deux grandes stratégies de marketing : la stratégie de prix d'écrémage et la stratégie de prix de pénétration.

L'entreprise peut adopter une stratégie de prix d'écrémage quand :
- le prix cible est élevé ;
- les investissements sont très importants ;
- les coûts de fabrication et de distribution sont élevés ;
- le marché est restreint (la demande est faible) ;
- une baisse de prix n'entraîne pas une augmentation sensible du volume (demande inélastique au prix) ;
- il existe peu ou pas de substituts.

Dans ce cas, il ne sert à rien d'inonder le marché puisque celui-ci est pratiquement inexistant. Les prix vont baisser au fur et à mesure que le marché va se développer et que la concurrence va s'installer. Beaucoup de produits lancés avec une stratégie de prix d'écrémage ont évolué avec le temps vers une stratégie de prix de pénétration (exemple : téléviseur couleur, vidéo, calculatrice électronique, micro-ordinateur,...). Il y a bien sûr des exceptions (Rolls Royce).

La stratégie de prix de pénétration est valable quand :
- le prix cible est relativement faible ;
- le marché potentiel est très vaste ;
- les concurrents ont peu ou pas de barrières à l'entrée sur le marché (brevet, investissement élevé, technologie avancée) ;
- il existe des produits substituts ;
- une baisse de prix peut entraîner un accroissement important de la part du marché (réaction importante des clients potentiels).

Il faut essayer d'inonder le marché le plus rapidement possible pour aller chercher le gros du profit potentiel.

Bien sûr, ces deux stratégies sont extrêmes et il n'est pas toujours facile de situer un nouveau produit par rapport à l'une ou l'autre de ces stratégies.

6. L'IMPORTANCE DES COÛTS DANS LA DÉTERMINATION DES PRIX DE VENTE

De bonnes informations sur les coûts demeurent indispensables, et cela peu importe la façon dont les prix de vente sont établis. L'importance de telles informations est évidente lorsque les montants facturés doivent correspondre, selon l'entente convenue entre les parties, au prix coûtant majoré. Mais on ne saurait nier pour autant que, dans les autres cas, une bonne connaissance des coûts permet d'éviter de fixer soit des prix trop bas, qui rendent les résultats sous-optimaux, soit des prix trop élevés qui suscitent la concurrence. Il en va très souvent de la survie de l'entreprise, qu'il s'agisse de fixer le prix de vente à l'occasion d'un appel d'offres ou de se conformer au prix de vente établi par un marché fortement concurrentiel.

A. L'appel d'offres ouvert ou restreint

La plupart des entreprises qui fonctionnent selon le mode de fabrication sur commande et un grand nombre d'entreprises de service sont confrontées presque quotidiennement à l'obligation de fixer le prix de vente de leurs produits et services. Le chapitre 3 a illustré le mode opérationnel de ce type d'entreprises ainsi que le processus de cumul des coûts de production (de produits ou de services). Rappelons simplement que le gestionnaire doit nécessairement procéder à l'évaluation de la commande potentielle s'il veut être en mesure de fixer un prix de vente, lequel doit permettre non seulement de couvrir les coûts de production mais aussi d'apporter une marge bénéficiaire suffisante pour couvrir les autres coûts d'exploitation et dégager un bénéfice d'exploitation raisonnable.

Plusieurs facteurs stratégiques et conjoncturels peuvent affecter l'amplitude de cette marge bénéficiaire pour les appels d'offres tant ouverts que restreints. Il y a d'abord le nombre de concurrents soumissionnaires. Un nombre relativement élevé de soumissionnaires peut signifier que la concurrence est féroce et que, par conséquent, les marges bénéficiaires risquent d'être minces. Connaître l'identité des autres soumis- sionnaires peut aussi constituer un atout dans la mesure où on peut déceler chez ceux-ci, à partir des expériences passées, des comportements révélateurs quant à la détermination de leur marge bénéficiaire. La volonté de percer un nouveau marché peut inciter le décideur à proposer, à court terme, un prix de soumission qui ne couvre que les coûts de production ou qui peut, à l'occasion, être inférieur à ceux-ci (produit d'attraction). L'état de l'économie en général et celui du secteur économique en particulier peuvent avoir des effets sur la détermination du prix de vente et, par conséquent, sur la marge bénéficiaire désirée. La morosité économique incite très souvent les décideurs à proposer des prix de soumission qui ne permettent que d'assurer la survie de l'entreprise en attendant des jours meilleurs. Il faut cependant observer que les décideurs n'ont pas vraiment de prise sur ces facteurs, car beaucoup d'entre eux sont exogènes.

Pour assurer une marge bénéficiaire convenable à plus long terme, le décideur doit aussi prendre en compte les facteurs endogènes, c'est-à-dire ceux qui influencent les coûts de production et les autres coûts d'exploitation. Un contrôle plus rigoureux des coûts permet, il va sans dire, de réduire le gaspillage de ressources et d'en favoriser un usage plus efficient, mais cela n'est pas sans limites. Il arrive un moment où le gestionnaire doit s'interroger sur la validité de ses prix de vente et, par conséquent, sur la validité de ses coûts. Pour certaines entreprises, compte tenu de leur taille et de la nature de leurs opérations, l'exercice peut s'avérer simple, alors que, pour d'autres, cela peut signifier une remise en question majeure de la nature des éléments qui devraient être compris dans les coûts de production et des méthodes de cumul de ceux-ci.

Dans de telles situations, la méthode des coûts par activités (chapitre 8) peut se révéler d'un grand secours. L'analyse des processus permet d'identifier les ressour- ces qui seraient consommées directement ou indirectement, via les activités, par un éventuel contrat. Ce genre d'analyse met souvent en lumière des éléments pertinents qui ne sont pas pris en compte dans les méthodes traditionnelles de coût de revient lors de l'évaluation des coûts, tels les activités reliées aux efforts pour décrocher les contrats, le travail d'évaluation des soumissions, la livraison des produits. L'utilisation d'inducteurs appropriés pourrait permettre une évaluation plus judicieuse des coûts unitaires et, par conséquent, l'établissement de prix de vente plus valides et qui accroissent les probabilités de décrocher des commandes ou des contrats profitables.

B.   Le marché compétitif des produits similaires ou substituts

Contrairement au marché des appels d'offres, les besoins des consommateurs dans le marché des produits similaires sont beaucoup moins facilement identifiables. Des sommes colossales sont investies par les grandes entreprises pour essayer de prédire le comportement des consommateurs. Et que dire des sommes englouties dans la publicité pour mousser les ventes de produits et tenter d'accroître les parts de marché. Autre distinction : la concurrence est beaucoup moins facile à repérer. Tout d'abord, la concurrence n'est plus seulement régionale ou nationale ; la mise en place de grands ensembles économiques (ALENA, Union économique européenne) et la libéralisation des marchés mondiaux avec la venue de l'Organisation mondiale du commerce font en sorte que la concurrence est plus intense, plus internationale et souvent inconnue. Il y a aussi une forme de concurrence plus sournoise, celle des produits substituts.

La substitution de produits comporte essentiellement deux aspects. Le premier tient à l'utilisation de produits de remplacement. Ces produits, souvent connus pour un usage différent, peuvent être modifiés ou adaptés pour répondre aux besoins du consommateur. Celui-ci considère, à tort ou à raison, que la différence de prix peut compenser les coûts de modification ou les inconvénients reliés à l'usage du produit de remplacement. Le second aspect concerne plus spécifiquement le marché de détail et fait référence à la disponibilité des ressources du consommateur. Par exemple, un individu peut avoir à choisir entre la nécessité apparente de changer sa voiture et le désir de faire un voyage en Europe. Il s'agit de deux produits de consommation foncièrement différents que des contraintes économiques ou financières rendent concurrentiels.

Dans bien des cas, la fidélité au produit ou au fabricant et les caractéristiques spéciales du produit ne sont plus des facteurs aussi déterminants que le prix. Pour assurer la survie de l'entreprise, les gestionnaires doivent souvent tenir pour acquis le prix de vente pratiqué sur le marché et travailler sur les composantes de ce prix de vente, c'est-à-dire la marge bénéficiaire et les coûts. Or, dans les marchés où le consommateur est très influencé par le prix du produit, la concurrence est très forte et les marges bénéficiaires ont tendance à s'amenuiser, laissant pour ainsi dire peu de marge de manœuvre au gestionnaire. Le coût de production et les coûts connexes deviennent donc les facteurs sur lesquels le gestionnaire peut exercer une certaine influence.

À l'instar des entreprises qui répondent à des appels d'offres, celles qui évoluent sur le marché des produits similaires très concurrentiels sont appelées à exercer un contrôle de plus en plus serré de leurs opérations et surtout à bien connaître les processus qui mènent à la mise en marché du produit ou du service. Encore une fois, la méthode des coûts par activités peut s'avérer un outil fort utile d'analyse de la nature des coûts et des moyens pour les réduire. À cela s'ajoute l'élaboration de nouvelles stratégies d'analyse des coûts, tel le coût cible, qui font en sorte que l'entreprise cherche à se conformer au prix du marché.

C. Le coût cible

La détermination du coût cible d'un produit est une démarche particulièrement appropriée dans le cadre du lancement d'un nouveau produit sur un marché existant. Elle consiste à analyser d'abord le marché pour déterminer les possibilités de prix de vente différenciés, l'élasticité de la demande par rapport au prix de vente, l'état de la concurrence existante et potentielle, ainsi que le volume probable de produits qu'elle pourrait vendre. Vient ensuite la détermination de la marge bénéficiaire désirée établie par les dirigeants de l'entreprise. Compte tenu d'un volume prédéterminé de produits vendus, la différence entre le chiffre d'affaires prévu et la marge bénéficiaire correspondante est égale au total des coûts qui seraient alloués à la production et à la mise en marché du produit. Ces coûts alloués représentent les coûts cibles.

Le total de coûts alloués pour le nouveau produit est ensuite comparé au total des coûts prévus de production et de mise en marché établi selon les méthodes comptables normalement utilisées par l'entreprise pour ses autres produits. Le montant différentiel qui en résulte est le montant des coûts dont l'entreprise doit chercher à faire l'économie.

EXEMPLE

DONNÉES

A ltée désire ajouter à sa gamme actuelle de produits le produit Y qui est déjà vendu sur le marché au prix de 85 $. Les consommateurs sont très sensibles à toute fluctuation du prix de vente. Le service des ventes de la société prévoit qu'à ce prix, 10 000 articles du produit Y pourront être vendus sur le marché au cours des cinq prochaines années (durée de vie résiduelle du produit Y). Les dirigeants exigent que les nouveaux produits dégagent une marge bénéficiaire équivalente à celle qui est obtenue pour l'ensemble des produits existants, soit 30 %. Compte tenu du volume prédéterminé d'articles du produit Y, il est prévu que le coût unitaire complet sera de 70 $.

SOLUTION

Calcul du montant dont l'entreprise doit chercher à faire l'économie :

Ventes prévues (10 000 × 85 $)	850 000 $
Marge bénéficiaire recherchée (30 %)	255 000
Total des coûts cibles relatifs aux produits Y	595 000
Coût complet prévu (10 000 × 70 $)	700 000
Coût dont il faut chercher à faire l'économie	(105 000) $

La détermination des coûts cibles est donc une étape qui permet d'établir le montant de réduction de coûts qu'il faudra obtenir avant de lancer le nouveau produit. Cela invite en particulier les ingénieurs et les comptables à travailler de concert à cet objectif en passant en revue tous les éléments reliés au nouveau produit. Il y a d'abord l'étude des composants du produit afin de déterminer s'il est possible d'en faire intervenir de moins coûteux sans que la qualité intrinsèque du produit ne soit trop touchée ou que l'efficacité attendue ne soit trop diminuée. Il y a ensuite l'examen de toutes les étapes (le processus) nécessaires pour que le produit soit disponible sur le marché : les activités reliées à la conception et au design du produit, les opérations de fabrication industrielle, sans oublier les activités d'entreposage, de promotion, de publicité et de distribution. Pour terminer, il y a la revue des moyens (installations, ordinateurs, logiciels, machinerie et équipements, canaux de distribution) nécessaires. En fait, c'est l'étude globale de tous les éléments (composants, processus et moyens de production) qui est la plus prometteuse, vu les interrelations pouvant exister entre ceux-ci. Par exemple, le choix d'un type particulier de composants peut influencer le choix des moyens de production, affecter les processus de production. Le design des pièces entrant dans le produit peut toucher les processus de production et influencer le choix des moyens de production appropriés ou disponibles.

L'approche du coût cible fait appel à l'esprit collégial et à l'imagination des intervenants dans la recherche des moyens pour réduire à zéro le différentiel de coûts. Cet exercice est le résultat combiné de l'utilisation des notions de coûts pertinents, des concepts qui sous-tendent les coûts par activités et, dans une certaine mesure, des applications de la réingénierie des processus.

Les principaux avantages du coût cible sont d'abord de permettre de considérer le nouveau produit dans une perspective globale, de sa conception jusqu'à sa distribution. Le nouveau produit est un ajout à la gamme de produits existants et ne doit pas venir diminuer la rentabilité globale de l'entreprise. Le coût cible fait pratiquement en sorte que le prix de vente sur le marché est une donnée à laquelle il faut se conformer au moment de la prise de décision plutôt que de faire intervenir les effets souvent aléatoires de la relation prix/volume. Il permet aux intervenants de se concentrer sur le montant du différentiel de coûts plutôt que sur le coût global et sur l'ensemble des opérations et des produits de l'entreprise.

La principale faiblesse du coût cible réside dans le fait qu'il est fondé sur un volume prédéterminé qui affecte la détermination du différentiel de coûts à éliminer. De plus, l'exercice peut s'avérer laborieux pour les entreprises qui n'ont pas une bonne connaissance de la nature de leurs activités et des types de ressources qu'elles consomment.

EXERCICES D'APPLICATION

■■■ EXERCICE 17-1

L'industrie de la viande en gros dans l'Ouest américain est caractérisée par un très grand nombre d'entreprises dont aucune ne domine le marché. La Perry Wholesale Meat Company pense pouvoir accroître sa production de bœuf; d'après elle, sa capacité de production et la croissance rapide des comptoirs à hamburgers ayant un permis d'exploitation dans son territoire de vente le lui permettent.

L'entreprise peut vendre au prix de 1,98 $ le kilo toute sa production de bœuf. Le contrôleur a estimé les coûts totaux suivants, y compris un taux de rendement normal sur l'investissement, pour divers niveaux de production.

Production de bœuf (en kilos)	Total des coûts de production estimatifs (y compris un rendement normal sur investissement)
120 000	240 000 $
150 000	298 000
180 000	356 400
210 000	415 800
240 000	476 000

Chaque niveau de production requiert un investissement légèrement supérieur à celui du niveau de production qui lui est immédiatement inférieur.

La fonction de la demande totale de bœuf pour tout l'Ouest américain peut être trouvée à partir de son inverse :

$P = 4\ \$ - 0,02\ \$\ Q$

où P = prix du kilo, et Q = nombre de cargaisons de 30 000 kilogrammes chacune.

ON DEMANDE

1. d'indiquer le prix de vente auquel l'entreprise devrait vendre son bœuf;
2. de déterminer le niveau de production qui maximiserait le rendement total des investissements de l'entreprise.

(Adaptation – C.M.A.)

■ EXERCICE 17-2

Fiore ltée fabrique de l'équipement de bureau. Le vice-président du marketing a obtenu que la société ajoute deux nouveaux produits à sa gamme, soit une agrafeuse électrique et un taille-crayon électrique.

En matière d'établissement du prix de vente potentiel d'un produit, l'entreprise a comme politique de tenir compte du plus grand nombre possible de données relatives audit produit. Les données spécifiques aux deux nouveaux produits sont les suivantes :

	Agrafeuse électrique	Taille-crayon électrique
Demande annuelle prévue en unités	12 000	10 000
Coût de fabrication prévu à l'unité	10 $	12 $
Frais de vente et d'administration prévus à l'unité	4 $	non disponible
Actifs utilisés pour la fabrication	180 000 $	non disponible

Fiore estime à 2 400 000 $ l'actif moyen qui sera nécessaire à la poursuite de son exploitation au cours du prochain exercice. L'état sommaire des résultats prévus pour l'ensemble des produits de l'entreprise est le suivant :

Chiffre d'affaires	4 800 000 $
Coût des produits vendus	2 880 000
Bénéfice brut	1 920 000
Frais de vente et d'administration	1 440 000
Bénéfice d'exploitation	480 000 $

ON DEMANDE

1. de calculer le prix de vente potentiel :
   a) de l'agrafeuse électrique, en utilisant la méthode du taux de rendement du capital investi ;
   b) du taille-crayon électrique, en utilisant la méthode de la marge de bénéfice brut ;
2. d'indiquer, raisons à l'appui, si l'entreprise pourrait utiliser la méthode du rendement du capital investi dans le cas du taille-crayon électrique ;
3. d'indiquer, raisons à l'appui, laquelle des deux méthodes de détermination des prix de vente est préférable à l'autre pour la prise de décision ;
4. de mentionner les autres étapes possibles avant d'arrêter le prix de vente effectif de chacun des deux nouveaux produits.

(Adaptation – C.M.A.)

■■■ EXERCICE 17-3

Au cours de la période de pointe enregistrée par le marché de la construction l'été dernier, Thomas Ricard, propriétaire-gérant de Ricard Construction ltée, prépare la soumission suivante pour la construction d'une nouvelle maison destinée à un commerçant local :

Matières premières	36 000 $
Main-d'œuvre directe (5 200 heures à 8 $ l'heure)	41 600
Frais généraux (5 $ l'heure de main-d'œuvre directe)	26 000
Coût complet	103 600
Marge bénéficiaire de 20 %	20 720
Prix offert	124 320 $

Le poste intitulé Frais généraux comprend tous les frais qui peuvent être regroupés sous cette rubrique, y compris les frais généraux d'administration. Le taux de 5 % l'heure est établi en fonction des frais généraux de l'exercice, estimés à 750 000 $ sur la base de 150 000 heures de main-d'œuvre directe. Il est prévu qu'environ 450 000 $ de frais généraux ne varieront pas, quel que soit le niveau d'activité prévu à court terme.

Le commerçant rejette la soumission, qu'il estime trop élevée, et reporte à plus tard l'achat d'une nouvelle maison.

En novembre, la construction subit un tel ralentissement que Thomas Ricard doit absolument trouver d'autres contrats de travail s'il veut éviter de congédier une main-d'œuvre qualifiée difficile à recruter. Il est prêt à réduire sensiblement sa marge pour obtenir de nouvelles affaires ; il rappelle alors son ancien client et lui présente une nouvelle soumission de 114 000 $ pour la construction de la maison. Le commerçant soumet une contre-offre à 100 000 $, au grand déplaisir de M. Ricard.

Le fils de Thomas Ricard, son bras droit, conseille à son père de ne pas rejeter la contre-offre avant d'avoir revu ses calculs car, en vertu du concept de la marge de contribution comme méthode d'établissement des prix, il pourrait être malgré tout sage d'accepter cette contre-offre, étant donné les circonstances actuelles.

ON DEMANDE

1. de déterminer l'effet, sur le bénéfice avant impôt, de l'acceptation de la contre-offre de 100 000 $;
2. d'indiquer quels sont, en général, les avantages et les inconvénients à utiliser la méthode de la marge de contribution en matière d'établissement du prix.

(Adaptation – S.C.M.C.)

■ EXERCICE 17-4

Industries inc. est une entreprise à produits multiples possédant plusieurs usines. L'usine de Montréal produit et vend deux détergents – ordinaire et à double action – sous la même marque de commerce. Les résultats pour les six premiers mois de 20X5, c'est-à-dire pour 100 000 caisses produites et vendues de chacun de ces deux détergents, ont été établis comme suit :

	Détergent ordinaire (en milliers de $)	Détergent à double action (en milliers de $)	Total (en milliers de $)
Chiffre d'affaires	2 000 $	3 000 $	5 000 $
Coût des produits vendus	1 600	1 900	3 500
Bénéfice brut	400 $	1 100 $	1 500 $
Frais de vente et d'administration			
Variables	400	700	1 100
Fixes[1]	240	360	600
	640 $	1 060 $	1 700 $
Bénéfice (perte) avant impôt	(240)$	40 $	(200)$

1. Aux fins de compte rendu interne, les frais de vente et d'administration ont été répartis entre les deux produits sur la base du chiffre d'affaires.

Le détergent ordinaire et celui à double action ont été vendus respectivement 20 $ et 30 $ la caisse au cours des six premiers mois de 20X5. Pour chaque type de détergent, l'outillage utilisé est exclusif et la capacité normale de production est de 200 000 caisses par année. Cependant, l'usine pourrait produire annuellement 250 000 caisses de détergent ordinaire et 350 000 caisses de détergent à double action.

Voici quels sont les coûts de production par caisse :

	Détergent ordinaire	Détergent à double action
Matières premières	7 $	8 $
Main-d'œuvre directe	4	4
Frais indirects de fabrication variables	1	2
Frais indirects de fabrication fixes[1]	4	5
	16 $	19 $

1. La moitié de ces frais représente des amortissements.

Les frais de vente et d'administration variables s'élèvent à 4 $ par caisse de détergent ordinaire et à 7 $ par caisse de détergent à double action.

La haute direction indique le comportement de la demande qui prévaudra, selon elle, au cours des six derniers mois de 20X5, comportement qui a également prévalu au cours des six premiers mois de 20X5. Le tableau suivant fait état de ces données :

Détergent ordinaire		Détergent à double action	
Prix à la caisse	Ventes (nombre de caisses)	Prix à la caisse	Ventes (nombre de caisses)
18 $	120 000	25 $	175 000
20	100 000	27	140 000
21	90 000	30	100 000
22	80 000	32	55 000
23	50 000	35	35 000

La haute direction est d'avis que la perte subie pendant les six premiers mois est due à une forte concurrence. Selon elle, plusieurs entreprises fermeront leurs portes d'ici la fin de l'an prochain, ce qui devrait permettre à l'entreprise de connaître pour 20X6 un bénéfice raisonnable.

ON DEMANDE

1. de déterminer le prix de vente que devrait établir l'entreprise pour chacun des détergents et qui serait en vigueur au cours des six derniers mois de 20X5 ;
2. d'indiquer, calculs à l'appui, si l'usine devrait cesser toute exploitation jusqu'à la fin de 20X5 et de mentionner les facteurs d'ordre qualitatif à considérer lors de cette décision.

(Adaptation – C.M.A.)

EXERCICE 17-5

M ltée est une entreprise de déménagement d'envergure nationale dont les tarifs sont soumis tous les ans à diverses régies publiques provinciales. Le président a sollicité votre concours pour déterminer les tarifs de l'année à venir.

La structure des tarifs doit permettre à la société d'obtenir un rendement raisonnable sur ses immobilisations corporelles, c'est-à-dire essentiellement sur ses camions, puisque les entrepôts utilisés sont loués. Le calcul du rendement se fait en exprimant le bénéfice en pourcentage de la moyenne de la valeur comptable nette des camions au début et à la fin de l'exercice. Un rendement de 14 %, compte non tenu de l'impôt, serait satisfaisant.

Le tarif en vigueur est de 0,10 $ la tonne pour chaque kilomètre parcouru ; mais comme le président estime que le bénéfice actuel est insuffisant et que la plupart des autres entreprises de déménagement ont un barème variable, il envisage à la fois d'augmenter le tarif et d'adopter un barème variable. Celui qu'il propose comprendrait trois tarifs à la tonne pour chaque kilomètre parcouru :

	Court trajet	Long trajet
Chargement léger	Tarif 1	Tarif 2
Chargement lourd	Tarif 2	Tarif 3

Le tarif 1 serait plus élevé. Les tarifs 2 et 3 atteindraient respectivement 90 % et 80 % du tarif 1.

Les résultats d'exploitation de l'exercice qui vient de se terminer se présentent comme suit :

Chiffre d'affaires		219 000 $
Frais		
Fixes	57 677 $	
Variables	122 400	
Amortissement des camions	30 000	210 077
Bénéfice		8 923 $

Vous avez procédé à l'analyse suivante :

Distance	Définition	Distance moyenne	Nombre de clients
Court trajet	jusqu'à 100 km	50 km	1 200
Long trajet	plus de 100 km	300 km	1 800
			3 000

Poids	Définition	Poids moyen	Nombre de clients
Chargement léger	jusqu'à 2 tonnes	½ tonne	(40 % des trajets { 900
Chargement lourd	plus de 2 tonnes	5 tonnes	sont courts) { 2 100
			3 000

Vous obtenez les renseignements complémentaires que voici :

1) Au début de l'exercice :

Coût des camions	250 000 $
moins : Amortissement cumulé	100 000
	150 000 $

2) Au cours de l'exercice :

Achat de camions	40 000 $

ON DEMANDE

1. de calculer le chiffre d'affaires que la société aurait dû réaliser pour obtenir un rendement de 14 % ;
2. de calculer le tarif 1 (à la tonne, pour chaque kilomètre parcouru) pour que le barème variable proposé produise le chiffre d'affaires calculé en 1.

(Adaptation – C.A.)

■■■ EXERCICE 17-6

Une importante entreprise manufacturière a vendu son produit 3,00 $ l'unité au cours des dernières années. Par suite de la signature d'une nouvelle convention collective, le coût unitaire du produit est passé de 1,50 $ à 2,00 $. Le président de la société désirerait augmenter le prix de vente à 3,50 $ ou à 4,00 $.

Les informations relatives aux prévisions des ventes mensuelles moyennes sont fournies :

Prix de vente de 3,00 $		Prix de vente de 3,50 $		Prix de vente de 4,00 $	
Unités	Probabilité	Unités	Probabilité	Unités	Probabilité
2 000	0,1	1 500	0,4	1 300	0,1
1 800	0,8	1 200	0,5	900	0,5
1 600	0,1	1 100	0,1	800	0,4

ON DEMANDE

de déterminer le prix optimal à recommander au président.
(Adaptation – S.C.M.C.)

■■■■ EXERCICE 17-7

FSI ltée fabrique des moteurs électriques de une force qu'elle vend aux fabricants d'appareils ménagers. La demande de ces moteurs varie considérablement d'une année à l'autre et d'un mois à l'autre selon la conjoncture économique. À cause de ces fluctuations, M. Savard, le président, ne trouve pas pratique d'utiliser des budgets pour la planification et le contrôle de l'exploitation. Il se contente donc de comparer les coûts unitaires d'un mois à ceux du mois précédent. Cependant, les coûts unitaires varient selon le volume mensuel de production. Jusqu'ici, M. Savard n'est pas parvenu à distinguer les frais indirects de fabrication fixes des frais indirects de fabrication variables ; mais, d'après ce qu'il a appris au cours d'un séminaire, il sait qu'il pourrait utiliser les techniques de l'analyse de régression pour faire cette distinction.

Depuis quelque temps, M. Savard s'inquiète de la tendance des profits de FSI. Lors d'une visite en Zongrie effectuée au début de décembre 20X5 avec une délégation commerciale officielle, on lui a demandé de présenter une soumission de contrat visant à fournir à ce pays des modèles modifiés de moteurs électriques de une force. De retour au Canada, il découvre que les modifications à apporter aux moteurs électriques selon le contrat zongrois demanderont des heures de main-d'œuvre et des heures-machine additionnelles, ainsi qu'une plaquette de circuits qu'on ne trouve pas normalement sur ces moteurs. Après enquête, M. Savard constate qu'il pourrait obtenir une option d'achat sur seulement 6 000 des plaquettes requises par mois pour 20X6. À partir de ces renseignements, ainsi que des coûts unitaires et du bénéfice brut prévus (tableau I), il soumet un prix de 110 $ par moteur aux Zongrois. Ces derniers offrent alors d'acheter autant de moteurs que FSI pourra leur en fournir en 20X6, jusqu'à concurrence de 8 000 moteurs par mois.

TABLEAU I

Coûts unitaires et bénéfice brut prévu pour 20X6

	Moteur ordinaire	Moteur modifié
Prix de vente	75,00 $	110,00 $
Coûts de fabrication		
Matières premières	22,29	23,00
Plaquette de circuits	– 0 –	16,40
Salaires	14,75	22,12
Frais indirects de fabrication	18,00	18,00
Total des coûts de fabrication	55,04 $	79,52 $
Bénéfice brut	19,96 $	30,48 $
Bénéfice brut exprimé en pourcentage du prix de vente	26,6 %	27,7 %

Notes :

1) On prévoit que les salaires pour 20X6 s'élèveront à 14,75 $ l'heure de main-d'œuvre directe. En 20X6 le moteur ordinaire demandera I heure de main-d'œuvre directe par unité et le moteur zongrois 1,5 heure. On estime que l'entreprise disposera de 13 500 heures de main-d'œuvre directe par mois en 20X6.

2) On pense que les frais mensuels de vente et d'administration qui s'élèvent à 75 000 $ ne varieront pas de façon significative par rapport au volume de production et de ventes en 20X6.

3) En 20X6, l'entreprise disposera de 15 000 heures-machine par mois. Les moteurs ordinaires demanderont I heure-machine l'unité et les moteurs modifiés 2.

4) Les frais indirects de fabrication de 18 $ l'unité ont été établis d'après la moyenne des frais indirects de fabrication par unité en 20X5.

5) On a déterminé que les concurrents présentant une soumission pour obtenir le contrat zongrois fixeront leur prix de vente de manière à réaliser un bénéfice brut représentant au moins 30 % du montant des ventes.

M. Savard met en doute le chiffre des frais indirects de fabrication utilisé dans la préparation de sa soumission pour la Zongrie. Il se demande si la méthode des budgets flexibles étudiée lors du séminaire pourrait l'aider à préparer ses soumissions. Il estime qu'il vendra 144 000 moteurs ordinaires en 20X6 (soit 12 000 unités en moyenne par mois), ce qui représente 12 000 unités de moins qu'en 20X5, une bonne année. Son volume total des ventes, moteurs modifiés compris, sera limité par les contraintes de production qui demeureront les mêmes jusqu'en 20X7.

Pour analyser les frais indirects de fabrication, M. Savard effectue d'abord par ordinateur une analyse de régression rapprochant les frais indirects de fabrication totaux de l'usine des salaires, d'après les données des 24 derniers mois. Mais il ne sait trop comment interpréter les résultats (tableau 2). Il décide alors d'utiliser la programmation linéaire pour déterminer combien de moteurs électriques il devrait s'engager à vendre par mois aux Zongrois en 20X6 afin de maximiser le bénéfice de FSI pour cette année-là.

TABLEAU 2
Résultats de l'analyse de régression faite par ordinateur

Variable	Coefficient	Erreur-type	Valeur de t	r^2
Intersection	60 766	18 438	3,296	
Indépendante (salaires)	0,913	0,144	6,360	
Dépendante (total des frais indirects de fabrication)		9,776		0,802

Il décide donc de demander à un spécialiste en comptabilité de management de déterminer ses diverses analyses et de le conseiller sur les problèmes qui se posent à FSI.

ON DEMANDE

d'agir à titre de conseiller en comptabilité de management et de préparer, pour M. Savard, un rapport portant sur les problèmes suivants :
a) la détermination du prix de vente ;
b) l'établissement des budgets ;
c) la détermination de la composition mensuelle optimale des produits pour 20X6.
(*Adaptation* – S.C.M.C.)

■■■■ EXERCICE 17-8

Produits Canadiens limitée (PCL) est une entreprise manufacturière bien établie. Les produits que fabrique son usine, qui consistent en de petits appareils électroménagers, sont vendus directement aux grands magasins canadiens.

Elle désire fabriquer et commercialiser un nouveau produit qu'elle vient de mettre au point, soit un fer à repasser sans fil. Afin d'évaluer adéquatement la rentabilité de ce nouveau produit, la direction a décidé de créer une nouvelle division qui en effectuerait la production et la distribution.

Deux des concurrents de PCL viennent de lancer leur propre fer à repasser sans fil au prix de 28 $. PCL établit généralement le prix d'un nouveau produit en majorant de 100 % le coût de revient complet. Selon cette formule, le prix à un volume de fabrication et de ventes annuel de 350 000 unités serait de 31,50 $. Le président de PCL, M. Charles Léonard, se demande si cette façon de déterminer le prix de vente est appropriée relativement au nouveau produit, compte tenu des solutions de rechange suivantes :

a) les coûts de production variables, plus une majoration de 200 % ;

b) un prix de 27 $ pour contrer la concurrence.

M. Léonard commande à une maison spécialisée en études de marché une analyse de la demande probable du fer à repasser sans fil de PCL selon les trois prix proposés. La firme dégage alors les projections de ventes pour chacune des cinq prochaines années, aux prix en question. Ces projections sont résumées à l'annexe A. En remettant les résultats, la firme précise bien que rien ne garantit que le marché réagira conformément à ces projections.

M. Léonard demande à Jeanne Doyon, directrice des finances, d'analyser la situation et de recommander une stratégie de prix pour les cinq prochaines années. Jeanne commence d'abord par réunir les données pertinentes, lesquelles sont présentées à l'annexe B.

ON DEMANDE

de vous mettre à la place de Jeanne Doyon et de donner suite à la demande de M. Léonard. À cette fin, vous devez faire état des facteurs quantitatifs et qualitatifs intervenant dans le choix de la stratégie de prix recommandée pour le nouveau fer à repasser au cours des cinq prochaines années.

Annexe A

Résultats de l'étude de marché
Fer à repasser sans fil de PCL

Prix de vente	Volume	Probabilité
24,00 $	500 000	20 %
	400 000	50 %
	300 000	30 %
27,00 $	400 000	25 %
	350 000	45 %
	250 000	30 %
31,50 $	300 000	30 %
	250 000	50 %
	200 000	20 %

Annexe B

Autres données pertinentes
Fer à repasser sans fil de PCL

Coûts prévus pour une production annuelle de 350 000 unités :

Total des coûts variables :   2 800 000 $
Total des frais fixes :   2 712 500 $

Installations : il n'est pas nécessaire d'acquérir de nouvelles machines ni d'agrandir l'usine pour produire le fer à repasser sans fil. L'usine dispose d'une capacité de production annuelle de 500 000 unités.

Stocks : grâce au type de gestion à stock zéro, les stocks seront à peu près nuls à tout moment donné.
(Adaptation – S.C.M.C.)

▬▬ EXERCICE 17-9

La société Sordier a l'occasion de soumissionner un projet pour lequel le directeur de la production a fourni le réseau PERT suivant où l'on suppose que les conditions sont normales.

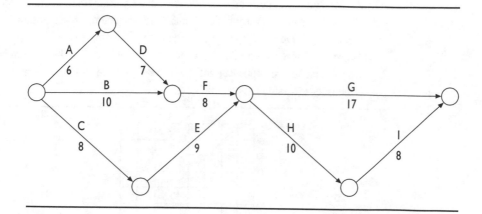

On fournit les renseignements complémentaires suivants :

	Durée normale		Durée accélérée	
Activité	Semaines	Coûts hebdomadaires variables	Semaines	Coûts hebdomadaires variables
A	6	1 100 $	5	1 500 $
B	10	1 200	9	1 500
C	8	1 800	7	2 200
D	7	1 500	6	2 000
E	9	1 300	8	1 600
F	8	900	7	1 200
G	17	1 000	16	1 200
H	10	800	9	1 000
I	8	1 100	7	1 400

La société Sordier a suffisamment de capacité non utilisée pour prendre en charge ce projet. Si ce dernier est accepté, des coûts fixes seront imputés au projet à raison de 650 $ par semaine nécessaire pour terminer le projet.

ON DEMANDE

1. de déterminer à quel prix la société Sordier doit soumissionner en vue d'accroître son profit total de 30 000 $ au minimum, en supposant que le client exige que le projet soit terminé en 36 semaines ;
2. d'étayer la proposition d'un prix de soumission de 108 000 $ faite après avoir établi les relations suivantes entre le prix de soumission et la probabilité que la soumission soit acceptée :

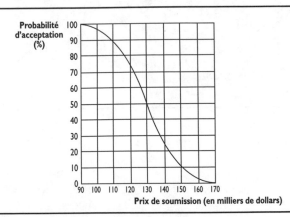

3. d'indiquer, en tant que directeur général, les autres facteurs dont vous tiendrez compte pour décider de la soumission à présenter.
(Adaptation – S.C.M.C.)

INDEX

Abandon d'un produit, 511

Acheter ou produire, 509

Activité (comptabilité des coûts par activités), 362

Activité annuelle anticipée, 47

Activité avec valeur ajoutée, 388

Activité normale (capacité normale), 46

Activité sans valeur ajoutée, 388

Analyse classique coût-volume-profit, 454

Analyse classique coût-volume-profit (éléments), 455

Analyse classique coût-volume-profit (hypothèses de base), 455

Analyse classique coût-volume-profit (limites), 467

Analyse classique coût-volume-profit (ventes diversifiées), 465

Analyse classique volume-profit, 463

Analyse classique volume-profit (limites), 467

Analyse comparative (benchmarking), 389

Analyse des écarts sur résultats budgétés, 588

Analyse des écarts (sur standards), 302

Analyse de sensibilité (rentabilité d'investissement), 829

Analyse des frais de vente, 539

Analyse produits-frais-résultats (voir Analyse classique coût-volume-profit)

Apprentissage (facteur), 316

Approche (de production) à flux tendu, 424

Approche (de production) à flux tiré, 424

Approche (de production) juste-à-temps, 401, 423

Approche du coût complet, 27

Approche du coût variable, 27

Arbre de décision, 519

Assurance qualité, 402

Audit de méthode, 420

Audit de processus, 420

Audit de produit, 419

Audit de système, 420

Audit qualité (définition et types), 419

Augmentation d'unités, 221

BBZ, 613

Base de calcul des coefficients d'imputation, 44

Bénéfice résiduel divisionnaire, 698, 708

Bon de reversement, 18, 20

Bon de sortie, 18, 19

Bon de travail, 18, 22

Boni, 15, 116

Bon nomenclature, 18, 20, 195

BR, 698
Budget à base zéro, 613
Budget à échelle variable, 589
Budget annuel, 565
Budget annuel (contraintes), 572
Budget annuel (fins), 566
Budget connexe, 577
Budget continu, 567
Budget d'approvisionnement, 578
Budget de caisse, 578
Budget de production, 570
Budget de trésorerie, 578
Budget des achats, 578
Budget des frais, 578
Budget des investissements, 578
Budget des résultats, 579
Budget des ventes, 570
Budget directeur, 570
Budget du chiffre d'affaires, 577
Budget fixe, 37
Budget flexible, 37, 589
Budget glissant, 567
Budgétisation et contrôle des frais de
    vente, 548
Budget opérationnel de base, 570
Budget partiel, 570
Budget roulant, 567
Budgets-synthèses (états-synthèses), 570

Calcul de rentabilité (projet
    d'investissement), 801
Capacité économique, 47
Capacité idéale, 45
Capacité inutilisée (utilisation de), 45, 502
Capacité maximum, 45
Capacité normale (voir Activité normale),
    46
Capacité pratique, 45
Capacité prévue (voir Activité annuelle
    anticipée)
Capacité technique de production, 47
Capacité théorique, 45
Carte de casier, 19
Causes des écarts (coût de revient
    standard), 303
Cellule manufacturière, 426

Centre de coûts, 673, 674
Centre de coûts discrétionnaires, 673
Centre de produits, 673
Centre de profit, 673, 680
Centre de responsabilité, 673
Centre d'investissement, 673
Cercle de qualité, 404
Certificat d'enregistrement ISO, 420
Certification ISO, 420
Cession au coût, 694
Cession au coût de fabrication complet
    majoré, 689
Cession au prix du marché, 683
Cession au prix modifié du marché, 683
Cession au prix négocié, 687
Chemin critique, 769
Chevauchement d'une période de paie,
    112
Classification des projets par ordre de
    rentabilité relative, 818
Clé de répartition, 118
CNI, 430
Codification (centre de responsabilité),
    671
Coefficient de corrélation, 140
Coefficient de détermination, 138
Coefficient de variation (mesure du
    risque relatif à un investissement), 826
Coefficient d'imputation, 31
Coefficient d'imputation par atelier de
    production, 43
Coefficient d'imputation primaire, 366
Coefficient d'imputation secondaire, 369
Comité du budget, 569
Commande spéciale, 504
Commerce international (prix de cession),
    692
Comportement humain des responsables
    de division, 697, 704
Comptabilisation des frais de vente, 548
Comptabilisation des frais indirects de
    fabrication imputés, 25
Comptabilisation des frais indirects de
    fabrication réels, 25
Comptabilisation de la répartition du
    coût de la main-d'œuvre, 24

Comptabilisation du coût des matières utilisées, 21

Comptabilisation en coût rationnel, 16

Comptabilité de gestion, 1

Comptabilité de management, 1, 5

Comptabilité des coûts par activités, 359

Comptabilité financière, 5

Comptabilité générale, 1

Comptabilité par activités (voir Comptabilité des coûts par activités)

Comptabilité par centres de responsabilité, 669

Compte rendu de gestion, 674

Concept de rentabilité (dépense d'investissement), 790

Conception assistée par ordinateur, 430

Congé annuel payé, 115

Contenants, 111

Contexte inflationniste (calcul du RCI), 702

Contrainte budgétaire (projets d'investissement), 821

Contraintes (programmation linéaire), 572

Contribution marginale (voir Marge sur coûts variables unitaires)

Contrôle, 566

Contrôle budgétaire des coûts des tâches, 775

Contrôle de la qualité, 402

Contrôle des frais de vente, 548

Contrôle par échantillonnage (voir Sondage pour acceptation)

Contrôler, 1

Contrôle statistique de la qualité, 403

Contrôle statistique des écarts sur standards, 322

Contrôle statistique des processus, 403

Coordination, 567

Coordonner, 1

Co-produits, 247

Courbe d'apprentissage, 316

Coût annuel actualisé, 811

Coût annuel équivalent, 810

Coût cible, 853

Coût commun, 118, 248

Coût complet, 27

Coût contrôlable, 669

Coût déboursé (voir Coût décaissé)

Coût décaissé, 497

Coût de débours, 497

Coût de défaillances externes, 413

Coût de défaillances internes, 413

Coût de fabrication, 13

Coût de réfection, 84

Coût de renonciation, 499, 574

Coût de revient complet, 27

Coût de revient complet (limites), 443

Coût de revient de base, 15

Coût de revient en fabrication continue, 193

Coût de revient en fabrication en série (voir Coût de revient en fabrication continue)

Coût de revient par commande, 72

Coût de revient rationnel, 27

Coût de revient réel, 27

Coût de revient réel (difficultés inhérentes), 27

Coût de revient standard, 27, 273

Coût de revient variable, 27

Coût des activités, 362

Coût de sous-activité (voir Coût de capacité inutilisée)

Coût des produits fabriqués, 48

Coût des produits vendus, 48

Coût des ressources directes utilisées, 362

Coût de substitution, 499

Coût de transformation, 16

Coût différentiel, 497

Coût direct, 13

Coût discrétionnaire, 501

Coût d'opportunité, 499

Coût d'option, 499

Coût du capital, 788

Coût et prix de vente, 855

Coût évitable, 499

Coût fixe (voir Frais fixes)

Coût futur, 495

Coût global, 26

Coût implicite, 501
Coût incorporable, 447
Coût indifférent, 500
Coût indirect, 14
Coût inéluctable, 500
Coût inévitable, 500
Coût irrécupérable, 500
Coût irrévocable, 500
Coût marginal, 849
Coût mesurable, 28
Coût minimal (d'un projet), 765
Coût moyen de fin de mois, 102
Coût moyen pondéré mobile, 102
Coût non mesurable, 28
Coût par activités, 8, 359
Coût pertinent, 494
Coût rationnel, 16, 27
Coûts de conformité, 412
Coûts de la qualité, 412
Coûts de non-conformité, 412
Coûts de prévention, 412
Coûts d'évaluation, 412
Coût semi-variable (voir Frais semi-
    variables)
Coût spécifique, 118
Coût standard, 27
Coût supplémentaire, 497
Coût supplétif, 501
Coût variable, 27
CPA (Voir Comptabilité par activités)
Critère de pertinence, 495
Critère de rentabilité (projet
    d'investissement), 787
CSP, 403
CSQ, 403

Décentralisation, 681
Décision d'investir et risque, 824
Degré d'élaboration des produits, 507
Délai de récupération (projet
    d'investissement), 830
Dépense d'investissement, 791
Dépense d'investissement actualisée, 791
DEPS, 101
Désinvestissement, 822

Déterminant, 364
Détermination des prix de vente, 847
Détermination des standards de coût de
    fabrication, 275
Détermination du coût des matières
    utilisées, 101
Diagramme causes-effets, 407
Diagramme de dispersion, 405
Diagramme de Pareto, 407
Diagramme d'Ishikawa, 407
Directeur du budget, 569
Diriger, 1
Division (centre de profit), 681
Documents et registres (comptabilisation
    des éléments du coût de revient), 17
Durée de l'investissement, 792
Durée espérée (d'une tâche), 771
Durée optimale (d'une tâche), 767

Écart entre les possibilités extrêmes
    (mesure du risque relatif à un
    investissement), 826
Écart global brut sur volume des ventes,
    597
Écart global réel sur volume des ventes,
    597
Écart (global) résiduel, 593, 595
Écart significatif, 322
Écart relié aux frais indirects de
    fabrication, 287
Écart classique sur main-d'œuvre directe,
    284
Écart classique sur matières premières, 281
Écart sur budget, 292
Écart (global) sur composition des ventes,
    589
Écart sur composition (M.P. et M.O.D.),
    311
Écart sur coût d'acquisition, 592
Écart sur dépense, 36, 37, 288
Écart (global) sur part de marché, 589,
    594
Écart sur prix de vente, 592
Écart sur prix relatif à la matière
    première, 281, 603

Écart sur quantité de matière première utilisée, 281, 603

Écart sur quantité dû à la variation du volume de production (ou des unités fabriquées), 603, 604

Écart sur rendement, 289

Écart sur rendement (M.P. et M.O.D.), 311

Écart (global) sur taille du marché, 589, 594

Écart sur taux, 284

Écart sur temps, 285

Écart sur variation du stock de produits finis en frais indirects de fabrication fixes, 607

Écart sur volume, 36, 38, 290

Écart (global) sur volume des ventes, 591

Écart type (mesure du risque relatif à un investissement), 827

Économie de coûts, 497

Éléments du coût de fabrication, 13

Embauchage d'une équipe supplémentaire, 514

Enregistrement ISO, 420

Équivalents, 199, 278

Erreur-type d'estimation, 140

Erreurs-types des coefficients a et b, 141, 142

Escompte sur achats de matières, 112

Espérance mathématique (mesure du risque relatif à un investissement), 824

Étapes d'avancement (des travaux), 769

État des résultats, 48, 295, 447

État du coût de fabrication, 48

État du coût des produits fabriqués (voir État du coût de fabrication)

États financiers d'une entreprise industrielle, 48

États-synthèses prévisionnels, 579

Évaluer, 1

Fabrication assistée par ordinateur, 430

Fabrication continue, 13, 16

Fabrication en série, 13

Fabrication intégrée à l'aide de l'ordinateur, 430

Fabrication sur commande, 16, 71

Fabrication sur stock (voir Fabrication en série)

Fabrication uniforme, 16

Facteur d'apprentissage, 316

Facteur qualitatif, 493

Facteur quantitatif, 493

Facteurs cumulatifs de valeur actualisée, 832

Facteurs de coût en capital, 795, 801

Facteurs de valeur actualisée, 832

Facteurs influençant la rentabilité (projet d'investissement), 791

FAO, 430

Feuille d'analyse des frais indirects de fabrication, 118

Feuille d'attachement, 18, 22

Fiche de fabrication, 19, 73

Fiche de stock, 19

Fiche pour horodateur, 18, 21

FIO, 431

Flux monétaire d'entrée (projet d'investissement), 802

Flux monétaire de sortie (projet d'investissement), 802

Fonction économique (programmation linéaire), 572

Fonction Fabrication, 14

Formule budgétaire (mise en place et exploitation), 568

Formule de budget flexible, 128, 131

Fournitures de fabrication, 14

Frais de vente, 539

Frais de vente et comportement humain, 549

Frais fixes, 37, 129

Frais généraux de fabrication (voir Frais indirects de fabrication)

Frais indirects de fabrication, 14, 15, 25, 117

Frais indirects de fabrication budgétés, 36, 127

Frais indirects de fabrication fixes, 37, 129

Frais indirects de fabrication imputés, 31

Frais pour honorer les commandes, 549

Frais pour obtenir des commandes, 548
Frais semi-variables, 37, 130
Frais variables, 37, 128
Freinte, 79, 80, 213
Fret à l'achat de matières, 112

Gestion des prix de vente, 847
Gestion intégrale de la qualité, 410
Gestion par exceptions, 274
GIQ, 410
Grand livre auxiliaire des stocks de
    matières, 18
Grand livre auxiliaire du stock de
    produits en cours, 18
Grand livre auxiliaire des frais indirects
    de fabrication, 18, 118
Graphique de contrôle, 323, 408
Graphique de proportionnalité, 409
Graphique de rentabilité, 461
Graphique p, 409
Graphique R, 409
Graphique V-P, 465

Histogramme, 405
Hypothèses fondamentales (analyse de
    régression), 145

IAO, 431
Impact du prix de vente sur le volume,
    857
Impôt sur le revenu des sociétés, 833
Imputation rationnelle, 16, 30
Incertitude, 517
Inducteur, 364
Inducteur (de coût) primaire, 364
Inducteur (de coût) secondaire, 369
Information parfaite (projet
    d'investissement), 830
Ingénierie assistée par ordinateur, 431
Interactions coût-volume-profit, 460
Interactions coût-volume-profit (mise en
    graphique), 461
Intervalles de confiance, 142
Investissement, 791
Investissement amortissable, 797
Investissement comptable, 816

Investissement non amortissable, 797
Investissements comportant des mises de
    fonds différentes, 820
Investissements de durée inégale, 818

JAT, 423
Journal de répartition des salaires, 18, 24
Journal d'utilisation des matières, 18, 21
Juste-à-temps (comparaison avec
    l'approche traditionnelle), 426
Juste-à-temps (impacts sur la
    comptabilité), 427
Juste-à-temps (principes sous-jacents), 423

Limites de contrôle, 323
Limites de validité, 576
Liste récapitulative des défauts, 404

Machines à commande numérique
    informatisée, 430
Main-d'œuvre directe, 13, 15
Main-d'œuvre indirecte, 15
Maîtrise statistique des processus, 404
Maîtrise totale de la qualité, 410
Majoration des coûts (taux de), 856
Manuel budgétaire, 569
Marge de sécurité, 462
Marge sur coûts directs, 852
Marge sur coûts variables, 448
Marge sur frais – ou coûts – variables
    unitaires, 459
Marge unitaire sur frais – ou coûts –
    variables (voir Marge sur frais – ou
    coûts – variables unitaires)
Matières directes, 13
Matières indirectes, 14
Matières premières, 13
Mesure du risque associé à un
    investissement (méthodes de), 824
Méthode algébrique, 124
Méthode analytique, 134
Méthode de calcul de la rentabilité
    (projet d'investissement), 801
Méthode de calcul du RCI, 699
Méthode de la moyenne mobile, 102

Méthode de la moyenne pondérée (fabrication continue), 198, 213

Méthode de la valeur actualisée nette, 801

Méthode de la valeur de réalisation nette, 255

Méthode de la valeur de réalisation nette hors marge bénéficiaire, 257

Méthode de la valeur marchande relative au point de séparation, 249

Méthode de l'épuisement successif intégral (fabrication continue), 207, 220, 227

Méthode de l'épuisement successif modifié (fabrication continue), 207

Méthode de l'imputation rationnelle, 16

Méthode DEPS, 101

Méthode des coûts par activités (comptabilisation des coûts de revient), 374

Méthode des coûts par activités (contraintes), 373

Méthode des coûts par activités (éléments du coût d'un produit), 362

Méthode des coûts par activités (essence), 361

Méthode des coûts par activités (similitudes et distinctions par rapport aux méthodes de coût de revient traditionnelles), 372

Méthode des coûts proportionnels (voir Méthode du coût variable)

Méthode des deux écarts, 292

Méthode des mesures matérielles, 249

Méthode des moindres carrés, 134

Méthode des points extrêmes, 131

Méthode des quatre écarts, 291

Méthode des trois écarts, 288

Méthode directe, 123

Méthode directe à deux temps, 124

Méthode du coût annuel équivalent, 810

Méthode du coût complet, 447

Méthode du coût de remplacement, 257

Méthode du coût moyen de fin de mois, 102

Méthode du coût variable, 447

Méthode du coût variable (arguments pour et arguments contre son utilisation), 452

Méthode du coût variable (conciliation des résultats avec ceux en coût complet), 449

Méthode du coût variable (emploi de la méthode), 453

Méthode du coût variable (hypothèses de base), 455

Méthode du délai de récupération, 814

Méthode du taux de rendement comptable (projet d'investissement), 816

Méthode du taux de rendement interne, 701, 808

Méthode graphique, 133

Méthode PEPS, 101

Méthodes de détermination des composantes fixes et variables des frais semi-variables, 131

Méthodes de détermination des prix de cession interne, 682

Méthodes de détermination des prix de vente, 847

Méthodes de détermination du coût de revient (de fabrication), 26, 198

Méthode séquentielle, 123

Mise en route, 7, 45, 114

Modifications des données relatives à certaines variables (mesure du risque relatif à un investissement), 829

Montant d'investissement actualisé, 791

MSP, 431

MTQ, 410

Niveau d'activité commerciale d'un produit pour un rendement minimum, 462

Niveaux d'automatisation, 430

Normes ISO, 420

Notion de coût (prise de décision), 496

Normes de la série ISO 9000, 420

Omission de certaines variables (mesure du risque relatif à un investissement), 829

Optimisation de l'ensemble coût-délai, 765

Optimisation des résultats (contexte de décentralisation), 690

Organiser, 1

Palier d'activité (voir Segment d'activité)

Palier d'activité significatif (voir Segment d'activité significatif)

Paramètre d'apprentissage, 317

PEPS, 101

Période budgétaire, 567

Perte anormale, 80

Perte d'unités, 79, 307

Perte évitable, 80

Perte finale, 792

Perte inévitable, 80

Perte normale, 80, 307

Pertinence (critères de la), 495

Plan comptable (comptabilité par centres de responsabilité), 671

Planification, 566

Planifier, 1

Planning à chemin critique, 765

Point mort, 459

Pourcentage de la marge de sécurité, 462

Pourcentage de la marge sur frais variables, 460

Prime de risque (projet d'investissement), 828

Prime en heures supplémentaires, 15, 114

Prix cible, 853

Prix de cession interne, 682

Prix de cession interne (commerce international), 692

Prix de vente et coûts, 855, 860

Prix de vente et modèles économiques classiques, 848

Prix de vente et rendement, 852

Prix de vente et types de marché, 848

Probabilités de réalisation (d'un état), 518

Processus industriel, 195

Production équivalente (voir Équivalents ou Unités équivalentes)

Production par lots, 226

Produire ou acheter, 509

Produit contrôlable, 669

Produit défectueux, 79, 80, 221

Produit gâché, 79, 80, 81, 213, 307

Produit futur, 495

Produit pertinent, 494

Produit principal, 247

Produit supplétif, 690

Programmation linéaire, 572

Qualité (définition et types), 411

Qualité de conception, 411

Qualité de conformité, 411

Rapport des coûts de production, 195, 198, 278

Ratio de la marge de sécurité (voir Pourcentage de la marge de sécurité)

Ratio de la marge sur frais variables (voir Pourcentage de la marge sur frais variables)

Rationalisation des choix budgétaires, 615

RCB, 615

RCI, 703

Recettes nettes d'exploitation (projet d'investissement), 792

Recettes nettes d'exploitation actualisées, 791

Réciprocité du délai de récupération, 815

Récupération d'amortissements fiscaux, 792, 797

Redressement du compte Stock de matières (déficit de stock), 110

Réduction de la valeur des stocks de matières au moindre du coût ou de la valeur marchande, 110

Réfection (coût de), 84

Régime de retraite, 117

Régression linéaire simple, 135

Régression multiple rectilinéaire, 143

Rejets, 79

Relevé de production, 18, 23

Remue-méninges, 407
Rendement de l'investissement comptable (projet d'investissement), 816
Rendement des responsables divisionnaires, 692
Rendement du capital investi divisionnaire (taux de), 703, 704
Rendement du produit, 852
Rentabilité d'investissement (concept), 790
Rentabilité des projets d'investissement, 787
Répartition des coûts communs, 118
Répartition des coûts des sections auxiliaires, 121
Répartition primaire, 127
Répartition secondaire, 127
Résidus, 79, 80, 108
Ressources directes, 363
Ressources indirectes, 364
Résultat budgétaire a posteriori, 589
Résultat divisionnaire, 682
Retour à l'entrepôt effectué par l'usine, 107
Retour au fournisseur, 105
Revenu marginal, 849
Révision des coûts standards, 307
Risque (décision d'investir), 824
Rôle du comptable (prise de décision), 492

Section auxiliaire, 117
Section comptable (voir Section de calcul)
Section de calcul, 43
Section de soutien, 117
Section principale, 43, 117
Segment d'activité, 146
Segment d'activité significatif (pertinent), 146
Service des coûts de revient, 20
Seuil de rentabilité, 459
Seuil de rentabilité par produit (voir Ventes diversifiées)
Sondage pour acceptation, 403
Sous-imputation, 36
Sous-imputation (analyse), 36

Sous-produits, 247
Standards de frais indirects de fabrication, 277
Standards de main-d'œuvre directe, 276
Standards de matières premières, 276
Standards qualitatifs, 276
Standards quantitatifs, 276
Stock de matières, 14
Stock de produits en cours, 16, 73
Stock de produits finis, 16, 73
Stratégie de prix d'écrémage, 859
Stratégie de prix de pénétration, 860
Surimputation, 36
Surimputation (analyse), 36
Système de production flexible, 430
Système (de gestion ou management) de la qualité, 420

Tableau des extrants et des équivalents, 199
Tableau des produits traités, 199
Table de facteurs cumulatifs de valeur actualisée, 832
Table de facteurs de valeur actualisée, 832
Table de logarithmes, 320
Taux d'apprentissage, 317
Taux de majoration (détermination du prix de vente), 856
Taux de rabais (mesure du risque relatif à un investissement), 828
Taux de rendement comptable (projet d'investissement), 816
Taux de rendement du capital investi (contexte de décentralisation), 698
Taux de rendement interne, 808
Taux de rendement minimum acceptable, 787
Technologies manufacturières automatisées, 430
Temps mort, 15
Traitement comptable des sur- ou sous-imputations, 34
Traitement des écarts en fin d'exercice, 298

TRI, 701

Types (modes) de fabrication, 13, 194

Types de marché (et de prix de vente), 848

Unité de mesure (fabrication continue), 225

Unité d'œuvre, 31, 44

Unités équivalentes, 199, 278

Valeur actualisée des coûts d'exploitation et d'investissement, 810

Valeur actualisée nette, 801

Valeur comptable de l'actif divisionnaire, 699

Valeur comptable de l'actif divisionnaire majorée des amortissements cumulés, 700

Valeur de réalisation nette, 255

Valeur de récupération (projet d'investissement), 792

Valeur de t, 151

Valeur espérée d'une information parfaite (projet d'investissement), 830

Valeur marchande théorique, 252

VAN, 801

Variance (mesure de risque relatif à un investissement), 826

Ventes diversifiées, 465

Volume d'activité (unités d'œuvre), 30

Volume d'unités d'œuvre (concepts de), 45

Volume d'unités d'œuvre atteint, 31

Volume d'unités d'œuvre prédéterminé, 31

V-P (graphique), 465

Zéro-défaut, 417